FONCTIONNAIRES DE DIEU

Eugen Drewermann

Fonctionnaires de Dieu

Traduit de l'allemand par
Francis Piquerez et Eugène Wéber
et révisé par Jean-Pierre Bagot

Ouvrage publié avec le concours
du Centre national des Lettres

Albin Michel

Albin Michel
Spiritualités

Collections dirigées
par Jean Mouttapa et Marc de Smedt

Édition originale allemande :
KLERIKER
PSYCHOGRAMM EINES IDEALS

22, rue Huyghens, 75014 Paris

ISBN 2-226-06158-4

Seul un être épanoui peut faire du bien
(proverbe bouddhique)

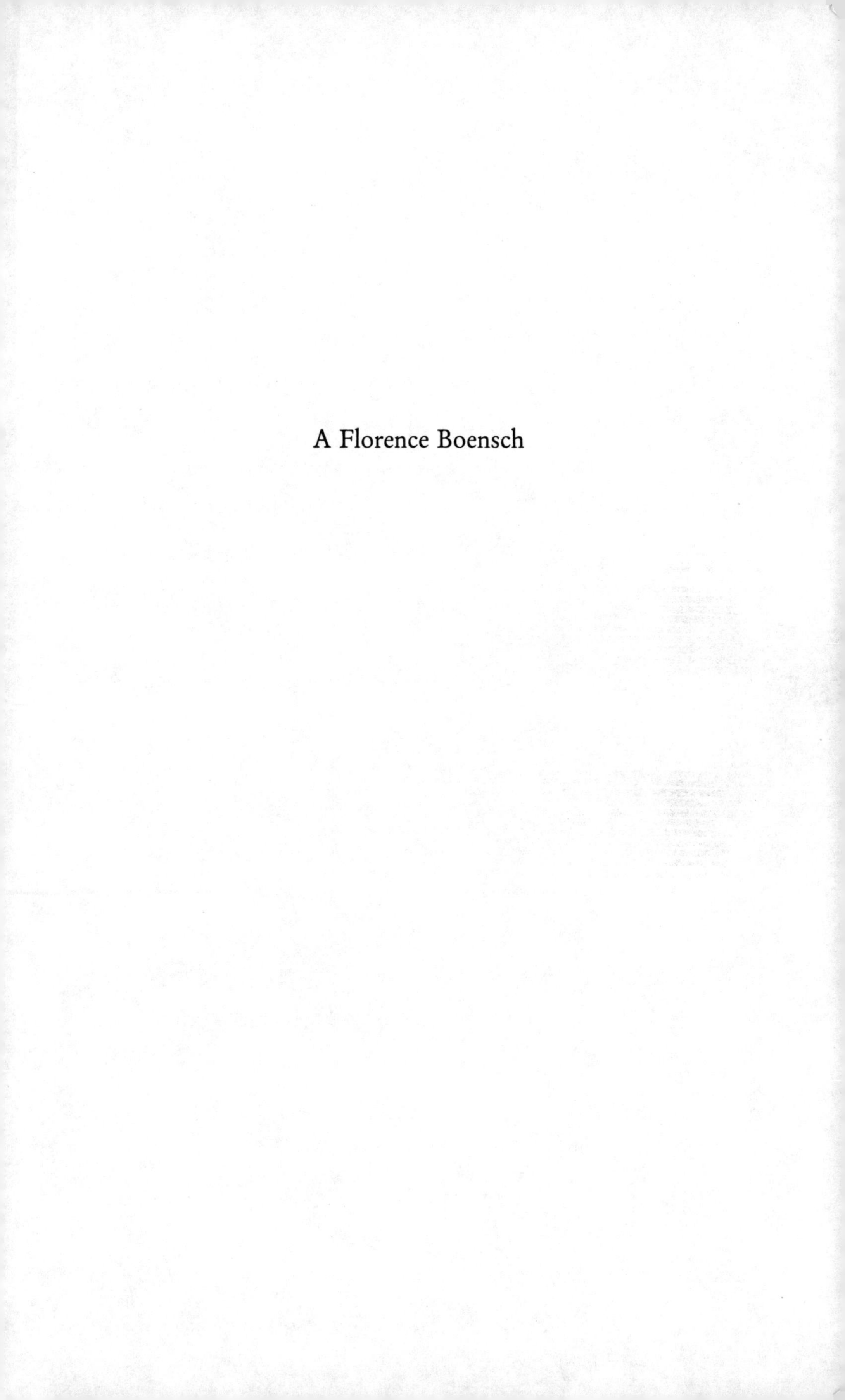

A Florence Boensch

Sommaire

PROLOGUE

Le curé d'Ozeron ou le but n'est pas le point de départ

« A Ozeron, dans la plénitude solaire et la joie de feuillages, le grillon, la fauvette et le merle se taisent pour écouter la voix du chanteur rubicond, aux lunettes d'acier :

In supremae nocte cenae
Recumbens cum fratribus...
(Au soir du dernier repas
alors qu'il était à table avec ses frères...)

« Ainsi, Seigneur, vous vous êtes mis à table avec nous, dans la nuit de la dernière Cène, et vous nous avez appelés vos frères.

La brise court comme l'eau, les noisettes s'arrondissent, les joncs, le foin, la menthe, les campanules jonchent la rue. La procession passe comme balancée. Les pieds des enfants tantôt se précipitent, tantôt s'arrêtent. Et la bannière, au milieu de la rue, avance. Des rameaux, encore pleins de vie, coupés d'hier, tendent une voile verte contre les murs. Les champs de blé se dressent, là-bas, comme des tables magnifiques :

Observata lege plene
Cibis in legalibus...
(Dans la pleine observance de la loi
et des prescriptions alimentaires...)

« Voici des roses, une cascade de roses à l'angle du vieux mur, une cascade de roses rouges, comme s'il avait plu du feu. Voilà deux lys entre deux cierges aux flammes rousses. Un petit chat s'entoure de sa queue dont l'extrémité se tortille. Et le bon chien, à qui les enfants avaient donné la croix d'honneur, regarde le défilé. Son beau panache va et vient, il est un peu étonné. Tout cela fait partie du cadre de ce ciel qui ne méprise aucune créature, pas plus le chien ou le chat que la guêpe qui livre bataille au capricorne sous le chêne :

Cibum turbae duadenae
Se dat suis manibus...
(Il se donne en nourriture aux Douze
de ses propres mains...)

« Ô mélodie bienheureuse ! Ô vous qui vous donnez à manger, de vos propres mains, à ceux que vous avez choisis : il ne nous reste plus qu'à demeurer dans l'éternité. »

C'est ainsi que, il y a plus d'un demi-siècle, dans son roman, *Monsieur le curé d'Ozeron,* Francis Jammes, le poète basque, décrivait une procession de la Fête-Dieu[1]. Cette cérémonie exprimait en profondeur ce qui, pour lui, constituait la figure du père, du « curé ». Tel qu'il le voit, celui-ci est le symbole vivant, bien plus, le garant spirituel d'un monde qui, en dépit de toute la faiblesse et des fautes des hommes, n'a jamais quitté les mains de Dieu. Dans sa poésie, tout ce qui existe, tout ce qui vit est un hymne au bonheur et à la beauté, un cantique de louanges sans fin rendant grâce pour l'être qui nous est donné. Certes, dans ses profondeurs, cette vie ne se maintient qu'à travers la lutte et la mort ; mais même la fleur coupée rend encore un hommage passager à son Créateur : tel un vent léger, la main invisible de Dieu caresse et étreint tous les êtres. C'est toutefois au personnage du prêtre de donner une dimension et une portée humaines à l'invisible, au divin, car en sa personne s'unissent le feu de la rose rouge, celui de l'amour et de la passion, et la blancheur du lys, celle de la pureté et de l'innocence. Le prêtre doit être le lieu où Dieu se fait le pain de l'homme, où il se dépouille de sa grandeur et de sa magnificence et où il se met à la mesure de l'homme en devenant sa nourriture quotidienne. Inversement, par sa bénédiction et sa prière, le prêtre doit sanctifier le pain de l'homme, le transfigurer, pour en faire le lieu où se manifeste le divin. Ainsi le monde entier est-il sacrement ; chacune de ses parties est illustration et geste d'un secret divin, chacun de ses lieux présence latente de l'Éternel, si bien que le chant du prêtre révèle et proclame ce qu'évoque le concert inarticulé, sans paroles, muet, de tous les êtres vivants : l'harmonie de la fraternité qui règne entre les créatures, le théâtre de la dernière Cène qu'est le monde entier, la Jérusalem céleste que préfigure chaque bourgade, chaque petit hameau. Entre les mains du prêtre, tel que le voit Francis Jammes, toute chose retrouve son équilibre et respire la paix du ciel. Par ses paroles, ceux qui désespèrent retrouvent courage, les coupables connaissent le pardon et les mourants l'espoir. A travers ses yeux, le monde devient transparent jusqu'en ses fondements et, au milieu des ténèbres, laisse entrevoir un peu la lueur des étoiles. En ce sens, « Ozeron » est partout où un prêtre touche les âmes en les invitant à voir dans leur vie un chemin de sanctification et d'action de grâce ; un monde fraternel qui n'attend que le moment de la mort pour passer à cette sphère de l'éternel qui nous est promise dans ce repas sacré.

Et pourtant, de nos jours, « Ozeron » est infiniment loin.

Certes, sous la conduite d'un homme à la piété sincère tel que Francis Jammes, il serait tentant et bien agréable de poursuivre des considérations de ce genre sur la nature du prêtre. Après des années de souffrance et de doute, le poète français considérait ces pensées comme si importantes que, sous l'influence de Paul Claudel et de sa spiritualité poétique, il se convertit au catholicisme[2]. Pour rendre témoignage au divin, il aspirait à un monde idéal, à un monde où le prêtre aurait pour fonction de sanctifier jusqu'en leur tréfonds tous les êtres vivants, d'en bénir les efforts, d'en compléter les manques et d'en purifier le vouloir. Comme il serait bon de pouvoir faire ressurgir aujourd'hui son univers ! Mais c'est absolument impossible. Il est évident que cette poésie d'un auteur qui débordait d'amour, de compassion et de bonté, est totalement coupée du réel. Non pas tant de par la distance chronologique qui nous sépare de l'Ozeron idyllique, ce village de la France méridionale où les hirondelles tournoyaient joyeusement comme des messagères divines autour du clocher de l'église, et où tous ceux qui s'aimaient étaient unis en Dieu, qu'en raison d'un changement fondamental de climat spirituel qui conduit à projeter sur le prêtre des attentes peut-être pas différentes de celles d'autrefois, mais certainement beaucoup plus radicales.

Dans le *Journal d'un curé de campagne*, Bernanos faisait observer qu'était déjà fini le temps où on envoyait encore dans les paroisses de vrais « curés », de la stature de celui de Torcy. Au lieu des fortes personnalités nécessaires, on n'appelait plus à la vigne du Seigneur que des « enfants de chœur »[3] — remarque qui valait déjà il y a plus de cinquante ans ! Cependant, ce n'est pas la neurasthénie croissante de la relève sacerdotale qui le justifie ! Simplement, les temps sont définitivement passés où « Monsieur le curé », gardien officiel de l'ordre public, on pourrait dire représentant attardé du premier état, était le centre spirituel de la vie de sa paroisse (rurale). Aujourd'hui, exactement deux cents ans après la Révolution française, qui accepterait sans plus la parole du prêtre, simplement parce qu'elle est celle du curé ? Déplacement radical : ce n'est plus à la fonction qu'on fait confiance, mais à la personne, et c'est pourquoi il est devenu impossible de voir encore dans le langage de Francis Jammes, de Georges Bernanos ou de Paul Claudel autre chose que l'expression de la nostalgie.

Le recul du temps ne fait que souligner davantage la valeur de ce constat. Il y a eu modification profonde des sentiments que l'on pouvait avoir vis-à-vis de l'institution du sacerdoce catholique ; un désenchantement, une démystification, une nouvelle façon séculière de percevoir le clerc et de se comporter avec lui. Cette transformation va de pair avec une intériorisation essentielle de toute la vie religieuse avec laquelle elle se confond. Le problème actuel du clergé, ce n'est pas celui de l'effondrement d'une Église dite populaire, réduite à un archipel d'îlots catholiques bien conservés, mais, au contraire, l'aversion qu'éprouvent spontanément les gens pour tout ordre purement extérieur, pour toute autorité qu'ils n'auraient pas intérieurement accréditée, pour toute forme de religion purement administrative qui n'émanerait pas de leur personne et qu'ils n'auraient pas eux-mêmes ratifiée : voilà ce qui ruine mortellement le statut de « l'Église populaire » et rend impossible tout retour en arrière.

C'est dire que le problème de la psychologie de l'état clérical devient capital. Or c'est bien le point faible du catholicisme. Car, dans la mesure où l'Église considère essentiellement les clercs comme ses délégués et ses représentants, elle les prive de crédibilité humaine et sape donc ainsi leur situation. Bien sûr, les romans de Francis Jammes ou de Georges Bernanos ne sauraient perdre du jour au lendemain leur rang dans l'histoire de la littérature. Mais on ne peut plus les lire sans être frappé par la façon artificielle dont ces auteurs traitent de ces questions psychologiques : tiraillés entre le lyrisme et le réalisme, ils les projettent dans un monde métaphysique inaccessible, sans jamais leur apporter de réponse *sur terre*, au niveau humain, celui de la psychothérapie et de la pastorale.

Déjà, la dernière fois que je fis projeter devant la communauté locale des étudiants le chef-d'œuvre de Robert Bresson, *Le Journal d'un curé de campagne*[4], j'avais senti qu'une époque était définitivement terminée : celle où on pouvait encore comprendre le sens paulinien des notions théologiques de « faiblesse » et de « grâce », les « existentialiser », comme on l'avait fait pendant des siècles, en fournissant ainsi des références et des repères à des générations de prêtres plongées dans le désarroi. Dans le personnage du « curé de campagne », dans cette figure sacrée de croyant subjectivement convaincu et convaincant, les spectateurs ne voyaient plus qu'un névrosé souffrant de l'estomac, donc quelqu'un relevant d'un traitement psychiatrique. On ne percevait plus dans son langage religieux de la souffrance et de la rédemption que l'expression d'un cas psychopathologique. Autrement dit, cent ans après Nietzsche, soixante-dix ans après Freud, on a depuis longtemps atteint et dépassé le point à partir duquel il n'est plus possible de parler de Dieu à l'homme en des termes psychologiquement, humainement inappropriés. Les signes de cet état de choses ne sont pas nouveaux. Simplement, on les a trop longtemps et trop volontiers ignorés.

Le changement était déjà perceptible au début des années cinquante, dans le célèbre roman de Graham Greene, *La Puissance et la Gloire*. A l'instar du prêtre de Bernanos[5], celui de Greene est chroniquement faible et malade. Mais les stigmates révélateurs de la névrose et du refoulement ne sont plus seulement somatiques, ce qui leur donnait encore un caractère de « netteté morale » et permettait de masquer la réalité sous une apparence d'intégrité personnelle. Chez le romancier anglais, la « maladie » du prêtre, ce n'est plus la lourde hérédité alcoolique léguée par les parents, mais son propre alcoolisme ; pour tenir le coup, il a besoin de tout autre chose que des espèces eucharistiques du pain et du vin, en elles-mêmes symboliques, dont se nourrissait le curé de Bernanos : il lui faut tout banalement du whisky. Sa « faiblesse » n'a rien à voir avec l'anémie maladive du premier : elle consiste en un surcroît de vitalité qui, célibat ou pas, le pousse dans les bras d'une femme qui, de « péché », est devenue pour lui « devoir ». La censure romaine mit rapidement l'ouvrage à l'*Index*, tant l'image de ce prêtre ivrogne et concubin lui semblait ridiculiser de façon infamante la sainteté de l'état clérical[6]. Mais les centaines de milliers de lecteurs de ce roman, traduit dans toutes les langues européennes, en jugèrent et en jugent encore tout autrement, cela de façon fort caractéristique : ils trouvent plus honnête, plus humain et plus proche de la réalité ce portrait de prêtre apparemment dépravé que le tableau cathare désincarné de Bernanos ou que la figure spirituellement idéale de Jammes ; ils aiment, dans sa déchéance même, ce martyr malgré lui, ce héraut de la grâce enfermé dans son péché, ce raté qui ne se retrouve lui-même qu'au moment de mourir. Un prêtre nous semble aujourd'hui plus convaincant comme homme, avec toutes ses contradictions, et dans ses contradictions mêmes, parce que sa proximité des hommes le fait paraître plus proche de Dieu que celui qui plane dans les nuages en se gardant de se salir les pieds dans la poussière du monde. Changement de la conception du monde religieux que Stefan Zweig avait déjà fort bien vu il y a plusieurs décennies : « Toujours, et à chaque époque, des hommes seront forcés d'aspirer à la sainteté, parce que le sentiment religieux de l'humanité a besoin sans cesse de cette forme spirituelle suprême [...] ; seulement, il n'est plus nécessaire que nous considérions ces êtres admirables et rares comme des êtres divins et infaillibles, situés en dehors de toute caducité terrestre, mais, au contraire, nous aimons ces " essayeurs " grandioses, ces esprits audacieux précisément dans leurs crises et leurs combats, et là où nous les aimons le plus, c'est non pas en dépit de leur faillibilité, mais à cause d'elle. Car notre génération ne veut plus vénérer ses saints comme des envoyés de Dieu venus d'un au-delà supraterrestre, mais comme les plus terrestres des humains[7]. » Autrement dit, on ne croit plus au « témoignage chrétien » d'ecclésiastiques qui s'épargnent l'existence humaine et terrestre, la vie semée d'embûches et « tributaire du péché », en traçant une frontière hermétique autour du clerc. Un témoin ne restera encore crédible que si, animé d'une force confiante, il ne craint pas de s'exposer corps et âme au doute, au besoin, au désespoir, à la boue, à la laideur, au danger du mépris et de l'incompréhension, au tragique de l'erreur et au désastre de l'échec, aux aléas funestes des meilleures intentions et aux hasards déshonorants des sentiments, même de l'amour.

Il est donc impossible de partir de la transfiguration mystique et héroïque de l'état clérical, comme le faisaient Francis Jammes et Georges Bernanos. Leur poésie sacramentelle et leur savoir de la tentation et de la grâce ne sauraient plus prendre place qu'au terme d'une recherche qui commencerait par intégrer la dimension humaine de l'histoire personnelle et de la structure psychique du clerc, non pas pour rendre celui-ci plus contestable et en détruire la crédibilité, mais au contraire pour faire voir comment il peut montrer par sa vie réelle la façon dont la vérité agit en lui. Jésus n'a pas choisi pour apôtres des icônes dorées, mais bien des êtres de chair, faibles, vulnérables, parfois complètement perdus. Ainsi que l'explique l'Épître aux Hébreux : « " Tout grand-prêtre en effet, pris d'entre les hommes, est établi en faveur des hommes dans leurs rapports avec Dieu. " Son rôle est d'offrir des dons et des sacrifices pour les péchés. Il est capable d'avoir de la compréhension pour ceux qui ne savent pas et s'égarent, car il est, lui aussi, atteint de tous côtés par la faiblesse [8]. » Celui qui tient au monde d'« Ozeron » doit savoir que, sur cette terre, le chemin qui conduit au paradis est long. C'est pourquoi, pour décrire les choses, il ne doit pas se contenter de décrire la « Jérusalem sainte », même en termes de Terre promise à l'horizon du marécage de la détresse humaine, en termes de Canaan. Il doit insister sur la façon dont se fait le passage de l'homme au clerc et du clerc à l'homme. Il doit surmonter l'abîme qui sépare le sacré du profane, sans jamais perdre de vue l'unité qui lui permet de parler de Dieu en intégrant la totalité des contradictions entre la nature et la culture, la sensualité et la moralité, le divin et l'humain.

En un certain sens, on peut dire aussi qu'il s'agit de redonner au sacerdoce ministériel, à l'état clérical, ses dimensions *prophétiques* et *poétiques*. Dans son roman *Narcisse et Goldmund*, Hermann Hesse a remarquablement illustré la polarité et l'unité de ces contradictions en opposant le père abbé, prêtre-ascète fidèle, qu'il a nommé Narcisse pour manifester le risque qu'il court à vouloir se protéger en s'enfermant dans une contemplation ruineuse, et cet *alter ego* qu'il a appelé Goldmund (Bouche d'or, *NdT*), l'artiste toujours en recherche, pécheur, mais comblé de grâce. Le père abbé lui-même, au terme d'un long combat intérieur, déclare : « C'est maintenant seulement que je constate que bien des chemins mènent à la connaissance et que la voie de la pensée abstraite n'est pas la seule, ni peut-être la meilleure. C'est là ma voie, certes, et je m'y tiendrai. Mais je te vois, par la voie opposée, saisir aussi profondément le secret de l'être et l'exprimer de façon bien plus vivante que ne le peuvent faire la plupart des penseurs [...]. Notre pensée est une constante abstraction, elle se détourne du sensible, elle essaie de construire un monde purement spirituel. Mais toi, tu prends justement à cœur ce qui est inconstant et mortel et tu proclames le sens du monde précisément dans ce qui est fugitif. Tu ne t'en détournes pas, tu t'y abandonnes corps et âme et, par ton amour passionné, tu lui donnes une valeur suprême, tu en fais le symbole de l'Éternel. Nous, penseurs, nous essayons de nous approcher de Dieu en excluant de lui le monde. Toi, tu te rapproches de lui en aimant sa création et en la recréant. Les deux méthodes sont humaines, par suite imparfaites ; mais il y a plus d'innocence dans l'art[9]. » Oui, un peu plus tard, Narcisse doit même admettre que Goldmund l'a non seulement enrichi, mais aussi rendu plus pauvre et plus faible : « Le monde dans lequel il vivait, où il se sentait chez lui, son monde, sa vie monacale, son ministère, sa science, la belle architecture de ses pensées avaient été souvent violemment ébranlés et mis en question par l'artiste[10]. »

Aujourd'hui, on ne saurait rendre sa crédibilité à l'état clérical que si on réussit à reconstituer « l'unité de Narcisse et Goldmund », à vivre de cette unité. Ainsi seulement le clerc pourra correspondre à l'exemple de Jésus, qui n'était ni moine ni prêtre, mais prophète et poète, vagabond et visionnaire, médecin et confident, prédicateur ambulant et troubadour, arlequin et magicien de la miséricorde éternelle et inépuisable de Dieu[11]. Quand les « roses » et les « lys » qui jalonnent la procession de la Fête-Dieu de Francis Jammes pourront s'épanouir ensemble comme l'efflorescence indissociable d'une seule et même vie au cœur de l'existence du clerc, alors seulement, le prêtre, la religieuse ou le moine cesseront de présenter un type de sainteté coupée de la vie, autrement dit comme une espèce de distorsion hypocrite de la réalité, dont, toute révérence gardée, on sourit par-devers soi.

On ne voit pas aujourd'hui comment on pourrait s'engager dans cette unité vivante sans cet instrument qui déclenche pourtant tant de réactions de défense (en partie compréhensibles) de l'Église catholique dès qu'il s'agit des clercs : la psychanalyse.

Dans cet ouvrage, nous assimilons aux « clercs » (*Kleriker*, titre de l'édition allemande) les religieuses. Par leurs capacités constructives et leurs conflits psychiques, elles appartiennent au même monde que leurs homologues masculins. Certes, le canon 1024 du droit ecclésiastique, aux termes duquel seuls les mâles ont accès aux ordres sacrés, creuse un fossé juridique important et, psychologiquement, fort caractéristique entre les deux sexes : il privilégie l'homme par rapport à la femme. Cependant les structures psychiques restent identiques.

De même, nous ne faisons aucune distinction entre les « ordres » et les communautés que le Droit canon appelle « congrégations » ou « associations pieuses ». En effet, ce qui nous intéresse ici, ce ne sont pas les notions juridiques, mais les structures psychologiques. Nous nous en tiendrons par conséquent à la terminologie d'usage courant aussi bien à l'intérieur de l'Église qu'à l'extérieur.

PROPOS ET NATURE DE CE TRAVAIL

Pourquoi une étude psychanalytique sur les clercs ?

Certains de mes amis m'ont mis en garde contre les dangers de l'entreprise. D'autres, dont les bonnes intentions ne me paraissent pas au-dessus de tout soupçon, m'y ont encouragé. Mais aucune de leurs suggestions n'a été déterminante — ni ne pouvait l'être. Il est certes plus commode d'éviter certains sujets délicats, surtout si les chances de succès sont sans rapport avec les risques courus. Pourtant si, dans les situations périlleuses, il n'est pas facile de distinguer clairement entre sagesse et lâcheté, il est en tout cas clair qu'un théologien engagé ne saurait se montrer « sage ». Pour lui plus que pour n'importe qui devrait valoir la règle que Jésus a donnée à ses apôtres et leur a laissée en guise de testament : pleins de force confiante, « ils prendront dans leurs mains des serpents » et « boiront un poison mortel » sans ressentir aucun mal [1]. Prendre des serpents dans ses mains : autrement dit rassembler tout son courage et faire front aux difficultés, au lieu de laisser pourrir la situation ; et boire impunément un poison mortel : ne craindre ni la calomnie ni la diffamation. L'honneur d'un théologien, sa vie, ses intentions, ce devrait être de se conformer aux paroles remontant à la source préévangélique par lesquelles Jésus adjure ses apôtres de ne pas craindre les hommes, mais de s'en remettre a Dieu seul (Mt 10, 28 ; Lc, 12, 4) [2]. S'il est quelqu'un sur terre chez qui on devrait aller chercher une telle attitude de courage à toute épreuve, c'est avant tout chez lui. On peut éventuellement user d'une indulgente sagesse avec ceux qui, face au pouvoir, acceptent servilement les tabous de la pensée et de la parole, mais devant Dieu, le théologien a le pouvoir de remuer tous les « nœuds de vipères » et, au besoin, d'avaler du poison, avec l'espoir de « survivre » spirituellement.

Dans ces conditions, comment pourrait-on encore, jusque dans sa propre Église, céder à la peur et ne pas proclamer la vérité, une fois qu'on l'a clairement reconnue ? Si la communauté ecclésiale veut se conformer à l'idée qu'elle se fait d'elle-même, elle ne devrait se fonder ni sur l'expérience de ses carences, ni sur des structures intériorisant la violence, mais, à la différence de tous les autres groupes humains, essentiellement sur le don de la grâce ; donc vivre dans une attitude d'ouverture confiante. Il est impensable que, par peur des représailles et des punitions, ses représentants puissent se dérober à la discussion franche et libre d'un problème qui les concerne directement. Dans l'Église du Christ, plus que toute autre question, on devrait pouvoir aborder en toute honnêteté le problème des clercs, sans complexe et sans contrainte extérieure.

Mais chacun sait ce qu'il en est. Depuis des siècles, il n'y a pas dans l'Église catholique de tabou plus tenace que l'idéal clérical. Ceux mêmes dont la vocation est d'incarner et de respirer au maximum la spontanéité et la liberté semblent éprouver le besoin, pour survivre, de dresser un singulier cordon hermétique de barrières mentales et d'interdits verbaux, comme si, telles des fresques antiques, ils risquaient de se désagréger au premier souffle d'air libre. C'est vrai : dans toutes les sociétés s'établissent des zones protégées destinées à défendre contre la force subversive de l'analyse certaines institutions vitales[3]. Vrai encore : celui qui viole la zone sacrée, même pour la protéger, s'expose quasi automatiquement au châtiment, comme par un enchaînement de cause à effet. C'est exactement ce qui arriva au pauvre Uzza de la Bible, lors du transfert à Jérusalem de l'arche du Seigneur : avec son frère Ahyo, il l'accompagnait en dansant (2 S 6, 4-8). Sur l'aire de Nakôn, les bœufs menaçaient de la renverser, et il voulut la retenir par la main. En dépit de ses bonnes intentions, la « colère » du Seigneur s'enflamma contre lui, et il tomba mort près de l'arche de Dieu[4]. Ainsi le sacré ne serait-il pas le sacré s'il ne se révélait sacro-saint, précisément en ce qu'il est intouchable, et qu'il sanctionne donc celui qui le profane. Mais, quelque exactes que soient généralement de telles interactions en psychologie religieuse et en dynamique de groupe, elles montrent d'autant plus clairement par contraste que l'Église ne peut pas s'abriter derrière le tabou et l'intimidation pour protéger ce qui, pour elle, revêt un caractère sacré. Si elle entend rester fidèle à ses aspirations et conserver sa crédibilité, sa seule et unique force de conviction, c'est l'évidence d'une humanité libre et ouverte.

Ne saurait donc lui rendre service celui qui, par crainte des sanctions, fermerait respectueusement les yeux sur les points névralgiques de ses peurs institutionnalisées. Dans son propre intérêt, il faut au contraire tout faire pour favoriser ce pouvoir divin qu'est la libre expression, et l'aider ainsi à percevoir ses limites dans sa façon même de se présenter. De ce point de vue, les amis qui m'ont conseillé de ne pas écrire ce livre trahissaient leur manque de confiance dans les forces de l'Église, mais aussi dans l'amitié.

Ce serait par ailleurs une erreur non moins fondamentale de considérer la réflexion psychanalytique sur la question cléricale comme un défi politique lancé à l'Église. Certes, en touchant les couches profondes de la psyché humaine, les sondes de la psychologie troublent à leur manière le calme superficiel d'une anthropologie humaine réduite à la pensée et à la volonté conscientes. Il est par ailleurs indiscutable que la psychanalyse, loin d'être une pure introspection individuelle, ainsi qu'on l'en a soupçonnée[5], a vraiment définitivement changé le visage de la culture occidentale sur des points essentiels. Mais son acuité même est ce qui la rend le plus impropre à la polémique[6] Elle constitue un instrument de transformation extrêmement efficace, mais, en cela même, elle est et reste limitée au but qu'elle poursuit : la prise de conscience et le développement dans la liberté. Les reproches, les accusations et les contraintes ne sauraient y trouver place. Elle peut et veut mettre en lumière les interactions, les tendances, les ressorts cachés et les structures, afin de les rendre plus fonctionnels, ceci selon les possibilités du patient ; elle fournit quantité d'indications sur ce qui devrait raisonnablement en résulter ; mais elle ne peut décider elle-même de ce qui en résulte effectivement. Les seuls facteurs réels de changement, ce sont d'abord la souffrance morale, une réalité à laquelle elle se doit de rester constamment attentive, et la confrontation de ses résultats concernant certaines situations concrètes avec l'idée que le patient se fait de lui-même, c'est-à-dire, dans le cas qui nous occupe, avec les exigences théologiques que l'Église pense pouvoir formuler, tant en ce qui la concerne qu'en ce qui concerne ses membres. En ce sens, quel qu'en soit l'objectif, une étude psychanalytique n'est jamais en soi polémique « politique », mais tentative de mieux comprendre quelque chose.

Il est particulièrement important de rappeler aux lecteurs de ce livre combien, s'il veut vraiment aider à guérir, l'analyste doit se garder de toute attitude de jugement ; il lui faut avant tout se montrer compréhensif. Les choses ne peuvent venir à la lumière que s'il existe un climat de confiance totale entre lui et l'analysant. Il doit donc se refuser à toute censure, à toute manipulation de ce que son client vit et exprime. C'est dans la mesure où l'analysant saisira cette tolérance qu'il pourra accepter de faire honnêtement face à ce qu'il vit et, sur les bases du donné psychanalytique, trouver le courage de réviser ses positions.

En fait, un livre garde forcément un caractère abstrait. Il ne saurait permettre la liberté et la spontanéité qui sont choses si importantes dans la rencontre humaine directe. Il isole certaines données d'expérience et en tire des connaissances théoriques, les jetant pour ainsi dire sans précaution à la figure du lecteur. Le problème des traités de psychanalyse, ce n'est pas de n'en pas dire assez à ce lecteur ; c'est de lui en dire plus sur lui-même que ce qu'il est raisonnablement capable d'assimiler. Il lui faudrait fournir à chacun un programme d'utilisation particulier lui permettant de l'interpréter en fonction de sa situation psychodynamique propre. Car un livre de ce genre ne se lit pas comme un traité de chimie des hydrocarbures : on ne le comprend que si on en voit le rapport avec sa propre existence. Il peut alors arriver que son effet sur tel ou tel soit fort différent de celui que nous visons. Déjà, dans certaines séances de thérapie, on voit des analysants qui ressentent comme un reproche et une mise en accusation une révélation qui, en soi, voudrait être une aide et un encouragement. C'est en particulier le cas de certaines personnes dont la structure psychologique est dominée par une névrose de contrainte : leur obsession de la perfection les empêche de tirer profit de ce qu'on leur dit. De même arrivera-t-il que certains lecteurs prendront pour des reproches ce qui, dans ce livre, est simple constatation. Un ouvrage de psychanalyse peut fort bien conduire celui qui est prédisposé à la dépression à un renforcement de son surmoi, donc à une tendance à se déprécier plus encore qu'auparavant.

C'est pourquoi nous voudrions commencer par rassurer les clercs — nombreux, nous l'espérons — qui chercheront dans ce livre des réponses à leurs doutes et à leurs interrogations : nous ne visons ni à projeter sur eux un éclairage défavorable, ni à déconsidérer en soi l'état de vie sacerdotal et religieux, ni à démoraliser ceux qui poursuivent un idéal personnel. Nous souhaitons uniquement créer le climat de tolérance permettant de briser les vieux tabous et de regarder en face les problèmes actuels. Il faut absolument rétablir dans ce grand groupe qu'est l'Église la liberté d'expression inconditionnelle devant Dieu, celle dont parle l'Epître aux Hébreux (3, 6), donc cette permission de s'exprimer qui, en psychothérapie, est vraiment le déclencheur de la libération intérieure[7]. Nous aurons atteint un des principaux objectifs de notre travail si nous réussissons à rompre la solitude dans laquelle vivent tant de prêtres et de religieux, à les sortir de leur anonymat fonctionnel, du ghetto à l'intérieur duquel ils ont constamment à incarner un certain idéal. Car l'obligation de se référer continuellement à celui-ci les conduit souvent à ne plus pouvoir se considérer en privé que comme des ratés. Quand la communication se heurte à des tabous, le clerc a le pénible sentiment que ses tensions et ses difficultés sont inavouables, qu'il est la brebis galeuse au sein de son groupe de frères et de sœurs, et ce n'est pas là un de ses moindres problèmes. Nous entendons donc montrer que le prêtre, la religieuse, le Père ou le Frère ont parfaitement le droit, eux aussi, et peut-être plus que n'importe qui, d'avoir des problèmes. Bien plus, s'ils veulent vraiment être clercs, ils en ont nécessairement. Il vaut alors la peine d'en parler ouvertement, partant de la conviction que le caractère apparemment insoluble de leurs conflits tient avant tout, non pas à ces difficultés psychiques comme telles, mais à la façon dont on les refoule en les taisant.

Nous entendons plaider ici non seulement pour ceux parmi les clercs qui se sentent complètement dépassés, indignes, incapables, maudits, hypocrites chroniques, menteurs attitrés, masques ambulants, instables parce que frustrés dans leurs décompensations mêmes, intoxiqués, ou « pervers » et « dégénérés » (soi-disant ou réellement). Nous faisons aussi un plaidoyer pour tous les aspects de la psyché humaine qui ne sont pas assumés ou sont refusés avec des sentiments de culpabilité à l'ombre de la vie officielle des clercs. Nous voudrions les aider à en finir avec l'idée que leurs problèmes intérieurs, leurs échecs ne sont dus qu'à leurs déficiences personnelles, alors qu'ils ont en réalité leur source dans des structures objectives, celles avec lesquelles l'Église vient « régler » la vie de ses membres les plus loyaux et les plus dévoués.

C'est bien ici que notre réflexion psychanalytique vient toucher la dimension politique de l'Église. Elle opère en effet un double déplacement du problème.

Quand il leur arrive de traiter de problèmes psychologiques, les livres sur l'état clérical le font en général en termes moralisants de réussite ou d'échec[8] : si les clercs collaborent de plein gré à la grâce de Dieu qui les a appelés, ils doivent être en mesure de répondre aux exigences de l'état clérical qu'a fixées l'Église[9] ; car, selon une doctrine théologique tenue pour certaine, Dieu donne à chacun toutes les grâces nécessaires pour résister aux tentations du monde[10]

La réflexion psychanalytique ne saurait se contenter de cette vision simpliste des choses. Pour elle, il ne suffit pas de parler de surnaturel pour régler tout ce qui touche à la vocation et à la grâce. Encore moins accepte-t-elle de ne considérer la « faute » et l'« échec » que comme de simples notions morales. Elle montre en effet combien la psychodynamique de l'inconscient laisse peu de place à la liberté réelle. Tel est bien le premier déplacement : il s'agit de remettre sur l'inconscient l'accent placé jusque-là sur la réflexion consciente.

Mais « l'inconscient » n'a pas de soi une valeur fixe. Il est relatif à un devenir historique personnel, à une biographie. Il reste continuellement lié aux conditions concrètes de son élaboration, réagissant par contrecoup sur elles. La séparation que la théologie pose entre un système déclaré saint en soi, autrement dit en une institution ecclésiastique inattaquable parce que voulue par Dieu lui-même, et un homme hélas ! sans cesse soumis aux « tentations » et « faillible », n'apparaît finalement qu'abstraction artificielle et schématisante incapable de rendre compte de la réalité vivante, et simplement destinée à stabiliser idéologiquement l'ordre préétabli[11]. La psychanalyse considère l'état clérical comme une institution qui fait partie d'un processus social dont il est possible de décrire les manifestations, les fonctions et les conséquences sans avoir à recourir à un vocabulaire mystificateur. En d'autres termes, les clercs sont, eux aussi, des humains ; mais « leurs » conflits ne sont pas seulement *les leurs* ; ils tiennent aussi aux structures de leur état, structures dont il est loisible de discuter en en analysant les forces et les faiblesses, les avantages et les inconvénients, les lumières et les ombres.

Il n'est dès lors plus possible de justifier l'ordre ecclésiastique lui-même en le posant comme un idéal tabou, et de prétendre ainsi sauvegarder la sainteté de l'état clérical en rendant la personne du clerc responsable de toutes ses difficultés d'application. S'attachant à étudier séparément chaque cas pathologique, la psychanalyse ne peut éviter de poser la question des forces pathogènes du système où s'insère la personne, surtout si ce système demande carrément à celle-ci de le refléter et de l'incarner le plus parfaitement.

Pourquoi ce livre sur les clercs ? Pour que chaque prêtre, chaque religieuse cesse de voir dans ses problèmes psychologiques l'effet d'une faute personnelle ; pour révéler à l'Église, en tant que système global d'institutions et d'instances de rappel à l'ordre, les ombres qui sont les siennes, afin qu'elle affronte l'inconscient collectif qui est le sien.

Mais aussi pour les laïcs (ainsi que l'Église les appelle). Ils sont intéressés, et ils ont donc droit à cette réflexion. Ce sont eux en priorité après tout qui, mères et pères de futurs prêtres, forment dès aujourd'hui leur personnalité. Il est juste et honnête d'analyser sérieusement cette relation directe, fondamentale, qui fait du clerc l'enfant de laïcs, quand ce ne serait que pour rendre son clergé à la communauté vivante. Il ne saurait suffire, à l'occasion de l'évangile du « Bon Pasteur », de rappeler une fois par an aux parents et aux familles leur devoir de favoriser une vie chrétienne capable de fournir des ouvriers à la vigne du Seigneur [12]. La psychanalyse oblige à voir les cassures et les contradictions qui peuvent marquer l'apprentissage du clerc, et combien ce dernier peut être psychologiquement complexe et perturbé. En éclairant le laïc sur les mécanismes, essentiellement inconscients, qui conditionnent la psychogenèse du clerc, autrement dit sa formation, on ne peut que lui redonner le sentiment de l'importance de son rôle. Qu'on pense à la façon dont l'analyse des mécanismes sociaux d'une époque donnée peut mettre fin à l'idée bien ancrée selon laquelle c'est le prince ou le chef seuls qui donnent la victoire et la grandeur à un peuple. « Le jeune Alexandre a conquis l'Inde. Lui tout seul ? », demandait ironiquement Bertolt Brecht [13]. De même le moyen le plus simple de dépoussiérer l'état de grâce divine dont est nimbé le clerc est de mettre à nu les refoulements et les projections on ne peut plus « terrestres » qui lui confèrent une image de perfection en quelque sorte supraterrestre, liée à son état clérical. Notre démystification psychanalytique ne vise pas à reposer aux pères et aux mères le problème de leur devoir moral, mais seulement à leur permettre de réfléchir à neuf à une question psychologique : peuvent-ils accepter consciemment l'influence inconsciente qu'ils exercent immanquablement, ou tout au moins de façon privilégiée, dans la formation du clerc ?

Finalement, ayant ainsi pris conscience du rôle qu'ils jouent dans la formation de la psyché des clercs, les laïcs deviendront aussi capables de considérer d'une manière plus critique l'influence qu'exercent sur eux les clercs. Par ses effets psycho-sociologiques, la psychanalyse est une instance singulièrement démocratique qui remet en cause l'aveuglement de nombre d'honorables institutions. Elle renverse les barrières, même juridiques, qui séparent l'état clérical de l'état laïc, le prêtre de la paroisse, le moine de l'homme de la rue, la religieuse de la femme et de la mère, la sphère du divin de la sphère de l'humain ; elle ramène à une mesure commune ce qui procède d'une même origine, et elle combat de ce fait le sentiment de culpabilité auquel les laïcs ont toujours à faire face : celui de *ne pas être clerc.* Et si c'étaient finalement les clercs qui incarnaient ce qu'il peut y avoir de plus problématique et de plus discutable chez les « enfants de ce monde » ? Que se passera-t-il, dès lors que personne ne croira plus en une hiérarchie qui, oubliant ce qui la fonde psychogénétiquement, prétend échapper à la science de son époque pour continuer à affirmer sa supériorité monumentale ? Si les clercs continuent à se présenter sous ce jour, on ne les méprisera peut-être pas, mais on les regardera un peu à la façon dont on voit les châteaux forts qui dominent le Rhin : avec un léger frisson respectueux devant ces témoins d'une époque d'oppression et de violence, et en même temps avec le soulagement et le plaisir de savoir que ces pièces de musée n'ont désormais plus aucun pouvoir, que ce ne sont que des reliques d'une phase de la conscience humaine heureusement révolue. Il est toujours agréable d'y passer une soirée ou d'y célébrer un repas de noces. Mais ces prestigieuses demeures médiévales n'ont plus rien d'autre à offrir que leur antique décor romantique aujourd'hui restauré. Si l'Église veut éviter que le clergé, tellement important à ses yeux, ne finisse par n'être plus que pure auberge au folklore donquichotesque, elle doit relever le défi de l'analyse et avoir le courage de se réinterroger à la fois sur ce qu'est cette cléricature et sur les modalités selon lesquelles on l'*acquiert* et on l'*exerce*. « Même de vos rêves, vous serez responsables », déclarait Friedrich Nietzsche il y a cent ans [14]. L'Église doit pouvoir répondre publiquement aux questions radicales que la critique psychologique adresse aux prêtres.

Une dernière raison à ce livre, et non la moindre, c'est la société civile. Bien souvent, on croit encore que la question des clercs ne concerne que l'Église, comme veulent d'ailleurs le laisser croire certaines des déclarations de celle-ci. Ce n'est évidemment pas vrai. Communauté vivante, l'Église réagit à son environnement tout comme elle réagit sur lui. Son action et son visage ne dépendent donc pas d'elle seule, mais aussi des conditions et des structures sociales à travers lesquelles elle tente de faire passer son message. Cela suffit pour refuser le huis clos. L'intérêt de la société n'est pas qu'indirect : le public est immédiatement concerné par l'attitude de l'Église vis-à-vis de ses clercs. Dans toutes les cultures, la religion a pour rôle de fournir une clef de voûte à ce qui n'est que construction et disposition humaines [15], en même temps que de proposer des lieux où il soit possible de chercher asile auprès de l'absolu en passant de l'activité à l'écoute, de l'avoir à l'être, des projets à l'espérance, du jugement au pardon, bref, du fini à l'infini [16]. Une société privée d'espaces libres ne peut que suffoquer. Comment alors resterait-elle indifférente à la manière dont les ministres de la religion, ceux qui en donnent la mesure, transmettent ou déforment le contenu de leur foi ? La situation des couches dirigeantes de l'Église est ainsi une question d'hygiène psychique, et tout le monde, même les non-croyants, est donc immédiatement concerné. A moins de dégénérer en secte close, la religion imprègne la morale et la mentalité du milieu social, tout comme les changements de ce milieu la modifient en exigeant d'elle des modifications et de nouvelles réponses. La discussion concernant les clercs se doit d'être ouverte.

Mais comment se saisir du dossier, alors que cela exige des connaissances en matière de psychogenèse, de psychostructure et de psychodynamique des clercs ? Les questions soulevées sont si longtemps restées taboues ! Une partie du clergé aura donc inévitablement tendance à n'accepter que ce qui, dans notre travail, correspond à son idéal. Il opposera toutes les défenses possibles à ce qui remettra en question ce stéréotype · refus de voir la réalité, minimisation des résultats de l'analyse, « rationalisation » et, si tous les moyens échouent, diffamation de l'auteur. Il multipliera protestations et faux-fuyants chaque fois que l'enquête montrera sous un jour défavorable la psychologie ou la personnalité du clerc [17]. « Déformation », « affirmation gratuite », « exagération », « partialité », « présomption », « calomnies depuis longtemps dépassées, car aujourd'hui tout a bien changé » ! Tous les qualificatifs seront bons pour nier le sérieux de cette étude, la déclarer sans objet et en contester le fondement réel. Ou bien on minimisera l'importance des mécanismes décrits : « On a déjà dit tout cela depuis longtemps ; Rien de nouveau ! » ; « Simples problèmes qu'on retrouve chez tous les gens ! » ; « Méconnaissance totale du dossier théologique ! » ; « Mépris total de l'enracinement théologique de la fonction cléricale ! » ; « Incroyable aveuglement face à la grandeur de l'état clérical et à la noblesse de son idéal de vie ! » : tels seront les clichés « rationalisants » de tous les clercs enfermés dans leur fonction. Ou encore : « L'auteur projette ses propres difficultés sur les autres » ; « Il souille ignoblement sa propre famille » ; « étude d'une portée purement subjective » ; « psychogramme de l'auteur, et non pas des clercs » : bref, probablement des objections *ad personam*. La question qui se pose alors est de savoir comment un livre peut aider ceux dont la sécurité repose sur un refoulement à découvrir leurs problèmes inconscients. Comment les amener à tirer les leçons de leur insécurité, de leur désarroi, et prévenir les refoulements nouveaux qui se produisent régulièrement lorsqu'on découvre en soi, sans l'avoir désiré, des mécanismes inconscients ?

Inutile de vouloir s'assurer infailliblement du succès en produisant des faits « solides » et des statistiques aussi précises que possible. De telles tentatives n'ont été que trop nombreuses et n'ont jamais rien changé dans l'Église [18]. Par ailleurs la psychanalyse est certes quantitative dans ses méthodes de pensée, mais aucunement dans ses méthodes de travail : si elle définit essentiellement par son quantum de souffrance la différence entre la santé et la maladie, sa valeur propre réside dans son aptitude à montrer les mécanismes structurels qui règlent le domaine de la psychopathologie. Déjà l'énergie et le temps nécessaires pour dégager dans la vie d'un unique patient les facteurs déterminants de son développement et les schémas d'intégration essentiels de son type caractériel interdisent toute généralisation statistique[19]. Par contre, ce que permet la psychanalyse, c'est d'exprimer les « formes » de vie qu'elle perçoit à la façon d'une œuvre d'art ou d'un poème. Ce qu'elle recherche, ce n'est pas l'extension, mais l'intensité, la qualité et non pas la quantité. Face à des chiffres et à des pourcentages, le lecteur peut toujours se réclamer de l'exception, déclarer que l'analyse ne correspond pas à son expérience, et interpréter la photo panoramique comme un simple instantané au champ réduit. Il lui faut y regarder de plus près avant de devoir admettre, forcé et contraint, ou avec un sentiment de satisfaction, qu'il s'agit bien de lui. C'est alors seulement, s'il est honnête, qu'il parviendra à regarder en face le tabou contemporain touchant la psychologie du clerc, et à reconnaître que le vrai problème, ce n'est pas celui de sa fonction, mais celui de son fonctionnement personnel.

C'est en prenant à la lettre le mot de Friedrich Nietzsche : « C'est en direction de la tête qui en a tant besoin qu'il faut éprouver les idées », que la psychanalyse nous a permis de faire un pas décisif dans la connaissance de l'homme[20]. Presque toutes les études consacrées à la question des clercs commettent la même erreur ; elles partent du triple idéal qui marque la vie cléricale aux sceaux de l'obligation institutionnelle et d'une promesse à caractère de serment : l'humilité (obéissance), la pauvreté (le renoncement à toute possession) et la chasteté (le célibat)[21] ; elles montrent comment ce triple idéal se fonde sur la personne et le message de Jésus, comment il a imprégné l'Église et influencé son histoire, notamment depuis les mouvements monastiques du IVe siècle, et donc comment il convient aujourd'hui encore à la pureté de ceux qui veulent suivre le Christ. Il correspond à la nature de l'Église, « peuple eschatologique de Dieu », et est le signe le plus crédible du « don total » de la personne à Jésus, du « Royaume de Dieu » dont la proximité s'est manifestée de façon « incomparable » dans le Christ[22]. Tous ces travaux présupposent qu'il suffit de savoir ce que veut quelqu'un pour le connaître, ce qui engendre d'emblée un double court-circuit : 1. on confond l'idéal subjectif de la personne et son contenu objectif — autrement dit en identifiant la motivation psychologique et la fonction sociale de l'idéal ; 2. on déclare que ce qui détermine un être humain, c'est l'orientation de son vouloir moral — en réduisant ainsi l'être de cette personne à la conscience psychologique qu'elle a d'elle-même. Dans le premier cas, on confond l'être social, la *persona*, avec la personne — une méprise dont nous aurons à voir clairement toute la portée ; dans le second, on confond la conscience subjective avec l'être du sujet — ce qui nous ramène à l'idéalisme de George Berkeley [23] et de sa fameuse équation : « *Esse est percipi* », « être, c'est être perçu », ou, autrement dit, « les choses sont telles que nous les comprenons ». En fait, nous ne comprenons pas l'être du clerc si nous commençons par poser l'idéal objectif en déclarant aussitôt que c'est bien celui qu'on vise subjectivement. Pour bien comprendre ce qui se passe, il est indispensable de faire le chemin inverse et de mettre le point de départ au point d'arrivée. Quand il s'agit d'êtres humains, des clercs en tant que personnes, la question essentielle n'est plus de savoir ce que veut le sujet comme tel, mais ce qui a pu le marquer et le modeler de telle sorte qu'il est amené à vouloir un certain idéal et à en faire l'essentiel de sa vie, de son existence. Ce que vit un être humain, ce qui l'émeut, ce qui l'engage personnellement ou l'égare tragiquement, ce ne sont ni le contenu de l'idéal dont il se réclame ni les motivations alléguées, mais l'histoire de ces motivations. Car nous aurons bien vite à nous interroger sur le degré effectif de liberté personnelle du clerc, compte tenu de son histoire particulière, de sa biographie.

La différence des deux points de vue saute aux yeux. Celui qui part de la figure idéale du clerc ne peut traiter de sa réalisation que d'un point de vue moralisant. Il cherchera à définir sa nature en partant de la tradition ecclésiale, à expliquer pourquoi il vaut la peine de devenir clerc et pourquoi, dans certaines circonstances, le devoir semble l'imposer. Psychanalytiquement déjà, cette forme d'argumentation ne va pas sans poser un problème qu'on peut même énoncer en termes de philosophie scolastique : remonter du résultat acquis, donc en quelque sorte de la *causa finalis*, à la motivation psychologique, à la *causa efficiens*, c'est inévitablement se condamner à une psychologie de la nécessité contraignante ; c'est postuler dans le vouloir et dans l'agir humains l'unité et la rationalité qui, fondamentalement, n'existent qu'en Dieu : cause finale et cause efficiente ne sont identiques qu'en un Être absolu [24]. Pour nous autres, humains, ce que nous voulons diffère souvent dans une large mesure de l'objectif que nous avons devant les yeux, et ce que nous atteignons ne correspond que très rarement à ce que nous voulions atteindre effectivement ; c'est une situation dont nous devons nous satisfaire. En d'autres termes, au lieu de définir d'en haut et une fois pour toutes de quoi est fait l'idéal d'un clerc, puis de décréter de ce sommet que c'est cet idéal que désirera et poursuivra *de facto* celui qui embrasse l'état clérical, il semble incomparablement plus humain et plus vrai de se demander comment on en arrive à voir dans un certain idéal l'exemple à suivre. Le point de départ qui doit permettre de découvrir la réalité et l'effet de l'état clérical, ce ne sont pas les objectifs et les intentions avoués du clerc adulte, mais les influences le plus souvent cachées qui ont marqué son enfance et sa jeunesse et qui sont à la base de ses décisions ultérieures.

S'il est psychanalytiquement vrai qu'on ne saurait considérer la psyché du clerc comme une grandeur idéale, définie *a priori*, cela vaut tout autant de l'Église elle-même. Il n'est pas possible de la définir d'avance comme « corps mystique du Christ » ou comme « sacrement du monde »[25]. Au contraire, il faut écarter d'emblée tous les modèles « organicistes » : certes, en tant qu'archétypes symboliques, ils ont une haute valeur d'intégration, mais, coupés de l'analyse du réel, ils risquent facilement de devenir les instruments d'une mainmise d'ordre collectiviste et de s'arroger un statut idéologique[26]. Pour bien comprendre le psychisme du clerc, il n'est pas possible de s'en tenir à un modèle de causalité linéaire. Pour s'approcher de cette réalité complexe, il faut constamment procéder à des recoupements et établir des réseaux de relations à différents niveaux.

Notre analyse psychogénétique portera tout d'abord sur la famille du futur clerc : pour comprendre l'évolution psychique à venir de celui-ci, il faut connaître la structure spécifique de celle-là[27] ; il nous faudra montrer de quelle manière ces facteurs familiaux interviennent à chaque stade du premier développement, à cette époque où l'enfant apparaît encore dans une large mesure comme la « victime » de son entourage. Ce serait cependant une grave erreur de croire que nous sommes le produit passif de l'éducation d'un milieu : nous aurons donc à tout moment à nous demander quelles sont les réactions possibles de chaque sujet aux influences du milieu, comment il interprète le « monde » à partir de son propre schéma, et comment, dans son action et dans son attitude envers son milieu, il retraduit les structures qu'il a intériorisées[28]. Nous devrons ensuite compléter cette analyse régressive par une analyse progressive[29]. Nous aurons notamment à déceler l'influence *spirituelle* qu'exerce la présentation de tel ou tel idéal chrétien, de tel ou tel système de valeurs, sur le comportement de la famille et sur les idées du sujet ; puis, à l'inverse, le rôle que jouent ces idées dans la vie chrétienne, cela en examinant comment le sujet individuel reproduit les idéaux collectifs par son attitude (*hexis*) et son comportement (*praxis*).

A cet égard, les méthodes qu'emploie l'Église pour former ses futurs clercs et les préparer à leur future mission, au séminaire, au noviciat ou au scolasticat, revêtent évidemment une importance particulière. C'est en effet à ce point de rencontre entre le personnel et le général, entre le privé et le social, qu'on perçoit le mieux l'effet psychique de l'idéal clérical et les structures psychologiques que celui-ci requiert pour apparaître désirable, ou même foncièrement nécessaire, à une personne donnée. C'est alors qu'on pourra le mieux voir quelles interférences entre la famille et l'Église ont préparé et contribué jusque-là à déterminer le parcours du clerc, et comment elles continueront ensuite à jouer, dans la mesure où l'annonce de la Parole par les clercs influencera à son tour les familles dans lesquelles se recrutera une nouvelle génération de clercs.

Il nous faudra enfin considérer le rôle de la société dans laquelle vit l'Église et grandissent les individus, avec son influence virtuelle, positive, fâcheuse ou contradictoire : elle a également ses valeurs spirituelles et ses idéaux, lesquels peuvent rejoindre ceux de l'Église, mais aussi, non moins souvent, les contredire. Ces rapports avec la société dans laquelle ils ont grandi et vers laquelle ils seront plus tard envoyés sont d'une importance capitale, non seulement pour les prêtres séculiers, mais aussi pour les communautés religieuses, lesquelles ont le plus souvent été fondées pour répondre à des besoins déterminés de leur époque ; suivant leur vocation particulière, elles se sont orientées vers des « services » spécifiques au sein du monde de leur temps. Bien entendu, la mentalité et la vie de ces communautés évoluent en fonction des changements qui interviennent dans la société par rapport aux objectifs propres à chacune d'elles.

D'une manière générale, il importe donc de différencier méthodiquement les niveaux d'observation, d'avancer pas à pas et de prendre chaque élément l'un après l'autre, mais sans jamais perdre de vue, à aucun moment, à quel point, dans la psychologie des clercs, les aspects particuliers sont imbriqués et réagissent les uns sur les autres. Il ne faut pas seulement considérer les effets rapprochés des interactions immédiates de chacun des niveaux en cause : famille, individu, Église et société, il faut encore analyser les effets lointains de la chaîne causale prise dans son ensemble. Se dégage ainsi un réseau d'influences dont tous les éléments sont reliés entre eux et dépendent les uns des autres. On peut le schématiser de la façon suivante :

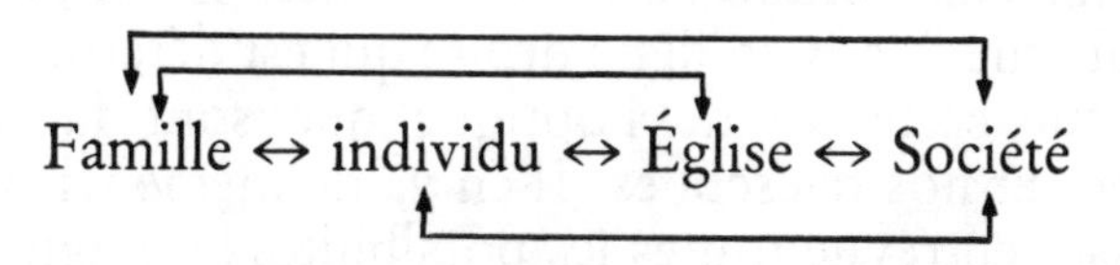

Ainsi chacun des quatre facteurs est-il en relation avec les trois autres, de telle sorte que chacun contribue à déterminer et à conditionner les autres, et que chacun est à son tour déterminé et conditionné par tous les autres. Il s'agit en somme de considérer la psychologie des clercs comme un processus vivant, diversifié et multiple, tout le contraire de ce à quoi toute idéologie tend à le réduire en le posant comme une réalité en soi, bien nette, qui se laisse enfermer *a priori* dans les catégories générales du « bien » et du « mal »[30]. Au reste, ainsi qu'on le verra, pour mesurer la valeur des institutions ecclésiales, ce qui compte, ce ne sont pas les événements en eux-mêmes, mais la façon dont ils se produisent. Si ce travail pouvait aider à faire parler ce qui est refoulé, à vaincre l'isolement, à abattre les barrières de la raideur, à engager une discussion qui n'a été que trop longtemps remise et que l'on a jusqu'à présent étouffée par la peur et les sanctions de toutes sortes, s'il pouvait donner au plus grand nombre de lecteurs possible le sentiment que, dans leurs difficultés et dans leurs conflits, ils peuvent être compris au lieu d'être condamnés et rejetés, alors nos efforts seraient récompensés. Au fond il s'agit d'une pastorale consciente de ses responsabilités, et qui s'adresse aux pasteurs de l'Église dans l'espoir de remédier à la situation même de la pastorale actuelle.

A chaque instant, à chaque étape, pourra sortir cette objection d'ordre général : en est-il toujours ainsi que le dit l'auteur ? N'y a-t-il pas des cas où les choses se passent autrement ? Jusqu'au début du XXe siècle, on croyait que la lumière « choisissait » toujours le plus court chemin entre deux points A et B parce que telle était sa nature. Or aujourd'hui nous savons qu'elle peut prendre littéralement tous les chemins possibles. Dans leur souci habituel de précision, par un système de flèches dont la direction marque le temps des chemins parcourus, et en combinant ces flèches de façon adéquate, les physiciens ont calculé que la somme de toutes les possibilités est une résultante dont le carré représente le degré de probabilité du chemin effectivement parcouru[31]. Ce procédé permet de reconnaître que la plus grande partie de tous les chemins possibles ne contribue en rien à déterminer l'amplitude de la probabilité. En réalité, c'est le chemin qui relie A à B en ligne droite qui est déterminant. C'est d'ailleurs sur cette loi de l'optique que sont fabriqués nos microscopes et nos télescopes. Il en va de même ici. Il ne suffit pas de passer en revue toutes les possibilités ; il s'agit de décrire celle qui a la plus forte chance de se réaliser. Dans ce but, nous proposons des *modèles* de la réalité psychique du clerc, en prenant pour hypothèse sa forme idéale afin de déterminer ensuite les conditions dans lesquelles celle-ci peut se réaliser. Plus la réalité se rapprochera de l'idéal clérical défini par l'Église catholique elle-même, plus nos modèles correspondront aux cas particuliers. Il ne s'agit donc pas de savoir s'il en est toujours comme le dit l'auteur, mais s'il en est essentiellement comme il le dit.

PREMIÈRE PARTIE

LE CONSTAT DES DONNÉES

Appliquée à l'étude du psychisme des clercs, la méthode psychanalytique soulève une objection *théologique* de principe. Même si on ne l'exprime pas ouvertement, elle peut susciter de sérieuses réserves ou même provoquer une réaction passionnelle contre toute notre entreprise. Il importe donc de l'écarter immédiatement.

Ne faut-il pas dire d'emblée que l'application de cette méthode, et de façon générale de quelque méthode « uniquement » psychologique que ce soit, est absolument inadéquate à son objet ? Le clerc répond à un appel, celui de la grâce divine ; il s'agit donc là d'un *mysterium sui generis*, d'un mystère (d'un secret) au sens strict du terme, donc de quelque chose qui ne relève pas de la logique ordinaire, terre à terre, dont traite la psychanalyse. C'est bien ici le lieu de se rappeler la mise en garde de Jésus : il ne faut pas jeter ce qui est sacré aux « chiens », ni les perles aux « pourceaux » (Mt 7, 6). On peut formuler l'objection de façon plus modérée : bien sûr, il serait possible d'appliquer en un certain sens les lois de la psychologie à la biographie des clercs, mais cela n'éclairerait en rien le caractère spécifique de leur état clérical : celui-ci échappe à toute tentative d'explication et relève uniquement de la libre volonté divine et de sa grâce[1].

Prétendant justifier le statut particulier des clercs, cette objection, qui se veut théologique, manifeste son caractère socio-psychologique, quand ce ne serait qu'à cause du cercle vicieux sur lequel elle débouche : si les clercs, du fait qu'ils sont choisis par Dieu, représentent quelque chose d'extraordinaire par rapport à tout ce qui est humainement ordinaire, ils sont si peu tributaires de la psychologie normale que c'est déjà une raison d'affirmer qu'ils sont effectivement choisis par Dieu. Mais c'est le propre d'une argumentation théologique que de ne rien perdre de sa force, même une fois mis au jour le postulat « idéologique » de la tautologie sur laquelle elle s'appuie. Car cette perspective idéologique a en soi un caractère sacré, et elle est par conséquent « vraie », en vertu de la sainteté même de l'Église ; et c'est justement parce que le divin est impénétrable que la raison humaine est condamnée à l'échec.

N'était le très grand nombre de prêtres et de religieux — par ailleurs dignes de foi — toujours prêts à pratiquer ce genre de raisonnement, il serait peut-être superflu de s'y arrêter ; mais cette forme de théologie est suffisamment répandue pour faire sentir ses méfaits en de nombreux domaines, et il importe donc de la corriger dès le départ. Théologique, l'objection appelle donc une réponse théologique.

Le point délicat, tant philosophiquement que théologiquement, consiste en ce que quelque chose (la vocation, l'appel du clerc) est déclaré humainement inexplicable et ensuite expliqué par le caractère inexplicable de la volonté divine. Sans même s'en apercevoir, on construit ainsi une théologie à deux étages, dans laquelle l'humain et le divin, l'ordre de la vie profane et l'ordre de la grâce divine, sont deux grandeurs séparées qui se comportent l'une envers l'autre comme l'eau et l'air, comme le ciel et la terre, comme les nuages et la lumière. Certes, l'air « agite » l'eau, le ciel « touche » la terre, la lumière « pénètre » les nuages, mais le niveau supérieur intervient toujours isolément et indépendamment du niveau inférieur ; en aucun de ses actes de volonté le Créateur n'est relié à la création qu'il a « faite » à lui tout seul[2]. En outre, selon les besoins, Dieu est là pour boucher les trous, prétendus ou réels, de nos connaissances, ou même suppléer aux défaillances profondes de l'intelligence humaine[3] ; en fin de compte, pour employer le langage de la philosophie scolastique, Dieu devient la cause partielle de ce que nous faisons, comme si le monde de l'empirique, du naturel, pouvait s'expliquer par le domaine du métaphysique, du surnaturel. En vérité, le recours à Dieu n'explique rien. Tout au plus donne-t-il une indication sur ce qui, en soi, doit être parfaitement explicable pour pouvoir se produire[4]. C'est une interprétation qui confère aux données naturelles le sceau de l'origine divine, mais elle ne dit rien de leurs causes empiriques. En d'autres termes : la question de savoir comment on peut en arriver à « expliquer » un donné spatio-temporel par l'intervention divine est déjà par elle-même d'ordre psychologique[5]. C'est le recours à Dieu qui, en tout premier lieu, a besoin d'être expliqué psychologiquement. La seule question théologique qui se pose n'est pas de savoir quels sont, dans la vie d'un homme ou d'une femme, les événements qui, *de facto*, sont interprétés comme un « appel de Dieu », mais quelles sont les données qu'on peut et qu'on doit interpréter à l'aide de ce concept.

L'objection théologique fondamentale selon laquelle une étude psychanalytique de la psychologie des clercs est en soi inappropriée, en quelque sorte indigne ou choquante, repose sur une erreur de jugement, pour ne pas dire sur une paresse intellectuelle, une ignorance volontaire des causes naturelles, ou même l'interdiction de s'en informer par les moyens de connaissance à notre disposition, par crainte de ternir la gloire de Dieu en usurpant les lois de sa création. Le même problème s'est posé à l'aube de l'ère moderne, et au plus tard il y a deux cents ans, avec la philosophie des Lumières, à propos des sciences naturelles : que devient la « providence » divine, si l'univers est régi par des lois qui font bon marché de l'homme et de ses besoins, de ses valeurs et de ses sentiments, de l'éthique et de l'esthétique[6] ? Que devient la piété des croyants si l'éclair, le tonnerre et les intempéries — si *tous* les éléments de l'existence humaine échappent au contrôle direct d'un Dieu et Père attentionné ; s'ils ont leurs propres causes, qu'on peut explorer et expliquer pour elles-mêmes, et qui doivent l'être ? Les conquêtes scientifiques de la modernité ne signifient pas seulement la fin de l'animisme magique qui marquait les rapports de l'homme avec son milieu naturel[7] ; elles ont aussi acculé la théologie chrétienne à d'interminables combats d'arrière-garde pour préserver l'action divine dans les domaines encore inexpliqués par la science, comme l'origine de l'homme, il y a cent ans, l'origine de la vie, il y a cinquante ans, et aujourd'hui l'origine de l'univers[8]. A chaque fois, déçue et amère, la théologie a dû battre en retraite, mais, manifestement, elle n'a pas encore véritablement pris conscience des transformations profondes qui en sont résultées. Le meilleur moyen de prouver ou d'exalter la grandeur de Dieu n'est certainement pas d'élever son action à un plan exceptionnel, surnaturel[9], ni de l'abaisser au rang de simple utilité destinée à combler les lacunes de nos connaissances scientifiques. Dieu agit dans et par la (sa) nature et, loin de nous éloigner de lui, nous nous en rapprochons davantage quand nous nous efforçons de comprendre les fondements et les lois de sa création. Ce sont ces fondements et ces lois qui nous permettent de nous faire au moins une certaine idée de sa grandeur et de sa sagesse. Il reste toujours possible de dire que Dieu « appelle » quelqu'un, un individu ou un peuple, qu'il le « conduit », pour autant que ce ne soit pas l'expression d'un fait subsistant en soi, objectivement vrai, mais la reconnaissance de la signification subjective d'un événement qui transforme profondément la vie de cette personne ou de ce peuple.

Sur le plan psychologique, cette façon de parler d'un « appel » divin, d'une « conduite » divine, nous amène à nous poser les deux questions capitales suivantes :

1. De quelle nature sont les expériences psychiques dont on peut interpréter l'origine comme divine ?
2. Quel sens cela a-t-il pour la personne concernée d'attribuer une origine divine à ses expériences marquantes ?

Si on veut éviter que Dieu ne soit ici que pur placage, collage extérieur et aliénant d'ordre idéologique, une approche psychanalytique des expériences psychiques et de leur interprétation est absolument nécessaire, peut-être encore plus que jamais s'il s'agit des clercs.

Au nom de Dieu et dans l'intérêt de tous, pour des raisons relevant à la fois de la théologie et de l'hygiène mentale, il est donc non seulement légitime, mais indispensable, de soumettre à la lumière, précisément et en premier lieu de la psychanalyse, la parenthèse, autrement dit le cadre dans lequel s'insère la vie du clerc, celui qui la résume, bref, le fondement de la doctrine de foi touchant à la vocation divine particulière.

I.

Les élus
ou l'insécurité ontologique

Psychanalytiquement, notre question n'est donc pas de savoir comment, au cours de l'histoire, on a compris la croyance à la vocation divine du clerc, ou comment la théologie doit encore la comprendre aujourd'hui en la situant sur le plan divin de l'« économie du salut », tel qu'il s'est manifesté dans la vie du Christ, notre modèle, celui qui imprègne encore valablement la vie de l'Église. Elle est de comprendre comment un homme ou une femme, vers l'âge, disons, de vingt-cinq ans, après la puberté et l'adolescence, en vient à se considérer comme l'élu de Dieu. Il ne s'agit donc pas de savoir si oui ou non — et si oui dans quelle mesure — cette croyance se justifie objectivement au plan théologique, mais comment elle naît *subjectivement*, et, inversement, comment réagit le sujet à cette croyance, autrement dit, ce que ressent celui qui se croit « choisi » par Dieu — que comprend-il par là et que fait-il alors ?

1. L'OMBRE DU FRÈRE : LE CHAMAN

Il peut toujours être utile de comparer diverses religions pour préciser certains points de psychologie religieuse. En outre, des différences spécifiques permettent de dégager certaines structures qui du fait d'une évidence trompeuse pourraient facilement passer inaperçues, ou dont on pourrait sous-estimer l'importance en se limitant au cadre culturel d'une unique forme de religion. Toute religion — et pas seulement le catholicisme — connaît d'une manière ou d'une autre l'appel à une fonction sacerdotale, ou à une fonction analogue, par les puissances divines. On a même vu (c'est le cas de la critique protestante) dans la restauration d'un état particulier d'élus consacrés un retour à une perspective païenne[1]. Toutefois, d'une religion à l'autre, les différences sont caractéristiques.

Dans l'histoire des religions, c'est sans doute dans les rêves initiatiques du chamanisme qu'on trouve la forme la plus primitive et la plus répandue d'expériences d'« élection », ou de « vocation », par les puissances divines[2]. Elles sont déjà le fait d'enfants de huit à neuf ans. Elles ne sont en tout cas déterminantes pour le reste de la vie que si elles ont lieu avant le début de la puberté. Comme il s'agit de rêves, les ethnologues n'ont voulu y voir au départ que des symptômes psychopathologiques. Étant donné leur mentalité, on voit d'ailleurs mal comment des Occidentaux auraient pu comprendre ce phénomène psychique, pourtant un des plus remarquables et des plus impressionnants qui soient[3]. Aujourd'hui, grâce notamment à la psychologie des profondeurs, nous savons que ces expériences oniriques, marquées par un jaillissement de représentations archétypales, sont à l'origine d'une destinée tout à fait particulière : elles confèrent à l'élu le pouvoir de guérir les malades par des rites sacrés, de lire les signes du temps dans ses prémonitions, et d'invoquer les esprits des animaux et des ancêtres par des chants et des incantations[4]. Elles sont comme une espèce de psychanalyse spontanée : elles en comportent les stades typiques d'analyse et de synthèse, de régression et de régénération, de désintégration et de renouveau[5]. En langage mythique, on peut aussi dire que les rêves chamaniques de vocation sont comme des chemins du retour vers un paradis perdu, vers le centre caché du monde, vers ce lieu où le ciel touche à la terre et où s'épanouissent les herbes et les plantes secrètes comme des chiffres symboliques figurant l'ordre du monde — formes et formules magiques de l'être dans sa pureté et sa plénitude originelles[6]. Contrairement à ce qu'on a souvent prétendu, le chamanisme n'a donc rien à voir avec du charlatanisme ou du mercantilisme. Les chamans sont au plus profond d'eux-mêmes des prêtres-prophètes, poètes et hérauts, médecins divins, voyants et devins-pèlerins guidés par les rêves, en route vers des régions secrètes, vers l'au-delà de la conscience humaine. A proprement parler, ces élus sont des « anormaux », des « originaux », incapables de mener la vie ordinaire de la tribu[7]. Sociologiquement, donc par rapport à la « normalité », on peut les considérer comme des fous. Ils ne font en tout cas preuve d'aucune disposition à être chasseurs, guerriers, époux, pères de famille, chefs ou leaders politiques [8]. Psychanalytiquement parlant, ce sont des personnalités fragiles, soumises à l'inconscient, au bord de la psychose. Mais c'est justement cette vulnérabilité psychique qui leur confère le pouvoir de guérir les malades et de délivrer les possédés [9]. Leurs rêves initiatiques de jeunesse agissent à la façon d'un vaccin : ils les immunisent contre le dérèglement et les crises intérieures que pourrait provoquer le réveil de leurs forces profondes. En somme, l'appelé est mis devant l'alternative, soit d'accepter le message qui le désigne dès l'enfance comme chaman de la tribu, soit de se trouver livré sans défense au monde des esprits, au chaos de l'inconscient. La gravité de la menace est ce qui déclenche la réaction des forces salutaires. Par la suite — et c'est ainsi qu'il faut comprendre sa mission —, le chaman ne fera rien d'autre que d'indiquer à ceux que leur malheur et la souffrance du monde risquent d'anéantir le chemin qui l'a lui-même conduit aux grandes visions grâce auxquelles il a pu surmonter son épreuve. Pour lui, sa fonction a été le seul moyen d'échapper à la destruction qui le guettait. C'est une vocation véritablement « divine », comme celle du poète, du peintre ou du compositeur [10]. Le chamanisme, c'est la perfection d'une œuvre d'art ou d'un poème ; c'est la manifestation d'une vie intense et tendue placée sous le signe du symbolisme ; c'est la synthèse de contraires sur laquelle ne pourraient manquer de venir se briser des esprits moins avertis.

Comparées à la vocation onirique du chaman, la vocation et la vie du clerc dans l'Église catholique présentent les deux différences suivantes :

a) le déplacement des éléments psychiques de l'appel du rêve à la décision « consciente » ;

b) la substitution d'un ministère objectif à la mission personnelle.

A première vue, ces deux différences peuvent apparaître minimes. Elles conditionnent en réalité la façon dont le système religieux en place oriente la formation et le développement de ceux qui ont reçu ce qu'on continue à appeler une vocation divine, ce qui change tout. Il faut donc y regarder de plus près.

a) Le psychologue quelque peu habitué à fréquenter les clercs ne peut manquer d'en être frappé : ceux-ci affirment de façon quasi unanime que, à partir de leur entrée au séminaire ou au noviciat, c'est l'influence de l'Église qui les a le plus marqués. La conscience qu'ils ont de cette influence des institutions, qu'ils la bénissent ou la maudissent, semble avoir été si forte qu'ils déclarent tenir de cette « mère » Église tout ce qu'ils sont, pour leur bonheur ou pour leur malheur. Ces propos, non seulement traduisent une étonnante disposition à s'identifier aux objectifs de l'Église, mais dénotent surtout une tendance à *refouler l'enfance*, ou, ce qui revient au même, un incroyable *infantilisme* de leurs rapports à cette mère.

Si on demande aux prêtres ou aux religieux pourquoi ils ont tant de difficultés en matière sexuelle, pourquoi ils se sentent si petits devant leurs supérieurs et pourquoi ils ont tant de mal à s'affirmer devant les autres, ils diront le plus souvent que c'est tout simplement à cause de l'éducation reçue en entrant dans les ordres et des sermons du dimanche au séminaire. En somme, c'est comme s'ils n'avaient jamais eu d'enfance ou qu'ils n'étaient venus au monde qu'à vingt ans. Ce refoulement massif a évidemment ses raisons, et il nous faudra y revenir. Qu'il suffise ici de constater et d'exposer les faits. A en croire les clercs, leur vocation cléricale n'a plus aucun lien subjectivement avec les influences inconscientes de la première enfance. Ils ont jeté un tel voile de silence sur celles-ci qu'ils finissent par les oublier : ils n'imputent plus leur réponse à l'appel divin qu'à leur moi adulte, à celui qu'ils déclarent « mûr ». La plupart d'entre eux ignorent totalement que leur vocation n'a pu survivre aux crises de leur temps de formation que parce qu'elle était déjà solidement stabilisée et constituait un véritable système autonome *dès avant le début de la puberté*. Mais le reconnaître contredirait par trop le dogme du libre arbitre. De façon quasi unanime, ils écartent donc d'un sourire le préjugé psychanalytique. Tout au plus admettront-ils une influence positive, donc apparemment exempte de conflits, de leurs parents au cours de leur enfance, par exemple lorsqu'une mère a emmené son enfant de trois ans à l'église un jour de Noël ou lui a appris le Notre-Père : comportements au reste instamment recommandés aux parents comme faisant partie de leur mission éducative. En revanche, et contrairement au chaman des civilisations tribales, il est absolument hors de question que le clerc de l'Église catholique puisse consciemment admettre que ses premières impressions de l'enfance, avec tout ce qu'elles comportent de cassures, puissent avoir eu une répercussion sur son cheminement d'élu. Il est encore moins possible d'admettre l'existence de forces *inconscientes*, quasi oniriques, donc messagères d'une vocation divine, dans les couches profondes du psychisme humain. On accordera bien que, au Moyen Âge, des saints tels que François d'Assise ont eu la révélation de leur mission par des visions ou des voix et, dans ces cas exceptionnels, on n'hésitera pas à accorder l'histoire à la légende[11]. En revanche, on se gardera de faire le rapprochement entre la vocation de saint François à la pauvreté et au célibat et la haine profonde qu'il vouait à un père brutal, le marchand Bernardone, ou l'amour intense qu'il portait à sa mère, une Française hypersensible (dont son nom, François, rappelle d'ailleurs l'origine). C'est avec une immense stupeur, sinon par un éclat de rire, qu'on accueillerait aujourd'hui un étudiant qui fonderait son désir de devenir prêtre sur une expérience onirique. On lui déconseillerait en tout cas vivement des incursions trop fréquentes dans l'âme de son enfance. La clarté d'une décision consciente, celle d'un esprit pondéré qui sait ce qu'il veut, ou celle d'une servante du Christ prête à tous les sacrifices pour suivre son Maître sont indiscutablement plus sûres que le labyrinthe et le chaos que révèle la psychanalyse, ce « tissu d'inepties », comme aimait à le répéter il y a quelques années un honorable cardinal.

Mais se pose alors un problème théologique, infiniment plus délicat que le problème psychologique : si c'est ainsi en toute liberté et en toute conscience que des jeunes séminaristes ou des jeunes postulantes se décident à adopter l'état clérical au sein de l'Église, quel est encore le rôle de Dieu ? C'est la première fois au cours de cette étude que nous entrevoyons la relation intime qu'il y a entre la structure psychique du clerc et certaines doctrines de l'Église touchant à la foi. Or, le problème de l'élection divine et de la liberté humaine, de la grâce et de la coopération à la grâce, est bien le fil d'Ariane qui relie toute l'histoire de la théologie occidentale, d'Augustin à Luther, de Calvin, Pascal et les jansénistes à Yves Congar et à Hans Urs von Balthasar[12], chaque époque réclamant de nouvelles solutions et fournissant son lot d'hérétiques et de faux prophètes. Il est donc clair que la question touche de très près à la psychologie même des milieux qui en débattent, au risque d'être frappés d'ostracisme : ceux des clercs (masculins). Psychanalytiquement parlant, il n'y a aucun doute que la solution catholique au problème de la Providence et de la grâce exprime directement la façon dont les clercs ressentent leur vocation, car elle reprend la *partition* dont, en quelque sorte par devoir d'état, ils font subjectivement l'expérience : celle qui existe entre la volonté humaine et le décret divin. D'un côté, pour devenir clerc de l'Église catholique, il faut en prendre la décision personnellement, en toute liberté, et, d'un autre côté, il faut que la grâce de Dieu prévienne, accompagne et parachève cette décision[13]. Autrement dit, selon la bonne doctrine, la libre décision de suivre le Christ en se faisant clerc est aussi bien l'œuvre de l'homme que celle de Dieu. À en croire la vision catholique, cette différenciation et cette unité de deux vouloirs, divin et humain, ne limite ni n'annihile la volonté humaine, ainsi que le prétendait l'« hérésie » luthérienne ou calviniste. Au contraire, toujours selon la théologie catholique, elle se trouve ainsi actualisée, stimulée, élevée. Pour notre propos, peu importent l'intérêt ou les difficultés de cette théorie, notamment en ce qui concerne la « théologie de la controverse » entre protestants et catholiques. Il nous suffit ici d'en voir les implications et les conséquences *psychologiques*. Ce qui frappe de prime abord, c'est la réduction anthropologique de l'acte humain : tant l'homme que la femme n'ont part à la vocation cléricale que dans la stricte mesure où ils y interviennent *en toute conscience* et de façon *entièrement libre*, donc par leur vouloir moral. On ignore et on neutralise purement et simplement tous les éléments inconscients déterminants de cette vocation, c'est-à-dire l'immense domaine de la première enfance, les traits psychiques et sociaux caractéristiques du milieu familial et extra-familial, et l'assimilation de ces diverses influences, avec leur histoire, sans parler des dispositions et des particularismes personnels. Telle est l'évidente réalité, et il faut la prendre d'autant plus au sérieux qu'elle constitue le fondement sur lequel repose strictement toute la formation pratique des clercs, avec son principe de base : « Pas touche à l'évolution de la personnalité ! Compte tenu de la décision prise d'embrasser l'état clérical, considère la postulante de 18 ans ou l'étudiant en théologie de 20 ans comme des êtres accomplis, comme des personnes mûres. Ce n'est qu'en cas de troubles, si certains déséquilibres caractériels freinent ou empêchent le processus de socialisation des clercs au sein de la communauté ecclésiale, qu'il faut chercher à savoir ce qui peut rendre le candidat inapte. »

En résumé : si le développement psychique et la dynamique

de l'inconscient interviennent, c'est uniquement sous l'aspect négatif. Conclusion : l'homme et la femme ont le *devoir* de coopérer à l'action de la grâce divine et, s'ils ne le font pas comme il convient, c'est ou bien qu'ils sont coupables et pécheurs, ou bien qu'ils ne sont pas libres, donc qu'ils sont malades.

On le voit, le refoulement de l'inconscient présente deux avantages : il permet de poser des valeurs et des principes clairs et sans équivoque, et il réduit la formation ecclésiastique à une pure entreprise morale et intellectuelle destinée à retransmettre certaines idées et à imprimer certains comportements. Quant à la formation de la personnalité proprement dite, on ne l'envisage même pas, si bien que les éducateurs eux-mêmes n'ont jamais à s'interroger sur leur propre personnalité ni à se remettre en question. Dès lors, rien ne s'oppose à la pure *standardisation* de la voie qui conduit à l'état clérical, à sa pure objectivation. L'appareil institutionnel peut se mettre en marche, vite et régulièrement.

Ainsi réprimé, l'inconscient n'est pas pour autant « perdu ». L'ayant soustrait à l'homme, on projette le refoulé sur « Dieu ». C'est exactement de cette situation psycho-religieuse que part Ludwig Feuerbach pour fonder sa critique de la religion[14] : pour lui, celle-ci n'est qu'une projection de la nature humaine, une nature qui apparaît à l'homme sous une forme aliénée et aliénante. Mais il est entre-temps devenu possible et indispensable de préciser son idée à partir de notre théorie théologique sur la vocation du clerc : ce n'est pas toute la nature de l'homme, mais une partie essentielle de sa psyché, qui se trouve projetée de l'inconscient sur le divin ; sa critique ne porte donc pas sur l'essence de la religion, mais seulement sur la forme qu'elle prend à travers le personnage du clerc catholique, avec tous ces déchirements continuels qui rendent la personne monstrueuse et Dieu suprêmement équivoque. Car, dans la mesure où, dans un réflexe de défense, ce clerc projette sur Dieu les éléments les plus problématiques et les plus angoissants de son inconscient, c'est à lui qu'il attribue les sentiments ambivalents et les contradictions qu'il est lui-même incapable de résoudre dans sa vie concrète[15].

L'ennui, c'est qu'il y a désormais trois obstacles à la solution des conflits. Tout d'abord, comme la projection non seulement reste inconsciente mais se renforce du fait de l'idée théologique de vocation divine, toute exploration critique de l'histoire personnelle des motivations revient à douter de sa foi — le combat n'est donc plus seulement avec l'« humain », mais avec le divin, comme celui de Jacob au gué du Yabboq (Gn 32, 22-32). De plus, en venant surdéterminer l'aliénation psychique en aliénation religieuse, la projection fait apparaître Dieu comme un vis-à-vis qui traduit objectivement les tensions et les sentiments de culpabilité du sujet ; le moi perd alors toute initiative et se montre désormais incapable de se mouvoir librement dans un climat de confiance. Enfin, et surtout, le clerc finit psychologiquement par considérer comme essentielle l'opposition entre les « exigences » de « Dieu » et ses désirs d'homme, et il en fait inconsciemment la base de sa théologie.

Dans ces conditions, il est clair que, loin de résoudre les conflits, l'idée de vocation ne fait que les perpétuer. Dans les expériences chamaniques, disions-nous, certaines visions régulatrices venaient compenser la crise psychique et la menace psychotique. En revanche, la conception catholique de la vocation cléricale, avec sa répression de l'inconscient, n'offre aucune possibilité de traiter les conflits de façon constructive et, par conséquent, de les régler.

b) La deuxième différence, très nette, entre la psychologie du clerc catholique et celle du guérisseur spirituel des civilisations tribales, c'est le caractère extérieur du sentiment de sécurité que suscite la fonction, autrement dit *l'institutionnalisation de l'état clérical*. La projection permet sans doute à celui qui se pense appelé d'ignorer ses conflits personnels en les objectivant dans une volonté divine. Elle dépouille de même le psychisme de ses visions de salut en les dépersonnalisant et en les objectivant en rites et en symboles de foi que l'Église présente alors comme révélations divines.

Certes, dans les civilisations tribales, le chamanisme prend lui aussi une dimension institutionnelle. Mais quelle différence ! Sa position, la considération dont il jouit, le chaman les a acquises comme seul le peut encore l'artiste, dans notre culture occidentale moderne : il ne saurait surgir à point nommé que quand il se sent prêt, avec ses visions et ses rêves. Il faut qu'il soit riche de ses expériences personnelles pour pouvoir se présenter à la communauté, c'est-à-dire aux membres de la tribu. Certes, de nos jours, pratiquement plus personne n'attend du poète, du sculpteur, du compositeur ou du peintre un autre message que la simple description de nos frustrations et de nos déchirements. Il y a longtemps que notre culture a renoncé à la quête du salut et de la guérison [16]. Ce devrait être à la religion de répondre à ce besoin. On mesure alors le dommage que représente une théologie catholique qui, certes, possède toutes les images possibles de salut et de guérison dans les archives de ses définitions dogmatiques, mais uniquement comme des valeurs en soi, des instruments agissant par eux-mêmes, des *operae operata* opposées aux expériences subjectives, des rites et des symboles extraits du contexte au sein duquel ils seraient à même d'exercer une action psychique salutaire. Le chaman authentifie sa vocation aux yeux de la tribu en actualisant de manière très saisissante, pour le bien-être des autres, les images qui l'ont lui-même délivré d'un mal profond. Le prêtre de l'Église catholique, lui, est appelé à actualiser des signes rituels sous la forme de sacrements qui ne viennent pas de son « âme » mais d'une tradition contrôlée par le magistère catholique. Ces images sont des *signes* de la foi, mais elles sont impuissantes à traiter efficacement par la foi les maladies de l'âme et du corps [17]. Dans la vie de sa tribu, le chaman revêt sa fonction de par la force de sa personnalité, tandis que le clerc catholique embrasse l'état auquel il est appelé au prix d'une profonde césure entre sa personne et la charge qu'il doit assumer, laquelle n'émane pas de lui-même, mais de structures ecclésiales objectivement préétablies. Certes, il est invité à s'adapter à son rôle, mais le problème est comparable à celui qui se pose à David dans son combat contre Goliath (1 S 17, 1-51) : pour pouvoir lutter à son aise, David a besoin d'une mobilité à sa mesure ; à première vue, la « cuirasse de Saül » lui paraîtrait plus indiquée, mais elle serait pour lui quelque chose de surajouté, d'artificiel et d'emprunté.

Il est clair que l'objectivation de la vocation a ses avantages. En effet, en définissant le ministre d'une religion essentiellement par sa fonction, comme un « fonctionnaire » qui administre le « divin », non pas de par sa personne, mais uniquement de par la mission objective qui lui vient de l'Église, on obtient une forme religieuse qui élimine systématiquement les éléments prophétiques, visionnaires et extatiques au profit des éléments bureaucratiques, administratifs et conservateurs [18]. En refroidissant et en solidifiant la coulée ardente qu'est le message de Jésus, on parvient à faire de l'Église de Pierre un bloc parfaitement organisé, une *societas perfecta* dans laquelle le contrôle généralisé et la rationalisation remplacent des charismes individuels pleins d'aléas, échappant à toute réglementation. Et n'est-ce pas bien ainsi ? Moïse lui-même, à la fin de sa vie, n'a-t-il pas confié l'application de ses grandes visions au talent pratique du guerrier Josué (Dt 34, 9)[19] ? Pour assurer l'équilibre, l'ordre et la paix, l'Église du Christ ne devait-elle pas, elle aussi, se sentir autorisée à contenir l'horizon du divin dans les limites du contrôlable, des rites et de la parole, par la rigueur de son administration ?

Naturellement, la théologie de l'Église ne voudra pas admettre l'existence de cette opposition entre sacerdoce et prophétisme[20], et elle fera tout pour montrer que, contrairement au prophétisme de l'Ancien Testament, celui du Nouveau Testament est un élément essentiel du sacerdoce. Bien plus, elle verra dans ce sacerdoce bien compris l'accomplissement eschatologique de tout prophétisme, (Jl 3, 1-5 et Ac 2, 16 s.)[21]. Ces considérations peuvent tout au plus nous indiquer ce que devrait être l'Église, si elle répondait à l'idée qu'elle se fait d'elle-même, mais elles ne peuvent pas effacer la réalité psychique. En transformant ce qu'a d'extra-ordinaire la spontanéité d'un appel divin en un emploi professionnel, c'est bien le statut d'employés, et non celui de prophètes, que veut l'Église pour ses clercs.

Psychologiquement, il se crée ainsi une situation tout à fait spéciale, propre au catholicisme, où celui qui entre dans le clergé unit en un surprenant mariage la vie tranquille du fonctionnaire et, à l'extrême opposé, le non-conformisme antibourgeois de ce qu'on appelle les « conseils évangéliques ». Il faut donc bien que celui qui est clerc ou aspire à le devenir soit, ou ait été, psychologiquement préparé à vivre cette contradiction ! Dès lors, la vocation cléricale se heurte à cette question psychologique très précise : qui sont donc ces hommes et ces femmes qui veulent tout à la fois une destinée hors du commun et la sécurité d'un emploi bien réglé, et comment peuvent-ils concilier des objectifs si opposés ?

D'ores et déjà, il est clair que les raisons de cette alliance ne sont pas d'ordre sociologique, mais exclusivement d'ordre psychologique.

Certes, en d'autres temps, en d'autres circonstances, les vœux de pauvreté, de chasteté et d'obéissance pouvaient être chez les hommes prétexte à obtenir la promotion sociale, le pouvoir et le prestige auprès de la femme. Au milieu du siècle dernier, dans son roman *Le Rouge et le Noir*, Stendhal pouvait encore montrer comment Julien Sorel, de modeste naissance, aspire à l'état clérical en vue de faire carrière et de se ménager une position privilégiée favorisant ses liaisons amoureuses[22]. Pour bien comprendre son héros, il faut se reporter au temps du despotisme où il était normal que les fils de bourgeois fassent des études de théologie pour accéder aux charges ministérielles de princes-évêques et égaler ainsi la noblesse — et même la dépasser, en s'intégrant au premier des trois états. Aujourd'hui encore, dans le sud de l'Inde (Kerala) — et c'était aussi le cas il y a quelques décennies dans les régions rurales d'Allemagne —, un nombre relativement élevé de vocations féminines n'ont pas que des motivations religieuses. Joue également un rôle déterminant la place de la fille dans une famille nombreuse, si sa position ne lui laisse que peu de chances de recevoir une formation professionnelle décente ou de se marier.

Chez nous, ces temps sont pour ainsi dire passés, encore que la garantie d'un emploi sur un marché du travail à l'offre très resserrée, la relative facilité d'études et la réussite aux examens quasi garantie d'avance puissent encore suggérer d'embrasser la profession cléricale. Quoi qu'il en soit, les motivations sociales étant largement écartées, il est plus aisé de chercher à connaître les facteurs strictement psychiques qui déterminent une vocation cléricale. Qu'est-ce donc qui incite à vouloir à la fois l'exception et la règle, la démesure et la mesure, la singularité et la banalité ? La réponse n'est ni simple ni facile. Cependant, d'ores et déjà, on peut supposer que les deux pôles d'attraction doivent forcément être d'égale force dans la psychogenèse du clerc. Autrement dit, on est en droit de supposer que celui qui, dans sa vie, veut être quelque chose de « spécial » a, depuis toujours, ressenti l'obligation psychique d'être une exception. De même, il doit certainement y avoir un rapport étroit entre une pression très précoce du milieu familial et le désir de se trouver mandaté, préétabli et fonctionnarisé.

S'il est utile de mesurer l'élément spirituel et prophétique de la vocation cléricale à la forme la plus intense qu'on en puisse trouver, celle qu'il prend dans les rêves initiatiques des chamans, il ne sera pas moins bon d'en confronter l'élément administratif et professionnel à sa forme la plus profane et la plus séculière. Or, nous venons de le dire, cet élément a socialement perdu sa force attractive ; il ne la conserve que psychiquement. Ce qui le fait aspirer à sa fonction, ce n'est donc pas une simple *façon de vivre* (en français dans le texte, *NdT*), c'est le fait qu'elle vienne répondre immédiatement à sa personnalité psychique. Une des principales raisons tient au cadre même de l'Église. En effet, un clerc n'y offre pas ses services comme le font par exemple, dans un autre contexte, un juge assesseur ou un contrôleur des chemins de fer, lesquels cherchent d'abord à s'assurer une existence financière dans le cadre d'un horaire bien déterminé et par une activité qui, personnellement, les laisse plus ou moins indifférents. Au clerc, il est demandé de vivre son office totalement de l'intérieur, de porter l'habit ou la soutane pour ainsi dire vingt-quatre heures sur vingt-quatre, jour et nuit. Son occupation n'est pas un gagne-pain, mais un engagement total envers Dieu, un don sans partage au service du prochain.

Si on laisse de côté ce que peut avoir de mystificateur le langage théologique de la formation que reçoivent les clercs[23], on imagine sans peine que, pour s'identifier ainsi totalement à sa tâche, il faut déjà y avoir été préparé par tout son développement psychique. L'élément administratif et officiel devenu attitude de l'esprit, conception de la vie — voilà qui permet de mieux centrer le problème. Il se pose maintenant dans les termes suivants : qu'est-ce qui peut conduire à vouloir fondamentalement vivre autre chose que sa propre personne, à vouloir y substituer la généralité d'un modèle ? Comment peut naître le désir, au lieu de rester soi-même, de déléguer entièrement son existence au masque du personnage officiel ? Ou encore, pour employer le langage de la topique psychanalytique, quelles influences peuvent conduire à abandonner totalement son moi aux diktats du surmoi, et à faire de la contrainte et de la direction extérieure la vérité de sa propre vie ?

Rien qu'à les poser, de telles questions soulèvent déjà une très violente opposition en de nombreux milieux. C'est bien naturel. Ne mettent-elles pas en danger la façon dont l'Église enrobe sa théologie officielle sur le sacrifice, le don de soi et l'accomplissement du devoir ? Bien plus, elles invitent carrément à soumettre à l'examen psychologique ce qu'ont de plus sublime et de plus sacré des notions chrétiennes traditionnelles[24]. Aujourd'hui encore, le but et la mission du clerc ne sont-ils pas, selon la formule de l'apôtre Paul, d'être « tout à tous » (I Cor 9, 22) ? Son idéal n'est-il pas de pouvoir dire avec lui : « Je vis, mais ce n'est plus moi qui vis ; c'est le Christ qui vit en moi » (Gal 2, 20)[25] ? Mais le peut-il vraiment ?

Sans vouloir entrer dans une longue discussion sur la personnalité et la psychologie de saint Paul, il faut bien dire que ces versets ne peuvent se comprendre qu'en rapport avec les événements dramatiques et la vision qui lui ont révélé sa vocation. Son effondrement (épileptique) devant Damas[26] constituait pour lui la solution définitive d'un problème ; il sortait ainsi de l'impasse à laquelle l'avaient acculé ses rapports avec la foi juive. L'apparition de Jésus signifiait pour lui la fin d'un esclavage sous la férule d'une loi et d'une autorité purement extérieures, le terme d'une religion dominée par le surmoi et par la peur[27]. La grâce fondamentale qu'il venait de recevoir, c'était la permission d'être sans réserve, et le commencement d'une existence qui lui appartenait en propre, celle du Christ crucifié. Dans le Nouveau Testament, saint Paul est la dernière grande figure de ceux qui sont appelés au « service » de l'Évangile, non par l'intermédiaire de la hiérarchie ecclésiale, mais directement par des visions et des voix intérieures. Sur le plan de la psychologie religieuse, l'analogie de son expérience avec les rêves initiatiques des chamans est manifeste. Elle atteste abondamment de la difficulté de l'Église primitive à reconnaître cette dimension[28].

Certes, détachée de l'expérience libératrice de sa vocation, la théologie ultérieure de Paul a pu prendre une forme sur laquelle on pouvait fonder un nouveau système de contraintes et d'exigences, ce qui fut effectivement le cas, comme le prouve l'histoire de l'Église[29]. C'est pourquoi d'ailleurs, et non sans quelque raison, Friedrich Nietzsche en particulier a voulu y voir le modèle même de la façon dont le prêtre peut pervertir et dénaturer la vie en faisant de son désir de mort et de sa conscience aiguë du péché des moyens de satisfaire un instinct dépravé de puissance[30]. En vérité, l'œuvre et la vie de Paul étaient tout à l'opposé des angoisses masochistes du péché ; il visait à libérer de la pratique mortifère de la loi. Cela n'avait rien à voir avec la façon dont on s'est mis à inculquer aux gens des sentiments de culpabilité, les rendant tributaires de prêtres dont le pardon se substituait à la miséricorde divine. Et c'est en se réclamant de lui que, réagissant contre une domination sacerdotale qu'il jugeait outrageusement indécente, Martin Luther redécouvrit la relation directe de chacun de nous avec son Dieu[31]. Ses paroles ne peuvent donc absolument pas fonder le culte mystique de l'autorépression, pas plus qu'elles ne peuvent être en opposition de principe avec la psychanalyse. Au contraire, dans les circonstances actuelles, il semble bien que la psychanalyse soit le seul moyen pour les clercs de retrouver les intuitions libératrices de Paul.

Encore une fois, comment comprendre la genèse psychologique et la croissance de ces hommes et de ces femmes que l'histoire de leur enfance oblige à être exceptionnels et à rechercher l'exceptionnel, mais qui, trop faibles pour vivre ce destin par les seules forces de leur personnalité, doivent chercher refuge dans l'objectivité d'une mission officielle ?

2. L'OMBRE DU CHEF

Pour éclairer la psychologie du clerc, le meilleur exemple tiré du domaine profane est sans doute le récit de Jean-Paul Sartre intitulé « L'enfance d'un chef ». A lui seul, le titre indique déjà que c'est par la conquête d'une position dominante que se résout l'opposition entre la volonté de se particulariser et le désir d'un statut de fonctionnaire.

Il ne s'agit nullement de prétendre que tous les clercs sont identiques au héros de Sartre. Au contraire, à bien des égards ils s'en distinguent de façon significative. La description de l'auteur ne nous en servira pas moins de schéma directeur pour dégager les motivations et les interactions qui provoquent une telle identification à un rôle, qu'elle finit par déterminer la destinée de toute une vie.

Sartre décrit le labyrinthe des états d'âme que traverse Lucien Fleurier pour atteindre le but qu'il s'est fixé, être « chef ». Il a en lui tout ce qu'il faut pour le devenir. Tout l'y prédestine.

Lucien est un enfant qui grandit dans un brouillard d'incertitude. Il ne sait même pas très bien s'il est garçon ou fille. « Il se sentait si doux en dedans, que c'en était un petit peu écœurant [1]. » L'inclination qu'il a pour sa mère est aussi forte que la peur et l'aversion qu'il ressent pour son père, et le plus ancien de ses rêves — il se produit régulièrement à la fin des nuits passées dans le lit des parents — rappelle étrangement la « scène primitive » des rapports parentaux (sous les draps ?) [2] : « Un long tunnel noir éclairé par une petite lampe bleue » et, au bout du tunnel, « quelque chose s'était passé [...] et on voyait remuer quelque chose »[3]. Depuis lors, Lucien a peur d'être touché par sa mère, qu'il voit plutôt comme un homme que comme une femme. Assis sur son pot, il se demande même si c'est bien sa vraie maman. Depuis la « nuit du tunnel », il n'a plus la même confiance en ses parents, avec lesquels il lui semble vivre une comédie. Après tout « il se pouvait que des voleurs, la nuit du tunnel, soient venus prendre papa et maman dans leur lit et qu'ils aient mis ces deux-là à leur place[4] ». « Tout le monde jouait[5] » : telle est la découverte de Lucien, aussi angoissante que libératrice. Ses parents jouent au père Noël, et Lucien joue à l'« orphelin ». Il passe pour un « joli petit mignon » et se prend pour une « charmante petite poupée »[6]. Quand le curé lui demande qui il préfère « de sa maman ou du bon Dieu »[7], il est furieux et désespéré. Il sent bien qu'il n'aime pas sa maman, « mais il redoubla de gentillesse parce qu'il pensait qu'on devait faire semblant toute sa vie d'aimer ses parents, sinon on était un méchant petit garçon »[8]. S'il *joue* à être bon, aussitôt après il *joue* à bouder et à tourmenter les animaux. Oui, passagèrement, un stade anal destructeur devient pour lui le moyen essentiel d'éprouver la réalité des choses, et plus encore celle des relations humaines[9]. Faire le somnambule est son jeu préféré, car il pense qu'« il devait y avoir un vrai Lucien qui marchait, parlait et aimait ses parents pour de vrai pendant la nuit ; seulement, le matin venu, il oubliait tout et il recommençait à faire semblant d'être Lucien[10] ». Aussi, très vite, son existence est partagée entre l'angoisse d'une vie hypocrite réglée par une « morale » consciente le jour, et celle d'une vie refoulée, assoiffée d'amour, mais en même temps remplie des agressions que lui causent ses déceptions et ses frustrations, la nuit. Dieu est le seul qui ne soit pas dupe. Témoin incorruptible, il ne croit Lucien qu'à moitié quand celui-ci veut le persuader qu'il aime sa maman. Il sait que le soir, au lit, il joue avec un « pipi » qui, comparé à celui des autres garçons, lui paraît ridiculement petit. A l'église, agenouillé sur son prie-Dieu, il « s'efforçait d'être sage pour que sa maman le félicite à la sortie de la messe, mais il détestait le bon Dieu : le bon Dieu était plus renseigné sur Lucien que Lucien lui-même. Il savait que Lucien n'aimait pas sa maman ni son papa et qu'il faisait semblant d'être sage[11] ». Bientôt Lucien trouve si pesante la surveillance continuelle du bon Dieu, si pénibles les efforts qu'il s'impose pour la tromper, qu'il ne s'occupe plus de lui. « Quand il fit sa première communion, monsieur le curé dit que c'était le petit garçon le plus sage et le plus pieux de tout le catéchisme [12]. » Cet art de trouver chez les autres une confirmation au milieu du doute permanent devient de plus en plus pour Lucien le fondement de toute son existence.

Mais c'est surtout son père — libéré après une brève période passée au front parce qu'il est chef et que son usine doit produire — qui révèle à Lucien le grand but de sa vie : devenir chef comme lui ! Pour cela, il faudra qu'il sache « [se] faire obéir et [se] faire aimer » de ses ouvriers, en s'intéressant à leurs besoins et en connaissant chacun d'eux par leur nom [13]. Cependant, à l'église, il ne peut échapper à l'abbé Gerromet que Lucien est indifférent à tout. Il semble une marionnette sortie d'une masse ouatée. Comme pour ajouter encore au sentiment de son irréalité et de son infériorité, l'écolier en début de puberté pousse comme une « grande asperge », ainsi que l'appellent ses camarades d'école [14]. Son corps lui devient comme étranger, et quand il épie sa mère ou sa bonne en train de faire leur toilette, c'est plus par curiosité que par éveil de la passion. L'anatomie de la femme est pour lui une façon de se rendre intéressant auprès de ses camarades. Son entrée dans l'adolescence ne vient pas à bout de sa « longue somnolence ». Au contraire, le monde le regarde à travers le voile du sommeil comme « par le gros bout de la lorgnette ». « Qui suis-je ? », se demande-t-il. « Je m'appelle Lucien Fleurier, mais ça n'est qu'un nom. Je me gobe. Je ne me gobe pas. Je ne sais pas, ça n'a pas de sens.

» Je suis un bon élève. Non. C'est de la frime : un bon élève aime travailler — moi pas. J'ai de bonnes notes, mais je n'aime pas travailler. Je ne déteste pas ça non plus, je m'en fous. Je me fous de tout. Je ne serai jamais un chef. » Il pense avec angoisse : « Mais qu'est-ce que je vais devenir ? [...] Qu'est-ce que je suis, moi ? Il y avait cette brume, enroulée sur elle-même, indéfinie. Moi ! [...] Ça y est, pensa-t-il, ça y est ! J'en étais sûr ! Je n'existe pas [15]. »

Comment vivre quand, depuis l'enfance, la vie est fondée sur l'impression d'une totale inexistence, sur la réfutation existentielle du *Cogito ergo sum* cartésien [16] ? Même les ouvriers témoignent maintenant beaucoup moins de respect au fils du chef, et Lucien pense souvent à mettre fin à ses jours avec le petit revolver de sa mère pour montrer « en pleine lumière le néant du monde [17] ». Il griffonnerait ces quelques mots d'adieu : « Je me tue parce que je n'existe pas. Et vous aussi mes frères, vous êtes néant[18] ! » Mais, un peu plus tard, il pense « que tous les vrais chefs ont connu la tentation du suicide. Par exemple Napoléon à Sainte-Hélène[19] ». Un bon chef doit passer par de telles crises. Ardu est le chemin qui conduit au but.

Au lycée Saint-Louis, Lucien est fasciné par son camarade Berliac, cynique bonimenteur qui écrit des poèmes à la Rimbaud et pour qui, philosophiquement, « *rien* n'a *jamais* aucune importance[20] ». Avec lui, il découvre la psychanalyse, et celle-ci le délivre momentanément de ses inquiétudes et lui donne le calme. Elle lui confère aussi un sentiment de puissance, déchire le rideau de sa conscience, et éclaire « le monde obscur, cruel et violent[21] » de son inconscient. N'a-t-il pas désiré sa mère, et ne vient-il pas d'être vaguement troublé en essayant de deviner la poitrine de madame Berliac sous son chandail jaune ? Il sait qu'il est bourré de complexes, et il est même fier de tous ces « crabes tapis sous le manteau de brume[22] » qu'il détecte en lui. Mais il commence aussi à avoir peur d'embrasser sa mère avant d'aller se coucher. Il a peur de ses « pratiques solitaires ». Il a peur, quand il cherche à se rassurer en fumant des « cigarettes opiacées » comme son ami Berliac ; peur d'être « foutu », « raté ». Il soupçonne que les « femmes sentent en lui quelque chose qui les effraie ». Il a beau être capable d'expliquer toute sa vie psychique par les notions analytiques de la psychopathologie — savoir qu'il est un anal —, la psychanalyse ne change rien à son véritable problème : son inexistence[23].

Par Berliac, il tombe alors entre les mains d'Achille Bergère, auquel il confie « qu'il n'aimait rien au fond et que tout en lui était comédie[24] ». A quoi Bergère répond que son « désarroi » est « une chance extraordinaire [...]. Vous voyez tous ces porcs ? » poursuit-il en désignant les clients du bar, « ce sont des assis »[25]. Jamais Lucien ne voudrait ni ne pourrait vivre comme un de ces « assis ». Certes, il est choqué d'apprendre que Rimbaud était pédéraste, mais, lui explique Bergère, « la pédérastie de Rimbaud, c'est le dérèglement premier et génial de sa sensibilité. C'est à elle que nous devons ses poèmes. Croire qu'il y a des objets spécifiques du désir sexuel et que ces objets sont les femmes, parce qu'elles ont un trou entre les jambes, c'est la hideuse et volontaire erreur des assis[26] » Lucien est effrayé par ces « visions monstrueuses et obscènes ». Bergère est un génie, mais si lui, Lucien, « allait jusqu'au bout, s'il pratiquait pour de bon le dérèglement de tous ses sens, est-ce qu'il n'allait pas perdre pied et se noyer » ? Le soir, il se réfugie alors dans la compagnie de ses parents, tout en se laissant quand même initier par Bergère aux secrets de l'amour physique, jouant ainsi le rôle de Rimbaud. Il peut faire tout ce qu'il veut : fumer du haschisch, visiter les bordels ou satisfaire les penchants homosexuels de Bergère, finalement, Berliac a encore raison quand il lui dit : « Tu es un bourgeois, [...] tu fais semblant de nager, mais tu as bien trop peur de perdre pied[27]. » Après la nuit passée avec Bergère, les gens lui paraissent avoir tous « un air moral ». « C'est la pente fatale, songeait-il, j'ai commencé par le complexe d'Œdipe, après ça je suis devenu sadico-anal et maintenant, c'est le bouquet, je suis pédéraste ; où est-ce que je vais m'arrêter ? » Évidemment, son cas n'est pas encore très grave ; il n'a pas eu grand plaisir aux caresses de Bergère. « Mais si j'en prends l'habitude ? pensa-t-il avec angoisse [...]. Il deviendrait un homme taré, personne ne voudrait plus le recevoir[28]. » Par peur de tomber dans un abîme, il décide de mettre fin à cette farce psychanalytique. « “ Des fariboles ! pensait-il, c'étaient des fariboles. Ils ont essayé de me détraquer, mais ils ne m'ont pas eu. ” En fait, il n'avait cessé de résister : Bergère l'avait emberlificoté dans ses raisonnements, mais Lucien avait bien senti, par exemple, que la pédérastie de Rimbaud était une tare, et quand cette petite crevette de Berliac avait voulu lui faire fumer du haschisch, Lucien l'avait proprement envoyé promener : “ J'ai failli me perdre, pensa-t-il, mais ce qui m'a protégé, c'est ma santé morale[29] ! ” »

La « santé morale » de Lucien, c'est de chercher à oublier d'un seul coup sa laideur morale, de suivre l'exemple de son père, qui lui montre ce que sont les vraies responsabilités d'un chef. Il lui explique qu'il ne peut pas y avoir d'opposition entre ouvriers et patrons, parce que, si le patron fait de bonnes affaires, ses ouvriers sont les premiers à en profiter : « *Je n'ai pas le droit*, dit-il avec force, de faire de mauvaises affaires. Voilà ce que j'appelle, moi, la solidarité des classes. » Dès lors, Lucien décide qu'il est fait pour l'action. Sa non-existence, il ne veut plus la percevoir comme un manque, mais comme une force. « Je ne suis rien, pensait-il, mais c'est parce que rien ne m'a sali [...]. Je peux bien supporter un peu d'incertitude : c'est la rançon de la pureté[30]. » Il s'efforce de ne plus s'analyser, mais dès qu'il est étendu sur son lit, le brouillard revient, et ce brouillard, c'est lui-même. « Il lui semblait être un nuage capricieux et fugace, toujours le même et toujours autre, toujours en train de se diluer dans les airs par les bords. “ Je me demande pourquoi j'existe ? ” Il était là, il digérait, il bâillait, il entendait la pluie qui tapait contre les vitres, il y avait cette brume blanche qui s'effilochait dans sa tête et puis après ? Son existence était un scandale et les responsabilités qu'il assumerait plus tard suffiraient à peine à la justifier. “ Après tout, je n'ai pas demandé à naître ”, se dit-il. Et il eut un mouvement de pitié pour lui-même [...] au fond, il n'avait cessé d'être embarrassé de sa vie, de ce cadeau volumineux et inutile et il l'avait portée dans ses bras sans savoir qu'en faire ni où la déposer. “ J'ai passé mon temps à regretter d'être né[31]. ” »

Le mépris de soi qu'il célèbre comme un culte en méditant sur le néant n'entraîne pas Lucien Fleurier dans la résignation et la passivité. Au contraire, il en vient à mépriser de plus en plus ceux qui sont autour de lui. Il entreprend de séduire la jeune servante Berthe, mais, finalement, par fierté et par prudence, il s'abstient de coucher avec elle. C'est encore une victoire de sa santé morale. Il s'interdit des « amours ancillaires » qui, par ailleurs, pourraient faire du tort à son père. Il préfère aller danser et jouer avec son camarade Guigard à qui embrassera sa partenaire le plus longtemps. Il trouve la sienne, Maud, moins bien que l'autre, mais il est quand même fier de sa conquête. Au moins, elle sera un témoin réconfortant de ses activités politiques. N'a-t-il pas le droit d'avoir des opinions en ce domaine ?

Quand on lui dit qu'à Paris c'est un déraciné, il découvre une autre dimension de la réalité, par-delà la psychologie. Il peut enfin « se détourner d'une stérile et dangereuse contemplation de soi-même » et s'adresser « à la géographie humaine et à l'histoire[32] ». « [...] Combien il préférait, aux bêtes immondes et lubriques de Freud l'inconscient plein d'odeurs agrestes [...][33]. » A la campagne, au contact de la nature, il puisera la force de devenir un chef. Il joue au bridge et au billard avec une bande d'étudiants qui l'adoptent et l'appellent « notre Fleurier national[34] », ce qui lui confère un statut social, surtout lorsque, dans un sentiment « presque religieux[35] », il déclare qu'il s'engage définitivement à défendre leurs convictions antisémites. Même sa vie privée se ressent de sa transformation. Ils en arrivent à faire l'amour, lui et Maud, pour ainsi dire à leur grande surprise. Mais, tandis que Maud, le lendemain matin, ne regrette rien,

Lucien « se sentait frustré : ce qu'il avait désiré de Maud, la veille encore, c'était son visage étroit et fermé, qui avait l'air habillé, sa mince silhouette, son allure de dignité, sa réputation de fille sérieuse, son mépris du sexe masculin, tout ce qui faisait d'elle une personne *étrangère*, vraiment une *autre* [...]. Et tout ce vernis avait fondu sous une étreinte, il était resté de la chair, il avait approché ses lèvres d'un visage sans yeux, nu comme un ventre, il avait possédé une grosse fleur de chair mouillée [...] personne ne lui avait jamais donné cette impression d'écœurante intimité [...][36] ».

Par dégoût de lui-même, Lucien se réfugie d'autant plus fortement dans sa conviction, c'est-à-dire sa haine des Juifs : celle-ci constitue de plus en plus le fondement de son identité. La haine qu'il dirigeait contre lui-même et qui a trouvé une autre victime le transforme, lui donne la confiance de ne plus être lui-même ; il devient un autre que lui-même. « Lucien, c'est moi ! Quelqu'un qui ne peut pas souffrir les Juifs[37]. » C'est le noyau autour duquel vient s'agglomérer l'estime qu'il acquiert de lui-même, il nie sa non-existence en niant l'existence des Juifs. « “ Là où je me cherchais, pensa-t-il, je ne pouvais pas me trouver. ” Il avait fait, de bonne foi, le recensement minutieux de tout ce qu'il *était*. “ Mais si je ne devais être que ce que je suis, je ne vaudrais pas plus que ce petit youtre. ” En fouillant ainsi dans cette intimité de muqueuse, que pouvait-on découvrir, sinon la tristesse de la chair, l'ignoble mensonge de l'égalité, le désordre ? “ Première maxime, se dit Lucien, ne pas chercher à voir en soi ; il n'y a pas d'erreur plus dangereuse. ” Le vrai Lucien — il le savait à présent —, il fallait le chercher dans les yeux des autres. [...] Tant de gens l'attendaient, au port d'armes : et lui il était, il serait toujours cette immense attente des autres. “ C'est ça un chef ”, pensa-t-il. [...] Des générations d'ouvriers pourraient, de même, obéir scrupuleusement aux ordres de Lucien, il n'épuiserait jamais son droit de commander. Les droits c'était, par-delà l'existence, comme les objets mathématiques et les dogmes religieux. Et voilà que Lucien, justement, c'était ça : un énorme bouquet de responsabilités et de droits. Il avait longtemps cru qu'il existait par hasard, à la dérive : mais c'était faute d'avoir assez réfléchi. Bien avant sa naissance, sa place était marquée au soleil [...]. Déjà — bien avant, même, le mariage de son père — on *l'attendait* ; s'il était venu au monde, c'était pour occuper cette place : “ J'existe, pensa-t-il, parce que j'ai le droit d'exister. ”[38] »

Lucien n'a plus qu'à se laisser pousser la moustache, à laisser tomber Maud, à rencontrer cette « jeune fille claire [...] qui se gardait chaste pour lui » et qu'il sera seul à « posséder »[39]. « Il l'épouserait, elle serait *sa* femme, le plus tendre de ses droits [...]. Ce qu'elle lui montrerait, elle aurait le devoir de ne le montrer qu'à lui et l'acte d'amour serait pour lui le recensement voluptueux de ses biens [...] le droit d'être respecté jusque dans sa chair, obéi jusque dans son lit[40]. » Il aura avec elle beaucoup d'enfants. Il remplacera son père et continuera son œuvre. Le futur chef est né. Il n'attend plus que l'autorisation de monter sur la scène de la vie, c'est-à-dire d'être mis au service du destin.

Dans cette analyse psychologico-existentielle — un de ses premiers écrits —, Sartre a voulu montrer combien sont éclatées et fragiles les conditions qui, sous l'empire d'un fatum divin, conduisent à vouloir être un employé dirigeant, un « chef ». En se réclamant de Nietzsche, par exemple, on pourrait simplement attribuer à la volonté de puissance ce désir d'être quelqu'un de spécial avec un statut d'employé[41]. Mais, dans ce cas, il y aurait tout au plus sujet à décrire les conflits entre rivaux de même force et d'orientation parallèle. Sartre sait parfaitement qu'un simple besoin naturel d'influence et de pouvoir ne pourrait jamais, par lui-même, engendrer la détermination désespérée nécessaire pour le satisfaire. Par ailleurs, vouloir être chef, ce n'est pas du même ordre que vouloir se faire dentiste, reporter photographe ou agent matrimonial. En voulant devenir chef, on ne veut pas quelque chose ; on se veut soi-même revêtu d'une certaine identité. Mais si, pour s'accepter comme être humain, il devient indispensable d'occuper la première place, même dans un domaine mineur, une telle volonté inconditionnelle de pouvoir ne peut s'expliquer que par un extrême sentiment d'infériorité. Au Lucien de Sartre, il faut le rôle de chef pour justifier le néant de son existence. Le statut que confère le pouvoir, la considération et les motivations extérieures, celles des autres, lui servent à combler le gouffre de son vide[42]. Même le schéma du modèle parental et de l'idéal paternel dans le sens d'une psychopédagogie serait à lui seul beaucoup trop simple pour expliquer comment le destin d'un homme tel que Lucien peut être déterminé par les autres. Avant même de faire intervenir l'influence du père dans sa vie, il faut se demander comment il en arrive à se glisser dans le rôle de ce père qu'il n'a jamais aimé.

L'étude de Sartre est donc celle de la psychogenèse d'un homme qui, pour vivre, a absolument besoin à la fois de l'institution et du pouvoir. Cette rencontre de motivations aussi opposées que la normalité et la singularité ne s'explique que par la conjonction de deux tendances inverses : d'une part, celle qui résulte de conditions psychiques singulièrement anormales qui veulent se donner l'apparence de la normalité, de l'autre, celle qui résulte d'une normalité ressentie comme outrageusement bourgeoise qui aspire à la singularité, à l'exceptionnel. C'est là l'intuition centrale de l'auteur. Les turbulences contradictoires qui en résultent ont un seul et unique foyer : le vide existentiel. C'est celui de tous les « remous » propres à chaque étape du développement, dans tous les champs pulsionnels. En d'autres termes, celui qui veut comprendre la psychogenèse particulièrement névrotique, frôlant la perversion, du futur chef tel que le décrit Sartre, doit comprendre l'insécurité ontologique qui en marque structurellement la personnalité. C'est là le fond du problème ; cette insécurité est ce qui domine toute sa vie et ce qui conditionne tout son comportement.

Chez Lucien, on la perçoit déjà dans son doute touchant à son identité sexuelle : est-il un garçon ou une fille ? Sa bisexualité, assez prête à tourner à l'homosexualité, ne trouve d'issue apparente que dans la perspective d'un mariage très patriarcal et bourgeois, où la femme est son « bon droit » et où les rapports de possession et de dépendance (sexuelles) remplacent l'amour. Insécurité, aussi, quant au problème de sa liberté et de la morale : qu'a-t-il le droit de faire ou de ne pas faire ? Est-il une marionnette, ou un être autonome ? Où passe la frontière entre la réalité et l'imaginaire, entre la réalité et le jeu, entre la responsabilité et l'irresponsabilité ? Insécurité, encore, à l'égard de ses parents : de qui est-il l'enfant, autrement dit, avec qui pourrait-il se sentir assez sûr pour être à même de définir sa propre position ? Insécurité, surtout, par rapport à ses propres sentiments : quand aime-t-il et quand hait-il ? Psychologiquement, tel est bien le problème de tous les « Lucien » : s'ils veulent haïr quelqu'un ou quelque chose, ils n'ont pas le droit de le faire ; et s'ils pensent aimer quelqu'un ou quelque chose, ils ne peuvent pas se fier à leur amour, parce que celui-ci ne procède pas de leur liberté ; ce n'est pas un véritable sentiment, mais un effort d'adaptation du moi. Si un « Lucien » est en colère, il joue sa colère, et s'il est gentil, il joue sa gentillesse. Ni dans un cas ni dans l'autre, il ne s'agit d'une véritable personne, mais plutôt d'une amibe qui pousse un pseudopode au hasard. La conscience de Lucien est pareille à un miroir instable qui oscille ou tourne sur lui-même en mouvements irréguliers (déphasés !) et renvoie une image trouble du monde extérieur. Un épais brouillard déforme la réalité et empêche toute décision claire. « C'est comme si j'avais de l'ouate dans la tête, une impression bizarre de surdité ; dans mon cerveau, mes pensées sont comme une soupe aux pois qu'on remue. » Voilà ce qu'on peut entendre en marge d'une psychose, ce qui décrit très bien la désorientation existentielle d'une insécurité ontologique.

A quoi s'ajoute le sentiment d'aliénation que Lucien éprouve vis-à-vis de lui-même. Son corps est comme un mécanisme sans âme, réglé de l'extérieur ; sa sexualité, en particulier, lui laisse l'impression d'une écœurante *impureté*. Tout ce qu'il fait lui arrive, plutôt qu'il ne le fait vraiment ; c'est le produit de normes et d'expectatives qui lui sont étrangères, et non pas l'expression de son moi. Et, parce qu'il existe constamment par les autres, qu'il se trouve dans un statut de permanente altérité, le trou de sa non-existence s'élargit sans cesse.

Bien avant que Lucien ne soit en mesure de trouver la justification de son existence dans ce que le pouvoir institutionnalisé peut offrir d'exceptionnel, seul le milieu social dans lequel il vit — il faut le constater avec effroi — décide pour lui de ce qu'il est et de ce qu'il adviendra de lui. En un sens, plutôt que meneur d'une bande fascisante, un être humain tel que Lucien pourrait tout aussi bien devenir membre d'une association humanitaire. Ce qu'il fait passer pour une conviction personnelle n'est au fond rien d'autre que la radicalisation du *common sense* pratiqué dans le groupe avec lequel il s'identifie. Selon la psychologie sociale, le chef du groupe a pour tâche de formuler et d'incarner les normes qui président de fait à la vie de la communauté[43]. Or ce sont précisément les efforts qu'il fait en ce sens qui rendent Lucien important aux yeux des autres, et, à cet égard, il a toujours une longueur d'avance sur eux et sur leur propre confusion mentale. C'est un caméléon qui, par peur d'être rejeté, prévient leurs attentes et s'identifie à elles, notamment à celles qui, une fois satisfaites, promettent la plus forte récompense. Ce qui était d'abord dicté par la peur d'être rejeté, à savoir faire mieux que les normes en vigueur dans le groupe, aller au-delà, devient une démonstration de force et d'intimidation.

C'est pourquoi il serait faux de croire que la fuite en avant pour devenir chef soit un calcul. Il s'agit bien plutôt d'une répression psychique : il y a refoulement de domaines entiers du psychisme, et les conflits répugnants qui agitent celui-ci, les problèmes incompréhensibles qu'il crée, la peur qu'engendrent ses abysses sont une humiliation et un poids permanents. Nous comprenons alors qu'en réaction à la nausée qu'un Lucien ressent devant lui-même, celle qui l'accompagne partout, il se tourne de toutes ses forces vers ce qui peut être officialisé, fonctionnarisé, bureaucratisé[44]. En effet, s'il veut échapper à ce que son moi a de trop personnel, un être comme le Lucien Fleurier de Sartre a absolument besoin de se retrouver dans « l'universel ». En confondant sans arrêt les niveaux, il sécrète très exactement la conscience *universelle* que décrit Hegel[45] : il personnalise les opinions et les intérêts de son milieu social pour en faire sa propre personne.

Être personnel dans ce qui est général et général dans ce qui est personnel, c'est l'équivoque qui entretient désormais l'identité non existante de Lucien et le prédestine à être chef ; mensonge qui le conduit à n'être jamais ce qu'il est, et à s'efforcer toujours d'être ce qu'il n'est pas[46]. Le jeu de l'existence et l'irréalité de son être l'obligent à se réfugier dans une meute (antijuive) qui puisse lui dire ce qu'il est. Mais plus il est entraîné dans le tourbillon de l'altérité, plus sa propre aliénation se fait contrainte vis-à-vis des autres : comme chef, lui qui n'a pas de moi prend possession de celui des autres. Pour être lui-même quelque chose, un être comme Lucien doit être tout pour les autres. Parce que seul un corset d'emprunt peut l'empêcher de se désintégrer, il doit être pour les autres un pilier, un socle d'acier inébranlable, lui qui ne trouve en lui-même aucun appui. S'il ne veut pas être pris lui-même pour une nullité, il faut qu'il fasse des autres une suite de zéros qu'il fera précéder de lui, comme le signe qui donne sa valeur à un ensemble de chiffres. Ainsi, il impose sa volonté aux autres qui, à leur tour, lui donnent un semblant d'être et de sens.

Il ne faut jamais perdre de vue cette existence dérivée d'un être comme Lucien pour comprendre que, pour lui, devenir « chef » est une vocation, un appel. Au cours de leur vie, à la faveur des circonstances, il arrive à d'autres que lui de devenir chefs, mais c'est pour eux une pure contingence, secondaire et qualitative. Par contre, des êtres tels que Lucien ne peuvent rien faire d'autre qu'assumer une fonction dirigeante, comme s'il s'agissait vraiment d'un ordre divin. Cette fonction est tout pour eux. Elle les remplit, ils *sont* cette fonction. Sans elle ils ne sont rien. C'est pourquoi ce ne peut pas être une simple fonction ordinaire. Pour avoir un sens, il faut qu'elle soit missionnaire : elle doit transfigurer le groupe qui est à la fois son support et qui lui doit son souffle ; elle en fait une ardente communauté d'action. Pour atteindre ce but, elle doit transcender son caractère purement administratif de fonction pour devenir un mandat du destin, un mandat quasiment divin. Un élu mandaté au milieu d'une communauté d'élus — c'est ce qui pallie et apaise l'insécurité ontologique de futurs chefs semblables à Lucien. L'habit de leur « santé morale », c'est le voile de leurs perversions. Leur obsession de l'ordre établi, c'est le brouillard de leurs angoisses. Leur vérité fonctionnarisée, c'est la confusion de leurs mensonges, une vérité pour les autres.

C'est ici que le paradigme du chef « Lucien », dans ce qu'il a de plus profane, nous donne la clé qui permet de comprendre le clerc. Il ne faut pas trop presser la notion de chef. Pris dans leur sens sartrien, tous les chefs ne sont pas assis à leurs bureaux, dans des banques ou dans quelque autre entreprise que ce soit. Il n'est même pas nécessaire qu'ils exercent effectivement un emploi de chef. Être chef, ce n'est pas d'abord un statut social, mais un dessein existentiel qui à la fois suppose et concrétise une certaine psychologie et une certaine vision de soi. Dans ce sens, est chef celui qui, en raison d'une insécurité ontologique ou de l'angoisse profonde qu'il ressent face à son néant, a foncièrement besoin d'avoir une fonction particulière et une mission officielle pour se sentir vivre comme personne. La singularité lui donne le sentiment de sa valeur et la normalité le droit à l'existence. Ces fonctionnaires du destin, ces élus de la volonté divine élèvent la normalité au rang de la particularité. Eux qui, au départ, ne sortent pas de l'ordinaire, ils deviennent l'extraordinaire, les ministres du divin, les catalyseurs du destin ; non pas du fait de hasards personnels qui les auraient confrontés à des visions et des expériences oniriques à la façon des chamans, mais en vertu d'une sanction officielle, d'un particularisme titularisé. Autrement dit, en termes psychanalytiques et existentiels, le choix opéré par le clerc est la compensation multiple d'une insécurité ontologique. La personne est si profondément et si désespérément vidée et effritée que seuls un rôle extérieur, une mission objective plaquée, semble pouvoir lui garantir une identité. La « fonction » devient ainsi la vérité du moi, sa défense et sa preuve ; c'est la seule valeur à laquelle le moi puisse se mesurer. La forme essentielle de l'existence, ce n'est plus d'être une personne, mais d'être un clerc.

Conséquence pratique : dans l'Église catholique, la relève des clercs ne peut être assurée qu'en reposant pratiquement sur la production d'êtres foncièrement incertains d'eux-mêmes qu'on persuadera de revêtir, en guise d'ultime protection, le corset du fonctionnariat et du personnage officiel. De tels êtres ont si profondément mal à eux-mêmes, ils ont si fondamentalement peur d'eux-mêmes et des autres, que l'état clérical est pour eux la formule, le « Sésame ouvre-toi » de chacune de leurs expériences, le sens caché d'une vie jusque-là presque absurde et infamante, la solution logique de leurs énigmes et l'issue de leur inextricable imbroglio — bref, la volonté de Dieu, leur destin. En outre, quand on sait combien, à la fin de la puberté, au moment où commence à s'éveiller en eux l'idée de devenir clercs, l'avenir peut leur apparaître bouché, que, de plus, les raisons de ce blocage leur sont largement inconscientes, et que, pour couronner le tout, les voix et les forces qui les empêchent et leur interdisent de vivre se reflètent dans leur psyché sous le déguisement d'une projection divine, on commence à comprendre la libération, l'ivresse même que ce peut être pour eux de découvrir, au milieu de toute cette atmosphère d'oppression et de dépression, le surgissement d'une espèce de lumière, la « révélation » d'un dessein originel, d'une volonté positive qui était là depuis le commencement, « dès le sein maternel », pour parler comme l'Apôtre (Gal. 1, 15)[47]. C'est vraiment l'histoire du *Vilain Petit Canard* de Hans Christian Andersen[48] : celui qui quinze ans ou vingt ans durant est apparu débile, misérable, inhibé, timoré, rejeté, futile, se découvre soudain une vocation supérieure ; il est finalement marqué au sceau de l'être élu. Toutes ses souffrances, ses humiliations et ses angoisses prennent enfin sens ; ses aspirations et ses espoirs toujours déçus trouvent enfin une heureuse issue. Même si c'est par un détour, ce qui lui paraissait si cruellement inaccessible, l'amour, la considération, le respect, l'estime de Dieu et des autres, a désormais cessé de l'être sous l'habit de clerc, d'une honorable sœur ou d'un digne père[49]. Du jour où il a décidé de se faire clerc, celui qui se tenait à l'écart des jeux, qui faisait office de pot de fleurs dans les fêtes de classe, l'innocent venu de sa campagne, celui que les hordes de jeunes ridiculisaient, se trouve soudain revalorisé, transfiguré, comme parcouru d'un tremblement sacré. Le désespéré est devenu enfant chéri de Dieu : qui ne le respecte pas n'est qu'un mécréant, un athée, quelqu'un qui, à vrai dire, ne mérite que pitié. Comment ne serait-ce pas alors Dieu qui parle dans ses rêveries ? Comment douter d'une révélation aussi évidente ? N'est-il pas vrai que les chrétiens ne sont pas de ce monde, et n'est-ce pas justement parce qu'ils sont différents des autres qu'ils ressemblent au Crucifié (Jn 15, 18-27)[50] ? Pourrait-on avoir le front de soumettre à la psychanalyse et de mettre en question un tel bienfait, si manifestement authentique ?

Pour faire justice à la religion, il faut même élargir et radicaliser la problématique : ce que nous avons appelé l'insécurité ontologique d'un Lucien Fleurier ne constitue-t-il pas fondamentalement le destin de tout homme et de toute femme ? Êtres pensants, ne sommes-nous pas tous condamnés à souffrir et à être malheureux en ce monde[51] ? En un certain sens, ne sommes-nous pas tous psychiquement malades d'avoir à affronter consciemment notre mort, notre finitude, notre néant, notre contingence — celle d'un être qui n'est qu'en apparence[52] ? Si certains vivent le problème universel de l'existence d'une manière particulièrement intense, n'est-ce pas un acte de la grâce divine ? La religion n'est-elle pas essentiellement une réponse au problème fondamental de tout être créé[53] ? Faut-il alors s'étonner si certains, par leur histoire personnelle, sont particulièrement sensibles à ce problème, et donc commis à la religion pour se maintenir au-dessus de l'abîme ? Ne sont-ils pas véritablement des élus de la grâce, ceux que l'angoisse et la souffrance ont mis à cette école de la vérité ?

Oui et non ! Oui, s'ils ont appris à situer l'« insécurité ontologique » à sa vraie place, c'est-à-dire à la base de l'existence humaine. Non, s'ils l'ont dépouillée de sa dimension métaphysique pour la catégoriser. La différence est capitale, tant par ses causes que par ses effets.

L'insécurité ontologique d'un homme comme Lucien Fleurier, par exemple, n'est faite que de l'addition des incertitudes et des angoisses qu'il a ressenties dans les diverses circonstances de sa vie. Certes, sa bisexualité, son complexe d'Œdipe, ses désirs anaux de puissance, son besoin d'altérité traduisent bien une inquiétude fondamentale devant l'existence, mais sans plonger leurs racines jusqu'en l'existence humaine comme telle. Sans doute sa capacité ou son incapacité d'aimer une femme dépend-elle essentiellement de son impression d'être superflu, donc de ne pas exister vraiment, ou d'être justifié, mais cela n'a rien à voir avec le problème essentiel de l'être humain. Au contraire, en enflant ses problèmes psychiques à la dimension du monde entier, il trahit la molle résignation de sa névrose. Inversement, celui qui est bien ancré en lui-même et dans le monde admettra volontiers et sans détour la finitude et la contingence de l'existence. En d'autres termes, faire de la métaphysique une psychologie, ou de la psychologie une métaphysique, loin de résoudre le problème que pose l'insécurité ontologique de l'existence humaine, ne fait qu'embrouiller les choses en confondant les deux niveaux, ce que fait sans arrêt Lucien Fleurier en jouant entre l'individu et le collectif. C'est précisément là, semble-t-il, le type même de la fausse synthèse entre ce qui relève de la personne et ce qui relève de la fonction. Cela suffit déjà pour exclure que les troubles névrotiques puissent favoriser et intensifier le phénomène religieux ; ils ne peuvent tout au plus que le déformer davantage.

Mais ce qui pose particulièrement problème à la religion sous toutes ses formes, c'est le fait de couler dans des moules catégoriels les conséquences de l'insécurité ontologique. S'il est vrai que « l'incertitude et le risque [54] » de l'existence constituent le fondement de toute véritable expérience religieuse, il importe de ne pas tarir ces sources, si on veut que cette dernière reste authentique. Seulement, si les flots de l'angoisse peuvent déferler librement, ils risquent de ne pas s'arrêter devant les très augustes murs des temples et des sanctuaires ; ils menacent constamment de faire sauter les digues et les écluses laborieusement mises en place par les religions. C'est bien pourquoi les institutions religieuses, soucieuses d'éviter les soubresauts de l'exaltation, ne cessent de soustraire le champ des expériences quotidiennes aux eaux vivifiantes du grand large. Elles recourent à d'ingénieux artifices pour apprivoiser et canaliser les assauts de l'océan, et empêcher ainsi celui-ci d'entraîner les humains dans ses lames de fond. Il faut éviter l'incertitude des marées. Endiguer l'infini est un art qui relève à la fois de la pitié et d'une certaine sagesse sacerdotale.

Mais la religion est alors victime de sa propre dialectique. Plus elle réussit à circonscrire l'angoisse essentielle de la destinée humaine, plus elle se coupe de ses fondements ; mieux elle « fonctionne », moins elle exerce sa fonction dans la vie de la société. Trop protégés, les prés-salés autrefois irrigués par les marées se dessèchent. Ne restent que des déserts. Si elle ne veut pas se dessécher elle-même, la religion se trouve alors contrainte de sécréter une autre angoisse pour remplacer celle qui naissait de la perception de l'infini des horizons. En d'autres termes, pour subsister, il faut qu'elle s'emploie sans cesse à mettre en catégories l'insécurité ontologique et l'angoisse foncière de l'existence humaine, à les arracher à ce qui en était l'essence, pour les greffer sur des objets, créant ainsi la nécessité de nouveaux contrôles, de nouveaux règlements, de nouvelles défenses.

En ce sens, les ministres de la religion ont particulièrement intérêt à entretenir artificiellement l'angoisse touchant aux besoins vitaux, à créer des névroses et des psychoses qui rendront nécessaires les fonctions sacerdotale et cléricale, en conduisant à déléguer les conflits individuels à une collectivité nommée Église, elle-même source et aliment de ces angoisses. Chargée à l'origine d'apaiser la grande angoisse existentielle, la religion a maintenant besoin des petites angoisses quotidiennes pour se justifier, elle-même et sa routine bien réglementée, et pour s'assurer qu'elle est indispensable. Pour conférer valeur et dignité à ses propres institutions, elle en fait les *instruments des angoisses qu'elle nourrit*, mais des instruments qui ne rassurent qu'elle-même. C'est une religion d'épigones à son déclin : elle a besoin des névroses quotidiennes pour asseoir le surnaturel que dispensent ses instruments de salut[55], et, pour assurer son service, de préposés, hommes et femmes, marqués physiquement et psychiquement par l'angoisse, la culpabilité et l'insécurité, au point de ne plus trouver de soulagement et de refuge que dans une organisation officielle, la seule capable de leur garantir le salut, la seule que Dieu veuille pour eux.

Même si son langage nous apparaît aujourd'hui bien daté, personne n'a su mieux que Friedrich Nietzsche diagnostiquer les effets psychologiques de cette abdication par le clerc de sa réalité personnelle au profit de l'organisation du surnaturel. Il nous faut suivre une à une les critiques qu'il adresse aux prêtres, aux clercs, à tout ce qui est ecclésiastique. « Quiconque a du sang de théologien dans les veines, ne peut *a priori*, qu'être de mauvaise foi, et en porte à faux devant les choses. Le trouble qui en résulte se donne le nom de foi : fermer une fois pour toutes les yeux pour ne pas se voir, pour ne pas souffrir au spectacle d'une incurable fausseté. De cette optique défectueuse appliquée à toutes choses, on fait à part soi une morale, une vertu, une sainteté ; on associe la bonne conscience à un *défaut* de vision. On exige qu'aucune *autre* optique ne soit plus admise, après avoir rendu la sienne sacro-sainte en l'accolant aux noms de " Dieu ", de " rédemption ", d'" éternité ". Cet instinct théologique, je l'ai mis au jour un peu partout : il est la forme la plus répandue, la plus proprement *souterraine* de fausseté qu'il y ait au monde. Ce qu'un théologien ressent comme vrai doit *nécessairement* être faux : voilà un critère à peu près infaillible de la vérité. C'est son instinct de conservation le plus élémentaire qui empêche que la réalité soit à l'honneur, ou même ait seulement son mot à dire sur aucun point. Partout où s'étend l'influence des théologiens, *le jugement de valeur* est la tête en bas, et les notions de " vrai " et de " faux " sont nécessairement interverties. C'est ce qui est le plus nuisible à la vie qui, dans ce cas, passe pour " vrai ", et tout ce qui l'élève, l'intensifie, l'affirme et la fait triompher est appelé " faux "[56]. »

Nietzsche a même très nettement perçu l'opposition entre ce qu'ont d'« extra-ordinaire » les rêves initiatiques des chamans et ce qu'a d'institutionnel et de rassurant l'appel entendu par les clercs au sein de l'Église, lorsqu'il a taxé la morale chrétienne d'anti-réalité imaginaire : « Ce monde de pure *fiction* se distingue — tout à son désavantage — du monde du rêve, par le fait que ce dernier *reflète* la réalité, tandis que le premier falsifie, dévalorise et nie la réalité. A partir du moment où l'on inventait l'idée de " nature " pour l'opposer à l'idée de " Dieu ", le mot " naturel " devenait forcément synonyme de " condamnable ". Tout ce monde de fiction prend ses racines dans la *haine* du naturel — la réalité ! — ; il est l'expression d'un profond malaise devant le réel... *Mais cela explique tout*. Qui donc a intérêt à *s'évader* de la réalité *par le mensonge* ? Celui qui souffre de la réalité. Mais souffrir de la réalité, cela veut dire être une réalité *manquée*... C'est la prédominance des sentiments désagréables sur les sentiments agréables qui est la *cause* de cette morale et de cette religion fictives : mais cette prédominance nous donne aussi la *formule* de la décadence[57]. »

Aux prêtres de l'Église catholique, Nietzsche reproche avant tout de dénaturer toutes les valeurs positives, d'y attenter, en vrais parasites qu'ils sont : « Le prêtre *règne* grâce à l'invention du péché[58]. » Pour lui, la doctrine de la rédemption, ou du salut, est un moyen pour faire que tous nous ayons précisément besoin de salut ; c'est un moyen de nous rendre malades jusqu'à la destruction de l'âme et du corps : « Que, dans certaines conditions, la foi procure la béatitude, que la béatitude ne suffise pas à faire d'une idée fixe une idée *vraie*, que la foi ne déplace pas les montagnes, mais *place* des montagnes là où il n'y en a pas, une rapide visite dans un *asile d'aliénés* nous éclaire assez là-dessus. Mais elle n'éclaire *pas* un prêtre, il est vrai ; car, *lui*, il nie d'instinct que la maladie soit la maladie et l'asile un asile. Le christianisme *a besoin* de la maladie, à peu près comme l'hellénisme a besoin d'un excès de santé — *rendre* malade est la véritable intention cachée de toute la thérapeutique du salut pratiquée par l'Église. Et l'Église elle-même, n'est-elle pas l'asile d'aliénés catholique conçu comme suprême idéal ? — la Terre entière conçue comme un asile d'aliénés ? L'homme religieux tel que le *veut* l'Église, est un *décadent* type ; le moment où une crise religieuse s'empare d'un peuple est chaque fois caractérisé par des épidémies de maladies nerveuses ; le " monde intérieur " de l'homme religieux ressemble à s'y méprendre au " monde intérieur " du surexcité et de l'épuisé ; les états les plus " sublimes " que le christianisme a suspendus au-dessus de l'humanité comme " valeurs des valeurs " sont des formes épileptoïdes. L'Église n'a canonisé *in majorem Dei honorem* (pour le plus grand honneur de Dieu, *NdT*) que des fous *ou* de grands simulateurs[59]... » « La base du christianisme, c'est la *rancune* des malades, leur instinct dirigé *contre* les bien-portants, *contre* la santé. Tout ce qui est achevé, fier, exubérant, et avant tout la *beauté*, lui fait mal aux oreilles et aux yeux. Une fois de plus, je veux rappeler cette incomparable parole de Paul : " Ce qui est *faible* aux yeux du monde, ce qui est *fou* aux yeux du monde, ce qui est *vil* et *méprisé* aux yeux du monde, Dieu l'a choisi " : voilà bien *la* formule clé : *in hoc signo* (par ce signe, *NdT*)... la décadence a vaincu. Dieu mis *en croix* — ne comprend-on toujours pas la terrible arrière-pensée qu'implique ce symbole ? Tous ceux qui souffrent, tous ceux qui sont crucifiés sont divins... Nous sommes tous crucifiés, par conséquent *nous* sommes divins... Nous seuls sommes divins... Le christianisme fut une victoire, et c'est une forme *supérieure* d'esprit aristocratique qui n'y survécut pas — le christianisme a été le plus grand malheur que l'humanité ait connu jusqu'à présent[60]... »

Nous n'avons pas ici à justifier la théologie chrétienne, en particulier la doctrine de la rédemption, face aux critiques nietzschéennes, dont l'impartialité en matière de psychologie n'est certainement pas le principal mérite. Il s'agit seulement de constater que les notions religieuses de salut, prises à rebours, sont l'envers destructeur de ce qu'elles devraient être, dès lors que la fonction devient une valeur en soi[61]. C'est ce qui se produit quand l'état clérical est essentiellement un moyen d'échapper au dilemme personnel de sa « non-existence », ou bien, inversement, quand l'Église doit compter sur la dépersonnalisation de ses futurs ministres et de ses postulants pour en assurer le recrutement. Finalement, comme dans l'exemple de Lucien Fleurier, c'est la peur de soi qui donne au statut clérical son aura de mission et d'appel divins et qui fait de ce statut une nouvelle source d'angoisse.

Mais est-ce bien honnête de vouloir comparer la vie dissipée d'un Lucien Fleurier avec la sainteté et la pureté d'hommes et de femmes que Dieu appelle à son service pour sauver le monde et être les témoins de la venue proche de son Royaume ? N'est-ce pas de la malveillance ? Absolument pas !

Notre problème, c'était de savoir comment se concilient, psychologiquement, l'excentricité la plus radicale d'une vie, celle des chamans en l'occurrence, et la banalité la plus quotidienne d'un employé ; comment un psychisme dangereusement menacé, au bord du pathologique, peut se réfugier dans la normalité d'un règlement, dans la fonctionnarisation. Or, l'exemple de Lucien Fleurier nous montre précisément comment une insécurité ontologique catégorialisée peut formellement conduire quelqu'un, en vertu de son passé, à répondre à ce qu'il croit être l'appel du destin en revêtant un statut de dirigeant au sein d'une institution.

On objectera qu'il est difficile de comparer, par exemple, des religieuses qui vivent en communauté cloîtrée avec des « employés supérieurs ». Cela serait possible à propos de certains prêtres qui en adoptent le comportement, peut-être, mais certainement pas à propos de ces « pauvres servantes du Christ ». C'est vrai qu'entre la psychologie d'un prêtre séculier et celle d'une moniale il y a d'énormes différences (que nous aurons à analyser plus tard) ; mais celles-ci ne tiennent qu'aux gradations de leurs systèmes de fuite dans la fonction, l'institution, l'officiel, systèmes de fuite qui reposent toujours sur le même besoin de valorisation, d'estime et de pouvoir.

A cet égard, d'ailleurs, l'Église n'échappe pas à un grave reproche : combien de religieuses, psychiquement merveilleusement préparées à ce rôle, désireraient ardemment exercer officiellement les fonctions du prêtre et remplir sa mission, si on les y autorisait[62] ! L'Église commet une double injustice, tout d'abord en refusant aux femmes le droit d'exercer le ministère sacerdotal[63], et ensuite en faisant croire qu'elles sont psychiquement trop différentes des prêtres pour assumer une telle fonction. Il n'y a qu'à voir comment certaines d'entre elles, éminemment douées à cet égard et intérieurement entièrement tournées vers le service de la communauté, s'étiolent et dépérissent littéralement dans les règles étroites de leurs congrégations. La psychologie des clercs n'est certainement pas différente au point que le désir d'être chef, c'est-à-dire de remplir une mission sacrée d'un ordre exceptionnel dans un cadre institutionnel, ne puisse être considéré comme une caractéristique commune à tous.

Reste une dernière objection — qui est à prendre très au sérieux — au parallélisme établi entre le développement psychique d'un clerc et la psychogenèse d'un Lucien Fleurier. C'est une réalité palpable qu'il n'y a aujourd'hui pratiquement plus personne à se faire ordonner prêtre après avoir mené, dès la puberté, une vie de bohème et de libertin. L'innocence et l'inexpérience sexuelles sont des conditions essentielles pour être clerc catholique. Dès les premières retraites, les directeurs spirituels ou les maîtres des novices, du moins les plus courageux d'entre eux, l'auront déclaré sans ambages : celui (ou celle) qui a déjà couché avec une femme (ou un homme), ne serait-ce qu'une seule fois, ne peut pas se juger apte au sacerdoce ou à l'état religieux. En effet, il est impossible, pense-t-on, qu'une telle expérience, avec les traces qu'elle laisse, puisse rester isolée. Qui a bu boira, ou, comme le disait un père franciscain dans son parler inimitable : « Le goût du sang réveille la bête sauvage. » Activité homosexuelle, rapports hétérosexuels préconjugaux, concours de baisers dans une salle de bal : si l'impitoyable « scrutin » (l'examen de conscience devant le confesseur officiellement préposé à la formation des futurs clercs) devait révéler de telles abominations, une pression massive des milieux compétents ne tarderait pas à faire comprendre au candidat qu'il est préférable pour lui de renoncer à son intention de se faire accepter dans le clergé de l'Église catholique. A juste titre : non seulement celle-ci entend mettre tous les atouts dans son jeu ; mais elle veut s'assurer, grâce à l'ascendant qu'elle exerce sur ses élus pendant des années et à une technique mise au point pendant des siècles, que les femmes et les hommes qu'elle reçoit en qualité de religieuses, de religieux ou de prêtres, ont échappé aux vicissitudes d'un Lucien Fleurier avant de devenir chef. Dans l'existence d'un futur clerc, pas question de haine des Juifs, de haschisch, de fréquentation de meute d'excités. Si sa vie veut apparaître comme réponse à un appel de Dieu, il faut qu'elle soit exemplaire.

Mais la différence entre Lucien Fleurier et le futur clerc est-elle vraiment si grande ? Le noble monsieur Fleurier, lui aussi, à partir d'un certain moment, ne veut plus rien savoir de toute la « saleté » et de toutes les tentations de ses anciens amis. Ses frustrations sexuelles, le dégoût des mucosités corporelles seraient certainement de nature à apaiser l'insécurité dont souffrent la plupart des clercs. Et si on met en parallèle la haine des Juifs avec le zèle missionnaire dirigé contre ceux qui sont étrangers à son propre clan, le haschisch avec l'alcool, et la meute avec la vie communautaire, est-ce alors si difficile, dans l'un et l'autre cas, de déceler une identité des structures psychologiques ? Certes, Lucien Fleurier ne commence à refouler ses sentiments et à se détourner radicalement de lui-même qu'*après* avoir fait les expériences qui ont suscité en lui l'angoisse, le dégoût et la honte. Mais il aurait suffi que, dès le début, inspiré par la peur, dans une sorte de refoulement préventif, il ait été empêché de se lancer dans une vie à la Rimbaud, pour que nous ayons devant les yeux, dans tous les détails, l'image d'un futur clerc. Le fond de leurs conflits, le sentiment de leur insécurité ontologique, la fuite hors de leur personnalité, le besoin de reconnaissance officielle de leurs mérites, la transposition de leur égarement et de leur aliénation en vocation et en destin exceptionnels (celui du chamanisme), et ensuite le retour de l'extraordinaire vers l'ordinaire (le rôle de chef) : ce sont là des éléments communs à un homme comme Lucien Fleurier et à un clerc de l'Église catholique, ceux qui les font se ressembler comme deux gouttes d'eau. Sartre lui-même — qui s'est largement inspiré de ses propres souvenirs pour écrire « L'enfance d'un chef » — n'a-t-il pas avoué qu'il aurait tout aussi bien pu devenir moine que philosophe athée[64] ?

Le clerc est pour ainsi dire l'image inversée d'un Lucien Fleurier vu dans un miroir. La main droite devient la main gauche, mais il y a symétrie parfaite. Autrement dit, ce qui les distingue, ce n'est pas la « texture psychique », mais le décalage dû au refoulement. Ce que Lucien Fleurier fait ou a fait, c'est précisément ce qu'un futur clerc de l'Église ne fera pas, ou n'aura pas fait, s'il veut être l'élu de Dieu. En revanche, le tissu des conflits psychiques, et en particulier les sentiments d'insécurité ontologique face aux divers problèmes posés par les étapes du développement psychique, est de même nature de part et d'autre. La différence fondamentale, l'élément déterminant du décalage, c'est la censure très sévère que le surmoi exerce sur celui qui se destine à être clerc de l'Église catholique : elle lui interdit d'avance toutes les expériences par lesquelles un Fleurier a pu passer. Au moment opportun, dans la psychogenèse du clerc, le « brouillard » qui enveloppe tout au long de son enfance et de sa jeunesse le futur « chef » de Sartre se déchire pour laisser apparaître le visage menaçant de la morale : en matière de bien et de mal, il ne peut y avoir ni expériences ni doutes. Chacun doit savoir ce qui est bien et ce qui est mal ; nul n'a le droit de jouer à être bon ou à être mauvais, il faut être bon — du moins n'est-il pas permis de jouer à être « mauvais ».

En d'autres termes, alors que les structures de non-existence et d'altérité leur sont communes, c'est essentiellement l'empreinte très profonde laissée par le surmoi qui distingue la psychogenèse et la psychodynamique d'un futur clerc de celles d'un Fleurier. Alors que celui-ci cherche à échapper après coup à ses perversions et à son égarement en se réfugiant dans sa noble mission, c'est antérieurement que celui-là, jeune, ou déjà adulte, fuit le danger de perversion et d'égarement. Sa conscience morale et la peur le mettent déjà préventivement en garde contre un monde susceptible de lui révéler le contenu latent de son psychisme — ou l'empêchent d'en faire la découverte. Cette forme de névrose qu'est le refus de cette perversion jouera ensuite sur le statut de chef, et sur celui de subalterne : tout ce que fera plus tard un monsieur Fleurier, il le fera sous sa propre régie. Bien plus, tout en étant intérieurement asservi, il triomphera dans l'illusion de s'être hissé au niveau de Dieu et de régner sur les hommes et sur le monde, se croyant responsable de leur bien-être. Par contre, un clerc de l'Église catholique sera beaucoup plus étroitement lié à son état d'employé. Il pourra beaucoup moins le façonner à sa guise. Qu'il soit doyen de chapitre, prélat ou évêque, il restera toujours dépendant des instructions qui lui sont données. Pour lui, être chef ne sera jamais plus qu'être fonctionnaire. Le clerc est véritablement le « serviteur de tous » (Mc 10, 44)[65]. Ce n'est pas simplement volonté de sa part ; c'est sa réalité psychique. Mais on peut aussi régner par l'autorépression : c'est une vérité qui échappe à la plupart.

3. LA STRUCTURE PSYCHIQUE, LA DYNAMIQUE ET LE MONDE INTELLECTUEL DU CLERC OU EXISTER PAR LA FONCTION

Il reste à examiner en détail, et pas à pas, la psychogenèse du clerc au cours des différentes phases de développement de sa première enfance, et à voir comment elle favorise l'éclosion d'un idéal d'humilité, de pauvreté et de chasteté. La seule question qui se pose ici, c'est de savoir ce qui prédispose une existence dont l'insécurité ontologique est exceptionnellement profonde à se tourner tout aussi exceptionnellement vers une fonction publique en vue de s'assurer une justification, une confirmation et une possibilité d'exister.

Ce qui exprime psychologiquement la différence entre l'« employé » Lucien et l'« employé » clerc, ce sont sans doute les deux notions couplées de Søren Kierkegaard : celle de *désespoir-défi* pour l'un, et de *désespoir-faiblesse* (ou résignation) pour l'autre[1].

Véritable « enfant de ce monde », Lucien cherche à bâtir son statut d'employé par ses propres moyens. Certes, il reçoit sa position et son rôle de son père, qui les lui a préparés et qui constitue son modèle. Mais, l'essentiel, c'est que les « Fleurier » peuvent continuer à croire s'être forgé eux-mêmes leur projet. Même si le résultat de leurs efforts n'est finalement que la fonction en ce qu'elle a d'officiel, autrement dit ce qu'il y a de plus bourgeois dans ce qu'ils pensent être exceptionnel, ils n'en peuvent pas moins trouver des raisons de se prétendre avec fierté les auteurs de leur propre existence, une espèce d'en-soi et de pour-soi — Dieu en quelque sorte[2]. Reflet de sa théologie, la psychologie du clerc est tout aussi opposée à son existence que le ciel à l'enfer. Prétendre s'attribuer le mérite d'une grâce qui ne peut être que l'effet de l'action divine serait pure présomption, simonie psychique[3] : on ne choisit pas d'être clerc, on *est* choisi !

Il n'est guère de sermon à l'occasion d'une prise de voile ou de première messe qui ne rappelle la comparaison de la vigne et des sarments dans le discours d'adieu de Jésus : « Ce n'est pas vous qui m'avez choisi ; c'est moi qui vous ai choisis » (Jn 15, 16) ; et : « Sans moi, vous ne pouvez rien faire » (Jn 15, 15)[4]. Le fondement inconditionné de la compréhension théologique de soi chez un clerc c'est de tenir ces paroles pour la clé de son nouvel être dans son ministère : son être clérical n'est pas quelque chose *dans* sa vie, c'est *l'essentiel* de sa vie, c'est son être tout entier, et cet être, absolument parlant, ce n'est pas à lui-même qu'il le doit, mais à la grâce divine et à elle seule.

Ce serait donc prétention, orgueil et révolte de croire que c'est la personne elle-même qui se saisit de la fonction cléricale, la revêt et la façonne à sa guise. C'est exactement le contraire : ce qu'est le clerc, ce qui le détermine dans le temps et pour l'éternité, c'est l'action que Dieu exerce en lui. Lui n'est rien — telle est l'idée qui doit inspirer toute sa vie. Il n'existe que par sa fonction. Aussitôt que le moine ou la religieuse quittent leur habit ou le prêtre sa soutane, ils se retrouvent nus : honteux, pitoyables, indécents et ridicules aux yeux des autres. La grâce d'état qui leur a été accordée exige d'eux qu'ils se dépouillent totalement de leur existence personnelle et de leur amour-propre, qu'ils s'investissent entièrement dans leur rôle. Ils ne doivent plus se penser qu'en fonction de celui-ci. Il leur faut sans cesse s'en rappeler la dignité, et renoncer à leur être propre au profit de sa réalité objective. C'est là le don véritable que Dieu leur a fait, le tout de leur vie. Seul répond donc psychologiquement à l'idéal celui qui opère cette transmutation de son être, ce transfert de sa personne sur l'institution, et qui vit cette transformation comme une grâce le libérant de lui-même tout en le révélant à soi-même. C'est une position de soumission totale et de *désespoir* résigné. Cette façon d'idéologiser la faiblesse et les limites du moi est donc l'antithèse, l'envers théologique de la philosophie sartrienne. Psychologiquement, elle est exactement l'opposé de la volonté affirmée de « se réaliser », de « vouloir être soi-même ».

A. LA FIXATION IDÉOLOGIQUE ET LES RÉSISTANCES AU TRAITEMENT

Du point de vue psychanalytique, chaque fois qu'une construction de l'esprit ou une vision du monde se perdent dans des contradictions logiques qu'on défend avec obstination comme s'il s'agissait de vérités intouchables, on est en droit de supposer qu'elles mettent en jeu de puissantes forces psychiques qui viennent gauchir le champ des phénomènes mentaux et transformer en cercle vicieux ce qui est droit.

Une de ces contradictions, c'est le paradoxe de la doctrine catholique de la grâce telle qu'elle se reflète dans ce qu'il est convenu d'appeler la « grâce d'état ». Nous avons déjà rencontré ce problème à propos de l'idée théorique de vocation. Il faut le reposer maintenant de façon concrète. Comme il n'est de point important de la psychologie du clerc que n'aient déjà défini dogmatiquement des générations de théologiens au cours de deux mille ans d'histoire, il nous faudra continuellement doubler notre travail de psychanalyse par un autre travail, de critique idéologique celui-là. Si on veut porter remède à ses comportements contradictoires, il faut montrer les contradictions et les déviations des schémas théologiques qui les sous-tendent. Cela ne fait d'ailleurs que rejoindre la tâche de toute psychothérapie si on veut que celle-ci aboutisse, il ne suffit pas d'analyser l'histoire de quelqu'un, son développement pulsionnel, autrement dit celui de son « ça » ; il est non moins important de fortifier son moi en lui donnant de reconnaître les formes rationnelles qu'ont pu prendre ses refoulements pulsionnels. Ainsi seulement peut-on redresser les pensées et les jugements du patient en leur donnant un peu plus de réalisme. Il n'est donc de psychanalyste qui n'ait à se mettre dans la peau de celui qu'il soigne et à entrer dans le monde de sa pensée pour en résoudre les contradictions. Sauf en de rares exceptions, cela ne veut pas dire qu'il lui faille remettre entièrement celui-ci en question. La plupart du temps, il lui suffit — mais c'est indispensable — de rétablir l'ordre dans ce qui était brouillé. C'est précisément ce que nous devons faire pour le clerc, à propos de la doctrine catholique de la grâce, et notamment de *la grâce* dite d'*état*.

Non seulement le clerc vide souvent cette notion de sa substance, mais il en arrive pratiquement à lui faire dire le contraire de ce qu'elle signifie[1]. C'est particulièrement évident quand il lui faut affronter des situations extrêmes où le conflit objectif prend une forme subjectivement violente. Pensons à ce qui se passe dans une séance de thérapie, quand il se demande soudain s'il doit rester dans le ministère ou retourner à l'état laïc. Si sa vocation est « grâce », telle que la définit le dogme, ce qu'on entend par ce mot devrait normalement laisser suffisamment de champ libre à une recherche thérapeutique permettant à un prêtre et à une religieuse de trouver sa propre voie, celle de son bonheur personnel. Il y a sept cent cinquante ans, saint Thomas d'Aquin avait déjà déclaré que la grâce suppose la nature, qu'elle l'élève et l'accomplit[2], et cette idée est devenue doctrine classique de l'Église catholique. S'il en va ainsi, pourquoi le prêtre — ou le religieux — qui vient en consultation parce qu'il a de sérieux doutes sur son ministère ou sur son identité personnelle ne se sentirait-il pas porté par cette grâce comme par le bras de Dieu ? Pourquoi ne serait-il pas persuadé que son moi se justifie pleinement, et que Dieu veut avant tout son bonheur personnel, donc une vie qui lui appartienne en propre ? Or, que voit-on régulièrement et sans exception dans la pratique thérapeutique ? Des patients qui résistent violemment, souvent pendant des années, à toute forme d'existence personnelle en se justifiant par un système de rationalisation apparemment sans faille. Plus le traitement avance, plus ressort avec évidence une espèce d'idéologie et de morale pétrifiées de répression et de négation de soi. Chaque fois que se profile pour eux une chance de sortir de leur ghetto, d'éprouver la moindre petite satisfaction personnelle et de s'ouvrir à la sensation la plus infime du plaisir, resurgit aussitôt la série d'objections stéréotypées : « Ce serait trop facile ! » ; « Cela n'aurait plus rien à voir avec ma vie » ; « Ce serait indécent de penser à mon plaisir dans un monde qui souffre et qui a faim » ; « A Angèle de Foligno, le Christ a dit : " Je ne t'ai pas aimée pour rire[3]. " » Ou bien encore, à propos de sentiments plus concrets : « Je me sens terriblement misérable, avec tous mes désirs fous » ; « Je me dégoûte », « Les autres (les autres prêtres et les autres religieux) y arrivent bien ; pourquoi pas moi ? »

En creusant plus profond, derrière ces excuses, on retrouve infailliblement l'image d'un Dieu cruel, en contraste criant avec le Dieu d'amour et de pardon confessé verbalement. Psychologiquement, l'ambivalence d'un amour divin qui réclame des preuves sanglantes s'explique par une *théologie* chrétienne *du sacrifice* qui remonte jusqu'au Nouveau Testament[4]. Une telle déviation n'est pas seulement restée une tradition doctrinale, elle est devenue l'idéal des chrétiens : parce que le Christ a souffert, nous devons, nous aussi, surmonter la peur de la souffrance et passer comme lui par le mystère de la pâque ; suivre le Christ, c'est souffrir comme lui-même a dû souffrir (Mc 8, 32 ; 9, 31 ; 10, 33)[5]. Comment celui qui, par un choix unique, a été distingué pour être, devant les hommes et par toute sa fonction, le grand prêtre du Christ pourrait-il prendre pour philosophie et pour règle de vie l'hédonisme primaire que prêche la psychanalyse[6], où le premier devoir de l'homme est la poursuite du bonheur et la jouissance ? Le sacrifice de la messe et sa théologie[7] ont profondément marqué des générations de prêtres qui, chaque jour, inlassablement, avec la régularité d'une mécanique, gravissent les marches de l'autel. On demandait un jour à un important personnage de l'Église si, dans des messes de petits groupes célébrées dans la crypte d'une église, il ne serait pas plus facile de faire communier les fidèles avant le célébrant, ceci simplement pour éviter d'avoir trop d'hosties consacrées qui resteraient ; il répondit qu'il était du devoir du prêtre de participer le premier au sacrifice du Christ, à la tête de sa communauté, le principe étant : vie de prêtre = vie de sacrifice[8].

Le principe n'est pas différent pour les religieuses, ces épouses du Christ qui ont pour modèle la mère de Dieu, dont chacune d'elles prend le nom à la cérémonie des vœux. Or, la mère de Dieu est *mater dolorosa,* mère des douleurs : sept glaives ont transpercé son cœur ; elle est restée au pied de la croix quand tous les autres avaient fui. Et pour avoir uni ses souffrances à celles de son Fils, elle est appelée *corédemptrice* d'une humanité déchue[9] dont les premiers parents ont péché par convoitise et par orgueil en voulant être comme Dieu[10]. La jeune fille ou la jeune femme qui prend le voile assume en même temps la douleur de notre mère céleste. Comment serait-il possible de concilier la quête d'un bonheur terrestre, la « réalisation de sa personne », le confort et le refus de l'abnégation, avec la figure de Marie sans péché, toujours vierge[11] ? Homme ou femme, celui qui a revêtu la fonction cléricale pour le salut du monde n'a plus aucun droit à faire valoir pour sa propre personne. Il est littéralement « mort aux puissances de ce monde dans le Christ », ainsi que l'écrit l'apôtre Paul (Col 2, 20)[12] ; il est avant tout un intermédiaire de la grâce et, à ce titre, il n'a pas le droit de faire obstacle à l'action rédemptrice de l'Esprit divin.

Au mur de ma chambre, j'ai suspendu la reproduction du calendrier aztèque de l'antique Tenochtitlán, gravé dans la pierre[13]. Il représente le dieu Soleil indien Tonatiuh parmi les engrenages de la mécanique céleste, au milieu du cycle que formaient les quatre âges du monde. Il est le cœur qui fait battre ce monde. Il a l'expression d'un rapace. Dans ses serres, il tient les cœurs sanglants des êtres humains que les Aztèques sacrifiaient chaque matin sur les pyramides qu'étaient leurs temples, afin de nourrir le soleil, qui, affaibli par le froid nocturne, retrouvait ainsi la force de se lever. Affamé de chair humaine et assoiffé de sang, le dieu Tonatiuh tire la langue, montrant ainsi le couteau de pierre qui servait aux prêtres à ouvrir la poitrine de leurs victimes humaines pour en arracher le cœur.

Le dieu de la lumière et de la vie ne pouvait vivre lui-même que par le sacrifice volontaire d'êtres humains. Il y avait droit, parce que, selon la croyance des Aztèques, le soleil devait son existence au malheureux dieu syphilitique Nanauatzin, modeste et obéissant, qui n'avait pas hésité, pour le bien du monde, à se jeter dans les flammes de la fournaise divine[14]. De son côté, le dieu Tucuciztecatl, qui, malgré toutes ses belles promesses, n'avait pas eu le courage de s'y jeter avant Nanauatzin, afin que la lumière éclaire le monde, devait lui-même être transformé et donner naissance à la lune. Ainsi à l'héroïsme de Nanauatzin, qui s'était sacrifié à l'amour du dieu qui brillait désormais dans le soleil, les Aztèques opposaient-ils la lâcheté de Tucuciztecatl. Mais il fallait que les dieux continuent à se sacrifier pour que le soleil et la lune, et, avec eux, le temps, ne restent pas immobiles dans le ciel, pour qu'il y ait mouvement et progression. En effet, il n'est de vie, de croissance et de maturation qui ne présupposent la mort de ce qui est vieux pour que renaisse le neuf[15]. Le mouvement du ciel exige le sacrifice constant des puissances divines. L'existence elle-même est un perpétuel échange. D'une part, les dieux se sacrifient au monde et aux humains, et, d'autre part, les humains et les éléments du monde se donnent aux dieux dans la mort. Le monde se maintient et se meut par le sacrifice. C'est l'ultime secret du divin. Des victimes divines coule le sang de la vie pour tout ce qui vit. Il y a plus de vingt ans, alors que j'étais ordonné prêtre, je ne savais pas (encore) à quel point, si on écoute assez longtemps, l'image que les clercs se font de Dieu pouvait ressembler davantage à celle de Tonatiuh, le dieu meurtrier des Aztèques, qu'à celle du « Père » que Jésus-Christ nous a révélée [16]. C'est un véritable « retour du refoulé [17] », dans le sens que prend ce terme en philosophie de la religion aussi bien qu'en psychanalyse.

Le paradoxe peut se formuler ainsi : le clerc est constamment tenu d'agir en vertu de l'idée théologique qu'il se fait de sa fonction. Retranché derrière le fourré d'un jargon théologique qui sonne beau, il est le héraut et le témoin d'un salut qui l'a rarement atteint personnellement et qui, à la vérité, ne *doit* pas l'atteindre, afin qu'il soit maintenu dans cet état de tension qui est fait de sacrifice et de renoncement et d'où émane précisément, ainsi le pense-t-il, l'œuvre rédemptrice du Christ. Théologique avant d'être psychologique, la contradiction vient de l'ambivalence conférée aux notions de grâce et de rédemption (ou de salut). Dans son sens premier et général, la grâce est justement cette force qui nous libère d'une culpabilité contraignante et ouvre tout notre être à la reconnaissance et à la joie. En ce sens, la grâce est le *fruit* de la rédemption ; elle en est en quelque sorte son résultat désirable. Par contre, dans le sens plus particulier rattaché à la fonction, la grâce est tout entière définie à partir du *sacrifice*, du fait que le clerc est relié au sacrifice du Christ comme figure officielle de l'imitation du Christ (*personam Christi gerens*, représentant la personne du Christ, ainsi que le répète le langage dogmatique en lien avec le sacrifice de la messe) [18]. De ce fait, la personnalité du clerc est condamnée à n'être que moyen et médiation. Il est donc de son devoir que la rédemption (quelle que soit la signification qu'on donne ici à ce mot), au lieu d'être efficace pour lui, le soit pour les autres par lui. La remarque de Nietzsche : « Que de rachetés fissent davantage figure ses disciples [19] » est encore trop faible pour exprimer cette dualité ; en effet, elle ne vise que l'apparence extérieure, le phénotype, sans atteindre le fond du problème, le génotype, ce qui constitue leur souffrance masochiste et leur volonté désespérée de sacrifice.

A qui peut bien profiter le sacrifice qu'ils font d'eux-mêmes, l'officieux mysticisme existentiel par lequel ils participent au mystère de la pâque et au sacrifice rédempteur du Christ, à son « don » sans réserve et à son holocauste en faveur du « Père »[20] ? Quel est donc ce père qui, s'il faut en croire la théologie, nous aime infiniment jusqu'à nous pardonner indéfiniment, mais dont la justice infinie exige, en réparation de l'offense infinie que lui causent nos péchés, une victime d'une valeur infinie, son propre fils, afin que soit résolue, par une voie des plus périlleuses, la contradiction dans laquelle l'ont enfermé le péché des hommes, lui qui est tout science et tout sagesse[21] ? Jésus a toujours parlé de son père comme d'un roi qui remet toutes les dettes de ses débiteurs, sans aucune contrepartie, simplement parce que leur situation est désespérée et qu'ils sont dans l'incapacité de rembourser quoi que ce soit[22]. Ainsi, par exemple, dans la célèbre parabole du *débiteur impitoyable*, le serviteur qui, du fait de sa mauvaise gestion, doit plus de cent cinquante millions de francs à son maître, est prêt à tout sacrifier, à vendre sa femme et ses enfants, à se vendre lui-même, ce qui ne servirait même pas à payer une petite partie des intérêts de sa dette. Or, selon les paroles mêmes de Jésus, pris de pitié, et sans poser aucune condition, le roi lui laisse la vie sauve et lui remet toute sa dette (Mt 18, 23-35)[23]. Jésus souhaitait que ce Dieu miséricordieux et magnanime devînt aussi *Notre Père* à tous, que nous lui fassions pleine confiance, et que nous nous abandonnions sans réserve entre ses mains[24]. Avec Jésus de Nazareth, il n'y a plus ni déluge ni condamnations fracassantes[25]. Toutes ses pensées et tous ses actes reflètent la bonté et le pardon, le souci de la centième brebis, celle qui est égarée (Mt 18, 12-14 ; Lc 15, 1-7)[26]. Son Dieu ignore le problème des théologiens, à savoir comment résoudre l'inépuisable contradiction entre son amour et sa justice. Il attend de ses messagers qu'ils s'aperçoivent un jour à quel point leurs théories et leurs conceptions de sa « bonté » ne font que porter à l'infini leurs propres contradictions internes : le problème qu'ils attribuent à Dieu n'est au plus que le leur ; de toute façon, c'est un problème purement humain. C'est *nous* qui cherchons à savoir comment concilier cet éternel conflit entre l'amour et la justice, entre la grâce et la loi, entre le pardon et la sanction[27].

Il n'y a sans doute aucun prêtre ni aucune religieuse qui ne ressente une infinie nostalgie en entendant Jésus dire que son

Père est toujours prêt à pardonner, et qui ne soit convaincu de la vérité de ses paroles. Sinon pourquoi seraient-ils si nombreux à être touchés aux larmes dès qu'on effleure cette corde sensible ? Mais d'où vient alors qu'ils soient si totalement imprégnés de cette abominable théologie du sacrifice ? Beaucoup sont convaincus que c'est cette théologie même qui a fait d'eux les victimes de la rédemption. Quand ils viennent en traitement, ils passent une bonne partie de leur temps à tenter très sérieusement d'accréditer cette thèse. Les suivre sur ce point serait une grave erreur. Aucune théorie, fût-elle théologique, acquise à l'âge de vingt ou vingt-cinq ans, pendant les études, ne serait capable de déterminer le cours de toute une vie si elle ne résumait sous forme symbolique, et ne les exprimait sous forme rationnelle, les angoisses, les aspirations et les besoins fixés dès la prime enfance. Il ne faut pas dire que les clercs sont les premières victimes de leur théologie. Du point de vue psychanalytique, il faut inverser la proposition et dire que, dans son développement, par de nombreux aspects de sa personnalité, celui qui a les qualités requises pour être clerc a forcément déjà été un enfant « sacrifié », et que cela seul lui a permis de s'identifier à une doctrine théologique correspondante. L'approche des résistances en thérapie montre on ne peut plus clairement qu'il s'accroche alors de toutes ses forces à l'idéologie et à la mystique du sacrifice. S'y attaquer, c'est déstabiliser un moi déjà laborieusement mis sur pied ; c'est ruiner un sentiment d'estime qui ne subsiste qu'au prix d'une annihilation fictive, d'un anéantissement ostentatoire ; c'est menacer une identité en supprimant la différence qui fait qu'un clerc est ce qu'il est dans et par sa volonté d'être un autre que lui-même. Sans que nous puissions déjà en expliquer les raisons, retenons seulement que, chez le clerc, chez le petit garçon ou la petite fille qu'il (ou qu'elle) a été, la théologie du sacrifice vient couvrir un immense désir de s'anéantir, le diktat de l'angoisse, un véritable vampirisme.

Ce désir de sacrifice et d'anéantissement est fondamental. En dernière analyse, c'est lui qui *fausse* si étrangement la notion néo-testamentaire de rédemption[28], en faisant intervenir des archétypes archaïques, des représentations de sacrifices rituels, qui enlèvent tout son sens au message de Jésus. Aujourd'hui encore, cent ans après la mort de Friedrich Nietzsche, on ne peut que constater avec amertume et indignation qu'il avait bien raison en faisant dire à son Zarathoustra, quand il parlait des prêtres : « Avec eux cependant je souffre et j'ai souffert ; je les tiens pour des captifs, et qui furent marqués d'un signe. Celui qu'ils nomment rédempteur les a chargés de liens.

» De ces liens que sont les fausses valeurs et les mots délirants ! Ah ! de leur rédempteur encore les puisse-t-on racheter !

» [...] De signes sanglants ils jalonnèrent la route qu'ils suivaient et leur folie enseigna que par le sang se prouve la vérité.

» Or de la vérité le sang est le plus mauvais témoin ; le sang infecte la plus pure doctrine pour en faire un délire encore et une haine des cœurs.

» Et si pour sa doctrine quelqu'un se jette au feu — de quoi est-ce une preuve ? Meilleure preuve, en vérité, est que de son propre brasier vienne sa propre doctrine[29]. »

Oui, Nietzsche a raison : briller de ses feux, allumer son flambeau à son propre brasier, c'est exactement ce qu'un clerc n'a pas le droit de faire. Tout ce qu'il est, c'est ce qu'il *doit* être ; c'est une vie et un être d'emprunt ; c'est la fonction dont il a été gratifié. Mais, sans vie, il discrédite celui qui a ressuscité les morts au nom de Dieu ; il ne peut pas servir ce Christ qui a dit être la vérité et la vie[30].

« Mais précisément, rétorquera immédiatement la dialectique cléricale, le Christ est la vérité parce que nous sommes mensonge ; le Christ est la vie parce que nous sommes morts, c'est-à-dire parce que nous devons tuer la vie factice, nous “ sacrifier ”, nous “ mortifier ”, apprendre à mourir[31]. » Ces schémas d'argumentation sont si profondément intériorisés, si solidement ancrés dans l'âme du clerc, que la plupart des thérapeutes non théologiens se heurteront désespérément au mur de ces résistances idéologiques. On peut même dire que n'importe quel névrosé ordinaire est plus facile à traiter que ces représentants et ces missionnaires d'une vie vécue « à l'envers ». « Tu n'es rien » : tel est le credo auquel doit se conformer l'enseignement du Christ. « Sans moi vous ne pouvez rien faire ! » (Jn 15, 5) : de telles formules agissent comme un poison sur ceux qui, d'avance, sont fondamentalement convaincus de leur néant, qui n'ont pas le droit de penser à eux-mêmes, qui doivent penser constamment le (ou au) Christ, qui ne peuvent se permettre de « tourner en rond sur eux-mêmes », parce que totalement centrés sur le Christ. Or, toute la psychanalyse n'est-elle pas en elle-même une façon de se retourner sur soi[32], une contemplation narcissique de son nombril, un stratagème permettant de fuir la souffrance ?

Suivant son niveau de réflexion, le clerc peut ainsi étendre à l'infini la panoplie autodestructrice. Ainsi récemment, dans un séminaire, un éminent représentant de la « théologie politique » affirmait-il très à l'aise que la psychanalyse s'arrogeait le droit de décréter qui était en mesure de supporter telle ou telle épreuve, que le christianisme n'était pas un art d'échapper à la souffrance, que le Christ n'était pas un médecin, et que, de nos jours, les conseils évangéliques étaient avant tout une réponse aux besoins du tiers-monde. C'est la vieille terreur psychique sous un nouveau déguisement, avec de nouveaux sentiments de culpabilité et de nouveaux paramètres de responsabilité qui se justifient objectivement, mais qui deviennent pour le sujet un moyen de répression psychique de soi au nom du devoir[33]. Dans le climat d'une telle pensée, c'est pratiquement parler à un mur que de rappeler que, quand Jésus parle de vigne et de sarments (Jn 15, 5), son langage n'a de sens que dans une perspective d'*amour* : il ne vise *absolument pas* à dévaloriser la personne ou à exalter le divin aux dépens de la personne, il souhaite développer un sentiment d'unité qui, telle une vague, envahirait l'être tout entier avant de retourner à la mer. Pour le dire, il utilise un symbole organique qui n'a rien de violent. Il faut dire la même chose de ses paroles sur la vocation (Jn 15, 16) : jamais celui qui aime ne saurait prétendre avoir choisi lui-même ; il sait bien qu'en ce domaine il n'a littéralement aucun choix et que, tant qu'il se montrera exigeant et difficile, il n'aimera pas vraiment. Il se sentira très profondément honoré et même véritablement indigne (au sens que prend ce mot dans le langage de l'amour) d'un bonheur qu'il n'a pas mérité, celui d'être aimé par la personne dont il désirait le plus ardemment l'être[34]. En dehors de ce contexte, dans le cadre ascétique et savant d'une exégèse et d'une dogmatique professorales, ces paroles de Jésus, et d'autres, similaires, prennent une connotation dégradante et paralysante. Elles conduisent à une mystique torturante, faite de vexations et de brimades, qui ne cesse d'arracher ce refrain douloureux et monotone : « Je ne suis rien ! Je ne suis rien ! »

Le clerc, ainsi contraint de vivre continuellement pour les autres ce qui n'est pas pour lui et ce à quoi il n'a pas droit, mène inévitablement une *existence ambivalente*. Chaque jour il pardonne aux autres (pour autant que ceux-ci pratiquent encore le sacrement de pénitence) des péchés qu'il ne se pardonne pas à lui-même. Il remet des fautes qu'il doit sans cesse se reprocher ; en vertu de sa fonction, il essaie de donner aux autres le courage de chercher un peu de ce bonheur qu'il n'ose pas réclamer pour lui-même. Toutefois, ces contradictions ne l'effraient pas. Ne sont-elles pas la preuve de sa différence ? Sous le poids et l'étendue d'une telle autorépression et d'un tel avilissement, il peut difficilement percevoir l'orgueil que dissimule cette « morale double »[35]. On aimerait pouvoir lui dire : « Tu n'es pas si grand que ça pour te faire si petit », ce qui, ordinairement, n'est pas sans effet thérapeutique, mais ne ferait que rebondir sans laisser de trace sur la *cuirasse caractérielle*[36] cléricale.

Pour franchir le double mur d'enceinte qui garde cette prison et échapper à ces refoulements solidement rationalisés, il n'y a qu'un chemin, étroit et tortueux. Il n'y a qu'un secret, qu'il s'agit de découvrir : il est inutile de vouloir rendre les autres heureux tant qu'on ne s'accorde pas le même droit pour sa propre vie[37]. De nouveau, je vois venir les objections : « Bonheur n'est pas rédemption ! Le bonheur est un concept esthétique, purement terrestre, purement humain[38]. Or, ce qui est en cause ici, c'est le mystère du salut, un mystère divin ; c'est la rédemption du *mysterium iniquitatis* (du mystère de la faute) par le sang que le Christ a versé sur le bois de la croix[39]. » Mais si le péché est plus qu'un concept formel, beaucoup plus que la transgression d'un quelconque commandement[40], autrement dit, si on le prend vraiment pour ce qu'il doit être : le refus d'un Dieu qui devient totalement étranger à l'existence humaine, une coupure radicale qui nous prive de sa grâce, une désintégration de l'unité qui nous relie à notre source, un bouleversement de la réalité humaine qui transforme le « bien » en « mal »[41], alors comment qualifier autrement l'état dans lequel il nous plonge que par le mot désespoir, au sens où l'entend Kierkegaard[42] ? Et qu'est-ce que le salut (ou la rédemption), sinon un retour, un changement de direction imprimé à une existence malheureuse qui cherche, par des moyens précisément malsains, à être ce qu'elle n'est pas et à ne pas être ce qu'elle est[43] ? Tout dépend ici de la définition du bonheur ; suivant qu'on le place très haut ou très bas, il est possible de réviser les élucubrations théologiques selon lesquelles la mort et le sacrifice du Christ peuvent tout faire, sauf le bonheur de l'homme.

Aujourd'hui encore, celui qui pense pouvoir rejeter sans autre forme de procès un Épicure[44], injustement diffamé — et que le christianisme n'a jamais vraiment compris — sous prétexte qu'il n'est qu'un rationaliste grec hédoniste et un des premiers précurseurs du mouvement psychanalytique, celui-là, si c'est un clerc, prêtre du ministère ou religieuse au chevet des malades, ne pourra pas manquer de le constater : les hommes et les femmes ne demandent rien d'autre qu'un peu de ce bonheur ; à très juste titre ils souhaitent une théologie chrétienne qui cesse une bonne fois d'exposer ses idées sur le salut en opposant le Dieu de la rédemption au Dieu de la création, « hérésie » que propageait déjà Marcion dans les premiers siècles de l'Église[45]. De ce point de vue, il n'est pas impossible qu'une thérapie puisse mettre un théologien au pied du mur de sa propre théologie, sans pour autant améliorer la misérable situation de ses sentiments. En effet, ce n'est que très rarement, et dans des circonstances dramatiques, qu'on peut durablement transformer la vie d'un clerc de l'intérieur. En règle générale, il y faut le concours d'événements extérieurs, l'influence d'exemples vivants qui lui fassent non seulement toucher du doigt ses propres contradictions, mais surtout les rendre inexcusables.

Dès sa première messe, le *prêtre* (lui surtout, parmi les autres clercs) se verra confronté à un véritable dilemme : quel sera pour lui le plus important ? Les normes, les directives et les doctrines que, en vertu de son ministère et de ses fonctions, il doit transmettre comme vérités de Dieu révélées dans le Christ, et proclamer pour le salut de tous ? Ou bien les besoins des humains, ceux que ne prévoient pas les réponses toutes faites, autrement dit superficielles, qu'il a emmagasinées ? Dernièrement, un important personnage d'Église me disait : « Nous les évêques, devons donner des réponses — des réponses qui doivent être très *courtes !* » Il voulait me signifier par là que mes considérations psychanalytiques sur la situation présente de l'Église étaient beaucoup trop longues, trop laborieuses et trop compliquées pour être « pratiques ». C'est bien là le problème : combien de clercs n'ont-ils pas passé leurs nuits — de *longues* nuits ! — tourmentés par des questions auxquelles ils cherchaient des réponses courtes ! Quel est celui d'entre eux qui ne s'est pas heurté à des conflits et à des tragédies qui, comme toute véritable souffrance humaine, dépassaient les cadres étroits prévus par sa fonction, et échappaient aux principes généraux de l'Église et de la société, et demandaient un respect inconditionnel des personnes, d'individualités qui ne sont jamais interchangeables, dans des situations concrètes sont toujours uniques[46] ? Quel est celui d'entre eux qui n'en a pas souffert ?

A peine entré dans le ministère, au bout de quelques jours seulement, les dés seront jetés. Consciemment ou non, le prêtre aura choisi : ou bien les quatre-vingt-dix-neuf brebis qui (apparemment) n'ont pas besoin de revenir au bercail, ou bien la centième qui s'est égarée et qui serait perdue s'il n'allait pas à sa recherche jusqu'à ce qu'il l'ait retrouvée, comme le fait Jésus (Mt 18, 12-14 ; Lc 15, 1-7)[47]. Dans le premier cas, il se conformera toujours plus étroitement à son rôle officiel et aux impératifs de son surmoi ; il n'aura aucun contact avec ceux qui sont en dehors du bercail, ou tout au plus des contacts seront décevants et rebutants pour les uns et pour les autres. Dans le deuxième cas, il aura des rapports très difficiles et parfois très tendus, intérieurement avec la censure de sa conscience, et extérieurement avec ses supérieurs et ses confrères. Par contre, il se sentira proche des marginaux et, au moins de temps en temps, il pourra ouvrir à ceux qui avaient depuis longtemps perdu foi en eux-mêmes le chemin qui les conduit à eux-mêmes et à Dieu. Dans le premier cas, il demandera autoritairement aux autres d'apprendre ce qu'il a lui-même appris de l'Église. Dans le second, il oubliera éventuellement l'enseignement de celle-ci, pour apprendre des autres ce que Jésus voulait qu'il apprenne et que son Église devrait apprendre : écouter Dieu parler par la souffrance et les besoins des autres, un Dieu qui n'est pas celui des morts, mais celui des vivants (Mc 12, 27). Ainsi, selon l'orientation qu'il donnera à sa vie, le clerc, ou bien confirmera et renforcera, ou bien remettra en question — ce qu'il nous faut maintenant établir et exposer, après avoir balayé les fausses rationalisations — ce qui constitue ce que nous avons appelé son état d'« altérité », autrement dit son aliénation au triple plan de la pensée, de la vie et des relations.

B. L'ÊTRE ALIÉNÉ

a. L'aliénation de la pensée

Après avoir en quelque sorte examiné comment fonctionne pour son usage privé la pensée d'un clerc qui cherche à se protéger, nous pouvons et devons voir maintenant comment s'organise et se structure une pensée qui n'ose pas sauter le mur et se reconvertir, mais garde son esprit « fonctionnaire », au risque de se contredire. Que signifie penser en vertu de sa fonction, autrement dit penser officiellement ? N'est-ce pas contradictoire ? Certainement ! Pourtant c'est là quelque chose d'extrêmement contagieux, à la façon d'un virus, et pour les mêmes raisons : le virus ne peut vivre que dans les cellules des autres, où il se multiplie très rapidement. L'organisme qui n'a pas de protoplasme doit inévitablement se dédoubler à l'infini pour trouver dans l'autre ce qu'il n'a pas par soi : l'existence.

Penser en fonctionnaire, c'est *essentiellement* avoir à sa disposition un catalogue tout fait de données et de principes historiques et traditionnels qu'on applique tels quels à la réalité concrète. La pensée fonctionnaire n'est flexible et créatrice que pour se justifier et organiser ses preuves ; elle n'est ingénieuse que dans le choix des cas d'espèce. Dans sa pauvreté même, dans son manque d'originalité et d'authenticité, elle fournit un schéma relativement sûr tant qu'il reste cantonné dans un domaine purement pragmatique : dans une société évoluée, il faut bien une administration et des fonctionnaires pour en assurer le bon ordre. Au contraire, dans le domaine religieux, par définition, l'esprit fonctionnaire est de soi contradictoire [1], l'expression revenant à dire qu'au lieu de se contenter de régler administrativement la seule vie extérieure, on prétend régler de la même façon l'intériorité, la spiritualité et la liberté de l'homme. Officielle, la pensée devient essentiellement un moyen d'influencer la vie intérieure ; d'où le danger immédiat qu'elle se transforme tout simplement en outil de propagande au service d'une vérité toujours préparée d'avance. En ce qui concerne les clercs de l'Église catholique, c'est plus qu'un *danger*, c'est un *fait*, comme le montrent manifestement, d'une part, la hiérarchisation de la vie ecclésiale et, d'autre part, la dégradation de la foi au rang d'un enseignement purement abstrait.

1. *La hiérarchisation de la vie dans l'Église catholique*

La hiérarchisation est une donnée essentielle de la vie cléricale. Elle est à la fois l'expression sociale et le support institutionnel de son ambivalence.

A celui qui se permet une critique contre l'Église, on répond régulièrement que l'Église, c'est lui, que « nous » sommes « tous » l'Église, et qu'il n'y a pas d'autre Église. Excellente intention que celle d'encourager tout le monde à prendre ainsi en charge la vie de la communauté. Depuis le deuxième concile du Vatican, on a mis l'accent sur la « participation des laïcs »[2]. Mais ce terme même trahit déjà un courant de pensée sous-jacent, celui qui s'est imposé au cours de l'histoire : les véritables acteurs, les « ouvriers » de la moisson du Seigneur (Jn 4, 35-38)[3], ce ne sont pas les laïcs, ce sont les non-laïcs, autrement dit les clercs. C'est chez eux qu'il faut chercher les « spécialistes » du message chrétien, les dispensateurs de la parole et des sacrements. Dès Grégoire VII, le grand pape du XIe siècle, prêtres et moines deviennent les « ecclésiastiques » ; ils se vouent aux réalités spirituelles, tandis que les laïcs sont du monde et se consacrent plus ou moins aux réalités charnelles et mondaines[4]. Depuis le *Décret de Gratien* (1142), ils constituent le premier état de l'Église, celui auquel doivent se soumettre les laïcs. Tout le monde en est bien conscient : ce schéma ne cadre plus avec nos conceptions d'une société démocratique. Et c'est pourquoi nombreux sont les théologiens qui s'efforcent de redéfinir les rapports clercs-laïcs en prenant comme point de départ le Peuple de Dieu, notion que remet en valeur Vatican II[5]. Ils voient dans le ministère un « service » de la communauté, et c'est donc la communauté elle-même, avec sa vie et ses besoins, qui en serait le fondement. Ils n'ont toutefois pas réussi à changer les mentalités, tant les clercs eux-mêmes s'identifient à leur rôle.

En principe, dans l'Église catholique, le prêtre n'est pas élu (contrairement au pasteur protestant, élu par un consistoire), mais *ordonné* par son évêque (ou par son abbé). Du fait que, lors de cette ordination, il doit promettre une obéissance inconditionnelle à l'évêque (et à ses successeurs), il est et reste donc définitivement dépendant du mandat épiscopal. Il ne s'agit pas ici d'ouvrir un débat théologique pour savoir quelle conception du ministère clérical, ou de la fonction cléricale, est dogmatiquement la mieux fondée ou la plus conforme à l'esprit post-conciliaire. Il s'agit seulement de comprendre ce que signifie psychiquement pour le clerc le fait d'avoir à penser pratiquement toute son existence « d'en haut », à partir du Christ, des apôtres, et de leurs successeurs les évêques, les ordinaires du lieu [6]. Il y a là une source permanente de conflit entre magistère et expérience humaine, une obligation constante de se solidariser, bien plus, de s'identifier avec ceux qui sont habilités à prendre les décisions dans l'Église catholique, c'est-à-dire les évêques, parce qu'ils constituent les fondements de l'état clérical. Je ne veux pas dire qu'aujourd'hui la plupart des prêtres pensent ou agissent ainsi ; mais s'ils ne le font pas, ou bien leur ambivalence existentielle s'aggrave encore, ou bien ils entrent en conflit ouvert avec leur statut de ministre. Pris entre deux feux, ils sont alors dans la situation de celui qui est condamné à servir deux maîtres [7], leur surmoi *intérieur* et la censure *extérieure* de l'autorité.

Sans risque de beaucoup se tromper, on peut affirmer qu'aujourd'hui la plupart des prêtres ont envers leurs évêques la même attitude que celle qu'avaient les Russes avant la Révolution de 1917 à l'égard des autorités moscovites lorsqu'ils disaient : « Le tsar ? Il est bien loin [8] ! » Même parmi les clercs en fonction, rares sont ceux qui attendent de l'Église officielle autre chose que de pouvoir travailler en paix sans être dérangés. Personne n'attend vraiment des directives ou une orientation spirituelle des encycliques du pape et des lettres pastorales de l'évêque qui, de temps en temps, sont lues le dimanche à la messe [9]. A cet égard, il semble donc que les clercs ne se sentent pas personnellement très proches de leur direction. Cependant, il ne faut pas oublier que bien avant d'avoir été ordonnés prêtres ou d'avoir prononcé leurs vœux, ils ont assimilé le système de l'Église, dans toute sa portée et toute son intensité. En outre, il arrive quand même que le « tsar » soit soudainement là, tout proche, et c'est alors que se révèle à quel point ils sont dépendants de leurs mandants et supérieurs, pratiquement tous sans exception. En fait, la distance qui les en sépare n'est qu'apparente ; elle n'a rien à voir avec une quelconque autonomie ou avec des convictions personnelles ; c'est *l'apathie du refoulé*. Voici deux exemples à l'appui.

Premier cas : la condamnation publique de Stephan Pfürtner (entre autres !)

Dans les premières années qui ont suivi Vatican II, la Congrégation romaine pour la doctrine de la foi n'osait plus tellement se risquer à interdire tout enseignement à un professeur de théologie pour des idées jugées peu « catholiques », ou à l'empêcher de publier ou de s'exprimer publiquement par des mesures restrictives. En effet, une Église qui se veut au service de la liberté [10] pouvait-elle décemment se permettre de tout réglementer au mépris d'une élémentaire confiance due aux compétences et au jugement de ses fidèles ? Pouvait-elle ignorer ses erreurs, les étroitesses d'esprit, les innombrables transformations qui furent les siennes au cours de deux mille ans d'histoire, son si long refus d'un dialogue franc et ouvert avec ceux qu'on appelle les laïcs, et la façon dont on avait ainsi écarté l'inestimable richesse de leurs connaissances et de leur expérience ?

Mais le vent a tourné. La peur d'une « désintégration » due à la liberté d'expression, ou plutôt l'explosion d'une peur latente inhérente à tout ordre institutionnel devant la liberté de l'individu revient avec la régularité d'une marée. En 1973 déjà, Karl Rahner quittait en silence la Congrégation pour la doctrine de la foi, pour des raisons d'âge, certes, mais aussi parce que, en tout loyalisme il refusait le style préconciliaire de l'exclusion théologique et du soupçon magistériel.

Ce fut à cette époque qu'éclata « l'affaire » Stephan Pfürtner [11], professeur de théologie morale à l'Université de Fribourg, en Suisse. Son unique faute avait été de dire tout haut ce qu'en République fédérale d'Allemagne la plupart des curés et des vicaires disaient à leurs paroissiens dans le secret du confessional : que la compétence et la responsabilité des conjoints en matière de contraception n'étaient pas moins importantes que celles des rédacteurs d'*Humanae Vitae*, l'encyclique de Paul VI qui interdisait l'usage des moyens artificiels de contraception [12]. Aujourd'hui, telle est pourtant bien l'opinion courante de tous les théologiens des pays germanophones. Il faut insister : de tous, sans exception. Pourtant, Stephan Pfürtner fut condamné. Il fallait qu'il le soit, parce qu'il s'opposait trop ouvertement à la doctrine officielle de la plus haute autorité ecclésiastique. D'un problème moral, on avait fait une question politique ; d'un problème humain, une question de force et de pouvoir ; et, dans de tels cas, il n'est d'autorité qui ne soit d'accord avec Voltaire :

« Entre nous, Socrate a raison. Mais il a tort d'avoir raison si publiquement. »

À ce moment-là, l'Église était déjà mûre depuis quelque temps pour l'élection d'un pape sachant unir la fidélité aux principes et la fermeté au charisme populaire et à la diplomatie — *suaviter in modo, fortiter in re* —, en quelque sorte une main de fer dans un gant de velours. Jean-Paul II arrivait à point nommé : affable et confiant dans l'entregent, intraitable en matière doctrinale ; personnellement conciliant et officiellement tranchant ; antinomie typique du mécanisme mental du clerc écartelé par l'exercice de sa fonction !

Encore une fois, ce n'est pas ici le lieu de savoir si les papes ont raison quand ils affirment que la pilule, les préservatifs, les pessaires et autres stérilets sont de nature immorale, et si leur position est théologiquement fondée. Notre préoccupation est d'un autre ordre et nous amène à faire les remarques suivantes : il y a quinze ans, quand Stephan Pfürtner fut relevé de ses fonctions, il n'y a pas eu un seul prêtre qui ait jugé devoir remettre les siennes à la disposition de son évêque en affirmant qu'il partageait totalement les idées du théologien fribourgeois. Le paradoxe peut encore être poussé plus loin : y a-t-il eu un seul évêque à menacer de suspension un prêtre qui, tout en partageant cette opinion, aurait accepté de la garder pour lui ?

Encore une fois, c'est ainsi que fonctionne la pensée officielle ou que pense la fonction. Comme le montre le cas Pfürtner, le principe fondamental est le suivant : le loyalisme vient avant la vérité, avant même la réalité du fait. Il faut surtout éviter de causer aucun dommage à l'Église. Le pire qui puisse arriver à un parti, à un groupe ou à une hiérarchie, c'est le relâchement dans les rangs et, pire encore, l'affaiblissement de l'autorité. Plutôt l'unité (de la fonction) dans la dualité (mentale du fonctionnaire) que le sacrifice d'une position de force et l'abaissement au niveau d'une discussion. Certes, tous les groupes, qu'ils soient politiques ou apolitiques, agissent ainsi ; mais c'est précisément ce qu'une institution comme l'Église ne devrait jamais se permettre si elle se veut fidèle à sa mission : établir un modèle de société humaine qui ne soit pas essentiellement fondé sur la peur et le pouvoir, comme c'est le cas — l'histoire le montre — de toutes les autres structures sociales, mais sur la confiance et sur l'amour[13]. Dans le cas Pfürtner, les clercs auraient dû se demander quelle était la meilleure façon de servir l'Église du

Christ : le loyalisme extérieur du fonctionnaire ou la vérité et la crédibilité personnelles de leur vie ? Tous, sans exception, ont accepté l'ambiguïté. En outre, cette affaire a révélé à quel point cette ambiguïté (il faudrait plutôt dire l'art de ne pas voir, ou la dissimulation enrobée dans un vocabulaire légaliste) constitue véritablement le fond de leur existence. Une personnalité différente, directe et résolue, serait impensable dans un tel climat. Ce qui les maintient dans leur fonction, c'est l'entente mutuelle du camouflage ou le « brouillard » d'un Fleurier.

Il n'est pas difficile de s'imaginer les alibis dont chacun peut couvrir cette irrésolution et ces louvoiements : il consiste à les masquer en attitude courageuse, à en faire une sorte d'obéissance anticipée. En somme, à les en croire, aujourd'hui déjà, clandestinement, les clercs, courageux en cela, pratiqueraient la vérité de demain, celle dont ils désirent et espèrent qu'elle deviendra un jour officielle dans l'Église. C'est pourquoi, disent-ils, il faut continuer à collaborer avec le système, cela afin de préserver les chances du futur. Responsables non seulement devant les hommes, mais également devant Dieu, ils ont le devoir de ne pas quitter leur poste : il ne faut pas abandonner l'Église aux « faucons » ; on ne peut pas se laisser dicter par l'oligarchie du mandarinat romain ce qui est catholique et ce qui ne l'est pas ; et après tout, concluent-ils, l'Église, c'est nous ! Arguments pleins de bonnes intentions et parfois convaincants, mais qui, justement, restent du domaine des intentions, d'ordre purement subjectif, donc objectivement peu crédibles tant qu'ils ne peuvent pas s'exprimer publiquement. Il y a deux cents ans déjà, Emmanuel Kant disait que la règle de toute action publique (politique) devait être la suivante : « Agis de façon que tu puisses toujours faire connaître publiquement tes intentions[14]. » A cet égard, l'existence du clerc ne peut qu'être fondamentalement inauthentique de par ses contradictions, en raison même d'une pensée de fonction elle-même contradictoire.

Dans sa sagesse, l'Église catholique pourra toujours rétorquer qu'Emmanuel Kant était typiquement prussien. Que la mentalité prussienne exige l'unité du droit et de la morale, du général et du particulier, de la législation étatique et de la vertu personnelle. Que dans un tel contexte sévit inévitablement un système de contrainte, au moins psychique, à la Maximilien Robespierre, dans lequel le pouvoir a besoin à la fois de la terreur et de la vertu : de la terreur, parce que, sans elle, la vertu est sans défense, et de la vertu parce que, sans elle, la terreur frappe sans discrimination[15]. Que, pour sa part, héritière des anciens Romains et de leur génie politique, l'Église catholique, en légiférant, n'a en vue qu'un ordre public qui ne violente pas les cœurs[16]. Que c'est précisément là sa grandeur, et qu'elle manifeste ainsi une connaissance des hommes qui est tout à son honneur. Bref, ce qui est proprement *romain*, c'est de distinguer entre ce qui est d'ordre externe et ce qui est d'ordre interne sans ignorer les faiblesses individuelles.

En fait, cette logique *romaine* est au centre même de l'Église catholique : ce qui, à ses yeux, fait son excellence et imprime à son action son caractère chrétien, c'est, en vertu des pouvoirs qu'elle détient, de toujours pardonner en confession au particulier qui s'est rendu coupable de transgresser ses directives. Elle a parfaitement conscience de créer ainsi une tension entre le général et le particulier, et c'est pourquoi elle tolère avec une relative bienveillance toutes les entorses possibles à ses règles, du moment qu'elles restent d'ordre privé. Mais en même temps, elle exige la reconnaissance de la valeur objective absolue, inconditionnelle et contraignante de ses normes. Il règne un courant de pensée linéaire qui va du haut vers le bas : en haut, il y a les vérités divinement révélées, les commandements de Dieu et le domaine du spirituel que le magistère de l'Église annonce et explique. Il a une valeur infaillible. C'est celui dont les clercs sont par fonction les agents, et ceux-ci se définissent donc à partir de lui. En bas, il y a tout le domaine des expériences que fait chacun de nous dans sa vie, et qui sont le plus souvent beaucoup trop compliquées pour pouvoir être classées sous des rubriques aussi générales que le vrai et le faux, le bien et le mal, la vertu et le vice, le mérite et le péché. L'essentiel, c'est que, face aux notions théologiques de la pensée cléricale, tout ce monde d'expériences, celui dans lequel se meuvent les laïcs, se présente comme un élément en quelque sorte purement passif, comme un simple matériau à évaluer, sans aucun contenu d'ordre spirituel. On voit donc s'affirmer une sorte de vérité purement abstraite que G. W. F. Hegel dénonce dans sa *Philosophie de l'histoire*, celle qui constitue pour lui le principe romain par excellence[17]. Certes, dit-il, à ce niveau de la pensée, il existe bien en soi de vraies notions morales et religieuses, mais qui n'intègrent ni n'interprètent ce qu'est la réalité vivante ; le caractère divin de ces notions, c'est précisément de ne pouvoir se fonder sur aucune expérience humaine, ou même de ne pouvoir être mis en question par aucune d'entre elles. En d'autres termes, ces notions et autres doctrines se comportent par rapport à la vie d'une manière toute aussi isolée et unilatérale que l'état clérical lui-même par rapport à l'état laïc ; en fait, sous cette forme, elles ne font que manifester et idéaliser (dans un sens idéologique) le caractère sacro-saint et la supériorité de l'état clérical lui-même.

A cet égard, ce serait fallacieuse illusion de la part des prêtres, que leur ambivalence existentielle tiraille entre clercs et laïcs, de croire que leurs stratagèmes, leurs manœuvres secrètes et leur dissimulation leur permettraient à la fois de se montrer solidaires des laïcs et de se comporter en loyaux sujets de leurs supérieurs ecclésiastiques, donc de mener une double vie. Celui qui veut être crédible doit impérativement prendre des positions clairement définies, en osant penser, c'est-à-dire en osant poser comme vérité objective ce qu'exige manifestement l'action, et exprimer ouvertement ce qu'il pense dans le secret de son cœur. Selon les paroles de Jésus, il faut que ce qui a été dit aujourd'hui dans le creux de l'oreille soit proclamé demain sur tous les toits (Mt 10, 27 ; Lc 12, 3) [18]. C'est la seule méthode qui soit féconde, le seul moyen de faire véritablement la synthèse entre l'idéal (ou l'idéel) et le réel, entre l'objectivité et la subjectivité, entre la pensée et l'action, la seule manière de redonner toute sa valeur et tout son poids à la diversité et à la complexité du réel ; la seule façon pour les clercs de cesser de n'être que les simples fonctionnaires et les simples exécutants d'un commandement promulgué par une structure hiérarchique verticale aussi raide qu'un bâton [19]. Pour la première fois, en collaboration avec les laïcs, ils pourraient faire part de leurs expériences pastorales et dire ouvertement comment la base réagit à l'enseignement du magistère ecclésiastique et comment elle le comprend. Pour la première fois pourrait s'établir un véritable dialogue au sein de l'Église officielle. Pour la première fois, la réalité vécue, ses drames et ses souffrances, ses convulsions et ses contradictions, sa quête et ses combats deviendrait le foyer de la vérité. Non pas d'une vérité en soi, immuable, mais d'une vérité en marche, insérée dans l'histoire [20]. Il faudrait alors ajouter ce qui fait cruellement défaut aux clercs de l'Église catholique : le courage de leurs opinions, l'honnêteté intellectuelle, le droit de tirer les leçons de l'expérience acquise au contact des autres et, si la vérité l'exige, la force de nager à contre-courant.

En somme, psychologiquement, c'est le *principe protestant* qui manque aux prêtres catholiques pour pouvoir changer les structures de l'Église catholique, ou plutôt pour pouvoir modifier son climat spirituel de façon à faire cesser la disjonction psychique, sociale et théologique entre deux niveaux de vie et de pensée superposés et sans communication.

Le postulat qui se dégage ici est loin d'être nouveau, et, à y regarder de près, il correspond à l'intuition première de la *Réforme.* L'Église catholique croit encore (ou feint de croire) aux progrès de l'œcuménisme tout en continuant d'aborder la question des clercs comme elle l'a toujours fait, au point que c'en est presque grotesque. En effet, dit-elle, pour que se réalise l'unité des chrétiens telle qu'elle la pense, il faut que le ministère (la « fonction ») ait l'aval de l'Écriture et de la Tradition et, en conséquence, que les Églises de la Réforme reconnaissent que sa doctrine ne peut être que divine[21].

En fait, la véritable question, celle du rapport entre vérité et réalité, a déjà été posée, il y a cent cinquante ans, par celui qui est sans doute le plus grand philosophe du protestantisme, G. W. F. Hegel. Celui-ci avait déjà relevé l'aspect essentiellement formel de la religion pratiquée par les Romains dans l'Antiquité et en avait dénoncé le caractère unilatéral : « Le caractère principal de la religion romaine, écrit-il, consiste [...] dans la solidité des fins déterminées de la volonté [...]. C'est pourquoi la religion romaine est la religion toute prosaïque de l'étroitesse, de l'opportunité, de l'utilité.[22] » Dans le contexte de ce que Hegel appelle d'une façon générale le principe romain, le sacré n'est qu'une forme vide de sens, une puissance ou un pouvoir purement extérieurs, « l'inégalité sanctifiée de la volonté et de la propriété particulière » ; en somme, l'arbitraire légitimé au sceau du divin[23]. Or, dans l'Église catholique, ou plus exactement dans l'Église du Moyen Âge qui est proprement l'objet de son étude, celle qui s'est pratiquement maintenue telle quelle jusqu'à nos jours, il retrouve la même « inégalité » et la même « extériorité », notamment dans la discrimination clercs-laïcs. « Les laïcs, écrit-il, sont étrangers au divin. C'est là la division absolue dans laquelle l'Église au Moyen Âge se trouvait prise ; elle provenait de ce qu'on regardait le sacré comme une chose extérieure. Le clergé posait certaine conditions grâce auxquelles les laïcs pourraient participer au sacré. Tout le développement de la doctrine, l'intelligence, la science du divin sont entièrement en la possession de l'Église ; elle doit décider et les laïcs n'ont qu'à croire tout simplement ; leur devoir, c'est l'obéissance, l'obéissance de la foi sans avoir à comprendre. Ces conditions ont fait de la foi une affaire de droit extérieur et on en est venu jusqu'à la contrainte et jusqu'au bûcher[24]. » « Les autres déterminations et conditions sont une conséquence de ce principe. Le savoir, l'intelligence de la doctrine est une chose dont l'esprit est incapable ; c'est la propriété d'une caste qui doit définir la vérité. Car l'homme est trop bas pour être en relation directe avec Dieu ; et, comme on l'a déjà dit, s'il s'adresse à Lui, il lui faut un intermédiaire, un saint. Ainsi, l'unité existant en soi du divin et de l'humain est niée, et l'Homme comme tel est déclaré incapable de connaître le divin et de s'en approcher. L'Homme étant ainsi séparé du bien, on n'exige pas une transformation du cœur comme telle, qui supposerait dans l'Homme l'unité du divin et de l'humain, mais on oppose à l'Homme les terreurs de l'enfer sous les plus effroyables couleurs, auxquelles il échappera, non assurément en devenant meilleur, mais bien plutôt par quelque chose d'extérieur — les moyens de la grâce. Ceux-ci ne sont d'ailleurs pas connus des laïcs, il faut qu'un autre — le *confesseur* les leur procure. L'individu doit se confesser, exposer toute sa conduite particulière au jugement du confesseur, et il apprend ensuite comme il doit se comporter. L'Église a pris ainsi la place de la *conscience* ; elle a guidé les individus comme des enfants et leur a dit que l'homme peut se libérer des tourments mérités, non en s'amendant lui-même, mais par des actes extérieurs, *opera operata* — actes non de la bonne volonté, mais exécutés sur l'ordre des serviteurs de l'Église, tels que : entendre la messe, faire pénitence, dire des prières, aller en pèlerinage, actes sans esprit, qui le rendent stupide et qui ont comme caractère, non seulement qu'on peut les faire extérieurement, mais même qu'on peut les faire exécuter par d'autres. On peut même, les bonnes actions des saints étant en excès, en acheter quelques-unes et obtenir ainsi le salut qu'elles apportent avec elles. Ainsi s'est produit un parfait renversement de tout ce qui est reconnu comme bon et moral dans l'Église chrétienne : on ne demande aux hommes que des choses extérieures auxquelles on satisfait d'une manière tout extérieure. L'absence absolue de liberté a été ainsi introduite dans le principe même de la liberté[25]. »

Ce qui importe ici pour nous, c'est de voir ce qu'est une

liberté qui reste « extérieure », donc, en fait, une aliénation « intérieure », et quels en sont les effets sur la mentalité du clerc. L'analyse hégélienne pourrait facilement laisser croire que c'est la soif du pouvoir et la chasse aux privilèges de la part des clercs qui ont créé la division clercs-laïcs, laquelle s'est alors tout naturellement rationalisée pour devenir une idéologie. Si c'était le cas, il faudrait supposer que les clercs sont des personnes libres et capables de rechercher leur plaisir ou de goûter à la vie. Or, rien n'est plus faux. Car Hegel a raison ! il n'y a pas de liberté tant que la pensée reste extérieure à soi. Mettre la vérité en dehors de soi, c'est-à-dire dans les institutions, au lieu de la mettre en soi, dans la clarté de sa pensée, voilà ce qui caractérise foncièrement la pensée « fonctionnaire » du clerc. C'est déjà un grand acte de courage pour elle de forcer occasionnellement les frontières de son ambivalence ! Mais une souris reste une souris, même si, une fois par an, elle s'enhardit à traverser en courant le tapis du salon[26].

Certains objecteront peut-être que cette position n'est pas suffisamment fondée. Ils admettront certes que le cas Pfürtner n'a pratiquement pas soulevé d'opposition ouverte, notamment de la part des principaux intéressés : les prêtres du ministère paroissial et les professeurs de théologie morale. Mais, diront-ils, la contraception artificielle est-elle une question *stantis et cadentis ecclesiae*, une question de vie ou de mort pour l'Église, alors que, de nos jours, on apprend déjà aux écoliers de quatorze ans comment se protéger du sida ? Et puis, surtout, est-ce légitime de généraliser un cas particulier pour en faire un problème structurel ?

Justement, il y a des cas particuliers qui n'ont rien de fortuit et qui sont significatifs. Aussi, par exemple, dans l'affaire de Saverne, il est possible aux historiens de voir un signe du militarisme allemand sous l'Empire et de le prouver, documents à l'appui[27]. De même, il devrait être tout à fait possible aujourd'hui à celui qui ne veut pas fermer les yeux de voir un tel signe dans les discussions sans fin de l'Église catholique sur la moralité de la contraception artificielle[28]. Et si l'exemple précédent ne devait pas suffire à illustrer la structure psychique ambivalente de la pensée « fonctionnaire » dans le monde clérical, en voici un deuxième, tout aussi typique : le synode de Würzburg, en 1975, et les mémorables discussions sur le remariage des divorcés dans l'Église catholique.

Deuxième cas : le synode de Würzburg

Évoquer 1975 et le synode de Würzburg ne va pas sans une certaine nostalgie ni une certaine tristesse. Peut-on véritablement encore s'imaginer cette Église qui avait exprimé le désir de voir laïcs et clercs s'asseoir à la même table ? Effectivement, des conjoints, des conseillers matrimoniaux, des psychothérapeutes et des prêtres engagés dans la pastorale se sont rencontrés pour échanger leurs expériences dans un climat de tolérance et d'ouverture, dans l'espoir d'approcher la vérité du Christ par-delà leurs vues humaines. Malheureusement, ce devait être la dernière fois que se levait une telle espérance. Elle allait être étouffée sous les diktats de l'idéologie. Bien vite, en effet, il devint évident que la responsabilité des laïcs, la participation et le droit à la parole des laïcs, la représentation de leurs intérêts par des laïcs étaient des notions toutes relatives qui ne seraient que partiellement prises au sérieux ; que les laïcs ne seraient guère que des figurants, tout au plus appelés à apporter des informations, sous le contrôle de la hiérarchie — un rôle analogue à celui des évêques réunis en synode à Rome, organe purement consultatif de l'administration papale, sans pouvoir de décision[29], tribune qui ressemble à la fois à un parlement et au fumoir du roi Guillaume de Prusse, où, l'espace de quelques heures, les ministres avaient la permission de s'exprimer en toute liberté, pour recevoir le lendemain, soulagés et d'autant plus soumis, les ordres de sa Majesté et les faire exécuter[30].

Pour la première fois et, à ce jour, la dernière, la question du divorce, ou plus exactement du remariage des divorcés, était ouvertement posée dans l'Église catholique. On pouvait penser que c'est un problème qui, plus que tout autre, relève de la compétence des laïcs. Selon la doctrine catholique, en effet, les futurs conjoints sont eux-mêmes les seuls ministres du sacrement de mariage[31] et, toujours selon la doctrine catholique, c'est uniquement ce lien sacramentel qui est « indissoluble »[32]. Effectivement, au début du synode, eu égard notamment aux cent mille divorces, et plus encore, prononcés chaque année en RFA sur trois cent mille mariages environ[33], tout semblait indiquer que ce serait le domaine propre des laïcs au sein de l'Église, devant Dieu et devant les hommes ; qu'ils pourraient revendiquer ce patrimoine de leurs expériences, de leurs souffrances et de leurs espoirs. Ce qui s'est passé par la suite n'est pas seulement une catastrophe pour la politique de l'Église — c'en est une, mais cet aspect est secondaire par rapport au problème posé au psychisme humain —, c'est avant tout la révélation de l'ambivalence dont souffrent les clercs dans leur fonction.

En effet, à peine commençait-il à se dégager un consensus en faveur d'une plus grande compréhension pour tant de *tragédies humaines*[34], à peine était-on sur le point de reconnaître honnêtement l'échec de tant de mariages malgré tous les efforts faits par les conjoints pour l'éviter, ce que confirmait la voix des laïcs invités à s'exprimer, que déjà les évêques coupaient court aux discussions, leur devoir d'état leur enjoignant, disaient-ils, de laisser parler la vérité morale contenue dans l'enseignement du Christ et dans le magistère chrétien. Ces grands pasteurs préposés au troupeau du Christ reconnaissaient la compassion et les bonnes intentions des laïcs et des autres pasteurs, ceux de la base, mais jugeaient leur position inconciliable avec la vérité divine telle qu'elle nous a été révélée[35]. Non seulement les évêques allemands laissaient passer l'occasion, la dernière qui leur ait été offerte à ce jour, de se faire les porte-parole de leurs fidèles ; non seulement ils se dépouillaient de leur pouvoir en s'adressant à Rome, en remplaçant l'argument théologique par l'argument d'autorité réclamé en haut lieu, celui de l'autorité suprême ; non seulement leur loyalisme envers le magistère prenait l'allure d'une coalition dirigée contre les laïcs ; mais, surtout — et c'est le véritable sens de l'événement —, la vérité du fait chrétien était en soi directement liée au plein pouvoir de décision détenu par les clercs, considérés comme les gardiens de l'Église officiellement désignés par le Christ. En même temps et *ipso facto* se manifestait tout ce que cette vérité a d'abstrait et d'étranger à la vie[36]. Il apparaissait de façon éclatante à quel point, par toute sa nature, la vérité de l'Église catholique telle que la conçoivent les clercs est extérieure à la réalité, extérieure à l'histoire et à l'évolution socioculturelle, dressée contre la volonté morale personnelle, et hiérarchiquement autoritaire face à ce qu'on appelle « peuple de Dieu »[37].

Notre propos n'est pas de traiter de la morale du mariage aux plans exégétique et dogmatique, ce que nous avons déjà abondamment fait il y a plusieurs années[38]. Il s'agit uniquement de montrer que la division entre clercs et laïcs est en même temps celle que répète le clivage entre « fonction » et « vie » dans le psychisme des clercs, celle qui se répercute également sur le partage du pouvoir et sur ses structures objectives. La répartition en deux catégories, entre un état de clercs fortement hiérarchisé et un état de laïcs, n'est pas simplement le sous-produit historique d'une administration ecclésiastique héritée du génie latin de la chose publique ; c'est avant tout la matérialisation de l'ambiguïté et de l'inauthenticité inhérentes à la fonction cléricale.

En voici la preuve *in concreto*. Le synode de Würzburg s'est séparé et chacun est retrourné à ses occupations (ou a retrouvé sa fonction) comme si de rien n'était. Seul l'évêque Wilhelm Kempf, d'ailleurs mal vu pour son initiative, a pris la peine d'écrire une lettre très remarquée à tous ceux dont le mariage avait été un échec et qui n'avaient cependant pas abandonné l'Église. Il leur demandait pardon et compréhension en regrettant pour eux que l'Église catholique continue de penser ne pas pouvoir prendre d'autres dispositions à leur égard [39].

En fait, la solution catholique saute aux yeux : les officiaux s'efforcent de multiplier les raisons qui leur permettent de dire que tel mariage n'a jamais eu lieu (déclaration de nullité) [40]. Ces raisons sont naturellement nombreuses, pour peu qu'on fasse appel à la psychanalyse pour les déceler. Mais même si le Droit canonique les reconnaît, la procédure de « déclaration de nullité » revient à dire à ceux qui ont lutté ensemble pendant des années pour sauvegarder leur amour et échapper éventuellement au naufrage qu'ils l'ont fait pour rien, qu'ils ont perdu leur temps, puisque, de toute façon, ils n'étaient pas mariés sacramentellement [41]. La vérité, c'est qu'au jour de son mariage, avec la meilleure volonté du monde, personne ne peut savoir si l'union qu'il contracte a une chance de réussir ou non. C'est précisément cette vérité toute simple que l'Église a manifestement le plus de mal à accepter, car ce serait reconnaître une responsabilité aux laïcs, au moins là où tous les clercs de l'Église ne peuvent être eux-mêmes que des laïcs : en matière de mariage. Or, depuis des siècles, rien ne semble intéresser davantage les clercs que d'édicter les lois et les commandements qu'un homme et une femme doivent observer s'ils veulent se marier dans l'Église catholique. « Ils lient sur les épaules des autres de pesants fardeaux qu'ils ne toucheraient pas eux-mêmes du doigt » [42], disait Jésus des pharisiens qu'il voyait autour de lui. Que ne dirait-il alors de nos théologiens aujourd'hui !

A ce jour, les études n'ont pas manqué pour établir en théologie morale des modèles qui, tout en sauvegardant le dogme de l'indissolubilité du mariage (contracté sacramentellement), prennent en compte les besoins des femmes et des hommes. Mais comme ils aboutissent finalement tous à affaiblir le pouvoir du cléricalisme ecclésial, ils n'ont pas eu jusqu'ici la moindre chance de s'imposer à l'Église. Au contraire, en 1986, le professeur de théologie morale Charles Curran était déclaré « indésirable et inapte » et relevé de ses fonctions, parce qu'il rejetait toute condamnation générale du divorce, de l'homosexualité et de l'avortement, inconciliable, à son avis, avec la réalité humaine [43]. Au début de 1988, à l'occasion de leur visite *ad limina,* à Rome, les évêques allemands apprenaient qu'ils avaient le devoir de mettre un frein à une pratique trop laxiste des divorces dans leurs diocèses. Au milieu de la même année, après l'affaire soulevée par la succession au poste laissé vacant, à Bonn, par le professeur F. Böckle, la Curie romaine intervenait directement dans les universités allemandes pour la désignation des professeurs aux chaires de théologie morale catholique.

Que celui qui ne serait pas encore tout à fait convaincu se reporte quelques décennies en arrière, à l'époque où il était interdit aux théologiens moralistes de considérer le pacifisme et l'objection de conscience comme une solution chrétienne au dilemme moral que pose le service de l'armée. Et si une des lois les plus importantes de la République fédérale a pu être votée — à savoir la possibilité de refuser le service militaire dans le cas où la conscience le réprouve, et cela sans les voix d' « experts » jésuites —, c'est uniquement parce que l'Église catholique a bien voulu reconnaître à chacun le devoir d'agir selon sa conscience, même si celle-ci est objectivement dans l'erreur (!) [44]. Faut-il rappeler le temps où les exégètes catholiques devaient prêter le serment anti-moderniste contre la méthode historico-critique [45] ? Il ne leur restait plus qu'à prouver que le serpent était effectivement et littéralement intervenu dans l'histoire du paradis [46], et aux spécialistes en théologie fondamentale de montrer que Jésus avait « réellement » dû monter au ciel pour manifester à ses apôtres, selon les conceptions de leur temps, la gloire de sa nature divine [47]. « Raconter des mensonges et des contes de fées », voilà ce qu'avoue avoir dû faire (en qualité de scientifique !) un exégète depuis longtemps à la retraite [48]. Aujourd'hui encore, il n'est aucun exégète catholique qui se risquerait à s'exprimer ouvertement sur les « frères de Jésus »[49] ou sur la « virginité de Marie »[50].

Jusque dans les détails, c'est toujours la même division entre les « initiés » (ceux qui « savent ») et le « peuple », division par laquelle la pensée cléricale objective sa propre dualité et la cimente dans les institutions. En somme, les laïcs ont tout simplement mal compris les spécialistes ; ils n'ont pas pu trouver ce qu'ils auraient dû croire sous les décombres d'un jargon désarticulé. Finalement, c'est leur faute si, apeurés, ils ont dû s'attacher à des maîtres qui, eux-mêmes angoissés, non seulement suscitaient constamment de nouvelles peurs et de nouvelles angoisses, mais devaient encore défendre leur carrière et leur statut d'employés face aux défis troublants de l'Esprit, en faisant naître de nouveaux doutes et en posant de nouvelles questions.

Pour un observateur extérieur, l'attitude du clerc prouverait simplement qu'il n'est pas seulement un homme (ou une femme) comme un(e) autre ; que, dans sa fonction, personne ne lui demande davantage ou autre chose que de faire son devoir, et son devoir, c'est précisément de suivre objectivement la voie de service, toute tracée pour lui, sans y mêler de commentaires ou d'interventions personnels capables de la perturber ou de la bloquer ; que, par définition, il doit incarner la généralité. C'est peut-être vrai d'un fonctionnaire quelconque. Mais ce n'est pas vrai du clerc, qui se trouve dans une situation spéciale.

L'activité professionnelle d'un employé normal constitue son gagne-pain. Elle reste donc extérieure à son existence personnelle, même s'il s'y engage à plein. Son emploi reste fortuit : au lieu d'être inspecteur des Finances, il aurait tout aussi bien pu être directeur commercial. Pour le clerc de l'Église catholique, c'est différent, quel qu'il soit. Si la notion d' « élection » n'est pas seulement théorique, mais débouche dans le concret, sa nature cléricale ne peut être le seul fruit du hasard, un simple décor. Elle lui est fondamentale et essentielle. L'Église ne lui demande-t-elle pas d'ailleurs d'entrer dans sa fonction avec toute sa personne, de s'identifier à elle ? Quand un prêtre dit la messe, bénit un mariage ou célèbre un enterrement, il ne doit pas le faire comme un serveur, un jardinier ou un fossoyeur dans l'exercice de leur métier, en bon professionnel expérimenté. Il doit vivre ces activités extérieures de l'intérieur. A côté de ses pensées et de ses actes, il n'a pas, en plus, quelque chose qui ressemblerait à une existence privée. Et si ses pensées et ses actes ne sont pas les siens propres, s'ils n'ont pas le droit de l'être afin de pouvoir conserver leur caractère d'objectivité, l'extérieur même devient forme de l'intérieur, l'aliénation envahit le terrain de la liberté et la direction extérieure se nourrit aux meilleures sources d'énergie du moi. La France occupée de 1943 a, en quelque sorte, vécu une situation analogue : les journaux paraissaient en français, mais, au fond, ils parlaient allemand. Les trains transportaient des marchandises sur des lignes françaises, mais ils allaient tous vers le Reich. En psychanalyse, c'est le cas type idéal (!) où le moi s'identifie totalement avec le surmoi : une structure sur laquelle nous aurons l'occasion de revenir en détail.

Pour illustrer encore cette pensée cléricale dominée par le surmoi, il n'est peut-être pas inutile de reprendre la comparaison de Freud entre l'armée et l'Église, dans sa fameuse étude sur la « psychologie des foules [51] ». Pour lui, psychologiquement parlant, ces deux institutions ont un point commun : l'identification de tous leurs membres à un seul individu, au général en chef dans le premier cas, à la personne du Christ dans le second. Ces membres ne sont pas réunis parce qu'ils se connaissent, mais parce qu'ils ont tous la même relation à la figure de proue. Telle est la prémisse (qui reprend le livre, aujourd'hui toujours aussi controversé, de Gustave Le Bon [52]) sur laquelle Freud a bâti sa psychologie des « masses ».

Nous ne cherchons pas à savoir ici jusqu'à quel point le fonctionnement de structures sociales complexes correspond au modèle freudien. Ce qui nous intéresse, c'est de comparer la psychologie de tous ceux qui ont une fonction de commandement, officiers dans l'armée ou clercs de l'Église, une comparaison que Freud a proposée sans toutefois la développer. Il a lui-même rappelé que les Pères de l'Église assimilaient déjà l'ascétisme chrétien, l'obéissance, l'esprit de sacrifice, le don de soi et un loyalisme courageux à un service militaire à une *militia Christi* [53]. Il y a toutefois une différence essentielle à faire suivant que l'identification du surmoi à la fonction et à la figure du chef est purement *formelle* ou, au contraire, d'ordre *idéologique*. Si la fonction est séculière, et même si, militaire notamment, elle met en jeu la vie, elle permet de relativiser ou même pratiquement d'éliminer la question de la vérité en soi. Au contraire, si cette fonction est religieuse, comme celle des clercs, il n'en va plus de même. S'il perd une bataille, un général peut toujours dire qu'il n'a fait qu'obéir aux ordres ; qu'il n'a pas à les analyser, mais uniquement à les exécuter. Tandis qu'un clerc doit avant tout s'identifier aux instructions qu'il donne au nom de son Église. Dans sa foi, il doit être persuadé qu'elles ne sont pas seulement paroles d'hommes, mais qu'elles émanent de Dieu lui-même. Son loyalisme ne peut pas rester sur un plan formel, extérieur à lui-même ; il doit être *intérieur,* au service de la vérité.

Tant qu'il est en fonction, qu'il les approuve ou non, un général, dans l'armée, doit exécuter *formellement* les ordres ; il est le bras ou l'épée du « corps qu'est le peuple » ; il n'en est pas la tête ni le cerveau. Il en va autrement pour le clerc. Il doit croire à l'origine intrinsèquement divine de ses instructions, mais aussi à celle, irrévocable, de son être de clerc : *sacerdos in aeternum* : il est prêtre pour l'éternité[54]. Il appartient au centre nerveux de cet « organisme » qu'est l'Église, car il n'est pas le lieutenant d'une simple personne humaine, mais bien d'une personne divine à laquelle il s'identifie. Autrement dit, de même que l'élection divine telle qu'il la conçoit le propulse personnellement dans la sphère du divin, de même l'Église n'est plus pour lui une simple association humaine, mais l'instrument de la Providence divine, et l'obéissance aux hommes devient obéissance à Dieu. C'est pourquoi les « guerres » qu'il fait en vertu de sa fonction sont toujours des « guerres saintes ». En d'autres termes, dans sa fonction, il ne doit jamais admettre avoir été trompé ou avoir lui-même commis une erreur. Avoir raison, être du bon côté, constitue le fondement de son être. Nous reviendrons plus longuement sur le problème de l'obéissance exigée par l'Église. Contentons-nous pour le moment de constater ce besoin absolu, inconditionnel, de justification, imposé par le surmoi ; c'est-à-dire un besoin impérieux d'idéologie, avec le besoin consécutif d'une apologétique ecclésiale à laquelle le clerc consacre une part considérable de ses facultés intellectuelles.

Avec une telle structure mentale, il est impensable que l'Église ait jamais pu se tromper. Les croisades ? « Concession d'une Église pacifique à un esprit germanique belliqueux[55]. » Les procès en sorcellerie ? « Manifestation d'une poussée d'hystérie plus générale devant laquelle l'Église s'est trouvée aussi désarmée que, par exemple, devant les aberrations du IIIe Reich, au XXe siècle[56]. » L'antisémitisme de l'Europe chrétienne ? « Mais l'Église n'a-t-elle pas toujours vu dans les Juifs les descendants d'Abraham et les frères de Jésus[57] ? » L'Inquisition ? « L'Église elle-même n'a jamais pratiqué la torture ni tué personne ; elle n'a fait que livrer au bras séculier, garant de l'ordre public, les fauteurs de troubles irrécupérables ; Église et État étaient alors si étroitement imbriqués, qu'elle ne pouvait faire autrement[58]. » Galilée ? « Il faut considérer tout ce qui était alors en jeu pour l'Église et les individus[59]. » C'est un principe : « Il faut replacer les événements dans leur contexte historique ; on ne peut pas leur appliquer nos valeurs actuelles. » Ou bien encore : « Faite d'hommes et de femmes, l'Église n'est pas encore l'accomplissement du Royaume de Dieu[60] ; elle n'est souvent pas meilleure que son temps, mais qui pourrait lui en faire grief ? D'ailleurs, n'est-ce pas une raison, pour les pécheurs que nous sommes, de sentir que nous pouvons quand même appartenir à l'Église du Christ ? »

C'est avec de tels arguments que des clercs de l'Église catholique, s'ils sont professeurs, peuvent passer leur vie à enseigner la théologie. Bien sûr, s'ils pensent autrement, ils savent qu'ils sont menacés dans leur emploi, mais il y a plus : tout entiers occupés à prouver le bien-fondé de ce qui préexiste à leur pensée, leur théologie est dénaturée en idéologie par une telle psychologie. Un raisonnement ouvert et libre de préjugé idéologique devrait ressembler à un dialogue platonicien : c'est un processus d'examen, de recherches, de vérifications et d'éclaircissements progressifs débouchant finalement sur un point qui apparaît digne de foi, éventuellement sur une « vérité ». Le raisonnement idéologique procède en sens inverse : il cherche par tous les moyens que la pensée contemporaine met à sa disposition à fonder ce qui, d'avance, est déjà pour lui une vérité. C'est un cercle vicieux ; ce qui est à prouver est posé comme le fondement des arguments mis en œuvre ; c'est le toit qui soutient les fondations.

A première vue, on pourrait objecter que, s'il en était bien ainsi, s'il régnait effectivement un tel dogmatisme dans l'Église, il n'y aurait jamais eu de progrès en théologie et qu'il n'y en aura jamais. Or, en particulier depuis Vatican II, la théologie a pris conscience du caractère historique de la vérité. Elle recherche le dialogue avec le monde. Elle conçoit expressément son rôle comme une invitation au monde à prendre un chemin commun. La réalité, conclura-t-on, est donc bien différente de la caricature qui en est faite ici.

Il ne s'agit pas de nier que la théologie ait pu prendre dans le passé certaines orientations positives, et que ce puisse être encore le cas dans le présent. Il s'agit de voir pourquoi il est si difficile de changer les habitudes de pensée dans le domaine théologique. De plus, même lorsque les tentatives qui sont faites pour y arriver aboutissent aux résultats les plus favorables, même si elles ont demandé le plus grand courage, la pensée reste toujours enfermée dans les frontières idéologiques des mêmes notions archaïques. Alors qu'il n'est pratiquement aucune des théories antiques, et notamment aristotélicienne, concernant la nature et ses lois, qui ait résisté à l'observation scientifique depuis le commencement des temps modernes, la théologie catholique continue toujours à expliquer la plupart de ses dogmes à l'aide d'abstractions qui remontent précisément à Aristote. Il faudrait également mentionner l'interprétation de symboles qui sont pris pour des vérités divines contraignantes et intangibles. Dans ces conditions, il n'est pas étonnant qu'il soit pratiquement impossible de rompre avec le passé.

Quelle qu'elle soit, une religion dogmatiquement figée aura toutes les peines du monde à dépasser les conditions qui ont présidé à sa fondation[61] et, plus le temps passera, plus il deviendra difficile pour elle d'intégrer de nouvelles données, si bien qu'elle sera de plus en plus en danger de disparaître. A cet égard, il faudrait qu'aujourd'hui la religion catholique adopte résolument une orientation qui corresponde à ce qu'elle prétend être : catholique, c'est-à-dire universelle, une religion « pour tous », une religion qui s'adresse à toute l'humanité. Tout devrait être mis en œuvre pour que la théologie, et en particulier les principes fondamentaux de son expression symbolique, dépasse un cadre étroitement historique pour adopter des schémas *anthropologiques*[62], ce qui, il est vrai, n'irait pas sans affecter les prétentions traditionnelles de la théologie chrétienne à l'exclusivité[63]. Il est tout au plus possible que le pape prie avec les représentants d'autres religions, comme il l'a fait à Assise[64]. A la rigueur, on pourrait encore concevoir que le bouddhisme et l'hindouisme, par exemple, ne sont pas sans contenir (provisoirement) une certaine idée de la vérité divine[65]. Par contre, aujourd'hui encore, celui qui voudrait montrer que les symboles, dans toutes les religions, puisent aux mêmes sources de la psyché humaine et que, si on veut comprendre toute la richesse et toute l'humanité des symboles chrétiens, il est possible, et même nécessaire, de voir comment les mêmes symboles sont interprétés par les religions non chrétiennes, celui-là s'exposerait à de sérieuses difficultés avec le magistère ecclésiastique[66].

Toute pensée idéologique figée qui, au lieu de s'appuyer sur une expérience humaine vivante, part d'idées définitives et insurpassables, prétend nécessairement disposer de la vérité ultime, exclusive. C'est précisément sur une telle absolutisation que vit le clerc ; c'est ce qui lui donne sens et lui confère son importance. C'est déjà le heurter que de mentionner l'existence, dans toutes les religions, de « théologiens » désireux de prouver à leurs coreligionnaires l'origine divine de leurs propres convictions, ainsi que la supériorité humaine et l'éminente fécondité civilisatrice de celles-ci. Sa pensée semble encore appartenir à une époque dont la réflexion consistait essentiellement à marquer les différences éthniques, culturelles et linguistiques, alors qu'aujourd'hui nous sommes irréversiblement entrés dans une époque placée sous le signe de la convergence de toutes les manifestations partielles de l'humanité[67]. Dans ces conditions, une idéologie théologique stéréotypée constitue depuis longtemps un anachronisme. Elle touche aussi peu les théologiens arabes du Caire, les moines bouddhistes de Rangoon ou les hindouistes de Bénarès, que, de son côté, l'interprétation du Coran ou du Canon pali intéresse les théologiens chrétiens. Mais pour que la théologie s'appuie, non plus sur un donné dogmatique immuable, mais sur l'expérience humaine, mieux, sur l'expérience de l'humanité, il faut que le théologien renonce à fonctionner psychologiquement sur son surmoi clérical, autrement dit renonce à s'identifier à des idées posées *a priori* comme absolument justes et à prétendre les justifier et les confirmer sans aucun rapport avec la vie personnelle.

2. *La dégradation de la foi en doctrine coupée de la vie*

On le voit : si le clerc pense comme il le fait, ce n'est pas seulement parce qu'il s'identifie à sa fonction. Sa façon de s'aligner sur son surmoi confère un caractère structurel à un fonctionnement qui prédomine dans la théologie ecclésiastique, aujourd'hui comme hier : impersonnalité d'une pensée standardisée, rationalisation et historicisation des idées et, sous la pression du pouvoir administratif, renoncement à l'argumentation convaincante. Quelques exemples suffiront à illustrer tous ces traits.

L'impersonnalité d'une pensée standardisée

C'est le langage qui la fait le mieux voir. Ce qui caractérise la « prédication » cléricale, c'est l'abstraction : « Il faut ! » On commence par développer quelques prémisses théologiques stérotypées touchant la façon dont « Dieu est intervenu pour nous sauver à travers l'œuvre eschatologique de son fils Jésus Christ » et « le pardon qu'il a mérité à l'humanité déchue en sacrifiant sa vie sur la croix par amour pour elle »[68], ou sur la manière dont Dieu, fidèle à son être et en conformité parfaite à ses propres annonces prophétiques de salut, s'est identifié à la souffrance du juste et a glorifié celui qui, sur la croix, est resté fidèle à son être divin[69]. Une fois posée cette « indépassable abnégation de Dieu comme Père en faveur de l'Humanité » et de la personne de Jésus comme Fils soumis à la volonté divine, on conclut que nous aussi, dans l'imitation de la souffrance rédemptrice du Christ, en obéissance à la volonté de la Trinité, nous devons nous vouer au service des hommes et coopérer ainsi à l'action salvifique eschatologique de Dieu pour hâter la venue de son Royaume. Cela en vivant selon ses commandements, en nous aimant dans une humilité vraie et une volonté chrétienne de sacrifice, et en nous engageant à fond — les laïcs spécialement ! — en faveur des miséreux et des exclus[70].

Nous consacrerons ci-dessous un chapitre à réfléchir à toutes les conséquences psychologiques qu'entraînent ces recommandations sur l'« humilité », le « sacrifice » et la « charité chrétienne » chez ceux qui cherchent sérieusement à les mettre en pratique. Ce qui nous intéresse avant tout ici, c'est de voir comment ces formules standardisées — pour ne pas dire cette phraséologie — sont une constante du langage de la prédication cléricale. Pour celle-ci, inutile d'en dire plus sur les problèmes du monde, quel que soit le problème dont il puisse s'agir. On a affaire à un schématisme intellectuel formellement parfait, à une abstraction totale qu'on répète solennellement, quitte à y apporter quelques variations, à la creuser, à la compliquer. Mais rien n'y fait : on n'y gagne pas plus en réalité que si on décomposait une pièce de 1 Mark en une de 50 pfennigs, quatre de 10 pfennigs, une de 5 pfennigs, une de 2 pfennigs et trois de un pfennig. Encore la pièce de 1 DM présente-t-elle l'avantage qu'on peut l'échanger contre des parties monétairement équivalentes, contre n'importe quelle marchandise du marché ayant cette valeur ; son abstraction ne tient qu'au fait qu'elle n'offre qu'une *possibilité* d'échange avec un bien quelconque, et qu'elle ne définit *a priori* en rien ce qu'est ce bien concret. L'abstraction du langage clérical de la prédication routinière suggère et exhorte quantité de choses sur ce qu'implique l'agir salvifique divin en Jésus-Christ dans la pensée et dans l'action humaines, mais sans la moindre allusion à la pratique possible.

Pour parler par paradoxe : si le possesseur d'une pièce de 1 DM détient en ses mains une chance bien réelle de faire ce qui lui plaît, la pensée cléricale ne fait appel à la volonté qu'en se bornant à l'*interpeller*. Incapable de concrétiser les choses en les creusant intellectuellement, elle pourrait en fin de compte se résumer en cette amusante maxime stoïcienne : « Pour ce qui est des grandes choses, il suffit de les vouloir. » Contrairement à la parabole de Jésus (Mt 25. 18), on pourrait finir par penser qu'il est méritoire d'enterrer et de conserver soigneusement le talent. Comme il est évident qu'il ne saurait suffire d'en rester à une pure bonne volonté, on se dépêche de donner à celle-ci un contenu apparent : la mauvaise conscience devant son insuffisance humaine : « Nous ne sommes pas encore dans le Royaume de Dieu ; nous sommes tous des êtres faibles, “ faillibles ”, pécheurs de surcroît, et nous avons donc besoin de pardon. » D'où la nécessité de l'absolution de l'Église du Christ, celle qui tombe de la bouche du clerc.

Pour éviter des malentendus, rappelons encore une fois qu'il n'est pas question ici de discuter théologiquement ou de mettre en question les enseignements dogmatiques sur la Trinité, la christologie, la sotériologie et l'eschatologie. Nous nous bornons à constater la correspondance qui existe entre leur structure et la structure psychique du clerc qui s'efforce de les promouvoir. Le trait essentiel de cette pensée en surmoi, c'est l'impossibilité de partir de l'expérience vivante et foisonnante pour s'appuyer sur elle et comprendre ce que peuvent signifier Dieu et la Révélation. On part de Dieu, ou d'idées figées touchant à une révélation donnée une fois pour toutes, et on les plaque sur la réalité humaine. Dans ce discours du clerc en fonction, aucune surprise : tout reste formel, froid, ennuyeux. Ce n'est pas le simple effet du hasard ou d'une faute de style ou de goût. C'est l'expression et la manifestation de la structure pathogène de la situation même du clerc. De même que celui-ci se situe par nature au-dessus des laïcs, de même sa pensée survole le monde, un monde qu'elle ne saurait ni pénétrer ni féconder de façon vraiment constructive comme l'Esprit de Dieu au matin de la Création, mais qu'elle se contente d'observer d'un œil sceptique et critique : pour rejoindre la réalité, cette doctrine spirituelle des deux Royaumes disjoints n'offre d'autre pont que la violence d'un appel à un effort de volonté constamment frustré.

Pour percevoir ces problèmes de la pensée cléricale, ou d'une théologie de type clérical, il suffit de voir les difficultés auxquelles se sont heurtés au cours de ces dernières décennies des esprits aussi clairvoyants que Teilhard de Chardin ou Karl Rahner dès qu'ils ont tenté de renouer le contact avec leur époque et de reposer la question du « monde » après des siècles de coupure entre la théologie et la pensée moderne. C'est pourtant clair : si on peut parler d'un renouveau théologique important au XXe siècle, c'est bien celui qu'a provoqué, tant par sa forme que par son orientation, le tournant anthropologique auquel on associe légitimement le nom de Rahner. Pourtant, les limites d'une telle pensée n'en sont que plus nettes et remarquables : parlant de la foi catholique, elle souligne bien son caractère historique, mais elle n'éprouve pas pour autant le moindre besoin de tenir compte de l'histoire universelle ; quand elle parle des autres religions, elle ne prend pas davantage en considération les idées des autres cultures, et lorsqu'elle parle de création du monde, elle se dispense de toucher, même de loin, aux questions de la physique, de la chimie et de la biologie modernes. Une seule fois, Karl Rahner s'est libéré du cadre de discussion imposé par l'Église, et il s'est trompé ; c'est à propos du monogénisme[71]. Il s'agissait de savoir si l'Humanité descend d'un couple parental unique ou si elle procède du mélange de plusieurs lignées. Se fondant sur un « principe d'économie » métaphysique, il s'est demandé pourquoi Dieu aurait procédé à plusieurs créations humaines, puisqu'un couple originel unique pouvait suffire, et il a donc pris parti pour le monogénisme. Cette spéculation ne tient pas le moindre compte de l'hypothèse néo-darwiniste d'un passage de l'animalité à l'humanité par ramifications foisonnantes, il y a deux millions d'années[72].

Et Teilhard ! Que, sa vie durant, on l'ait empêché de publier ne serait-ce qu'un seul de ses essais mystiques est déjà en soi assez significatif de la mentalité qu'implique la théologie catholique[73]. Mais le plus grave, c'est que, même aujourd'hui, trente ans après la mort du paléontologue français, et en dépit de l'enthousiasme posthume suscité par son esquisse christologique de l'évolution, on reste encore incapable de comprendre les conséquences de sa requête. Car le problème actuel de l'anthropologie dépasse infiniment la discussion sur le caractère animal ou humain d'une calotte crânienne ou d'une molaire ; il est celui de la genèse de la psyché humaine. Physiologie de l'encéphale, cybernétique, éthologie, psychologie des profondeurs, anthropologie culturelle : voilà les champs du savoir sur lesquels les théologiens pourraient et devraient s'interroger et approfondir leurs idées pour les rendre fécondes.

Or c'est ce qu'ils ne font pas. La pensée du surmoi clérical se cramponne désespérément à des formules dépassées qu'elle voudrait faire passer pour vérités divines révélées, et elle ne se rend pas compte que, au lieu de surmonter l'aliénation humaine, tous les discours sur les plans et intentions de Dieu ne font que la renforcer. Sous prétexte de penser l'histoire de l'humanité à partir de Dieu, on évite tout bonnement d'en prendre vraiment connaissance. C'est bien cette coupure entre la pensée cléricale et la réalité, cette totale abstraction des idées, qui, à la longue, produit la sclérose et le rétrécissement d'une existence marquée par la paresse intellectuelle. Pour s'en apercevoir, il suffit de jeter un coup d'œil sur le programme d'études des futurs clercs. L'*Histoire* qu'on leur enseigne commence au deuxième millénaire avant J.-C., avec l'élection d'Abraham, et ne déborde jamais les frontières du Proche-Orient et de l'Occident chrétien, seuls lieux de la Révélation de Dieu ! De la *Création* du Monde, on leur dira seulement qu'elle est œuvre libre de Dieu, et on posera ensuite la question de savoir si on peut déduire le Dieu trinitaire et l'Incarnation du Christ du caractère propre de la Nature, ou si ces mystères divins salvifiques sont l'effet même de la Création[74]. Soucieux de cette prééminence divine, dogmaticiens et professeurs de théologie fondamentale n'ont souvent même pas entendu parler des problèmes de la relativité générale[75], de l'électrodynamique des quanta[76] ou de la grande théorie de l'unification des forces dans la physique moderne[77]. Ils n'ont aucune idée de ce que peuvent être des quasars[78], des trous noirs[79] ou des étoiles de neutrons[80]. Qu'ont-ils à faire de la limite de la masse d'après Chandrasekhar [81] et de sa signification pour la formation des étoiles fixes ? Mais ils n'en parleront qu'avec plus d'aplomb de la Rédemption du Cosmos par l'action salvifique de Jésus-Christ [82]. Durant les quatre semestres de leur cours obligatoire de *philosophie* systématique de type scolastique, on va prouver aux apprentis clercs l'existence d'une âme humaine douée de raison [83], libre et immortelle, sans que soient évoquées, même de loin, les questions de la biologie moderne concernant les structures dissipatives [84] et les systèmes de haute complexité [85]. S'agissant de *théologie morale* et de *dogmatique*, il se peut qu'on évoque dans le meilleur des cas la question de la responsabilité mondiale à l'égard des pays du tiers-monde [86], mais à vrai dire sans faire mention des difficultés d'un système monétaire planétaire [87], des conditions commerciales sur le marché mondial [88], de la surpopulation [89], de la pénurie croissante de matières premières [90], des différences socioculturelles entre les peuples, bref, sans qu'on touche même de loin au monde réellement existant.

En un mot, même dans la théologie actuelle, la pensée cléricale reste toujours au service non d'une interprétation de la réalité, mais de la justification d'une idéologie de salut révélé qu'on plaque intellectuellement sur elle en la forçant moralement à s'y adapter. Se créant ainsi son propre ghetto, elle laisse en retour sa marque sur l'idée que les ecclésiastiques se font de leur ministère. Le prêtre a non seulement le droit, mais le devoir de se consacrer uniquement et sans réserve à la prédication et à l'administration des sacrements. Autrement dit, sa fonction même lui interdit de quitter la prison spirituelle dans laquelle la société civile actuelle, la religion et l'Église moderne l'ont de plus en plus exilé [91]. Rien ne le maintient mieux dans son rôle que l'accomplissement de son devoir du dimanche et la proclamation des formules abstraites du dogme chrétien devant un public en diminution rapide. Pour le reste, qu'il s'abstienne surtout de gêner la marche du monde.

Quelqu'un aurait-il encore des doutes sur le caractère plaqué et extérieur de la pensée cléricale ? Qu'il tente un instant de se représenter ce qu'est effectivement la façon de vivre des clercs de l'Église catholique. Il comprendra vite comment six années de séminaire vraiment efficaces ont pu ainsi les couper de la vie et les isoler de la réalité.

Bilan des principaux enseignements de la formation théologique : après deux années de *philosophie*, les clercs n'ont plus aucune envie de lire un ouvrage philosophique moderne. Ils sont d'ailleurs le plus souvent tout disposés à reconnaître eux-mêmes que les formules métaphysiques qu'on leur a inculquées sont absolument obsolètes. Mais ils n'ont à peu près jamais su ce qu'était une vraie réflexion en la matière — en tout cas dans le cadre de l'histoire de la philosophie. La philosophie « systématique » n'avait pour eux d'autre fonction que de leur fournir les *tableaux synoptiques*[92] indispensables à l'élaboration de l'idéologie, un peu comme une carrière de notions où la théologie dogmatique viendrait s'alimenter pour ériger sa propre construction. En la leur enseignant, on a systématiquement fui toute provocation venant d'une pensée libre, ouverte, fondée sur une véritable analyse des problèmes, autrement dit vraiment philosophique. Étant donné la pression de la pratique du ministère, comment une pensée ainsi fonctionnarisée pourra-t-elle jamais, plus tard, se libérer, sinon à travers une de ces crises qui débouchent habituellement sur un départ ?

A côté de la philosophie, la formation du séminaire comporte une initiation à l'*exégèse*, qui introduit à l'interprétation de la Bible. Actuellement, du fait de la pratique de la méthode historico-critique, c'est sans doute la partie de la théologie la plus « sécularisée »[93]. Elle pourrait donc introduire à une véritable recherche. Mais ce n'est pas le cas. Par crainte des foudres de la censure ecclésiastique, l'exégèse a pris une forme qui la dépouille de toute portée religieuse et spirituelle, de telle sorte qu'elle se trouve presque complètement neutralisée face à la dogmatique. Elle se réduit à n'être plus que boutique de spécialistes de la philologie, d'où, ici encore, la réapparition de cette ambivalence où nous avons déjà reconnu une caractéristique de la pensée cléricale. D'un côté, on fait sur la Bible un travail « scientifique » qui fournit des connaissances dont on ne doit jamais rien attendre pour alimenter sa vie religieuse personnelle ; de l'autre, on se réserve un espace clos de mysticisme spirituel, une sorte de foi du charbonnier qui n'est guère défendable. On raconte ces propos d'un exégète connu (et l'honnêteté de la personne nous garantit la finesse de cette analyse de la mentalité des clercs en la matière) : « Dans tout mon travail j'étais en quête de la réalité de la personne et du message de Jésus de Nazareth, dit-il d'une manière pertinente dans sa vieillesse. Mais la Bible ne m'a jamais offert que des images peintes sur une glace invisible. J'ai foncé sur les images, que j'ai prises pour des réalités, et je suis rentré en plein dans la glace. » Peu après avoir dit cela, il dévoila son « secret » : un petit autel semblable à ceux que, il y a quarante ans, les premiers communiants érigeaient au mois de mai à la Reine du Ciel. Dans la mentalité du clerc, il n'existe aucune relation entre le symbole et la réalité, le subjectif et l'objectif, le sentiment et l'idée, le désir et l'accomplissement. Et cette déchirure engendre une véritable dualité : la pensée de l'Église est sans foi, et sa foi sans pensée.

C'est ce clivage qui saute aux yeux des laïcs, le dimanche à l'église. Sur une carte du diocèse, on peut chercher à la loupe les clercs qui, après deux ou trois ans d'exégèse historico-critique et d'étude poussée des langues anciennes, examens passés et fonction assurée, préparent encore leur sermon en consultant une Bible en hébreu ou un Nouveau Testament en grec, sans parler de synopsis, de tableaux de concordances et de commentaire. L'inanité religieuse de ce qu'ils ont appris les persuade à juste titre de l'inutilité de ce genre de travail pour une prédication spirituelle. Et si, au bord du désespoir, ils devaient quand même ouvrir un des classiques du genre « commentaire », ils auraient vite fait de constater qu'ils auraient beau soulever, sur des centaines de pages, autant de poussière d'érudition qu'ils le voudraient, rien de ce qui leur resterait entre les mains n'aurait la moindre valeur religieuse. En d'autres termes, prédication et catéchèse sont totalement coupées du véritable fondement de la foi, la Bible. On n'en creuse pas les textes, mais on les réduit à n'être plus que prétextes à toutes sortes d'associations d'idées. L'étude de l'Écriture sainte ne change absolument plus rien dans la vie. Elle n'a d'autre effet (j'ose le dire) que d'engendrer le pédantisme prétentieux de ceux qui ont « étudié » et « savent ». Au bout de six ans de séminaire, la pensée de surmoi tourne à l'arrogance et à la vanité bouffie.

C'est encore pire en *théologie morale* et en *dogmatique*. Il n'est pas de prêtre qui n'ait dû passer au moins deux, trois examens, par exemple sur la Trinité divine et sur l'union hypostatique en Jésus-Christ, Fils de Dieu. Mais on trouve difficilement *un* prêtre qui, en fin de compte, pourrait dire ce que ces respectables formules ont jamais signifié pour lui, sauf qu'elles sont très importantes, au-dessus de toute discussion, pleines de substance salvifique, essentielles pour le salut du monde — et pour l'obtention de bonnes notes au prochain examen.

Pourtant c'est bien là que réside la source véritable de la puissance cléricale. C'est là que s'affirme sans contestation possible cette langue de spécialistes qui a le don de provoquer l'étonnement admiratif du simple peuple. C'est là que s'ancre l'autorité véritable des clercs. C'est le sanctuaire des *experts*, de ces gardiens compétents qui transmettent le trésor de la foi chrétienne avec ce qu'elle a d'unique, d'indubitable, et son indépassable pouvoir eschatologique de salut. C'est une sorte de secret jalousement scellé dans des mots, celui dont se moquait le Méphistophélès du *Faust* de Goethe : « Au total — tenez-vous-en aux mots[94] ! » On a peine à croire que, voilà près de deux cents ans, quelqu'un ait pu dresser ce constat plein de dégoût et d'agacement devant la théologie cléricale (particulièrement celle des Jésuites de l'époque) sans que cela ait jamais eu un effet dans l'Église. Mais n'est-il pas du devoir de la pensée cléricale, n'est-ce pas même sa façon de s'affirmer soi-même, que de se présenter comme invulnérable à toute critique remettant en cause son formalisme impersonnel et son dédain de l'expérience ? Ces critiques, dira-t-on, sont-elles d'ailleurs autre chose que signes des temps, refus obstiné de la croyance dû à l'expansion de la franc-maçonnerie, la disparition croissante de la disponibilité à croire, le mensonge de l'esprit moderne — et le devoir est alors de les combattre, ainsi qu'il est écrit : « Insiste à temps et à contre-temps, reprends, menace, exhorte » (2 Tm 4, 2)... Oui, c'est bien ce que font les clercs !

Pour caractériser la pensée cléricale, il ne reste plus qu'une chose à ajouter : en *théologie morale*, on a entraîné le clerc à juger « objectivement » le comportement des gens. Il est donc chargé de « former leur conscience », et cela suivant des normes et des directives « justes », parce que révélées par Dieu et formulées de façon définitive et infaillible par l'Église[95]. Il n'est aucun domaine de l'éthique, et jusqu'aux plus intimes, où le clerc ne soit en droit de prendre la position de celui qui sait et d'indiquer les voies à suivre. C'est véritablement à lui de dire ce qu'un garçon a le droit de faire avec une fille, quand et comment aussi un homme doit donner à son pays le service militaire. Il peut même signifier à l'appelé sous les drapeaux à quel moment, en matière aussi importante, il n'a plus le droit de se référer à sa propre conscience[96]. Ce sont encore les clercs que les époux doivent consulter pour savoir si un mariage est « nul » ou non. Ce sont eux qui, initiés par Dieu, savent comment faire des enfants et comment éviter des grossesses non désirées si on veut rester en accord avec l'ordre de la Création voulu par Dieu. Bref, après deux mille ans de théologie occidentale, il n'y a plus aucune question de vie privée ou publique à laquelle les clercs de l'Église catholique n'aient ou ne devraient avoir de réponse claire, nette, simple et obligatoire. Leur opinion ne repose-t-elle pas sur une source irréfutable : la Parole de Dieu dans la Sainte Écriture et l'autorité magistérielle de l'Église inspirée par le Saint-Esprit ? Celui qui veut appartenir à l'Église catholique n'a qu'à se soumettre à leurs injonctions.

Bien entendu, les clercs ne peuvent que dénoncer le caractère inexact des découvertes des ethnologues, quand par exemple l'affirmation de l'Église catholique suivant laquelle le mariage monogamique se fonde sur le droit naturel se heurte aux données de cultures différentes, à la polygamie ou à la polyandrie, comme en Afrique Noire[97] ou en Polynésie. « De tels arguments ne sont pas convaincants, dit-on, car il ne s'agit que de cultures païennes qui n'ont pas encore bénéficié des lumières de la grâce divine. » Ou, si quelqu'un fait valoir certains des arguments empruntés à l'éthologie pour réfuter quelque doctrine de l'Église catholique, par exemple celle du caractère monogamique de l'être humain, on lui rappelle en souriant que nous autres humains ne sommes pas des bêtes, mais des créatures spirituelles qui se situent à un niveau bien supérieur à celui des autres êtres vivants, et qu'on ne peut donc à partir du chimpanzé rien conclure sur l'homme. Recourt-on à la psychologie des profondeurs ? Celle-ci avance des thèses non démontrées, sans compter qu'elle se divise en écoles différentes. Ne nie-t-elle pas d'ailleurs la liberté humaine ? N'est-elle pas fixée unilatéralement sur l'étude des pulsions ?

Pour comprendre la signification psychologique de telles « objections », il suffit de bien se rendre compte à quel point la formation spirituelle des clercs actuels reste encore marquée d'un esprit autoritaire pour tout ce qui touche à leur domaine et à la défense du christianisme contre ses négateurs. Bien des prêtres présentement en fonction ont encore en mémoire ces cours de philosophie, de théologie fondamentale et de dogmatique où, en une petite heure, leurs professeurs réussissaient, sous couleur d'un « isme » quelconque, à mentionner, pour les démolir aussitôt, jusqu'à une vingtaine de grands esprits ayant nié Dieu, donné dans l'hérésie ou estropié la vérité. Ces jongleurs de concepts ne cherchaient, alors comme jadis, ni à lire, ni à comprendre, ni à apprendre, mais à faire apparaître pour aussitôt subtiliser, juger et condamner : du grand art, dont rien ne tient sinon la prétention de gens persuadés d'être les uniques possesseurs de la vérité ! « Mais, nous autres chrétiens, ne sommes-nous pas les seuls à proposer cet Homme-Dieu en lequel, je dois bien le dire, Dieu s'est incarné en personne ? », me déclara il y a peu un ecclésiastique haut placé. Désireux d'ébranler quelque peu sa suffisance, je lui fis remarquer que les hindous, par exemple, « avaient » aussi leur Homme-Dieu : la seconde personne d'une divinité trinitaire, Vishnou, a pris corps en Krishna [98]. « Mais ce n'est que du mythe, rétorqua-t-il. Nous, nous croyons en un événement à la fois transcendant et historique. — C'est justement le propre d'un mythe que d'exprimer un événement transcendant dans l'espace de l'Histoire », ai-je tenté d'objecter. Mon interlocuteur souriait, fatigué. Il savait, une fois pour toutes.

C'est clair : cette assurance fonctionnelle pour juger de tout ce qui peut avoir de l'importance pour les gens n'a rien à voir avec une science acquise par expérience. Elle tient uniquement à un refus de penser lié à la crainte de retrouver l'*insécurité ontologique* déjà présente au cœur du désir qui a fait chercher refuge dans l'état clérical. Cependant le vrai problème n'est pas tant celui du compromis, en quelque sorte personnel, d'un clerc tiraillé entre son ignorance et son arrogance et qui, dans son désir d'échapper au chaos de son propre néant, se cramponne comme par désespoir à la doctrine toujours fiable de son Église. Il tient à la tendance de *chaque* religion à faire miroiter à ses croyants une « assurance » et une « certitude » les réduisant à n'être plus que de simples sectateurs, administrativement faciles à guider. C'est avec juste raison que Karl Jaspers a parlé de cette fatalité qui se crée dès que le caractère inconditionnel d'une décision existentielle, inhérente à l'acte de foi, déchoit « au niveau d'une prétention de savoir ce qu'il convient de penser » et conduit à l'imposer comme « vérité universellement valable » [99]. « Nous ne méconnaissons rien de ce qu'il [le christianisme] a produit d'incomparable, des figures magnifiques qui ont rayonné en lui et par lui ; mais cela ne nous empêche pas de voir que la corruption fondamentale dont nous parlons a eu dans l'histoire des suites funestes, dissimulées sous le manteau d'une vérité sacrée et absolue[100]. »

L'angoisse liée à l'insécurité ontologique débouche donc sur une théologie qui dégénère en particulier sur une christologie prétendant à l'exclusivité. Il semble en particulier que la pensée cléricale soit précisément le lieu privilégié où la soumission de la personnalité à une vérité prétendument objective, totalement fermée sur elle-même, risque à tout moment de se muer en fanatisme et en violence extériorisée. Conséquence nécessaire de la vie spirituelle, l'incertitude de l'existence qu'on ne peut assumer qu'en luttant en toute liberté pour chercher la vérité provoque chez le clerc une telle insécurité que rien ne peut plus le rassurer, sinon la définition *par décret* des vérités chrétiennes, l'anathématisation des hérétiques, et la remise dans le droit chemin de tous ceux qui doutent. Mais, psychologiquement, on assiste alors à une dégénérescence de l'essence et des contenus de la religion en affaire humaine relevant de la pure administration, à la mort de la pensée au profit de fausses garanties qu'on impose.

On en arrive même à trouver dans la Bible des passages qui semblent légitimer de telles déviations. L'« Apôtre » ne dit-il pas lui-même que dans l'Église du Christ il s'agit de « garder l'unité de l'Esprit par le lien de la paix. Il y a un seul corps et un seul Esprit — un seul Seigneur, une seule foi, un seul baptême, un seul Dieu et Père de tous » (Ep 4, 3-6)[101] ? En fait, séparées de l'amour en lequel, dans la même épître, Paul voit la force liant les chrétiens, ces paroles peuvent prendre une résonance sinistre : le savent bien ceux qui ont vécu sous la terreur du IIIe Reich dont l'idéologie collective leur avait conféré une acception totalitaire et destructrice : « Tu n'es rien, ton peuple est tout » et « Un peuple, un état, un chef ». On trouve encore de grands théologiens, fort estimés, qui réaffirment ainsi la valeur de la structure « intégrée » de la « communauté » : on les entend parfois déclarer sans aucune gêne que de telles maximes ne sont fausses qu'« en dehors d'une communauté avec le Christ[102] ». En conduisant la pensée personnelle à s'identifier à elle, la pensée fonctionnelle finit par détruire l'individu et l'esprit lui-même. Elle est structurellement fascisante, quelles que soient les idées par lesquelles on tente de la justifier publiquement.

Celui qui n'est pas suffisamment familiarisé avec les coutumes de l'état clérical aura peut-être beaucoup de mal à suivre cette analyse psychologique, du fait des affèteries scientifiques dont l'Église tente d'envelopper la classe de ceux qui sont ses véritables représentants. Si on veut vérifier à l'état pur ce que nous venons de dire touchant à cette façon de s'approprier les idées et les images religieuses, il suffit de voir la façon brutale dont les ordres religieux féminins en particulier ont pu maintenir spirituellement leurs sœurs dans l'absence de liberté et les « embêter ». Le public a l'habitude de sourire devant l'incroyable censure intellectuelle de l'*Index romanus*[103], en pensant qu'il ne s'agit plus que d'un exemple typique de système anachronique totalement dépassé. Mais, ce faisant, il ignore l'immense dommage religieux que l'Église s'est causé à elle-même en luttant ainsi contre la liberté de pensée et d'expression. Comment interdire la lecture d'auteurs comme Émile Zola, André Gide ou Jean-Paul Sartre et entretenir la croyance selon laquelle la communication entre humains fait bien advenir quelque chose « en esprit et en vérité » (Jn 4, 23)[104] ? On méconnaît aussi par trop l'impossibilité où se trouve une institution de se défaire de siècles d'oppression spirituelle en recourant de nouveau à des décrets pour déclarer dorénavant périmés les instruments qui l'avaient précédemment garrottée spirituellement. Intérieurement, rien n'a changé. Il suffit de regarder la situation spirituelle des personnes sur lesquelles l'Église continue à exercer son pouvoir administratif absolu, ce qui est le cas des religieuses cloîtrées. Dans la mesure où ils sont engagés au dehors, et dans celle où ils le veulent bien, les membres des ordres masculins peuvent accéder à une certaine information. Mais peut-on s'imaginer ce que signifie à longueur de vie l'interdiction de lire un journal, à plus forte raison un livre, à moins qu'on ne les ait déclarés irréprochables ? Pour une religieuse qui suit les règles de sa communauté, ni film, ni pièce de théâtre, ni radio, ni même un disque ou une cassette à sa disposition en guise de nourriture spirituelle personnelle. Dans bien des couvents, on ne sait littéralement rien des événements du moment. La moniale a renoncé au « monde » et ne doit donc plus aspirer à rien d'autre qu'au Royaume de Dieu. Qu'a-t-elle à faire du stationnement des armes atomiques en République fédérale ou de la construction de centrales atomiques allemandes au Brésil ! Elle saura bien, aux prochaines élections législatives, faire son devoir de citoyenne responsable et « bien » voter dans un sens chrétien [105]. Elle n'a à se rendre à aucune conférence, à aucune manifestation publique, à rien qui puisse contribuer à la rendre spirituellement indépendante si, au préalable, la supérieure qualifiée ne l'a pas reconnu comme nécessaire et sans danger. C'est officiellement, d'en haut, qu'on lui prescrit les prédicateurs et les confesseurs dont elle aura à subir l'influence, et ce sont les mêmes pour toutes. On n'exagère pas en affirmant que la prison spécialement aménagée pour les terroristes à Stuttgart-Stammheim autorise davantage de liberté de pensée et d'information que l'Église catholique aux « servantes du Christ ». Deux siècles après les Lumières, l'Église peut-elle manifester plus clairement son refus d'une pensée indépendante, critique, majeure, donc des conquêtes de l'Aufklärung ? N'est-il pas clair, au contraire, qu'on utilise toutes les occasions qui s'offrent pour imposer une « acceptation » sans critique, sans réflexion, sans volonté, d'une « foi » mise totalement sous tutelle, aliénée, cela pour créer des personnes obéissantes et soumises qu'on peut exploiter jusqu'à l'extrême limite ?

Il faut avoir connu les années de blocage des clercs et des religieuses en thérapie pour savoir l'extraordinaire difficulté d'user de la seule arme capable de leur redonner un minimum de liberté et d'indépendance : le glaive de l'esprit. « Lorsque j'avais 15 ans, me racontait il y a peu un religieux, mon principal péché, c'étaient les doutes sur la foi. Je suis allé d'église en église pour trouver des confesseurs auxquels j'aurais pu poser mes questions. J'y ai renoncé après qu'une demi-douzaine d'entre eux m'eurent déclaré que ces doutes venaient de mon orgueil intellectuel, le pire des vices, un des sept péchés mortels qui s'opposent à la grâce de Dieu. L'un d'entre eux, pourtant le plus sympathique, m'a résumé sa vie par la formule : *Roma locuta, causa finita*, c'est-à-dire : “ Rome a parlé. La cause est entendue ”, tout doute étant exclu et toute question interdite. »

Certes, il faut le reconnaître, depuis Vatican II, les théologiens se donnent beaucoup de peine pour effacer l'ignominie de cet autoritarisme de la censure intellectuelle. Mais, du point de vue psychologique, il n'y a guère là qu'une protestation verbale, non le signe d'une réelle liberté de pensée et de dialogue. En thérapie, rien n'est plus difficile que de débloquer la pensée d'un clerc et de lui permettre de tirer au clair les inhibitions de son « ça », véritable domaine de l'analyse freudienne. Le symptôme caractéristique du surmoi de la pensée cléricale, c'est la peur intellectuelle, véritable censure intérieure ou, pour dire les choses autrement, une stéréotypie de la pensée qui fait obstacle à tout déchaînement supplémentaire d'angoisse. Chaque fois que s'annonce une libération possible, le clerc est saisi de terreur à l'idée que Dieu pourrait le rejeter parce qu'il aurait fauté contre l'orthodoxie catholique. Qui n'a été témoin de la continuelle renaissance de ces peurs, si typiques, *au centre* de l'Église catholique, ne peut qu'être stupéfait de constater la virulence du système intellectuel clos que l'Église catholique a réussi à inculquer dans la psyché de ses membres. Et tous ceux qui ont sérieusement à cœur la continuation et l'avenir de cette Église ne peuvent que hurler à la vision de l'abîme qui ne cesse de s'élargir entre l'idée pour ainsi dire médiévale que l'Église a d'elle-même, et l'idée de culture moderne, avec sa valorisation de la conscience et de la liberté.

Pour dire cela en d'autres termes : ce qui bloque aujourd'hui la crédibilité de l'Église, ce sont les méthodes mêmes qui ont si longtemps assuré son développement interne et son expansion. Mais ce sont les clercs eux-mêmes qui en sont les principaux responsables. Aussi longtemps qu'ils continueront à avoir peur devant toute version nouvelle de leur conte favori, à la façon de ces enfants qui se plaignent à leurs parents de la moindre variation dans leur façon de raconter l'histoire, il ne faudra pas s'étonner de voir les gens réagir aux discours de l'Église catholique, non pas avec foi, mais avec aversion. On ne saurait résoudre la difficulté, sinon en répondant à l'appel que Friedrich Schiller formulait il y a deux cents ans dans *Don Carlos* : « Accordez-leur la liberté de pensée, Sire[106]. » Il faudra bien que, d'une manière ou d'une autre, l'Église catholique finisse elle aussi par comprendre qu'elle voile Dieu plus qu'elle ne le révèle, dès lors qu'elle s'accroche à une vérité plaquée impossible à concilier avec la réalité. Ce n'est qu'à partir de ce moment qu'on aura quelque chance de porter remède à la schizophrénie spirituelle des clercs.

Mais, en attendant, les laïcs risquent d'avoir à payer cette continuelle répétition de l'échec de la psyché cléricale par l'impossibilité de retransmettre à leurs enfants leurs convictions religieuses.

A l'encontre de notre analyse, si déplaisante, du caractère ambivalent et abstrait d'une pensée cléricale qui renonce à tout point de vue personnel sous couvert de « loyauté » envers l'autorité, et qui, au moment même où elle parle d'« esprit », en arrive à une déshumanisation totale, on opposera les *exceptions*. C'est vrai qu'on trouvera tel ou tel professeur de théologie qui, dans une revue spécialisée, ou même dans un article d'un hebdomadaire, manifestera une opinion divergente par rapport à la ligne générale du centralisme autoritaire. On construira alors une apologétique montrant que, dans l'Église, chez les clercs, il y a toujours eu, et qu'il y a encore, un large spectre d'opinions libres, une volonté de dialogue, etc. Argument aussi faible que d'alléguer la poignée de professeurs d'Université qui, sous le IIIe Reich, se sont prononcés contre l'absurde mystique nazie du « sang » et de la « terre ». S'ils ont fait preuve d'assez d'habileté pour ne pas rendre leur « résistance » publique, donc si celle-ci est restée suffisamment peu visible, elle ne les a pas conduits en camp de concentration [107].

Aujourd'hui, quoi qu'ils en disent dans leurs séminaires, la situation des professeurs de théologie dans l'Église catholique n'est pas sans analogie : tant que leurs propos ne sont pas connus du public, en d'autres termes tant qu'ils n'atteignent pas les laïcs, ils n'ont à craindre ni objections officielles ni mesures de surveillance. On en voit même certains qui, avec un brin de coquetterie, tiennent à faire preuve de courage et d'esprit de recherche (et pas moins d'habileté tactique dans les rapports avec les puissants, sans parler de leur patience agissante à transformer le système de l'intérieur [108]) : ils s'affirment différents en publiant des échanges de vues entre « spécialistes ». Aucun risque, tant qu'ils n'en sont pas conduits à défendre leur opinion quasiment sur la place du marché, *en public*. C'est cela que l'autorité magistérielle doit empêcher à tout prix, en recourant à tous les moyens possibles d'intimidation et de répression. Dans notre société, il suffit d'à peine cinq ans pour voir les manuels scolaires expliquer aux adolescents les grandes découvertes en physique ou en biologie. Dans l'Église catholique, les réponses qu'on propose aux laïcs sur des questions telles que celle de l'historicité des textes bibliques ou de l'« infaillibilité » pontificale en restent au niveau de la théologie de 1890. Mais le « châtiment » ne se fait pas attendre. L'Église s'est convaincue qu'il suffisait de quelques formules rituelles et intellectuelles plaquées pour transmettre objectivement sa doctrine. Or, la voilà aujourd'hui contrainte de constater l'*effondre-*

ment de ce placage. Pendant des siècles, sous la houlette de ses vénérables « saints-pères », elle a traîné par les oreilles ses laïcs comme des enfants mineurs, et voici qu'elle doit bien constater que les familles catholiques — après tout, le véritable lieu de sa reproduction — sont de moins en moins en mesure de retransmettre une foi chrétienne, simple ballot de doctrines vides.

Comment n'être pas alors choqué de voir que les clercs font souvent comme si cette situation n'était due qu'à la carence des laïcs ? Quelque compréhension qu'on mette dans l'analyse critique des embarras des clercs, il faut bien conclure que les victimes sont les premières responsables de leurs propres difficultés psychologiques. On ne peut alors que s'irriter de voir les directives de Rome et de Fulda faire comme si les problèmes de l'éducation religieuse tenaient d'abord aux familles. Selon les autorités ecclésiastiques, ce serait le mauvais exemple des parents qui conduirait massivement les jeunes de 14 ans à cesser de fréquenter l'enseignement religieux, à déserter la messe dominicale en dépit de la pression pour les obliger à y aller, à enfreindre sans aucun remords les idées de l'Église en matière de vie sexuelle préconjugale[109]. Selon les discours du pape Jean-Paul II dans les pays où il passe, mariage et famille seraient en grave péril du fait de la contraception, du divorce et de l'avortement[110]. Bref, si les époux s'inspiraient davantage des directives morales de l'Église catholique, ils auraient davantage le sens de la prière et du sacrifice, et tout irait bien. Ainsi les enfants trouveraient-ils en leurs parents un modèle véritable, la religion retrouverait solidité et consistance, les ordres religieux seraient débarrassés enfin de leurs soucis de recrutement et on ne se plaindrait plus du manque de vocations sacerdotales.

Mais passons sur le caractère plaqué de ces considérations. Laissons aussi pour une fois de côté le fait que, dans nos sociétés, il y a effectivement de plus en plus de familles à se désintéresser des questions religieuses. Le vrai problème, c'est quand les parents font tout ce qu'ils peuvent : ils fréquentent régulièrement l'église, ils jouent un rôle actif dans le conseil paroissial, ils récitent la prière avant et après les repas, ils fêtent Noël et Pâques, ils veillent à ce que leurs enfants fassent leur première communion et soient confirmés. Il leur faut pourtant bien constater que, en dépit de ce plus éducatif, leurs filles et leurs fils se dégagent de plus en plus de la religion, et cela *non* par commodité ou paresse, mais parce qu'ils considèrent le comportement spirituel de leurs parents comme une superstition vieillotte, comme quelque chose d'imposé psychologiquement de l'extérieur.

C'est ainsi que, s'ils doivent en croire la vision du monde et de l'histoire de leur mère ou de leur curé, il leur faut admettre sans plus que, voilà quelques milliers d'années, Dieu, par un acte d'amour infini, a créé la Terre et le firmament, et qu'il a particulièrement choisi l'homme pour dominer le monde. Ou que, dans l'histoire humaine, au terme d'une période infiniment longue de paganisme, il s'est révélé au peuple juif en son Fils Jésus-Christ Sauveur de ce Monde. Telles sont les quelques idées résumant ce que les parents ont à transmettre à leurs enfants dans le cadre d'une éducation chrétienne. Mais comment celles-ci cadrent-elles avec les théories cosmologiques actuelles du big-bang originel et avec des lois de la nature dont on découvre le caractère apparemment « aveugle » et largement aléatoire [111] ? Comment les concilier avec la reconnaissance de la grandeur des cultures et des religions non chrétiennes ?

Si, de nos jours, les laïcs sont livrés seuls et sans défense aux défis de la modernité, c'est la conséquence de notre manque de courage — à nous autres les clercs du ministère —, de l'étroitesse de la « vérité » que nous défendons et de la carence spirituelle dont a fait preuve notre état au cours des siècles. Finalement, c'est la rigidité angoissée de notre pensée qui, agissant en retour, même sur les laïcs, dégoûte les générations montantes de la foi de l'Église, ou fait apparaître cette foi comme une forme sectaire d'incroyance et d'aliénation. On en arrive alors à ce que les parents eux-mêmes, peu sûrs de leurs positions, ne s'en cramponnent souvent que davantage aux doctrines « claires » de l'Église, et réclament alors aux clercs de les accompagner dans leur retraite résignée, loin des secteurs vivants de la société. Il faut avoir vécu de près et suffisamment longtemps les douloureuses hésitations des parents catholiques entre la tendance à condamner et le désir de faire preuve d'un peu de compréhension pour leurs enfants devenus prétendument incroyants, pour savoir ce que signifie pour les laïcs le fait de vivre dans une Église qui, de par le rôle séculaire des clercs, réagit toujours à leurs angoisses en érigeant en système sa façon impersonnelle de penser. Le concile Vatican II a bien fait voir comment le premier souffle de liberté a provoqué l'effondrement comme châteaux de carte des pratiques de piété de l'Église catholique : il a suffi de les rendre facultatives. Ce qui se répète aujourd'hui, vingt-cinq ans plus tard, à l'échelle plus modeste de chaque famille : d'un côté, il y a des parents, le plus souvent des femmes, qui fréquentent (encore) l'office du mois de Marie, disent le chapelet et conservent quelque part une relique du Précieux Sang ; de l'autre, les enfants, devant lesquels ils se sentent tenus de garder secrète cette relique qui leur est chère — tout comme le « petit autel » de notre professeur de théologie — pour ne pas se heurter à leurs moqueries. La crise religieuse de l'Église est essentiellement une conséquence de la carence spirituelle de ses « clercs ». Autrement dit, rien ne serait meilleur pour les laïcs qu'une modification du tout au tout de la vision spirituelle du clergé.

La rationalisation et l'historicisation propres à la pensée cléricale

De par sa dialectique interne, toute pensée « fonctionnaire », donc aussi celle du clerc, tend à se représenter les choses de façon aussi rationnelle que possible, tout en justifiant ses idées par l'appel à l'histoire. C'est facile à comprendre. Rationalisme et historicisme sont les meilleurs moyens de se fuir soi-même, sur la forme comme sur le fond.

La « rationalisation » dont nous traitons ici n'est pas celle du système de pensée philosophique suivant lequel le monde est intégralement connaissable. Nous entendons simplement décrire l'attitude psychologique qui vise à mettre entre parenthèses, à refouler ou à nier toute expérience « purement subjective », « trop personnelle » ou « exagérément émotionnelle ». Subjectivement, ce sont souvent les clercs à l'esprit le plus vif et le plus déterminé qui, pour éviter le débordement de leur propre affectivité, adoptent en toute responsabilité ce système de cloisons étanches. S'ils laissaient parler leur cœur, ils en viendraient bien trop souvent à laisser voir leurs angoisses et leurs doutes. Ils se verraient alors dans la nécessité de renvoyer à leur désarroi les brebis qu'on leur a confiées, sans leur donner aucun conseil. Ils ne peuvent tout simplement pas comprendre qu'on apporte souvent plus en se contentant d'exprimer des questions qu'en multipliant des discours sans surprises. Conflit auquel Miguel de Unamuno, ce grand penseur espagnol à l'esprit sceptique, mais cependant profondément religieux, a fourni une expression magistrale dans son drame : *San Manuel*[112].

Soulève-t-on, par exemple, l'invraisemblance du fait qu'au cours de la longue histoire de l'humanité, nous soyons justement les seuls à avoir eu la chance de naître dans la vraie religion ? La pensée cléricale affirmera que c'est déjà faire preuve d'incroyance. On pourrait admettre que c'est le propre d'une pensée archaïque que de considérer sans autre examen son propre peuple et sa propre culture comme meilleurs que tous les autres[113]. Selon la logique cléricale, ce qui apparaît dans les autres religions comme une forme d'égoïsme primitif du groupe, comme prétention et entêtement, devient, appliqué à la religion chrétienne, manifestation bien comprise d'une foi sincèrement reconnaissante pour la grâce imméritée de l'extraordinaire élection divine. Celui qui émet quelque doute quant à la validité d'une telle façon de penser doit s'attendre aux condamnations les plus violentes des gardiens et interprètes patentés de la foi chrétienne. Rappelons ici que le problème qui nous préoccupe en ce point de notre réflexion n'est pas d'ordre dogmatique : il ne s'agit pas de savoir si la foi en la personne de Jésus-Christ implique nécessairement la prétention à une possession exclusive de la vérité[114]. Ce qui nous préoccupe, c'est l'analyse du fait que la personnalité même d'un clerc se trouve ébranlée dès qu'on lui retire ce point d'appui de l'existence, semblable au soi-disant point fixe d'Archimède.

Le personnage de Lucien Fleurier nous l'avait déjà laissé voir : le sentiment fondamental d'insécurité ontologique peut engendrer le besoin impérieux d'une tâche *missionnaire*, avec toute l'agressivité et l'intolérance brutale que celle-ci peut impliquer. Nous voyons désormais à quel point la pensée cléricale constitue un effort de la personne pour se garantir une stabilité en élevant ses idées et ses doctrines au niveau de l'absolu. C'est en fonction de ce sentiment que les clercs ont d'eux-mêmes, qu'il faut revoir de fond en comble la vieille doctrine selon laquelle, en dehors de la foi chrétienne, on ne peut que se perdre, se condamner à la damnation ; pour échapper aux peines éternelles, il faut absolument se convertir au Christ et faire pénitence[115]. On peut tout aussi bien voir dans ce qui se présente ici comme une position théologique transcendante une simple affirmation de la conscience que les clercs ont d'eux-mêmes : car, pour être à même de jouer ce rôle dans l'Église catholique, il faut justement présenter ce sentiment psychologique de déréliction sans remède, quelle qu'en soit l'expression théologique ultérieure. C'est comme si un clerc ne recevait véritablement le droit de vivre en homme que par son appartenance à l'Église. Le « nuage » de Fleurier, le sentiment d'une non-existence sans fond, ne se dissipe que grâce à la confirmation absolue, venue de l'extérieur, qu'on est malgré tout « aimé », « désiré », « justifié », « nécessaire ». Vu dans cette perspective, tout le discours clérical sur Dieu tend à n'être rien d'autre qu'une façon de s'assurer de sa propre existence. Et cela ne vaut pas que pour Dieu, mais aussi pour la religion, pour son Église, pour la manière dont, quarante ans plus tôt, un professeur de dogme vous a expliqué les mystères divins. Là seulement sont la vérité et la vie, l'orthodoxie et la paix — de telle sorte que celui qui, osant troubler une telle paix, jouerait le fauteur de troubles et l'agitateur ne pourrait être qu'un hérétique, un ennemi du genre humain, une personnalité anormale, un cas pathologique.

Notons de plus combien est significatif le *lacis des petites différences*. Il est bien clair que, dans d'autres professions comparables, on trouve également une certaine tendance à se complaire sans mesure dans l'évocation nostalgique des souvenirs de la vie estudiantine, une certaine paresse à poursuivre sa formation, un certain flegme devant de nouvelles découvertes et expériences. Quel médecin bien établi, par exemple, acceptera encore de s'imposer le soir, en plus d'une journée chargée, l'étude de quelque chose de nouveau, même dans son propre domaine ? Il trouvera que c'est bien suffisant d'appliquer objectivement, et de façon compétente, ce qu'il a appris jadis. Et plus l'exercice de sa profession est de caractère « technique », plus il considérera avec émotion le temps où il devait s'intéresser à la biochimie et à la botanique, à la zoologie et à l'anatomie comparée. Même le prochain cours de perfectionnement ou le congrès de la profession l'intéressera plus par son aspect mondain que par son côté scientifique. Après tout, il a bien réussi ! Tout cela est normal. Mais, chez les clercs, il devrait en être autrement. Pour eux, il ne devrait pas être question de s'établir dans une sorte de situation spirituelle de préretraite. En Allemagne fédérale, ils constituent le seul corps de métier qui prescrit encore le « service » à 75 ans. « *Sacerdos in aeternum* », prêtre pour l'éternité : dans la langue des enfants de ce monde, cela signifie qu'il n'y a pas d'âge pour la retraite ! La plupart des clercs ne se soucient pas non plus du caractère visible de leur situation sociale. Ce qui leur importe, leur seule satisfaction, c'est la justesse objective d'une vérité garantie par la plus haute autorité, la nécessité fondée en Dieu de tout ce qu'ils croient et font. Au tréfonds de leur âme, l'insécurité ontologique domine avec une force telle qu'ils doivent interpréter le moindre doute au sujet de ce système idéologique d'assurance de soi comme une offense à Dieu, autrement dit comme une offense à eux-mêmes[116]. Si, par exemple, telle thèse avancée jadis par un professeur se révélait fausse, toute l'angoisse, si péniblement refoulée, referait surface.

Voici donc des attitudes apparemment inconciliables, du point de vue de la simple logique : le loyalisme pratique qui considère comme vraie une idée simplement parce que c'est celle que professe aussi l'autorité compétente, et la soumission du croyant qui n'accepte de faire une chose que parce qu'elle est conforme à la vérité. Or, c'est cette contradiction qu'on trouve au cœur du comportement du clerc. Il *a besoin* d'une Église qui ne se trompe jamais. Même lorsque celle-ci propose aujourd'hui des enseignements différents de ceux d'hier, elle a encore raison de le faire. Elle ne s'est pas trompée : elle s'est simplement *réformée*. L'Apôtre le disait déjà : « Si un ange venu du ciel annonçait un évangile différent de celui que nous vous avons prêché, qu'il soit anathème » (Gal 1, 8)[117] !

Il est donc très important de toujours tenir compte de l'angoisse sous-jacente à l'énergie dont fait structurellement preuve le surmoi intellectuel du clerc. Psychanalytiquement, il ne faut voir dans sa certitude de salut — apparemment tranquille puisque fondée sur l'affirmation de l'infaillibilité du magistère, et dans son habitude de considérer l'Église catholique romaine avec ses institutions, ses rites et ses pratiques, comme la véritable Église voulue par le Christ — qu'un fantastique appareil destiné à apaiser l'angoisse. Cet appareil n'a pu prendre de telles dimensions que parce qu'il s'agit de tenir en respect et de recouvrir ce que le cours de l'évolution sur notre planète a produit de plus grand et de plus beau — mais aussi, de par le fait même, de plus angoissant : la personne individuelle. Pour ce faire, il est nécessaire, mais d'une « nécessité de salut », que la pensée cléricale joue un rôle de superstructure aussi longtemps que les clercs n'auront pas appris — et n'auront pas le droit d'apprendre — à construire avec une confiance tranquille leur être propre et à chercher en celui-ci la vérité du divin. Pour parler théologiquement, tant qu'ils n'auront pas appris à vivre plus intensément l'aspect prophétique de leur « vocation »[118]. Liée à une vérité de fonction, la pensée du surmoi clérical sert essentiellement à combattre, à terrasser, littéralement à « renier », le moi propre[119]. La conséquence en est inévitable : l'appareil idéologique édifié pour calmer l'angoisse comporte une contradiction de base entre l'insécurité ontologique fondamentale et l'existence personnelle et, loin de la résoudre, il la pérennise. Autrement dit, en apaisant l'angoisse aux dépens du moi il engendre un système permanent et autoritaire de « guidage extérieur », et il intériorise cette hétéronomie en en faisant un surmoi divin[120], lui intimant l'ordre de ne penser que contre soi, autrement dit de mettre sa propre pensée entre parenthèses pour avoir ainsi part, dans le cadre de l'Église du Christ, à la gloire dont Dieu comble les âmes sauvées et élues.

Ce n'est qu'à la lumière de telles considérations qu'on peut comprendre psychologiquement la volonté évidente, persévérante, mais toujours vouée à l'échec, sous-jacente à toute la théologie occidentale : expliquer et fonder les « mystères » de la foi avec des moyens *rationnels*, philosophiques.

Historiquement, la rationalisation de la foi débute déjà à la fin du Ier siècle, lorsqu'on qualifie le Christ de Logos, de Raison universelle incarnée, d'image de la Sagesse de Dieu[121]. En recourant à cette formulation, la jeune Église, en l'occurrence les premiers apologistes, ne cherchait pas seulement à se forger une sorte de passe-partout capable de lui donner accès aux temples du savoir philosophique païen, en se présentant sur fond de monothéisme juif comme une sorte de philosophie des Lumières, raisonnable et hautement morale[122]. En s'efforçant de fonder *historiquement* et rationnellement ses propres affirmations christologiques[123], elles-mêmes très mythologisées, elle pouvait en même temps s'opposer aux mythes païens propagés par les religions à mystères. Peu importe ici l'appréciation de l'historien de l'Église sur les avantages ou les inconvénients de cette orientation originelle capitale pour le développement ultérieur du christianisme en Occident. Elle a deux conséquences psychologiquement importantes : en premier lieu, le fait que les dogmes prennent la forme de concepts rationnels de « vérités de salut » qu'il faudra répéter littéralement pour transmettre la foi au Christ et en permettre l'appropriation personnelle : cette transformation de la foi en doctrine de « réalités objectives de salut » constitue comme le tremplin qui exige et promeut structurellement la psychodynamique du clerc, telle qu'elle ne fera que se cristalliser dans la suite des siècles [124]. Ce à quoi il faut ajouter une répression des mythes païens, en même temps que la démonisation et la destruction de toutes les forces créatrices de mythes de la psyché humaine par refoulement de larges couches de l'inconscient [125]. Conjuguées, cette objectivation et cette fixation d'une réalité en soi mystérieuse, donc soustraite à la compréhension, en doctrine transmissible rationnellement, et cette répression de tout ce qui relève du rêve, de l'imagination, du sentiment et de la poésie se renforcent l'une l'autre. Elles débouchent sur une théologie affirmant inéluctablement que, par principe, la vérité divine exige que la personne fasse abstraction de soi, qu'elle se détourne de son sentiment propre. Dans le cadre d'une telle pensée, tout ce qui est émotionnel est suspect : du simple fait que c'est affectif, subjectif, personnel, produit lyrique du rêve, c'est un mensonge qui conduit traîtreusement au péché. Seule la tête, la pensée, guidée par l'obéissance dans la foi, est en mesure de fournir un point de vue exact et une interprétation correcte de la parole de Dieu [126]. Le cœur doit prier ; il a ses raisons que la raison ne connaît pas, dit Blaise Pascal, qu'on traita d'hérétique et dont on mit un ouvrage à l'*Index* [127].

Notre propos ici n'est de juger théologiquement ni du rationalisme philosophique de Descartes (grand adversaire de Pascal), ni de la façon dont le développement méthodique de sa pensée a conduit aux Lumières de la fin XVIIIe siècle, donc au triomphe de la certitude subjective d'une raison qui s'affirmait toujours plus vigoureusement contre le dogmatisme et le cléricalisme de l'Église [128], supprimant ainsi le dernier pilier sur lequel celle-ci tentait encore de s'appuyer : la raison humaine. Ce qui nous intéresse en ce moment, c'est la fonction psychologique d'une pensée qui, par une singulière ascèse, cherche de plus en plus à évincer toute intrusion personnelle ou toute tonalité émotionnelle en les taxant de démesure ou d'arbitraire. En ce sens, nous pouvons affirmer que cette pensée a comme visée *essentielle* de décharger le sujet d'une culpabilité : celle d'être capable de défaillances et critiquable de par son être même, de par la perversion de son affectivité, de par le doute sur soi. Il s'agit de ce saut par lequel nous avons vu plus haut Lucien Fleurier sortir du chaos de sa jeunesse pour se jeter dans le purgatoire de sa vertu, sa mission à l'égard de la collectivité, tâche grâce à laquelle il peut remplacer son complexe d'infériorité par un sentiment d'élection providentielle, par la certitude d'être « celui dont les autres ont besoin ». Ainsi pourrons-nous commencer à comprendre que, dans l'expérience intérieure du clerc, ce qui le sauve, ce n'est pas le *contenu* de la doctrine chrétienne, mais sa *forme* même de *doctrine*. Sa vraie fonction rédemptrice réside en ce qu'enfin il n'est plus obligé de parler de lui-même. Il a le devoir de ne jamais prétendre à se poser lui-même comme sujet de son discours. Bien au contraire, s'il possède une pensée personnelle, c'est comme être inattaquable, chargé d'une mission divine, envoyé par l'Église — « vase » de l'Esprit de Dieu.

Ce dernier terme n'est pas trop ampoulé pour comprendre une pensée qui tend essentiellement à *verrouiller et réprimer les sentiments personnels*. Quand deux clercs se rencontrent, de quoi parlent-ils au bout de deux minutes ? Mais, voyons ! des sentiments des autres, avec une préférence absolue pour les questions concernant l'amour, donc les problèmes du couple, dans et en dehors du mariage. Tout comme les détenus parlent sans cesse de liberté et les malades de santé, ainsi la pensée de ces êtres qui ont renoncé à l'amour et verrouillé leur affectivité tourne-t-elle sans cesse autour de ce qu'il y a de plus intime et affectivement de plus intense dans la vie d'autrui. Les clercs font penser à des bêtes transies de froid qui se pressent aux portes des maisons pour réduire au moins spatialement la distance les séparant des lieux chaleureux dont l'accès leur est refusé. Ils réchauffent leurs museaux gelés en discutant des amours des autres, à cela près qu'il leur est interdit de réchauffer aussi le tréfonds de leur âme. Le caractère rationnel et formel de leur pensée, leur habitude de disséquer, de cataloguer et de systématiser l'expérience d'autrui ont pour fin secrète de leur interdire délibérément l'accès au paradis naturel de la liberté des sentiments [129]. Mais, psychanalytiquement parlant, cette pensée, avec ses évaluations et sa standardisation, tend à reconduire tacitement à l'enfance, quand les idées imposées par une morale aliénante constituaient le chemin d'accès essentiel à la réalité expérientielle du sentiment, quand, au monde dangereux des émotions personnelles, répondait le catalogue des interdits. Cette pensée censurée et censurante des sentiments d'autrui poursuit en même temps le but de canaliser ces sentiments dans des schémas d'évaluation déjà disponibles. Avant même d'évoquer les inhibitions spécifiquement sexuelles des clercs, on peut déjà constater que, en matière d'amour par exemple, de par le verrouillage fonctionnel de leur affectivité, ils vont tout faire pour délimiter le cadre, celui du mariage, où sera autorisée l'expression des sentiments forts et de l'émotion sexuelle. Tout comme ils ne peuvent se permettre de sentiments personnels qu'à l'intérieur de leur propre institution et à son profit, ils ne peuvent non plus accepter les sentiments d'autrui que s'ils « se produisent » dans un cadre solide et valable en toutes circonstances. Il est bien rare qu'on se rende compte à quel point, quand ils parlent des autres, les clercs ne font finalement que parler d'eux-mêmes.

Pour décrire ces continuels retournements du sentiment en pensée, analysons-en deux manifestations que nous appellerons la *communication indirecte* et l'*insincérité pastorale.*

Par communication indirecte, nous entendons ce curieux phénomène qu'on peut observer chez nombre d'entre eux. Constamment tenus de faire abstraction de leur personne, les clercs trouvent néanmoins un moyen de dire le fond de leur âme : la prédication. C'est paradoxal : le meilleur, et parfois le seul moyen de les connaître, c'est de recourir à leur ministère. Sermon, lecture d'un texte biblique, d'un poème ou d'une lettre leur permettent de témoigner d'émotions profondes, de se révéler comme des êtres humains. C'est comme s'ils pouvaient brusquement s'offrir la permission de parler de soi, et cette fissure dans une muraille d'inhibitions permet alors à leur torrent d'énergie de s'engouffrer d'un seul coup. C'est chez les prêtres qui se sont identifiés presque totalement avec leur fonction qu'on peut le mieux observer comment cette personnalisation de l'officiel leur fournit quand même un étroit espace leur permettant d'exister par soi. Indéniablement, c'est là une chance, fort proche de celle qu'offre l'art[130]. Cette expression indirecte est bien ce qui donne l'impression qu'ils sont enfin crédibles : ces hommes qui, en privé, ne doivent jamais parler d'eux-mêmes et qui maintenant, par compensation, à l'occasion d'une communication objective, se montrent très personnels, donnent tout d'un coup à croire qu'ils s'engagent entièrement dans chaque mot qu'ils prononcent. Mais qu'on y prenne garde : il se peut que la communication en reste au niveau dont nous avons déjà parlé. Si on veut vérifier dans quelle mesure une telle personne fait vraiment siennes ces généralités, ou dans quelle mesure au contraire elle ne fait que s'y dissoudre elle-même, sans donc s'engager à aucun niveau, il suffit de la soumettre à l'épreuve de l'exemple qu'elle donne. Dans le Nouveau Testament, il y a un mot de Jésus, terrible mais vrai. Il se dresse contre la croyance que, pour être vraiment là où Dieu le veut, il suffit de parler « sincèrement » de lui : « Beaucoup me diront ce jour-là : Seigneur, Seigneur, n'est-ce pas en ton Nom que nous avons prophétisé ? En ton Nom que nous avons chassé les démons ? [...] Alors je leur dirai en face : Jamais je ne vous ai connus » (Mt 7, 22-23) [131]. Devant Dieu, rien ne remplace jamais une vie personnelle authentique.

Cependant, plus la vie des clercs se fait impersonnelle et affectivement pauvre, plus s'affirme la seconde variante de la pensée inauthentique : la *pensée pastorale sur bande magnétique.* C'est ainsi que, en plein milieu d'une conversation sur un problème humain ou une question religieuse, on entendra soudain une personne bien connue changer d'intonation, prendre une voix mélodramatique et une articulation posée et solennelle, tandis que de sa gorge montent les accents de la conviction. Bref, le grand jeu pastoral qui, malgré toute la volonté qu'on y met, ne prouve qu'une chose : qu'on cesse de parler de façon authentique et personnelle et qu'on est en train de mentir par fonction. Ce n'est plus la personne qui parle : une espèce de bande magnétique invisible se met en marche dans sa tête, évoquant des thèmes et des questions déterminées, selon un programme prévu et à des occasions données. Au lieu de traiter vraiment la question posée, on fait pleuvoir des tournures visant toutes à étouffer dans l'œuf une autre question : « Comment poser ce problème, si on voit vraiment les choses dans “ la foi ”, comme on doit les voir ? » En figeant ainsi la conversation par des lieux communs apparemment rationnels, on escamote complètement le sens subjectif qu'elle pourrait avoir pour les interlocuteurs. On ne voit plus, et on ne doit pas voir, l'intérêt qu'il pourrait y avoir à défendre certaines idées, l'importance qu'il y aurait à prêter à certaines thèses un sens différent de celui qu'on leur donnait depuis la première communion [132]. Sur fond d'insécurité ontologique règne en permanence la peur de voir tout, vraiment tout, s'ébranler, pour peu qu'on bouge un détail dans l'édifice du surmoi [133]. Mais on n'a pas conscience de cette *peur* ; elle est constamment présente, mais recouverte par l'assurance de la pensée en surmoi. Dans ces conditions, le clerc ne peut s'engager subjectivement dans un débat théologique qu'avec le sentiment de défendre la vraie foi[134]. En d'autres termes, il fait de l'étouffement des sentiments la règle : on ne se *touchera* pas ; on ne pourra que se mettre d'accord, au nom d'une idéologie qui se fera *intolérante en cas de déviation*.

Bien sûr, c'est un spectacle universel : il n'est pas de groupe qui ne s'insurge avec colère et indignation contre les personnes infidèles à leur association — anciens d'une école, ou anciens tenants d'une même idée, quelle qu'elle soit. Menacé dans sa cohésion, ce groupe fait bloc pour se lancer à la chasse contre une proie commune en sonnant l'hallali[135]. Mais, il faut encore le redire, ce qui est normal ailleurs devrait être considéré comme anormal dans l'Église. Or, il faut bien le reconnaître, dans l'histoire européenne, il est peu de groupes humains qui, autant que l'Église catholique, aient tenté de pourchasser avec hargne et d'anéantir sans pitié, physiquement et psychologiquement, leurs propres déviants, leurs dissidents, leurs hérétiques[136]. Certes, on peut ne voir dans cet état des choses que la marque du fanatisme exacerbé d'une idéologie forte[137]. Mais le fanatisme n'est pas une réalité psychologique simple : c'est le produit de nombreux facteurs individuels parmi lesquels le plus important semble être l'érection en théologie de la *répression structurelle de l'affectivité*. Car ce sont bien les propos qu'on tient continuellement sur le salut et la rédemption, le péché et le pardon, Dieu et la création qui, en proposant une vision *totale*, au sens que Karl Jaspers donne à cette expression dans sa critique de la religion[138], viennent opérer un verrouillage de la subjectivité. Il faut en être conscient : si un discours sur des vérités relevant d'une expérience transcendante cesse d'être symbolique, il ne peut que déchoir au niveau d'un fondamentalisme objectiviste et finalement d'une superstition[139]. Or, psychologiquement, du fait de son angoisse, le clerc n'existe que grâce à son identification avec son surmoi intellectuel, celui que façonne ce milieu catholique qui s'est arrogé une sorte de monopole en matière théologique. Comment ne serait-il pas alors tenté de voir dans les symboles de la foi non plus des chiffres renvoyant les sujets à leur propre cheminement, mais des définitions formelles d'un monde en soi ? D'où son *objectivisme rationaliste* : d'attitudes humaines, il fait des constructions logiques, et d'expériences vivantes il déduit des théorèmes. En conséquence de quoi il *ne peut qu'être* violent, puisqu'il ne subsiste qu'à travers la répression, ou même la négation absolue de toute subjectivité.

La preuve : la manière dont, il y a quatre cent cinquante ans, la Réforme a conduit à la rupture confessionnelle[140]. Mettons de côté les questions habituelles d'argent et de pouvoir. C'est manifestement l'incapacité cléricale des théologiens d'alors de prendre en compte des sentiments et des expériences d'homme, ou, à l'inverse, leur inaptitude à exposer leurs propres thèses de telle sorte qu'elles auraient permis de comprendre et d'interpréter le vécu des personnes, qui a fondé et consolidé le schisme. Les défenseurs de la vérité du Christ se sont montrés incapables de reconnaître en Martin Luther l'*homme* ; de voir que, derrière les débats théologiques sur la grâce, le libre arbitre et la justification, il y avait un croyant, avec ses angoisses, ses dépressions, son vif souci des âmes, son courage intellectuel et son irritation croissante devant le formalisme des clercs et leur manie de toujours avoir raison. Avec le temps, la protestation de Luther tourna à l'insurrection rageuse de sa personne, de sa subjectivité, contre l'objectivisme rigide et monolithique de la théologie romaine. Mais on n'a pas vu, et on ne voit toujours pas, que c'est la théologie elle-même qui, par sa forme — son impersonnalité et sa froideur affective, ses contradictions et son morcellement — ne cesse d'engendrer ses « renégats » et ses « hérétiques ». Et il ne peut en aller autrement, puisque son argumentation rationaliste se refuse à admettre comme base d'argumentation les expériences personnelles et les évidences humaines. On n'a pas été capable d'accorder au moine augustin Luther que l'angoisse qui le tenaillait reflétait celle de toute une époque et de tout un continent[141]. Du côté catholique on était hors d'état de comprendre que ses questions existentielles ne trouveraient de réponse dans aucun texte de la loi, dans aucune directive, mais que ceux-ci ne feraient qu'en renforcer l'acuité[142]. Il était inévitable que la critique à laquelle il soumettait la théologie de son temps se transformât très tôt en une critique des clercs de l'Église, des personnes, mais aussi de leur statut[143]. Or, jusqu'à maintenant, rien ne laisse penser qu'on ait compris le sens profond de la protestation des Réformateurs contre la forme romaine du christianisme de l'Église catholique. On discute encore de la bonne manière de comprendre le sacerdoce, les sacrements, la tradition et le primat romain, mais sans se rendre compte qu'on laisse constamment hors de la discussion le point décisif : la signification du sujet, avec ses expériences et son affectivité, ses misères et ses angoisses, ses tragédies et ses espoirs. Dans le catholicisme romain, près d'un demi-millénaire après Luther, nous ne savons toujours pas ce qu'est l'angoisse ; c'est-à-dire que *nous autres*, les clercs en fonction, nous éludons l'angoisse qu'il y a à être nous-mêmes en nous cramponnant à des institutions et à des garanties apparemment objectives de salut divin, comme si elles nous permettaient de nous décharger du poids de notre vie, ou même nous y obligeaient.

Mais il y a pire : en espérant ainsi alléger notre propre existence, nous nous barrons l'accès à autrui. Dans l'atmosphère cléricale d'une pensée obligatoire, on a le sentiment que *les relations humaines dépendent essentiellement de notre communauté de confession de foi.* L'autre n'est notre frère ou notre sœur, il n'est des nôtres, qu'aussi longtemps qu'il est d'accord avec les formules doctrinales réglant notre piété chrétienne. Qu'il en dévie ou les abandonne, il faut le considérer « comme un païen et un publicain » (Mt 18, 7)[144]. Alors vaut le propos de l'Apôtre en 2 Th 3, 6 : « Nous vous prescrivons, frères, au nom du Seigneur Jésus-Christ, de vous tenir à distance de tout frère qui mène une vie désordonnée et contraire à la tradition que vous avez reçue de nous[145]. » Quand il en va ainsi, la relation interhumaine est totalement liée à la conformité avec les injonctions du surmoi. Ce qui compte, ce n'est plus la sympathie et l'inclination, l'accord des cœurs et les affinités des âmes ; il n'est plus question de sentiments humains, puisque tout cela *ne* serait *plus qu'*humain ! La seule chose importante, c'est de savoir si nous sommes d'accord sur une profession de foi unique et exclusive. Cette vision des choses va jusqu'à favoriser l'action de fanatiques qui en arrivent à vouloir annuler un mariage pour la seule raison que le mari ne veut plus accompagner sa femme à la messe dominicale d'une certaine paroisse qui se considère comme exemplaire : de quelle légèreté ne fait-il pas preuve, en se détournant d'une communauté de véritables croyants, fondée sur la base de la théologie ecclésiale de saint Luc ! Cette paroisse d'élus et de charismatiques enthousiastes n'est-elle pas le signe de ce que la grâce divine peut opérer en notre temps ? Ce devrait être visible pour tout un chacun, s'il fait preuve d'un minimum de bonne volonté, de foi réelle[146] ! Il existe une théologie pour laquelle, si on la prend une fois au sérieux, il n'existe plus d'échappatoire : les diktats du surmoi émoussent et dévaluent toute réaction affective et discréditent la place de l'humain, refoulant celui-ci au niveau de l'erreur, de la tentation, de l'antidivin et de l'antichrétien. Dans le cadre d'une telle doctrine, on ne sait parler d'« amour » que les lèvres serrées, avec la pâleur de celui qui ne connaît rien d'autre que l'ascèse de la peur. On peut bien déplorer aujourd'hui la mentalité de croisade du Moyen Âge. Mais, dans l'Église catholique, nous ne l'aurons vraiment dépassée que lorsque nous aurons restitué à ses clercs la permission d'être d'abord des hommes, et non d'abord des fonctionnaires. Inversement, la foi chrétienne ne retrouvera dans l'Église catholique son humanité que lorsque la théologie de ces clercs se mettra à prendre en compte la vie des êtres humains, au lieu de pretendre la régir administrativement, et de la détruire par des contraintes morales et intellectuelles.

Ces considérations sur le rapport entre une forme unilatérale de piété déformée par le souci doctrinal et un système de contraintes et de répression morales devraient suffire à susciter le désir de s'élever contre l'aliénation structurelle qu'implique le statut clérical de l'Église catholique. Si cela ne suffit pas pour ouvrir les yeux de certains, qu'ils regardent donc à quel point le message de Jésus se prête peu à être converti en « doctrine » de foi [147]. Ce que Jésus voulait, ce n'était aucunement une théologie ou une idéologie destinées à fonder une nouvelle religion [148], tout au contraire. C'est avec des images simples qu'il parlait de confiance en la bonté de Dieu et c'était bien là une marque de son style : au lieu de parler en catégories juridiques, éthiques ou philosophiques, il décrivait des scènes de la vie humaine de façon à ouvrir notre existence sur le ciel [149]. Du point de vue de la psychologie religieuse, on peut affirmer que ses enseignements, sa pensée imagée, concrète, liée à une situation donnée, représentent la seule manière de permettre une compréhension intime, sans contraintes ni aliénation, des vérités religieuses [150], tandis qu'une doctrine ne fait que favoriser la tendance à se fabriquer un surmoi intellectuel qui se retourne contre le moi.

Il faut ici bien insister sur cette contradiction avec le sens du message de Jésus : comment des théologiens, brevetés docteurs de la loi nantis de pouvoirs et d'argent, peuvent-ils venir expliquer que Jésus était pauvre et qu'il a souffert [151] ? Il n'y a qu'une théologie qui soit conciliable avec l'attitude de Jésus : celle qui tente de communiquer par des images et des symboles des expériences sur Dieu en faisant preuve de tant d'ouverture, de tant d'humanité, de tant de douceur que celles-ci en deviendraient universelles et qu'on pourrait les comprendre et les assimiler partout, dans chaque culture et à chaque époque, à la façon du « message » de la 7ᵉ *Symphonie* de Beethoven[152], du *Roi Lear*[153] de Shakespeare ou des *Désastres de la guerre*[154] de Goya. Certes, la compréhension en profondeur des vérités religieuses est existentiellement bien plus intense, plus totale et humainement plus exigeante que l'expérience esthétique. Mais raison de plus pour s'interdire de faire de la théologie une doctrine, c'est-à-dire, à en croire l'idéal scientifique moderne, une construction intellectuelle qui oppose l'objet et le sujet[155] : elle ferait en effet un devoir de ne parler des « réalités du salut » de la Révélation divine que sur un ton aussi neutre que s'il s'agissait de l'existence de la licorne ou d'un monstre marin[156].

La *tendance à historiciser la réalité* constitue une variante particulière d'une pensée cléricale dépersonnalisée. Ici, deux facteurs agissent de concert. En premier lieu, l'*incapacité de penser symboliquement*, déjà mentionnée : elle oblige sans cesse à chercher la réalité du religieux là où elle ne peut pas être, à l'extérieur, dans l'espace et le temps, et non pas à l'intérieur, dans l'affectivité et l'expérience du cœur humain. Que d'énergie la théologie de l'Église catholique n'a-t-elle pas gaspillée jusqu'à aujourd'hui pour contraindre les gens à penser que les symboles de la foi chrétienne doivent être compris comme des réalités historiques objectives ! Quelle incrédulité, ou au contraire quelle assurance bornée n'en ont pas résulté ! Cette vision théologique continue encore à engendrer mysticisme, fondamentalisme et obscurantisme chez les chrétiens, cynisme et moquerie chez leurs adversaires[157]. Où qu'on regarde, la désintégration psychique, la coupure entre l'enseignement et la vie du clerc engendrent toujours de fausses alternatives : au matin de Pâques, ou bien le tombeau de Jésus était vide, au sens historique et factuel, ou bien il n'y a pas eu résurrection des morts ; ou bien Jésus est monté au ciel, littéralement au sens optique, sous les yeux de ses disciples, ou bien il n'est pas le Fils de Dieu et peut-être qu'il n'y a pas non plus de « ciel » ; ou bien Jésus a *véritablement* rappelé son ami Lazare à la vie, au sens que donnerait à ce mot le journalisme de sensation, le tirant d'un suaire qui sentait déjà mauvais, ou bien Dieu n'est pas le maître de la vie et de la mort. Et ainsi de suite. En excluant le sujet, la pensée cléricale conduit nécessairement à transférer la réalité divine de l'homme sur le monde extérieur. Nous disions plus haut que, en se donnant une image de Dieu, les clercs projettent leur propre inconscient au niveau du divin [158]. C'est la même psychodynamique qui les pousse maintenant à chercher un contenu divin en dehors de l'humain, à affirmer que la Révélation de Dieu n'a de solidité que si elle se traduit à la façon des *faits historiques, dans l'espace et dans le temps.* Du point de vue psychanalytique, on peut affirmer que la théologie catholique est imbibée d'angoisse devant le subjectif. Et c'est la dépersonnalisation des clercs eux-mêmes qui le fait le mieux voir. Mais le pire est qu'elle détruit psychologiquement les présupposés nécessaires pour que soit possible une religion sans contraintes ni superstitions.

L'autre aspect de l'historicisation de la réalité religieuse dans la pensée cléricale se manifeste dans la dissolution de la tension personnelle de la vie religieuse dans l'intervalle de temps qui nous sépare des origines chrétiennes : il y a solennisation du passé, élévation de ce qui est lointain à la dignité métaphysique. C'est un trait essentiel de l'attitude spirituelle des clercs de l'Église catholique, ce grâce à quoi ils se présentent aux autres comme des *répétiteurs* rituels et des médiateurs patentés. D'où la contradiction suivante, logiquement paradoxale mais psychologiquement bien compréhensible : la spiritualité cléricale est constamment orientée vers un passé, vers une tradition historique qui lui fournit fondement et légitimité ; mais en même temps elle nourrit la plus grande aversion pour une pensée vraiment historique, une gêne sensible à reconnaître l'instabilité de tous les phénomènes de la vie dans le temps et dans l'espace et, avant tout, à accepter l'intervention de la critique historique dans les saintes traditions. A vrai dire, si elle pouvait faire abstraction de cette critique, la spiritualité cléricale se retrouverait fort bien dans l'attitude de neutralité personnelle et d'indifférence existentielle de l'historicisme du XIXe siècle [159] ; elle pourrait ainsi situer tout son discours sur Dieu dans les invisibles parenthèses du passé [160]... ce qui lui permettrait de revendiquer pour soi la compétence dans les domaines de l'histoire et de la Bible, face à des laïcs ignorants... et impliquerait donc d'établir le moment historique du christianisme dans une dialectique constante à la réalité présente [161] : rien n'est clair, net et contraignant tant qu'on ne l'a pas encore prouvé par des voies historiques. Cette façon des clercs d'historiciser ainsi les réalités religieuses joue un rôle capital dans la coupure qui s'est instituée entre l'Église et la vie, et c'est elle qui donne son caractère désuet et archaïque à sa prédication et à la présentation qu'elle fait d'elle-même. Mais il ne faut laisser personne prendre conscience de la gravité de ce problème, car cela remettrait trop manifestement en question la caste théologique cléricale !

Sur ce point, pourtant, Friedrich Nietzsche aurait pu nous apprendre quelque chose de capital, il y a cent vingt ans déjà. Dans son étude intitulée *De l'utilité et des inconvénients de l'histoire pour la vie*, ce grand critique du christianisme clouait déjà au pilori le mensonge existentiel des historiens et des philologues qui entendent se mettre objectivement à distance du passé. Il se refusait pour sa part à considérer comme un « savoir » ou une « science » « l'amas confus des connaissances acquises qui ne se traduisent pas extérieurement, qui n'alimentent pas la vie [162] ». Nous autres, théologiens, nous pouvons nous appliquer sans réserve ces lignes que Nietzsche écrivait jadis : « Pour ce qui est de l'extérieur, on remarque combien l'extirpation des instincts par l'histoire a presque transformé les hommes en ombres et en pures abstractions : personne n'ose plus être soi-même, chacun se cache derrière un masque d'homme cultivé, de savant, de poète, de politicien. Si l'on s'en prend à de tels masques en croyant avoir affaire à des personnes réelles et non à de simples fantoches — car ils affichent tous le plus grand sérieux —, on ne se retrouve soudain qu'avec des guenilles et des oripeaux bariolés entre les mains [...] [163]. » « *C'est seulement à partir de la plus haute force du présent que vous avez le droit d'interpréter le passé* ; c'est seulement dans l'extrême tension de vos facultés les plus nobles que vous devinez ce qui, du passé, est grand, ce qui est digne d'être reçu et conservé. L'égal ne peut être connu que par l'égal ! Autrement vous réduirez le passé à votre mesure. N'ajoutez pas foi à une présentation de l'histoire qui n'est pas jaillie des esprits les plus rares ; et vous connaîtrez toujours la qualité de leur pensée dès qu'ils seront obligés de formuler une proposition générale ou de reprendre une vérité bien connue. Le véritable historien doit avoir la force de transformer une vérité commune en une découverte inouïe et d'énoncer des généralités de façon si simple et profonde, que la profondeur en fait oublier la simplicité et la simplicité la profondeur. Nul ne peut être à la fois un grand historien, un artiste et un esprit borné [164]. » Quand il écrivait cela, Nietzsche avait encore l'espoir que le temps viendrait où « l'art et la religion », « véritables auxiliaires » de la vie, mettraient un terme à cette vaniteuse et plate agitation scientifique des philologues et des historiens, en fondant une culture qui « correspondra à ses [de l'homme] véritables besoins et qui ne lui enseignera pas seulement, comme la culture générale d'aujourd'hui, à se tromper sur ses besoins et à devenir ainsi un vivant mensonge[165] ». Nous sommes malheureusement bien éloignés de ce temps, et Nietzsche avait d'ailleurs raison d'intituler ses pensées *Considérations inactuelles.*

La substitution de la pression administrative à la conviction argumentée

La pensée cléricale n'est pas suffisamment proche de la vie et, en matière d'expérience personnelle, elle ne fait que renvoyer à une réalité prétendument objective et accessible, à une preuve historique formulée rationnellement. Conséquence structurelle : pour compenser la faiblesse de ses arguments, elle doit constamment recourir à la contrainte du *pouvoir administratif.*

« Sur le tas », les pasteurs ont bien dû constater personnellement que la théologie apprise des années durant reste terriblement abstraite par rapport à la réalité de la vie d'une paroisse et de la société. Au contact des gens et de leurs questions, ils en sont les premiers troublés : leur devoir de représenter la doctrine de l'Église se heurte à un autre devoir, celui de rendre cette doctrine accessible aux gens. Comment ne se rendraient-ils pas plus ou moins vite compte — les plus ouverts d'entre eux au moins — à quel point cette pensée « d'en haut » reste plaquée sur la réalité ? Pour ne pas se laisser coincer dans ce dilemme de la fonction et de l'humanité, du surmoi et de la personnalité, il y a une échappatoire auquel plus d'un recourt : se cramponner d'autant plus fort aux directives imposées et prétendre trouver dans la réalité même la cause de la discordance entre la doctrine et elle : si les idées de l'Église « passent » de plus en plus mal dans le public, ce sont les *gens* qui en sont responsables.

D'autres, en revanche, ne pouvant supporter plus longtemps l'isolement de leur vie de fonction, s'adonnent à des formes de pastorale qui tiennent un plus grand compte des réalités de fait : il est incontestable qu'on voit naître des lieux d'Église faisant place à l'expérience, et donc où naît — ou pourrait naître — réellement quelque chose de nouveau et de prometteur d'avenir pour la vie ecclésiale. Mais c'est bien pour cela que la direction de l'Église considère régulièrement ce terrain de sa propre rénovation comme extrêmement inquiétant et suspect. Où va-t-on si des vicaires, des prêtres professeurs certifiés et des professeurs de religion se refusent tout simplement à transmettre la simple doctrine de l'Église, et au lieu de cela discutent avec leurs élèves de leurs conceptions du tiers-monde ou de l'amitié entre garçons et filles ? Où va-t-on de même si des curés admettent que des filles servent la messe et accordent à des femmes de faire les lectures durant la grand-messe ? Une célébration eucharistique catholique est-elle encore valide quand le texte du canon est adultéré par d'arbitraires additions ou omissions ? Que devient le sacrement de pénitence quand, de leur propre chef, des conseils paroissiaux s'estiment en droit de décider qu'il faut supprimer la confession de la première communion et la remplacer éventuellement par une cérémonie pénitentielle ? Les questions se succèdent ; elles ont toutes un point commun, celui de naître des turbulences qui se produisent inévitablement aux marges de la zone dépressionnaire liée à la théologie officielle. Moins une certaine vision de la réalité réussit à percer spirituellement, plus il est certain que la substance de la réalité prendra son autonomie par rapport à la doctrine, et plus l'élément dirigeant se verra alors dans la nécessité de compenser le manque de force convaincante de ses enseignements par les moyens du pouvoir. Mandements pastoraux, instructions, décisions, encycliques, directives : tout cet activisme administratif et le dirigisme de l'autorité doctrinale sont en rapport direct avec l'ampleur du formalisme abstrait de la doctrine qu'on préconise officieusement. Une des plus grandes tragédies de l'Église catholique, c'est d'avoir toujours préféré répondre aux défis spirituels de la modernité avec les moyens du pouvoir plutôt qu'avec ceux de l'esprit, en essayant de discipliner et d'homogénéiser la pensée au lieu de faire confiance à la force convaincante de ses enseignements, en utilisant un système raffiné de censure et de sanctions au lieu de faire fond sur l'amour des fidèles pour la vérité et leur désir de la chercher. Aujourd'hui, qu'ils le veuillent ou non, tous ceux qui acceptent d'être ordonnés clercs de l'Église catholique reprennent à leur compte et intériorisent l'hypothèque d'une angoisse séculaire, avec toutes ses structures psychologiques et ses lois.

On perçoit alors comment la résistance qu'oppose le réel à la pensée cléricale conduit ces deux facteurs que nous avons analysés, la *hiérarchisation* et l'*abstraction*, à se renforcer réciproquement. Dans le cas d'un système de doctrine qui embrayerait avec *souplesse* sur le réel, on verrait vite que la façon cléricale d'administrer une vérité, qu'elle sacralise en en garantissant hiérarchiquement le caractère divin, n'est au pis qu'un cas limite du fonctionnement de la communauté chrétienne (comme c'est théoriquement le cas dans le modèle d'Église du protestantisme[166]). Mais la façon dont, avec le temps, l'Église catholique a progressivement compris le ministère n'a fait que durcir des contradictions qui se cristallisent sous deux formes remarquables : un raidissement spirituel du clergé (et surtout du haut clergé) dans son formalisme, lié au fait qu'on le recrute en priorité parmi des gens *administrativement sûrs* ; et un vieillissement de sa hiérarchie, qui finit par générer biologiquement les conditions psychologiques de l'immobilisme et de l'absence de dialogue : c'est la gérontocratie, ce phénomène propre à tous les systèmes autoritaires qui durent plus d'une génération. Cette raideur et ce vieillissement, typiques du clergé catholique, ont de singulières conséquences.

Voici un système social qui entend traduire concrètement l'idée qu'il se fait de lui-même dans une organisation de style essentiellement hiérarchique, un système dont les membres ne sont tels qu'à la condition de ratifier formellement une vérité officielle fixée objectivement. Il ne peut donc appeler au ministère que des personnes donnant, tout au moins extérieurement, une impression de solidité et de fermeté. Les critères décisifs du choix des personnes pour un ministère donné, en particulier pour la curie épiscopale ou le chapitre de la cathédrale, et de façon absolue pour un poste de prélat, de doyen ou d'évêque coadjuteur, ce sont leur fidélité, leur conscience du devoir et leur correction de mœurs, combinées avec une certaine disponibilité dans le travail et l'engagement, ainsi qu'une certaine touche d'affabilité et de jovialité[167]. En comparaison de celles-ci, les autres qualités, créativité, imagination, intelligence (au sens d'aptitude à apprendre du nouveau et à établir des rapports entre choses séparées) ou chaleur personnelle, n'apparaissent que secondaires. Cette tendance à ne choisir comme titulaires de postes importants que des gens disponibles, très travailleurs, capables de sacrifices, mais fondamentalement dépourvus de spiritualité et de valeur intellectuelle, est la conséquence directe de la « pensée cléricale liée à la fonction », qu'a progressivement suscitée au cours des siècles la structure sociale de l'Église catholique.

On retrouve ici le problème de tout fonctionnaire confronté au public. Au fond, peu importe qu'il s'agisse du domaine politique, social ou ecclésiastique : on prendra de préférence pour le « service » des personnes qui se distinguent plus par leur capacité de gestion que par leur créativité, plus par leur sens des réalités officielles que par celui des réalités intérieures, plus par leur aptitude à représenter et au besoin à réprimer que par leur capacité de glaner et de traiter l'information. Un groupe tend toujours à constituer comme chefs — en dynamique de groupe on dirait à mettre *en position alpha*[168] — des personnes dont l'esprit résolu trace aux autres les voies pratiquables. Mais il range dans le *rôle bêta*, dans l'état-major, des « *eggheads* », les plus intelligents, ceux qui réfléchissent. On croit ainsi créer un va-et-vient entre le pouvoir et l'esprit, l'action et la pensée, la décision et le savoir[169], impression mythique similaire à celle des anciens Egyptiens, quand ils croyaient que le dieu de la Lumière (Râ) et le dieu de l'Esprit (Amon), le roi et le clergé, la politique et la piété, le trône et l'autel formaient un ensemble équilibré fonctionnant de façon unifiée[170].

De même, depuis la Révolution française, tous les États européens sans exception, même la Russie des tsars, ont acquis leur culture politique en se libérant du système si néfaste d'une caste fondée sur l'hérédité du trône et sur la noblesse[171]. Au lieu de lier le gouvernement d'une communauté nationale à des conditions aussi irrationnelles que la descendance biologique et le droit d'aînesse, l'idée s'est imposée que le pouvoir de gouverner un peuple doit émaner du peuple lui-même[172]. Depuis lors, dans la conscience des populations européennes, la pensée démocratique n'est plus seulement une idée politique ou une simple stipulation dans la constitution de tel ou tel régime. Elle est devenue le symbole d'un système de valeurs : égalité devant la loi, autodétermination, droit de prendre la parole, tolérance. En d'autres termes, les relations sociales se fondent sur un respect mutuel qui implique à la fois la reconnaissance de la loi de la majorité et la tolérance des minorités, ainsi que l'acceptation d'un certain pluralisme en matière de visions du monde[173].

Par comparaison, le principe hiérarchique de gouvernement

de l'Église catholique est du genre oligarchie spiritualiste de tradition. A l'inverse de la noblesse de sang des monarchies héréditaires de l'ancienne Europe, il a un côté démocratique, puisqu'il conduit à élire les titulaires des principales fonctions (ou ministères) : les abbés, les évêques, les papes, etc. Sur *ce* point l'Église catholique s'est libérée très tôt du modèle de la succession dynastique sur le trône[174]. Elle a même rejeté la conception archaïque d'une transmission *biologique* de la fonction telle qu'on la trouve encore (modifiée par la doctrine bouddhique de la réincarnation) à la base de la succession du Dalaï-Lama, ou de celle d'une dynastie spirituelle héréditaire, chez les chiites en Islam[175], au profit d'une succession purement spirituelle dans le ministère. Mais en même temps elle a considérablement limité la portée de ce principe : le droit d'élire le dirigeant suprême n'est pas aux mains du peuple, mais d'un cercle de clercs choisis, hermétiquement clos sur lui-même. De plus, il ne faut absolument pas considérer que la possession de l'« Esprit », au sens où l'entend l'Église catholique pour les ministères, consisterait en une qualité ou une aptitude *personnelles*. C'est une qualité *objective*[176] — tout comme pour le clergé — que Dieu confère à un humain dans la passation même de la fonction, en vertu de la continuité historique de la succession. Conséquence immédiate : dans l'Église catholique — c'est un article de foi —, il peut bien y avoir des personnes faillibles, mais pas de représentants d'un ministère qui seraient incapables, c'est-à-dire littéralement « dépourvus de l'Esprit ». Ensuite de quoi le peuple de l'Église ne saurait jamais disposer de quelque chose comme d'un droit de veto aux mandements de son évêque. Pour un ecclésiastique, « posséder l'Esprit » va nécessairement de pair avec la possession même du ministère ; c'en est une qualité inhérente. D'où la possibilité — et la pratique effective — de maintenir jusqu'à un âge avancé les titulaires de fonctions cléricales dirigeantes.

Tous les gouvernements totalitaires de l'histoire succombent à une tendance très marquée au culte du chef, mais, de ce fait, connaissent aussi normalement la lutte pour le pouvoir au sommet. Par contre, un système de direction sacro-saint comme celui de l'Église catholique se signale par une action réciproque singulière des conditions qu'il s'est données. La surévaluation même de la fonction, qui devrait *théologiquement* conduire à dévaluer l'importance du facteur personnel de son titulaire, oblige pratiquement à contrôler avec un soin particulier celui qui doit l'accepter. Un diocèse où on nommerait un évêque de 50 ans se trouverait lié à lui, pour le meilleur et le pire, pour environ un quart de siècle. On ne nommera donc pas à la légère un *homo novus*, un nouveau promu, à un poste ecclésiastique important. Dans l'Église catholique, on va au contraire jalonner la route d'une carrière cléricale d'un système raffiné de haies à franchir, de telle sorte qu'en fin de parcours seuls peuvent encore prétendre aux fonctions essentielles ceux qui sont le plus conformes aux critères mentionnés plus haut. Cette sorte de sélection peut commencer relativement tôt : aujourd'hui encore, des études théologiques à Rome sont comme un billet d'entrée pour une carrière supérieure dans l'Église. Mais, l'un dans l'autre, du fait de la nomination à vie aux postes de commande, le poids objectif excessif de la fonction cléricale (autrement dit la négation idéologique de l'élément personnel) conduit, *nolens volens*, à une surévaluation du ministre lui-même. Ce qui conduit en retour à prévoir un si long parcours de sélection — avec la crainte constante de nommer l'homme qu'il ne fallait pas à la place qu'il ne fallait pas — que, compte tenu du traditionalisme, du conservatisme et du moralisme rigides de la Curie romaine, le vieillissement des cadres ecclésiastiques en prend des dimensions ridicules. Ainsi voit-on le système revenir finalement à sa position de départ : si on y regarde de près, les hommes ne sont guère importants, ni comme personnes, ni comme administrateurs, ni comme subordonnés. Dieu seul est important, c'est-à-dire qu'en son nom, toutes les figures *bêta* possibles rebattent les oreilles des gérontes *alpha*, jusqu'à ce qu'elles aient trouvé, pensent-elles, l'approbation souhaitée pour des projets auxquels elles ont mûrement réfléchi.

Jusque-là, dans l'Église catholique, les ministres responsables des décisions se heurtent bien sûr à la nécessité d'avoir à formuler et à commenter avec assurance et autorité des vérités divines que leurs ressources personnelles ne leur permettent ni de fonder ni de développer.

A considérer les choses d'un point de vue purement « humain », il faut croire que l'élection à l'épiscopat ou la nomination comme prélat ne sauraient en rien conférer aux intéressés ne fût-ce qu'une pincée supplémentaire de sagesse, de bonté et d'intelligence. Mais du point de vue théologique, c'est là une opinion sans valeur, et elle est même déjà le signe d'un manque de confiance en l'action du Saint-Esprit dans la conduite de l'Église. Car c'est précisément dans les nominations et les vocations du haut clergé que cette action providentielle se fait sentir de façon bienfaisante et frappante — il faut le croire ! Un premier ministre n'oserait pas s'engager dans un débat sans que son état-major lui ait présenté les informations indispensables et proposé des formulations de décisions. Il en est tout autrement pour l'évêque, dont la fonction n'est pourtant pas moins complexe et diverse, compte tenu de la multiplicité de ses tâches et du pluralisme de la société. Lui, de par sa position, peut apparemment s'offrir le luxe de décider autocratiquement du bien et du mal, du permis et du défendu, de ce qui est chrétien et de ce qui ne l'est pas, du vrai et du faux, de l'humain et de l'inhumain. S'il l'estime justifié, il peut passer par-dessus le vote de ses conseillers ; il en a même le devoir quand il s'agit des « vérités révélées » de l'Église[177]. Du fait que son autorité lui confère la vérité, on voit se fermer le cercle vicieux de la pensée cléricale : puisque ce qu'on exige, c'est que les idées émanent d'une opinion arrêtée, l'important, ce n'est plus de savoir ce qui a été dit et pourquoi, mais uniquement *qui*, c'est-à-dire *dans quel poste*, on a avancé telle parole. Ainsi l'idéal de l'objectivité de la pensée cléricale fausse-t-il subrepticement la question de la vérité pour en faire une question de pouvoir. Qu'on le veuille ou non, de la question d'un Dieu qui parle dans le cœur de chacun, on a fait une question de fonctionnement pratique de l'Église. L'éviction de l'élément personnel, si structurellement caractéristique du clerc, et la répression du moi propre s'affirment désormais comme une répression de la personne elle-même, et la foi de conviction se change en foi imposée par l'autorité : il y a alors confusion entre la fonction symbolisante de l'Église et la réalité de Dieu elle-même[178].

Revenons encore une fois sur le résultat du synode de Würzburg pour mesurer, spécialement dans le catholicisme ouest-allemand, jusqu'où a été poussée cette transformation de questions théologiques en questions d'autorité. Les évêques n'ont pas proposé de débat sur leurs positions concernant le divorce et d'autres questions, précisément parce qu'ils étaient convaincus que ces positions étaient les seules valables : ils parlaient en tant qu'évêques. Du même coup il devenait impossible, sans trahir la loyauté à l'égard de l'Église catholique dans son ensemble, de poser même la simple question : comment se fait-il que les évêques soient d'accord sur des problèmes aussi importants que le non-remariage des divorcés ? Comment peuvent-ils avoir une opinion aussi unanime et unilatérale ? S'interroger sur ce point revenait à présenter comme discutable le fondement théologique de la position épiscopale. Cela aurait remis en cause la psychodynamique sociale de la hiérarchie des fonctions ecclésiastiques et même celle des voies de sa reproduction ! Reste finalement que de tels débats ne peuvent avoir lieu, parce que, derrière un premier plan nuageux de formules théologiques, d'évidences hiérarchiquement inattaquables et de déclarations fumeuses proférées au nom de Dieu, cela toucherait les *personnes* en fonction, les remettrait en cause comme *hommes*, et manifesterait surabondamment pourquoi on considère comme dangereuse pour l'autorité de la fonction, on dira pour l'autorité de l'Église, toute recherche psychanalytique sur la personne.

Ces évêques réunis à Würzburg allèrent même plus loin. Ils voulaient échapper à un éclat possible entre l'épiscopat allemand et ses fidèles ; à cet effet, après avoir refusé de répondre personnellement à la question de la vérité ou de s'en considérer comme responsables à leur niveau, ils la renvoyèrent à l'autorité supérieure, à Rome même. Depuis lors, ce style de discussion est bien resté celui de toutes les discussions internes dans l'Église : au lieu de faire confiance aux capacités de décision à l'échelon épiscopal ou à une Église nationale, l'évêque de base commence par se débarrasser de sa charge au bénéfice de l'ensemble de ses collègues en fonction, et ceux-ci à leur tour préfèrent invoquer les affaires de l'Église universelle : celles de l'Église des martyrs en Corée, par exemple, ou de l'Église de Pologne [179]. Et l'unité de l'Église exige évidemment soit le clair accord de Rome, soit son veto romain ; de sorte qu'on préfère finalement faire du pape le porte-voix des « vérités » qu'on ne se sent plus soi-même en mesure de défendre devant les fidèles. Les fréquents voyages du pape actuel Jean-Paul II ne sont pas seulement la manifestation d'un centralisme romain revigoré. Ils sont également la réaction à la perplexité évidente des évêques locaux dans leurs Églises nationales. Ainsi seulement peut-on comprendre pourquoi, lors des visites papales dans les pays européens, on lui présente des textes qu'il doit lire en public, afin que le caractère définitif de son autorité, et donc un discours de pouvoir, vienne clore la discussion sur certains thèmes localement controversés.

Psychologiquement, on voit ici se répéter au plus haut niveau de décision de l'Église catholique le dilemme que nous avons montré comme étant structurellement lié à la pensée cléricale. Individuellement, au lieu de se laisser guider par sa pensée personnelle, le clerc cherche un appui dans les déclarations préalables concernant la doctrine chrétienne. A mesure qu'on monte l'échelle, cette recherche se répète à différents niveaux. Elle finit par se révéler pour ce qu'elle est : une réduction désespérée de la question de la vérité à un problème de décision de l'autorité[180], autrement dit à une compensation d'une incertitude ontologique par appel au fanatisme d'une pensée autoritaire. Constatation importante : elle montre que, structurellement, la pensée cléricale, avec son style rationaliste et objectiviste étranger à la personne, ne tient pas à une intériorisation du pouvoir, mais qu'elle engendre en retour cette forme de pouvoir. Autrement dit, la structure de la pensée cléricale ne se contente pas d'engendrer de la violence, mais elle fonctionne elle-même comme le fondement idéologique du pouvoir et de la violence.

La réflexion sur l'histoire de l'Église a toujours donné à penser que son évidente violence se fondait sur le « tournant constantinien »[181] : c'est au début du IVe siècle que, à la suite de la transformation de l'Église des martyrs en religion d'État, donc en religion dominante de l'Empire romain, serait né le lien caractéristique de l'Église et du pouvoir[182]. Mais cette idée méconnaît le fait qu'une politique désireuse d'uniformiser idéologiquement ses sujets se doit de faire appel à un type de théologie bien précise, dotée de tout un appareil de répression contre les hérétiques et les sorciers, et que celle-ci existait déjà dès le IIe siècle ; simplement, elle ne disposait pas encore de la possibilité de faire appel à la répression d'État pour s'imposer par la force[183]

Est-il possible de proposer une alternative à ce type de théologie ecclésiastique ? C'est ce qu'on n'a cessé de tenter tout au long des deux mille ans de l'histoire de l'Église d'Occident. La contradiction n'a sans doute jamais été aussi évidente qu'au temps du catharisme[184] et de son extermination par le pape Innocent III, au XIIIe siècle. Pour voir à quel point les cathares s'écartaient de la doctrine et de la pratique de l'Église, il suffit de se rappeler leur refus de reconnaître leurs péchés et le catalogue pénitentiel de l'Église avec ses menaces d'épouvantables souffrances en enfer. « Ils méprisaient les sacrements, ne payaient pas la dîme et permettaient à des femmes de devenir prêtres. L'Église cathare était gratuite et ne possédait rien. Elle célébrait ses rites dans les maisons particulières. C'était une Église souterraine, comme celle des origines, et elle était aussi difficile à combattre[185]. » De plus, les cathares étaient strictement végétariens. A l'heure de la mort, ils imposaient les mains au mourant et considéraient dès lors celui-ci comme « consolé », de telle sorte que son âme recevait le pardon de Dieu sans acte de pénitence et sans repentir. « Les croyants de l'Église pouvaient commettre leurs péchés sans crainte et l'accès à la vie éternelle se faisait sans peine et gratuitement[186]. » Le succès d'une telle doctrine était considérable, surtout en Languedoc. Mais en 1198, au lendemain de l'élection du pape Innocent III, on comprit vite avec quelle énergie celui-ci tenterait de venir à bout de l'hérésie. Dès 1203, il convoqua les féodaux du Nord, mais aussi tous les croyants, pour s'engager dans la lutte, promettant à ceux qui prendraient part à la croisade contre les hétérodoxes le pardon de tous leurs péchés : « Allez-y maintenant, chevaliers du Christ ! Allez-y, courageuses recrues de l'armée chrétienne ! Que le cri vibrant de la Sainte Église vous entraîne ! Qu'un zèle pieux vous enflamme et vous encourage à venger une telle offense faite à votre Dieu ! [...] On dit que la foi s'est éteinte et que la paix est morte, que la peste de l'hérésie et la fureur guerrière ont trouvé une vigueur nouvelle[187]. » « Consacrez-vous à la destruction de l'hérésie par tous les moyens que Dieu vous inspirera. Soyez plus consciencieux qu'avec les Sarrasins, car ils sont plus dangereux. Combattez les hérétiques d'une main vigoureuse et le bras haut levé. Si le comte de Toulouse [...] ne satisfait ni l'Église ni Dieu, chassez-le, lui et ses complices, des tentes du Seigneur. Prenez-lui ses domaines pour que des habitants catholiques puissent remplacer les hérétiques anéantis[188]. »

La conséquence, c'est l'habituelle et stupide suite de massacres brutaux, d'agitations confuses, d'excommunications infligées à des villes entières et l'extermination systématique de régions, sans ménager les femmes ni les enfants. Ce que la croisade anticathare en Languedoc ne put réaliser, l'Inquisition, aux mains des moines dominicains, le paracheva : les cathares furent détruits — on peut tout détruire, même l'esprit. En l'an 1321, dans la cour du château de Villerouge-Termenès, mourut sur un bûcher le dernier « parfait »[189]. Reste alors la question : qu'est-ce qui nous amène donc, de par notre fonction, à commettre des cruautés de ce genre au nom de la vérité d'une révélation divine que nous avons réduite à une forme abstraite et objective, et que, par voie de conséquence, nous avons utilisée *avec fanatisme pour anéantir* physiquement et psychologiquement des gens ?

Psychologiquement, cette violence de la pensée fonctionnelle ne s'explique pas par ses idées, par une idéologie qui engendrerait fanatisme et terreur. Ce qui provoque ces comportements, c'est *la façon dont le moi s'identifie aux idées du surmoi, donc à celles d'un groupe donné*[190]. Un simple exemple, apparemment anodin, permettra de voir le peu d'importance que prend en la matière le contenu intellectuel. Mettons-nous devant notre télévision lors d'un match entre deux équipes de football jusque-là inconnues. Au bout de quelques minutes, on éprouve une certaine sympathie pour l'une d'entre elles. C'est normal. Les motifs peuvent en paraître complètement absurdes : il se peut qu'elle ait un retard à combler et on espère qu'elle finira par gagner ; ou le nom de la ville d'où elle vient sonne bien ; ou son maillot a des couleurs qu'on préfère. Peu importe. Au bout de cinq minutes, on pourra en arriver à crier d'indignation de voir l'arbitre omettre une faute grossière contre un avant de l'équipe favorite, alors qu'on sera devenu complètement aveugle pour les trucs douteux avec lesquels les stars de « son » équipe opèrent sur le terrain. Cette partialité *fanatique* qui s'est développée peut même aller si loin qu'on souhaite aux héros favoris — et on le hurle à leur intention — de régler enfin leur compte à leurs adversaires. On peut en devenir plus fou encore. Voilà que, depuis vingt ans, quelqu'un est secrètement devenu un fan du Bayern de Munich ou de l'Olympique de Marseille, cela sans avoir jamais vu les membres de ces équipes et bien que ceux-ci aient changé deux ou trois fois entre-temps. Il est clair que sa sympathie ne va pas aux personnes, mais au groupe, à son nom, à son fanion, et cela depuis toujours, sans changement. On peut en arriver au point de se sentir malheureux tout un dimanche parce que le samedi après-midi « son » équipe du Bayern a perdu un match important.

Tel est donc l'effet de l'identification du moi à un groupe. Qu'on se représente maintenant quelqu'un, dont le moi reste relativement faible, qui, des années durant, se trouve soumis à la pression intense d'un groupe tel que l'Église, auquel il doit s'adapter et s'identifier. On le comprend sans doute : il n'est pour lui de joie plus grande que de se dévouer à ce groupe de toute son énergie, de lier son sort au sien, pour le meilleur et pour le pire. Tel est bien le danger tout particulier du clerc : fonctionnellement, sa pensée dégénère en fanatisme inconditionnel de son propre groupe, c'est-à-dire de l'Église, ce dont ne cesse de témoigner l'histoire de celle-ci. La dynamique de groupe montre bien comment la notion d'humanité s'arrête aux frontières mêmes où commencent à fonctionner les lois archaïques des groupes[191]. Au-delà débute pour la conscience primitive le monde de la barbarie, de l'inhumain, de la « peste » incarnée, pour reprendre le langage du pape Innocent III. Le fanatisme n'est rien d'autre en pratique qu'une rechute dans cette mentalité archaïque qui sommeille en chacun de nous, et qui s'empare de chacun comme par nécessité dès que nous nous identifions et nous adaptons exagérément à un groupe.

Il est particulièrement important d'ajouter que l'intelligence n'offre d'elle-même aucune défense contre le fanatisme de la pensée fonctionnelle. La naïve croyance des « gens simples » selon laquelle les personnes cultivées seraient immunisées contre la sottise humaine relève d'une rêverie idéaliste que vient d'ailleurs corriger un proverbe de ces mêmes braves gens : « Plus on est instruit, plus on pense de travers », affirmation qui n'est pas entièrement fausse. En matière de résistance, les professeurs en titre n'ont jamais su se comporter honorablement dans aucun régime autocratique ou totalitaire ; et l'exemple le plus effrayant est à coup sûr la collaboration passive, voire active, de la plus grande partie des savants allemands au temps du IIIe Reich[192].

Nous avons déjà attiré l'attention sur l'attitude assez lâche des professeurs de théologie, peu désireux de protester contre la pression actuelle du Vatican, même à propos de questions importantes touchant à leur propre spécialité. Pour expliquer ce comportement, on peut être tenté d'en rester à l'extérieur, en constatant que, en cas de conflit, ces milieux auraient tout à perdre en matière de carrière, de considération, d'honneurs, de revenus, de relations, de plaisir et de confort. Mais, psychologiquement, les choses sont bien plus compliquées. Il faut creuser, approfondir, synthétiser, perfectionner toujours plus les idées du surmoi intellectuel. Agissant ainsi, on en arrive le plus souvent à ne pouvoir moins que jamais faire preuve de personnalité : on doit la dissimuler sous le masque de sa réputation dans l'Église et dans la société. On s'identifie alors bien plus à sa situation qu'un vicaire de campagne à la sienne.

Chercher dans ce milieu une possibilité d'honnêteté humaine, d'ouverture intellectuelle, de franchise personnelle ou même simplement de curiosité scientifique équivaut, selon une parole de Jésus, à chercher des raisins sur des chardons (Mt, 7, 16)[193].

Il faut également tenir compte de ce fait qu'on pourrait intituler la *disparition progressive de la responsabilité humaine.* De par sa forme impersonnelle et standardisée, le surmoi intellectuel clérical incline spontanément à transformer les hommes en « choses », puis à transférer ces « choses » dans le monde des idées. Quiconque a vécu assez longtemps dans un tel système ne pourra plus s'en évader par l'intelligence seule. En vérité, dans la vie de beaucoup de clercs, il n'y a qu'*un* élément capable de constituer un véritable élixir de vie : la relation pastorale avec des personnes réelles. Là seulement les concepts théologiques peuvent recouvrer leur véritable contenu, la profondeur de leur substance humaine. C'est là ou jamais qu'on peut parler au prêtre en tant que personne et que lui a la possibilité de répondre comme tel, et non plus à travers son surmoi. Certes, nous avons déjà vu combien il est facile de se dérober à cette sollicitation humaine. Encore est-il que, au moins chez les prêtres en paroisse, ce correctif subsiste : c'est lui, beaucoup plus que le niveau intellectuel, qui empêche de dépasser une certaine limite de dépersonnalisation intérieure. Il en va autrement dans le haut clergé et chez les théologiens en Université. Ceux-là ne se connaissent plus de frein. Ils ne sont pas mariés, n'ont pas d'enfants, disposent des aides dont ils ont besoin, depuis la femme de ménage et la secrétaire jusqu'à l'assistant et au chauffeur, tous employés auxquels on peut parler d'un ton dominateur. Ils disposent aussi d'une telle somme de connaissances que, subjectivement, ils peuvent s'arroger le droit de traiter d'imbécile n'importe quel contradicteur. Ils ont un véritable statut de « privilégiés », et c'est bien ce qu'ils sont. Mais le résultat de ces avantages en impose beaucoup moins.

Il y a peu, lors d'une conversation portant sur un camarade d'études qui, entre-temps, avait été nommé à un poste élevé, avec rang d'évêque, un curé qui était jadis son ami me disait : « Je ne le reconnais plus. Vraiment, *autrefois il était tout différent.* » Ce disant, il ne pensait qu'à la difficulté de faire le lien entre l'attitude joyeuse et sincère du camarade qu'il avait jadis admiré et apprécié et les mesures et les déclarations pastorales de cet homme. En fait, seule la réflexion psychanalytique permet de comprendre de telles contradictions. On se rend alors vite compte que cette gaieté joviale et cette affabilité heureuse d'un croyant n'étaient qu'une réaction du moi dans le cadre protecteur d'un surmoi que, depuis son enfance, rien n'était jamais venu remettre en cause en l'arrachant à ses protections. Tant que cette personne n'avait eu à jouer aucun rôle *doctrinal* et *autoritaire*, on n'en avait guère remarqué les inconvénients. Pourtant, même alors, un observateur attentif aurait pu remarquer comment les manières enjouées de ce prêtre se bloquaient instantanément quand il devait parler et agir dans le cadre de son « ministère » : sa syntaxe, son intonation, son vocabulaire, ses gestes prenaient un tour artificiel. On l'oubliait, car il redevenait vite un bon vieux garçon. En vérité, l'intéressé existait déjà beaucoup plus par son surmoi que par son moi. En accédant au haut clergé, donc en s'éloignant de la pastorale commune, il perdait le *contrôle social* que celle-ci exerçait sur lui en l'obligeant à agir et en le provoquant comme personne, cela au moment même où il avait de plus en plus à se préoccuper de doctrine pure. Dès lors, l'image extérieure qu'il donnait à son ancien ami se transformait du tout au tout, alors que, en fait, il ne s'agissait de rien d'autre que de la simple manifestation, sans voile ni protection, de son psychodynamisme profond. Pour un prêtre, la pastorale offre souvent le dernier lieu de contact avec la réalité. S'il perd cet appui humain, il n'est plus qu'un ballon que le vent de l'époque emporte où il veut.

Cependant, on ne perd pas sa réalité d'homme, celle de personne, sans de ce fait *perdre également Dieu*. Or, que se passe-t-il souvent, dès le séminaire ? Au départ, chez la plupart des séminaristes, c'est l'enthousiasme. Mais il suffit de quelques semestres pour voir retomber l'ardeur. On leur a exposé, fondé, expliqué la foi chrétienne. Alors, pourquoi ces doutes soudains ? Professeurs, directeurs de conscience, supérieurs se heurtent à une énigme. Que dire, que l'on n'ait déjà dit et répété ? C'est simple, pourtant ! Le problème est celui du système de formation. Il se nomme dépersonnalisation. Au début, les mots avaient encore une résonance, car ils renvoyaient à des expériences : celles vécues dans la paroisse d'origine, en groupes de jeunes, dans la JOC ou le scoutisme. Mais ces souvenirs ont pâli. L'expérience, donc la maturation de la personne, a fait place à des formules toutes faites. Ces jeunes théologiens se mettent à ressembler à des poissons pris dans une nasse : on les a sortis de l'eau, et, la gueule ouverte, ils happent l'air, misérablement. A plus ample examen, ce qui paraissait doute sur la foi est pure et simple asphyxie. Comment s'oxygéner, quand il n'y a plus que parlotes théologiques à vous en dégoûter, sur l'« onction » du Christ, sur le « chrême de l'Esprit » et la dignité de Grand-Prêtre qui lui fut conférée lors de son baptême dans le Jourdain ? Dépersonnalisation, dédain de l'existence. Le pire danger de la pensée cléricale, c'est sûrement la façon dont cette théologie dépersonnalise, coupe de l'expérience et détruit ainsi les sources de la foi et de la vie religieuses. Il en va comme dans un mariage qui ne se soutient plus que par le sentiment du devoir, et où les bases de l'amour s'effondrent peu à peu ; de même ici, c'est le caractère fonctionnel de la spiritualité sacerdotale qui la détruit.

Si, au terme d'années d'enseignement, un professeur de théologie pouvait encore parler en toute franchise de sa foi, ou si un évêque pouvait dire ce qui le soutient encore, humainement parlant, on serait bouleversé de leur solitude, de leur frigidité. Quel observateur extérieur, assistant à des réunions de « têtes de l'Église », n'est impressionné par le manque d'élan spirituel de ces réunions, de ces conversations qui en restent au niveau de propos de table, de commérages, d'intrigues, sans compter les plaisanteries sur les choses habituellement considérées comme sacrées ? Pour qui se serait attendu à trouver dans une rencontre de prêtres une espèce de symposium platonicien, la déception serait amère. Les Français ont coutume de dire qu'il n'y a pas de grand homme pour son valet de chambre. Mais, pour peu qu'on soit honnête, rien n'est pire que de devoir en fin de compte s'avouer à soi-même qu'il ne reste plus grand-chose de la foi vivante au Dieu auquel, tel au Moloch syrien, on a sacrifié son existence personnelle, sinon le pur cynisme d'un pouvoir désormais dépourvu de sens.

Telle est l'image de l'Église catholique, de la réalité secrète du christianisme romain. C'est celle que, voilà plus de cent ans, F. M. Dostoïevski entendait proposer dans son personnage du *Grand Inquisiteur*. Il mettait dans sa bouche de croisé en lutte contre la subjectivité des paroles de condamnation de toute liberté individuelle[194].

b. L'existence symbolique, ou une vie d'emprunt

S'il est une grande épreuve dans la vie d'un clerc, c'est de découvrir au terme d'années d'efforts et de sacrifices combien ceux-ci ont été humainement inauthentiques, et même peut-être *dommageables* : la répression systématique du moi par la fonction ne pouvait pas ne pas déboucher sur l'oppression d'autrui.

Il ne s'agit pas du tout ici de reprendre le procès d'intention qu'on fait trop volontiers aux prêtres, aux religieux et aux religieuses, en les traitant de paresseux hypocrites qui se donnent de l'importance, prêchent aux autres ce qu'ils ne font pas eux-mêmes [1] et finalement ne songent qu'à l'argent, au pouvoir et à la satisfaction de goûts dépravés [2] : dans son simplisme, cette ligne de critique est injuste, parce que totalement non dialectique. Elle est presque aussi fausse que la pensée cléricale elle-même. Celle-ci confond le but et le motif, celle-là confond la manifestation et l'intention, et son prétendu réalisme n'est humainement pas moins étriqué que l'idéalisme de la première. Il n'est évidemment pas facile de s'y retrouver dans la logique de la pensée cléricale, faite de continuelles ruptures, de retours en arrière, de buts contradictoires, de compensations, de réactions de frustration, de formations substitutives, d'identifications manquées, de rationalisations et d'autres particularités. En la matière, celui qui prétend procéder par équations simples méconnaît la difficulté qu'il prétend résoudre.

S'il y a au départ quelque chose de certain, c'est bien la bonne volonté et l'effort des clercs. Leur insécurité ontologique les conduit à ne se reconnaître de valeur propre qu'à travers leur vocation : seule celle-ci les confirme dans leur être, les fait s'admettre comme personnes ; ils se consacreront donc avec toute l'énergie du désespoir à satisfaire toutes les exigences qu'on leur impose. Mais le piège, ce qui fausse tout, c'est justement leur *dépersonnalisation.* C'est leur renoncement même à toute réaction personnelle qui les conduit à leur style de vie parfaitement neutre.

Notre analyse n'a jusqu'à présent porté que sur le caractère « hiérarchique » de la pensée cléricale : il le fallait bien, car la vie des clercs repose d'abord sur des convictions intellectuelles (ou plutôt sur des idées préconçues). Ce sont elles qui justifient son caractère *artificiel* et *exceptionnel* par rapport aux normes habituelles. Mais il faut maintenant détailler la façon dont l'idéal clérical, vraiment pris au sérieux, conduit à une dépersonnalisation totale des autres aspects de l'existence, en particulier dans le domaine affectif ; non pas tellement chez les prêtres séculiers, dont la conduite peut être *de facto* très libre, en dépit de leurs promesses d'ordination ; mais surtout chez les membres de congrégations, et plus encore chez les religieuses.

1. La détermination de l'espace : le vêtement

Commençons par le vêtement et les manières extérieures. Ce n'est pas sans raison que, au début des années 80 (du XIXe siècle !), le Vatican a lancé une campagne pour rappeler au clergé séculier la stricte observance en matière vestimentaire[3]. Nombre de prêtres avaient bien dû constater que, pour beaucoup de gens, la vue de leur vêtement suffisait à bloquer toute spontanéité de propos : la conversation prenait immédiatement un caractère formel, et il devenait donc impossible d'aborder en toute confiance les vrais problèmes : pas question de pastorale vraiment personnelle sans commencer par reléguer au fond d'un placard soutane et col romain, cela non pour prouver que le clerc était un homme comme les autres, mais pour l'être, tout simplement. Pour ce faire, il n'avait d'ailleurs même pas besoin de recourir à des raisons pastorales ! Jésus lui-même n'avait-il pas explicitement mis en garde contre la vanité des pharisiens et des scribes, avec leurs longues robes à franges (Mc 12, 38)[4] ? Avec une telle référence évangélique, comment prétendre voir dans son habit extravagant un moyen de rendre ce Jésus plus proche ? Il suffit de songer à saint François. Voilà bientôt huit cents ans qu'il se dépouillait publiquement, sur la place du marché, de l'élégant costume offert par son père pour prendre l'habit des simples gens de la campagne. Par suite de quel raisonnement tortueux peut-on avoir aujourd'hui retaillé cette humble vêture en signe distinctif de la dignité cléricale : preuve affligeante, s'il en est, de notre capacité à travestir même les modèles spirituels les plus simples sous un apparat de pompe et de prétentieuses sottises[5] ? Parlons carrément : voilà plus de vingt ans que Federico Fellini a tourné son film *Roma* ; on y voit un quart d'heure de présentation de mode pontificale, avec d'augustes seigneurs ecclésiastiques, portant soutanes et barrettes, venant exhiber à pied ou en vélo les dernières créations « à la mode de Jésus-Christ », avant de se transformer peu à peu en momies et en squelettes. Le cinéaste n'a-t-il pas bien raison de caricaturer ainsi cette production muséologique de morts vivants dont la seule préoccupation semble être de s'assurer au moins un bel enterrement[6] ?

Pourtant, rien à faire : ni les objections, simplement humaines ou théologiques, ni les sarcasmes n'ont de prise sur le clerc qui se sent lié par son devoir de fidélité. Quand donc écoutera-t-il des jeunes par exemple, décrire l'accoutrement des prélats, le dimanche, aux vêpres de la cathédrale ? Quand donc tiendra-t-il compte de l'effet que produisent l'accumulation d'hermine et de velours, les chaussettes roses et les petits souliers aux pieds d'adultes, pour ne rien dire des formes pittoresques des coiffures ? Les comparaisons vont du « hibou » à la « chauve-souris » ou au « papillon de nuit », évoquant toujours une procession macabre. Ainsi attifés, de tels personnages devraient pourtant bien se rendre compte de leur apparence vraiment grotesque. Pourtant, on continue à justifier le maintien des costumes officiels en disant qu'il s'agit de faire prendre conscience au public d'une réalité spirituelle. Le costume des religieuses, par exemple, est censé traduire l'élan missionnaire. Il s'agit finalement de porter *témoignage* du Christ et de son Royaume, d'ouvrir la possibilité d'un dialogue pastoral. Mais la véritable raison de ces justifications totalement irréalistes est tout autre, et elle fait bien voir la mesure de la duplicité de la cléricature : socio-psychologiquement parlant, il ne s'agit pas, ou en tout cas pas d'abord, de porter témoignage auprès des laïcs, mais de discipliner les clercs. C'est à eux, et non aux autres, que ce port d'un habit franchement bizarre doit inculquer le caractère particulier de leur état et des obligations qui s'y rapportent. Car, reconnaissables de loin par leur tenue, les clercs sont soumis à un contrôle social continuel.

Reprenons la comparaison de Freud entre l'armée et l'Église[7]. Dans l'armée aussi, l'uniforme unifie les soldats d'une troupe, les ordonne suivant leur rang et marque, par des insignes correspondants, les échelons de la pyramide de commandement. Il est ce qui confère leur expression visible au sentiment d'appartenance à un ensemble, à l'esprit de corps, à l'obligation d'une camaraderie sans faille, mais avant tout à la réalité indiscutable, sans appel, fixée par serment, d'être partie prenante de cette institution-là. Encore l'armée, à moins de se muer en communauté religieuse, comme c'était le cas chez les jaguars aztèques[8], et de considérer la guerre comme une forme de culte[9], ne définit-elle le soldat comme pur soldat, et non comme homme, qu'aussi longtemps qu'il est sous les drapeaux. Il en va autrement dans la *militia Christi* (l'armée du Christ), dans les ordres religieux chrétiens. L'idée de vocation cléricale implique que Dieu n'attend rien de son élu qui ne s'accomplisse dans sa définition de clerc. Celui-ci n'est rien d'autre que membre de tel ordre, de telle communauté, sans réserve aucune[10]. Il n'a rien, il n'est rien, ou plutôt, c'est l'ordre qui décide immédiatement de ce qu'il est et de ce qu'il a. En d'autres termes son habit, la tenue d'une religieuse par exemple, n'est pas un simple vêtement professionnel ; il est l'expression de sa vocation devant Dieu. Ce que cette religieuse porte sur elle, ce qui la caractérise et la distingue, ce n'est pas ce qu'elle a apporté en arrivant. Son apport : sa beauté, on l'a coupé. Il fallait vraiment « changer la plante de pot ». Le nouveau terreau, la concrétisation de cette vigne qu'est le Christ (Jn 15, 1 s.), c'est désormais l'ordre religieux. C'est lui la seule source à laquelle on peut désormais puiser l'eau de la vie.

D'où les détails de la vie quotidienne : dans une cellule de couvent, pas de miroir ; si l'on peut accorder du crédit aux mots, l'image d'une religieuse, c'est son chapelet et son livre de prières. Elle reçoit son habit de la communauté, y compris son linge. L'esprit de la communauté ne tolère ni particularités ni quoi que ce soit dont on puisse décider de soi-même. Sainte Thérèse de Lisieux ne s'était-elle pas sanctifiée dans sa cellule glaciale : tuberculeuse, elle se refusait absolument à demander des couvertures plus chaudes et elle supportait humblement les douleurs de sa maladie. Dieu n'a-t-il pas récompensé sa souffrance en prenant chez lui dès l'âge de 24 ans cette âme si prématurément parfaite[11] ? Même des théologiens comme Von Balthasar, pourtant fort au fait de la distance existant entre la mentalité des ordres religieux et le message de Jésus, n'ont rien trouvé à redire psychologiquement à cet exemple de la « petite Thérèse », à ce triomphe de la destruction masochiste de soi-même[12].

Ici, on ne manquera pas d'objecter que c'est un peu trop conclure d'un simple problème de vêtement religieux. Il ne s'agit cependant pas que d'habit, mais de ce que celui-ci exprime : la dépersonnalisation ; il ne fait que traduire visuellement la destruction de l'individuel par le collectif.

Le culte de l'égalité en toutes les choses extérieures ne s'arrête même pas à la mort. Qu'on visite les cimetières des villes qui abritent de grandes communautés monastiques, le cimetière de l'est de Paderborn, par exemple. Les tombes des religieuses ? Un alignement de minuscules pierres tombales, uniformes, avec, gravé dans la pierre, le nom reçu en religion, pas le nom de jeune fille, à peine celui de la famille. Ainsi entend-on rappeler que cet être humain n'était strictement que le membre d'un ordre, tout le reste étant indifférent à Dieu. Il est peu de monuments qui inspirent davantage de tristesse. Dans les cimetières militaires, on voit d'innombrables croix avec la mention « inconnu » ; on peut voir dans l'uniformité désolante des tombes l'émouvant rappel de la folie de la guerre. Les obus et les lance-flammes de Verdun se moquaient bien de savoir de qui étaient les membres qu'ils déchiraient et carbonisaient. Mais cette indifférence pourrait-elle être celle de Dieu ? Ce n'est pas ainsi que s'est révélé le Père de Jésus-Christ ! Tel est bien au contraire le Dieu du *Grand Inquisiteur* qu'évoque Dostoïevski. Tel également celui de Tommaso Campanella, ce moine à la théologie socialiste, inventeur d'une « cité du soleil » [13] où tous les humains seraient parfaitement égaux, de cet établissement de bonheur forcé [14] où la masse d'interdits n'en couvriraient en fait qu'un seul : celui d'être soi-même.

On pourrait prendre, en dehors de l'habit, deux autres exemples : la prière des heures et la pénitence publique, pour autant qu'ils peuvent être les signes d'une certaine dépersonnalisation, mais passons tout de suite à la vie affective.

2. *La détermination des sentiments : l'interdiction des amitiés privées*

A côté de cette injonction faite au clerc de se mettre à nu devant sa communauté, il existe un interdit qui montre à quel point l'idéal clérical forme un tout : celui d'entretenir un sentiment personnel envers un tiers. Malheur aux « amitiés particulières » !

De l'extérieur, on pourrait voir dans l'obligation de l'aveu public une forme de dégénérescence typique des pouvoirs totalitaires. Il suffit par exemple de se rappeler les séances d'« autocritique » de certains procès ou de congrès du Parti en Union soviétique. Quand il s'agit d'écraser la personne, tous les systèmes totalitaires se ressemblent, et il n'y a donc pas de quoi s'étonner de retrouver partout des faits analogues. Encore un système politique (fût-ce un succédané de religion à prétention messianique, comme ce fut le cas du bolchevisme) ne dispose-t-il jamais du pouvoir suffisant pour prétendre diriger jusqu'aux sentiments les plus secrets de la personne. Seule le peut la religion, quand elle dégénère en système de domination des hommes. Si on veut se rendre compte de l'énormité de la prétention catholique, passée, mais encore présente, à dominer les hommes, on peut la lire avec une clarté effrayante en voyant la façon dont elle entend soumettre et contrôler même la vie affective des clercs, et cela jusque dans le détail.

Voilà déjà plusieurs décennies, dans *1984*, George Orwell donnait du système communiste une vision d'horreur qui constituait déjà un avertissement apocalyptique. Il y dépeignait l'état d'une Humanité où un « Grand Frère » surveillait de la manière la plus sévère l'amour entre les sexes. « Le but du parti, écrit Orwell, n'était pas simplement d'empêcher les hommes et les femmes de se vouer une fidélité qu'il pourrait être difficile de contrôler. Son but inavoué, mais réel, était d'enlever tout plaisir à l'acte sexuel. Ce n'était pas tellement l'amour, mais l'érotisme qui était l'ennemi, que ce fût dans le mariage ou hors du mariage[15]. »

En Europe, et même dans le monde, on peut considérer qu'il n'est de système à avoir fait preuve de plus d'obstination et de plus de continuité que l'Église : son expérience en la matière est unique. A la fin des années 60, des officiers de l'armée fédérale allemande chargés du moral de la troupe demandèrent avec le plus grand sérieux à un foyer de séminaristes de pouvoir venir y étudier ses méthodes pour permettre une vie commune à une bonne centaine de jeunes gens encasernés — et cela sans sexe, sans bagarres et sans alcool. Les responsables de l'établissement répondirent certes par la négative, mais sans percevoir l'ironie de la demande : pour eux, elle était même flatteuse. Georges Bernanos lui-même conclut son portrait du « curé de campagne » en mettant en parallèle le sacerdoce et l'armée : celle-ci aussi a son ordre, à cette seule différence, selon lui, que c'est un « ordre sans amour »[16]. Mais, dans l'Église, c'est justement contre l'amour que sont dirigés les plus sévères réglementations de la vie cléricale ; et cela, non pas à cause de possibles implications et explications sexuelles, mais tout simplement parce que l'amour, comme la haine (son image inversée), est l'élan le plus intense de l'affectivité personnelle.

Un système totalitaire en arrive nécessairement à voir dans l'amour son ennemi le plus dangereux, car il n'est de passion capable de susciter un tel lien et de provoquer une telle force à l'égard de l'autre. Inversement, il n'est de meilleur critère pour déceler le caractère totalitaire d'un système que de voir son attitude par rapport à lui. Je ne sache pas que l'histoire connaisse de religion à avoir autant que le catholicisme suspecté et proscrit chez ses membres, non seulement l'amour entre homme et femme, mais même *l'amitié* entre eux.

Même le Nouveau Testament n'hésite pas à attribuer à Jésus cette « injustice » qui consiste à avoir préféré un disciple aux autres[17], et il faut bien admettre qu'il se sentait par exemple plus proche de certaines femmes comme Marthe et Marie, les sœurs de son ami Lazare (Jn 11, 1-2)[18], que de ses propres frères et sœurs, avec lesquels il ne se sentait apparemment pas grand-chose de commun (Mc 6, 1-6)[19]. Il n'a été réservé qu'à l'Église catholique d'être plus chrétienne que Jésus en proposant un modèle de communauté excluant toute forme de relation personnelle, toute forme de sympathie. Dans les séminaires des années 70, on considérait encore comme un degré supérieur d'imitation de Jésus le fait que des diacres et des sous-diacres, donc des hommes de 25 à 30 ans, doivent lire au tableau noir le nom de ceux qui pouvaient faire ensemble un brin de promenade de 15 à 16 heures. Un clerc n'avait pas à témoigner d'inclination ou de préférence pour quiconque ; dans une telle conception du véritable amour du Christ, il devait accorder sa bienveillance et son intérêt à chacun également. Il devait donc apprendre à n'être l'ami de personne tout en étant le compagnon de chacun sur le chemin du salut.

Pour comprendre l'effet de tels règlements sur l'âme du prêtre ou de la religieuse, il faut une fois de plus rappeler à quel point l'insécurité ontologique imprègne toute leur vie de clercs. On a dès le départ affaire à des gens qui éprouvent au plus profond d'eux-mêmes la difficulté d'un Lucien Fleurier en matière de relations humaines. Si on creuse un peu en profondeur, on s'apercevra que même ceux qui ont été responsables de groupes paroissiaux ou porte-parole de leur classe à l'école, et qui de ce fait donnent extérieurement l'impression d'un très bon contact social, éprouvent une angoisse et des blocages profonds devant la moindre inclination virtuelle. On trouvera même parmi eux de véritables virtuoses de la comédie, capables de réagir avec charme et ironie à la moindre tentative d'approche et de recourir à un rôle parfaitement artificiel et à un badinage abondamment fleuri pour éviter avec grâce tout contact réel[20]. A leur grand soulagement, ils n'ont plus à se demander si les autres répondront positivement ou non à leurs propres sentiments : finis la peur d'être déçu, le sentiment chronique d'être mal aimé, l'angoisse du solitaire, et la crainte primordiale de se trouver abandonné. On comprend alors leur besoin *fondamental* d'appartenance à un groupe où il leur sera enfin possible de laisser leur moi au vestiaire et d'être sûrs à l'avance que les autres correspondront à leur attente. Si les règles de sympathie et de liberté continuaient à valoir, comment pourraient-ils calmer leur inquiétude de se retrouver en fin de compte tout seuls ? Ce n'est que quand elles perdent leur validité qu'ils peuvent se sentir rassurés, certains qu'ils sont de leur droit à être « aimés », débarrassés enfin de leurs amers souvenirs d'enfance.

En d'autres termes, le système de répression des sentiments est non seulement plausible, mais même désirable, pour tous ceux qui ont dû mesurer le danger, inhérent à tout sentiment « normal », de voir leur entourage les renvoyer à leur néant. Celui qui a éprouvé ce risque a absolument *besoin* d'un système lui garantissant un peu plus de compassion et d'attention « chrétienne » qu'il n'en a connu dans le monde impitoyable des terrains de jeu ou des excursions de classe. Le seul drame, c'est que ce système, au premier abord capable de calmer l'angoisse ontologique en matière de contact, se révèle par la suite n'être qu'une impasse. Il bloque totalement le libre épanouissement de la personne. C'est lui qui engendre finalement le reproche capital contre l'Église catholique, celui qui resurgit dès qu'on creuse la structure du psychisme du clerc, et chaque fois avec un peu plus de force : *au lieu de recourir aux moyens de Jésus pour répondre à l'appel angoissé des gens qui se tournent vers elle, donc à un dialogue confiant entre personnes, elle n'a proposé que des institutions rassurantes,* obstruant ainsi les sources de l'angoisse inhérentes à la liberté même de la personne, mais provoquant en retour une angoisse encore pire, celle dont elle se fait un instrument de domination : la peur de se risquer à une vie vraiment indépendante et responsable. Ce qui apparaissait au départ aide précieuse — et que les personnes concernées continuent souvent à considérer comme telle — débouche ainsi sur une angoisse renforcée devant des prescriptions institutionnelles qui ont fait du besoin une vertu, autrement dit de la fuite originelle devant l'angoisse une obligation sacrée. La peur de la solitude s'achève en *devoir de solitude* à vie, tragique cercle vicieux qui ne fait qu'implanter la perte dans le cœur de personnes en principe vouées au salut de l'humanité.

D'un point de vue purement logique, on peut donc résumer ce système dépersonnalisant et aliénant en une formule simple : il intervertit les niveaux en collectivisant le personnel et en personnalisant le collectif. D'un côté, il oblige à livrer aux oreilles de tous ce dont on ne peut en réalité parler en toute confiance qu'à des personnes particulières, et cette confiance publique est censée remplacer tous les échanges et toutes les conversations privés qu'il interdit ; et, de l'autre, il conduit à ne plus traiter en privé que de sujets d'intérêt général, et par là impersonnels : on parle pour la mille et unième fois des dernières décisions du chapitre provincial, de la visite attendue de la supérieure générale ou de l'attitude du médecin-chef à l'égard des infirmières. Dans les deux cas, on est condamné au manque de *sincérité* : le caractère intime de la confession publique sert plus à masquer la personne qu'à la révéler, et la privatisation de ce qui ressortit au domaine général sert non à créer, mais à éviter les relations véritables. Dans les deux cas, c'est plus qu'évident, la dépersonnalisation, fondée sur une même angoisse, rend impossible toute véritable communauté humaine.

Et pourtant, c'est bien ce qu'on doit tenter de susciter, tant on s'y croit *obligé* pour contenir l'insécurité ontologique !

Chaque fois qu'on étudie un système vivant, on aboutit à la même impossibilité de comprendre ce qui se passe tant qu'on n'a pas saisi la cohésion profonde de ses éléments particuliers. Historiquement, l'institution du clergé de l'Église catholique est une organisation qui a traversé les siècles. On ne peut comprendre cette durée que si on saisit la façon dont des éléments, apparemment distincts, forment un tout cohérent, renvoyant à un phénomène de base unique. C'est ce trait fondamental que nous pensons diagnostiquer, en montrant comment la dépersonnalisation systématique du clerc vient répondre à son angoisse ontologique. Ce que vient confirmer un autre phénomène : la répression de l'élément personnel ne vaut pas seulement pour les relations avec les « frères » et « sœurs » de son propre ordre ; elle touche aussi aux rapports familiaux, et elle conduit même le clerc à renier tout ce qui fait son histoire.

3. *La détermination du passé : la séparation de la famille*

Dès l'entrée dans l'ordre, en dehors des quelques occasions bien précises autorisées, il est interdit de nouer ou d'entretenir quelque contact que ce soit avec ses père et mère, ses frères et sœurs ou des personnes apparentées. « Quiconque fait la volonté de Dieu, voilà mon frère, ma sœur, ma mère[21] » (Mc 3, 35) : cette parole de Jésus appelle une rupture totale, sociale et psychologique, avec les parents et les frères et sœurs ; désormais, c'est la communauté de l'ordre qui prend elle-même la place de la famille. Mais cet échange obligatoire de groupes d'appartenance comporte une difficulté grave : socialement, il est tout simplement impossible d'opérer cet échange de familles, donc de transformer des liens biologiques en liens spirituels, sans tenir compte du domaine intermédiaire, capital, que constituent les relations et les sentiments psychologiques. Sinon, ce genre de situations, au lieu de résoudre les conflits possibles, ne fait que les perpétuer. Il est vrai que, ici encore, l'individu peut au départ percevoir comme un soulagement ce en quoi, par la suite, il ne verra plus qu'un système de contraintes et de violence.

S'il est un problème tabou, quand il s'agit de tirer au clair les motifs d'une entrée dans le clergé, c'est bien la confrontation à sa famille. Les contradictions de la théologie en la matière font déjà bien voir que c'est là un terrain de conflits psychologiques. D'un côté, la théorie veut que Jésus ait sanctifié le mariage et l'ait élevé à la dignité d'un sacrement[22]. De l'autre, on déclare le célibat recommandé aux prêtres car cet état aurait la préférence de Dieu[23]. Ces deux affirmations opposées ne peuvent que provoquer des tensions psychologiques sur lesquelles nous aurons à revenir quand nous traiterons de l'attitude cléricale à l'égard de la sexualité. Pour le moment, il suffit de signaler que nous ne pouvons historiquement trancher de ce que Jésus lui-même a fait. Le Nouveau Testament se préoccupe si peu de savoir s'il était ou non marié que nous n'en saurons sans doute jamais rien [24]. Par ailleurs, il n'a sûrement pas entendu fonder d'ordre de clercs du genre de la communauté de Qumrân, ni de quelque autre communauté de ce type [25]. Il entendait au contraire briser les barrières de son temps entre une élite de « gens pieux » et les « gens simples » [26], les hors-la-loi, les marginaux [27]. Son attitude totalement libre n'avait rien à voir avec cette mise à distance des autres, qui caractérise l'état de clerc dans l'Église catholique.

La pensée cléricale est donc dans l'illusion totale quand, dans son désir de justifier ses positions en se réclamant d'un modèle extérieur, elle prétend trouver dans l'histoire de Jésus le fondement de ses positions. Elle ne fait ainsi qu'éliminer une vraie réflexion sur l'expérience humaine, cela au profit d'une pure projection. En vérité, il faut reprendre à nouveaux frais, psychanalytiquement, l'affirmation selon laquelle il vaut « mieux » ne pas fonder de famille, en la resituant dans l'histoire du clerc, plutôt qu'en la déduisant de la parole de Jésus en Mt 19,10 [28] ; car, dans le cas du clerc, il ne s'agit pas d'un refus du mariage et de la famille en général, mais de celui d'un *type précis* de mariage et de famille, celui qu'on a connu dans sa propre enfance et dans sa jeunesse. C'est donc subjectivement qu'il n'apparaît pas « bon » de se marier, cela au point de faire du refus de ses parents, entendons concrètement du refus de leur mariage, un principe de base de tout son projet de vie.

Ce point permet de préciser un peu plus la structure psychique de la vocation cléricale en montrant comme elle diffère ici notablement de celle du « chef », Lucien Fleurier. Toute l'évolution du antihéros de Sartre paraît le prédestiner à n'être qu'un sceptique en matière conjugale. De fait, s'il se marie, ce n'est pas pour ces motifs « bourgeois » que seraient l'inclination et l'amour, mais uniquement à la suite d'une résolution violente et boudeuse d'acquérir une situation lui permettant de décider de ses propres normes pour une existence bourgeoise qu'il méprise. On trouve donc chez lui une méfiance du mariage similaire à celle du clerc, et elle provient, elle aussi, d'une expérience du couple formé par ses parents. Mais il dispose d'un moi plus fort, et il cherche donc à résoudre son problème de façon active, sthénique, donc en prenant lui-même sa décision. Le clerc, lui, n'a pas cette force. Il proteste donc contre le mariage de ses parents, mais, comme écrasé par le poids de leur exemple, il se convainc qu'il ne parviendra jamais à mener une existence bourgeoise ordonnée. L'orgueil d'un Fleurier et la résignation du clerc, qui les situent certes tous deux aux marges de la société, ne leur permet pas moins de retrouver par un détour une certaine forme de considération sociale. Il s'en faudrait cependant de peu qu'ils ne glissent tous deux vers des formes pathologiques d'asocialité. A cet égard déjà, la renonciation aux liens familiaux dans la « vocation » cléricale crée en un certain sens une option de vie plus risquée, plus menacée. Mais l'important, ici encore, c'est de bien voir que l'attitude cléricale repose sur l'arrière-fond de l'insécurité ontologique. Il serait donc tout à fait insuffisant de vouloir l'expliquer à partir d'un problème sexuel, lequel n'intervient psychologiquement que beaucoup plus tard.

Que peuvent faire ceux qui ne se sont jamais sentis « chez eux » à la maison ? Des filles et des garçons moins bloqués par leur surmoi se mettent très tôt, dès 16 ou 18 ans, à la recherche d'un partenaire avec lequel ils peuvent espérer construire leur propre « nid », en remplacement de celui de leur parents. Mais le futur clerc est structurellement trop inhibé et trop coincé pour se risquer de lui-même à franchir ce pas. Il ne peut envisager de substitut à la douce retraite familiale, si cruellement manquante, que survenant de *l'extérieur*. C'est précisément ce qui fait l'attrait d'un ordre religieux : là, les « sœurs » et les « frères » ne se chamailleront et ne se battront sûrement plus. Plus besoin (ou rarement) d'élever la voix, dès lors qu'on vit sous la protection de vénérables « pères » ou « mères » qui, à la différence des parents, jureurs, buveurs et querelleurs, se meuvent dans l'amour du Christ et sont la bonté, la douceur et la patience personnifiées. Tout devient simple, dès lors qu'on pousse à bout la logique de la résignation devant ses propres possibilités d'exister. C'est comme si enfin un cercle se refermait.

Toutefois, si la résignation implique le renoncement à l'affrontement, elle ne signifie nullement pour autant la disparition d'une agressivité notable. Revenons une fois de plus sur l'exemple de saint François : sa décision d'adopter la vie monastique conjugue une mentalité d'extrême douceur et une protestation œdipienne tout aussi extrême contre son propre père et contre le couple que forment ses parents, celle-ci pouvant engendrer celle-là. Mais il reste toujours difficile de discuter du problème, tant le choix d'un ordre religieux comme famille de remplacement permet de refouler son aspect agressif et protestataire. Comment concilier celui-ci avec la teneur du Sermon sur la Montagne ? Cette seule question suffit à susciter la censure du surmoi. Ce à quoi il faut ajouter un autre facteur de blocage de l'agressivité, bien antérieur à ce motif moral, un mécanisme qui s'est mis en place dès les années d'enfance : l'angoisse de ne plus pouvoir exister dans sa propre famille si on commence à prendre vraiment au sérieux les conflits familiaux par trop évidents et l'idée qu'on rendrait ceux-ci par trop explosifs, et donc insolubles, pour peu qu'on commence à en parler. A l'origine des vocations cléricales, on observe constamment *cette peur du mal que pourrait provoquer une critique ouverte* de ses propres parents, une peur qui conduit à la volonté de s'adapter à tout prix, fût-ce au prix d'une *négation de la réalité* confinant au fantastique : chez les parents, tout va bien ! Oui, il faut considérer que tout va bien ! Malheur à qui met en doute — au psychothérapeute, par exemple — la justesse de ce comportement d'enfant : il aura droit à la décharge de toute l'agressivité accumulée au départ contre les parents. Et quand on se heurte à un autre cas de figure, celui où l'intéressé déverse, sur le mode œdipien, les reproches les plus violents sur l'un des parents — le garçon sur son père, la fille sur sa mère — pour n'en prendre qu'avec plus de détermination le parti de l'autre, cette attitude n'apparaît une fois de plus que comme une réaction parfaitement morale : n'est-ce pas un *devoir* de protéger et de soutenir par exemple une mère souffrante ou un père condamné à la solitude ? On comprend dans tous les cas pourquoi la doctrine de la sainteté du mariage sacramentel aussi bien que la thèse ecclésiastique de son indissolubilité jouent un tel rôle dans la psyché cléricale : elles servent pour une large part à se protéger contre sa propre agressivité à l'égard du couple parental, lequel doit être considéré devant Dieu comme « sacré » aussi bien qu'« éternel » — comme en fin de compte l'état clérical lui-même.

Cependant, cette protection est aussi ce qui permet à l'*attitude profonde*[29], à l'agressivité latente, mais neutralisée, de se faire jour à travers la *façade*. Quelle que soit la prudence des considérations théologiques des clercs sur leur état, et en dépit même de leurs dénégations formelles, ils ne peuvent éviter une certaine dépréciation de l'institution du mariage : elle reste de l'ordre du provisoire, du terrestre, de l'imparfait, du mondain, donc de ce qu'il faut dépasser en vue du Royaume de Dieu. La critique protestante, en particulier Hegel, l'a déjà clairement montré : « Il ne faut pas dire que le célibat est contre nature mais bien contre la morale. Il est vrai que l'Église a mis le mariage au nombre des sacrements, nonobstant cette conception, il fut dégradé puisque le célibat passe pour une condition plus sainte[30]. »

La décision de se faire clerc, c'est évident, n'en reste pas à une critique philosophique *indirecte* de l'institution du mariage en général : psychologiquement, c'est une critique *directe* du mariage de ses propres parents. C'est bien ainsi que la comprennent le plus souvent ceux-ci : pour eux, c'est un reproche. La difficulté qu'ils éprouvent devant une telle résolution n'est pas d'abord d'avoir à renoncer à leur enfant et de ne plus pouvoir compter sur ses visites de Noël ou d'anniversaire ; c'est avant tout le sentiment que leur enfant entend de son propre chef rompre le contact avec sa famille. Ce n'est pas sans raison que nombre de parents se demandent alors en quoi ils ont failli dans l'éducation de leur enfant, et que certaines mères viennent même en consultation de psychothérapie uniquement par désespoir de voir leur fils unique manifester l'intention d'entrer chez les Jésuites ou chez les Dominicains. Elles devinent bien que c'est pour lui la seule forme acceptable de remède à l'excès d'angoisse affectant son lien à son père ou à sa mère : il n'a pas d'autre façon d'exprimer combien la vie à leurs côtés lui est devenue insupportable ! Ainsi l'agressivité refoulée et inconsciente atteint-elle son but — avec cette différence que ce qu'on ne pouvait jusqu'alors exprimer librement et ouvertement prend désormais la forme rationnelle de volonté divine, d'offrande sacrée.

Veut-on vérifier notre thèse sur la façon dont l'agressivité est à la base, tant de la surévaluation dogmatique du mariage, présenté comme une communauté sacramentelle indissoluble, que de sa dévaluation simultanée à travers l'idéal monastique, et qu'elle est donc ce qui explique la constante interaction des deux idées ? Deux « vérifications expérimentales » suffiront .

— La première, c'est l'histoire même de l'Église qui la fournit, à travers le protestantisme. Il est étonnant de lire l'argument psychologique de Martin Luther, dans son *Grand*

Catéchisme de 1529, pour rejeter l'état monastique. Il affirme que « personne n'aime aussi peu la chasteté et n'a aussi peu envie d'être chaste que ceux qui, par grande sainteté, évitent l'état de mariage [...][31] ». Autrement dit, il pensait que la raison de se faire clerc était contraire aux véritables inclinations. En abolissant l'état monastique et clérical, il avait expressément l'intention, non seulement de mettre un terme à une hypocrisie manifeste ou secrète, mais aussi d'introduire dans les structures de l'Église une sorte d'hygiène psychologique. Mais c'est justement cette attitude décrispée des réformés devant le mariage et la sexualité qui a permis aux théologiens protestants de reconnaître en même temps la possibilité d'un échec du couple et de consentir au remariage des divorcés[32] (de la même manière d'ailleurs que les orthodoxes et les anglicans, qui, en même temps que l'ordination d'hommes mariés, admettent également la possibilité de dissoudre un mariage qui a échoué).

Contrairement à ce qui se passe chez les « réformés », la théologie morale catholique est toujours restée affaire de clercs non mariés. Veut-on alors comprendre les différences, allant jusqu'à une opposition complète, entre les diverses interprétations données aux textes bibliques sur lesquels les protestants appuient précisément leur position[33] ? Il semble qu'elles tiennent à la psychologie particulière des clercs célibataires. Si ceux-ci insistent tant sur l'indissolubilité du mariage, c'est pour une bonne part parce qu'ils cherchent à résoudre un conflit qui ronge leurs motivations. Le désir agressif de détruire, ou de voir détruit, le mariage de leurs parents est neutralisé par l'exigence antithétique de ne penser de mariage *catholique* qu'indissoluble. En le rappelant, ils n'oublient d'ailleurs pas d'insister sur le fait que cette exigence se fonde « surnaturellement » sur le *caractère sacramentel du mariage*. Ainsi y a-t-il une certaine correspondance entre le caractère surnaturel de leur propre vocation et le caractère surnaturel de la promesse matrimoniale (des parents). C'est bien là une vision morale idéale ; mais la part qu'y tient leur agressivité n'en est pas moins indéniable. Ils y satisfont par l'obligation faite aux époux — et à leurs propres parents — de se supporter mutuellement jusqu'à la fin de leur vie, en dépit des tensions conjugales. Il semble que l'interdiction du divorce prolonge leur refus de reconnaître les conflits qui ont marqué la vie conjugale de leur père et de leur mère : on n'a le droit ni d'en prendre conscience ni d'en parler ouvertement, sous peine de mettre en danger la permanence du mariage en soi. Cette définition du couple constitue alors comme une *vengeance des clercs sur leurs parents en tant qu'époux* : ils les condamnent à une vie qu'eux-mêmes ne mèneront jamais. D'où l'intérêt qu'ils trouvent à toujours se mêler de questions qui, apparemment, ne les concerneront pas. La raison ? Les déclarations catholiques sur le mariage répondent non pas aux difficultés et aux besoins des époux, mais à ceux que les clercs ont refoulés au fond d'eux-mêmes.

N'oublions pas cependant à quel point les questions psychologiques sont compliquées ! A côté des deux motivations que nous venons d'analyser, il en existe encore une troisième, dans le droit fil de Mt 19, 10. Si, dans le cadre de la morale catholique, la vie conjugale est difficile, il n'en sera que plus facile aux clercs d'y renoncer[34]. On comprend alors comment certaines idées, presque indéfendables théologiquement parlant, s'expliquent immédiatement pour peu qu'on analyse le psychisme des personnes qui les défendent.

— La seconde « vérification expérimentale » de notre thèse n'est qu'une simple constatation psychanalytique : au lieu de voir l'entrée dans les ordres ou dans la prêtrise comme un renoncement au mariage, on devrait plutôt dire qu'elle est la *conséquence* d'une incapacité psychologique à se figurer, ne fût-ce que de loin, une possibilité de trouver soi-même le bonheur dans la vie de couple. Dans les familles de clercs, il n'est pas rare de trouver plusieurs enfants célibataires du simple fait de l'exemple de leurs parents : une sœur suit son frère dans son presbytère catholique ou entre elle-même dans un ordre ; d'autres contractent un mariage, mais finissent par divorcer, en dépit de toutes les résistances et de leur drame de conscience. Quel paradoxe fréquent, que celui d'un évêque catholique qui se sent obligé de rédiger une lettre pastorale sur l'indissolubilité du mariage, ou d'un curé qui doit lire une communication similaire en chaire, alors que leur propre sœur ou frère vit quelque part dans l'adultère. Dans combien de familles la présence d'un clerc n'est-elle pas le signe d'une crise du couple parental, une remise en question de celui-ci ? Notons à ce propos qu'en remettant en question de son côté un certain langage solennel sur l' « élection » divine et la grâce surnaturelle de la fonction, la psychanalyse nous oblige à reprendre contact avec la souffrance humaine, dans ce qu'elle a de plus simple. Certes, à travers elle,

Dieu nous parle ! Mais celui qui se confronte réellement à elle évite à tout le moins de conclure doctement, mais inhumainement, sur la grâce. — Pour le reste, il faut se rappeler la règle statistique selon laquelle, au front, pour chaque tué, il faut compter environ quatre blessés ; de même, dans les familles de clercs, faut-il sans doute pousser l'estimation numérique des dégâts psychologiques réels bien au-delà de ce qui en apparaît extérieurement. Disons dès maintenant (nous aurons à y revenir) qu'il n'est de meilleure bouillon de culture du clerc que la famille catholique respectueuse de son devoir, malgré sa situation d'échec.

C'est dès lors évident : la règle sévère qui oblige le nouveau venu au séminaire ou dans une congrégation à couper le contact avec sa famille, même élargie, n'est pas seulement une obligation extérieure. Comme d'autres règles similaires, elle se fonde sur le *besoin latent* de tourner le dos aussi complètement que possible, et une fois pour toutes, à sa propre maison familiale. Il suffit de voir le degré d'aversion de nombre de prêtres et de religieuses envers leur parenté, même proche. Elle explique la honte que certains peuvent ressentir lors de la visite des leurs pour la prise de voile, l'ordination ou toute autre occasion : « Ils ne sont pas dans le coup ! », « Ils n'y comprennent rien » ; ce à quoi s'ajoute le sentiment de culpabilité de les avoir quittés trop brusquement, ce qui gêne considérablement la reprise de contact. Bien sûr, on les remercie chaleureusement de l'éducation qui a permis à leur enfant de devenir clerc ! Ce qui n'empêche pas les parents de continuer à protester intérieurement : qui donc s'occupera du père ou de la mère, quand l'autre sera malade ou disparaîtra ? De façon générale, un curé ou une religieuse sont eux-mêmes trop accaparés pour pouvoir jouer en plus les soutiens de famille ! Ce devoir retombera donc sur les autres frères et sœurs. A moins que, d'emblée, la mère ne rejoigne son fils dans son presbytère, tout simplement parce que celui-ci n'arrive pas à se libérer de sa pression. Mais les difficultés qui en résultent ne font qu'aggraver et multiplier les sentiments d'ambivalence déjà présents.

Erreur de penser que l'histoire de la dépersonnalisation du rapport entre le clerc et sa maison paternelle s'arrêtera là ! Toujours l'inconscient développe sa propre dialectique contre le conscient, et cultive en lui-même ses propres ambivalences et contradictions. Ce n'est pas parce qu'on n'a jamais connu de chez-soi qu'on cesse psychologiquement d'en connaître la nostalgie. Si celle-ci a contribué à pousser le clerc dans sa voie, il est inévitable que les *déceptions* ressenties devant la réalité de l'Église la fasse ressurgir. Les institutions se montrant incapables de répondre aux angoisses et aux conflits liés à l'insécurité ontologique, sinon en renforçant celle-ci et en écrasant la personne, le clerc rêve plus que jamais de se sentir accepté en un lieu sûr. Les « frères » et « sœurs » qu'on lui impose en guise de famille de remplacement le laissent douloureusement frustré. Sa « sécurité » n'a rien d'un abri. La communauté a beau tout faire pour consolider son surmoi, rien n'y fait : il se sent insignifiant, abandonné, mal-aimé, donc livré à une *solitude radicale*. De là ce fait paradoxal : les mêmes prêtres et religieuses qui, originellement, ont cherché quasiment à fuir leur maison paternelle, se mettent à évoquer en rêve un retour à cette maison et reprennent irrésistiblement les relations avec leur parenté. On l'a bien vu après Vatican II, cette césure spirituelle si importante du catholicisme au XXe siècle : dans certaines communautés religieuses, il a suffi de desserrer la réglementation concernant les relations avec la famille (voyages chez soi, correspondance épistolaire, visites), pour qu'on assiste à une véritable explosion de toute la nostalgie accumulée des années durant. On a vu des religieuses se lancer dans la rédaction de chroniques familiales et d'arbres généalogiques, se mettre frénétiquement à la recherche d'archives familiales même les plus lointaines, se transformer en centrale de documentation des leurs. Mais, hélas ! la vieille tragédie se répète : on les respecte et on les estime pour leur vie de service, de renoncement, de sacrifice ; on voit en elles de « bonnes âmes » et on leur sait gré de passer des journées entières au chevet de frères et de sœurs, d'oncles et de tantes à l'article de la mort ; mais les relations humaines n'en restent pas moins distantes, forcées, presque crispées, avec un amer relent d'ennui devant leur manque de personnalité. N'être l'enfant de personne, est-ce le prix à payer pour être un enfant de Dieu [35] ?

4. *La détermination de l'avenir : le serment*

Depuis qu'il y a un clergé, l'Église catholique s'est toujours bien doutée de la fragilité des bases psychologiques sur lesquelles elle a tenté d'asseoir ce domaine de son institution : la liberté du sujet ne cesse de la menacer. Impossible de faire jamais totalement disparaître la spontanéité de la personne. Il faut donc tenter de l'intégrer dans l'édifice bâti sur le rocher de Pierre.

C'est là le danger constant auquel se trouve confronté tout groupe, toute organisation : comment désamorcer la possibilité de voir certains membres dénoncer leur appartenance au tout ? Comment prévenir le risque d'une appartenance libre, donc par nature non fiable, puisque révisable ? Pour résoudre ce problème, il n'est de groupe qui n'ait recours à une violence intériorisée : il faut que l'individu transforme lui-même sa liberté en un lien de contrainte indissoluble. C'est possible, si on oblige chacun de ses membres (au moins ceux qui y occupent des positions importantes) à promettre solennellement, au vu et au su de tous, donc par un vœu, de ne mettre effectivement en jeu sa liberté que sous une forme *à tout jamais* liée, décidée, déterminée. L'individu doit *jurer*, pour que le groupe puisse être sûr que sa liberté est désormais enchaînée. Seule cette contrainte, cette procédure, qu'on imposera à tout préposé à une fonction, garantira la stabilité de l'ensemble en désamorçant l'explosif au cœur de chacune de ses parties. Telle est la violence structurelle que, plus qu'aucun autre, J.-P. Sartre a su décrire magistralement en parlant de la *fraternité-terreur* que crée le serment[36].

Le groupe qui exige cette promesse de fidélité montre combien il est conscient de sa propre instabilité. Il sait d'avance que, sur bien des points décisifs, l'attraction qu'il exerce et sa crédibilité interne laissent à désirer. Il a également conscience de la tendance latente de ses membres à prendre la tangente en cas de crise. En d'autres termes, il a besoin du serment dans la mesure où pourrait subsister *l'angoisse de tous devant la liberté de chacun*. Pour supprimer cette angoisse, il n'est d'autre moyen que d'enchaîner la liberté, donc de forcer à intérioriser, sous forme de sentiment de culpabilité, une contrainte extérieure. Pour que celle-ci soit vraiment efficace, donc pour détourner de toute défaillance, il faut y adjoindre les punitions le plus douloureuses possible en cas de violation de la promesse. Il ne suffit pas alors que le groupe fasse le procès du parjure ; il faut encore que Dieu lui-même vienne au ciel consacrer de sa sagesse éternelle le décret vengeur qui châtie l'*outlaw*[37]. Il ne s'agit plus ici d'une simple transposition mythique de vieil égoïsme archaïque du groupe (lorsque, à partir de 1935, Adolf Hitler obligea les aumôniers militaires à prêter serment au drapeau, était-ce un serment à Dieu ?), mais de la mutation de Dieu en chef invisible du clan ou de la patrie, confusion contre laquelle l'Église du Christ, de par sa nature, aurait dû rester immunisée.

Jésus lui-même a formellement interdit le serment à ses disciples (Mt 5, 33-37)[38], et l'Église primitive s'en est tenue strictement à cette pratique (Jc 5, 12)[39]. La raison en saute aux yeux : si l'angoisse est le principal problème des relations humaines, il n'est pas possible de s'en rendre maître en rabaissant le « Seigneur Dieu » au niveau d'un épouvantail, sous peine de renforcer et de projeter métaphysiquement cette angoisse au niveau divin. L'histoire a bien montré comment une telle morale, faite de rigidité et de violence, court à sa ruine. Inversement, en rejetant la pratique du serment comme une absurdité contraire à l'essence de Dieu, Jésus demandait à ses disciples de faire preuve d'assez de courage pour surmonter leur angoisse, non en multipliant les assurances solennelles les garantissant les uns contre les autres, mais en vivant dans la confiance, sans assurance, en Dieu. Autrement dit, pour Jésus, Dieu est le fondement essentiel d'une existence de groupe soustraite d'emblée à l'angoisse et à la violence. En prétendant anéantir sa source même, le serment la fait rejaillir en une angoisse de punition bien incapable de résoudre dans l'esprit du Christ le problème de la fuite angoissée de chacun devant tous. Il dépouille l'être humain de sa seule possibilité de faire preuve de confiance envers Dieu, cette confiance qui ferait s'évaporer les derniers restes d'inhumanité des structures de groupe.

Comment concevoir alors que, comme tous les autres groupes humains, une communauté telle que l'Église catholique, qui se déclare nécessaire au salut de l'humanité, ait recours au serment pour s'assurer de la fidélité de ses dirigeants et de ses hommes clés ? En toute autre institution, cette façon de faire n'apparaîtrait qu'ironie de l'histoire ; mais quand il s'avère que nulle part on ne prête autant de serments que dans l'Église du Christ, cela devient défaillance tragique.

On ose à peine évoquer cette farce qui consiste à faire comparaître à leur confirmation des filles et des garçons de 12 ans devant l'évêque de leur diocèse pour renouveler (?) leurs promesses baptismales (?). Ces jeunes, encore à moitié enfants, renoncent « solennellement à Satan et à toutes ses œuvres » et s'engagent à suivre, leur vie durant, les enseignements de l'Église. Déjà, à propos de la *confirmation protestante*, Søren Kierkegaard avait fait ironiquement remarquer qu'on devrait au moins à cette occasion munir les confirmands d'une fausse barbe pour que l'affaire ait quelque apparence de sérieux ; à ces jeunes, on ne confierait pas 100 ducats. Or voici qu'ils doivent se porter formellement garants de leur salut et de leur damnation[40] ! Quelle comédie ! L'Église catholique a donc si peu confiance en ses membres qu'elle estime qu'il n'est *jamais trop tôt* pour obliger des mineurs à s'engager ainsi ! A vrai dire, elle n'a pas totalement tort : quelques années de plus, et combien d'adolescents se prêteraient encore en toute liberté à cette « confirmation » ? Dans ce rite solennel, on voit bien la volonté de garantir l'appartenance au groupe ; mais où sont la sincérité et le sérieux existentiel ?

Ce n'est qu'un premier exemple d'un style plus général qui s'impose partout. Cette manie de serments sous toutes ses formes s'étale dans toute sa « splendeur » en se déployant tout au long de la carrière ecclésiastique : à chaque haie, on jure ! Sur la Bible ! Une Bible où il est pourtant écrit : « Et moi, je vous dis de ne pas jurer du tout », et : « Tu ne prononceras pas le Nom de Yahvé ton Dieu à tort » (Ex 20, 7)[41]. Le problème n'est pas tant ici celui de la *teneur* du serment, encore qu'on puisse rappeler comment, plus d'un demi-siècle durant, avant leur ordination, diacres et prêtres devaient — monstruosité spirituelle — prêter le « *serment anti-moderniste*[42] », et donc répudier par avance les conquêtes de la réflexion philosophique du XIXe siècle. L'essentiel en la matière, c'est la *prestation* elle-même, qu'elle soit le fait de prêtres, de professeurs de théologie ou d'évêques : l'Église n'en a jamais assez. Il faut rejurer, si possible tous les ans, qu'on sera à jamais fidèle. Même chose pour les religieux à chaque anniversaire de profession. Le système d'intimidation va si loin qu'on a vu des groupes de prêtres célébrant leurs cinquante ans d'ordination conclure l'allocution de l'évêque en chantant, larmes aux yeux, comme des premiers communiants : « Que mon lien baptismal soit toujours ferme ! Je veux obéir à l'Église. Qu'elle me voie inébranlable dans ma foi et docile à ses enseignements ! Que soit remercié le Seigneur qui m'a fait la grâce de m'appeler en son Église !... » L'identification parfaite à l'Église est donc la condition nécessaire pour servir Dieu en chrétien ! Celui qui en arrive là a tellement intériorisé ses serments qu'il n'est plus que conformisme.

On le voit, le problème du serment dépasse de beaucoup celui, psychologique, de l'angoisse évidente d'une Église qui, pour se rassurer, a toujours besoin de le faire répéter. De fait, par cette pratique, l'Église elle-même se désavoue en tant qu'Église du Christ, et s'aligne sur la psychodynamique de n'importe quel autre groupement, de l'État par exemple. Au lieu d'influencer les organismes de pouvoir politique dans un sens d'humanisation, en les conduisant à faire de la confiance, au moins entre leurs sujets, le fondement même de leur existence, elle considère apparemment comme tout à fait normal — mais en nette opposition avec les paroles de Jésus — de consolider dans ses propres institutions la logique de l'angoisse. Qu'on le veuille ou non, le serment vide l'Église de sa substance. Il mine le caractère de ceux qui le prêtent. Sa perfidie vient de sa prétention à planifier, à contrôler, à prévoir obligatoirement l'inconnu de l'avenir humain.

Nous l'avions vu, l'Église catholique enserre ses clercs de ses prescriptions : elle limite la mobilité *dans l'espace* par le vêtement (pour ne pas parler du « vœu de résidence » de certains ordres) ; elle lie le *temps* par le rythme intangible des heures canoniales ; elle proscrit le *passé* en restreignant les relations à la famille ; finalement, elle entend déterminer *l'avenir*. Pour garantir la durée de l'institution, il faut enlever à l'individu sa liberté de développement. Par le serment, il doit se condamner lui-même à un véritable *statu quo* psychologique, s'engager à rester tel qu'il est présentement. Il pourra vieillir, certes, mais il ne devra pas changer. Peu importe ce qui surgira dans la suite des temps : il ne devra interpréter ses nouvelles expériences que selon le schéma fixé lors de son entrée en fonction dans la cléricature. Telle est l'injustice flagrante qu'impose psychologiquement le serment : *l'interdiction d'un développement personnel*, la négation d'un avenir vivant, *la détermination moralement obligatoire de l'avenir*. Qui songerait à garantir plus de cinq ans une auto ou un engin mécanique, même avec le meilleur entretien et les contrôles les plus poussés ? Mais s'agit-il d'êtres humains, pensants et sentant ? On entend garantir qu'au bout de cinquante ans ils continueront à penser exactement comme le premier jour sur les points essentiels de l'existence.

Dans l'Église, le serment est la manifestation la plus claire de l'angoisse, de la tension psychologique et de la duplicité intérieure de ceux qui doivent le prêter : les clercs. Il les conduit à obturer la dernière voie d'accès à ce qui pourrait permettre maturation, développement, humanisation progressive, intégration épanouissante. Il marque leur entrée définitive dans le ghetto hermétiquement clos de leur fonction.

5. La détermination de l'activité : la fuite dans le « ministère »

Quand ne subsiste plus aucune ouverture à l'avenir, à la liberté, au devenir personnels, il reste encore une issue, toute tracée d'avance : l'intensification de la dépersonnalisation par la fuite dans le « ministère », dans le travail.

La vieille sentence monastique de l'*ora et labora*, la distribution de la journée en temps de prière et temps de travail est en elle-même fort sage, si on entend par là que toute période d'activité appelle le soutien d'une période de méditation, et qu'inversement toute méditation débouche sur une action pratique. C'est un continuel va-et-vient de systole et de diastole, de tension et de détente, le rythme d'une âme qui inspire et expire. Mais comme la vie de prière du clerc s'est dévoyée en rituel aliénant, son travail n'en accuse que plus les marques de l'impersonnalité et de l'obligation : sa « justice » est celle des « œuvres », au sens protestant du terme. Attitude intérieure et pression des circonstances jouent encore un rôle. Mais la synthèse entre « le devoir et l'inclination » n'est que rarement heureuse ; elle peut au contraire prendre des formes dramatiques de situations sans issue.

Une personne non avertie aura du mal à se figurer la force de la pression extérieure sur les prêtres et sur les religieux ou religieuses d'ordres non contemplatifs. Une infirmière ordinaire a un contrat réglant son temps de travail ; une sœur, appartenant par exemple à un ordre charitable comme celui des Filles de la Charité de saint Vincent ou de saint Clément, est continuellement sur pied de service. On attend d'elle qu'elle soit toujours disponible. Quoi qu'on lui demande, elle doit le faire, que ce soit au bénéfice du médecin-chef, d'un patient ou de l'aumônier d'hôpital. Un « non » serait contraire à l'esprit d'humilité, un refus d'imitation du Christ.

On a souvent dit que les travailleurs de l'Église devraient avoir leurs syndicats, tant la façon dont celle-ci se conduit avec ses employés rappelle le style du premier capitalisme anglais, au début du XIXe siècle[43] : elle est restée largement à l'écart des luttes ouvrières et des discussions sur l'instauration des droits sociaux. En Allemagne fédérale, elle bénéficie du privilège de faire prélever par l'État séculier, contre rémunération, l'impôt dû par les citoyens inscrits sur ses rôles. Mais, cela fait, elle ne se considère plus que comme une entreprise privée, donc libre de décider de l'usage des sommes encaissées, des contrats de travail, des salaires qu'elle paie. L'État, cela va sans dire, trouve tout intérêt à laisser durer cet état de choses, car les ordres charitables le déchargent de frais considérables en matière d'hopitaux, d'hospices de vieillards, d'orphelinats, ces lieux privilégiés de la charité chrétienne qui étaient jadis entièrement entre les mains de l'Église[44] : tant que celle-ci fait bien les choses, pourquoi l'administration s'en mêlerait-elle ? Elle a assez à faire avec ses propres établissements. En même temps, la médecine a acquis une certaine efficacité dans la lutte contre la douleur, la maladie, les épidémies, le vieillissement. L'Église, qui s'est longtemps opposée à la science, a bien dû en tenir compte, en dépit de ses réticences, donc former ses gériatres, ses psychiatres, ses pédagogues. Chez les religieuses des ordres charitables, ce surcroît de travail provoque un surmenage chronique et l'impression constante d'être assises entre deux chaises.

Quelques remarques suffiront pour illustrer la distorsion entre les *intentions et la réalité*. Lorsqu'il fonda sa communauté de sœurs pour les soins des malades et des pauvres, saint Vincent de Paul se donna un mal énorme pour convaincre des femmes de milieux aristocratiques de dépasser leurs préjugés et d'accepter de voir la misère des orphelins exposés, des mendiants et des veuves jetés dehors dans les rues de Paris[45]. L'organisation qu'il créa permettait le passage immédiat du sentiment à la pratique, de la pitié à l'acte effectif. Il en va tout autrement aujourd'hui. Pour pouvoir secourir un malade, les filles de la charité doivent s'astreindre à une formation d'infirmière ; elles ne peuvent venir en aide à un orphelin sans avoir étudié la pédagogie sociale ; tout cela coûtant du temps et de l'argent. Mais qu'est-ce que cet enseignement a encore à voir avec leurs objectifs initiaux ? En quoi ce qu'elles sont relève-t-il de la pastorale ? Le drame, c'est que la théologie catholique ne s'est jamais penchée que de façon abstraite et moralisante, et non concrète et spirituelle, sur le problème de la souffrance[46]. Se défendant contre la psychanalyse, rivée sur l'affirmation d'un rapport mystérieux entre le péché et la maladie, elle a tout ignoré de l'angoisse, de sa dynamique somatique et psychique, de sa place dans l'existence. Comment des religieuses pourraient-elles s'y retrouver ? De là vient qu'on ne sait plus ce qu'elles viennent faire, ce qui justifie leur présence dans les hôpitaux ou les maisons de retraite que leurs ordres gèrent encore.

En pastorale, les clercs se heurtent à des difficultés du même genre, quoique moins visibles. Dans les paroisses aussi, le manque de personnel se traduit objectivement par une pression considérable sur les personnes. En République fédérale, dans certains diocèses, un tiers des paroisses rurales n'ont déjà plus de prêtre et il faut organiser le service par secteurs[47]. La baisse alarmante du recrutement sacerdotal provoque depuis longtemps une accumulation des fonctions et des tâches telle que n'en avaient jamais connu les générations passées.

Étonnante, l'impression que donnent des conversations avec des confrères âgés ! Il y a cinquante ans, ils disposaient encore d'une vingtaine d'heures, du lundi au samedi, pour préparer leur homélie dominicale de dix minutes. Ils passaient le lundi comme un vrai « dimanche de curés » en jouant aux cartes et en se baladant. Pour le reste, ils jouissaient d'un prestige social qui les aidait vaille que vaille à supporter certaines privations, comme le célibat. On peut sans crainte affirmer que leur état psychologique témoignait d'un relatif équilibre tant que leur restait largement ouverte cette issue compensatrice qu'étaient la reconnaissance publique d'un pouvoir social et une aisance apparemment assurée. En ce temps-là, le peuple venait encore voir le curé : on avait besoin de lui pour les sacrements, pour le pardon des péchés, sans oublier — malgré les mauvais souvenirs de l'anticléricalisme — le fait qu'il incarnait et confirmait l'unité, voulue par Dieu, de l'Église et de la patrie. Le droit canon, dans sa formulation mémorable de 1917[48], et les déclarations infaillibles du Saint-Siège fournissaient des réponses à toutes les difficultés imaginables, de l'épistémologie à la philosophie de l'histoire et de l'astrophysique à la biologie moléculaire[49].

Aujourd'hui tout va différemment : on les sent inquiets, nerveux, voire neurasthéniques. Le dimanche, à la messe, il ne leur suffit plus de chapitrer les gens, surtout ceux qui ont l'audace de ne pas y être, dans le style rhétorique en usage au XIXe siècle. Voilà que depuis Vatican II, leur prêche doit être une homélie fondée sur la Bible, une explication des lectures et des évangiles prévus ce jour-là ! Le critère d'une bonne prédication, ce n'est plus le nombre prescrit de syllabes, comme on l'enseignait encore au début des années 50 dans certains cours de prédication. Il faut parler e-xis-ten-tiel-le-ment ! Autrement dit toucher les gens au cœur de leur vie (où sont ces décennies de lutte contre l'herméneutique « existentiale » de R. Bultmann ?) Le « ministère » tient désormais du travail du V.R.P chargé de promouvoir une affaire dont personne ne veut plus. Il faut que les offices soient plus vivants, si on ne veut plus donner aux enfants de 8 ans l'impression que la religion catholique se réduit à une somme de devoirs à remplir, vissé sur son siège, figé d'ennui. Mais, en matière de spontanéité et de créativité, les règles de la célébration de la messe n'offrent guère de marge de manœuvre. La suppression de presque tous les offices autres que la messe dominicale fait que celle-ci doit répondre à tout. Comment alors la vivre comme sommet de la vie chrétienne, comme point de convergence de toutes les autres manifestations de piété ? Qu'on le reconnaisse ou non, elle ressemble de plus en plus à la cène protestante, où l'essentiel, c'est le *sermon*. Or, la qualité de celui-ci dépend essentiellement de celui qui le fait... nouvelle charge ! Au cours des vingt-cinq dernières années, le nombre des pratiquants a diminué partout de moitié. Impossible donc d'en rester à une religion formalisée de manuels et de rituels qu'on récite et qu'on dévide. Il faut motiver les gens, si on veut qu'en cette fin du XXe siècle la piété présente encore quelque intérêt. Aujourd'hui, le contenu de la religion se transmet de personne à personne ou ne se transmet plus. Or, c'est là la faiblesse du clerc : étant donné l'impersonnalité de sa fonction, comment relever le défi ?

Le véritable surmenage des prêtres ne tient qu'apparemment à l'accumulation indéfinie des charges et des devoirs. On peut même dire au contraire que la multiplication de leurs tâches tient toujours davantage à l'obligation où ils sont de s'occuper de gens qui, d'eux-mêmes, ne se soucient plus guère de l'Église. Dans le fond, il s'agit ici des conséquences de l'effondrement de toutes les structures établies, autrement dit de la nécessité d'enterrer une bonne fois un certain style de pastorale. Celle qui consiste à utiliser rites et règles canoniques pour faire descendre sur les gens une grâce salvifique divine accumulée comme un dépôt sacré. Maintenant, il s'agit de transformer toutes les formes d'expression de la foi chrétienne en une gerbe de propositions dans lesquelles les gens pourraient eux-mêmes découvrir une source de salut[50]. Car qui a encore envie de connaître les raisons théologiques qui rendent l'Église catholique romaine « nécessaire au salut » de tous les hommes ? On veut tout simplement voir ce qu'elle peut offrir, à travers ses représentants, et dans le cadre de son organisation. Bien sûr, tout cela est lié à la mutation sociologique, à l'urbanisation croissante ! A la fin du siècle, il y aura sur Terre près de quatre milliards de citadins, quatre cents villes ayant plus d'un million d'habitants[51] ! Le problème ne réside pas cependant seulement dans l'effondrement des structures rurales de la pastorale[52]. Il est celui d'une réorientation spirituelle de grande envergure.

Lorsque, après 1945, l'Église catholique allemande se réveilla du cauchemar du IIIe Reich, elle cria à la fatalité : le nazisme avait fondu sur le pays comme une épreuve, et l'Église catholique n'avait en tout cas aucune espèce de responsabilité dans le système de ces déments, de ces criminels qui avaient séduit le peuple. Le danger venant du bolchevisme athée, il était évident qu'il fallait continuer de combattre aux côtés de Konrad Adenauer contre l'Est. Pour le reste, il n'y avait qu'à restaurer l'Église dans les formes d'avant 1933, avec ses associations, ses organisations et ses cercles. On s'est ainsi refusé à tirer la véritable leçon de l'époque hitlérienne : le caractère désastreux de toute prétention à répondre à l'angoisse des humains avec les moyens de la psychologie de masse. Au lieu de fortifier spirituellement les personnes, on a voulu calmer leur peur devant le chaos possible de la liberté à coups de règlements collectifs[53]. Aujourd'hui encore, les patronages, les groupes d'enfants de chœur, d'action catholique, de scouts, sans compter le cercle local de tir à l'arc ou au pigeon, la chorale de la basilique, le groupe des amis du quart-monde, celui du prochain pèlerinage et Dieu sait quoi encore absorbent encore une part considérable du temps disponible des vicaires et pasteurs en paroisses, de quoi remplir les soirées de la semaine ! « Pour supporter cela toute ma vie, il me faudrait le tempérament d'un cheval à bascule », me disait, songeur, un curé, il y a des années déjà. Ce n'est pas qu'une question de manque de temps ! C'est aussi son gaspillage, manifestement absurde, qui rend le « ministère » si harassant. Il est vrai qu'il existe des prêtres, des prélats et des évêques dont la structure psychologique paraît comme faite sur mesure pour ce catholicisme d'association !

La plupart des prêtres d'aujourd'hui doivent bien se rendre compte que rien ne va, que rien n'ira, tant que cette mentalité restera la norme. Ils souffrent d'être obligés, à chaque occasion, de faire de la figuration sociale. Ils aspirent à rencontrer des hommes, des êtres humains véritables. Mais l'art en semble plus difficile qu'au temps de Diogène de Sinope, lequel se rendait sur la place du marché, en plein jour, en brandissant une lanterne sous le nez des gens et en clamant qu'il *cherchait* un homme [54].

Les responsables, ce ne sont évidemment pas les personnes. Les prêtres le sentent bien : ils ne font qu'incarner un système. Ils doivent l'administrer. Ils en sont captifs : il les empêche de faire ce qu'au fond ils voudraient et devraient faire. La *collaboration des laïcs ?* Certes ! Mais à condition qu'ils n'aient pas voix au chapitre, qu'ils n'aient pas part aux décisions importantes. Des *services de consultation ?* Bien sûr ! mais à condition de rester dans le cadre de la doctrine morale de l'Église. Des *assistants de pastorale ?* Évidemment ! A condition qu'ils ne prétendent pas prêcher et ne remettent pas en cause le style d'administration du curé. *Modernisation de la paroisse ?* Les idées et les possibilités abondent [55]. Mais rien ne peut bouger, tant reste dogmatiquement solide l'idée du prêtre homme « pas comme les autres ». Car c'est de lui qu'il s'agit ! C'est lui qui fixe les normes ! Les pouvoirs divins reposent sur ses épaules à lui, l'oint du Seigneur. Ainsi, le principe surnaturel de sa particularité continue-t-il à le déchirer lui-même, au cœur de sa tâche.

A Vatican II, on s'était mis d'accord sur l'idée — on en avait même largement reconnu la nécessité — de répartir la tâche pastorale du prêtre sur d'autres épaules que les siennes. Le *diaconat* ne devait plus rester une simple étape sur le chemin de la prêtrise, mais redevenir une fonction valant par elle-même, avec ses propres charges et ses prérogatives [56]. Naturellement, il aurait été alors logique de le conférer également à des personnes mariées, femmes et hommes. Avec la mort du pape Jean XXIII, cet esprit pastoral céda très tôt la place à une vieille préoccupation : qu'adviendra-t-il du caractère singulier du presbytérat, tel que l'a voulu Dieu ? Que deviendra ce célibat dont Jésus nous a donné l'exemple ? En d'autres termes, après un fatras impressionnant de discussions, le rôle du diacre se limite pratiquement à la distribution de la communion à la messe — à côté d'aides formés à cet effet... Mais ne peut prêcher que celui qui rompt le pain, donc le prêtre seul. S'il est marié, le diacre doit avoir au moins 35 ans pour qu'on puisse le considérer comme ayant une valeur confirmée, au moins dans cette voie « plus aisée » qu'est le mariage. S'il est célibataire, il doit faire vœu de le rester — mais alors pourquoi devrait-il n'être que diacre et ne pas devenir prêtre ? Au départ donc, il ne s'agissait pas seulement de procurer aux prêtres en fonction une « aide » absolument nécessaire, mais de compléter substantiellement leur état. Après vingt-cinq années d'analyses théologiques sur l'esprit toujours vivace de Vatican II, le diaconat ne subsiste que sous forme de curiosité gênante. Mais « qu'on ne vienne pas dire que l'Église est incapable de changer ! ».

Dans la plupart des pays la situation devrait bien conduire les hauts responsables à briser les structures cléricales de l'Église, dans l'intérêt bien compris de celle-ci. Car peut-on parler de « pastorale » quand, dans certaines régions du Brésil, un prêtre unique a toutes les peines du monde à visiter au moins une fois l'an « ses » paroisses[57] ? A l'époque de Vatican II, les évêques latino-américains supplièrent qu'on envoie des prêtres européens dans leurs diocèses qui en étaient dépourvus. Tout ce qu'ils obtinrent des évêques allemands, ce fut la promesse de n'empêcher personne d'aller cinq ans dans un pays latino-américain. Au fond du cœur, étant donné le manque relatif de prêtres en Allemagne même, on ne souhaitait pas trop de candidats. De ceux qui partaient, on attendait qu'ils fassent preuve de « loyauté » sur place : pas trop d'engagements politiques ! Pour le reste ? Dispenser les sacrements en lieu et place des prêtres manquants. On comprend que de telles perspectives aient surtout tenté des prêtres qui espéraient avoir au moins une fois dans leur vie l'occasion de se dépenser généreusement en accomplissant sur ordre une œuvre pour une fois juste, féconde et nécessaire. Comme toujours, les doutes sont venus plus tard.

Bien sûr, la pente n'est pas fatale. En Allemagne fédérale, depuis Vatican II, on se préoccupe de plus en plus de la formation et de l'engagement des « assistants de pastorale », nouvelle dénomination pour des personnes qui, depuis longtemps déjà, aident les curés dans leurs diverses tâches. Ce pourrait être une grande chance pour l'Église catholique. Les instituts supérieurs de théologie pourraient devenir des lieux pleins de promesses. Pour une fois, l'expérience religieuse et la réflexion se féconderaient réciproquement ; on ferait davantage place à l'épanouissement de la personnalité que n'en laisse la formation intellectuelle et morale, si formelle, du clergé actuel. Les enseignants eux-mêmes, cessant de jouer stérilement aux mentors érudits, s'assoiraient aux côtés de leurs élèves pour apprendre avec eux. Bien des signes indiscutables montrent que ces instituts spécialisés refusent avec raison de se laisser réduire au rang de facultés de théologie de second ordre, et tiennent à faire valoir leur originalité et leur indépendance. Mais non, hélas, impossible ! On se heurte aux deux obstacles qu'on a soi-même créés : l'argent et le pouvoir ! Engager des assistants de pastorale, c'est grever le budget du personnel diocésain ; c'est aussi accepter le dépérissement de l'influence cléricale.

Le problème financier de l'engagement éventuel d'assistants de pastorale pourrait trouver une solution : proposer aux paroisses sans prêtres — mais souvent avec des presbytères vides remarquablement bien installés — de subvenir elles-mêmes à l'entretien d'un tel assistant. C'est ce que font de leur propre autorité maints curés surchargés. Mais, pour le diocèse, cela signifie un risque de baisse du produit des quêtes, une atteinte au centralisme clérical au bénéfice de la pastorale locale, et avant tout une large autonomie de travail des assistants ! Car, derrière l'argent, il y a le pouvoir ! Si, dans des paroisses, des assistants de 25 ans président les offices, prêchent, portent la communion aux malades et se chargent peut-être même des enterrements, où va le clergé ? Pour éduquer chrétiennement les jeunes du terroir de Westphalie, il vaut sûrement mieux faire confiance à un vieillard de 75 ans que tolérer pareilles aberrations. Le pire, c'est l'idée qu'un simple laïc (même théologien diplômé) pourrait faire le sermon. Les jeunes sortis des instituts de théologie en savent généralement bien plus en théologie ou en exégèse que des curés, disons d'avant 1962, restés à leur savoir d'avant le Concile. Mais il ne faut pas le dire ! Il faut maintenir à tout prix la fiction de leur compétence théologique. Au diable l'idée de les soulager et de les rendre plus efficaces dans leur travail !

Dans ces conditions, ceux-ci ont plus une mentalité de managers que de prêtres. Ils se réfugient dans des activités de remplacement : refaire les cloches, repeindre les murs, trouver de l'argent pour un nouvel orgue baroque, autrement dit se donner à tout prix l'allure du clerc débordant d'activité. Mais les points de friction se multiplient, l'apathie grandit, et le sentiment s'instaure de n'être plus qu'un prisonnier dans une cage dorée, de n'avoir plus qu'*une vie d'emprunt*[58], de n'être plus qu'une marionnette. Il n'y a pas loin du désespoir de n'être plus soi-même à la tentation du repli sur soi et de l'asocialité, et même au sentiment de n'être plus rien.

Comment mesurer la souffrance de ces clercs, si on ne se rappelle leur point de départ : *le sentiment fondamental d'insécurité ontologique* qui leur avait donné de percevoir leur ministère comme une libération, comme une ultime façon de se sauver ? La seule compensation à leur impossibilité de s'épanouir, c'était leur activité de prêtre ou de religieuse. Or, voilà que cette voie, si prometteuse, leur est barrée. Comment cette frustration professionnelle ne provoquerait-elle pas une décompensation ? Que deviennent les idéaux si prisés jadis, la pauvreté, l'humilité, la chasteté, le don total, l'amour du Christ, ou d'autres similaires ? Psychologiquement, on sent déjà germer souterrainement les vices secrets ou les autopunitions masochistes.

Il suffit parfois d'un détail, une mutation par exemple. Mais ce rien, aux yeux d'un témoin extérieur, peut suffire pour « faire déborder le vase ». Certes, les religieuses le savent : il faut toujours « tenir la valise prête » pour répondre aux exigences de l'ordre. Aux exigences ? Disons plutôt aux prétextes ! Le problème est *moral* : ne jamais laisser quelqu'un goûter les fruits de son activité. Cela pourrait l'inciter à l'orgueil, au sentiment qu'une œuvre est la sienne, donc à oublier la vraie source du salut : l'ordre. Pour y remédier, un moyen simple et éprouvé : nommer une autre responsable, au plus tard au bout de trois à cinq ans ; obliger l'intéressée à changer d'activité, à en accepter une sans intérêt. Remarquable tactique, pour ramener à la discipline ! Ainsi, après 1945, avait-on contraint sœur Euthymia, infirmière éminente, aujourd'hui vénérée comme une sainte, à quitter son service dans un hôpital militaire pour la buanderie[59]. Salutaire humiliation, qui l'a sûrement aidée à vaincre toute velléité d'orgueil mondain ! Ne pas croire surtout que la supérieure lui en voulait : c'était tout simplement son devoir tout comme le garçon de restaurant sert le « menu maison ».

C'est vrai, il existe des « nécessités de service ». C'est un fait qu'il manque des prêtres et des religieuses en bien des endroits. Mais on en arrive à une politique de nomination des responsables d'Église et d'ordres similaire à celle de l'homme qui, pour chauffer sa maison, brûle le bois de sa charpente. Beaucoup de supérieurs savent pertinemment l'épreuve que constitue pour les personnes le constant changement d'occupation (et, pour les religieuses, les déplacements d'un couvent à un autre). Il arrive même parfois à telle supérieure d'avoir à subir l'amertume de retrouver telle ou telle religieuse qu'elle a littéralement, mais avec les meilleures intentions du monde, mise à la torture, en la déplaçant. Mais, à un moment ou à un autre, ce carrousel d'affectations finit par créer une mentalité de caserne. On fait son service sans plus se donner à rien ; on s'installe dans la passivité de victimes battues. « Je ne sais pas si je crois en Dieu, me disait il y a des années une religieuse, mais je crois au Jugement Dernier, parce que je voudrais y retrouver mes supérieures. »

Que faire, quand la vie vous a écrasé, qu'on est définitivement frustré, qu'il n'y a plus d'issue possible, au soir d'une existence jamais vraiment vécue ? Le drame, c'est que l'idéologie même du statut clérical interdit toute vie privée. Un hobby ? Une activité personnelle ? Égoïsme ! Restent l'hypocrisie et la duplicité, même en matière de plaisirs inoffensifs. Elles sont énormes.

Le blocage de l'affectivité suffit à barrer l'accès au monde de la peinture, de la poésie, de la musique même, à moins que la musique sacrée ne déborde quelque peu sur la musique profane. Mais, avec l'agenda surchargé, comment sortir voir un opéra ou une pièce de théâtre ? D'ailleurs, en matière de beaux-arts, l'origine sociale de la plupart, la classe moyenne, les inhibe et leur fait voir musées et salles de concerts comme les champs élyséens des couches supérieures de la société. Ils ne sont guère sujets aux émotions artistiques. Refoulées dans le professionnel, leurs émotions sont sans sublimation possible. Dans les moments de crise, combien peu sont en mesure de recourir à Dostoïevski ou à Rilke, à Chopin, Brahms, Van Gogh ou Edvard Munch ! Le risque, c'est la vulgarisation des joies défendues, qui peut conduire à des explosions pulsionnelles et à des satisfactions primitives en tout genre, à des décompensations chroniques dont les symptômes les plus fréquents, sinon les plus visibles, sont sans doute l'abus d'alcool et de médicaments.

Le thérapeute qui cherche à comprendre ce qui se passe derrière tout cela découvre vite que le problème n'est pas celui du surmenage en général, mais bien de *certains surmenages spécifiques.* Un clerc, par vœu, doit toujours être disponible. On peut donc l'affecter de façon absolument régulière, c'est-à-dire sans considération de sa personne, à un poste auquel il est inapte, même avec la meilleure volonté du monde. Le conflit entre sa motivation et sa frustration, toutes deux liées à son caractère, prend un tour tragique. Car de telles personnes en arrivent à désirer justement l'emploi qu'elles sont psychiquement incapables de remplir.

Face à ces idéaux cléricaux, la thérapie ne dispose que d'une marge de manœuvre extrêmement étroite. Comment permettre au moi de naître, de se fixer ses propres objectifs, de décider de sa vie ? Traiter des clercs revient à toucher à des instances jusque-là sacrées, à *déboulonner des dieux*[60], difficulté psychologique extrême ! Et cela se complique presque toujours du fait de l'opposition violente des sœurs ou des confrères, qui ressentent comme une menace et une agression personnelles tout changement de la personne en crise. Pourtant, impossible d'y échapper. Quand des digues se rompent, il faut commencer par dévier le fleuve. Sans restructuration du psychisme, en particulier touchant à l'identification du moi et du surmoi, pas de guérison possible. Le thérapeute doit apprendre à son patient à vivre personnellement, ce qu'il n'a jamais eu le droit de faire, ce que son idéal sacré le conduisait même à considérer comme exécrable. Comment convaincre ces gens que Dieu parle souvent de manière plus sage et plus salutaire à travers le langage de leurs sentiments, de leurs impressions, de leur corps, de leur sang, qu'à travers la voix des théologiens et peut-être même de certains livres de la Bible ? Pour cela, le thérapeute ne doit pas seulement faire preuve de patience et d'empathie ; il lui faut aussi être un familier de l'*analyse de l'existence*[61] et de l'*herméneutique existentielle*[62]. Pour s'y retrouver dans ce maquis de refoulements, de rationalisations, de contre-investissements, de compensations et de décompensations, de frustrations, de secrets et de reniements, l'idéal est donc que le thérapeute soit (ou ait été) lui-même clerc.

c. Des relations bloquées dans l'anonymat du rôle

Comment des personnes qui ont dû renier leur nom, leurs origines, et qu'on a uniformisées pour la vie et jusque dans la mort peuvent-elles vivre ensemble ? Dépersonnalisées au profit de la structure, aliénées, rétractées, enfermées en elles-mêmes, elles n'en ont pas moins à rencontrer les autres. Le drame, c'est justement que la personne n'est plus que *persona*, rôle, et que la rencontre en devient inhumaine. Elle n'est plus qu'apparence.

1. Le principe de disponibilité

Ici encore c'est la différence qui est importante.

Tout groupe assez développé connaît une répartition des fonctions : on attribue à chacun des tâches précises à remplir à des moments donnés, en fonction d'un rang reconnu. Rang, rôle sont donc les deux aspects d'une même réalité sociale, le premier n'étant que l'envers du second, du comportement qu'on attend de la personne. C'est là un phénomène normal ; un groupe ne peut subsister que si chacun remplit bien son rôle à son rang.

Dans l'évolution de l'humanité, la disposition à s'identifier au rôle remonte à l'époque des premiers chasseurs [1]. Elle constitue un facteur indispensable de la vie de tout groupe. Il faut que chacun cherche à remplir de son mieux sa tâche au service de l'ensemble. Ce qu'il pense et sent n'est ici que secondaire. On peut même dire que, plus une société est archaïque, plus le rôle joue : qu'on pense à celui du roi dans la vie religieuse et civile de l'Orient ancien [2]. Aujourd'hui encore, un agent de police en service ne doit se comporter vis-à-vis des gens qu'en fonction de son rôle, un rôle différent selon qu'il est de garde aux frontières, chargé du trafic ou affecté à la lutte contre la criminalité. Dans un procès, le juge se comporte autrement que le procureur ou que l'avocat, bien que tous interviennent en tant que « juristes ». Un médecin, lui, aura une autre relation à son patient que le policier ou le juriste, cela pour le bien même de son service.

Rien d'anormal, donc, au fait que les clercs de l'Église, prêtres, religieux ou religieuses, organisent leurs relations avec les autres en fonction de leurs rôles.

Mais la différence, c'est que l'idéal clérical exige l'identification totale de la personne et du rôle. Par devoir, l'individu se confond avec la tâche et avec le lieu où on l'a mis. Or ceux-ci changent avec chaque nouvelle nomination. Ainsi le système tend-il à ce que *cet individu ne soit littéralement rien pour pouvoir être tout.*

Il faut voir jusqu'où on peut pousser cette destruction de la personnalité au bénéfice d'une « disponibilité » inconditionnelle, et ceci jusque dans les milieux dirigeants de l'Église catholique. Il suffit de se rappeler les déclarations du cardinal Joachim Meisner, à propos de son déplacement de Berlin à Cologne, lors d'une récente émission de télévision (A.R.D., le 23. 12. 1988). On lui demandait ce qu'il pensait du fait que, dans les nominations épiscopales de Bois-le-Duc, Vienne, Coire, du Vorarlberg, et maintenant de Cologne, le pape Jean-Paul II avait agi contre l'avis et le souhait des Églises locales, en imposant autoritairement ses propres candidats aux postes en question. Il répondit en substance : « Si celui qui remplace aujourd'hui saint Pierre m'appelle, je suis là. » Et, pour justifier son idée, il ajouta une comparaison, significativement fort expressive de l'insécurité ontologique : « Il m'est indifférent de savoir ce qui s'est passé entre mes parents quand ils m'ont mis au monde. Il m'est tout aussi indifférent de savoir ce qui s'est passé entre Rome et Cologne. Ce qui importe, c'est que je suis le résultat de cette décision. » On peut penser qu'il est important pour quelqu'un de savoir ce qu'étaient les sentiments de ses parents l'un pour l'autre et vis-à-vis de leur enfant. *Ne pas* en avoir l'idée, cela signifie ni plus ni moins que le vide humain, la chute dans un néant existentiel. Mais, dans les propos du cardinal, ce vide relationnel personnel se trouve comblé du fait de la nouvelle création due à une décision ecclésiastique. La puissance créatrice du pape fait son jouet d'une non-existence personnelle. Aux mains de l'Église, l'individu devient une espèce de *materia prima*, une matière originelle non travaillée, sans forme, qui ne reçoit essence et réalité que par le mandat et la procuration de la hiérarchie. Difficile d'imaginer une formulation plus claire de l'idéologie qui fonctionne : le clerc est un seau qu'il faut vider totalement de son eau pour le remplir à ras bord avec les desiderata des supérieurs ecclésiastiques ! On confond déjà subrepticement l'autorité de Dieu, qui parle intérieurement *au cœur* de l'être humain, et l'autorité extérieure du pape et de l'Église. Mais surtout, on *neutralise* ainsi *tout le domaine de l'affectivité humaine au bénéfice d'une pure décision de pouvoir*.

Subjectivement, ce croisement d'insécurité ontologique et de soumission devant l'autorité ne saurait engendrer que froideur affective et indifférence à tout ce qui est opinion, réflexion et décision humaines. Du vaste spectre des relations humaines ne subsiste qu'une seule forme : le *chassé-croisé commandement-*

soumission, le rituel du maître et de l'esclave. La vie n'est plus qu'une abstraction ; elle se réduit à l'exécution de directives. Tout cela résumé en deux phrases par un homme aussi important, aussi dévoué au pape que Joachim Meisner, cardinal de Berlin-Cologne ! Le malheur, c'est qu'on ne peut même pas lui faire comprendre, même de loin, le caractère humainement monstrueux de sa déclaration. On en reste sans voix. Mais après tout, a-t-il fait autre chose que d'exprimer magistralement, et en plein accord avec le Magistère ecclésiastique, le sens de l'obéissance et du devoir qui doit être celui du clerc ? Cela, c'est réussi, il faut en convenir. Mais on comprend alors tout ce qui devrait changer dans l'Église de Pierre pour qu'elle puisse devenir l'Église du Christ.

2. Le cynisme du fonctionnaire

Formule brutale ! Nous entendons dire par là que la *relation des clercs entre eux* est empreinte d'agressivité refoulée semblable à celle que nous avons déjà analysée à propos de leurs relations familiales : elle est faite d'une gentillesse dont l'arrière-fond de tristesse amère est si frappant qu'il faut bien parler de cynisme.

Ici encore, il faut distinguer le « normal » de ce qui est spécifiquement « clérical ». Normale, par exemple, la nonchalance marquée avec laquelle un groupe de médecins discute du « poumon » ou du « gros intestin » de la chambre 20 : c'est faire preuve d'objectivité et de compétence professionnelle que de ne voir dans les questions évoquées que l'aspect de maladie, et non pas le malade. On peut aussi comprendre que la confrontation quotidienne avec la souffrance, la douleur et la mort finisse par émousser la sensibilité : un certain humour macabre constitue alors une façon de se défendre. Normales sûrement aussi les expressions méprisantes des soldats pour parler de la mort d'un camarade — il n'est pas mort, mais « il s'est fait avoir », il « l'a eu dans le cul », et bien pire encore !... Ils n'en reparleront peut-être qu'avec honte, des années plus tard. Mais comment se défendre contre la barbarie de la guerre, sinon en s'endurcissant ? Bien moins normal en revanche, le cynisme des fonctionnaires de partis politiques commentant les virages de la direction. On trouve déjà ce bon mot de fonctionnaire dans l'ancienne Égypte : « Un grand homme... puis un petit... Rien de changé[3] ! »

Mais quel saut qualitatif, quand on pense au cynisme laconique par lequel les clercs de l'Église catholique tentent d'échapper à la pesanteur de l'autorité, ecclésiastique ou divine ! Il n'est de système autoritaire qui ne produise chez ses fonctionnaires des sentiments ambivalents de vénération et de mépris, d'amour et de haine, de dépendance et de rébellion, d'obéissance docile et de subversion larvée. On les retrouve dans les plaisanteries populaires sur les gouvernants. Mais il y a loin de là aux histoires que peuvent se raconter aux dépens de leurs supérieurs en se tordant de rire des prêtres de la base réunis pour un anniversaire d'ordination. Une véritable *apocalypse d'humour noir !* Rien de sacré ne résiste à la méchanceté de ces traits d'autodéfense cléricale. Celle-ci semble particulièrement se déchaîner à propos des points essentiels de la vie cléricale, relations aux supérieurs ou administration des sacrements, en particulier de la pénitence et de l'eucharistie. Qu'on s'imagine un peu les réactions de gens à qui on a expliqué en long et en large comment baptiser un enfant dans le sein de sa mère, à qui on a imposé de déambuler comme des somnambules, en plein jour, vêtus de robes de chœur, une bougie à la main pour soi-disant éclairer (en plein jour) le lecteur de service ; ou, lors d'une grand-messe solennelle, de présenter en vénération une certaine image pieuse aux chanoines et prélats installés dans les stalles du chœur, avec l'obligation de l'essuyer après chaque baiser avec un linge prévu à cet effet, tout cela après une soigneuse répétition ; ou qui doivent se demander le plus sérieusement du monde comment récupérer, avec les toilettes féminines estivales, une hostie tombée dans le décolleté d'un chemisier, purifier les restes de l'hostie, et jusqu'où peut alors aller le devoir sacerdotal. Il n'y a pas de plaisanterie stupide ou de mauvais goût qui ne trouve écho sonore, même parmi les professeurs de théologie et les employés du vicariat général — à supposer qu'ils n'en soient pas les auteurs. Une éducation qui exige une fidélité absolue aux idées a inévitablement son ombre portée, et c'est bien elle qu'on trouve sous tant de formules pathétiquement creuses du catholicisme. Dans une sorte d'autodéfense, la vie prend alors sa revanche sur tout ce que cela peut avoir d'écrasant, et elle provoque comme la fermentation d'une existence et de sentiments refoulés, vidés de toute substance, réduits à leur pelure, ce qui se traduit par le sarcasme et le persiflage. Mais comment cette fête des fous ne se terminerait-elle pas une fois de plus par le repentir et le déchirement ? Le carnaval annonce le mercredi des cendres et débouche sur la triste grisaille du devoir quotidien. Ambiance cléricale !

3. *L'ambivalence de l'attitude envers les supérieurs*

On risque certes de surévaluer l'influence de l'éducation donnée dans les petits et grands séminaires sur la psychologie des prêtres de l'Église catholique. Il ne faut pas y voir la cause, mais une simple expression de l'ambivalence des sentiments qui caractérise la vie et les relations des clercs. Psychanalytiquement parlant, ce n'est pas le système ecclésiastique d'éducation qui engendre chez ceux-ci leur extrême disponibilité à s'identifier à leur mission : il ne fait que l'*exiger* et la développer en lui proposant un cadre adapté. Cela posé, comment méconnaître l'*ambivalence de leurs sentiments à l'égard de leurs supérieurs ?* Elle se manifeste alternativement sous la forme d'attentes exagérées et de déceptions, d'espoirs et d'angoisses, de fantasmes de toute-puissance et de craintes d'être livrés sans défense.

Un exemple ? Telle religieuse à qui on dit qu'elle doit aller voir la mère supérieure la semaine suivante, disons vendredi à 16 h 30. Heureuse surprise ? Bien au contraire ! C'est un choc ! Que veut donc subitement d'elle la supérieure, elle qui d'ordinaire ne lui parle jamais ? Incertitude et ruminations de la pauvre sœur : aurait-elle commis quelque faute ? A coup sûr, dans ce qui est arrivé les derniers jours, il y a toujours motif à le penser… oui, c'est sûrement *cela !* Ou s'agit-il encore de quelque déplacement, ou d'un changement de travail ? Peu nombreux sont les supérieurs conscients des angoisses, des colères, des aversions, des sentiments de culpabilité, des crises d'obéissance, parfois des véritables désespoirs qu'ils peuvent déclencher par une simple convocation sans explication.

Déjà chez les hordes de primates, babouins et chimpanzés, une loi de cohabitation veut que le sujet « alpha » ait un *droit absolu de contrôle et d'inspection* sur les sujets de rang inférieur[4]. Pour sa part, l'homme maintient certaines réactions innées contre ce droit de contrôle : comme par une sorte d'automatisme, pour montrer que nous n'avons rien mangé d'interdit, nous ouvrons la bouche, nous tendons les mains vers en haut, nous rentrons prudemment la tête et nous levons les épaules. Dans un système social comme celui de l'Église, avec tous les degrés de sa hiérarchie, du pape à l'évêque, puis au doyen de canton, enfin au curé de paroisse, ou de la supérieure générale à la supérieure provinciale, puis à la religieuse responsable de la section d'hôpital et enfin aux sœurs subalternes, où chaque échelon a un droit absolu de disposer du suivant, avec pour seul contrôle possible celui de l'échelon immédiatement supérieur, il ne faut pas s'étonner que n'importe quel niveau puisse déclencher les mêmes angoisses archaïques. En ce domaine, la psychologie ecclésiastique, avec sa constante interaction de pouvoir despotique et de sentiments ambivalents, ressemble étonnamment à celle de la horde primitive telle que la décrivait Sigmund Freud[5].

En psychothérapie, il faut voir à quel point la simple convocation chez l'évêque, le vicaire général, la supérieure du couvent peut provoquer de véritables régressions chez des sujets en train de s'ouvrir et de récupérer un peu d'indépendance ! On peut alors se faire une idée de l'ambiance qui règne chez des « frères dans le Christ » ! Même des théologiens patentés, depuis longtemps en retraite, s'y préparent des semaines à l'avance, comme pour un tournoi d'échecs, réfléchissant aux deux cent cinquante formes d'ouverture de l'entretien, les jouant et les rejouant : s'ils veulent se décharger d'un seul coup de leurs peurs et de leur méfiance, il leur faut absolument prendre le jeu en main. Dans ces conditions, il est évident que la vieille sagesse de cour continue à valoir : « Ne va pas chez ton prince avant qu'il ne t'appelle. »

Car, à dire vrai, il ne faut pas s'attendre à voir la plupart des supérieurs ecclésiastiques, choisis, nous l'avons vu, en fonction de critères idéologiquement très marqués, faciliter l'expression des sentiments de leurs subordonnés, à plus forte raison s'il s'agit de sentiments bloqués, ambivalents et peut-être carrément agressifs. Ainsi, dans l'Église catholique, des entretiens, auxquels devrait suffire à conférer sens et contenu la référence commune au Christ « Verbe de Dieu » (Jn 1, 1)[6] sont-ils en fait aussi rares qu'une arrivée de cigognes en hiver. Il n'existe, plus aujourd'hui d'entreprise moyenne de plus de cent personnes à prendre pour chef du personnel quelqu'un qui n'aurait pas été formé aux relations humaines. Dans l'Église, en revanche, on prouve son inaltérable confiance en Dieu en chargeant n'importe quel individu d'affirmer sa fermeté de foi et de caractère en décidant du sort des autres. Seule exception à cette façon de faire preuve de son sens des responsabilités ; le vicaire général chargé des finances : à lui, on fait suivre des cours spéciaux. Deux ans ! Là, il faut bien de la compétence professionnelle. Pour les autres, c'est comme pour saint Paul : « Ma grâce te suffit » (2 Cor 12, 9).

Mais la grâce divine elle-même ne saurait compenser les fautes de certains supérieurs envers leurs subordonnés. Parmi les plus fréquentes il faut signaler l'*inégalité dans la préparation* de l'entretien. Alors que le subordonné prend généralement très au sérieux sa visite chez son supérieur, celui-ci, pour se préparer, se contente le plus souvent d'un bref coup d'œil dans un dossier. Le premier a imaginé tous les thèmes possibles pour cette entrevue si attendue sans savoir le moins du monde de quoi on parlera, le second sait parfaitement où il veut en venir.

Il y a aussi le *manque de temps chronique* : les « entretiens » entre le supérieur et ses subordonnés sont bien trop rares pour pouvoir être réellement personnels ; ils ont toujours un but précis et ne tiennent par conséquent pas compte des intérêts humains des partenaires, sans parler du peu de temps qui leur est accordé. Ainsi n'est-il pas rare que, en vingt ans de service, un prêtre n'ait pu « parler » avec son évêque qu'une demi-heure en tout et pour tout. La conversation ne fait que refléter la nature des rapports hiérarchiques : elle reste impersonnelle, formelle, marquée du devoir de soumission. À la base, on n'est que trop content d'y échapper. Inversement, le « devoir de visite » du supérieur tourne à la farce, une farce que n'illustre que trop la tournée épiscopale de confirmation. Bien sûr, l'évêque a répondu à l'exigence du droit canon[7] ! Il a visité ses paroisses. Entre la visite au maire et celle au jardin d'enfants, il a passé cinq minutes (éventuellement six) chez le curé.

A tout cela s'ajoute la *maladresse personnelle*. Normalement la politesse exigerait que le chef vienne à la rencontre du subordonné qui vient lui rendre visite. Mais le (la) supérieur(e) reste assis(e) derrière un bureau si chargé de dossiers qu'il en ressemble à une forteresse imprenable. Toute son attitude émet un message muet : « N'approchez pas trop. » Des coups de téléphone inattendus viennent en plus faire sentir au visiteur son insignifiance relative et l'importance de son supérieur. Pour donner une impression de cordialité, certains évêques ont pris l'habitude d'offrir à leurs visiteurs, au choix, une vingtaine de boissons, alcoolisées ou non ; naturellement, cela ne change rien au climat glacial qui flotte dans le palais épiscopal.

Le noyau de toutes ces difficultés, c'est en réalité le caractère flou du rapport de forces. On ne dit jamais au subordonné ce que l'autorité compétente attend et pense de lui. Dans l'Église, la condition du maintien de l'autorité, c'est la règle selon laquelle le supérieur ne doit à aucun prix permettre à ses subordonnés de regarder dans son jeu. Pas question de faire connaître, encore moins de laisser discuter ses mobiles, ses intentions. S'appuyant sur le devoir d'obéissance du subordonné, il doit transmettre ses instructions, de telle sorte que, ne serait-ce que pour des raisons tactiques, le subordonné ne doit jamais savoir de quelle marge de négociation il dispose. Il doit par principe s'attendre à des ordres, et cette insécurité objective handicape ou empêche toute communication franche avec son supérieur. Ainsi la dépersonnalisation des contacts, l'obscurcissement systématique du subordonné, et un système raffiné de préservation du secret assurent-ils le maintien du pouvoir. En ce domaine, l'Église catholique dispose depuis des siècles d'une expérience dont aucune autre autorité politique ne peut se targuer.

Un des aspects de ce style dépersonnalisé consiste à ne jamais parler avec un éventuel suspect (ne serait-ce qu'à la suite d'une dénonciation) de ce qui lui est prétendument reproché. Selon la recommandation formelle de saint Ignace [8], il importe d'abord de recueillir indirectement des renseignements dans l'entourage de l'individu concerné. Pour les autorités ecclésiastiques, rien que de très légitime dans la constitution de listes noires et de dossiers accusateurs à l'insu de la personne ainsi incriminée, et bien entendu sans entretien avec elle, puisqu'elle est *a priori* partiale ! L'Église ne semble pas se rendre compte de l'impression désespérément médiévale produite dans le monde moderne par ce système juridique où on ne se sent même pas tenu de faire honneur aux droits fondamentaux élémentaires dans une démocratie : caractère public de l'accusation, possibilité accordée au prévenu d'accéder à son dossier, de faire appel à une défense appropriée, ainsi que l'obligation faite à l'accusation de produire elle-même la preuve irréfutable de la culpabilité de l'accusé [9].

Dans ces conditions de peur et de méfiance, de pouvoir et d'arbitraire, comment les rapports entre clercs de niveaux hiérarchiquement différents pourraient-ils être empreints de la moindre cordialité, de chaleur humaine ou d'amitié ? Mais l'ambivalence des sentiments se manifeste en même temps dans le fait que, tout en éprouvant les appréhensions les plus vives à l'égard de leurs supérieurs, les subordonnés en *attendent tout.* Même un théologien comme Hans Küng[10], qui a pourtant proposé une critique très pertinente de l'infaillibilité pontificale en matière de foi et de mœurs, en est pourtant arrivé à accorder aux autorités dirigeantes de l'Église catholique de nouvelles possibilités pratiques d'intervention qui confortent de manière détournée la vieille croyance non pas à l'omniscience du pape, mais à sa toute-puissance de fait. Ainsi, que ce soit positivement ou négativement, dans l'attente comme dans la déception, entretient-on une *fixation sur l'autorité* qui oblige à toujours regarder vers en haut, dans l'espérance d'une parole du pouvoir, pour le meilleur ou pour le pire. La même religieuse, qui tremblait tout à l'heure encore dans l'attente anxieuse d'un entretien avec sa supérieure, est la même qui, quelques instants plus tard, vibre d'espoir de la voir faire preuve de sensibilité et d'esprit de décision pour changer enfin quelque chose à la vie du couvent. Tel vicaire qui, peu avant, s'était violemment déchaîné contre les structures autoritaires de l'Église estime maintenant qu'il est grand temps que son évêque se prononce clairement sur la question de l'énergie nucléaire, du massacre des bébés phoques, ou du danger que représentent pour l'environnement les trente-sept millions de voitures qui circulent en République fédérale en 1988. Au niveau de leur orientation fondamentale et dans leur sensibilité profonde, les clercs de l'Église catholique, même les plus pénétrés d'esprit démocratique, restent de mentalité « monarchiste », et, indépendamment de leurs problèmes psychologiques, contribuent ainsi à créer une sorte de dynamique de *realpolitik*.

4. L'impasse du centralisme autoritaire

Du fait de sa polarisation entre dominants et dominés, donc de son éviction de toutes les forces intermédiaires, tout système autoritaire qui a eu le temps de transformer ses formes extérieures de contrainte en code intériorisé d'idées et de normes de comportement ne peut être réformé que par l'un de ses deux piliers : autrement dit par « en haut » ou par « en bas ». Une réforme venant de la base, un bouleversement révolutionnaire, dépend cependant d'au moins deux conditions : il faut, d'une part, que la pression des dominants sur les dominés ait considérablement dépassé la mesure du supportable et, d'autre part, qu'il n'y ait plus de possibilité d'esquive, de telle sorte que la vague de la violence autoritaire se brise contre les murs du système et fasse ressac. Ce qui est caractéristique de l'Église catholique, c'est que la seconde condition n'existe que sur le plan idéologique, non en pratique.

Du point de vue théologique, à en croire l'affirmation célèbre de saint Vincent de Lérins [11], il n'est pas de salut possible en dehors de l'Église catholique romaine. Mais *de facto*, depuis le temps de la sécularisation, celle-ci ne dispose plus d'aucun moyen extérieur pour empêcher ses membres de dévier ou de fuir. Il est paradoxal de voir qu'actuellement l'administration pontificale ne manque pas une occasion d'affirmer son éminente compétence pour définir auprès des époux les formes de contraception qui, selon elle, sont à considérer comme « voulues par Dieu » et celles qui sont « immorales », « peccamineuses » et « antichrétiennes » ; les personnes concernées estiment de plus en plus cette autorité pontificale incompétente. Sur ce point, il est clair que rien ne mine davantage le prestige d'une autorité que le fait de s'ériger en juge ultime des doctrines qu'elle impose, alors que la majorité de ses membres les considèrent comme irréalistes et fausses [12]. Ce que montrent bien les chiffres. Sans doute, à la différence par exemple de la France d'avant 1789, y a-t-il maintenant dans l'Église catholique tant de voies d'émigration extérieure et de distanciation intérieure que la *réaction d'en bas* à la revendication excessive du pouvoir autoritaire ne se traduit plus par un « soulèvement », mais « seulement » par une *désertion silencieuse*, éventuellement par l'*indifférence intérieure*. Ces deux formes discrètes de protestation résonnent cependant très fort depuis des décennies. Mais elles n'auront sans doute d'effet au sommet que lorsque, au-dessous de la superstructure théologique, la base économique de l'Église s'effondrera. Alors seulement les centres du pouvoir clérical commenceront à comprendre l'avertissement que le bastion prétendument imprenable de l'Église pourrait cesser de l'être. Jusque-là, le seul espoir est celui qu'expriment même les clercs, dans l'ambivalence de leurs sentiments vis-à-vis de leurs supérieurs : celui d'une rénovation venant d' « en haut ». Mais il risque justement d'être trompeur.

Un système autoritaire a toujours un côté irrationnel et imprévisible : après des décennies, voire des siècles de raideur monolithique, il peut se révéler brusquement capable de s'ouvrir à la réalité ; on voit soudain le ou les gouvernants faire autocratiquement leurs les exigences de la masse et ses options démocratiques. L'histoire du XXe siècle illustre bien cette possibilité. Ainsi l'ouverture de la Turquie islamique sous Kemal Atatürk ou, cinquante ans plus tard, en Perse, l'essai comparable de la « Révolution Verte » du shah Reza Pahlavi ; on peut aussi penser à la déstalinisation communiste, sous Nikita Khrouchtchev, à la fin des années 50. Mais tous ces exemples montrent avant tout la *précarité et la médiocre longévité de ces tentatives autocratiques de réforme par le haut.* Leur déclenchement et leur exécution reposent entièrement sur une *seule* personne. Si l'autocrate réformateur ne réussit pas de son vivant à mettre dans le coup ses subordonnés, avec tout leur pouvoir formel, donc le peuple, on peut prévoir que, tôt au tard, les diadoques qui prendront sa suite en reviendront à l'ancien style autoritaire de gouvernement.

C'est bien ce qu'on peut constater dans l'Église catholique. Après la déclaration d'infaillibilité pontificale, en 1871 [13], les théologiens protestants estimaient absolument impensable une rénovation de l'Église catholique qui viendrait, par exemple, de la convocation d'un nouveau concile. La surprise fut donc grande quand, au XXe siècle, au début des années 1960, un pape âgé, élu comme pape de transition, proposa un programme d'*aggiornamento,* c'est-à-dire d'ouverture de l'Église au monde, qui paraissait conduire à la grandiose renaissance, à la fois pastorale et spirituelle, de Vatican II. On s'est aperçu depuis que, à l'intérieur d'un système monolithique et autoritaire, de tels élans, autocratiques dans le fond, ne pouvaient manquer de conduire à des tensions, des agitations et des conflits, donc que le succès de la réforme se heurtait à des obstacles énormes. Environ vingt-cinq ans après Vatican II, lors de l'ordination du Dr Kurt Krenn, évêque coadjuteur de Vienne, le cardinal Grœr pouvait faire le bilan en déclarant fort clairement à tous ceux qui, à la lettre, se mettaient en travers de l'intronisation du nouvel élu du pape, demandant fort clairement : « Ne savons-nous donc plus que l'esprit de Vatican II ne devient l'esprit de Vatican II que par la signature du pape ? » Le *conciliarisme*[14], qui promettait il y a un quart de siècle de modifier avec impétuosité la structure d'ensemble de l'Église catholique, est aujourd'hui quasi inexistant à tous les niveaux. En d'autres termes : il faut que les clercs apprennent d'eux-mêmes à se départir des espoirs positifs de rénovation qu'ils placent en leurs autorités aussi bien que des craintes négatives de se sentir livrés aux directives de leurs supérieurs. Tant qu'ils ne l'auront pas fait, l'Église catholique ne se débarrassera pas psychologiquement de sa fixation sur l'autorité. Elle ne pourra que perpétuer un style de rapports entre le « haut » et le « bas » chargés de sentiments ambivalents qui la déforment.

Mais prenons-y garde : les équivoques et les crispations auxquelles sont inévitablement exposés les laïcs qui entendent se lier plus étroitement à la personne d'un clerc sont plus graves que les frustrations et les blocages que les clercs s'infligent de par leurs rapports mutuels.

5. *Les citernes desséchées : la tragédie du double lien*

Les irritations tiennent à ce que les rapports des clercs avec les gens reposent essentiellement non sur l'identité des personnes, mais sur leur identification avec leur rôle clérical. De sorte que, quand on en rencontre, on en est toujours à se demander à qui on a réellement affaire.

Qui ne connaît le soulagement qu'on peut éprouver quand on peut *éviter les véritables rapports personnels en y substituant ceux qui sont liés au rôle ?* Quand ils bavardent ensemble, étudiants au restaurant universitaire, collègues de travail à la cantine, voyageurs dans le train parlent de préférence de choses qui ne les touchent pas en profondeur, ne serait-ce que par souci de tranquillité. Ils évitent autant que possible de trop s'engager eux-mêmes. Plus est grande une certaine crainte sociale, plus forte est l'esquive vers des thèmes secondaires et plus évidente l'objectivation de la conversation, avec son effet de camouflage de la personne. Il est donc assez facile de comprendre ce que cache le style de comportement du clerc, si on se rappelle son insécurité ontologique chronique, donc son désir de se garder une fois pour toutes d'une relation trop personnelle. De par son insécurité, il accentue cette tendance déjà si humaine à chercher littéralement son « salut » dans son rôle.

Pour comprendre son *soulagement subjectif*, il faut aussi songer que, où qu'il soit, son vêtement et ses façons de faire le situent au centre de son entourage. En dépit de son sentiment d'insignifiance personnelle, son statut clérical suffit donc à lui conférer une signification de premier plan : il est vraiment celui en qui se cristallise la vie chrétienne, sa référence et son centre. Mais cela ne fait que manifester à nouveau la duplicité de l'état clérical, qui apparaît désormais comme un problème de relation entre des *exigences contradictoires* prescrites par des rôles.

D'un côté, il faut qu'on puisse juger l'attitude du clerc comme « conforme au Christ », et il doit donc se montrer affable, humblement serviable. C'est pourquoi certains prêtres se promènent avec une façade toujours souriante, paraissant déjà se réjouir de loin quand de l'autre côté de la rue ils peuvent saluer une des « ouailles » de leur paroisse. Dans la conversation qui s'engage alors, ils abondent en phrases encourageantes et en calembours amusants qui leur donnent l'air « authentique », « personnel » et « édifiant ». Certains vicaires, dont la destinée a voulu qu'ils occupent un poste de président d'un cercle d'études catholique, ou des curés chargés comme tels d'accompagner le pèlerinage marial des femmes, poussent très loin l'abnégation en ce domaine : ils se constituent un cahier de plaisanteries qu'ils apprennent par cœur pour être certains de pouvoir tenir leur place en société en dépit de leur insécurité. Mais il est clair qu'ils se sentent très mal à l'aise dans ce bain de foule. Il suffit de voir à quel point cette affabilité d'emprunt les épuise. En fin de compte, leurs ronds de jambe ne les rapprochent pas des gens, mais les en tiennent à distance. En rentrant chez eux, ils retrouvent avec joie leur vieille solitude et poussent un soupir de soulagement d'en avoir enfin fini avec « tout ça ». Jouer toute une journée durant la cordialité, c'est fatigant !

Ce qu'il y a de plus pénible, c'est l'obligation de toujours faire preuve d'une *amabilité débordante*, ou d'avoir à faire siens les sentiments des gens dans toutes les situations possibles. C'est ainsi que bien des prêtres ont pris par exemple l'habitude — en elle-même excellente — de se précipiter hors de la sacristie pour, après la messe, saluer à l'entrée de l'église le plus grand nombre possible de fidèles. Mais quelle que soit la personne avec laquelle ils parlent, sans cesse leur regard cherche quelqu'un d'autre, dans le souci de n'oublier personne. Le partenaire de la conversation finit naturellement par sentir qu'on ne s'adresse pas vraiment à lui comme à une personne individuelle, mais comme à un numéro, voire comme à un vis-à-vis occasionnel rencontré dans le cadre de l'activité pastorale. Dans le souci d'atteindre *chacun* et d'être disponible pour chacun, l'idéal clérical des relations humaines se manifeste en définitive par une *indifférence professionnelle à tous les contacts véritablement humains*.

A cela s'ajoute le devoir qui s'impose lors de toutes les prestations de services ecclésiastiques, telles que mariages, baptêmes d'enfants ou enterrements, de produire ou reproduire avec une pose mélodramatique des sentiments de joie, de bonheur ou de deuil qui n'ont guère de rapport avec ce qu'on éprouve soi-même. Ce sont ces rapports humains de fonction qui pervertissent et obligent apparemment à faire entrer de plus en plus souvent des attitudes d'insincérité et de duplicité dans leur routine professionnelle. Quand on pense qu'au Moyen Age l'Église défendait sous peine de mort d'exercer la profession d'acteur[15], il est grotesque de voir comment elle élève aujourd'hui chez ses « fonctionnaires » une pareille comédie au niveau des conditions habituelles de vie.

Pourtant, ce n'est pas seulement la forme, c'est avant tout le *contenu* de la charge cléricale qui risque dans certaines conditions de priver l'engagement individuel d'un prêtre de toute crédibilité humaine. On sait que dans toute profession il y a des prescriptions propres à chaque rôle et imposant des comportements qui remplacent le contact personnel par des actes définis. Cela se retrouve peu ou prou dans tous les métiers de service, du garçon de café à la garde-malade, de l'employé de guichet au secrétaire général. Dans tous ces secteurs d'activité il peut arriver qu'une personne, par peur d'elle-même, en arrive à fuir dans la définition objective de son statut professionnel. Mais le problème du prêtre réside en ce qu'il ne peut pas se considérer simplement comme un fonctionnaire prestataire de services. En se référant à la conception cléricale de son rôle, il faut qu'il mette en jeu sa propre personne dans le souci de son acte pastoral au bénéfice d'autrui. Mais cette obligation de s'identifier à ce rôle professionnel l'empêche de vivre lui-même comme personne : cela lui est même interdit. Il ne lui reste donc d'autre possibilité que de manifester la chaleur affective personnelle, la proximité émotionnelle, l'indulgence pastorale, la patience compréhensive — non plus de façon authentique, mais comme un jeu. Cependant, chez les personnes qui se laissent prendre à cet imbroglio de sentiments — c'est le cas de bien des femmes —, ces oscillations entre le masque personnel du rôle professionnel et la personnalité affective qui se camoufle par-derrière engendrent assez souvent des déceptions graves et provoquent des crises en tout genre.

Ce n'est pas le moindre paradoxe de la pastorale catholique qu'en aucune autre institution religieuse au monde les fonctionnaires ne sont entourés d'une *aura patriarcale* semblable à celle qui enveloppe la figure du prêtre. En opposition évidente avec l'interdiction formelle de Jésus : « N'appelez personne sur la terre votre “ Père ”, car vous n'en avez qu'un seul, le Père céleste » (Mt 22, 9)[16], le prêtre, le curé, le religieux sont appelés « Pères » sans plus de façons En contrepartie, fort logiquement, en pays germanophones, on désigne les fidèles comme les « *enfants* de la paroisse » (*Pfarrkinder*), les « *enfants* du confesseur » (*Beichtkinder*), etc. De par sa profession, le clerc doit incarner les aspects moraux qu'un enfant peut généralement souhaiter trouver chez un père : il doit être toujours abordable, gentil, sociable, compatissant, protecteur, équitable, un modèle en tout — bref, ce que beaucoup de personnes attendent de tout cœur de leur père et que très souvent elles n'ont pas connu. Comment s'étonner dès lors de voir comment elles s'adressent au prêtre qui, par son rôle paternel, incarne à leurs yeux une figure dont elles ont rêvé toute leur vie ? Elles lui témoignent vraiment la même confiance que des enfants ; elles placent en lui des espoirs irréalistes, comme s'il pouvait véritablement remplacer pour elles, et leur rendre, tout ce dont elles ont dû se priver des décennies durant. Ce faisant, elles n'oublient que trop facilement qu'une telle somme de sentiments et d'espoirs s'adresse, au fond, non à la personne mais à la *persona*, non au moi mais au rôle de surmoi du prêtre.

En termes psychanalytiques, on peut dire que le personnage du prêtre évoque comme une figure représentant le Père divin du Ciel au milieu des humains. Tout au moins suscite-t-il chez les croyants une énorme disposition à accepter des *transferts paternels en tout genre*. On accorde fréquemment à un prêtre comme une chose qui va de soi le crédit de confiance qu'un médecin ou un psychothérapeute ne peuvent souvent gagner que péniblement au bout de mois ou d'années. C'est surtout la surestimation religieuse de la figure paternelle du prêtre, sa proximité de la sphère du sacré et du pardon, son pouvoir de lier ou de délier sur Terre au nom de Dieu, tel que les lui reconnaît la doctrine de l'Église (Mt 18, 18)[17], qui nimbent ses traits d'une apparence de *mana*[18] et vont presque jusqu'à en faire l'archétype du « médecin divin »[19]. Ce n'est pas là le moindre des fondements du pouvoir psychologique que la mère Église exerce sur les âmes de ses « enfants ».

Par voie de conséquence, toute la question est de savoir si, du fait des ressources de sa personne, le prêtre peut réellement satisfaire aux exigences démesurées de son rôle. Cela implique qu'il soit à même de démêler la signification des sentiments suscités par sa fonction, et de témoigner d'une maturité suffisante pour en faire un usage positif. Mais ce n'est justement pas le cas, au contraire : l'identification totale avec son rôle, telle qu'on l'exige de lui, ne lui permet pas de s'épanouir, mais le conduit à réprimer son propre épanouissement, donc à s'étioler. De ce fait, ce sont surtout les prêtres prenant vraiment au sérieux leur état clérical qui courent le plus grand péril : en exerçant le mieux possible leur ministère, ce sont eux qui suscitent chez des gens des espoirs que leur personne ne peut que décevoir cruellement. Pour tous les protagonistes, c'est une tragédie.

Tragique pour le prêtre lui-même est l'échec de ses efforts pastoraux, et cela avant tout parce que, en deçà de son identification du moi avec son rôle, il continue secrètement à espérer qu'on lui revaudra en l'aimant la peine qu'il se donne pour bien accomplir sa tâche. L'interversion des plans, qui oblige le clerc à vivre personnellement ce qui est général et sur le plan général ce qui est personnel, provoque une transposition à un niveau officiel et fonctionnel des souhaits qu'il a refoulés, ceux d'affection et de chaleur. Alors, en dépit de — et même à cause de — l'impersonnalité objective de son être de clerc dans tous ses sermons, visites à domicile et entretiens, rebondit la question latente de savoir comment on le ressent. C'est le revers de son insécurité ontologique : celle-ci ne le pousse pas seulement à se cramponner désespérément à des ordres et à des directives précis et posés comme ayant valeur absolue ; elle l'amène aussi à se faire dire par les autres l'effet qu'il produit sur eux et les qualités qu'ils lui prêtent. Lorsque ces autres sont eux-mêmes des personnes assoiffées de reconnaissance et d'amour, comment ne répondraient-ils pas instinctivement aux signaux secrets émanant de cette nostalgie du clerc ? En n'assumant pas sa propre existence, celui-ci constitue donc régulièrement un piège pour tous ceux qui, vivant sans amour, espèrent trouver en lui une sorte de parenté spirituelle et de complément réciproque, mais voient leur inclination initiale se muer en déception, en dépit et en amertume. Cette issue d'une relation dans laquelle le prêtre s'était subjectivement engagé de façon parfaitement honnête redouble son sentiment de frustration et le rejette à de nouvelles journées de solitude. Il est lui-même incapable de comprendre, même de loin, à quel point sa propre situation contradictoire le rend personnellement responsable de ce désastre humain. Car ce sont son attitude professionnelle et ses propres souhaits refoulés qui ont éveillé chez les autres des espoirs et des attentes qu'il ne peut satisfaire tant qu'il n'a pas personnellement appris lui-même à être humainement plus ouvert et plus loyal. Mais cela coûte fort cher : s'il prétend devenir vraiment lui-même en remettant en question son identification avec les exigences de son rôle, il lui faudra très probablement risquer l'épreuve, intérieure et extérieure, de conflits sérieux avec sa fonction et ses supérieurs.

Plus douloureux et plus tragique encore que pour le prêtre, il y a l'effondrement de l'« amitié de ministère » des personnes qui, peut-être pour la première fois dans leur vie, avaient caressé l'espoir de trouver dans leur relation personnelle à un prêtre une espèce de restauration d'une existence détruite et avaient même pu penser un instant rencontrer en lui un homme capable de faire descendre pour elles un peu de Ciel sur la Terre et de les rapprocher éventuellement de Dieu, tout cela pour découvrir ensuite qu'elles « s'étaient trompées », ou même croire qu'il les a ignominieusement menées par le bout du nez. Tout cela non pas parce que le clerc en question aurait voulu consciemment les utiliser ou les duper, mais tout simplement parce qu'il n'est pas possible d'accompagner une personne au-delà du point où l'on est soi-même parvenu dans sa propre existence.

C'est ici qu'il faut constater combien, de façon fort souvent dramatique, l'inévitable duplicité de l'idéal professionnel du clerc catholique, qui tient compte de la personne individuelle, induit en erreur et trompe au moins ceux pour lesquels on l'a ordonné, les « croyants » de l'Église. Il faut bien que l'Église dise ici ce qu'elle veut au juste : maintenir son style habituel, en persistant à mettre coûte que coûte l'accent sur l' « objectivité » du salut aux dépens et à la charge d'hommes malheureux et perdus, ou miser sur — et tendre vers — une forme intégrale de théologie et de pastorale où la parole sur Dieu n'exclurait plus l'épanouissement et la réalisation de l'individu mais au contraire les exigerait et les favoriserait, elle doit finalement avouer son projet. Plus la conscience moderne, qui apparaît déjà au XVe siècle dans les mouvements annonciateurs de la Réforme et se poursuit au XVIe dans cette Réforme elle-même[20], affirme l'individu, le sujet, avec sa liberté et sa vérité propres, avec le droit à son originalité et à sa dignité, plus la forme cléricale de la pastorale catholique semble, de par toute sa structure, prendre psychologiquement du retard sur les exigences humaines, courant ainsi le risque de se transformer en appareil qui tourne à vide parce que clos sur lui-même. L'Église devient comme une citerne dans le désert : elle continue à attirer des gens pleins d'espoir d'y puiser l'eau et la fraîcheur, mais elle est asséchée depuis longtemps et ne fait plus qu'induire en erreur, sinon conduire à la mort, ceux qui se laissent appâter par son apparence.

On ne le dira jamais assez nettement : l'effet des prêtres sur leurs semblables est bien celui de citernes sèches. Certes, ils parlent toujours d'amour entre les hommes, mais ils ont en même temps appris à se dérober avec angoisse et effroi devant tout amour qui s'offre, tout au moins s'il vient d'une femme. En vérité ils ne font que déplacer leur angoisse personnelle, psychologiquement liée à leur statut, sur les laïcs à qui ils font porter l'hypothèque de leur propre vie que cette angoisse bloque. Amère confirmation de la mise en garde de Jésus concernant les docteurs de la Loi de son temps : ils tiennent en leurs mains les clefs du Royaume des Cieux, mais eux-mêmes « n'y entrent pas et ne laissent pas entrer ceux qui le voudraient » (Mt 23, 13)[21]. Des hommes de ce genre ne font que bloquer l'approche de Dieu, aux autres comme à eux-mêmes.

La pire erreur de l'Église catholique, c'est évidemment de croire qu'elle formera des serviteurs du Christ et des fonctionnaires de Dieu d'autant meilleurs qu'elle persistera à entraver leur développement personnel au bénéfice de leur identification totale avec leur rôle professionnel. Cette orientation n'améliore en rien ses pasteurs, mais en fait de véritables pourvoyeurs d'erreurs, des hommes dangereux qui, n'ayant pas le droit de se connaître eux-mêmes, risquent donc d'entraver gravement la maturation de ceux qui s'en remettent à eux. Le pape Pie XII avait vu fort juste, quand il parlait du « mystère effrayant » de l'influence quasi fatale que pouvait avoir quelqu'un sur le cheminement vers Dieu d'une autre personne[22]. Raison de plus pour exiger des clercs de l'Église assez de développement et de maturité pour pouvoir répondre aux demandes de ceux qui, de par leurs angoisses et leurs crispations, ont le plus besoin d'affection : ce qui n'est le cas, il faut le répéter, que de prêtres disposant habituellement d'assez de courage pour tenter tout au moins de s'engager envers les autres, au lieu de les traiter d'emblée comme des malades mentaux à envoyer dare-dare chez des médecins ou des psychiatres.

Car il arrive assez souvent que cette duplicité relationnelle du clerc, avec tout ce qu'elle comporte d'obscur et d'énigmatique, produise chez certaines personnes sensibles des effets confinant à la folie. La psychiatrie tend à imputer la psychodynamique de la schizophrénie au *double bind*[23], à la duplicité des principales personnes de référence. Ainsi peut-on prévoir que le caractère ambigu du comportement d'un prêtre envers des personnes qui ont mis tout leur espoir dans son soutien aggrave jusqu'à la psychose la névrose de transfert « ordinaire[24] » de ces gens, déjà psychologiquement fragiles.

Parlons concrètement. Voici une femme qui, après des années de mariage malheureux, rencontre un prêtre donnant l'impression d'un être sensible, réservé, tranquille. Celui-ci gagne sa confiance, éveille son inclination et finalement son amour. Se pose alors pour elle la question extrêmement délicate de savoir jusqu'à quel point elle peut lui faire part de ce qu'elle ressent. La simple allusion à des sentiments plus chaleureux et à des désirs plus vifs ne va-t-elle pas déclencher chez lui une angoisse telle qu'il va se retrancher, plein d'effroi, derrière les devoirs de sa fonction et rompre dorénavant tout contact avec elle ? Elle prévient en réalité le vœu non formulé du clerc en évitant de l'importuner avec le dédale de ses sentiments et en gardant au fond d'elle-même tout ce qu'elle éprouve. Inversement, le clerc n'a que trop intérêt, pour lui comme pour cette femme, à ignorer tout simplement les aveux indirects qu'il sent de plus en plus planer sur lui. Que cette femme se fasse élire membre du conseil paroissial, qu'elle dirige l'équipe chargée de préparer les enfants à leur première communion, qu'elle demande à faire les lectures à la messe du dimanche, tout cela ne doit rien signifier d'autre que l'apparence qu'elle lui donne : son engagement au service de l'Église. Mais c'est justement cette façon forcée de garder un rapport clair qui engendre constamment l'ambiguïté. Car, puisqu'il n'est pas possible de parler franchement de la force de ses sentiments, il faut bien, par entente tacite, remplacer les mots tus par des actes et des attitudes, ce qui, en cas de besoin, conduira une fois de plus à nier même la réalité de ce langage supplétif des sentiments.

Remarquons que, dans ce genre de rapport, c'est régulièrement la femme qui insiste pour gagner la faveur de la figure paternelle supérieure, alors que le clerc s'enveloppe, inattaquable, dans un nuage d'encens. La femme ne se doute pas, et même ne peut pas savoir que, dans son inauthenticité, son « vis-à-vis » n'est là pour elle que dans la mesure où il *n'est pas* vraiment là. Il l'écoute, apparemment avec intérêt ; en fait c'est pour se débarrasser d'elle. Oui, il se comporte comme une mère qui, surmenée depuis belle lurette par sa marmaille trop nombreuse, finit par tout accorder simplement pour avoir enfin la paix.

Mentionnons particulièrement le cas plus grave encore de prêtres qui, dans leur incertitude en matière de sentiments humains, s'accrochent à certaines méthodes et techniques de psychothérapie, espérant par là humaniser autant que faire se peut un comportement professionnel ressenti comme franchement artificiel. On les voit ainsi se draper de préférence dans l'« attention constamment flottante » de la technique thérapeutique de Freud[25], ou dans l'attitude de « miroir » et de « verbalisation » des contenus émotionnels selon la psychothérapie de Rogers centrée sur le sujet[26], tout cela pour pouvoir réaliser avec l'autre un certain rapprochement tout en maintenant le plus possible sa propre personne hors du jeu. On dit quelquefois ironiquement de certains psychothérapeutes qu'il s'agit de vrais « docteurs hum-hum », toute parole qu'on leur dit se voyant payée d'un grognement amical qui dispense tout simplement de fournir une véritable réponse. De même faut-il dire de certains « pasteurs » qu'avec leurs manières socio- ou psycho-thérapeutiques ils font tout leur possible pour se rendre invisibles derrière un « brouillard à la Fleurier ».

Naturellement, le moment ne peut manquer d'arriver où cette

femme, malgré sa quête d'un appui et d'un abri affectifs, va remarquer le mur invisible qui lui interdit toute approche de son « paternel » ami clérical. Mais il ne lui est pas permis, même de manière fugace, de parler de ses désirs et de ses sentiments véritables. Va donc commencer un temps de recherche de signes, de formation de secrets espoirs, aussi de dénégation désespérée et d'interprétation controuvée d'indices pourtant évidents de refus ou d'indifférence : *impossible* de croire que cet homme aussi, celui en qui on avait placé tous ses espoirs, n'a en fin de compte fait que jouer professionnellement et des années durant avec la détresse et la souffrance. Et l'effort pour trouver une réponse claire à ces questions angoissantes et décisives, en dépit de l'interdit d'une conversation franche, peut prendre — ce n'est pas rare — une allure paranoïaque.

Il y a cent ans déjà, Sigmund Freud a montré comment des personnes peuvent être malades de difficultés relationnelles et de délire de persécution parce qu'elles éprouvent à l'égard de leur médecin des sentiments qu'elles estiment devoir s'interdire[27]. S'agissant des clercs de l'Église catholique, on se heurte à un risque semblable : certaines personnes peuvent être les victimes d'un système de sentiments ambivalents et de duplicités qui ne permet pas de répondre personnellement à des sentiments personnels. Confronté à la situation que nous venons de décrire, un prêtre éprouvera une difficulté considérable à dire à cette femme aussi bien sa sympathie que son refus. Dans un cas comme dans l'autre, il craindra de manquer à son devoir ministériel, soit en témoignant des sentiments privés que sa fonction lui interdit d'éprouver, soit en blessant d'une manière irresponsable, par une parole de refus non équivoque, une personne qui lui a accordé sa confiance. Coïncé, il a tout intérêt à maintenir son statut ambigu. Mais cette absence de clarté signifie pour la femme une épreuve insupportable, ce qui tend nécessairement à engendrer en elle de « fausses certitudes »[28]. Objectivement, ce prêtre ne s'est jamais avoué ouvertement qu'il éprouvait de l'amour, ou au moins une vive sympathie pour elle, et celle-ci fera preuve de compréhension pour son attitude. « N'est-il pas prisonnier de sa situation, lui aussi ? se dit-elle. Après tout, une femme aimante n'a-t-elle pas le devoir de faire preuve d'esprit de sacrifice et de dévouement pour *sauver* un homme si précieux, et n'est-ce pas en cela que consiste vraiment l'imitation de Jésus-Christ ? Ah ! si ce prêtre acceptait au moins de dire quelque chose de lui-même ! Mais, après tout, il le fait ! Simplement je n'ai pas su l'écouter comme il convenait : les chants qu'il a choisis pour les offices de l'Avent, par exemple, ne sont-ils pas tous une réponse aux questions angoissantes de l'amour ? » « Portes, ouvrez-vous ! » : c'est un clair « viens ». Et « Cieux, répandez d'en haut votre rosée » ne signifie-t-il pas « couvre-moi de tes larmes ou de tes baisers » ? Et ce merle, perché sur le bouleau devant la fenêtre, n'est-ce pas un messager du Ciel venant enfin apporter un peu de clarté dans un abîme d'équivoques ? Quand on en arrive à tourner et retourner des pensées de ce genre, non plus comme des questions, mais comme des évidences, on n'est pas loin de la paranoïa. Et déjà se fait jour la peur de voir les autres découvrir le secret de cette liaison amoureuse, si heureuse et si effrayante ; en traversant la rue, en se rendant à l'Église, en s'avançant communier, on sent leur regard dans le dos. Et quel air n'a pas le prêtre quand, de l'autel, il donne la bénédiction : « la paix soit avec vous » ? Et qu'a-t-il donc voulu signifier dans son sermon quand il a déclaré : « seul l'amour peut nous sauver » ? Vraiment, est-il preuve plus nette de l'inhumanité d'un système que ce spectacle de personnes glissant ainsi vers la folie pour la simple raison qu'il leur est interdit d'interroger sur la vérité de leurs sentiments ses représentants, coïncés dans leur ambiguïté ?

6. « *Peur du lien* » *et solitude*

L'absence chronique de véritables sentiments personnels ou, plus exactement, leur occultation sous le pesant couvercle des prescriptions du rôle n'a pas pour seule conséquence de réengendrer continuellement frustrations réciproques et humiliations pathogènes en matière relationnelle. Elle suscite chez le clerc une véritable fuite devant le danger menaçant d'expériences émotionnelles « trop intenses ». A vrai dire, en y regardant de près, on s'aperçoit que ce n'est pas d'abord son rôle professionnel qui étouffe les sentiments personnels. Inversement, c'est son insécurité ontologique devant sa propre subjectivité qui exige de lui la raideur et la fixité de son rôle, en vue de stabiliser son moi propre.

On peut facilement vérifier cette idée en constatant la façon dont les clercs se comportent aussi entre eux, quand ils ont la possibilité d'exister en tant que personnes privées. Il n'est pas de lien humain profond qui ne comporte de quelque manière de forts investissements affectifs — on doit bien savoir ce que l'on attend de l'autre et ce que l'on ressent à son égard, et il faut bien qu'il y ait des possibilités d'exprimer les attentes et les sentiments correspondants. Par contre, le paradoxe des clercs consiste en ce que la fonctionnalisation totale de leurs intérêts les conduit à ne vivre constamment que *juxtaposés* les uns aux autres. Dans le cas idéal, ils ressemblent à des locomotives totalement indépendantes, bien que constamment sous pression ou sous tension pour démarrer sur des voies parallèles en fonction d'un horaire bien fixé au service d'une seule et unique entreprise. Ainsi évite-t-on toute possibilité de collision ou de confrontation, mais aussi toute véritable rencontre. Il ne peut même pas exister ce sentiment de camaraderie profonde qui, dans des conditions comparables, unit les soldats d'un peloton ou d'une compagnie, ce sentiment de dépendre les uns des autres, pour le meilleur ou pour le pire, que suscite une situation de menace permanente. La neutralisation obligatoire de toutes les relations affectives conduit inévitablement à une existence comparable à celle de la monade leibnizienne[29] à l'intérieur de laquelle le clerc se doit de refléter pour soi l'image de la vision catholique du monde, contraint de vivre ainsi dans une solitude totale, séparé par des années-lumière de ses confrères et de ses consœurs.

Il faut le dire en passant : il existe un indice, en soi suffisamment parlant, qui fait voir une fois de plus combien, en matières vitales, la théologie catholique est dépendante en particulier de la psychologie des clercs dans leur fonction. Il conforte la thèse suivant laquelle on ne peut comprendre nombre de positions, surtout de morale, que comme des rationalisations de conflits qui sont, pour l'essentiel, ceux que les clercs de l'Église catholique entretiennent avec eux-mêmes.

C'est justement quand on considère cette *carence manifeste des relations des clercs entre eux* qu'on comprend le sens de la campagne, qu'on relance depuis des années dans le langage immuable de la prédication officielle, contre les difficultés en particulier des jeunes en matière conjugale et familiale. Il est naturellement très regrettable de devoir constater la fréquence et la rapidité avec lesquelles se dissolvent des mariages à peine conclus, et la difficulté manifeste de construire une vie de couple à peu près heureuse. Les raisons en sont extraordinairement complexes et se situent à divers niveaux. Entre autres causes, mentionnons au niveau social l'urbanisation, la dissolution de la grande famille, la disparition de tout contrôle de la part des parents et de l'entourage, l'activité professionnelle de la femme et son indépendance financière. Au niveau psychologique, il y a déjà fort souvent les problèmes de couple des parents, une immaturité relative au moment de l'âge du mariage, c'est-à-dire à la fin de l'adolescence, le caractère de plus en plus individualisé et personnalisé des rapports humains, l'exigence d'entente émotionnelle et sexuelle. Les personnes un peu perspicaces ne peuvent pas ne pas se rendre compte que, en matière d'amour, les jeunes d'aujourd'hui éprouvent bien plus de difficultés que n'en connaissait même la génération de leurs parents.

Mais si on écoute les déclarations des évêques catholiques sur ce point, il y aurait essentiellement deux facteurs qui menaceraient le mariage : la licence sexuelle (alliée à l'usage des moyens anticonceptionnels) ainsi que l' « infidélité[30] » qui résulterait d'une « peur de se lier[31] ». On notera à quel point cette analyse ecclésiastique des choses, extrêmement simplificatrice, isole dans le large spectre des comportements actuels en matière de sexualité et de mariage un facteur prétendument décisif et le déclare cause unique de tout le mal. Ce qui nous intéresse ici, c'est de voir comment les clercs se rallient à cette interprétation unilatérale de la crise actuelle du mariage. Ils semblent comme intentionnellement ignorer que la « peur de se lier », à supposer qu'elle ne provienne pas elle-même d'autres causes, ne représente qu'un des facteurs — certes, très spécifique — d'échec d'une communauté conjugale. Ils ne remarquent sans doute pas non plus l'injustice qu'il y a, tout simplement, à diffamer moralement sur un ton accusateur et à frapper sommairement d'interdit la lutte sincère, souvent très sensible et intelligente, des jeunes de maintenant pour vivre des sentiments plus authentiques et pratiquer des relations plus sincères. Mais, pour un observateur attentif, le caractère subjectif, *projectif*, de la vision cléricale n'en est que plus évident. En d'autres termes, si le thème de la « peur du lien » est pertinent, ce n'est pas tant à propos des difficultés des couples actuels qu'à propos de celles des clercs de l'Église catholique à s'y retrouver en matière de relations humaines, et en tout premier lieu de celles touchant le rapport hommes-femmes.

Car ce qui surprend alors, c'est que, parmi toutes les formes imaginables de peur susceptibles de ruiner la vie commune des gens mariés, la pensée cléricale se centre sur la variante spécifiquement schizoïde de l'*angoisse de la proximité* par peur de voir sa liberté limitée et figée. Or, on ne saurait identifier sans plus ce genre de schizoïdie à celle que décrit la psychologie structurelle des caractères[32]. On peut seulement constater que, en matière relationnelle, le clerc totalement identifié à son rôle connaît des dissociations de sensibilité et de comportement que, par la suite, il éprouvera et intellectualisera comme un problème de schizoïdie, alors qu'il faut plutôt interpréter leur structure originelle comme l'effet d'une *névrose de contrainte* conduisant à dissocier devoir et inclination, vouloir et devoir, désir et obligation. Ce n'est pas la majorité de la population, mais bien la majorité des clercs eux-mêmes qui souffrent en priorité de la « peur du lien », à tel point que la plupart d'entre eux n'ont jamais tenu dans leurs bras, comme hommes une femme, comme femmes un homme, et encore moins osé donner leur cœur à un autre humain pour se retrouver en lui. Et cela non pas parce que leurs sentiments seraient d'emblée bloqués par une angoisse jamais éprouvée et inconsciente devant un lien trop étroit — comme chez un véritable schizoïde —, mais parce qu'une autorité extérieure — les parents d'abord, l'Église ensuite — a interdit et continue d'interdire toujours d'engager quelque relation que ce soit avec les personnes de l'autre sexe. La conséquence en est une *solitude* forcée que les clercs ne peuvent surmonter même dans leurs tentatives occasionnelles pour s'en évader. Celles-ci la renforcent plutôt, car l'ambiguïté initiale de l'existence se trouve alors aggravée par une duplicité supplémentaire du comportement à l'égard de l'entourage, ainsi que des représentants de l'autorité ecclésiastique.

Cette solitude n'est que l'ombre portée d'une angoisse existentielle rampante, le vêtement légèrement modifié sous lequel réapparaît l'insécurité ontologique originelle. En pastorale, on voit beaucoup de prêtres qui travaillent, littéralement, jusqu'à l'épuisement et à l'infarctus du myocarde, et qui n'en déclarent pas moins courageusement à leurs confrères qu'ils vont très bien, toujours selon la devise : « Souris dans la tristesse. » D'ailleurs, leur faire part d'une difficulté ne provoquerait de leur côté qu'une réaction de curiosité importune et une compassion impuissante, somme toute inutile. En vérité, un homme (ou une femme) en ministère ne peut qu'aggraver ses difficultés en les révélant à autrui. Le prix de la fonction, c'est l'impersonnalité, et le prix de celle-ci, c'est la solitude, avec en plus le devoir de se débrouiller seul avec soi-même.

Souvent, il ne reste vraiment plus de ce fait au clerc que le *langage supplétif des affections psychosomatiques.* C'est alors avec émotion qu'il peut recevoir la visite de collègues qui n'étaient jusque-là jamais venus le voir, mais s'apitoient désormais sur son estomac, ses poumons, son cœur et ses intestins, le couvrent de louanges et de conseils bien intentionnés, dans leur désir amical de le ramener sur le chemin de la santé. Mais comment ne pas sentir percer sous leurs propos une espèce de satisfaction et de joie sournoises, semblables à celles de spécialistes d'un domaine précis, en compétition d'influence et de prestige ? Et ne faut-il pas déjà comprendre des louanges de ce genre comme des allocutions nécrologiques anticipées ? *De mortuis nihil nisi bene :* en traduction libre, on ne peut dire des choses agréables que de ceux dont la concurrence a cessé d'être dangereuse.

Dans la vie d'un homme, dès que les ombres s'allongent, c'est-à-dire au plus tard à la cinquantaine, commence une course de vitesse contre la mort. Leur vie durant, bon an mal an, beaucoup de prêtres en fonction n'ont admis que le travail en guise de compensation à leurs manques ; mais voici que ce passé se venge. Il ne s'agit pas seulement d'un simple affaiblissement manifeste de leurs forces physiques : le plus grand danger, pour des hommes qui ont essentiellement voué leur vie à la diffusion et à la défense de certaines idées, c'est d'être obligé de reconnaître avec amertume qu'ils sont dépassés, autrement dit qu'ils ne sont plus de leur temps. Ils avaient cru que le Christ et l'Église leur garantissaient de détenir la vérité et voilà que, contraste cruel, ce sont toutes les bases de leur projet de vie qui se trouvent remises en cause : la majorité des gens n'a-t-elle pas oublié ce pour quoi on avait lutté avec énergie des années durant, en n'y voyant plus qu'un reliquat du passé ? Ainsi voit-on beaucoup de prêtres, qui continuent encore à assumer par devoir leur service paroissial à 75 ans, sombrer dans l'amertume ou la résignation — mais en tout cas dans la solitude et dans un doute rongeur : A quoi bon tout cela ?

7. La brioche et le fouet

L'idéal clérical du comportement pastoral avec les gens est complexe. La dialectique interne de son obligation fonctionnelle d'impersonnalité, couplée avec son attitude démonstrative d'humanité et de souci personnel du salut des âmes, n'est pas seulement source continuelle de faux espoirs suivis de déceptions. Elle est en soi contradictoire du simple fait qu'elle oblige à faire montre de gentillesse et de jovialité dans les rapports avec l'entourage — choses en soi souhaitables —, mais aussi d'une intolérance idéologique manifeste, celle-là paraissant en quelque sorte l'emballage et celle-ci le contenu.

S'il est besoin d'une confirmation de cette impression, on la trouvera chez l'auteur dramatique américain Tennessee Williams : dans *La Chatte sur un toit brûlant*[33], il a montré le rôle que jouaient en fait dans la société moderne « Messieurs les ecclésiastiques ». Durant les deux tiers de la pièce, ce brillant analyste des complications des sentiments humains dépeint la vie commune d'une famille dont tous les membres sont esclaves d'un jeu de duplicité et de mensonge. Plus l'action progresse, plus le spectateur perçoit avec évidence l'hypothèque que leurs dissimulations font peser sur les personnages. Le seul qui n'en remarque absolument rien, c'est le pasteur, le Révérend Tooker, qui continue ses appels grotesques à contribuer à la restauration de la chapelle du cimetière. On a eu recours à lui pour donner un peu de style à la fête familiale, mais ses propos servent à faire ressortir une situation psychologique et morale. Cependant, la tension psychologique entre le jeune Brick, toujours sous l'effet de l'alcool, et son père monte et se développe au-delà du supportable jusqu'à ce que, avec éclairs et tonnerres, elle se décharge en un orage verbal libérateur. Ce qui est en cause, c'est « la vérité (qui) fera de vous des hommes libres » (Jn 8, 32)[34], autrement dit un « dégoût du mensonge » qui n'est en somme que « dégoût de toi-même »[35]. « Je voudrais montrer ce qu'il y a de vérité dans l'expérience vécue d'un groupe de personnes, dit l'auteur à propos de son drame, ce jeu réciproque de gens pris dans l'orage d'une crise commune, un jeu mobile, enrobé de nuages, difficile à comprendre, mais chargé d'une tension fiévreuse[36] ! »

En ce qui concerne notre propos, ce qui nous semble

significatif, c'est le fait que le représentant attitré de l'Église chrétienne se montre aussi incompétent et démuni, restant totalement en marge de cette lutte décisive pour accéder à sa propre vérité et à la fécondité de l'amour, finissant même dans son inconscience par s'éclipser honteusement avant même que ne commence vraiment ce drame spirituel de la recherche d'une forme authentique d'identité personnelle. De lui, on n'attend absolument rien de plus que la conservation de ce bien accessoire, en ruine, mort, qu'est la chapelle du cimetière. Pour tout ce qui est humainement important, il est incompétent au sens le plus profond du terme. En cette fin du XXe siècle, on ne peut formuler de pire constat des carences de la théologie ecclésiastique devant la misère spirituelle des hommes que cette banqueroute de la pastorale cléricale proclamée ici comme chose allant de soi. Remarquons bien qu'il y a belle lurette qu'il ne s'agit plus d'un simple désarroi comme celui que présente par exemple Friedrich Hebbel quand, dans la deuxième partie de sa trilogie des *Nibelungen*, il met en scène le personnage du prêtre face au monde « païen » de *Brunhild* et *Kriemhild*, assoiffés de gloire et de vengeance[37] — car, il ne s'agit là que de montrer, sous un revêtement historique, l'impuissance du message chrétien devant les forces archaïques à l'œuvre dans la psyché humaine, et cela laisse au moins ouverte l'espérance en un monde meilleur. En revanche, un siècle plus tard, chez Tennesser Williams, il est uniquement question de la pure indifférence à l'égard des fonctionnaires ecclésiastiques. Un monde meilleur, avec une vie plus sincère et authentique, *est* possible et *va* se réaliser, mais sans la moindre intervention de clercs complices de toutes les formes de mensonge, aussi bien privées que publiques. Dans la pièce du dramaturge américain, l'Église est *incapable* de venir en aide aux humains. Bien plus, il faut dire que, du fait de sa vision cléricale d'elle-même, elle ne fait preuve d'aucun souci sérieux des véritables problèmes humains. Elle ne s'intéresse qu'à elle-même — l'égocentrisme clérical, phase finale de la religion. Tel est le défi que l'Église catholique doit relever aujourd'hui si elle veut retrouver la moindre forme de crédibilité auprès de nos contemporains.

Ce qui frappe, dans le personnage du pasteur de Tennessee Williams, c'est son *incapacité à prendre conscience des agressions* présentes et à réagir en conséquence. Un homme comme le Révérend Tooker vit dans un monde où manifestement il suffit, et où c'est en tout cas son devoir, de faire plaisir à chacun, comme un jeune homme bien élevé, en invitant aimablement les autres à témoigner une semblable aménité. Dans leur confiance, ce genre d'homme ne peut concevoir la légitimité de certaines agressivités, donc la nécessité de les formuler et de les discuter en commun. Quand il comprend ainsi son rôle ministériel, un prêtre ne peut que se croire au-dessus de sentiments aussi primitifs que la colère, la rage, la vengeance ou la haine. Autrement dit, il n'a jamais appris à les connaître vraiment, et il se sent donc obligé de condamner chez autrui comme péchés ce qui, en réalité, n'est rien d'autre qu'appels au secours.

Toujours est-il que ce refoulement des sentiments, en quelque sorte « débonnaire », ne fait pas grands dégâts. Il est inopérant, dans le sens du bien comme dans le sens du mal, à moins de considérer comme un mal fondamental l'absence chronique d'attention aux problèmes humains. Plus grave est en tout cas l'effet du passage continuel de la cordialité et de la bienveillance professionnelles à l'attitude missionnaire prédicante. La relation pratique avec les gens fait apparaître le problème fâcheux qui résulte de la forme actuelle de la théologie.

Nous avons déjà vu que, dans l'Église catholique, celui qui prend la décision de se faire prêtre sera éduqué selon une doctrine essentiellement « correcte », c'est-à-dire qui est à l'unisson de certaines formulations traditionnelles. Il ne peut enseigner la théologie apprise que sous forme rationnelle. Sa prédication consistera donc avant tout en une retransmission de certains contenus d'enseignement. Dans ces conditions, on comprend fort bien pourquoi resurgit éternellement la même objection dans les sessions de formation permanente des vicaires et des curés traitant des méthodes de la psychothérapie par entretiens : comprendre et accompagner des gens, les considérer humainement, c'est bien ; mais ce n'est finalement pas de la pastorale : La *pastorale*, c'est inculquer de façon claire et explicite dans la conscience des gens certaines données nettement formulables[38]. Dans le style de relations des clercs, cette méconnaissance du lien entre la pensée théologique d'une part, et l'affectivité et l'expérience des gens d'autre part, entraîne nécessairement un clivage entre une amabilité racoleuse et une dureté forcée qui croit trouver sa justification dans une vérité située au-delà de l'humain et indépendante de lui.

Cette rupture, qui relève d'une névrose de compulsion, affecte jusque dans ses détails le comportement du prêtre.

C'est cette incapacité doctrinale à retrouver Dieu dans l'homme, à l'exemple de Jésus, qui fait que tout se disloque. Fondamentalement, la théologie devrait être une école où l'on apprendrait à regarder l'existence à la façon dont Vincent Van Gogh considérait la peinture : « Je voudrais exprimer quelque chose de consolant dans mes tableaux, dans cette éternelle peinture, écrit-il. Ce qu'autrefois on appelait l'auréole, c'est maintenant le tremblement et l'éclat des couleurs. Je préfère peindre des yeux humains que des cathédrales, car dans les yeux humains il y a quelque chose qu'on ne trouve pas dans les cathédrales : le scintillement d'une âme humaine[39]. » Tant que les théologiens ne parviendront pas à reconnaître dans des yeux humains le visage caché de Dieu, tant qu'ils devront même le considérer comme interdit, le style relationnel des clercs sera nécessairement aussi partagé que leur pensée et leur être, répartis aux deux étages d'un même immeuble, eux-mêmes n'ayant le droit d'habiter qu'à l'étage supérieur. Et c'est justement cette vie confinée dans les hauteurs qui rabaisse socialement l'existence des laïcs au niveau du *rez-de-chaussée*, celui des forces supplétives.

On peut observer cette *rupture de niveau* dans tous les détails imaginables du style de comportement clérical. Voici un curé à qui, d'un côté, on a enseigné la psychologie pastorale en lui apprenant par exemple qu'il doit se comporter autrement à la ville et à la campagne. Dans un grand centre, où de toute façon les gens ne se connaissent pas, on n'attend pas d'un pasteur qu'il salue les passants, sauf s'il s'agit d'une connaissance, ou pour un motif précis. On trouverait même déplacé et ridicule le salut d'un curé s'il n'était pas justifié de quelque manière par une raison clairement reconnaissable. Il en va tout autrement au village où tout le monde se connaît. Non seulement on attend de lui qu'il traite chacun comme une connaissance intéressante, mais on verrait même dans son omission à saluer une franche impolitesse. Ainsi la traversée de « sa » paroisse devient-elle une véritable affaire diplomatique, sa prévenance, au sens le plus littéral, venant du même coup renforcer son sentiment égocentrique de personnage central : « Tous ont les yeux fixés sur toi, Seigneur », dit le psaume 145, 15. Oui, tout dépend de lui ! C'est pourquoi cette même amabilité liée à sa fonction ne manquera pas de se muer instantanément en dirigisme impérieux, dès qu'il sera personnellement mis en cause dans son rôle.

La *fonction*, l'idée qu'on est *au centre de tout*, et le *clivage* du comportement en une humanité de commande et un contrôle tout aussi serré des opinions forment une triade impossible à dissoudre, à moins de voir un comportement essentiellement fonctionnel faire place à des rapports vraiment personnels. Mais cela suppose une théologie cessant d'opposer une rencontre interhumaine visant à l'individuation et à l'intégration de la personne à la rencontre et à l'annonce de Dieu, ce dont nous sommes encore fort loin aujourd'hui. Le malheur de la psyché cléricale vient entre autres causes, de ce que, en vertu de sa charge, un prêtre en fonction se sent obligé de toujours aller à la rencontre des gens pour les aider à vivre alors que, du fait de sa propre structure psychologique, il ne fait que les handicaper et les égarer sur leur route.

De plus, ici encore continue à valoir la règle selon laquelle les difficultés structurelles de la psyché cléricale dans l'Église catholique croissent directement en fonction de l'ascension dans la hiérarchie, les jeunes pousses ne faisant ainsi qu'annoncer ce qu'on retrouvera en grand chez les personnalités dirigeantes de l'Église.

Entre autres exemples possibles, revenons ici sur celui du cardinal Meisner, qu'on considérait comme un prédicateur proche des gens, tant qu'il n'exerçait son ministère qu'en République démocratique allemande. En fait, il se sentait déjà en mesure de se présenter ainsi à une assemblée de fidèles : « Nous ne nous connaissons pas encore, et pourtant nous avons déjà lié connaissance ensemble. Car je connais mes brebis et mes brebis me connaissent » (Jn 10, 14)[40] : une façon caractéristique de se rapprocher du peuple en l'amadouant. Car la « non-connaissance » du peuple des fidèles et du cardinal est naturellement réciproque, et elle suscite de part et d'autre des sentiments d'insécurité et de peur, de curiosité nourrie d'espoirs et de disponibilité anxieuse, chaque partie désirant savoir comment se situer par rapport à l'autre. Inversement, chacune d'elles se fait sûrement une certaine image de l'autre, en fonction d'informations tantôt vérifiées, tantôt partiellement erronées. Mais au lieu d'entrer concrètement dans les véritables dispositions des auditeurs, la citation biblique de l'évêque court-circuite tout simplement un niveau émotionnel qu'elle ignore sciemment et délibérément pour y substituer le sentiment obligatoire d'une unité de nature religieuse. Celle-ci consiste à poser comme équivalents, au nom du Christ, rapport clairement ministériel et relations humaines. Le cardinal Meisner serait certainement très étonné de s'entendre dire qu'en interprétant ainsi la Bible il foule aux pieds les sentiments des gens et transforme la religion en un instrument d'oppression. Or, cette inconscience même, loin de n'être qu'un détail, aggrave encore les choses : elle constitue la preuve qu'il ne s'agit pas là d'une simple inadvertance de sa part, mais bien d'une attitude qu'il juge comme allant absolument de soi — c'est ainsi que les choses doivent se passer et continuer de se passer. *Le Christ ou la personne* : telle est l'alternative schizophrène que, dans leur piété tyrannique, les clercs catholiques ne cessent de reposer, celle qui détermine encore leur pensée et leur comportement, celle dans laquelle ils continuent sans vergogne à voir la norme idéale du comportement chrétien, même en cette fin du XXe siècle.

Il n'est évidemment pas possible de traiter de l'oppression des sentiments, des siens ou de ceux d'autrui, que constitue une « prédication » de ce genre, sans attirer finalement l'attention sur l'aspect de *confort psychologique* si important qu'elle procure à des clercs le plus souvent surchargés de travail, donc surmenés. A travers son personnage de l' « allumeur de réverbères » du *Petit Prince*, Antoine de Saint-Exupéry a dépeint un homme qui, selon la devise : « La consigne, c'est la consigne » [41], cherche à s'acquitter d'une tâche au fond devenue obsolète depuis longtemps. En effet, sa planète tourne de plus en plus vite, de telle sorte qu'entre le coucher et le lever du soleil, donc entre l'allumage et l'extinction des réverbères, il ne lui reste plus qu'une minute ; mais l'ordre n'a pas changé. Cet allumeur de réverbères ne rêve en réalité que de se reposer, mais il n'y arrive jamais. Il suffirait pourtant de marcher dans sa vie assez lentement pour rester toujours au soleil, ce que le Petit Prince lui propose. Or lui ne *veut* pas marcher plus lentement, mais *dormir*. Il *tient* à ce tourbillonnement du devoir et du décrochage, et c'est pourquoi il n'y a pas d'espoir pour lui. « On peut être à la fois fidèle et paresseux » [42], observe très justement le Petit Prince.

De même, s'ils sont fidèles à leur idéal professionnel, les clercs de l'Église catholique suivent-ils presque l'exemple des photons : ayant pour fonction d'éclairer le monde, ceux-ci sont électriquement complètement neutres. S'ils venaient à s'arrêter, ils s'effondreraient dans le néant, car, au repos, leur masse est nulle. C'est pourquoi ils se déplacent sans arrêt à la vitesse de la lumière. En s'identifiant totalement à leur rôle professionnel, les clercs de l'Église ont une telle angoisse de n'être littéralement plus rien sans leurs activités et leurs efforts, que, certes, ils ne se déplacent pas à la « vitesse de la lumière » (encore qu'un ironiste pourrait déceler sans peine chez eux certains effets de la relativité : une incroyable extensibilité du temps s'accompagnant d'un raccourcissement de sa durée, ainsi qu'un énorme accroissement de la « masse »). Mais ils se persuadent qu'ils doivent éclairer le monde entier, s'imaginant toujours que ce projet réussirait au mieux s'ils pouvaient se passer de se colleter réellement avec la moindre parcelle de « matière ».

II.

Les conditions de la vocation
ou
psychologie des « conseils évangéliques »

1. L'ARRIÈRE-PLAN PSYCHOGÉNÉTIQUE, OU L'ATTRIBUTION PRIMAIRE DES RÔLES DANS LA FAMILLE

Nous venons de tenter d'analyser les structures psychologiques du clerc aux trois niveaux de la pensée, de la forme de vie et du contact humain, sur fond de son incertitude ontologique. Mais pourquoi ce manque d'assurance ? Pourquoi pèse-t-il tellement sur les comportements cléricaux ? Avant de pouvoir répondre à ces questions en partant des « conseils évangéliques » d'obéissance, de pauvreté et de chasteté pour réfléchir aux conflits spécifiques de chaque champ pulsionnel, avec leurs formes structurelles d'inhibition et leurs cristallisations idéologiques correspondantes, il nous faut d'abord réfléchir aux conditions familiales dans la biographie des clercs. Comment ces conditions les ont-ils prédisposés à accepter une charge de clerc dans une Église perçue comme une « grande famille » ? Tel doit être maintenant notre problème. Pour y répondre — à côté de ce trait fondamental qu'est l'insécurité ontologique elle-même —, nous disposons d'un fil directeur important et caracteristique : *l'excès de responsabilités*.

Jusqu'à présent, pour comprendre et décrire le clerc, nous nous sommes appuyé sur le modèle de Lucien tel que l'a utilisé Sartre pour décrire le chef. Mais, c'est évident, les motifs qui poussent subjectivement le clerc de l'Église à faire quelque chose de juste et d'utile pour les autres sont d'un tout autre type que ceux de Fleurier. Le paradoxe, c'est que cette volonté de service ne repose pas absolument sur une confiance en ses propres capacités. Bien au contraire, c'est l'absence de justification originelle de l'existence qui engendre par compensation le désir de mériter cette justification en se rendant de quelque façon utile. Telle est l'attitude fondamentale sous-jacente au caractère radical de son « être-pour-autrui », celle que nous avons exprimée en parlant de « résignation ». Alors que nous ne pouvions comprendre la psychologie d'un Lucien Fleurier qu'en partant d'une attitude fondamentale d'arrogance, nous pensons que celle du clerc repose avant tout sur une *attitude poussée à l'extrême de renonciation* à toute forme de bonheur. C'est si vrai que toute tendance personnelle à s'accomplir de façon purement individuelle, non seulement suscite en lui de violents sentiments de culpabilité, mais constitue justement ce qui provoque immédiatement son angoisse existentielle si caractéristique : il est celui qui s'interdit de fonder son existence sur l'égoïsme, ce qui, loin d'exclure un égocentrisme chronique, ne fait au contraire que l'impliquer. D'où notre question sur les conditions familiales qui ont suscité le sentiment de n'avoir le droit d'exister que dans l'altruisme, dans l'être-pour-autrui. En nous permettant de décrire l'étiologie des motivations de la vocation cléricale, notre réflexion psychanalytique nous fera donc plonger au cœur du problème psychique du clerc.

On peut certes spontanément imaginer bien des situations familiales où un enfant peut être amené à se sentir fondamentalement peu assuré de son droit à l'existence, et se trouver ainsi acculé à l'utilité et au service. En réfléchissant sur quelques exemples précis, nous n'entendons pas plus que précédemment généraliser certains traits isolés, mais bien permettre de mieux comprendre une *structure d'ensemble spécifique*.

Psychanalytiquement, on peut voir dans le sentiment d'un manque ontologique d'assurance, donc dans celui dont nous avons dit qu'il était le trait fondamental de la motivation cléricale, une conséquence directe du sentiment de n'avoir pas été accueilli par les personnes de l'entourage initial. Philosophiquement, c'est l'existence humaine elle-même qui est par essence « ontologiquement précaire ». Mais cette *non-nécessité de l'être,* cette contingence radicale de la vie, quelles que soient ses formes concrètes, ne prend psychologiquement forme de sentiment que de par le refus des personnes dont la proximité et la chaleur sont fondamentalement nécessaires à l'existence dans les premières années de la vie.

Dans l'histoire d'un enfant, le « refus » ne signifie presque jamais que ses parents n'ont tout simplement pas voulu sa naissance. Certes, ce peut être le cas, et le non brutal et volontaire opposé à un être humain peut alors se traduire par un mur d'obscurité glaciale ; mais il ne peut expliquer la force énergétique de la relation d'opposition nécessaire pour engendrer une psyché cléricale. Ce qui caractérise la genèse de celle-ci, c'est un refus en quelque sorte involontaire, du fait par exemple que l'un des parents se trouve psychiquement accablé de charges. Il faut alors comprendre « involontaire » au sens littéral du terme : la situation fondamentale ne consiste pas en ce que la mère ou le père auraient pu témoigner à l'égard de leur enfant des sentiments positifs d'amour, mais auraient malheureusement été empêchés de leur donner une expression suffisamment vigoureuse du fait de certaines circonstances. Il s'agit au contraire d'une *volonté contrecarrée* : une mère, par exemple, voudrait bien aimer son enfant, mais, pour certaines raisons, son état affectif l'en empêche, et elle *s'oblige* alors à élaborer un rapport positif à lui, effort qui ne fait que mieux ressortir à quel point elle outrepasse la mesure de ses véritables sentiments. Sa relation à lui manquera de véritable cordialité, carence qu'elle s'efforcera de compenser en se donnant encore plus de mal, ce qui renforcera son sentiment fondamental du refus originel, ce qui redoublera son sentiment de culpabilité, ce qui par réaction lui imposera encore davantage une attitude morale d'obligation. *Premier cercle vicieux* de sentiments étouffés et de volonté morale de réparation, cercle qui, chez la mère (ou la personne la plus proche), préfigure pour une bonne part la future orientation cléricale ; la seule relation existante est faite d'attitude volontaire et morale qu'on s'impose. Si, en apparence, tout doit se passer d'une manière raisonnable, ordonnée et responsable, ce comportement est en réalité marqué par une ambivalence chronique des sentiments et une discordance entre le vouloir et l'être.

C'est ce phénomène que nous retrouverons par la suite chez le clerc. Avant d'en arriver là, il nous faut entrer plus avant dans l'analyse psychogénétique. Interpréter le rapport entre le modèle parental et l'élaboration enfantine selon le schéma simpliste du sceau et de son empreinte serait une grave erreur, car la relation entre parents et enfant est faite d'une dialectique constante d'échanges et d'oppositions.

A. SURCHARGE ET RESPONSABILITÉ

Pour bien voir la complexité de cet état de choses, prenons l'exemple d'une mère qui met au monde un enfant qui est fondamentalement de trop, de par sa seule existence. Dans une autre situation et en d'autres circonstances, elle aurait été ce qu'on a coutume d'appeler une « bonne mère », et il n'est donc pas nécessaire de parler d'emblée d'incompatibilité névrotique venant grever sa relation à lui. Tout au contraire, il semble que ce qui favorise le plus le développement de la future psyché cléricale, c'est le fait de grandir à l'ombre d'une mère assez maternelle pour donner à son enfant le sentiment qu'elle serait pour lui un abri sûr, mais en même temps empêchée *de facto* d'être ce qu'elle souhaiterait vraiment être.

Deux raisons rendent inévitable cette hypothèse. Pour qu'une femme se sente coupable de ne pas remplir son rôle de mère et cherche à compenser sa carence en se montrant particulièrement fidèle à son devoir, il faut qu'elle ait un caractère maternel. Si elle se montrait froide et repoussait son enfant, elle serait incapable de susciter psychologiquement chez lui l'élan caractéristique du clerc : son espérance absolue de trouver au moins en Dieu, en un autre monde, l'union paradisiaque et l'abri que le monde d'ici-bas lui refuse, autrement dit d'accéder enfin à l'univers absolu, heureux et sûr du ciel.

Répétons-le encore : il ne s'agit absolument pas de discuter théologiquement le bien-fondé de certaines idées de l'*eschatologie* chrétienne à propos desquelles nous nous sommes exprimé ailleurs[1]. Il s'agit uniquement ici de faire voir le rapport entre leur signification affective et certaines expériences primordiales si prégnantes qu'elles ont réussi à marquer et à structurer d'avance tout le cours ultérieur de l'existence, avec la force d'une détermination fatale. Il suffit alors de prendre à la lettre les doctrines théologiques et de les interpréter non plus comme des promesses touchant la Fin des Temps, mais comme des souvenirs inconscients de la première enfance, en remplaçant « Dieu » par l'image de la mère, telle qu'elle s'est élaborée au cours des premiers mois de la vie : tout comme l'eschatologie chrétienne parle elle aussi d'un Dieu en lui-même bon, mais dont les intentions échouent du fait des conditions réelles du monde (encore que ce soit Lui qui, par un décret incompréhensible, l'a créé tel qu'il est), la psychogenèse du clerc requiert elle aussi une situation où la figure centrale (le plus souvent la mère) donne à l'enfant l'impression profonde d'être pleine de bonnes intentions, mais, aux moments décisifs, de n'être pas en mesure de se donner telle qu'elle est vraiment. En d'autres termes, il faut qu'elle soit éprouvée à la fois *comme suffisamment proche* pour pouvoir éveiller les espérances les plus vives, et *comme suffisamment distante* pour infliger le traumatisme de la déception. Telle est l'expérience contradictoire qui permettra par la suite à l'ambivalence caractéristique de la psyché cléricale de se développer.

Dans une telle situation, pas moyen de jamais échapper à ce continuel vol réciproque de l'existence, à moins de consentir à ce que les plus estimables sentiments moraux interdisent plus que tout : à se rendre l'un à l'autre la responsabilité de sa vie et en faisant preuve de suffisamment d'égoïsme pour apprendre, chacun à sa manière, à vivre pour soi : la mère en tant que femme, et l'enfant en tant que garçon ou fille. Une mère qui n'a pas appris à vivre pour elle-même empêche nécessairement l'épanouissement de son enfant. Pourtant, dans la vie de maintes mères (catholiques), il y a peu de choses aussi terribles que la découverte qu'on n'a fondamentalement rien donné à celui-ci, et qu'on s'est finalement rendue gravement coupable, surtout en provoquant chez lui la continuelle impression d'être coupable. En arrière-plan d'un enfant que le manque d'assurance ontologique fait se sentir coupable d'être au monde, on trouve toujours une mère ou un père qui se sent coupable, d'une manière ou d'une autre, d'être femme ou homme, mère ou père. Aucune échappatoire d'ordre moral n'est en mesure de dissoudre ce nœud existentiel d'une vie qui reste en soi coupable, et qui par là même le devient aussi moralement à beaucoup d'égards.

B. LA RÉPARATION DE L'EXISTENCE, OU L'ORIGINE INFANTILE DE L'IDÉOLOGIE CLÉRICALE DU SACRIFICE

Au lieu de quoi on voit toujours s'édifier une constellation de relations rigides sur lesquelles toute la vie ultérieure prendra appui et qui, de ce fait, peuvent apparaître comme la base secrète de toute l'interprétation de l'histoire et du monde.

Il y a peu d'états de vie aussi pénétrés d'idéologie que celui de clerc. C'est la raison pour laquelle il est psychanalytiquement indispensable de suivre pas à pas et aussi soigneusement que possible les multiples enchevêtrements de l'inconscient et du conscient, des expériences de la prime enfance et de la réflexion adulte, de la psychologie des pulsions et de la vision du monde. C'est ainsi que nous avons déjà tenté de comprendre l'idée théologique de « vocation » divine à l'état clérical à partir du sentiment fondamental du manque d'assurance ontologique et de l'identification secondaire du moi qui en résulte avec des idéaux justificatifs déterminés et de prétendus contenus de vie. De même est-il apparu qu'il fallait pour une bonne part comprendre la surestimation de certaines positions de théologie morale, par exemple concernant l'indissolubilité du mariage, comme une rationalisation de l'expérience du mariage de ses propres parents, avec tous ses conflits. On a même pu facilement interpréter certains détails du discours théologique, comme par exemple la théorie, quelque peu maniaque, de la « peur du lien », cause de tant de tragédies conjugales, comme des idées nées de ce que ressentent affectivement les clercs face à leurs propres problèmes, dans leur propre situation. Reste cependant la question théologique sans doute la plus importante : l'idée d'une rédemption du monde, qui serait sauvé du péché et de la culpabilité par le sacrifice du « Fils » offert au « Père ».

Sigmund Freud était déjà convaincu que la doctrine chrétienne de la souffrance rédemptrice de Jésus tenait à un excès de fantaisie coercitive, eu égard aux sentiments agressivement révolutionnaires que les « fils » nourrissent pour les « pères ». D'une manière plus précise, il décelait le *Sitz im Leben* originel de ces pensées et de ces sentiments dans la situation primitive d'une horde gouvernée de façon patriarcale : les fils se seraient soulevés contre l'individu « alpha », parce qu'il prétendait monopoliser sexuellement toutes les femelles de la horde, et ils auraient mis le tyran à mort[2]. En ce qui concerne plus particulièrement l'idée chrétienne de sacrifice, il estimait impossible de penser à une humble soumission originaire à la volonté du Père, car, dans la conscience des croyants, telle que la traduit la piété chrétienne, le « sacrifice » du fils repousse à l'arrière-plan le père. Il interprétait ce fait comme l'expression du triomphe final du souhait, véritable mais péniblement refoulé, de dérober sa puissance au « Père « pour le priver de sa (toute-)

puissance[3]. Inutile ici de discuter la part de spéculation de la théorie freudienne d'une horde primitive préhistorique à l'aurore de l'histoire humaine, ni du caractère déjà douteux du choix d'ouvrages qui l'avaient conduit à imaginer son « mythe scientifique »[4]. Il y a encore moins lieu de rappeler que l'idée freudienne trouve certes quelque appui dans certaines descriptions que la psychologie sociale nous propose de structures familiales patriarcales. Mais on sait aujourd'hui que le patriarcalisme, et donc la théorie œdipienne que Freud en a tirée, n'a rien d'une constante, que c'est une simple variante culturelle[5], dont à vrai dire on ne saurait que difficilement surestimer l'influence sur les mentalités dans l'histoire de la civilisation européenne[6].

En ce qui concerne notre problématique, il est pourtant extrêmement important de souligner qu'en théologie chrétienne le motif principal de la doctrine du sacrifice ne surgit pas d'abord de la concurrence œdipienne du fils et du père, laquelle n'apparaît que relativement tard dans le développement psychologique : il est beaucoup plus originaire, et il procède sans conteste de la relation entre l'enfant et la mère. Pour fonder la théologie chrétienne du sacrifice, nous pouvons donc renoncer totalement à l'idée de complexe d'Œdipe. Sous l'influence de son ami et collaborateur, Karl Abraham, Freud s'était d'ailleurs vu lui-même très tôt contraint de reporter toujours plus tôt dans la prime enfance le lieu possible de la genèse des conflits névrotiques[7]. Il en va de même pour nous, lorsque nous voulons expliquer le manque d'assurance ontologique et les idées de sacrifice qui y correspondent dans la psychogenèse du clerc : nous sommes conduits à situer les facteurs étiologiques extrêmement tôt, dans la relation originelle avec l'entourage, donc essentiellement dans celle à sa mère. Après ce qui vient d'être dit, il est de plus important de reconnaître que les idées cléricales de sacrifice n'ont rien à voir avec une quelconque réaction de haine (du père) contre laquelle l'enfant aurait eu à lutter. Elles sont bien plutôt une façon de répondre à un comportement maternel : dans la mesure où une mère se sacrifie pour le bien-être de son enfant, celui-ci a en retour le devoir de se sacrifier de son côté pour son bien-être à elle. Sentiments d'angoisse et de colère, culpabilité réactionnelle et volonté de réparation de la part de l'enfant, tels que nous les avons évoqués dans notre analyse psychogénétique du clerc, ne surviennent que du fait de l'élargissement de cette interaction originelle.

De là une conséquence très importante : il nous faudra comprendre l'idéologie cléricale du sacrifice de façon beaucoup plus littérale que ne le peut la psychanalyse freudienne. Pour saisir comment psychologiquement un enfant devient un futur clerc, il faut s'en tenir aux données précises de la théologie chrétienne. Toute l'existence se fonde sur un sacrifice originel qui, de son côté, oblige à une reconnaissance infinie, car il révèle et efface tout à la fois la dette inextinguible de l'origine, le « péché originel ». On comprend sans peine ce théorème théologique, éminemment ambivalent et en soi extrêmement contradictoire, si on aperçoit chacun de ses détails comme un souvenir biographique. Le clerc perçoit affectivement à la lettre toute son existence sur fond d'incertitude ontologique, comme quelque chose qui lui est rendu possible, non en premier lieu par le sacrifice originaire du Christ, mais par celui que sa mère a offert pour délivrer « l'homme », autrement dit « le monde », autrement dit *l'enfant,* de la dette d'être tout simplement *au monde*. Prise dans son sens théologique, cette dette, qui exige un sacrifice si incommensurable, n'est pas vraiment de nature morale, mais est « mystérieusement » liée à la réalité même de l'existence. Nous verrons plus loin en détail, en étudiant les conseils évangéliques de « pauvreté » et d'« obéissance », que, psychanalytiquement parlant, dans les mythes populaires, l'expérience de « péché originel » se rattache bien au thème oral d'un repas interdit. Il suffit ici de prendre cette expression en son sens strict d'information biographique décrivant comment le simple fait d'exister obère la vie d'une lourde charge de culpabilité, parfois mortelle. Car, dans la situation que nous devons considérer comme originelle, on trouve déjà ces désirs et ces besoins infantiles tout à fait normaux qui, dans la situation spécifique de la mère, constituent pour elle un surmenage. Ainsi, en conformité complète avec le dogme chrétien, c'est son « amour infini » (pour son enfant) qui la pousse à se sacrifier pour le bien-être de celui-ci.

Ce qui est capital dans ces réflexions, ce n'est pas seulement la meilleure intelligence psychanalytique que permet cette perspective. C'est d'abord le fait qu'elle éclaire (et donc dissipe) l'absurde menace qui ne cesse de gangrener psychologiquement la théologie chrétienne de la Rédemption, en transformant son message de liberté en un système masochiste d'oppression de soi et de théories sadiques du sacrifice. A suivre la pente de la dogmatique chrétienne, le sacrifice du Christ — sa mort sur la croix — confère à toute notre vie « justification » et « pardon », « expiation » et « rédemption »[8]. Mais par ailleurs l'horrible souffrance du Fils de Dieu, qui « s'offre » — seul innocent — pour la « multitude », rend naturellement manifeste toute l'étendue de la dette humaine. De telles doctrines n'ont nullement pour effet immédiat de nous procurer une impression de soulagement et de délivrance, mais bien au contraire de renouveler et de renforcer nos sentiments de culpabilité. Qui a donc envie d'être « racheté », si pour cela il lui faut en tuer un autre et devenir ainsi le meurtrier de celui qui fonde son existence, et cela d'autant plus que cet autre prend la figure d'une personne divine infiniment bonne et aimable, telle qu'elle apparaît dans le Messie Jésus[9] ? Les effets psychologiques de cette idée théologique, tels que nous les trahit clairement l'histoire, n'ont rien qui va dans le sens du bonheur et de la joie de vivre, mais ne consistent qu'en sentiments, qu'on prétend chrétiens, d'indignité sans mesure, de haine de soi, de culpabilité cuisante, et en une perpétuelle obligation de se sacrifier. « Si Dieu nous a témoigné un amour si illimité qu'il a livré à la mort son Fils unique en réparation de nos péchés, nous sommes évidemment tenus de lui témoigner notre amour à nous en lui offrant notre sang et notre vie en sacrifice » : telle a été la teneur des sermons de vendredi saint à travers les siècles.

Quelle que soit l'interprétation qu'on propose de l'idée chrétienne de rédemption[10], on ne saurait nier que, dans la tradition cléricale, elle n'a pas suscité de renouveau psychologique allant dans le sens d'une « réception immédiate » de l'être, autrement dit de redécouverte d'une confiance spontanée dans la vie. Elle n'a au contraire fait que provoquer un sentiment de dépendance totale et d'autoflagellation permanente. Précisons les choses : en théologie chrétienne, les schémas archétypiques de sacrifice et de réparation[11] ont pris des formes telles, et ont suscité de telles ambivalences, qu'on en est arrivé à choisir de préférence comme représentants et comme porteurs de l'idéologie, comme clercs, des gens psychologiquement marqués en profondeur par une expérience infantile traumatisante, donc par des sentiments ambivalents nés dans une atmosphère de cruelles représentations de sacrifice et de devoirs de réparation. Et inversement, dans le cadre de la théologie ecclésiastique, il semble bien que ce soient justement les personnes douées d'une telle sensibilité, donc prédestinées à devenir clercs, à avoir la vocation, qui, depuis des siècles, visent et parviennent de préférence aux positions clés de l'appareil ecclésiastique : leur mentalité s'adapte à la théologie cléricale du sacrifice comme la clef à la serrure — *cercle vicieux entre la théologie et la psychologie*, entre une superstructure rationalisée et des expériences refoulées de la première enfance, qui ne conduit pas seulement à fixer et à prescrire au clerc en tant qu'individu des formes de vie totalement étrangères à la Rédemption, mais qui, au niveau collectif du grand groupe Église, élève au rang de critères de la vie chrétienne une idéologie et une pratique constantes d'aliénation et d'oppression.

Dans ce cadre de pensée et de pratique, on ne peut comprendre la découverte de soi et la réalisation de soi, telles que la psychanalyse et la philosophie existentielle les conçoivent et les exigent, que comme des tentations diaboliques, comme des attitudes antichrétiennes, antidivines, celles d'« ennemis de la Croix du Christ » (Ph 3, 18). Mais on peut comprendre tout de suite que cette façon de voir s'oppose du tout au tout à la simple doctrine et à la requête de Jésus de Nazareth, en prétendant tirer tout un système de sacrifices et d'œuvres méritoires de paroles qui témoignent en réalité d'une confiance totale en un amour divin[12], sans qu'il soit besoin d'aucun sacrifice préalable.

L'« expérience » historique que constitue l'époque de la *Réforme* met remarquablement en valeur l'étroitesse du lien qui existe entre la psychologie des clercs de l'Église catholique et les idées et les sentiments spécifiques d'une mentalité sacrificielle. Au début du XVIe siècle, nulle pénitence et nulle prière ne parvenait le moins du monde à délivrer le moine Martin Luther de son angoisse existentielle. Mais sa découverte de l'Épître aux Romains et de l'Épître aux Galates lui fit soudain comprendre le vrai sens de la rédemption : Dieu nous justifie non par les œuvres de la loi, mais « par la foi seule » (*sola fide*) et uniquement en vertu de sa grâce (*sola gratia*) — donc sans œuvres propitiatoires[13]. Telle est la conviction qui procura au futur réformateur l'assurance avec laquelle il se mit à stigmatiser en termes violents la façon dont le moine dominicain, Tetzel, travestissait l'invitation biblique à la pénitence en appel à gagner des indulgences : « Lorsque Notre Seigneur Jésus-Christ disait : Faites pénitence (Mc 1, 15), il ne songeait pas à vos œuvres d'indulgence, il entendait que toute votre vie soit une pénitence[14]. »

Mais en parlant d'un véritable « retournement » (pénitence) de toute une vie mal orientée, Luther songeait à l'ouverture d'un cœur humain noué d'angoisse à une confiance inconditionnelle en Dieu. Selon lui, la véritable pénitence consistait à renoncer à toutes les tentations, nées de la peur, de « mériter » enfin une justification de son existence en recourant à une masse de « bonnes œuvres ». Cette position de principe impliquait aussi naturellement la fin de l'idée de sacrifice. A plus ou moins longue échéance, elle signifiait également la fin de l'état clérical, considéré comme une forme de vie particulièrement méritoire par rapport à la vie mondaine des laïcs[15]. Si Dieu veut et trouve bonne, sans restrictions ni conditions, l'existence de l'homme, cela signifie que l'efficacité de sa grâce consistera à donner à la personne le sentiment d'un droit fondamental à l'épanouissement personnel. Il ne sera alors plus possible d'opposer, au nom d'une quelconque idéologie sacrificielle, l'épanouissement de la personne à l'« obéissance » à Dieu ou au Christ et à son Église. Dès lors qu'aucune œuvre n'est susceptible de calmer le manque d'assurance ontologique, toute la théologie du sacrifice perd de ce fait son fondement — et en même temps aussi l'état clérical, en tant que forme de vie chrétienne fonctionnalisée, institutionnalisée, placée au-dessus de celle des laïcs.

Le reproche capital que les réformateurs adressent aux clercs de l'Église, c'est que, au lieu de s'en remettre avec confiance entre les mains de Dieu, ils continuent à poursuivre par des chemins secrets une sainteté qu'on mériterait par des œuvres. Cette protestation ne manque pas de logique : tant qu'il faut une action précise, l'offrande d'un « sacrifice » pour « réconcilier » Dieu avec l'homme, celui-ci doit bien participer à cette « œuvre rédemptrice » en se montrant prêt à se sacrifier[16]. Cependant, si cette théologie sacrificielle tombe, s'effondre en même temps la théologie de l'état clérical, et, ce qui nous intéresse plus encore ici, sa psychologie. Rappelons encore que notre problème n'est pas de juger de la valeur d'une théologie biblique ou dogmatique, mais de constater le lien étroit qui existe entre l'état clérical et l'idée de sacrifice. Ainsi se trouve confirmée l'idée psychanalytique suivant laquelle la psychologie du clerc procède essentiellement de l'expérience d'un sacrifice fondamental (de la mère) au début de la vie (de l'enfant).

A vrai dire, nous n'avons jusqu'à présent que fort imparfaitement présenté la théologie chrétienne du sacrifice. Nous ne pouvons saisir totalement son arrière-plan psychologique qu'en la précisant plus encore. Le « Fils », nous dit-on, n'aurait nullement été obligé de se sacrifier pour les hommes s'il n'avait dû répondre à la volonté finalement impénétrable du « Père » en accomplissant par son obéissance dans la Passion l'« œuvre de rédemption ». Ainsi la théologie du sacrifice s'élargit-elle en la question d'une « économie trinitaire du salut ». Si on comprend bien, cela signifie qu'elle trouve déjà sa préfiguration dans les « processions intra-trinitaires »[17]. On notera, certes, l'élévation fort respectable de cette doctrine que des générations de théologiens ont enseignée du IIe siècle après J.-C. jusqu'à nos jours. Mais comment s'étonner du reproche, fort justifié, d'Oskar Pfister, déclarant que ces explications et ces formules transforment le message de confiance totale de Jésus en un spectre conceptuel lointain et contradictoire[18] ? Reste toutefois le fait que précisément ce spectre conceptuel de la doctrine trinitaire, y compris l'idée d'un Père qui, par amour des hommes, n'a nul ménagement pour son Fils et le livre à la mort, et même à la mort sur la croix (Ph 2, 8), dispose manifestement de fortes racines dans la vie de l'âme, et qu'il doit donc être d'une certaine manière cher à l'homme. Le côté fantomatique, ou, pour parler comme Freud, « étrange »[19] de ces idées et de ces doctrines tient au caractère aussi précoce que profond du processus de refoulement qui a effacé les traces de leur origine inconsciente. De telle sorte qu'on peut justement considérer comme caractéristique le mélange d'angoisse et de fascination, d'étonnement et de ravissement, d'aversion et d'inclination que l'on éprouve pour ces idées. Dans l'histoire de la théologie (et surtout lors des premiers conciles), on a toujours vu l'enthousiasme fanatique des croyants s'opposer avec violence au doute glacial des incroyants. Du point de vue psychanalytique, ce sont ces réfractions de matériau archaïque, d'abord refoulé, ensuite projeté dans la sphère du divin, qui font apparaître le dogme chrétien comme une « idée compulsive » (Th. Reik)[20].

Si on rapproche en particulier le *dogme chrétien de la Trinité* de certaines données de l'histoire des religions, il est indiscutable qu'on peut l'interpréter comme une variante (transformée dans un sens patriarcal) de la triade familiale archétypique du père, de la mère et de l'enfant[21]. Ainsi, par exemple, la théologie thébaine des anciens Égyptiens connaissait-elle la trinité d'Amon, de Mout et de Khonsou[22], tandis que le lien entre Osiris, Isis et Horus fournissait son arrière-plan théologique à toute la succession dynastique des Pharaons[23]. Dans l'introduction d'un de ses ouvrages, même un théologien catholique, qui s'est évertué des décennies durant à développer une interprétation exacte du Saint-Esprit, attire l'attention de ses lecteurs sur l'utilité pratique de ses considérations hautement spéculatives en leur montrant comment la théologie du mariage et de la famille peut tirer profit du dogme de la Trinité, ce qui doit permettre de mieux comprendre les rapports hommes-femmes et parents-enfants[24]. Comme si ces considérations ne provenaient pas de l'expérience familiale, au lieu de n'être qu'une application de la théologie ! De même, pour faire droit en particulier au rôle du *Père* dans la théologie chrétienne du sacrifice, il faut le ramener du niveau métaphysique auquel on l'a projeté pour le resituer dans l'histoire concrète de la première enfance, en en reprenant chaque détail aussi littéralement que possible.

Il est alors frappant de voir que, dans les vastes ramifications des développements de la dogmatique chrétienne, on ne trouve nulle part l'idée que le « Père » pourrait bien avoir éprouvé lui-même quelque joie à la passion de son « Fils ». C'est là une différence avec de nombreux mythes populaires où les fils de dieux et les héros sont maltraités et torturés à mort ; par exemple Marsyas, héros grec, qu'Apollon punit en l'empalant sur un pieu et en l'écorchant vif[25]. Dans la théologie chrétienne, aucun trait de volupté sadique et de joie maligne du Père devant les souffrances du Crucifié. Compte tenu de l'extrême importance qu'accordent au sang et aux souffrances de Jésus les images de sa mort sur la croix, on n'a sûrement pas tort d'imputer aussi cette absence de sadisme à un refoulement considérable[26] — étant donné qu'il a lui-même voulu ces tourments qui lui paraissaient indispensables, il aurait finalement dû avoir droit d'en éprouver lui aussi quelque « satisfaction » ! Mais non, justement ! Ce moment décisif n'arrive jamais, et personne n'en parle, ne serait-ce que par allusion. Il existe même au contraire une doctrine théologique professant explicitement le « patripassionisme »[27] : « le Père a souffert, lui aussi », en voyant souffrir son Fils ! Psychanalytiquement, à bien y regarder, on peut justement soupçonner dans cette conception un reflet des contradictions vécues dans la prime enfance.

Nous comprenons désormais que, dans le sacrifice de « Fils » pour l'« humanité » il faut entendre originellement la condamnation de la *mère* à une vie de renoncement et de privation : c'est *son* sacrifice qui doit faire don à l'enfant du « salut » et de la vie, et remettre la peine due à sa faute d'exister. Dans le contexte de cette situation originelle, en arrière-plan du drame sacrificiel qui se déroule entre la mère et l'enfant, l'existence d'un *père* qui en apparaît comme le véritable instigateur, le destinataire et le bénéficiaire — et cela, comme on l'assure fort pertinemment, *en dépit de son vouloir propre* — relève d'un facteur psychologiquement fort plausible et, en fin de compte, indispensable : en dépit de toutes les apparences, ce père n'a effectivement rien d'un despote cruel. Il faut au contraire en croire la théologie et considérer comme l'expression de son immense amour l'obligation où il se trouve de voir son fils obéissant (donc sa propre épouse) sacrifié pour le bien-être du monde (domestique).

C'est bien ainsi qu'en fait les choses doivent s'ajuster pour rendre possible la formation d'une vocation cléricale. Car, si le père n'était simplement qu'un être débauché et brutal, il provoquerait rapidement la réaction belliqueuse de la mère et de l'enfant : dans une telle situation, une femme serait obligée de cesser de se sacrifier, ne serait-ce que pour protéger celui-ci. Que ce soit pour lui ou pour elle, il lui faudrait s'opposer à ce que les exigences maritales pourraient avoir d'insupportable — condition bien misérable pour engendrer cette mentalité de résignation au sacrifice où nous avons vu que s'enracinait l'attitude cléricale. Pour qu'une femme consente à sacrifier sa personne et son bonheur au bien-être de tous les membres de la famille, il faut qu'elle garde en prime quelque chose : ou bien un espoir, si faible soit-il, de retrouver l'amour de son époux, ou bien le sentiment de se sentir assez forte pour se débrouiller de quelque manière même sans lui. Le père ne doit en aucun cas passer pour une canaille et un scélérat, même si, de par les circonstances de sa vie, il ne fait objectivement que peser et être à charge. Dans la psychogenèse d'une mentalité cléricale il est indispensable qu'on puisse et *doive* voir dans le « père » un être bienveillant.

Nous avons déjà attiré l'attention plus haut sur les « mythes » privés des souvenirs familiaux de la plupart des clercs. Ils donnent généralement l'impression que la vie conjugale de leurs père et mère était généralement une réussite, et nous avons noté tout ce que ce jugement comportait d'agressions refoulées et de perceptions faussées. Il est temps maintenant d'observer que, bien souvent, la mère se trouve obligée de dissimuler docilement à ses propres yeux et à celui de son enfant la façon dont elle se sacrifie. Que ce soit parce qu'elle comprend vraiment les choses ou parce qu'elle désire les excuser, elle cherche à atténuer la dureté de son existence : lorsque par exemple le père pique une crise de colère, il ne faut pas croire qu'il n'est plus maître de lui-même. Il faut plutôt voir à quel point il se donne à sa profession, s'épuise pour sa famille et, une fois rentré, a absolument besoin de tranquillité absolue. Il est donc parfaitement normal qu'il ne joue presque jamais avec ses enfants et au besoin interrompe leurs jeux de quelques avertissements secs. Ce serait une erreur d'en conclure qu'il est incapable de s'occuper d'eux : bien au contraire, il les aime, et il le ferait bien voir si seulement l'occasion lui en était donnée. Peu importe de savoir jusqu'à quel point la mère prend au sérieux ces justifications du comportement de son époux : *son enfant*, lui, doit y croire.

Il faut donc juger le père aimable et bon, même à subir ses excès, et lui pardonner ses façons particulières : dans le développement psychologique d'un clerc, ce n'est pas seulement là un dogme théologique. C'est avant tout un dogme *psychologique*. Il n'existe même pas de meilleur témoignage et de preuve plus contraignante en sa faveur que le *sacrifice* qu'on lui consent en esprit d'*obéissance*. Et comme la mère n'arrête pas d'assurer son époux de son amour et de sa fidélité, il faut bien croire que le père est vraiment un être aimable. Le sacrifice de l'un est la *preuve* de l'amour de l'autre.

Ce n'est que sur fond de cette constellation d'expériences de la prime enfance qu'on peut vraiment comprendre la théologie cléricale du sacrifice. Reste seulement à ajouter que tout ce que nous venons de dire de la mère peut aussi bien valoir du père, ou inversement, selon que l'histoire est celle d'un garçon ou d'une fille, et donc selon la manière dont les rôles respectifs sont distribués. Inutile de préciser qu'il y a beaucoup de pères « maternels » et non moins de mères « paternelles ». Mais il suffit que la dynamique psychologique de la biographie de la famille corresponde à ce que nous venons d'évoquer, que la triade père, mère et enfant soit effectivement imprégnée de cette ambiance de sacrifice et d'obéissance, pour que la théologie sacrificielle ecclésiastique exerce une fascination telle qu'elle soit en mesure de marquer à jamais la personne d'un futur clerc.

C. VARIATIONS SUR LA RESPONSABILITÉ : LE SYNDROME DU SAUVEUR

On pourrait penser suffisantes ces considérations psychogénétiques sur l'origine de l'idée chrétienne de sacrifice. Reste pourtant une question essentielle : comment le futur clerc peut-il effectuer cette progression au cours de sa vie ? Une fois de plus, pour peu qu'on sache écouter la théologie avec des « oreilles psychologiques », elle nous offrira bien des ressources ; il n'est de détail du cheminement vers la cléricature sur lequel elle ne projette sa lumière.

Commençons par réfléchir sur la façon dont le clerc doit *imiter le Christ.* Selon la théologie, cette *imitation* constitue le devoir de tout chrétien, mais plus « particulièrement »[28] (?) le sien. La pierre de touche en la matière, c'est l'acceptation de faire sienne la « souffrance réparatrice » du Sauveur en le suivant sur son chemin vers la mort[29]. Dans l'Église catholique, le prêtre reçoit une consécration spéciale qui lui transmet l'Esprit du Christ : ce signe sacramentel de son ministère lui confère un caractère sacré, à jamais ineffaçable, sur terre comme au ciel, véritable sceau de son être sacerdotal[30]. Encore n'a-t-on jamais pu préciser nettement, pas plus aujourd'hui qu'hier, en quoi consiste exactement ce signe sacramentel. Mais une fois de plus l'opinion de saint Thomas d'Aquin en la matière mérite qu'on s'y arrête avec attention et considération. Selon lui, le symbole spécifique de l'ordination, c'est la remise du calice, ou tout au moins l'appel à célébrer la messe[31]. De fait, le ministère de l'« être nouveau » qu'est le prêtre fait de lui le vivant protagoniste et représentant, l'annonciateur et le célébrant de la fête cultuelle de la mort et de la résurrection du Christ. Selon l'expression de saint Paul (Ga 6, 17)[32], il doit porter en son propre corps les souffrances du Christ pour continuer et « parachever l'action salvatrice » divine. Il est vrai que dans les vingt dernières années on a complété, sinon remplacé, cette théologie du sacrifice de la messe par celle du repas. Mais il est alors significatif que cela remette en question le caractère unique de la fonction sacerdotale, liée au sacrifice.

Répétons-le : nous n'entendons ici traiter ni de l'origine *dogmatique* ni de la justification de ces idées. Notre problème reste une fois de plus d'ordre *psychologique* : quelles sont les expériences qui, à la façon d'une destinée fatale, prédisposent psychiquement un être humain à penser subjectivement cette mission comme *évidente*, à y voir la clef qui lui permet de comprendre toute sa vie, celle qui l'arrache à tous les tourments de l'existence (de la sienne) ?

Psychanalytiquement, nous ne pouvons sur ce point que donner raison à la perspective théologique selon laquelle c'est au moment de la mort de Jésus que Dieu communique l'Esprit du Christ aux croyants, aux « sauvés »[33]. Dans le langage psychologique, on dirait que c'est l'identification (inconsciente) de l'enfant à sa mère, et à son esprit de sacrifice qui le poussera à assumer plus tard la charge de clerc. Il reçoit littéralement la mission de maintenir en vie et d'arracher aux affres de la mort sa mère, celle qui s'est sacrifiée pour sa famille, en imitant son comportement et en faisant sienne sa mentalité. Il ne peut mener à bien l'œuvre de celle-ci qu'en consentant (« librement » !) à se sacrifier lui-même. Car c'est pour lui la seule façon de résoudre ses sentiments de culpabilité enracinés dans l'idée qu'il aurait pu avoir part à sa mort à elle : seule son acceptation de l'esprit maternel d'abnégation et de renonciation à soi vient tangiblement le « délivrer » de sa dette d'exister.

Théologiquement, on pourra objecter à cette façon dont la psychanalyse met en avant l'expérience de la mère en substituant son rôle à celui que la théologie classique prête au Christ, que celui-ci remplit une fonction clairement masculine, et non pas féminine. Il en irait donc ici différemment de Bouddha, que les représentations chinoises de la *Kuanyin* (déesse de la miséricorde, issue du Bodhisattva *Avalokiteshvara*[34]) présentent sous des traits vraiment féminins. Mais on pourra répondre en rappelant comment, au cours des cent dernières années, la théologie catholique a de plus en plus mis l'accent sur la participation de Marie, Mère de Dieu, à la Rédemption[35]. Les théologiens pressentent manifestement, et avec raison, qu'il y a un véritable décentrage psychologique de l'idée chrétienne de sacrifice tant qu'on ne la concrétise qu'à travers des personnages masculins. En ce sens, il est logique de faire intervenir Marie aux côtés du Christ sauveur, et de conférer ainsi à la présence compatissante de sa mère une importance correspondant à la sienne. Certes, la réflexion dogmatique sur Marie corédemptrice n'en est pas (encore) arrivée au stade d'une formulation dogmatique[36] ; mais les objections des théologiens de la Réforme contre la mentalité et la piété catholiques n'en sont pas moins psychologiquement justes, quand ils reprochent à l'Église d'avoir accordé à Marie une place aussi importante, sinon plus, qu'à son fils, au point de faire oublier celui-ci. Psychanalytiquement parlant, il ne s'agit pas là d'un rejet dans l'ombre de la doctrine de la Rédemption, mais bien d'une *révélation* progressive de l'arrière-plan psychogénétique de la mentalité du clerc ! Psychogénétiquement, c'est bien en effet la mère qui, par son comportement, initie le futur clerc au rôle du Christ (et lui révèle par là la nature spirituelle de sa vie). Il est donc impensable de renoncer à ce commentaire essentiel de la passion du Christ, à son *accomplissement tel qu'il se traduit dans la passion de la (grande) mère*. C'est vraiment avec le regard fixé sur la mère (personnelle) que la théologie catholique considère le sacrifice rédempteur du Christ, et cela aussi longtemps qu'elle reste essentiellement œuvre de clercs[37]. Inversement, dans les Églises de la Réforme, c'est la relativisation du clerc qui conduit à rejeter l'accent sur la figure de Marie. Autrement dit, le développement marqué de la mariologie dans la théologie catholique confirme d'une manière remarquable notre thèse psychanalytique suivant laquelle, dans la psychogenèse des clercs, le schéma dogmatique du sacrifice rédempteur se concrétise par le sacrifice de la mère au bénéfice *du père*. Mais, psychanalytiquement, ce principe de départ nous apprend quelque chose d'essentiel.

La littérature psychanalytique avait coutume d'interpréter la mariologie de l'Église catholique comme une dérivation du complexe d'Œdipe[38]. Le présupposé tacite était que le « fils » devait être crucifié pour sa faute, parce qu'il avait voulu imposer à sa mère sa prétention sexuelle, cela contre la volonté du père. On voyait dans le bois de la croix, tout comme dans le corps nu supplicié, une représentation difficilement masquée de l'union coïtale incestueuse[39], de telle sorte que, symboliquement, la croix exprimait en quelque sorte la *punition* du désir incestueux[40]. Cette idée s'inspirait avant tout de l'analyse freudienne du « complexe de sauveur »[41], qu'il fait remonter au désir du garçon d'arracher sa mère aux mains « bestiales » du père — thème sous-jacent à quantité de mythes et de contes[42] où on voit le héros partir en voyage pour finalement délivrer une jeune fille ensorcelée et la tirer de la prison où des monstres effrayants l'avaient enfermée. En particulier l'insistance de l'Église catholique sur la virginité perpétuelle de Marie[43], autrement dit l'obligation toujours actuelle de comprendre ce précieux *symbole* présent dans l'histoire religieuse des peuples[44] de façon extérieure, biologique, non symbolique[45], vient évidemment conforter l'interprétation freudienne de ce complexe du sauveur dans la théologie catholique. En même temps, cette interprétation présente la faille propre à toute la réflexion psychanalytique, du fait que celle-ci se fonde toujours sur un « complexe d'Œdipe » dans lequel elle voit une donnée originaire, un point fixe sans préhistoire. Si le clerc de l'Église catholique ne souffrait vraiment que du complexe d'Œdipe, il n'y aurait pas de clercs dans l'Église catholique. Car il est impensable de voir des enfants qui se seraient en somme développés normalement jusqu'à 45 ans connaître leurs premiers traumatismes et leurs premières frustrations seulement en matière sexuelle (Œdipe), de façon à se montrer capables d'admettre tout le catalogue de renoncements à ses pulsions correspondant à ce qu'on appelle les « conseils évangéliques ».

Nous aurons encore à montrer explicitement combien la problématique œdipienne pèse en particulier sur la fâcheuse question du célibat. Mais ce serait une grave erreur et une simplification absolument irresponsable de la problématique psychique du clerc que de prétendre l'expliquer et la résoudre en ne faisant appel qu'aux conflits concernant « l'appel à la pureté », cela sous prétexte que c'est la question la plus frappante, et donc la première que Freud a découverte. La véritable conclusion est *inverse* : parce que cette question est la plus frappante, elle est, psychogénétiquement parlant, celle qui surgit le plus tardivement, et elle se trouve donc le plus souvent obérée par d'autres facteurs. Ce n'est pas la thématique sexuelle qui définit le développement primaire du clerc, mais une remise en question totale, touchant la perte ou le salut, l'être ou le non-être, la réussite ou l'échec de l'existence humaine, le problème même que la théologie réfléchit et définit. Le sacrifice rédempteur que la mère aussi bien que le fils ont à faire pour sauver le monde du père ne consiste pas en premier lieu à réprimer certaines pulsions sexuelles ; il est une façon de trouver une réponse à la question de la justification de l'existence en général.

Autant il est vrai qu'un homme ne saurait réussir sa vie s'il n'ose s'ouvrir à l'amour, autant est inversement vraie la constatation que seul est capable d'amour celui qui a acquis une joie de vivre grâce à l'amour d'une autre personne. Mais la psychologie du sacrifice, avec toute son ambivalence, ne surgit qu'au-delà de cette assurance fondamentale que les mythes populaires ont symboliquement décrite en parlant de paradis originel. Le problème capital, ce n'est pas de savoir comment on entre en concurrence avec le père au sujet de l'amour de la mère, mais comment on sauve la mère qui tente elle-même de sauver sa famille en donnant sa vie pour elle. Et c'est de cette question que, dans la vie ultérieure du clerc, procédera en règle générale la surabondance de ses sentiments de *responsabilité* et de *sacrifice de soi* pour le salut du « monde ».

C'est un paradoxe parmi d'autres de la psychanalyse qu'on conteste souvent ses résultats avec le plus de violence lorsque leur pertinence se fait manifestement plus sensible. Cela suffit pour priver de tout sens une enquête de type normal, statistique, sur l'arrière-plan psychologique des clercs[46]. Nous avons déjà vu l'incroyable difficulté qui est le plus souvent la leur à reconnaître, même de loin, combien la vie conjugale de leurs propres parents a dû comporter de problèmes et de conflits. En thérapie, il leur faut des mois et des années de lutte pour arriver à briser le cordon de leurs résistances et tirer au clair les motivations qui les ont amenés à la profession cléricale.

Il reste une objection, fort justifiée, à l'encontre de tout ce que nous avons affirmé jusqu'ici : on peut certes facilement comprendre comment, par exemple, un enfant dont la mère n'a cessé de lutter contre des crises cardiaques s'attachera avec angoisse à elle et fera tout ce qu'il pourra pour la sauver. Mais il ne s'agit là que d'un problème trop particulier pour qu'on puisse en tirer une conclusion générale.

Pour répondre à cette question, il faut bien se rendre compte que la psyché humaine ne dispose que d'un nombre bien limité de possibilités d'expériences et de réactions, alors qu'il s'agit de faire face à toute la diversité du réel. Ainsi l'angoisse, par exemple, est-elle toujours vécue subjectivement comme angoisse, que cette peur soit celle qu'on ressent devant un éclair, un tremblement de terre, un coup de feu ou à la vue d'une souris. De même, un effet psychologique similaire peut naître du manque d'assurance ontologique, d'un sentiment fondamental de culpabilité et de responsabilité (avec les tendances correspondantes au sacrifice que nous avons montrées dans les premières années des clercs de l'Église catholique), ou de n'importe quelle constellation psychologique de la relation père-mère dont l'enfant ne perçoit de stabilisation possible qu'au prix du sacrifice de l'un des deux parents (la « mère »). Cependant, pour aider le lecteur qui serait désireux d'analyser son cas personnel, décrivons plus en détail certaines variantes des sources de l'angoisse propres à la prime enfance.

Première possibilité : un père absent. Naturellement, cette situation tendra par la suite à évoluer en priorité dans le sens d'une relation œdipale marquée entre la mère et l'enfant. Mais, nous l'avons dit, pour comprendre le manque d'assurance ontologique, il faut remonter en deçà de ce stade, et nous demander d'abord quels sont les sentiments de la mère liés à cette absence du père. Supposons que celui-ci, au moment de la naissance de son enfant, se soit trouvé à la guerre. Objectivement, ce qui se traduira plus tard chez le futur clerc par le « manque d'assurance ontologique » a d'abord été insécurité dans la vie de la mère. Ce sont ses sentiments à elle, qu'il faut d'abord se représenter : solitude, désespoir, souci, détresse, angoisse, déréliction, attente, pour comprendre le contraste souvent fantastique de résignation et de confiance qui marque la psychologie de nombreux clercs. Enfants, ils ont déjà fait l'expérience qu'il ne servait à rien de mettre tout son espoir de bien-être dans une activité personnelle. Par contre, il est toujours possible d'espérer une heureuse modification du destin venant enfin permettre une vie meilleure. Par exemple, le père rentre de captivité ; ou bien, après des années d'exil, l'apatride trouve enfin où s'établir avec sa famille.

Cette alternance de résignation et d'espoir a d'importantes conséquences religieuses. L'angoisse réelle de la mère, mais en même temps son espoir obstiné en certaines possibilités qui subsistent malgré tout peuvent déjà susciter dans la conscience de l'enfant une tension dont la solution consistera à espérer en un au-delà. « Je me rappelle nettement, disait une religieuse se rappelant son enfance, comment, à quatre ans à peu près, j'étais couchée dans le lit de ma mère. Elle me dit que bientôt tout le village serait détruit par les Américains. Nous avons prié ensemble pour que papa revienne de la guerre. » Dans cette évocation d'enfance, il est certainement très important de voir la mère chercher elle-même une consolation religieuse à son angoisse existentielle. Mais, psychologiquement, plus importante encore est la participation de la fillette à l'angoisse et au désarroi intimes de sa mère. Lorsque, du fait de sa propre peur, la personne à qui elle s'accroche pour trouver sa sécurité ne peut plus lui procurer aucune protection, c'est la base de tout son « monde » qui s'effondre. D'où, pour cette fillette de quatre ans, l'obligation de consoler le désespoir de sa mère, de redonner à celle-ci le courage de continuer à vivre. Elle a nettement senti combien sa propre existence constituait une lourde charge, quasiment insupportable, pour sa mère. Mais, par ailleurs, elle était elle-même la seule réalité qui donnait sens et plénitude à la vie de celle-ci. Et ces deux expériences se rejoignaient, provoquant l'alternance que nous avons déjà décrite entre la culpabilité et un fantasme de sauvetage, entre le sentiment qu'après tout mieux vaudrait ne pas exister, et celui d'être né pour devenir « sauveur », ce qui comporte en définitive une consonance religieuse. Car, ne pouvant naturellement rien faire objectivement pour le bien-être de sa mère, un enfant devrait en arriver à inventer lui-même une consolation religieuse, pour lui et sa mère, s'il ne la trouvait déjà dans la foi de celle-ci. C'est la dramatique exacerbation du manque d'assurance ontologique qui engendre dans l'âme de l'enfant la religion comme une chose allant de soi. Elle en utilise tous les éléments, comme si elle prétendait construire une maison en basalte sur la lave brûlante coulant au flanc d'un volcan.

Ce petit exemple illustre encore comment il faut comprendre le motif du « sacrifice de la mère » au profit du « père » : subjectivement et moralement, celui-ci peut n'avoir rien à voir avec ce qui se passe. Pour que s'enclenche le mécanisme d'angoisse, de culpabilité et de responsabilité qui engendre le futur clerc, il suffit que, de par la situation objective, la personne la plus importante pour l'enfant ne dispose plus d'autre moyen d'assurer la survie de celui-ci que de se laisser elle-même totalement malmener.

Il faut immédiatement ajouter ceci : il peut exister aussi bien des manières, y compris subjectives, de faire apparaître l'un des deux parents (le « père ») « absent » du point de vue de la mère et de l'enfant. Prenons le cas du médecin-chef d'un hôpital, persuadé qu'il a bien assuré son mariage en engendrant enfant sur enfant et en assurant le bien-être de son épouse, ce qui lui permet de faire montre de zèle paternel en se laissant envahir complètement par les devoirs de sa charge. Certes, il prend régulièrement trois semaines de vacances avec elle et les enfants à Majorque ou Acapulco. Mais ce « sacrifice », pas plus que son habitude de recevoir ou de fréquenter à tour de rôle une partie des notabilités de la ville, ne change rien à l'impression de solitude de sa femme. Ce n'est là qu'un exemple parmi d'autres, montrant l'extrême diversité de formes que peuvent prendre l'angoisse et le désespoir rampants, si fréquents en dépit de la prospérité matérielle, de la « vie rangée » et du succès mondain apparent. L'essentiel, c'est que l'absence du père conduit l'enfant à prendre dans la vie de sa mère la place centrale qui donne sens et contenu à sa vie, qui lui confère un rôle littéralement « salvateur ».

Varions (et compliquons) encore un moment cette *simple* situation de base, celle du père absent. Pensons à un de ces nombreux mariages où la femme s'engage avec un sentiment marqué de devoir, d'ambition et de sacrifice. Qu'on imagine cette femme avec pour père un véritable parvenu, un arriviste. Cet homme n'avait pas tant besoin comme fille d'une enfant heureuse, que de la poupée d'apparence heureuse qu'il pourrait montrer pour étaler son succès. Ainsi, dès son enfance, cette femme avait-elle désespérément aspiré à un amour qu'elle aurait payé n'importe quel prix, mais elle avait dû y renoncer. La voici maintenant adulte. On peut s'attendre qu'elle garde le même modèle de comportement : elle *quêtera* l'amour, mais, en même temps, dans sa crainte d'être déçue, elle *redoutera* toute proximité vraie. En d'autres termes, même avec les meilleures intentions du monde, son mari n'a pas le droit de faire ce qu'une femme secrètement souhaite le plus : l'approcher vraiment. En lieu et place d'un véritable partenariat amoureux, cette femme aura tendance à se vouer d'autant plus ardemment aux soins de ses enfants qu'à travers eux elle retrouve et répète en partie sa propre enfance, celle qu'elle n'a pas pu vivre. De toute manière, pour le père de ses enfants, elle est *émotionnellement* absente, tandis qu'elle attend de ceux-ci qu'ils viennent, par leurs propres démonstrations de joie et de bonheur, combler le vide laissé en elle par l'absence d'amour paternel et conjugal.

Ainsi voit-on se répéter immédiatement[47], dès la seconde génération, ce qui a déjà marqué si profondément la vie de la mère : à défaut d'*être* heureuse, celle-ci a toujours dû le *paraître* ; de même, pour ne pas peiner leur mère, les enfants ont maintenant l'obligation de faire preuve d'une attitude particulièrement positive, saine et heureuse. « Aujourd'hui encore je ne peux pas regarder avec ma mère à la télévision un film montrant des scènes de torture, de maladie ou de bagarre. Je ne peux la voir souffrir, ce serait pour moi insupportable », m'avouait il y a quelque temps un prêtre. Mais, il y a quelques années seulement, il aurait écarté comme absolument ridicule même la simple pensée que son lien malheureux à sa mère pourrait l'avoir déterminé, bien des décennies plus tôt, à se sentir « élu » pour l'état clérical. Son enfance n'a été qu'éclat de soleil ! C'est ce qu'il a dû croire pendant quarante ans.

Mais la situation inverse existe : *la proximité écrasante du père* peut provoquer chez la mère des angoisses qui vont se répercuter sur l'enfant en éveillant en lui le maximum d'insécurité ontologique. Bien entendu, il faut encore penser d'abord à des facteurs extérieurs. Par exemple, que le mari a perdu sa situation et se traîne chez lui des jours durant, grognon et de mauvaise humeur, mettant à rude épreuve les nerfs de chacun, et pour finir les siens. Ou bien c'est un invalide que la guerre, la maladie ou un accident de circulation ou de travail a prématurément condamné à une vie de retraité. Mais si ces coups du sort sont déjà impressionnants, ce sont moins les circonstances de fait que leur élaboration psychologique qui engendre le sentiment de manque d'assurance ontologique chez les membres de la famille.

Cheminement malheureux qu'Émile Zola décrit dans *L'Assommoir* à travers le personnage de Coupeau, un ouvrier d'usine[48]. Ce roman est comme une version moderne des Atrides, où, selon la promesse (Ex 20, 5), la malédiction divine semble poursuivre la « faute » des parents jusqu'à la troisième ou quatrième génération. L'action est facile à résumer : Gervaise Macquart, femme solide et bien vivante, abandonnée avec ses deux enfants par son amant Lantier, connaît un certain temps de bonheur relatif après son mariage forcé avec Coupeau. Mais voilà qu'un accident de travail rend son mari invalide et taciturne, puis le fait dégringoler dans le désespoir et l'ivrognerie. Dès lors Gervaise se tourne à nouveau vers son ancien amant. Mais Lantier, en vérité, n'est qu'un psychopathe alcoolique qui accable tant Gervaise qu'elle finit elle-même par sombrer dans l'ivrognerie et la prostitution. Il est rare de voir un roman décrire avec une telle vigueur et une telle acuité la puissance corruptrice de la misère sociale. Mais il n'en fait que mieux ressortir à quel point c'est seulement l'élaboration psychologique du malheur extérieur qui détruit véritablement l'être humain. Dans la famille des Lantier, ce malheur prend des proportions telles qu'il empêche l'enfant de croire à une quelconque issue et à un salut possible. La fille, Nana devient une prostituée, sans doute une des plus célèbres de la littérature universelle[49], tandis que son frère s'apprête à devenir un peintre génial. Dans ces conditions, on ne pourrait concevoir de *vocation cléricale* que si, en dépit du poids de Coupeau sur sa famille, le modèle de la mère, son engagement pour les siens, restait suffisant pour maintenir un minimum d'ordre et de solidité. Il en est comme de la théorie de l'Histoire d'Arnold Toynbee, selon laquelle une forme supérieure de culture ne peut naître que si se trouve réalisée une mesure moyenne entre les écarts d'extrême dureté, autrement dit entre le défi lancé à l'Homme (dans les régions arctiques, par exemple) et l'extrême douceur des conditions de vie (comme dans les îles tropicales des mers du Sud)[50]. De même pour qu'une vocation à l'être-clérical puisse se développer, il faut que les conditions autorisent une mesure encore supportable d'insécurité ontologique. Mais alors il n'est pas rare que le facteur décisif du « défi productif » soit la proximité psychique du père, défi qui va pousser l'enfant (le garçon, la fille) à un sens exagéré de sa responsabilité, donc en direction du clergé.

Il se peut que le père soit soumis à une forte pression professionnelle. Supposons qu'il ait ouvert un magasin d'épicerie à l'ancienne, où il lui faut être présent du matin jusque tard le soir. Il oblige également sa femme à lui servir d'employée bénévole : il n'y a pas à discuter ; d'ailleurs elle a été d'accord avec ce projet d'ouverture d'un magasin. Ainsi lui retransmet-il tout naturellement et sans obstacles sa nervosité et son angoisse. Ou, autre cas : dans un lieu de pèlerinage, les parents ont ouvert un café. En hiver, le travail est normal. Mais en été, les jours de grande affluence, même avec un personnel supplémentaire, c'est le surmenage. Autre cas encore : conséquence des décisions de la CEE, le père, à la tête d'une exploitation agricole moyenne, se heurte à une concurrence telle que sa situation devient déficitaire. Pour payer ses dettes, on risque d'avoir à tout vendre dans la maison et dans la ferme, domaine familial depuis des générations. Innombrables sont ainsi les cas où le père, de par ses soucis professionnels, impose à sa famille une « proximité » qui confine à l'insupportable.

Faisons un pas de plus, et nous nous trouverons devant des pesanteurs purement psychologiques : un père caractériel dont les dispositions sont pour la mère une torture permanente, et inversement. En schématisant grossièrement, prenons le cas d'une mère de caractère plutôt dépressif et d'un père présentant des traits de névrose de compulsion[51]. On peut prévoir que, en dépit des meilleures intentions, les parents ne cesseront d'être en désaccord. La femme, par exemple, souhaiterait ardemment un mot d'approbation ou de louange ; mais pour son mari, formé depuis l'enfance à faire son devoir sans commentaire, il n'y a aucune raison de faire l'éloge de quelque chose qui va vraiment de soi. Du fait de son attitude foncièrement dépressive, elle est incapable de formuler un souhait ; mais elle n'en est que plus blessée par les manières brutales de son mari (c'est bien ainsi qu'elle les ressent) qui ne cesse de proférer ordres, exigences et reproches. C'est d'ailleurs vrai : son mari est incapable de faire une demande sous forme de souhait ou de prière. Du fait de sa compulsion, il ne sait penser que sous forme de « tu dois... » et « il faut... ». Il ignore aussi bien le subjonctif que le conditionnel, et il n'utilise que plus l'indicatif et l'impératif.

Envisageons encore une autre situation : un père plutôt *dépressif* se trouve vivre avec une mère qui incline à l'*hystérie*[52]. Au début de leur mariage, il se peut que le mari ait trouvé quelque chose d'enthousiasmant dans le tempérament de sa femme ; elle, de son côté, a pu espérer que la nature calme de son époux lui procurerait une espèce de « vacances du moi ». Mais il se révèle vite que la femme se trouve de plus en plus coincée et paralysée par la léthargie et l'indolence de son mari. Celui-ci se sent de plus en plus considéré comme un crétin et un nullard. Pourtant, elle n'a nullement l'intention de le quitter. Elle tend alors à exprimer sa frustration en exagérant ses propres symptômes névrotiques. Elle tonne et se démène sans cesse comme une furie, s'arrache les cheveux et, la bouche écumante, frappe son époux. Celui-ci file comme un chien battu et va de plus en plus souvent noyer dans l'alcool son dépit et sa colère.

Dans la formation d'une psyché de clerc, l'important, c'est que, lors de scènes et d'expériences de ce genre, celui-ci ait *déjà, comme enfant*, des raisons de se sentir responsable de sa famille, aux côtés de la partie la plus *faible*. Nous avons déjà montré plus haut pourquoi la théologie morale, telle que la formulent les clercs, avait tant intérêt à refuser catégoriquement aux époux mariés tout droit au divorce, même dans les pires conditions. Mais nous touchons ici à un trait plus profond encore que l'animosité que nous avons constatée à l'égard de la biographie familiale. Dès l'enfance, nombre de clercs se sont senti le devoir de contribuer à la stabilisation, au rééquilibrage — au salut — du couple de leurs parents (et par là de celui du parent le plus menacé). Il est souvent bouleversant d'entendre une religieuse ou un prêtre raconter comment, fillette ou petit garçon, ils ont dû encore et toujours pratiquer une *diplomatie pendulaire entre leur père et leur mère* : il leur fallait éclaircir les malentendus et prévenir les orages menaçants. Et, à 8 ou 10 ans, il leur fallait mieux comprendre leurs parents que ceux-ci n'étaient eux-mêmes en mesure de le faire. Le facteur essentiel en la matière, au moins au niveau de la représentation, c'était de garder subjectivement suffisamment de force pour pouvoir encore espérer un miracle du ciel si seulement on se donnait assez de peine pour souhaiter que tout s'arrange. Un pieux dicton de l'ancien temps ne dit-il pas qu'« une prière d'enfant perce les nuages » ? Combien de clercs ont dû, déjà comme enfants, supplier à genoux le Père céleste de protéger la mère contre le père, ou inversement celui-ci contre elle, et par là même leur propre existence face aux deux[53] !

Mais combien de ces religieuses et de ces prêtres sont-ils intérieurement capables, même approximativement, de s'avouer à eux-mêmes et à autrui, et donc d'élaborer personnellement, le secret de leur « libre » détermination et de leur « total dévouement » au Christ dans ce qu'on doit croire une vie accomplie de religieux ou de ministre ? On apprend enfin, dans un flot de paroles, que beaucoup de jours se passaient sans un mot, que le père ou la mère s'étaient longtemps adonnés à l'alcool, qu'ils étaient capables d'accès de colère et de rage aveugles, qu'entre eux rien ne ressemblait jamais à de la tendresse ou de la cordialité, que ce mariage bourgeois, apparemment si réussi, ne fut jamais qu'arrière-saison automnale ne permettant à l'un comme à l'autre de ne vivre vraiment qu'après la mort de l'époux. Enfant, il fallait bien tenter, de quelque manière, de comprendre l'incompréhensible, de supporter l'insupportable, de désirer l'*impossible*, d'espérer harmonie et paix céleste là où il n'y en avait point. Sans cette mesure d'hypothèque psychologique, il ne saurait y avoir cette combinaison spécifique d'insécurité ontologique et de sentiment de responsabilité nécessaire pour devenir clerc de l'Église catholique. Mais presque tout est déjà gagné quand on s'accorde enfin la permission de prendre conscience des sentiments de culpabilité que l'on a éprouvés face à la véritable vie des parents, et qu'on peut alors y faire face, au lieu de continuer à rassurer et, par là à *conforter*, les angoisses de la prime enfance, en les répétant dans les structures compulsives de la grande famille de l'Église.

D. CAÏN ET ABEL, OU LE RÔLE DES FRÈRES ET SŒURS

Un des grands paradoxes de la vie cléricale, qu'on ne retrouve dans aucune autre profession, c'est celui d'avoir à considérer par métier les gens comme « frères et sœurs en Jésus-Christ », donc à ne les voir qu'en tant que membres de l'Église considérée comme une grande famille. En réalité, cette nostalgie d'unité familiale germe souvent sur fond de tensions violentes avec ses propres frères et sœurs ; tensions qu'illustrent d'ailleurs les textes évangéliques où il est question des difficultés de Jésus avec les siens (Mc 3, 21[54] et 6, 1-6[55]). Il ne s'agit pas ici simplement de certaines incompatibilités d'humeur ou d'accrochages épidermiques, mais bien d'affrontements qui conduisent très tôt le futur clerc à adopter un rôle, et qui fixent donc pour le reste de sa vie l'idée qu'il se fait de lui-même. De tels conflits sont *inévitables*, car ils s'enracinent non pas simplement dans les simples chamailleries de toute ribambelle d'enfants, mais dans cette question centrale à laquelle chacun doit faire face : la place qu'il occupe par rapport aux autres dans les sentiments de ses parents, en particulier de sa mère. Une fois de plus vaut ici la règle selon laquelle les situations les plus diverses peuvent engendrer un résultat relativement semblable. L'élément essentiel de la formation d'une psyché de clerc, c'est que, quelles que soient les circonstances particulières de sa genèse, il y a eu un moment où son insécurité ontologique a recoupé son sens des responsabilités. Pour peu qu'on creuse, c'est ce qu'on retrouve en arrière-plan du cheminement de tout clerc.

Dans la fratrie, il y a quatre formes de conflits possibles : celui du bon et du méchant ; celui de l'aîné et du benjamin ; celui du bien-portant et du malade ; celui du beau et du laid, ou du doué et de l'incapable. C'est à partir d'eux que quelqu'un peut se sentir responsable, rejeté, encombrant, jaloux. Que ce soit bien entendu : pour des raisons de clarté, nous aurons à les décrire séparément, mais ils ne sont que les différents aspects d'un problème unique, celui que nous qualifions de *complexe de Caïn et d'Abel*.

La plupart des rivalités fraternelles durables, sinon *toutes*, viennent moins d'une incompatibilité entre enfants que d'une question sans réponse : quel est le sentiment des parents, spécialement de la mère, face à l'enfant, fille ou garçon ? Dès sa venue au monde, chacun va déployer des trésors d'imagination pour capter le plus possible l'affection et l'attention de la mère. Chaque fois qu'elle lui impose un frein ou un renoncement, l'enfant en ressent du déplaisir et il proteste. Toutefois deux instincts lui permettront peut-être d'atténuer, sinon de dominer totalement cette revendication d'être seul à disposer de sa mère : d'une part, son besoin d'indépendance croissante, qui le conduira peu à peu à ressentir certaines formes de la sollicitude maternelle comme une gêne et une mise en tutelle ; de l'autre, le besoin inverse d'aimer sa mère et de s'appuyer sur elle — ce qu'on appelle la « libido objectale anaclitique »[56]. Celle-ci contraint l'enfant à tenir sans cesse compte d'elle, donc à admettre des compromis entre ses besoins, à lui, et ses possibilités à elle. Ce qui est alors décisif, c'est qu'un enfant ne peut accepter de restrictions à son bon plaisir, donc admettre de s'adapter, que s'il pense pouvoir toujours compter sur elle, lui faire confiance. Inversement, plus grande est son angoisse de la perdre, plus il va se cramponner désespérément à elle, et plus il interprétera tout signe de privation ou de refus de sa part comme une confirmation de sa peur qu'en vérité elle ne l'aime pas. Sur ce fond d'insécurité ontologique, les questions les plus simples à résoudre peuvent se transformer en dramatiques conflits de pouvoir et de domination[57] qui vont toujours se répétant : au lieu de pouvoir compter sur la « collaboration » de son enfant, la mère est alors contrainte d'opposer sa volonté à la sienne.

Se développe ainsi très vite un *second cercle vicieux* : l'enfant sent plus que jamais ses désirs, apparemment les plus justes, contrecarrés, méconnus, trompés ; et il n'a aucun moyen de comprendre que cela ne tient qu'à son *angoisse*. C'est celle-ci qui confère à ses besoins leur caractère excessif, démesuré, inconditionnel, donc qui le condamne à la déception : même la mère la plus aimante du monde ne pourrait y satisfaire. Inversement, la mère qui se sent surchargée crée chez l'enfant un sentiment d'insécurité ontologique contre lequel elle se met à lutter, ce qui la conduit à se sentir encore plus surmenée. Ainsi se crée un rapport de lutte qui, au lieu d'apaiser les conflits, ne fait que les renforcer. Le risque est alors que, à un moment ou à un autre, la mère cherche à contrer par la manière forte les « mauvaises habitudes » de son enfant, en jetant dans la balance sa supériorité objective. Mais, quand il s'agit d'un futur clerc, il faut plutôt penser en règle générale à une soumission dépressive de l'enfant [58] — conformément à la théorie du sacrifice. Au lieu de s'imposer par la force, la mère tend à le faire de façon indirecte, en exerçant un certain chantage : à force de lui montrer sa tristesse, sa souffrance, son impuissance, elle le conduit finalement à capituler. Celui-ci se sent contraint de mettre un frein à ses besoins, afin de ne pas paraître encore plus pénible, plus coupable, plus indésirable. Il lui *faut* même se sentir coupable des souhaits qu'il formule vis-à-vis d'une mère si surchargée et si surmenée.

Dorénavant, l'enfant inverse son système de valeurs. Il reprochait à sa mère son injustice ? C'est désormais lui qui se considère comme injuste, impudent. En thérapie, on entend des patients le dire : « Je ne suis qu'une brute », « un cochon » ; et ils en sont profondément persuadés ! « Et pourquoi seriez-vous cet individu si totalement réprouvé ? — Je n'en sais rien. Il n'y a pas de raison. C'est comme ça, tout simplement. C'est bien ce que vous pensez, vous aussi ? » répondent-ils. Il a bien fallu un moment où un autre pour que naisse ce sentiment, mais il se situe bien loin en arrière. Reste essentiellement la propension à s'accuser soi-même, et non l'autre, chaque fois qu'il y a conflit. Mais l'excès même de sensibilité conduit à voir partout des conflits, même là où, objectivement, il n'y en a pas. Cela pénètre finalement le monde entier d'une odeur insupportable, à moins d'espérer dans l'au-delà une vie totalement autre, une vie qui agit déjà dès ici-bas à la manière d'une brise rafraîchissante, sous forme de rêveries nostalgiques. « N'être l'enfant de personne », disions-nous plus haut pour résumer le sentiment profond des clercs. « N'être jamais un enfant », devons-nous dire maintenant si nous voulons décrire sa relation angoissée à sa mère et l'ambivalence de ses sentiments à l'égard des autres enfants, en particulier de ses frères et sœurs. C'est là un caractère marquant, pour ainsi dire constitutif, du psychisme du futur prêtre ou de la future religieuse. Ce disant, nous mettons entre parenthèses le problème de ceux qu'on peut appeler les « enfants-sandwichs », ceux dont les difficultés tiennent précisément à ce qu'ils ont dû grandir *entre* les autres. En règle générale, leurs conflits ne font que s'additionner à ceux que connaissent déjà ceux qui sont aux deux extrémités de la fratrie. Ils offrent toute la gamme de variations possibles, mais sans rien changer substantiellement à l'analyse qui suit.

a. L'éternelle histoire de Caïn et Abel : la concurrence du bon et du méchant

Pas de meilleure illustration de l'inévitable lutte à mort entre frères et sœurs, plongés dans un même monde d'insécurité ontologique, que *l'histoire de Caïn et Abel*, telle que la rapporte Gn 4, 1-16[59]. Elle fait voir ce qui se passe entre des personnes qui se sentent fondamentalement réprouvées, chargées de la malédiction divine qui a déjà frappé leurs aïeux. Au-delà de l'Éden, ce bienheureux jardin de l'aube du monde où l'homme, jaillissant de la nature, ne faisait encore qu'un avec lui-même, tout perd son évidence. Désormais, comment se sentir accepté, alors qu'on se sent existentiellement coupable, sinon en payant tribut à la tendance secrète de toute religion, de quelque peuple qu'elle soit, à la devise de tous les clercs, de quelque époque qu'ils soient : *sacrifier ?* Non pas sacrifier quelque chose, mais se sacrifier, soi. Seul celui qui donne forme à sa vie en la rendant vertueuse, féconde, utile, réussie, a quelque chance d'obtenir l'approbation dont il rêve. On a fondamentalement le sentiment de ne pouvoir surmonter son insécurité ontologique qu'à condition de renoncer à ses désirs et à son intérêt personnels. Pour être aimé, il faut se sacrifier.

Ce scénario commun à tous les hommes bannis du paradis pourrait bien marcher si chacun était seul. Hélas ! il y a le frère. L'histoire de Caïn et Abel nous raconte ce qui se passe nécessairement, dès que naît une rivalité entre deux enfants également désespérément désireux de regagner l'amour perdu, autrement dit jamais connu. Quand l'approbation désirée se met à dépendre du travail fourni, l'autre devient un rival. Sur le théâtre du monde, ne surgit-il pas avec le même désir essentiel, la même angoisse ? Il a ses qualités, donc des avantages que lui a conférés sans raison une nature qui n'est pas précisément juste, et il constitue donc un rival dans la lutte pour l'attention, la reconnaissance et l'amour. Ce sont ces mêmes qualités qui, par ce qu'elles ont d'aimable, obligent à combattre l'autre, à le rejeter dans l'ombre, à le nier, pour se sentir soi-même en sûreté. Dans une atmosphère d'acceptation sans angoisse, elles apparaîtraient comme une richesse : chacun trouverait dans l'autre un complément à ses limites et à ses lacunes. Mais, dans le champ de l'angoisse, autrement dit sur fond d'insécurité ontologique, elles dénoncent l'ennemi et font voir où l'attaquer. Ce qui est en soi digne d'éloge chez l'autre devient ce qu'on hait. On a tellement peur de ne plus être aimé soi-même qu'on est prêt à transmuer toutes les valeurs. Concurrence sans issue, qu'elle soit directe ou indirecte ! Elle ne conduit pas seulement à disqualifier l'autre ; elle fausse aussi l'élan du moi, pourtant nourri de dévouement, d'esprit de sacrifice et de bonté inconditionnelle. Elle le retourne en son contraire : en affirmation de soi égocentrique et égoïste.

Dans l'histoire de Caïn et Abel, le même homme qui, l'instant d'avant, sacrifiait sur l'autel de Dieu le meilleur de son troupeau, est celui qui devient peu après le meurtrier de son frère, allant ainsi contre la volonté de Dieu et contre sa résolution la plus profonde. Cela parce que l'autre lui paraît en meilleure position que lui. Plus s'accroît l'angoisse d'être exclu, plus devient terrible le potentiel agressif de destruction, de liquidation du concurrent — de cet autre qui est l'ennemi, du seul fait qu'il est frère ou sœur, donc né dans la même famille. Derrière cette lutte, un seul but : être aimé. Angoisse totale et désespoir complet : l'autre, de par sa simple existence, et peut-être en faisant exactement la même chose que soi, dispute une place qu'on croyait avoir conquise à jamais à coups de bonnes intentions et de renoncements. Il faut l'éliminer ! S'il disparaît, tout rentrera dans l'ordre !

Hélas ! il n'en est rien. La contradiction éclate tragiquement : la personne dont on s'efforce de capter l'amour ne peut pas ne pas percevoir comme méchantes ces tendances hostiles. N'est-il pas du devoir de l'enfant bon et gentil d'être bon et gentil avec ses frères et sœurs, de ne pas les embêter ni les faire souffrir exprès ? La volonté de priver le frère ou la sœur de l'amour -- trop chichement mesuré — de la mère ne fait que provoquer l'irritation de celle-ci. On devient ce qu'on craignait justement d'être : l'horrible, le damné, qui, au lieu de l'amour, ne mérite que le rejet.

Entre l'enfant et la mère, le dilemme devient quasiment insoluble. En dépit de ses sacrifices et de ses soins, elle ne peut espérer convaincre vraiment son enfant qu'elle l'aime sans limites ni conditions. C'est à lui de décider s'il mérite par ses sacrifices et ses prévenances la sécurité qui lui manque. S'il est vraiment bon et fait tout ce qu'elle veut, alors seulement elle se décidera à l'aimer ! Or, c'est justement cette attitude de sacrifice qui, de par son lien à l'angoisse, transforme l'autre en concurrent. La volonté de toujours bien faire se transforme en méchanceté et en hostilité à l'égard de tous ceux qu'on rencontre sur la route de l'amour maternel. Mais quelle mère pourrait reconnaître une quête déçue et désespérée d'amour derrière cette réaction subite de haine ? Dans le récit de Caïn et d'Abel, Dieu lui-même ne le peut pas. A plus forte raison aucune des mères de ce monde, elles qui sont les cibles immédiates de la pulsion destructrice de l'enfant — son motif secret et son étrange destinataire ! En fin de compte, mère et enfant se sentent encore plus démunis, plus coupables et plus partagés qu'avant. Si au début l'amour entre la mère et l'enfant n'était que douteux, il sombre maintenant dans une équivoque foncière faite de nostalgie et de déception, de bonne volonté et de colère, de reproche et de réparation.

Comment surmonter ce désaccord ? Il n'est d'autre issue que la dissociation et l'intériorisation.

Certes, il y a d'un côté les « caïnistes » : ceux qui, enfants, ont appris à se comporter ainsi avec un certain succès, soit en utilisant à leur profit la faiblesse d'une mère désarmée, soit en se mobilisant aggressivement pour l'assister. Ce comportement peut tout aussi bien être celui d'un futur clerc qui prend ainsi une pose de sauveur, en premier lieu de sa mère. On connaît ce type de prêtre qui laisse un peu tout aller dans sa paroisse, mais s'éveille brusquement dès qu'il voit la moindre chance de jouer son rôle favori de sauveur de la veuve et de l'orphelin. Il cherche l'affrontement, et on sent nettement combien cela l'arrange lui-même de pouvoir enfin procurer licitement une issue détournée à son agressivité accumulée. Par substitution, il se déchaîne contre celui qui abandonne sa femme en la laissant sans ressources, ou contre cet alcoolique qui maltraite si souvent son épouse. Naturellement, il déploiera la même énergie « caïniste » pour clouer au pilori les adversaires de la doctrine catholique sur la foi et les mœurs, et, défenseur impitoyable de la vérité, pour se hisser aux plus hauts postes de l'administration et de l'enseignement de l'Église.

Cependant, dans l'ensemble, les clercs qui jouent les combattants et les bagarreurs, à la manière d'un Don Camillo [60], restent plutôt l'exception. Cette attitude (avec tout ce qu'elle comporte comme surcroît d'énergies provenant du complexe d'Œdipe) reste le plus souvent *latente* dans l'Église elle-même. La lutte contre le père, pour le bonheur ou le malheur de la mère, se poursuit alors sous une autre forme, idéologique, par la rébellion contre l'autorité (le pape, l'évêque, l'administration d'État, etc.), en faveur d'opprimés qu'on ne saurait sauver, sinon en s'engageant totalement, au prix de sa vie (autrement dit de son existence bourgeoise) dans des « communautés » à sauver, autrement dit dans des groupes de marginaux, d'homosexuels, de réfugiés politiques, etc. La rébellion originelle contre le père peut dans tous les cas fournir un motif ou une occasion conduisant à l'aggravation de tous les conflits de la fratrie habituels dans le champ de l'insécurité ontologique. Le problème est toujours de savoir qui sera le plus apte à sauver la mère, donc le plus aimable. Pour reprendre le langage du récit biblique, est-ce le sacrifice de Caïn ou d'Abel qui sera le plus agréable à Dieu ?

Pour préciser notre pensée, prenons un exemple : celui d'un garçon, de trois ou quatre ans plus âgé que ses deux sœurs nées en 1942, au moment où leur père est mobilisé dans la Wehrmacht. Il est exactement dans la phase œdipienne, et prétend donc occuper définitivement la place laissée vacante à côté de la mère. Il n'a plus à se défendre contre son père, mais uniquement contre les enfants suivants dans la fratrie. Le moyen le plus indiqué, c'est son âge, autrement dit sa supériorité physique et morale. Il joue désormais au patriarche, à celui qui sait, au chef responsable. C'est une source de surmenage autant que de fierté, un rôle qui peut être aussi exigeant que stimulant. C'est ce rôle qu'il reprendra naturellement plus tard, en jouant au super-père clérical, à travers un poste de professeur de théologie, ou une fonction dirigeante dans la hiérarchie. Il faut en plus rappeler que le départ du père à la guerre provoque une situation qu'on retrouve dans la plus ordinaire des guerres conjugales. Il suffit qu'au lendemain de la naissance du premier enfant, la tension entre les deux époux soit devenue telle que la mère n'ait plus eu d'autre moyen d'éviter la rupture de son mariage qu'en ayant deux autres enfants : rien de plus stabilisateur que la responsabilité ! Mais, désormais, dans son cœur, le premier-né n'en sera que davantage le remplaçant de l'absent. C'est avec lui qu'elle évoquera ses conflits ; c'est en lui qu'elle cherchera son bonheur et son assurance. Et plus elle humiliera son mari devant ses enfants, plus elle placera nostalgiquement ses espérances dans la personne du premier-né [61].

Dans ces exemples, l'important est de bien voir d'abord à quel point les conflits non résolus entre les parents ont une répercussion immédiate sur l'insécurité ontologique des enfants et trouvent leur reflet dans les conflits qui naissent entre eux ; ensuite, noter l'ambivalence psychique de l'idée de sacrifice, née au carrefour de l'angoisse, de l'agressivité, de la volonté de dévouement, de la peur de la concurrence et d'une volonté agressive de pouvoir, donc liée à un attitude « caïniste ». Il faut comprendre le désir profond de ces « caïnistes », la raison de leur air tyrannique, de leur rage, de leurs accès meurtriers, de ce qui se cache sous leurs assauts brutaux. Ce ne sont le plus souvent que des angoissés, des désespérés désireux de tout faire pour être aimés. Mais leur comportement conduit à les contourner avec respect plus qu'à se lier à eux, de telle sorte que, en fin de parcours, plus que jamais, ils ne font que se fuir dans le pays de l'« errance », celui de *Nod* (Gn 4, 16) [62].

Les « abéliens », eux, se comportent d'une manière exactement opposée, mais par là même non moins contradictoire. Il y a des années que Leopold Szondi notait très pertinemment chez les représentants des professions « sacrées », juges, pasteurs, une contradiction pulsionnelle épileptiforme. Il la décrivait à la façon d'un perpétuel conflit entre la revendication de Caïn et celle d'Abel [63]. Négligeons ici l'idée d'hérédité familiale, extrêmement discutable, sur laquelle Szondi cherchait à fonder ses théories. Il n'en touche pas moins au noyau de l'affaire quand il décrit en ces termes la psychodynamique du comportement de Caïn : « Sa méchanceté s'alimente à deux tendances. En premier lieu il laisse s'accumuler en lui des affects grossiers (rage, haine, colère, vengeance, envie et jalousie) [...] ; en second lieu il cherche à faire valoir ces affects à la première occasion venue [...]. Caïn n'éprouve aucune honte à être le frère méchant [...]. Alors, entre enfants rivaux dont l'un est le préféré d'un des parents, on voit très souvent se développer les revendications « caïnistes » de celui qui doit se contenter d'une moindre part d'affection parentale. Il se sent poussé à souhaiter la mort de son rival et même du parent jugé injuste. Ainsi est-ce déjà dans la prime enfance que s'enracine le destin tragique des « caïnistes ». La nuit, ce sont très souvent des énurésiques invétérés, et le jour, ils se mettent facilement en colère et provoquent des malheurs par leurs actes de vengeance, à la maison et à l'école [...]. (En outre) les « caïnistes » tendent constamment à la généralisation, c'est-à-dire à étendre le champ de leur jalousie « caïniste » ; ainsi se sentent-ils floués même dans leurs succès professionnels. Ils élargissent ainsi progressivement le cercle des personnes auxquelles ils infligent leur colère et leur haine en se montrant envieux et jaloux de leurs succès. On rencontre de telles dispositions en particulier chez les industriels, les commerçants, les savants, les écrivains, les politiciens qui n'ont pas trouvé le succès ou la reconnaissance qu'ils espéraient. Il n'est pas si rare de voir celui qui était jadis un « Caïn » incontinent et vindicatif devenir plus tard, en science ou en littérature, un critique « pisse-vinaigre », arrosant impitoyablement de son intolérance tout auteur scientifique ou littéraire qui a mieux réussi que lui, lamentable Caïn, plumitif d'une équipe de rédaction, esclave de ses désirs de vengeance. On ne saurait trop leur en vouloir : leur destin inspire plus la compassion que le mépris. Après tout, c'est par amour sans limite pour son Père céleste que le Caïn de la Bible a étranglé son frère, circonstance qu'on oublie aisément quand on le condamne [...]. Seul un faible pourcentage de « caïnistes » trouve le chemin de la conversion [...]. Bien qu'un vrai Caïn garde toujours en lui un Abel plus sociable, les spécialistes de la psychologie des profondeurs ne réussissent que très rarement à tourner la scène mobile des affects du mal vers le bien, probablement parce que l'entourage est si peu capable d'aimer aussi ses « caïnistes », ses ennemis, et de les persuader, par son amour et sa tendresse persévérante, que précisément dans la vie « tout est plus facile par l'amour que par la méchanceté »[64].

Pourtant la Bible présente elle-même une série d'exemples montrant comment le retournement de l'attitude « caïniste » permet la réapparition du pieux Abel. On ne peut comprendre la psychogenèse d'un clerc si on ne voit comment ce comportement « abélien », au sens de Szondi, est le simple envers de tendances pulsionnelles exactement opposées. Moïse, par exemple, qui est obligé de fuir parce que dans un accès de colère, jailli d'un sentiment de justice blessée, il a tué un Égyptien (Ex 2, 11-15) est le même qui, au Sinaï, édictera le commandement : « Tu ne tueras point » (Ex 20, 13)[65]. Saül qui, lors de la lapidation d'Étienne (Ac 8, 1), se complaît au spectacle et profère lui-même des menaces de mort contre les apôtres du Seigneur (Ac 9, 1), est le même qui, devant Damas, à la suite d'un accès d'épilepsie, se mue en apôtre des nations (Ac 9, 4-5), en saint Paul[66].

Toute la tension intérieure d'un clerc commence à s'expliquer quand on reconnaît dans l'attitude sacrificielle d'Abel une réaction défensive contre des tendances pulsionnelles « caïnistes » opposées. En d'autres termes, en accord avec le récit biblique, il faut reconnaître dans l'attitude abélienne du clerc la conséquence du fait que son principal vis-à-vis (par exemple sa mère) a agréé le « sacrifice » qu'il a fait de lui-même. Toujours selon le propos de Szondi, cette attitude est le fait d'une personne « d'une part moralement soucieuse de probité, de justice et de tolérance à l'égard du prochain, affable, serviable, souvent également religieuse [...] ; de l'autre, très pudique : elle ne se met jamais en avant, refoule son désir de se faire valoir et dissimule ses émotions tendres [...]. En société, elle passe pour honnête et bonne. Mais être bon, cela signifie qu'on refoule à l'arrière-plan le mauvais, c'est-à-dire le " frère Caïn "[67] » Il faut apercevoir avant tout que l'attitude cléricale de sacrifice du pieux agneau Abel n'a rien de simple, mais qu'elle est fort dialectique. Elle constitue une formation réactionnelle extrêmement complexe à certains entraînements destructeurs contre lesquels on se défend avec angoisse. Dans un premier temps, on s'était dit : Je ne suis bon (c'est-à-dire aimable et acceptable) que si je me sacrifie (suivant le modèle de la mère et pour la sauver). Maintenant on est amené à se dire, en réaction à l'ambivalence de l'attitude sacrificielle : « Il faut que je sois Abel pour ne pas devenir Caïn », étant entendu que, biographiquement, on identifie le plus souvent ce « Caïn » à un frère ou une sœur réellement existants, mais que, psychologiquement, il représente les forces antagonistes profondes de sa propre psyché.

A l'appui de cette thèse, il suffit de penser à ce problème

théologique qu'est le débat sur l'avortement et sur l'éventuelle modification de la législation existante en la matière. L'importance que lui ont accordée les milieux ecclésiastiques fait éclater ce que peut être une rationalisation d'angoisses et de pulsions sévèrement refoulées, conformément au clivage abélien.

En voyant du dehors une Église qui estime être en possession de secrets que Dieu lui a confiés pour le monde entier, on pourrait penser qu'elle a pour souci primordial de communiquer son évangile aussi souvent et aussi fortement que possible. A l'en croire, il n'est rien d'aussi important sur terre que ce message universel de salut en Jésus-Christ, valable pour tous les hommes de tous les temps. On s'attend donc qu'elle ne parle de rien tant que de l'intervention salvatrice de Dieu en Jésus-Christ. Mais ce n'est pas le cas. Depuis qu'elle a perdu le pouvoir d'imposer sa doctrine par la force, elle fait porter tout son effort de proclamation publique non pas tant sur des questions de foi que sur des problèmes moraux ; et, parmi ceux-ci, aucun ne lui paraît aussi important que l'avortement. La différence avec les Églises protestantes est considérable : quand l'Église catholique fait les manchettes de la presse, on peut parier avec toutes chances de succès qu'elle vient de faire une déclaration sur la « protection de la vie à naître ». Actuellement, c'est là qu'elle voit sa mission essentielle et qu'elle s'engage le plus. Il ne s'agit pas ici de discuter l'importance du problème ni la justesse objective de sa position. Dans le cadre de notre analyse, il faut souligner l'importance *subjective* manifeste que cette question revêt dans l'équilibre psychologique des clercs.

Prenons le cas de religieuses hospitalières. Ont-elles le droit d'assister le gynécologue qui pratique une amniosynthèse ? Cet examen ne vise à rien d'autre qu'à la détection précoce de possibles malformations congénitales. Il offre donc l'occasion à la future mère de s'interroger sur l'opportunité d'un avortement, seule solution rationnelle à une situation quasi insupportable. Comment une femme qui se pose le problème ferait-elle confiance à un établissement chrétien, si elle sait pertinemment que cette « consultation » n'en est pas une, que la seule possibilité évoquée sera de garder l'enfant, toute autre éventualité étant considérée d'emblée comme immorale et gravement peccamineuse[68] ? Si les intervenants s'interdisent dès le départ tout respect de la diversité des situations, cela n'est évidemment pas dû qu'à l'objectivisme des catégories de la théologie morale traditionnelle. En deçà de ces structures de la pensée cléricale et de son rigorisme moral en la matière, il existe un facteur émotionnel particulièrement virulent, nettement en rapport avec le vécu de la première enfance.

Il y a de cela des années, dans une conférence à des théologiens sur ce problème, j'évoquais la nécessité de reconnaître le caractère tragique de certaines situations [69], et l'impossibilité où nous nous trouvions alors de nous poser en juges moraux, à plus forte raison en représentants du droit pénal. A la fin de ma conférence, et pendant plusieurs jours, un jeune ecclésiastique ne cessa de me harceler pour me redemander à quelle vérité on pouvait encore croire, dans un monde où l'avortement serait « permis ». Avec la meilleure volonté du monde, impossible de lui faire comprendre que la reconnaissance du « tragique » n'implique pas « permission », mais simplement admission du caractère parfois inévitable de la transgression. Mes entretiens avec lui m'ont fait voir combien son anxiété ne relevait pas seulement de la crainte névrotique du chaos, mais d'une forme extrême d'insécurité ontologique. Il était l'enfant illégitime d'une mère qui, à 18 ans, et à la campagne, avait vécu dans la souffrance toute l'ambiguïté d'une morale condamnant comme péchés graves la contraception artificielle, les rapports sexuels extraconjugaux et l'avortement. Dans de telles conditions, cette femme, non mariée, n'avait pu porter jusqu'au bout son enfant que comme une preuve de honte publique. Courageuse, elle avait assumé sa situation en croyante, consciente que l'infanticide était encore plus grave que sa faute, et donc sans autre choix que de garder son enfant. Mais que n'avait-elle dû affronter, trompée et abandonnée par son amant, en butte aux quolibets de la « morale » publique, confrontée à des problèmes de situation, inquiète de se trouver jamais un autre compagnon de vie, réduite à ses pauvres ressources ? Comment son enfant aurait-il pu être autre chose pour elle que le grand sacrifice de sa vie ? Et comment faire face à cette vie, sinon en se cramponnant à l'idée du devoir à accomplir ? Ce théologien, saisi de frayeur panique à la seule idée d'une « permission » d'avorter, avait manifestement été un handicap pour sa mère. Pour se sentir sûr de sa propre existence, il avait besoin que l'on interdise absolument toute interruption de grossesse, ne souffrant littéralement aucune exception. En un sens, c'était pour lui la seule validation de son passé, et il mettait donc toute la violence de ses émotions dans la défense de la doctrine de l'Église. Psychanalytiquement, il suffit de remonter au vécu d'un enfant qui, adolescent, découvre ne devoir ainsi sa vie qu'au sacrifique héroïque de sa mère, pour comprendre la rigueur de l'interdit touchant la « mise à mort de l'enfant dans le sein de sa mère », pour ne rien dire de la comparaison, rationnellement intenable, du cardinal Joseph Höffner mettant l'avortement sur le même plan que la destruction en masse des « vies inutiles » dans les chambres à gaz nazies[70]. Il est alors logique qu'on attende *de lui* qu'il prenne le rôle sacrificiel d'Abel. Comment ce prêtre d'un Dieu sévère n'exigerait-il pas par la suite de ses fidèles, en particulier des femmes et des mères, qu'ils agissent de la même manière et fassent « librement » le sacrifice d'eux-mêmes ?

Cependant, peut-être plus important encore que la rationalisation typique de l'expérience d'Abel, il y a la façon dont le clerc *refoule*, ou tout au moins déplace Caïn dans les profondeurs de sa psyché. On a souvent méconnu combien l'attitude sacrificielle des « Abel » ne procède nullement d'une richesse originelle et d'une générosité naturelle. Au contraire, elle n'est souvent qu'une manière de gagner de la considération et de mériter attention et amour, en recourant à une stratégie relevant de la concurrence : le désir anxieux d'arriver *avant* les autres, au besoin *à leurs dépens*. Nous avons déjà rencontré ce côté extraordinairement narcissique de la psychodynamique du clerc, en analysant sa façon de penser, avec tout ce qu'elle pouvait comporter d'aveuglement au réel, de fanatisme, de duplicité existentielle et de dogmatisme. Mais voici qu'apparaît maintenant l'*origine psychogénétique* de cette orientation. Nous découvrons qu'il faut la situer avant les cinq ou six ans, donc bien avant le stade œdipien où Freud voyait la source du surmoi[71]. Celui-ci est bien antérieur au temps de la *rupture* du garçon avec sa mère. Il remonte à toutes les projections et introjections de la phase orale de la prime enfance[72], celle où l'insécurité ontologique poussait l'enfant à se cramponner à sa mère, en cherchant à se fondre autant que possible avec elle : « Je n'ai le droit de vivre que si je fais ce que veut ma mère. Je suis condamné à mort si je ne fais pas ce qu'elle veut. » De telles maximes, qui pourraient aussi bien provenir de la théologie de l'histoire du *Deutéronome*, dans l'Ancien Testament, où Yahvé apparaît comme le Dieu « jaloux »[73], induisent très tôt déjà un comportement de style abéliste en le posant comme unique chance de survie. Ajoutons à ce schéma le facteur de la concurrence, donc la menace que font peser sur le lien à la mère d'autres enfants également soucieux de réussir.

Il n'y a pas d'issue pacifique possible à cette compétition dans la gentillesse, une gentillesse qui fera apparaître l'autre comme moins bon, donc comme mauvais, finalement comme un fainéant et un méchant. On peut considérer la lutte comme gagnée, si on réussit à persuader la mère de renoncer à son apparente neutralité ou à ce qu'elle pense être une juste égalité, et de s'allier à celui qui est finalement le meilleur, le seul bon. L'angoisse existentielle ne se calme que si on réussit à tellement couvrir l'autre de l'éclat de sa propre bonté qu'il en devient invisible, ou, plus habilement encore, si on a su distiller sa propre bonté comme un venin invisible qui, injecté dans les veines de l'organisme ennemi, produira les effets les plus caractéristiques : rages sournoises, désir de griffer et de mordre, expressions vulgaires, entêtements butés, coups de poing distribués à la ronde et autres mauvaises manières. Si on réussit ainsi à se présenter à la mère comme la victime innocente de la méchanceté d'autrui et à l'obliger alors à punir celui qu'elle pensait encore ménager, on peut espérer légitimement que le tour est joué. En un mot, « Abel » a besoin de son « Caïn » pour se présenter au monde (de la mère) comme une innocente victime. La vérité est que Caïn est poussé à la méchanceté à la vue du visage rayonnant de son « frère » et qu'Abel veut parfaire son triomphe par le spectacle de son « frère » définitivement estampillé, condamné et marqué au fer rouge (cf. Gn 4, 15).

Ainsi n'est-il pas rare de découvrir, sur les franges d'une carrière cléricale, une série de gens, à commencer souvent par certains frères ou sœurs de l'intéressé, qu'il faut considérer directement comme les victimes d'une *sainteté cléricale de refoulement*[74]. Nous avons déjà vu à quel point le clerc avait narcissiquement besoin de se sentir différent pour pouvoir se penser clerc : il est par fonction celui qui incarne et apporte le salut de Dieu. Sa manière de vivre est objectivement supérieure à celle des autres, en particulier à celle des laïcs, des gens du monde. Et c'est justement cette différence qui lui fait apparaître comme directement souhaitable l'amertume du renoncement au bonheur terrestre : Dieu l'aime d'une manière particulière, justement à cause de ce renoncement.

C'est maintenant clair : il faut prendre à la lettre l'idée théologique de sacrifice et la retransposer dans le cheminement du clerc pour apercevoir la relation de mère à enfant qui en a permis la naissance. Voici un enfant qui se trouve être celui que sa mère aime et désire le plus, parce qu'il ne garde rien pour lui, parce qu'il refoule autant que possible ses propres besoins, parce qu'il se sacrifie, parce que, aux côtés de sa mère, il sait faire preuve de « responsabilité » (employons le mot !) au bénéfice des autres, frères ou sœurs. Paradoxe tragique ! car, en acceptant le sacrifice du frère ou de la sœur, ces autres doivent du même coup apparaître aussitôt médiocres, difficiles, égoïstes — les pendants du meilleur. Nietzsche disait jadis qu'un prêtre vit des péchés d'autrui, qu'il est obligé d'obérer la vie des autres de sentiments de culpabilité, afin de pouvoir lui-même apparaître, par sa vie boiteuse, comme le sauveur des pécheurs. La psychanalyse nous fournit une explication de cette idée bizarre en nous permettant de comprendre la rivalité qui oppose frères et sœurs durant leur première enfance, sur fond d'insécurité ontologique et à partir de l'appel au sacrifice d'au moins un des deux parents.

b. La concurrence entre l'aîné et le benjamin

Il est encore plus simple d'expliquer la *concurrence* à partir du rang dans la fratrie. Il suffit de lire quelques ouvrages d'ethnographie pour constater qu'en règle générale, c'est l'aîné qui devient le meurtrier de son frère ou de sa sœur, mieux considérés que lui[75]. Le drame est facile à comprendre. Pour un enfant qui, dans son angoisse, s'accroche désespérément à sa mère et cherche à tout prix à répondre à son désir, quelle menace n'est pas la brusque arrivée d'un autre, et d'un autre qui réclame toute l'attention ! On avait cru acquise la sollicitude maternelle, et elle risque soudain de faire défaut ! Pire encore : la mère semble prodiguer avec une joie évidente au jeune frère ou à la jeune sœur ce dont elle paraît vouloir déshabituer son aîné. Elle permet au nouveau venu de téter et elle le garde dans ses bras, tandis qu'elle contraint le premier à avaler son pain et ses épinards. Elle ne dit rien quand l'autre fait dans ses langes, et elle oblige l'aîné à aller au pot. Elle laisse brailler le petit, et elle exige du grand qu'il articule des mots ; bref, elle est manifestement injuste. Comment peut-elle préférer celui qui n'a rien fait pour le mériter et qui aurait mieux fait de ne pas naître ? Ne pourrait-on pas s'en débarrasser ? Le vendre par exemple ? Malheureusement la mère ne paraît pas du tout d'accord. Elle aimerait tant que justement on traite gentiment et tendrement ce frère (ou cette sœur) plus jeune, qu'on se montre particulièrement aimable avec ce marmot, objet précieux à ne toucher qu'avec beaucoup de précautions. Il faut donc ravaler sa rancœur et son dépit, sa jalousie et son irritation. Il faut au contraire se montrer gentil avec cet intrus, parfaitement malvenu dans le paradis de l'enfance.

Entre un enfant plus âgé et son frère (ou sa sœur) plus jeune, des conflits et des sentiments de ce genre n'ont rien de rare. Psychanalytiquement parlant, ce qui est ainsi en soi « normal » ne commence à poser de problème que si l'angoisse qui en résulte ne trouve plus d'autre issue que le refoulement massif. S'il chasse de sa conscience toute protestation et toute résistance, en espérant ainsi retrouver une partie de la bienveillance maternelle en faisant preuve de compassion et de sagesse, l'aîné peut devenir un « Abel » : « On (le bon Dieu, Jésus, l'ange gardien) m'aime si je suis moi-même gentil, aimable et grand » : c'est déjà le script du clerc, à condition toutefois que cela marche et que la mère fasse effectivement preuve de reconnaissance pour les efforts de son aîné, à condition aussi que l'enfant ait réussi à refouler suffisamment des premières impressions négatives d'enfance. Ce dernier point explique en particulier l'impression que laissent souvent des clercs ayant professionnellement bien réussi : celle d'être satisfaits de leur vie. Car, de l'extérieur, comment soupçonner qu'il en va autrement, s'il n'apparaissait soudain sur le revêtement de la façade quelque fêlure ou quelque fissure témoignant de graves commotions et de chocs passés ?

A ne voir que superficiellement les choses, l'illusion est facile. J'en veux pour témoignage l'histoire dramatique d'une religieuse sur le cas de laquelle rien ne paraissait attirer l'attention. Après des études longues, financées par son ordre, elle avait acquis une position qui aurait pu lui permettre de vivre dans une totale indépendance économique. Extérieurement, elle avait très belle allure, ne portait l'habit qu'en fin de semaine lorsqu'elle retournait au couvent et paraissait assez jeune pour mettre le monde entier à ses genoux. Pourquoi ne le fit-elle pas ? A l'écouter, elle paraissait d'esprit libre et éclairé, d'humeur alerte et gaie. Apparemment, pas de meilleur exemple pour réfuter toutes mes réflexions sur le clerc, son insécurité ontologique, son sentiment fondamental de culpabilité, ses tendances réactionnelles à la réparation et à la surcompensation par la responsabilité ; elle était la preuve vivante qu'un être humain « libre », psychologiquement épanoui, pouvait choisir la vie monastique, par un « plus grand » amour de Dieu et des hommes, comme elle l'assurait ! Sans aucun doute, une sorte d'exception surprenante et remarquable parmi beaucoup de ses consœurs. Mais une seule exception à la règle oblige à modifier celle-ci ! Devant cette religieuse, j'avais le sentiment que mon discours s'effondrait, d'autant plus que les difficultés pour lesquelles elle était venue en thérapie semblaient ne tenir qu'à son entourage, en particuler à l'incompréhension de certains de ses collaborateurs ainsi qu'à la rigueur de ses conditions de travail, obstacles manifestes à l'exercice de ses compétences et de sa créativité. Or, voici que nos entretiens révélèrent qu'elle avait déjà vécu des conflits analogues dans d'autres situations. Finalement, une fois vaincues les résistances initiales d'une pudeur extraordinairement forte, elle put enfin parler ouvertement de son enfance, de l'histoire de sa famille.

Après des mois pour laisser remonter en elle ses sentiments étouffés, elle put raconter comment, aînée de huit enfants, elle avait grandi dans la ferme familiale. Son devoir n'avait bientôt plus seulement consisté à surveiller ses frères et sœurs plus jeunes, mais aussi à prendre progressivement à part la conduite économique de l'exploitation. Au lieu de travailler ses terres à la manière conventionnelle, son père avait voulu s'enrichir dans le commerce des chevaux, s'était mis à voyager, à boire, à perdre de l'argent, et à provoquer par son inconduite une violente hostilité de la part de sa femme qui le traitait de « vagabond ». Aujourd'hui encore, cette religieuse n'osait croire que sa mère, en usant de ce qualificatif, avait pu penser que son père, au-delà de son intérêt pour les chevaux, en nourrissait un plus grand encore pour d'autres femmes. En tout cas, à 14 ans à peine, elle avait dû prendre *de facto* le rôle de son père aux côtés d'une mère maladive et ravagée de soucis.

Il n'est pas facile d'imaginer tout ce que cette future religieuse dut alors apprendre : elle n'avait jamais le droit de se plaindre, de pleurer ou de parler à quiconque de ses peines. Dans sa détresse elle s'adressait à Dieu, mais devant les gens elle s'affirmait pleine de courage, et elle s'y était si bien entraînée qu'aujourd'hui elle en donnait l'impression parfaite. Comment soupçonner en tout cas que son « enjouement » s'adressait fondamentalement à sa mère, et que son devoir de religieuse revenait à lutter chaque jour contre la dépression et le désespoir de celle-ci ? Aux côtés d'une femme si bonne et si malheureuse, mais qui par sa pruderie avait probablement incité son mari à chercher des « compensations » ailleurs, elle avait aussi appris tacitement autre chose : les hommes, avec leurs impulsions et leur démesure sexuelles, ressemblaient davantage à des bêtes étranges et imprévisibles qu'à des êtres humains et on ne pouvait jamais être assez en garde contre eux. Elle définissait d'ailleurs son rôle social de femme dans un style d'une extrême virilité : il lui fallait sans cesse s'efforcer d'être « le meilleur cheval de l'écurie », autrement dit le meilleur « mari » pour sa mère. Ainsi refoulait-elle ses tendances homosexuelles latentes en les manifestant sous forme d'amour nostalgique très global pour l'humanité. Elle nourrissait également de très vifs sentiments de culpabilité à propos de tout ce qu'elle faisait : sa fréquentation de l'école jusqu'au baccalauréat puis par la suite ses études longues et onéreuses avaient-elles été autre chose que gaspillage de temps, luxe injustifiable, alors que ses frères avaient dû entrer en apprentissage manuel et ses sœurs se marier tôt ? Pour justifier son éducation privilégiée, elle s'était donc sentie obligée de s'appliquer à l'école, puis, devant la jalousie de ses camarades de classe, de conquérir une position dominante. Elle avait enfin réussi à calmer ses angoisses et ses culpabilités à coups de rendement et de responsabilités accrues. Vu de l'extérieur, le résultat était impressionnant. Ses difficultés d'enfance et de jeunesse s'étaient remarquablement bien arrangées des vœux monastiques de pauvreté, d'obéissance et de chasteté. En apparence, elle avait toutes les raisons de remercier Dieu pour la sagesse de cet enchaînement de circonstances. Elle n'avait pu envisager autre chose que d'entrer dans les ordres. C'était manifestement une très bonne religieuse.

Ne restait qu'une difficulté, relativement minime : les frictions incompréhensibles avec ses collègues de travail de même rang et — plus rarement — avec ses subordonnées. En quelque sorte, le côté « caïniste » dissimulé sous son attitude « abélienne ». Sa vie durant, cette religieuse avait été obligée de fouler aux pieds tous ses penchants pour une existence tranquille et belle, son souhait d'un bonheur simple, son désir nostalgique de pouvoir être simplement comme tous les autres. Elle avait dû lutter contre ces tendances en ne les considérant que comme basses et primitives. Elle avait même commencé peu à peu à mettre sa fierté et son estime de soi dans ses efforts pour être *différente* des autres, plus responsable, meilleure que les meilleures, plus appliquée que les plus appliquées, et donc, lui semblait-il, à se rendre ainsi digne d'amour. Le caractère tragique de sa vie consistait en ce qu'il y avait de quasi antinomique entre le fait d'être bonne travailleuse et celui d'être aimable. Subjectivement, elle ne percevait pas son arrogance, mais son entourage ne pouvait méconnaître le sens de son comportement inconscient, son mépris de toute faiblesse. Son problème n'était plus celui de l'*impulsivité de son père*, mais celui des papotages de ses camarades sur leurs fards ou sur la taille de leurs soutiens-gorge ; ce n'était plus non plus le *désespoir de sa mère*, mais la négligence et l'étourderie des autres. Elle étranglait en elle-même ses reproches secrets, mais ne voyait pas combien ses griefs non formulés pouvaient encore plus blesser les autres qu'une opposition nettement déclarée. Si elle avait gardé un souvenir de la *misère de ses frères et sœurs*, c'était le désir ardent de n'être jamais à charge de personne. Elle ne pouvait et ne voulait pas voir que la conversion de son agressivité refoulée en une permanente attitude de dépannage, sa façon de réduire tous ses contacts à l'unique question : « Que puis-je faire pour vous ? », et son comportement autarcique de suffisance ne pouvaient que perpétuer l'irréductible solitude de son enfance. Elle réduisait les autres au rôle humiliant d'êtres sans énergie, toujours en quête d'assistance, donc méprisables. C'était un cas typique d'« Abel » tuant son frère Caïn. Cette religieuse avait dû, sa vie durant, tuer en elle tant d'élans personnels que désormais sa propre vie gâchée commençait mystérieusement à la menacer elle-même.

A propos de cet exemple, très détaillé, rappelons l'intention qui nous guide. La psychanalyse n'est pas là, avec ses questions sournoises, ses doutes, ses soupçons, pour semer l'inquiétude chez des gens qui, dans leur vie, en dépit de conflits graves, ont réussi à trouver un certain équilibre, et à les priver ainsi des fruits bien mérités de leurs efforts. Elle veut les aider à tirer au clair leurs motifs pour pouvoir surmonter certaines difficultés bien réelles et aller ainsi plus loin. On ne doit donc recourir à sa technique critique que lorsqu'un système de rationalisations hautement idéologiques tend à bloquer la vie. Mais il est alors de son devoir de démonter les systèmes qui cherchent à tirer profit d'un développement bloqué au niveau de l'enfance, et ne font ainsi que fixer et exploiter les élans pubertaires des adultes leur vie durant. Notre exemple précédent nous permet donc de remettre en cause les objections du genre : « Il y a pourtant aussi des religieuses et des prêtres qui sont heureux », et : « Je suis pourtant entré librement dans ma congrégation. » Ces deux protestations *auraient pu être* celles de cette religieuse, et elles le furent effectivement. Mais la vérité était différente.

Reste le problème du dernier (frère ou sœur). Il est plus clair et moins sinueux que celui de l'aîné, celui qui, pour garder la faveur des « dieux » a dû passer du rôle de « Caïn » à celui d'un « Abel » victorieux. Le dilemme devant lequel se trouve le plus jeune tient à ce qu'il occupe une position à la fois plus favorable et moins favorable : plus favorable par rapport à la mère qui, par nécessité et inclination, lui accorde plus d'attention qu'aux autres ; moins favorable, de par son rang d'âge : quoi qu'il fasse, des années durant, il sera physiquement et mentalement en arrière de ses aînés sans jamais pouvoir rattraper ce retard. Étant donné son impuissance à s'imposer, pas d'autre moyen que de passer, directement ou indirectement, par la mère. Mais cela lui apprendra en même temps cet adage de saint Paul : « C'est quand je suis faible, que je suis fort » (2 Cor 12, 10). Il s'agit donc d'une certaine façon de cultiver le syndrome du petit et d'en faire un moyen de succès en s'appuyant sur deux motivations possibles de la mère : la préférence qu'elle peut avoir pour son dernier, du fait que, venant après les autres, il lui a coûté plus de peine à mettre au monde ; et le fait qu'elle puisse avoir l'impression de se prolonger en lui, pour peu qu'une faille dans son couple l'ait conduite à se considérer avant tout comme mère. En antithèse à l'aîné auquel elle en demande trop vient alors l'enfant qu'elle gâte : problème qu'on retrouve chez nombre de prêtres qui habitent au presbytère avec leur mère ou, à défaut, avec une sœur plus âgée.

L'histoire de Joseph et ses frères (Gn 37, 2-36)[76] montre de façon incomparable comment une préférence maternelle (éventuellement paternelle) pour le plus jeune peut provoquer chez celui-ci les rêves les plus merveilleux d'élection divine, mais aussi éveiller chez les frères et les sœurs plus âgés une colère et une jalousie pouvant aller jusqu'au désir de meurtre. Après des années d'attente patiente, Jacob avait enfin pu prendre pour épouse Rachel, qu'il aimait. Mais il n'avait d'enfants que de Léa, la sœur de Rachel qu'il avait épousée précédemment, et de deux esclaves. Finalement, Rachel eut pourtant un fils, Joseph, qui devint bientôt le préféré avoué de son père, lequel le distingua en lui faisant don d'une belle tunique. L'enfant se mit à avoir des visions, simples reflets du comportement de ses parents à son égard. Il vit en songe le soleil, la lune et l'armée des étoiles (autrement dit son père, sa mère et ses frères) s'incliner devant lui. Rêve dangereux ! Cette façon de se faire valoir lui valut la haine de ses frères. Après avoir failli le tuer, ceux-ci le vendirent en Égypte où la femme du fonctionnaire royal, Putiphar, chercha à le séduire : thème fort œdipien qui, dans la psychodynamique de la légende, peut également éclairer les rapports du jeune garçon et de sa mère Rachel (Gn 39, 1-23)[77]. Malgré tous ses déboires, dus à la jalousie et aux calomnies qu'il avait provoquées, et conformément à ses songes, Joseph finit cependant par apparaître comme une véritable bénédiction de Dieu pour tout son entourage. Pieux « Abel », il triompha. Après des années d'exil et de solitude, il finit même par gagner la reconnaissance et le respect des siens qui, dans leur détresse, avaient dû faire appel à celui qu'au départ ils n'avaient pas su reconnaître.

Selon ce texte, c'est donc *l'amour préférentiel des parents*, et par opposition la haine de ses frères, qui fit de Joseph l'élu de Dieu. La légende revêt donc un aspect narcissique dont Thomas Mann a bien fait ressortir la logique, en interprétant la foi d'Israël en son Dieu comme une projection de la foi en eux-mêmes du peuple et de ses représentants[78].

Cependant, dans ce rôle de benjamin, on peut également concevoir l'inverse. Moins imbu de lui-même, l'enfant peut se sentir *coupable* de l'irritation de ses frères et sœurs devant sa simple existence. Sous une forme symbolique, c'est le thème du conte de Grimm, *Les Sept Corbeaux*[79]. Il y est question d'une fillette dont les parents maudissent les frères à l'occasion de son baptême, les condamnant ainsi à mener désormais une vie de corbeaux. Lorsque l'enfant l'apprend, elle en est toute triste et fait tout son possible pour les délivrer. Elle les cherche partout, entre la fournaise du soleil et les parages désolés de la lune (encore des images du père et de la mère), jusqu'à ce que l'étoile du matin change une de ses jambes en pilon de bois bien raide, ce qui lui permet de délivrer ses frères de leur malédiction. Ne nous attardons pas ici sur la symbolique astrale du conte, qui pourrait renvoyer à un conte plus ancien concernant l'origine des Pléiades[80], ni sur ses traits marqués de symbolique sexuelle (les « oiseaux » ou la castration)[81]. Reste alors l'aspect d'une destinée dont des enfants sensibles peuvent trouver l'accomplissement dans la vie de clerc : au lieu de jouir de sa position privilégiée par rapport à ses frères et sœurs, au premier abord méchants, grossiers et dévergondés, le plus jeune ressent le besoin de se mettre en quête de leur humanité profonde, au risque d'avoir à se mutiler (fût-ce de sa propre main) pour délivrer ses « frères » comme d'une malédiction parentale. Ce mobile joue manifestement un grand rôle dans la vocation de maintes religieuses : on se voudrait soi-même gentille avec tous les êtres, et on se sent cependant coupable de leur méchanceté, en y voyant, non sans quelque raison, une conséquence de sa propre existence. On pense alors nécessaire de se sacrifier pour ses frères et sœurs, afin qu'ils puissent jouir d'une vie vraiment humaine. Comme dans le conte, cette expérience suppose une différence d'âge considérable : c'est celle-ci qui confère une coloration morale à des différences de comportement en soi parfaitement normales. Ainsi les « frères », au moment de leur puberté, peuvent-ils répliquer hargneusement à leur mère, rentrer à la maison beaucoup plus tard que la mère ne l'avait exigé, fumer en secret, lire des journaux dangereux, se moquer de leur jeune sœur en chantant des chansons obscènes, genre « Cantiques des cantiques » de l'Ancien Testament (8, 8) ; de tels aînés, du simple fait qu'ils sont plus âgés, ne peuvent pas ne pas paraître « méchants » à un petit dernier beaucoup plus jeune. Si on tient compte en plus de l'insécurité ontologique déjà présente, une fillette peut aisément en venir à l'idée qu'elle doit renoncer à tous les intérêts et plaisirs « mondains », pour ne jamais risquer d'être aussi « mauvaise » que ses frères et sœurs.

c. La concurrence entre le bien-portant et le malade

Analogue aux clivages entre l'aîné et le cadet, entre le bon et le méchant, entre « Caïn » et « Abel », il y a celui entre le « bien-portant » et le « malade ». Dans certaines circonstances, il peut agir à la façon d'une prédestination divine. Comme le petit dernier, le malade peut s'apercevoir que sa situation a ses avantages : on lui porte bien plus d'attention et d'intérêt qu'au frère ou la sœur en bonne santé. D'où, pour ces derniers, un problème psychologique difficile à résoudre[82].

Partons encore une fois de l'hypothèse d'une famille soumise à de graves difficultés, marquée par un climat d'angoisse et d'insécurité. Comment la fratrie réagira-t-elle alors devant le frère ou la sœur malade ? Il faut toujours faire attention ! Est-ce un épileptique ? la crise est possible à tout instant. Souffre-t-il d'une méningite ? On s'inquiète de savoir s'il récupérera. Une poliomyélite ? L'enfant pourra-t-il jamais courir ? Frères et sœurs oscillent sans cesse entre la pitié et l'agacement, la sollicitude et la jalousie, la bonne volonté et la colère. Quand on est en bonne santé, c'est inévitable.

Dans un premier temps, l'enfant en bonne santé peut dans une certaine mesure supporter les difficultés en se sentant obligé de *protéger* sa mère contre les désagréments que lui vaut le malade. Si celle-ci paraît accepter son offre, parce que ses charges dépassent vraiment les limites du supportable, il y a alliance : le bien-portant voit qu'on l'aime, lui qui est robuste et alerte, parce qu'il défend le droit de celle qui se trouve écrasée. Certes, cette variante du conflit ne va pas sans quelques difficultés psychologiques. Mais celles-ci ne prennent vraiment un tour dramatique que si, aux yeux du bien-portant, la mère semble prendre totalement parti pour le malade et contre le reste de la famille. Du coup, le bien-portant se trouve à tout coup perdant, où qu'il se situe. Au fond il se sent véritablement puni *parce qu'il est en bonne santé* et il se met à soupirer après le droit d'être malade comme l'« autre », celui qui semble bénéficier des préférences maternelles. Mais la réalité de la maladie du frère ou de la sœur lui rappelle vite qu'en aucun cas il ne faut alourdir de ses propres plaintes la charge d'une mère déjà surmenée. Déjà ontologiquement incertain de soi, il en arrive alors à l'idée d'une véritable obligation d'être en bonne santé, et il ne ressent plus que honte et culpabilité à la simple idée de se retrouver au lit, avec sa mère lui apportant le café au lait, secouant ses couvertures, lui caressant les cheveux, ouvrant la radio ou approchant sa lampe de malade, un paradis ! Ce serait odieux, de se laisser aller à ce rêve ! Pour être gentil, il ne faut jamais se plaindre, ne rien demander, ne rien refuser, ne rien faire qui puisse peser sur la maman.

Le pire serait que l'entourage finisse par approuver, sinon exiger, cette impitoyable pitié pour ses propres besoins. « Que voulez-vous, Irmgard a un tel fonds de santé », dira-t-on... et la fillette ne s'aperçoit même plus de son effort pour donner l'illusion d'une santé « toute naturelle ». Que doit faire une jeune fille qui, à force de s'imposer l'attention, se voit sans cesse oubliée, méconnue, voire méprisée ? Une fois de plus, quelle merveilleuse consolation que l'espérance d'une mère totalement *positive*, capable d'honorer et de récompenser le sacrifice méconnu de son enfant, sinon sur terre, au moins au ciel[83] ; et on retrouve le mélange déjà familier de résignation, de sens des responsabilités, d'espérance de l'au-delà, bref, une projection de toutes les attentes d'ici-bas sur le religieux. La fillette perpétue alors sa situation de déception et d'espérance. Faisant de sa détresse une vertu et de l'ingratitude de son devoir une vocation, elle deviendra sœur infirmière et passera le reste de sa vie à remplir sa mission divine, à soigner les malades et les nécessiteux, et à implorer Marie, la mère céleste, de lui accorder son assistance et son soutien ainsi qu'aux souffrants.

Et une fois encore, on nous objectera qu'il y a quand même « aussi » des vocations libres. Que tout n'est pas réductible à la psychologie, qu'il faut tout de même faire la part du mystère divin et en respecter la dignité. Veut-on alors disposer d'un critère extrêmement efficace, permettant de bien voir ce qui se passe au milieu de tous ces conflits, de comprendre la nature exacte des « vocations » cléricales qui y sont liées, et donc de vérifier notre dire ? C'est le *contraste entre la capacité professionnelle et l'incapacité de s'affirmer personnellement.*

Nous n'avons cessé d'insister sur ce caractère structurel du manque de personnalité du clerc et sur l'insécurité ontologique qui fonde cette fuite devant soi-même. Nous avons dit et répété que cette fuite peut lui apparaître comme une véritable « libération », une « élection », une « grâce particulière de Dieu ». Les situations concrètes que nous venons d'étudier nous permettent maintenant de mieux comprendre comment peut fonctionner la volonté de réparation. On s'explique alors certaines contradictions bizarres : voilà une personne objectivement très qualifiée, professionnellement supérieure, capable de mener des réunions, de s'engager à fond pour les « bonnes causes » et de susciter chez autrui des élans enthousiastes, qui craque tout d'un coup à la seule idée d'aller en ville s'acheter pour elle un tailleur, un tableau, des livres pour quelques centaines de francs. Si c'était pour d'autres, pas de problème ! Elle le ferait avec joie et ferait preuve du meilleur goût. Mais pour elle, non ! Son incapacité à *être soi* l'empêche non seulement d'acheter la chose, mais de rien souhaiter, de rien exprimer, de se confier même. Que de clercs se montrent ainsi sérieux, laborieux, intelligents pour tout ce qui ne les concerne pas, mais jamais pour ce qui les touche, eux. Interdit de vivre ! Combien de personnes se doutent-elles de la pauvreté qui se cache sous l'habit de la fonction, sous le déguisement de l'être-pour-autrui ? Comment pourrait-il d'ailleurs en être autrement, tant les clercs font appel à toutes les ressources du refoulement et de la rationalisation pour dissimuler la réalité aux autres, comme ils se la dissimulent ?

Pourtant il existe des indices qui devraient leur permettre d'analyser eux-mêmes leur propre cheminement, surtout s'il est lié au conflit avec le frère (ou la sœur) *malade* : ils apparaissent toujours à propos d'un problème d'aide, un peu à la façon des turbulences de l'air le long des voilures d'un avion supersonique : le bruit le précède, mais l'avion rattrape celui-ci et se heurte à son mur. Ainsi la religieuse, fuyant de plus en plus vite, rattrape-t-elle ses problèmes, en risquant de s'y briser. Un rien ! Un membre de l'équipe soignante qui se « fait porter pâle », qui s'absente un jour ou deux. Mais son problème, à elle, c'est qu'elle n'avait jamais le droit d'être malade. Ce simple incident suffit : elle en est malade, d'envie, de jalousie, d'indignation, de réprobation et finalement de culpabilité. En une minute, son enfance lui repasse devant les yeux. Il ne s'agit nullement de difficultés objectives d'organisation, de travail supplémentaire. Simplement, elle revit ses vieux désirs d'être au lit, de se faire soigner, comme sa sœur. Mais c'était interdit ! Et c'est cet interdit qui rebondit maintenant, avec la même véhémence, sur la collègue qui s'arroge le droit de se « payer » une maladie. On n'est pas loin du reproche que le philosophe J. G. Fichte faisait il y a deux cents ans à son épouse lorsque, sous le coup d'une infection grippale, elle se disait hors d'état de vaquer aux soins de la famille. Pour lui, c'était clair, et, en bon philosophe idéaliste allemand, il le lui fit bien savoir : comment le moi libre et intelligible de son épouse pouvait-il se montrer ainsi oublieux de son devoir d'empêcher son moi empirique de devenir malade ? A partir de ce principe, pas de maladie qu'on ne doive dénoncer comme une défaillance morale, une insolence, une impudence. Naturellement, cette religieuse sait combien ses reproches sont injustes et contraires à l'esprit chrétien, et que, dans le cas précis, elle devrait faire preuve non d'indignation et d'envie, mais de compréhension et de pitié. Il n'y a donc pas simple retour aux anciens sentiments de rivalité à l'égard du frère ou de la sœur d'autrefois. Il y a aussi réactivation de l'ancienne contrainte, de l'interdit de protester, de l'obligation de s'adapter, de supporter sa lugubre solitude intérieure, tout cela sous l'apparence brillante d'un bon contact social et du succès. Psychanalytiquement, cette *compulsion de répétition* de réactions affectives données révèle la véritable genèse de certaines attitudes en manifestant sous une forme chimiquement pure une sédimentation très ancienne, remontant à l'enfance.

On pourrait penser que tout ce que nous venons de dire suffit pour épuiser le problème de la place de la rivalité fraternelle (le thème de Caïn et Abel) dans la psychogenèse du clerc. Non ! Il existe pourtant encore un domaine conflictuel souvent très important pour des *adolescentes* : *qui est la plus belle ?* Ce conflit renvoie plus généralement à la question de l'attitude à l'égard de son propre corps.

d. Être beau ou laid : une autre concurrence

Des goûts et des couleurs on ne discute pas, soit ! Mais cet adage intellectuel n'autorise pas pour autant à nier le caractère frappant de la beauté de certains enfants, de certaines fillettes en particulier. Bien sûr, le « beau « corporel varie d'une culture à l'autre souvent jusqu'à l'extrême. Wieland déjà imaginait que son Démocrite organisait dans l'antique cité d'Abdère les discussions les plus saugrenues sur ce thème[84]. Inversement, il est aussi vrai que l'éducation au jugement esthétique dans une culture donnée commence aussi vite que n'importe quelle autre formation, en fournissant une échelle de valeurs permettant de s'apprécier et de se corriger soi-même dans des domaines largement soustraits à d'arbitraires variations. La façon dont s'opère cette transmission est aussi banale qu'efficace : on fait d'emblée plus attention à un enfant à la beauté frappante qu'à ses frères et sœurs. Parents proches ou lointains, voisins, maîtres lui sourient plus souvent ; il éveille aisément l'intérêt et la sympathie. Et ainsi, si rien ne s'y oppose, il aura vite fait de se former de lui-même une appréciation positive, similaire à celle qu'on lui a exprimée. Mais tout ne marche pas toujours aussi bien, et il n'est pas rare de voir la beauté engendrer chez une femme des sentiments d'infériorité de tout genre.

Par comparaison, le destin d'un enfant moins beau, ou qui se juge peut-être affreux, est, au moins extérieurement, plus dramatique, mais plus régulier, moins discontinu. Partons du cas le plus simple, le plus éprouvant : de cette critique sociale qu'est le *rire des autres*. Il existe bien des nuances, dans le sentiment qu'on a d'être ridicule. Ainsi un enfant au visage congénitalement déformé, par un bec-de-lièvre par exemple, ne provoque pas le rire. Il n'est manifestement pas responsable de son apparence et, plus important, la déformation n'a pas valeur expressive et n'est pas ressentie comme signe. Il n'en va pas de même avec la position des yeux et des oreilles, dont la moindre irrégularité peut donner lieu à toutes sortes de quolibets. Ce n'est pas sans raison que, des millions d'années durant, ces deux organes ont été des moyens extrêmement importants de communication sociale. Mais ce sont les anomalies de constitution corporelle qui, infailliblement, attirent le plus la moquerie, en particulier lorsque l'intéressé en semble partiellement responsable : l'adiposité en est un cas exemplaire classique.

Le cercle vicieux qui est à la base de l'obésité chronique est aussi facile à voir que difficile à briser. Le plus souvent, celle-ci tient à une gâterie orale jointe à une frustration affective et morale : cas fréquent de la part d'une mère dépressive qui voit dans l'alimentation la meilleure façon de traduire aux siens ce qu'il faut appeler amour et inclination. Un enfant qui grandit dans de telles conditions apprend que tous ses désirs d'amour, de sécurité, de protection, d'acceptation et de tendresse sont liés à la nourriture, que celle-ci est le symbole de leur satisfaction. Une ambiance dépressive y ajoute une sorte de peur de mourir de faim [85] : « Il ne faut jamais jeter des restes » ; « Il faut manger tout ce qu'on a apporté. » Donc, pas de plus grand plaisir à faire à la mère que de nettoyer son assiette aussi bien qu'une machine ! Naturellement, des expériences très réelles de faim peuvent aussi conduire au même résultat. Mais le problème du surplus de poids est plus psychologique que médical. Ceux qui ne l'ont pas eux-mêmes vécu auront le plus grand mal à se représenter ce que signifie le fait d'avoir à subir la continuelle moquerie des autres, leurs remarques souvent obscènes, sans pouvoir réagir autrement qu'en se « blindant » en imagination, en implorant d'un sourire gentil un semblant de tolérance. Avec une tristesse contenue, il faut accepter de voir les filles de la classe inviter les garçons les plus beaux et les plus intelligents à la piscine ou au bal, et s'estimer encore heureux d'être embarqué en plus comme la cinquième roue de la charrette. Sentiments d'extrême abandon, horribles complexes d'infériorité, haine latente de soi-même, peurs de toutes sortes devant les contacts humains inévitables, disposition extrême à s'adapter aux exigences de l'entourage, appel ardent et résigné à la tolérance avec la promesse de faire vite et bien ce qui est demandé : où trouver une échappatoire à tous ces blocages psychologiques, sinon sur le chemin du couvent, sachant que là-bas on considère comme normal, sinon comme digne d'estime, ce qui partout ailleurs n'est couvert que de quolibets ? Devenir une « sœur de charité » devient alors le moyen de trouver quand même quelque part un peu de miséricorde parmi les humains.

En un certain sens, la croissance vers sa pleine féminité d'une jeune fille *étonnamment belle*, lors de sa puberté, peut être plus pénible encore, parce que plus heurtée, moins naturellle : sa beauté lui est fatale. Le décalage entre sa maturité physique et son immaturité psychologique inquiète les parents : leur fille saura-t-elle se tenir ? Ils sont alors enclins à renforcer surveillance et contrôle. Dans ces conditions, la sollicitude parentale, normale en elle-même, mais souvent fondée sur leur propre angoisse et sur leur pruderie sexuelle, peut prendre la forme d'une quarantaine extrêmement pénible. Mais on ne peut constamment garder une adolescente sous surveillance. Les parents l'obligent alors à faire intérieurement siennes leurs valeurs et leur vision du monde. Pour cela, il existe une « astuce » inapparente, mais extrêmement efficace : on dénigre la beauté esthétique en en faisant un défaut moral. Au lieu de dire à sa fille : « Ton apparence est merveilleuse, mais il faut bien que tu comprennes que les garçons de ta classe s'en rendent compte aussi », on lui déclarera : « Quel air tu te donnes encore ! Ne t'habille donc pas d'une manière si choquante ! » En 1944, que de jeunes femmes, précisément parce que jeunes et belles, s'affublaient des hardes les plus sordides et se barbouillaient le visage à l'approche de l'Armée Rouge pour échapper à la menace d'un viol ! De même certaines mères, effrayées par l'extraordinaire beauté de leur fille, lui apprennent à considérer le corps féminin comme une chose de peu de valeur, sale, écœurante même, de telle sorte que la jeune fille finit par éprouver comme avilissant et honteux ce qui originellement aurait pu être source de fierté et de conscience de sa valeur. Ce qu'il y a de grave, ici, c'est le retournement d'un jugement esthétique sur soi en verdict moral négatif : une jeune fille finit vraiment par se trouver affreuse simplement parce que sa beauté est remarquable, et elle estime devoir se voiler et s'effacer pour affronter les regards critiques (ceux de sa mère), non parce que son aspect serait vraiment dangereux, provoquant ou immodeste, mais parce qu'elle se considère comme difforme. Même une femme comme Brigitte Bardot pouvait, à 20 ans, se désespérer devant l'aspect que lui renvoyait sa glace et, contre toute évidence, se plaindre de sa « mine impossible »[86]. Le public se demande parfois comment des femmes d'apparence vraiment mignonne peuvent trouver de l'intérêt à dissimuler et à renier entièrement leur féminité sous un habit monastique. Mais on ne peut comprendre la détresse, la résignation, les perturbations de l'affectivité et l'angoisse chronique de telle ou telle sœur qu'en remontant jusqu'à ses souvenirs d'enfance et de jeunesse.

Comme pour pousser à sa conclusion tragique *le thème de la concurrence interne de la famille*, l'opposition de la morale à la beauté est particulièrement à même de provoquer les plus étranges confusions. Sous une forme inverse, on retrouve ce que racontent nombre de contes de fées, où la jeune fille avenante et laborieuse est affublée d'une sœur affreuse et paresseuse[87]. Dans bien des familles, on redonne sans cesse à la jolie fille l'exemple de sa sœur « affreuse » : elle ne fait pas tourner la tête aux jeunes gens, ne s'affiche pas d'une manière provocante et n'est pas toujours à feuilleter les revues de mode inconvenantes. Pour échapper à cette identification du « beau » et du « mauvais » dans l'esprit de la mère, la « jolie » peut chercher secours auprès du père, souvent assez flatté de jouer ce rôle de galant seigneur :

quel honorable devoir n'est-ce pas de se promener en ville au bras de sa fille ! Il peut même pousser son devoir paternel jusqu'à la conseiller en matière de lingerie féminine. Mais c'est trop clair, en gagnant la bienveillance de son père, et même d'autres hommes de sa compagnie, elle s'interdit cette sorte d'infidélité qui consisterait à le délaisser au profit de jeunes gens de son âge à elle. Elle n'a d'ailleurs que des possibilités limitées de satisfaire sa passion de pacha jaloux : plus elle grandit, plus il devient difficile de nier la *composante sexuelle* de cette relation père-fille.

Ainsi, une jeune fille particulièrement belle, courtisée, peut-elle se découvrir finalement en situation d'échec : rejetée par ses frères et sœurs, opprimée par sa mère et gênée par les assiduités de son père, elle ne sait plus que faire. Dans les temps anciens on cachait, de préférence dans un couvent ou une chartreuse [88], les femmes que leur beauté rendait trop dangereuses pour les hommes. Aujourd'hui, une telle démarche peut même apparaître une vraie libération si, subjectivement, la jeune fille a suffisamment intériorisé la contrainte. En questionnant certaines religieuses sur leur vocation, on est étonné de découvrir combien les « belles » ont souvent vécu des années dans l'angoisse œdipienne des poursuites d'un père importun. Cela confère presque un aspect tragi-comique à une des prières classiques, aujourd'hui encore, de la cérémonie de prise de voile : « l'épithalame royal », le psaume dit « du harem », par référence à l'Orient ancien. « Écoute, ma fille, regarde et tend l'oreille : oublie ton peuple et la maison de ton père. Alors le roi désirera ta beauté. Il est ton Seigneur, prosterne-toi devant lui ! » (Ps 45, 11-12) [89]. Ainsi, l'angoisse œdipienne éprouvée devant le père terrestre est-elle projetée sur la divinité toute-puissante, et on interprète comme « élection » le déplacement vers le « fiancé céleste », Jésus-Christ, des sentiments barrés ici-bas par l'interdit de l'inceste.

e. Le facteur religieux

Nous venons d'analyser dans une perspective psychodynamique un ensemble structurel fait d'insécurité ontologique, de culpabilité, de surresponsabilité, de résignation et de concurrence. Cela ne nous a pas seulement permis de mieux comprendre le cheminement presque fatal de personnes élevées dans ces conditions vers une « vocation » de prêtre ou de religieuse, mais aussi d'expliquer psychogénétiquement une série de traits dont, au départ, nous nous étions contenté de décrire la structure. Les « fantasmes de sauveur » de l'enfant sont venus répondre au « sacrifice » de la personne chère, et c'est ce recoupement qui provoque l'étrange dissociation entre un besoin objectif de salut et un interdit subjectif d'en faire l'expérience, sinon sous forme négative de sacrifice et de renoncement. Nous avons vu combien cette répression des sentiments et ces interdits pouvaient être précoces, et comment le surmoi, résultat de la suridentification angoissée au père ou à la mère, pouvait par la suite envahir tout le moi. Nous avons illustré le caractère contradictoire et douloureux d'une vie marquée par le souci du salut et de la grâce, de la libération, de l'amour et du pardon aux autres, mais qui fuit de manière quasi phobique toute expression de la personnalité propre pour ne plus pouvoir admettre qu'un message garanti « véritable » par l'institution et la tradition. Ainsi avons-nous pu saisir comment certaines idées, profanes ou théologiques, reflétaient jusque dans le détail ces jours lointains de l'enfance.

Mais reste une question importante : dans l'élaboration des conflits que nous avons analysés, d'où vient leur forme spécifiquement religieuse ? Le mélange d'insécurité ontologique et de surresponsabilité n'aurait-il pas pu susciter aussi bien une vocation de travailleur social, de médecin, de juge ou de vétérinaire ? Alors pourquoi justement un prêtre ? Ou encore : le sentiment de culpabilité dans le cadre de la fratrie et les tendances à la réparation qui y sont liées n'auraient-ils pas pu aussi bien donner envie de devenir institutrice, infirmière, jardinière d'enfants ou Dieu sait quoi d'autre ? Pourquoi justement une religieuse congréganiste ?

Pour expliquer ces différences en matière de vocation, il serait trop facile de ne recourir qu'aux seules dispositions et inclinations individuelles. Il en existe, certes, et elles se révèlent toujours décisives par la suite. Mais notre problème ici n'est pas de savoir pourquoi quelqu'un veut devenir infirmière *ou* congréganiste, travailleur social *ou* prêtre. Il s'agit de comprendre pourquoi le choix d'une profession civile « normale » lui semble quasi indifférent, pourquoi il lie en tout cas son choix particulier à son choix global d'un statut de clerc : travailleur social, mais comme prêtre régulier ; infirmière, mais comme Sœur de Saint-Vincent-de-Paul, etc. La façon dont le clerc se comprend ne laisse ici aucune marge de manœuvre : il entend bien que son statut informe et anime toute sa vie, car c'est essentiellement dans l'affirmation religieuse qu'il conçoit son accomplissement. C'est chose si claire que, quand un prêtre demande à son évêque d'entreprendre de nouvelles études — de langues, de sciences sociales, de psychothérapie — l'administration diocésaine y voit toujours un signe de crise de vocation. N'est-ce pas une façon pour lui de se rendre indépendant ? De toute façon, cela brise la garantie de service sûr et inconditionnel qu'il offrait jusque-là. Dans certains cas extrêmes, la règle est d'aller à l'encontre de ses inclinations personnelles, de les nier même, pour se rendre « disponible » aux missions de l'Église ou de l'ordre.

La question n'est donc pas de savoir comment une personne choisit une profession déterminée en fonction de ses inclinations, mais comment elle en arrive à ne pouvoir se représenter la solution de ses conflits profonds qu'en donnant un caractère totalement religieux à sa vie, qu'en voyant en celle-ci une réponse à une vocation : problème d'autant plus compliqué que les parents des futurs clercs ne sont pas toujours des exemples de piété et de foi en l'Église. Ici encore, les patterns mécanistes d'une psychologie de l'apprentissage suivant le schéma modèle-copie[90] se révèlent beaucoup trop simples pour aider à comprendre la psychogenèse des clercs.

Examinons les divers cas possibles, et en premier lieu celui où ni le père ni la mère ne se montrent religieux, pour ne pas parler de chrétiens engagés. On peut présumer que, statistiquement, cette situation initiale n'est pas très fréquente. Mais elle se produit. J'en veux pour preuve l'histoire suivante.

Très jeune, un garçon s'était trouvé témoin des querelles conjugales de ses parents. Il s'était fait l'allié de sa mère, le vaillant défenseur de ses droits. Lorsque son père, saturé de la vie conjugale, avait divorcé, il avait pris le rôle, aussi lourd que gratifiant, du seul être véritablement aimé par sa mère. Des années durant, ils avaient formé une inviolable communauté de deuil contre le reste du monde. Cependant, les exigences de la mère vis-à-vis de son fils devinrent telles qu'elles firent éclater ce « mariage de remplacement ». Dès le début de sa puberté, le garçon, physiquement déjà très mûr et d'allure très indépendante, se mit à éprouver la présence de sa mère comme pénible et honteuse. Il ne voulait à aucun prix passer pour un enfant gâté ; il chercha au contraire à s'endurcir et à renforcer sa virilité par un entraînement physique et un ascétisme raffiné. Mais par ailleurs, pas question de rompre son lien, ne fût-ce que par sens de ses responsabilités et sentiment de compassion. Ainsi se trouva-t-il prendre la seule issue conséquente en pareil cas, celle de la séparation *spirituelle*. A l'étonnement et même à la douleur de sa mère, qui ne s'était jamais souciée de questions philosophiques ou religieuses, il se convertit à 15 ans au catholicisme, cela dans une région entièrement protestante, et à partir de là il maintint envers et contre tout sa décision d'être prêtre. Sa ferveur religieuse, devenue ardente passion, le portait à vénérer particulièrement la Mère de Dieu, finissant même par estimer que le catholicisme romain en négligeait par trop le culte, et que seuls les hymnes orientaux célébraient dignement la « Toute-Sainte ». Notons en passant que cet homme, étonnamment vigoureux et combatif, aurait déclaré absolument ridicule l'idée, typique de la décadence occidentale, selon laquelle sa conversion et sa mystique de la Madone étaient la prolongation, aisément démystifiable, de son lien œdipien à sa mère. Après des années d'entraînement intensif de la volonté, il se considérait naturellement comme un homme libre, indépendant, n'obéissant qu'à sa raison et à sa conscience. Telle avait d'ailleurs aussi été l'appréciation de ses formateurs, tant que sa piété mariale n'avait pas pris des proportions exagérées.

Cet exemple le fait bien voir : dans ce cadre renforcé d'insécurité ontologique et de responsabilisation, l'idéal qui engendre la vocation de clerc tient à la force de l'identification, de la protestation et de la réaction antithétique d'une recherche de solution spirituelle. Ajoutons que la décision en faveur de l'Église catholique est en rapport très net avec le désir d'une mère de remplacement capable de dissoudre extérieurement les liens avec la mère physique pour les recréer avec d'autant plus de sécurité au niveau religieux. De telles conversions peuvent même se produire très tard dans la vie adulte, sans cause extérieure repérable, à la façon d'une éruption inattendue, donc stupéfiante pour tout l'entourage.

Ainsi, en 1927, Sigmund Freud analysait-il le récit d'un médecin américain soudain profondément saisi à la vue du cadavre d'une vieille femme sur une table de dissection. Elle avait « un visage si doux, si ravissant » qu'il avait aussitôt pensé :

« Non, il n'y a pas de Dieu, s'il y avait un Dieu, il n'aurait jamais permis qu'une si exquise vieille femme fût amenée à la salle de dissection. » Revenu chez lui avec la résolution de ne plus jamais entrer dans une église, il perçut une voix intérieure qui l'invitait à réexaminer la question. Le jour suivant Dieu lui fit intérieurement comprendre que la Bible était Parole de Dieu et que seul l'enseignement de Jésus-Christ représentait la vérité et l'espoir. Freud le faisait fort justement remarquer : on sait bien que Dieu permet bien d'autres horreurs que ce cadavre d'une vieille femme d'allure si sympathique sur une table de dissection. Mais ce visage avait manifestement rappelé à ce médecin celui de sa propre mère : « La vue du corps nu (ou qui va être dénudé) d'une femme rappelant au jeune homme sa mère éveille en lui la nostalgie maternelle émanée du complexe d'Œdipe, nostalgie à laquelle la révolte contre le père vient aussitôt s'adjoindre en tant que complément. Le père et Dieu ne sont pas encore chez lui écartés bien loin l'un de l'autre, et donc, la volonté d'anéantir le père peut devenir consciente sous la forme d'un doute sur l'existence de Dieu et chercher à se légitimer aux yeux de la raison par l'indignation qu'excitent les mauvais traitements infligés à l'objet maternel [...]. Le conflit semble s'être déroulé sous la forme d'une psychose hallucinatoire, des voix intérieures se font entendre afin de dissuader le douteur de résister à Dieu. L'issue du combat se manifeste à nouveau au niveau religieux ; et cette issue est prédéterminée par la destinée même du complexe d'Œdipe ; elle consiste en une soumission complète au vouloir de Dieu le Père, le jeune homme est devenu croyant, il a tout accepté de ce qui lui a été enseigné depuis l'enfance sur Dieu et Jésus-Christ[91]. » Chez cet homme, le sursaut de crainte œdipienne de punition par le père redonna vie à certaines idées religieuses jusque-là trop pâles pour influencer son existence, lui insufflant la vigueur nécessaire pour faire siennes les idées chrétiennes acquises lors de la prime enfance. Dans cet exemple aussi, la « conversion » religieuse ne tient pas à l'exemple des parents, mais à la dynamique d'une explication avec eux (consécutive au complexe d'Œdipe).

Plus important encore pour notre raisonnement que cette constatation, il y a ce fait que, *bien antérieurement au complexe d'Œdipe*, la psyché de l'enfant comporte déjà tout un ensemble de composantes affectives capables de provoquer la naissance d'un complexe autonome, d'éveiller par exemple une réceptivité particulièrement vive à certaines idées religieuses. Reprenons l'exemple d'une mère souffrant d'angine de poitrine. Une des manières possibles d'échapper à l'inquiétude continue de la voir mourir c'est, en rêve, de quitter la terre pour le Ciel. Même si elle meurt, elle ne meurt plus réellement : elle s'achemine plutôt vers son accomplissement céleste et, là-bas, elle sera bien plus heureuse qu'ici. On ne restera d'ailleurs pas soi-même orphelin : on la suivra là-haut et on l'y retrouvera. Ainsi l'inquiétude devant la menace quotidienne de la mort maternelle peut-elle se transformer en passion nostalgique d'une vie autre, supra-terrestre, et tout cela même si les parents ne se sont jamais souciés des consolations de la religion touchant à la vie éternelle. Il en va comme dans les expériences psychotiques où surgissent des visions apocalyptiques évoquant avec force les textes bibliques[92], alors que, jeunes, les patients en ont à peine entendu parler. De même, les idées essentielles de la doctrine chrétienne peuvent-elles surgir spontanément du vécu psychique, même si les parents n'ont personnellement que peu contribué à les transmettre : leur influence psychologique sur l'inconscient de l'enfant a pu être si importante que ceux-ci percevront telle ou telle position de la dogmatique chrétienne comme évidente, en y trouvant une base solide pour toute leur vie. Le facteur essentiel n'en reste pas moins la vive ambivalence des sentiments et le *clivage de l'image parentale* qui s'y trouve liée, image dont un côté positif se trouve projeté dans la sphère du divin et devient donc inattaquable.

Dans une variante de cette expérience, certaines nostalgies et certains idéaux antithétiques viennent préformer psychologiquement les idées chrétiennes. Qui dira jamais la nostalgie qui, chez les prêtres et les religieuses de l'Église catholique, s'exprime à travers le discours sur Dieu, sur Jésus-Christ, sur la Mère de Dieu et sur l'Église, et l'attente du jamais-vécu qui se cache sous une simple intonation ?

Mais voilà qu'il est *aussi* possible d'attiser cette nostalgie *de l'extérieur*. Dans le cheminement des clercs, il n'est pas rare d'observer que le choix de la vocation est lié à l'unique personne qui s'est montrée capable d'apporter un peu de chaleur dans un monde glacial. Le phénomène existe aussi ailleurs et, pour autant que je peux m'en rendre compte, la littérature n'a que trop peu témoigné de ce facteur spécifique : le hasard. Un jeune homme se décidera par exemple à devenir philatéliste parce que, à sept ans, il a rencontré trois semaines un sous-locataire de ses parents ; il ne s'est promené qu'une fois avec lui, mais celui-ci lui a parlé comme à un petit adulte ; or, il faisait collection de timbres ! Telle jeune fille se décide à devenir libraire parce qu'un amour de jeunesse lui a écrit de temps en temps des petites poésies... Si ténébreuses sont les oubliettes au fond desquelles un enfant se trouve obligé de grandir qu'il n'en suivra que plus inconditionnellement, tel un papillon de nuit, le premier rai de lumière perçu dans sa solitude. Dans sa faculté à survivre et sa patience tenace, la psyché humaine rappelle ces fleurs du désert qui, sous la fournaise du soleil, peuvent rester comme mortes toute l'année, mais qu'il suffit d'une simple pluie pour faire revivre et se redresser ; toute l'énergie vitale accumulée jaillit alors comme en une explosion de bonheur : elles saisissent cette chance décisive et en restent à jamais *empreintes* [93].

A considérer rétrospectivement le cheminement de maints clercs, on peut découvrir la force avec laquelle un camp de jeunes, un week-end de méditation, la rencontre d'un certain prêtre ou pasteur ont déterminé toute leur évolution spirituelle ultérieure. C'était le lieu de jaillissement de leur espérance, celui qui venait confirmer concrètement ce qui n'était jusque-là que nostalgie. C'était comme une écluse s'ouvrant pour permettre aux eaux trop longtemps accumulées de se ruer vers la vallée : toutes les inclinations, toutes les attentes dévalaient dans le lit préparé de l'exemple proposé par l'étranger. Comprenons cependant que celui-ci n'est pas la cause, mais seulement le catalyseur, l'occasion indispensable pour libérer des énergies disponibles qu'il n'a pas lui-même créées. Il est tout simplement impossible de trouver d'autre explication que cette psychologie de la nostalgie et de la solitude à certaines vocations totalement indépendantes de l'exemple des parents.

Dans la psychogenèse des clercs, le cas indubitablement le plus favorable, et pour cela sans doute le plus souvent allégué, est celui où l'un des deux parents, plus fréquemment la mère, parfois en opposition au père, affirme sa foi religieuse. Il faut ici entendre ce terme au sens de « catholique », et non dans celui de la simple « religiosité », très difficilement conciliable avec le dogme chrétien, de l'humanisme éclairé d'un Lessing [94] ou d'un romantique louant le « goût pour l'infini » (Schleiermacher par exemple [95]). Allons jusqu'à supposer un lien particulièrement fort avec l'Église du parent qui se déclare religieux. La situation idéale de la vocation est alors celle où ce parent, sentimentalement déçu par son partenaire, s'est attaché à cette Église catholique comme à une solution de remplacement — en adoptant par exemple comme fondements indispensables de la vie ses positions morales, surtout touchant l'indissolubilité du mariage et la vie sexuelle. Supposons encore que ce parent apparaisse dans la famille comme le meilleur, comme le modèle, la règle. Dans ces conditions, on peut penser qu'il exerce une influence éducative dominante, fort propice à l'orientation vers l'état de clerc

Dans la psychogenèse d'un futur clerc, ce qui est décisif, c'est que celui des deux parents qui joue le rôle normatif attribue une importance *essentielle* à son lien avec l'Église. Son opposition sur ce point avec le second parent est alors particulièrement favorable à la vocation, car, source potentielle de tensions psychologiques, elle aggrave l'insécurité ontologique, avec toutes ses conséquences.

Le fait qu'une vocation puisse se fonder principalement sur cette opposition relative du père et de la mère permet d'éclairer la portée affective d'une idée capitale de la théologie catholique. A voir la vie de piété de certains clercs, on a l'impression qu'ils sont partagés entre deux dieux diamétralement opposés : d'un côté, celui de Jésus-Christ et de sa mère, quintessence de l'amour, de la bonté et de la miséricorde, et de l'autre le Père, quintessence de la justice, de la sévérité et du châtiment. L'Église a certes très tôt rejeté la doctrine de Marcion opposant le Dieu de la Création au Dieu de la Rédemption [96]. Mais, affectivement, ce clivage semble se perpétuer, et on le retrouve jusque dans la vie de prière de l'Église, dans des litanies, des cantiques, des dévotions et des prières d'imploration : on supplie la Mère de Dieu d'intervenir aux côtés de son Fils auprès du trône du Père en faveur de l'humanité souffrante et pécheresse. Ce qui revient à dire que, contrairement à ce que nous en dit Jésus [97], on éprouve psychologiquement le Père comme un monarque sans bienveillance dont seuls quelques puissants intercesseurs nous vaudraient l'indulgence. Dans sa doctrine de la Trinité, la dogmatique chrétienne insiste sur le fait que, le Père et le Fils sont totalement différents l'un de l'autre [98], leur relation ne pouvant naître que de leur pur contraste. Mais on déclare ensuite que c'est de ce contraste que surgit le Saint-Esprit [99], lequel — nous le savons — est la source de la grâce de l'élection. On peut mesurer la résonance affective de cette perspective théologique et en voir les conséquences sur le cheminement des clercs : seul le contraste entre les deux personnes « divines », le père et la mère, fait naître l'esprit capable de susciter leur vocation.

2. LES LIMITES DES DIFFÉRENTS STADES DU DÉVELOPPEMENT, OU MISÈRE ET NÉCESSITÉ D'UNE « VIE MONASTIQUE »

Notre analyse nous a peu à peu permis de confirmer notre hypothèse : seuls se sentent « appelés » à la vie cléricale ceux auxquels, dès leur prime enfance, le milieu familial a appris à compenser leur sentiment de précarité ontologique et de manque de justification de l'existence par une volonté de réparer d'une manière ou d'une autre. Cela nous permet de comprendre non seulement la place importante que tiennent l'idéologie et la pratique sacrificielles dans la vie des clercs de l'Église catholique, mais aussi les confusions et les clivages entre la personne et la fonction, tels qu'on peut les observer dans leur style de vie et dans leur existence relationnelle : un sentiment excessif de responsabilité accompagné de fantasmes de jouer un rôle de *sauveur*, une disponibilité illimitée du moi à s'identifier sans réserve aux exigences du surmoi, une culture de l'idée narcissique d'une situation d'exception fondée sur la conviction d'être particulièrement élu, le refoulement de pans entiers de la psyché personnelle et de toutes les réminiscences d'une situation familiale initiale qu'on sublime en lui substituant la conviction d'un appel de la Providence à une destinée divine, et, finalement, la tendance à se prouver sa propre bonté et à imposer aux autres sa valeur, ce qui, dans un climat plus ou moins explicite de concurrence, revient nécessairement à ravaler ces tiers au niveau d'« objets » de la tâche pastorale. Tout cela étant une forme de réaction bien ancrée à une vie enfantine marquée par l'angoisse et la culpabilité et fixée sur la seule échappatoire possible : l'amour de la personne de référence (la mère), un amour qu'on ressent incertain, qu'on tremble de perdre, et dont on cherche alors à se réassurer en faisant preuve de disponibilité absolue et de dévouement total

Sur cette toile de fond, c'est évident, l'enfant ne peut qu'être disponible à la promesse de salut que lui offre la religion et y répondre de tout son cœur. Psychologiquement, il est totalement disponible à la foi socioculturellement régnante : l'intervention de l'Église, institution en laquelle se concrétisent les idées et les valeurs religieuses, vient alors répondre aux facteurs familiaux ou extra-familiaux qui disposent à l'entendre. On saisit alors comment un jeune homme ou une jeune fille peuvent en arriver à désirer partager l'expérience de Jérémie, du Deutéro-Isaïe ou de saint Paul : eux aussi pensaient que, dès le sein de leur mère, Dieu les avait appelés à se mettre à son service (Jr 1, 5 ; Is 49, 1 ; Ga 1, 15)[1].

Mais tout cela ne nous permet cependant de comprendre que la moitié de l'histoire : notre effort pour nous faire une image psychologique du clerc ne nous a fourni que le cadre du portrait. Nous connaissons le point de fuite qui régit la perspective, et nous nous sommes donné un fond de couleur. Pourtant l'essentiel nous fait encore défaut : les traits du visage. Idéalisme, sens de la responsabilité, religiosité, lien à l'Église ne sont que les présupposés de la psychologie du clerc à venir. Mais ces données pourraient tout aussi bien conduire à des professions très différentes : professeur de religion, lecteur ou directeur littéraire d'une maison d'édition catholique, animateur de groupe ou engagement dans l'Action catholique. Et, de fait, ces rôles sont souvent tenus par des gens qui, à un moment donné, ont songé à se faire prêtres ou religieux(ses), et qui, pour des raisons quelconques, avant ou après les vœux, ont « capoté » comme le dit le jargon clérical : ceux-là se sont principalement heurtés à cet obstacle essentiel, mais caractéristique de la vie consacrée, qu'est la vie selon les conseils évangéliques de pauvreté, d'humilité (obéissance) et de chasteté (célibat). Tant que nous n'aurons pas réussi à voir comment quelqu'un peut en arriver, non seulement à déclarer idéale et désirable cette forme d'existence, mais à en faire le fondement de toute sa vie, nous n'aurons pas encore pénétré jusqu'en son cœur la psychogenèse du clerc. Nous avons bien décrit le sentiment fondamental, ou plutôt la situation fondamentale, qui suscite sa vocation ; mais il nous faut à présent montrer comment, sur fond de ces dispositions pulsionnelles, toutes les constellations de conflits et de sentiments que nous avons décrites jouent à chacun des stades du développement psychologique.

Cependant, avant d'en arriver là, il n'est pas inutile de rappeler encore une fois le sens de notre recherche. Prêtre, ou membre d'un ordre ou d'une congrégation religieuse, on ne peut se soumettre à l'éclairage psychanalytique des motivations profondes de l'adoption des conseils évangéliques sans se demander dans quelle mesure on doit s'appliquer personnellement ce qu'il révèle. Tant qu'il ne s'agissait que des structures affectives fondamentales de l'existence cléricale, le lecteur pouvait encore fuir le problème en prenant quelque distance, même s'il se sentait immédiatement concerné : les exemples que nous donnions étaient-ils autre chose que des cas particuliers ? On pouvait tout aussi bien leur opposer des exemples inverses, et il fallait en tout cas éviter de les interpréter en termes structurels ! Qui ne connaît des curés ou des prêtres « différents des autres » ? Et quel clerc ne s'est évertué à ne pas être et à ne pas devenir ce que la fonction cléricale, de par son propre poids, le pousse à être ? Bien sûr, il faut bien avouer que le « clerc drewermannien » existe. Mais chacun espère toujours pouvoir faire jouer en sa faveur une petite différence qui lui permettrait d'émousser la pointe du trait.

Mais c'est justement cette petite différence que la lecture de ce qui suit autorisera de moins en moins. Plus le forage psychanalytique va profond, plus il agit à la manière d'un étau qui se resserre, en réduisant l'espace des faux-fuyants et des échappatoires et en obligeant à s'avouer ce que l'on est. Certes, chacun n'a pas mis exactement les mêmes accents sur la thématique générale des conseils évangéliques : un tel aura éprouvé plus d'embarras à propos de la pauvreté, alors qu'un autre se sera davantage heurté au problème de l'obéissance ou aux exigences de renoncement à la pulsion sexuelle. Il n'est cependant personne qui n'aura à se demander quelles sont les motivations de la prime enfance qui ont déterminé sa vocation, c'est-à-dire sa décision de devenir clerc. Chacun devra bien tirer au clair toutes les formes concrètes de blocages, les refoulements, les inhibitions, les symptômes névrotiques qui ont jalonné sa vie d'enfant. Il lui faudra se montrer plus sincère avec lui-même qu'il n'aura jamais été conduit à l'être au cours du noviciat ou du séminaire. Il aura à affronter des perspectives que la doctrine de l'Église, sous sa forme rationnelle et idéologique, lui a caché presque par miséricorde, dans la mesure où elle s'autorisait à considérer comme venant de Dieu (et donc comme bénéfiques) des faits qui, humainement parlant, auraient dû apparaître comme des malédictions, comme une fatalité, ou tout au moins comme une malchance. Or, s'il y a quelque chose qui conduit la plupart des clercs à se hérisser contre la psychanalyse, à en avoir peur et à s'en défendre, c'est bien cette idée que la décision de devenir clerc est l'effet d'une forte pression intérieure qui donne à penser à une vocation divine, et découle d'une prédisposition à revêtir la « dignité » du ministère et de s'y identifier totalement[2].

Les découvertes concernant la psychodynamique de gens qui s'offrent des compensations aussi intenses que les clercs de l'Église catholique sont tout sauf anodines. De par leur simple vérité, ces découvertes peuvent provoquer l'effondrement comme château de cartes de tout l'édifice d'une vie érigé à grand-peine. Mais le pire serait que cet effondrement se produise trop tard pour permettre une véritable reconstruction.

Prenons le cas d'un curé d'une soixantaine d'années : que faire, à partir du moment où il doit s'avouer que tous ses discours sur la mission et tous ses appels à la liberté ne sont que l'effet de sa fixation œdipienne à sa mère, celle d'un gamin qui, dans son désir d'être absolument irréprochable, s'est peut-être chargé du pire des péchés : celui de ne jamais vivre de manière autonome[3] ? À 20 ans, il a renoncé à l'amour d'une femme : était-ce bien, ou n'était-ce pas simple preuve d'irresponsabilité ? Avec elle, il aurait pu être heureux, mais aussi apprendre la valeur de vieux termes éculés tels que confiance, dévouement et amour. Tout compte fait, son renoncement devant Dieu et devant les hommes au bonheur personnel et à celui de l'autre, cela par fidélité au devoir de son ministère, a-t-il été autre chose qu'une défaillance ? Or, comment réagir quand des idées de ce genre viennent littéralement *trop tard ?* Dans la vie d'un être humain, il n'est rien de plus affligeant et de plus déprimant que ce genre de découverte intempestive. Tel est pourtant bien le risque constant que présente tout ouvrage de psychanalyse en obligeant à se confronter à des données qu'il est soit trop tôt, soit trop tard, pour admettre et pour en tirer profit. Même si l'excuse est valable, à quoi sert-il alors de déclarer qu'il vaut mieux se heurter aux remontrances ou aux démentis d'un livre qu'à ceux de la dure école de la vie ? Il n'en est que plus important de le répéter : il ne s'agit pas ici, et il ne saurait s'agir, de prendre un ton d'accusation et de reproche pour montrer du doigt des personnes qui, subjectivement parlant, ont fait l'impossible pour orienter leur vie vers le service d'autrui. Mais il n'en est pas moins permis de forcer ces goulots d'étranglement que constituent certains facteurs inconscients sous-jacents à bien des décisions vitales et, quand c'est possible et nécessaire, de réfléchir aux meilleurs moyens d'y échapper. Il s'agit justement d'atténuer les sentiments de culpabilité qui font apparaître comme défaillance et insuffisance personnelles ce qu'il faudrait peut-être mettre sur le compte du caractère obligatoirement impersonnel d'une certaine forme de vie. Il s'agit de surmonter les sentiments d'isolement, de solitude et de déréliction en lesquels on pourrait ne voir qu'une affaire strictement personnelle, alors que ce qui est en question, c'est le caractère structurellement insupportable d'une forme de vie objective, la cléricature. Il s'agit finalement de réclamer son droit à la liberté de se développer et de mûrir psychologiquement, même si cette revendication intervient à un moment où cette maturation n'est plus possible, compte tenu des règles instituées de la vie cléricale. En d'autres termes, il s'agit de provoquer psychanalytiquement une telle prise de conscience du système religieux que cela donnera une possibilité de reprendre souffle, de penser et de parler, de sentir et d'agir, à une personne dont ce système entend régir la vie jusque dans les moindres détails.

On ne saurait cependant exclure l'hypothèse qu'il existe un nombre relativement important de clercs (dans l'idéal, tous) qui tendent à s'identifier totalement à leur ministère (en langage psychanalytique, qui tendent à confondre totalement leur moi et leur surmoi). Ils verront ou entendront certes dans notre discours une attaque contre certaines formes ou certaines définitions actuelles du statut clérical de l'Église catholique, et également un affront personnel. Mais rappelons la remarque de Kierkegaard : dialectiquement, l'attaque et la défense sont une seule et même chose[4]. C'est pourquoi, en nous appuyant sur la psychanalyse, nous devrons sonder les idéaux du clerc tels qu'il les formule concrètement pour en montrer le caractère humain, pour dévoiler la fonction psychique qu'ils remplissent, et, inversement, pousser l'analyse des structures psychiques de ceux qui tentent de vivre conformément à ces idéaux jusqu'au point où cela leur permettra de saisir ceux-ci en termes d'intégration humaine et de rencontre de soi, et de les vivre comme tels. Finalement, la seule façon possible d'éviter la dégénérescence, toujours possible, de ces idéaux, ou, si cette chute s'est déjà produite, de réagir pour s'en relever, c'est de rechercher sincèrement la vérité de l'homme. Ce serait un piètre idéal que celui qui conduirait à refuser l'éclairage de la psychanalyse.

C'est donc plus assuré que jamais de la valeur de notre point de départ que nous pouvons reprendre notre recherche : il s'agit de prendre psychologiquement le plus au sérieux possible les bases que la théologie propose pour fonder les conseils évangéliques.

A. LA FONCTIONNALISATION D'UN EXTRÊME : LE VÉRITABLE PROBLÈME DES CONSEILS ÉVANGÉLIQUES

Durant des siècles, tout au long de l'histoire de l'Église, c'est au modèle du Christ qu'on s'est référé pour fonder théologiquement les conseils évangéliques et pour les institutionnaliser comme une forme de vie idéale pour tous ceux qui s'y sentaient particulièrement « appelés ». Imiter Jésus ! Cette proclamation suffisait pour fournir un motif et un but à l'appel à vivre en vrai chrétien. On trouve déjà une tradition très ancienne qui, en s'appuyant sur le chapitre 10 de l'Évangile de Marc, s'efforçait de rassembler les paroles et les exemples puisés dans la vie du Christ pour en tirer un fil conducteur de l'existence chrétienne. Certains milieux héllénistiques élaborèrent un véritable catéchisme de la communauté, qui développait les thèmes suivants : le mariage et la famille (interdiction du divorce) (Mc 10, 1-15) ; l'attention aux enfants (Mc 10, 13-16), et le renoncement aux richesses en faveur des pauvres (Mc 10, 17-27)[5]. Il est loisible de voir dans cette liste très ancienne de règles de comportement la préfiguration des futurs conseils évangéliques de chasteté, d'humilité et de pauvreté. Il n'en faut pas moins noter que ces conseils ne visent pas à fonder une forme de vie particulière, mais bien à proposer des règles valables pour tous, et même, si on tient compte de l'histoire du jeune homme riche, de mise en garde pressante contre tout autre style de vie. Ce qui oblige à se rappeler que Jésus n'avait nullement l'intention de fonder un ordre laïc du genre des « fraternités pharisiennes » (les *Haverim*[6]) ou de la communauté de Qumrân[7] à l'intérieur du judaïsme tardif. Il a voulu lancer un mouvement de personnes que leur confiance en Dieu rendrait capables de surmonter tout ce qui pourrait les opposer les unes aux autres : puissance, richesse et convoitise.

Mais on vérifia très vite la valeur du sombre avertissement que, vers 180, Celse, le philosophe païen, lançait aux chrétiens [8] en leur prédisant qu'à la longue, à moins de garder le statut d'un groupe minoritaire, d'une secte, ils seraient incapables de maintenir le niveau de moralité supérieure dont se targuaient les premiers apologistes chrétiens face aux païens [9] ; si le christianisme devait vraiment devenir religion de la grande majorité, ses adeptes ne seraient ni meilleurs ni pires que les autres. En fait, en l'an 381, après des années de persécution, surtout sous Dèce et Dioclétien, la nouvelle foi ne devint pas seulement religion populaire, mais religion d'État de l'Empire romain [10]. C'est à cette époque que se fondèrent les premiers mouvements érémitiques, surtout parmi les communautés coptes d'Égypte [11]. En réaction contre une Église gagnée par l'esprit du siècle, on se référa à la passion et à la mort du Christ pour s'engager dans une existence de privation et de renoncement radicaux en vue d'appliquer sans réserve l'ethos chrétien dans toute sa splendeur. C'est dans les pays limitrophes du désert, l'Égypte et la Syrie, que naquit le monachisme chrétien [12]. La Bible elle-même ne proposait-elle pas un modèle du lieu idéal : une légende de Mt 4, 1-11 (voir aussi Lc 4, 1-13) raconte que, avant le début de sa vie publique, Jésus aurait été poussé au désert par l'Esprit de Dieu, et qu'au terme de quarante jours de prière et de jeûne, il y aurait été tenté par le démon [13]. Affamé, il se serait entendu inviter à changer les pierres en pain ; s'il avait adoré son tentateur, il aurait eu à ses pieds tous les royaumes du monde. Pour faire encore preuve de sa confiance en Dieu, il aurait aussi dû se jeter du haut du Temple. Mais il aurait résisté à ces tentations en rappelant que « l'homme ne vit pas seulement de pain », qu'il ne peut adorer que Dieu seul, et qu'il ne devait pas mettre celui-ci à l'épreuve en recourant à la magie. Ainsi aurait-il surmonté la faim, le désir de puissance et, si on lit psychanalytiquement ce « rêve de chute » qu'est la chute du sommet du temple, le besoin (sexuel) de démonstrations d'amour et de tendresse [14]. Du point de vue de la psychologie des profondeurs, il n'est pas douteux que les « tentations de Jésus », en Mt 4, 1-11, sont la première allusion symbolique aux trois domaines pulsionnels de l'oralité, de l'analité et de la sexualité, ceux pour lesquels on doit comprendre que les trois conseils évangéliques de pauvreté, d'humilité et d'obéissance viennent proposer des limitations radicales[15].

Mais longue est la route qui mène de cette idée d'imitation de Jésus à la doctrine chrétienne des conseils évangéliques comprise au sens que leur donne le mouvement monastique.

Si on s'interroge sur la façon dont cette idée monastique se propagea dans l'Église au IVe siècle, c'est plus vers le brahmanisme et le bouddhisme indien qu'il faut se tourner que vers le Nouveau Testament[16]. Son programme essentiel, c'est désormais « la victoire sur le monde » (Jn 16, 33)[17], un idéal de piété chrétienne qui, dans l'histoire de la spiritualité, procède d'un courant totalement extérieur au judaïsme, lequel était en soi fort accueillant au monde et aux sens[18], cela même si la vision apocalyptique du judaïsme tardif implique déjà la vision pessimiste d'une fin du monde[19] et s'il existait également des oracles prophétiques parlant du désert auquel Dieu reconduirait son peuple à la fin des temps, comme jadis, lors de la sortie d'Égypte[20]. Plus radicalement encore, les pharaons considéraient depuis des millénaires le désert égyptien comme le lieu de la mort[21] ; ou plutôt comme dans la « religion occidentale » qui est la propriété de la Meret-Seger, la « déesse amoureuse du silence[22] », le lieu de la vie éternelle. Pour l'Égyptien, les « tombeaux » étaient des « lieux de résurrection[23] », des « demeures d'éternité », les théâtres de la fusion avec le dieu Osiris que l'amour de son épouse, Isis, avait gagné à l'immortalité[24]. Ce n'est sans doute pas par hasard si ce furent justement les chrétiens d'Égypte qui opérèrent le retour à cet univers de très anciennes espérances d'immortalité pour y mener une vie monastique de mort au monde et y acquérir ainsi la vie éternelle[25]. En se référant au sort du Christ entre le Vendredi saint et Pâques, ils intériorisèrent existentiellement ce que les pharaons faisaient en célébrant leurs cultes vainqueurs de la mort, choix de vie qui marqua fondamentalement le cours ultérieur du christianisme[26].

Sans doute notre propos n'est-il pas ici de faire de l'histoire de la spiritualité. Mais, du point de vue même de la psychologie religieuse, il est indispensable de commencer par faire ressortir l'arrière-plan spirituel qui explique à la fois la grandeur et le danger du mouvement monastique. Si on considère les critiques qu'on a opposées à la manière dont l'Église catholique propose de vivre pratiquement les conseils évangéliques, il faut bien reconnaître qu'elles se sont souvent donné la tâche facile en procédant fréquemment de manière arbitraire et unilatérale. Il est en particulier de mode de brocarder jusqu'à la caricature l'hostilité — bien réelle — de l'Église envers la sexualité [27], tandis que, parlant de la pauvreté dans un monde où, chaque année, cinquante millions d'êtres humains meurent de faim, on est prêt à chanter les louanges de saint François [28], quitte à ne considérer ensuite l'appel à l'humilité et à l'obéissance que comme l'affaire privée des clercs de l'Église catholique. En dissociant artificiellement ces « conseils », on oublie qu'ils forment un tout, et qu'il ne s'agit pas de se battre pour la moitié ou pour le tiers d'entre eux : ils touchent à la totalité des pulsions humaines, mais renvoient finalement à une attitude fondamentale unique. Impossible donc d'éclairer le débat sur le célibat obligatoire des prêtres catholiques en recourant à des arguments du genre : « Le patriarcalisme est responsable de la misogynie et de l'angoisse sexuelle qu'exsude l'Église catholique et dont découlerait l'exigence du célibat sacerdotal [29] », ou bien du genre : « De par sa tendance à pousser toujours plus loin la productivité et le profit, le capitalisme, cause et conséquence de la domination masculine, serait de soi ennemi du corps et du plaisir, et c'est donc lui qui, dans une Église conduite par des mâles, aurait nécessairement provoqué la volonté de puissance et de richesse, et qui aurait transformé l'Église en une institution répressive de l'amour sexuel [30]. » Certes, il y a de bonnes raisons d'établir une relation entre la pruderie de l'ère victorienne, et la montée de l'industrialisation [31] ; ethnologiquement parlant, il y a également des raisons sérieuses de considérer une culture matriarcale comme sexuellement moins répressive, moins intolérante, moins avide de puissance que les cultures patriarcales comparables [32]. Mais ce furent précisément les courants monastiques, avec leurs exigences de pauvreté et d'humilité, qui ne cessèrent de s'opposer à toutes les tentations de pouvoir et de profit, alors même qu'ils jouaient un rôle décisif dans la propagation du célibat chrétien.

Revenons-en à notre sujet : on ne peut et on ne doit pas oublier que, en dépit des textes mentionnés plus haut, les idéaux monastiques, tels que l'Église leur a donné forme, ne se fondent guère sur la Bible [33]. Il est également impossible de les expliquer par l'histoire cuturelle de l'Europe. Pour l'essentiel, ils ne sont pas le fait d'une culture ou d'une communauté particulières dont le cadre permettrait de les expliquer de façon linéaire : ils sont le reflet d'une certaine époque de l'histoire de la conscience humaine, ou, pour dire autrement les choses, ils tentent de fournir une réponse à un problème fondamental étroitement lié aux origines mêmes de ce que nous appelons « l'histoire » et la « culture », à ce qu'on peut désigner comme le « péché originel » de la révolution néolithique [34]. Nous avons des raisons de penser qu'à cette époque, celle de la fin de la dernière glaciation, il y a quelque dix mille ans, il y eut modification des rapports entre hommes et femmes au profit de la dominance patriarcale qui est encore de règle actuellement. C'est sans doute également à ce moment que sont nés les rapports de domination et de propriété dont nous trouvons le plein épanouissement dans les civilisations évoluées de l'Orient [35]. Mais il est très important de souligner que l'évolution économique et sociale de ce temps-là procède d'une réorientation spirituelle de grand style touchant à l'attitude de l'homme aussi bien à l'égard de la nature environnante qu'à l'égard de soi-même [36]. Le recours à des catégories morales pour présenter les conquêtes de cette époque comme une faute qu'on aurait pu éviter, celle des « mâles » et des « puissants », n'est pas seulement la preuve d'une carence de sens de l'histoire ; il reviendrait à faire comme ces gens qui, arrivés au sommet d'une tour, critiquent les escaliers qui leur en ont permis l'ascension : tout ce que nous sommes présentement, nous le devons aux modifications de la mentalité de cette époque lointaine.

Pour notre analyse, l'essentiel, c'est que, voilà dix mille ans, tout a changé. Le recul des glaciers et la disparition du gibier adapté au grand froid provoquèrent l'effondrement de l'édifice culturel de la civilisation de la chasse et de la cueillette. Au cours des millénaires du mésolithique, l'homme s'installa auprès des lacs et des cours d'eau, ce qui ne le conduisit pas seulement à développer l'agriculture et l'élevage, à se lancer dans la confection de produits textiles et de poterie, à se construire des maisons et à créer une administration, mais aussi à modifier radicalement son attitude face à la nature. A mesure que s'étendait son emprise sur les terrains qu'il occupait, il cessa de se considérer comme un simple élément de celle-ci [37]. En même temps que l'humanité débouchait sur la liberté, elle se convainquit que les phénomènes du lever et du coucher du soleil, de l'alternance des saisons et des périodes de sécheresse et de pluie, des phases de la lune et de la marche des étoiles étaient dus à des puissances précises auxquelles étaient pareillement soumis les humains, pour leur bonheur ou pour leur malheur. L'amélioration des connaissances et la meilleure utilisation des lois naturelles provoquèrent une énorme extension et une diversification de l'assise matérielle de la culture, ce qui ne fit qu'accroître la conscience d'une menace fondamentale pesant sur une humanité jetée au milieu d'une nature perçue chaque jour comme plus étrangère. On eut l'impression de perdre pour toujours le « paradis », l'abri protecteur qu'offrait cette nature. Il y eut fracture de l'unité affective de l'expérience vécue. La sphère de la culture ne cessa de s'étendre, acquérant une indépendance accrue à l'égard de la nature, ce qui provoqua une dissociation de plus en plus grande entre le niveau émotionnel de l'existence et son niveau rationnel [38]. On dut de plus en plus faire appel à la force physique des mâles pour le travail des champs, l'endiguement des cours d'eau ou la conduite de la guerre [39]. A cette valorisation sociale de l'homme correspondit sans doute une relative dévalorisation de la femme. Alors que, au temps des glaciations, celle-ci régnait en maîtresse sur les animaux [40] et qu'on la considérait comme la grande mère de toute la vie [41], elle devint peu à peu la gardienne de la maison, se subordonnant ainsi à l'homme. Certes, les religions mythologiques de l'époque réussirent dans une certaine mesure à surmonter cette aliénation de l'homme par rapport au monde, de la culture par rapport à la nature, de la conscience par rapport à l'inconscience, de la pensée par rapport au sentiment, de l'homme par rapport à la femme [42] ; mais il n'en devint pas moins impossible d'éviter la crise décisive de l'histoire de la conscience humaine : la découverte du particulier, la conscience de l'individualité, ce qui conduisit à redéfinir de façon totalement nouvelle la situation de l'homme touchant aux deux points névralgiques de son existence : la liberté et la nécessité de mourir.

Historiquement, c'est dans la littérature de l'Inde ancienne qu'on peut détecter le plus tôt cette polarisation. On y trouve un désir accru de surmonter, par le détachement spirituel des choses, le caractère néfaste et douloureux de l'existence entre la naissance et la mort [43]. Karl Jaspers a dit de la période s'étendant du VIIIe au Ve siècle avant J.-C. qu'elle était tout particulièrement « axiale », du fait de son importance pour l'évolution ultérieure de la conscience [44]. C'est à cette époque que se manifestèrent pour la première fois des personnalités telles que Lao-tseu, Isaïe, Bouddha et Socrate, les premières à tenter de faire droit aux immenses exigences de la liberté personnelle et de la responsabilité, celles qui ont introduit une éthique de la conscience individuelle en rendant celle-ci responsable de ses décisions devant Dieu et devant les hommes. C'est dans cet espace spirituel que le monachisme des diverses religions s'enracine : dans un monde fini, donc marqué par la douleur, il vient proposer à l'homme un moyen spirituel d'échapper à sa condition de créature captive et lui rendre intérieurement l'autonomie qui, extérieurement, lui manque si cruellement. Il s'agit de surmonter les maux inévitables de l'existence terrestre : l'âge, la maladie, la mort, et cela en renonçant aux avantages de la jeunesse, en soumettant le corps à un dressage ascétique et en fondant sa vie sur des valeurs que la mort elle-même ne peut ni supprimer ni dévaluer[45]. Il ne faut pas interpréter une telle séparation du monde comme une fuite ; c'est bien plutôt une victoire sur les tendance qui attachent l'homme au monde des apparences passagères. « *Despicere terrena et amare caelestia* », « mépriser les choses de la terre et aimer celles du ciel » : tel est le contenu d'une prière constamment reprise au cours des siècles dans l'Église catholique. Elle est comme le *cantus firmus*, la ligne mélodique, de l'état de vie monastique dans toutes les cultures.

Il faut spécialement réfléchir à l'exemple du bouddhisme, la seule religion totalement organisée sur le modèle monastique. Des siècles avant le christianisme, on y trouve le sens originel de ce qu'on a appelé les conseils évangéliques. Ayant rencontré un mendiant, un malade et un défunt qu'on portait au lieu de crémation, le jeune prince Siddharta Gautama quitta la cour royale, y laissant sa femme et son enfant[46]. C'était la première fois que le fils du roi se trouvait confronté sans ménagement à la vérité de l'existence terrestre. Il décida de se joindre désormais à des communautés monastiques itinérantes, faisant serment de ne rentrer chez lui que quand il aurait vaincu la mort. Dans son illumination, il découvrit la doctrine de la « voie moyenne[47] » qui reposait sur un équilibre intérieur entre ces deux extrêmes que sont la destruction ascétique du moi et la dissolution dans la vie des sens[48]. « Ceci n'est pas toi-même » : telle est la formule centrale de la méditation par laquelle le bouddhisme inculque à l'homme la perception libératrice de la différence qui le sépare des réalités finies[49], expérience de pure négativité qui devient inévitable dès qu'on réalise le caractère « axial » de notre existence terrestre[50].

C'est donc en vain que, dans l'Église d'Occident, on chercherait à attribuer à telle ou telle personnalité la source historique des constants mouvements de renouveau fondés sur ce sentiment de l'inanité de toute chose et sur le caractère étranger de l'homme par rapport au monde créé, soit qu'on attribue la continuité de ce courant profond au gnosticisme[51], au manichéisme[52], au platonisme ou au dualisme grec, soit qu'on évoque l'hérésie cathare[53] ou les conséquences de la théologie de saint Augustin[54] : plus les hommes souffrent de l'existence terrestre, plus ils sont saisis du désir de fuir les misères de la vie en se fiant à la réconfortante réponse que leur propose la vie monastique.

A vrai dire, il saute aux yeux qu'il existe une différence fondamentale entre le monachisme bouddhique et ces formes organisées de communautés que sont les ordres religieux catholiques. Alors que, dans l'aire culturelle asiatique, le personnage du moine fait partie intégrante de la société, il reste une figure ambivalente dans l'Église occidentale. Dès son origine, le monachisme a constitué une sorte de mouvement interne de protestation de l'Église du Christ contre le courant de sécularisation qui se développa dès qu'on se donna des ministères fondes sur le pouvoir, la propriété et la dignité. C'est ainsi qu'on vit continuellement renaître l'exigence de pauvreté comme en écho d'une mauvaise conscience sans cesse renaissante dans l'Église. Au XIe siècle, le mouvement cistercien s'éleva contre la magnificence de Cluny[55], alors apparemment tout-puissant ; au XIIe siècle, lorsque les bourgeois des villes affranchies de l'Empire fondèrent sur le négoce et l'artisanat la société marchande moderne[56], on vit de nouveaux mouvements laïcs de « pauvres » opposer leur programme religieux révolutionnaire à l'évolution qui entraînait manifestement dans son courant l'Église des papes, des évêques et des cardinaux[57]. Au début du XIIIe siècle, ce furent Innocent III et saint François qui illustrèrent le mieux cette extraordinaire tension entre la responsabilité à l'égard du monde et la volonté de s'en affranchir[58], entre les riches de ce monde et ce royaume du Christ qui « n'est pas de ce monde » (Jn 18, 36)[59]. Cependant, le pape Boniface VIII, le plus autocrate des pontifes médiévaux, trouva une formule purement administrative qui lui permit de désamorcer la tension : il permit aux ordres mendiants de pratiquer la pauvreté pour eux-mêmes, tout en déclarant biens d'Église toutes leurs propriétés. Quand certains mouvements refusèrent de se soumettre à ce diktat, il les déclara hérétiques et il demanda à la Sainte Inquisition, conduite par les Dominicains, cet ordre initialement mendiant[60], de les poursuivre et de les anéantir[61].

Mais, en dépit de l'efficacité, passée et actuelle, de cette méthode pour promulguer autoritairement lois et statuts liant à la communauté ecclésiastique le véritable esprit des communautés religieuses, et pour en organiser ainsi le contrôle, le caractère extrinsèque de ce règlement ne pouvait qu'aggraver en profondeur le conflit existant, au lieu de le résoudre. Certes, la hiérarchie de l'Église catholique ne cessa de multiplier les efforts pour imposer à ses prêtres[62] les exigences d'une vie monastique fondée sur l'esprit des conseils évangéliques. Mais, ce faisant, elle en éluda elle-même les exigences véritables ; ayant posé comme idéal l'esprit évangélique, elle se réserva le droit absolu de tenir compte de la prétendue réalité humaine[63] et, au lieu d'accepter de se laisser transformer elle-même par l'exemple de cette vie monastique, elle compensa son propre statut de richesse et de pouvoir par la reconnaissance de la place particulière que tenaient en son sein les mouvements monachistes, proclamés véritable façon d'imiter le Christ. En prônant ainsi cette forme d'existence, elle la dévaluait ; elle en faisait cette « vie en effigie », dont nous avons montré quels clivages destructeurs elle pouvait provoquer. Ainsi créait-elle une véritable duplicité de l'existence cléricale, ce qui lui donnait la possibilité d'exercer son pouvoir et de garder sa richesse tout en exigeant en même temps de ses membres pauvreté et soumission.

La marque la plus sûre de cet état de choses, en tout cas la plus évidente si on la compare à ce qui se passe chez les religieux bouddhistes, c'est la façon dont on a institutionnalisé l'étanchéité entre deux formes de vie en posant juridiquement à la base de la spiritualité catholique la doctrine de la tension entre les deux royaumes, cela sans jamais résoudre spirituellement le conflit. Dans certains pays de religion bouddhiste (et de façon assez similaire dans l'hindouisme), la caractéristique essentielle du monachisme, c'est sa flexibilité. Dans certains pays asiatiques, il fait partie de l'initiation à la culture, tout comme l'est chez nous le service militaire : un jeune de vingt ans mène pendant un an la vie de moine, faisant ainsi lui-même l'expérience de la religion propre à son monde, avant d'en revenir à la vie ordinaire, étant bien entendu que, si le besoin s'en fait sentir, il peut toujours retourner à cette vie de silence et d'intériorité[64]. Cette sage institution vise à empêcher le clivage de la communauté religieuse entre une classe d'élus et une autre de laïcs, distinction à laquelle l'Église attache précisément tant d'importance.

La pensée asiatique, à laquelle le monachisme chrétien est redevable de certaines impulsions décisives, se révèle dans l'ensemble plus souple, plus unifiée, plus soucieuse de permettre des transitions et des gradations, donc beaucoup moins préoccupée de définitions rigides que l'esprit romain, avec ses distinctions rationnelles. En particulier l'hindouisme n'a jamais oublié dans son organisation de la vie monastique la nécessité de comprendre le renoncement au monde et l'effort pour échapper à son attrait comme des éléments de toute croissance spirituelle[65]. Il a aussi soigneusement évité de brandir comme une exigence une quelconque espèce de « conseil évangélique » qu'on pourrait suivre sans s'y être préparé par quelques expériences capables d'en permettre la maturation. Bouddha lui-même n'a pu renoncer à son foyer qu'après que sa femme lui eut donné un fils, Rahula[66] ; et, dans l'hindouisme, celui qui veut embrasser la profession de brahmane doit être marié[67]. On ne peut et on ne doit vraiment renoncer à une chose si on n'en a pas fait soi-même l'expérience. On ne peut descendre dans les eaux purificatrices du Gange, le fleuve létal de Shiva[68], sans avoir auparavant mesuré pas à pas les degrés des *gaths*, sur la rive de Bénarès, la ville sainte. On ne saurait embrasser « la vie de pureté nacrée[69] » que comme une purification, non comme une négation de l'existence.

Cela implique toute une connaissance de l'homme. A titre de comparaison, mentionnons les Indiens d'Amérique centrale qui demandaient à leurs adolescents de monter les marches du temple pour y être sacrifiés. Ils leur accordaient quatre années de bonheur et de joie, leur apprenant la danse et la musique, leur offrant vêtements précieux et belles filles. Mais, en gravissant les degrés, ces jeunes devaient rendre ces vêtements, briser leur flûte et abandonner leurs amies[70]. Pas d'ascension vers le sacrifice sans avoir mûri en découvrant la plénitude du bonheur, en devenant capable d'abandon et d'offrande ! Certes, ce rituel nous paraît barbare, à nous, modernes ; mais il n'en garde pas moins sa vérité : seule la liberté est agréable aux dieux ; mais n'est libre que celui qui peut choisir par ce qu'il a pu apprendre par expérience.

Tout autre est l'attitude de l'Église catholique face aux idéaux du monachisme. Ceux-ci n'ont pas surgi spontanément, comme c'est le cas dans les cultures asiatiques ; ils se sont plus imposés comme un corps étranger qu'on a accepté en se débarrassant de cet élément inquiétant qu'était la liberté et en les régulant juridiquement. Certes, on se rappellera qu'Innocent III, pape du début du XIIIe siècle, admit dans l'Église le mouvement franciscain[71]. Mais on oublie de mentionner le prix à payer : on en atténua une pauvreté trop provocatrice aux yeux du pape et des cardinaux romains en la détachant de la personne individuelle pour la définir comme la forme de vie de communautés qu'on pouvait placer sous le contrôle du droit canon.

Déjà, à cette époque, on se demandait comment l'exigence spirituelle de saint François pouvait s'arranger d'une telle mise en ordre administrative. Du vivant même du saint, on vit se dessiner deux orientations parmi les « frères », inquiets de savoir jusqu'où ils devaient pousser l'exigence communautaire[72]. Le fait qu'un tel conflit ait pu se produire montre que, dans cette vision des choses, on ne voyait pas l'intérêt de fonder la pauvreté sur les personnes, mais qu'on entendait au contraire fixer objectivement une norme « correcte » en partant d'un idéal « chrétien » défini. Cette manière de voir, oublieuse des personnes et délibérément antipsychologique, obligeait à toute une série de discussions, de distinctions et de décrets définissant ce qu'était objectivement le modèle du Christ et précisant le cadre ecclésiastique qui permettrait à la troupe des élus de l'appliquer. Pour en finir avec les querelles, le pape Nicolas III promulgua en 1279 la bulle *Exiit qui seminat*, élevée au rang de disposition canonique, stipulant que « la pauvreté n'est pas tant l'affaire des individus que de la communauté. C'est à ce niveau qu'elle est méritoire et sainte[73] ». Et voilà sept cents ans que dure ce consensus juridique, fondé sur l'impersonnalité de la poursuite de l'idéal.

Mais la provocation que constituait cette pauvreté, même vécue en communauté au sein de l'Église, n'en restait pas moins menaçante pour la hiérarchie ecclésiastique. Il était relativement simple de définir l'humilité comme obéissance, en la soumettant ainsi à l'administration ecclésiastique. Quant à l'exigence de chasteté, une fois qu'on en eut fait une obligation pour les prêtres et qu'on l'eut identifiée au célibat, elle se révéla un instrument extraordinairement efficace pour lier étroitement les clercs au pouvoir discrétionnaire des papes : le pape Grégoire VII, qui, en 1073, avait réussi pour la première fois à faire reconnaître que seul l'évêque de Rome avait droit au titre de « pape », estimait fort logiquement un an plus tard que « l'Église ne peut être délivrée de la servitude des laïcs si les " clercs " n'ont pas été au préalable débarrassés de leurs femmes[74] ». Selon ce propos, dans l'Église latine, l'imposition du célibat servait à étendre l'autorité pontificale sur une élite hiérarchiquement organisée dont devaient désormais dépendre les laïcs soucieux du salut de leur âme. En revanche, l'exigence de pauvreté resta toujours l'élément révélateur de l'ambiguïté de l'institutionnalisation des conseils évangéliques. La question se posait tout naturellement : si la pauvreté est à ce point l'expression d'une vie agréable à Dieu et conforme à l'exemple du Christ, comment concilier avec elle les cours papale, cardinalices ou épiscopales ? Ce que n'avait pas osé dire Boniface VIII, Jean XXII l'avouera finalement en désespoir de cause : dans sa bulle *Cum inter nonnullos*, du 12 septembre 1323, il déclara que ce serait falsifier la Sainte Écriture que de prétendre que Jésus et ses apôtres n'avaient rien possédé[75]. En d'autres termes : que celui qui veut vivre dans la pauvreté le fasse en abandonnant à l'Église tout son bien et le produit de son travail, mais l'Église comme ensemble n'a pas à se sentir liée par un tel souci, surtout pas ses éminents représentants et dignitaires.

Impossible de ne pas le reconnaître : l'Église a toujours craint ces idéaux qu'elle-même préconisait au nom du Christ ; et plus elle s'embourgeoisait, plus cette crainte semblait fondée. Pour calmer cette angoisse rien n'est plus efficace, encore maintenant, que de transformer ces conseils, qui n'ont de sens que religieux, donc que quand ce sont des individus qui les vivent intérieurement à partir même de leur personnalité, en statut objectif qu'on doit considérer comme « saint » en soi, en le détachant plus ou moins de ses présupposés psychologiques. C'est cette fonctionnalisation extérieure des conseils évangéliques, historiquement matériau spirituel explosif hérité de l'« époque axiale », où l'on avait découvert la liberté d'un homme étranger à cette terre, qui fournit le matériau neutralisé de l'Église romaine ; car dès qu'on réussit à éliminer par principe la question de savoir qui fait quoi pour ne plus porter attention que sur une autre : que fait tel ou tel, le caractère menaçant des idéaux monastiques disparaît. Et si on parvient en outre à déclarer l'autorité spirituelle compétente pour dire ce que quelqu'un doit faire, on ne peut plus concevoir de menace pour l'institution.

Pour saisir la signification d'une telle manipulation, il faut bien voir que cette fonctionnalisation des conseils évangéliques, même dans la bouche de théologiens qui se donnent beaucoup de mal pour paraître progressistes, semble tout naturellement fournir la base intellectuelle nécessaire pour refonder et légitimer les ordres religieux à la fin du XXe siècle[76]. « L'obéissance ? Mais elle est indispensable dans une communauté tout simplement pour en assurer sans grincements le bon fonctionnement[77] ! » « Le célibat ? Mais il résulte tout simplement du fait que Jésus était tellement accaparé et absorbé par sa prédication du Royaume de Dieu qu'il n'avait en quelque sorte pas le temps de se marier et de fonder une famille », ainsi que l'assurait ces jours-ci dans une discussion un exégète célèbre (à vrai dire sous les huées de son auditoire)[78]. Et la pauvreté ? « Comment ne serait-elle pas évidente pour les chrétiens, dans ce monde de misère ? C'est une forme de solidarité universelle avec nos sœurs et frères dans le dénuement, une espèce de tentative de réaliser à la lettre le symbole eucharistique[79] ! » La protestation franciscaine de jadis contre la société marchande qui pointait au cœur des cités et des états médiévaux[80] renaît aujourd'hui, sous une forme plus radicale et plus passionnée que jamais, contre le sytème économique capitaliste qui a depuis lors proliféré dans notre monde occidental[81].

Effectivement, les ordres religieux de l'Église catholique pourraient fournir une espèce de modèle de « communauté de base » de la société humaine de demain, devenir une espèce de fer de lance social en vue de réaliser concrètement l'utopie du Sermon sur la Montagne. C'est en particulier aux Franciscains, engagés au Brésil ou au Mexique, que la pression des conditions existantes devrait faire apparaître avec une évidence quasi dramatique la nécessité de reprendre à neuf la vieille exigence de pauvreté monacale de leur fondateur[82] ! Mais pourquoi faut-il que ce retour si généreux aux conseils évangéliques, avec toutes ses si belles motivations, retombe dans le piège de l'extériorité et de la fonctionnalisation, en poussant même cette erreur à ses ultimes conséquences : l'oubli de la psychologie des personnes censées vivre de ces idéaux, et donc l'idéologisation théologique de problèmes qu'il vaudrait mieux n'envisager que de façon purement pragmatique et non sous le signe de valeurs morales absolues ?

Restons-en à l'attitude de « pauvreté » : si la théologie de la libération entend la fonder sur l'idée qu'elle est un moyen de dépasser les inégalités sociales et de susciter une solidarité avec tous ceux qui sont dans la misère [83], elle court le risque d'une double faute intellectuelle. Economiquement parlant, même si le pape Jean-Paul II revient constamment sur cette recette, il n'est pas évident que les pays de la zone Nord amélioreraient la situation des pays du tiers-monde en renonçant à consommer autant [84]. La prospérité des pays « capitalistes » occidentaux est essentiellement due aux changements provoqués par l'industrialisation [85], changements qui n'auraient pas été pensables sans les siècles de travail acharné d'une bourgeoisie [86] que la théologie vilipende si souvent. Si, au nom du Sermon sur la Montagne, on estime devoir stigmatiser son sens des affaires, ou le profit, ce motif égoïste d'agir, on risque tout simplement de casser ce qui est ici-bas le moteur de la croissance de la richesse et de la prospérité [87]. C'est ainsi que, se plaçant du strict point de vue de l'économie, l'éthique d'Adam Smith montrait comment il était possible d'harmoniser l'égoïsme de l'esprit des affaires et l'altruisme du bien général [88]. Inversement, il semble difficile de fonder la prospérité terrestre sur des motivations trop éloignées du souci du revenu, d'une rente, d'une assurance-vieillesse, de l'aide aux hôpitaux, etc.

Ludwig Feuerbach fut sans doute le premier à faire ressortir clairement et sans équivoque la discordance criante entre les bases de la vie moderne et les prétendus idéaux du christianisme [89]. Autrement dit, il n'est guère vraisemblable que la pratique du conseil évangélique de pauvreté ait quelque chance de contribuer à l'accroissement de la prospérité au sens occidental du terme, autrement dit à l'élévation du pourcentage d'énergie produite et consommée par tête d'habitant de la planète [90]. Vécue de façon aussi radicale que celle de Bouddha, des moines égyptiens du désert ou de saint François, cette pauvreté ne saurait même se concilier avec une activité professionnelle systématique [91] ; elle prend donc forme de mendicité, ce qui implique nécessairement à côté d'elle le travail de cette bourgeoisie qu'elle prétend justement remettre en question.

Il faut encore ajouter que, étant donné la multiplicité et la complexité des problèmes économiques, écologiques et politiques posés par la misère du tiers-monde, si le christianisme ne veut pas déchoir au rang d'une idéologie, il doit bien reconnaître qu'il ne dispose à ce niveau d'aucune recette éprouvée qu'on pourrait considérer comme vérité divine. C'est clair ! La générosité, si grande soit-elle, ne saurait compenser le manque de compétence objective[92]. C'est pourquoi l'engagement des Églises en ce domaine de la pauvreté du tiers-monde ressemble habituellement à ce qui se passe à propos de tous les autres problèmes politiques, qu'il s'agisse de guerre et de paix, de réarmement et de désarmement, de chômage ou d'emprunts d'État, de réduction des barrières douanières ou de la protection des productions nationales, etc. Le rituel en est stéréotypé : par des appels à la solidarité avec eux, on essaie de montrer à des groupes spécialement concernés l'actualité du message chrétien, on organise des manifestations pour les informer et les pousser à faire quelque chose. Mais, du fait de la sécularisation, on est finalement bien forcé d'admettre l'autonomie des divers domaines de l'existence : il n'existe plus de règle biblique universelle, comme le voudrait un certain fondamentalisme théocratique. Étant donné la complexité des choses et l'impossibilité de les saisir dans leur diversité, on peut tout au plus mettre en garde contre « ceux qui simplifient terriblement les choses », ou articuler encore plus clairement certaines options chrétiennes concernant les problèmes touchés ; et finalement prier[93] « pour les gouvernants », afin que Dieu les éclaire et leur donne la force, la sagesse et des pensées de paix, la volonté de vouloir le bien, même s'il est difficile, ainsi qu'un esprit éclairé par la charité chrétienne et l'esprit de concorde.

Naturellement, des êtres sensibles, des prêtres comme Camillo Torres[94], peuvent toujours avoir l'impression que toutes ces « actions » sont plutôt le fait d'une conscience narcissique qui cherche à se rassurer et qu'elles contribuent donc objectivement plus au maintien du *statu quo* qu'à combattre effectivement le système d'oppression. Mais, par ailleurs, on ne peut manquer de voir combien, dans une telle situation, la contribution de l'Église au maintien ou à l'éveil d'une certaine espérance dans la conscience des masses peut être importante pour contrer la léthargie du désespoir qui les guette. Même si, prise en elle-même, la solidarité avec les pauvres ne peut apporter une solution positive aux questions concernant l'ordre économique, elle peut quand même maintenir en vie un potentiel considérable d'esprit critique et donner éventuellement aux pauvres la seule chose qui soit possible entre humains : le sentiment de leur valeur inaliénable d'hommes[95]. Le seul problème est de savoir jusqu'où peut aller la patience des hommes, et jusqu'où ils doivent se montrer patients.

De plus, même en tenant compte du peu d'utilité d'une solidarité avec les pauvres comprise à la manière franciscaine, on ne peut s'empêcher de le constater : sortie de son contexte de misère sociale, l'idée de vaincre la pauvreté par la solidarité est en soi contradictoire. Ainsi comprise, elle n'est rien de plus qu'un expédient, d'ailleurs bien douteux. Si cette protestation était couronnée de succès, la pauvreté, Dieu merci, disparaîtrait comme l'analphabétisme, la malaria ou certaines maladies dues à des carences en vitamines. Mais ce n'est justement pas du tout ce à quoi vise le conseil évangélique. Son idéal de pauvreté n'est pas une simple orientation temporaire, passagère, motivée par un but précis qui, dans certaines conditions extrêmes, s'imposerait de lui-même à la pensée et au cœur. Ce à quoi il appelle depuis toujours, c'est à une attitude fondamentale face à l'existence, et c'est sa découverte et l'expérience qu'on en fait que l'Église s'arroge le droit d'élever au rang d'une institution à laquelle on se lie pour toujours.

C'est ici que nous nous heurtons au problème psychologique capital : tant que l'exigence de pauvreté est fondée sur des circonstances sociales déterminées, elle reste aléatoire et extérieure par rapport à l'être de la personne. Elle ne résulte pas de son expérience propre. Elle ne découle pas d'une expérience intérieure, mais reste un pur postulat de l'être-pour-autrui. En d'autres termes, en langage psychanalytique, ses motivations, qui ne sont rien d'autre qu'une identification du moi à certaines représentations idéales, sont le parfait modèle de l'aliénation : cette façon de vivre pour autrui ne fait que répéter et perpétuer pour l'essentiel le très vieil interdit de l'enfance, celui d'être soi-même.

Pour voir comment c'est bien ainsi que les choses se passent, en théologie théorique aussi bien que dans la pratique, il suffit d'ailleurs de constater la façon dont on a institutionnalisé l'étanchéité entre les différentes formes de vie, à propos de l'exigence de pauvreté, mais aussi des exigences d'obéissance et de chasteté, du fait des relations qui existent entre tous ces conseils évangéliques. Effrayée du caractère explosif de ses propres idéaux spirituels, l'Église catholique montre un soin extrême à éviter, entre la vie monacale et celle du monde, ce va-et-vient que nous avons constaté dans la sagesse asiatique.

C'est un fils de pasteur, Hermann Hesse, qui, dans *Siddharta*, texte inspiré de la poésie bouddhiste, a rédigé un émouvant plaidoyer en faveur de la liberté et du droit de chacun au développement personnel ; il y souligne l'impossibilité d'intégrer dans sa vie l'expérience étrangère, à la façon d'une donnée toute prête [96]. Son *Siddharta* comprend à merveille combien le Bouddha a raison dans l'exposé de son idéal de vie ascétique ; c'est pourquoi il voyage d'une ville à l'autre pour trouver en tâtonnant entre les extrêmes le chemin qui pourrait lui convenir [97]. Finalement, devenu vieux, il doit accepter de voir une nuit son propre fils quitter l'ermitage pour chercher par lui-même la vérité de son existence, de l'autre côté du fleuve, loin de son père [98].

L'Église catholique, elle, n'a jamais vraiment admis le jeu nécessaire de la découverte de soi et, en obligeant à prêter serment, elle a toujours cherché à empêcher qu'on puisse jamais remettre par la suite en question des décisions qui avaient pu avoir subjectivement leur valeur à certains moments de la vie. Le but des dispositions juridiques par lesquelles elle contraint des gens à se soumettre aux diktats et à la norme des conseils évangéliques n'est pas l'intégration psychique de ces personnes, mais la forme objective d'une vérité en soi dont le bien de l'homme, en réalité essentiellement l'Église elle-même, viendrait attester l'utilité et la nécessité. Dans un tel système de pensée, la seule question qui se pose est celle de savoir comment garantir durablement et efficacement une certaine forme d'existence par l'adaptation extérieure, aussi parfaite que possible, du moi à la pression des dispositions institutionnelles. Peu importe la manière dont la personne peut de soi-même accepter un tel projet de vie et le faire sien : ce serait faire preuve d'une mentalité « pécheresse », égocentriste et imbue d'elle-même que de se le demander [99]. Et ce qu'il est pleinement sensé de vivre littéralement comme une attitude spirituelle et personnelle se transforme par principe en une fonction institutionnalisée de l'être-pour-les-autres social : c'est cela qui fait des conseils évangéliques un carcan négateur de toute autonomie et de toute personnalisation.

Là encore, une comparaison fera ressortir la différence

essentielle. Dans beaucoup de contes et de mythes populaires, il est question d'un « héros » qui part au bout du monde à la recherche d'une jeune fille ensorcelée, en réalité pour sauver ainsi son âme à travers celle de l'autre [100]. Ce voyage suppose souvent des privations importantes : il faut quitter la vie de la cour, avec son luxe et sa magnificence, et prendre un long chemin fait de souffrances et de renoncements, avant d'acquérir sa maturité et de devenir ainsi digne de sa créature de rêve. C'est la phase de l'existence qu'on peut vraiment qualifier d'anachorèse, d'« ascension », un mot grec qui, dans l'Église primitive, désignait la situation de tous ceux qui « fuyaient » dans le désert pour y mener une vie sainte et monacale suivant les « conseils évangéliques » [101]. Mais, de ce point de vue, dans les contes et les mythes, la vie monacale ne représente qu'une direction de l'épanouissement psychologique. Aussi important, sinon plus, il y a le chemin de retour : c'est là qu'on voit le vrai bénéfice de la conscience de soi acquise dans le *no man's land* de l'inconscient, cette richesse que le « héros », après l'avoir arrachée aux cerbères gardiens des trésors, peut rapporter « chez lui » et faire fructifier dans la vie réelle. Considérée sous l'angle psychanalytique, la vie monacale correspond au symbole du voyage aller, à l'anachorèse ; mais le trajet de l'intégration psychique n'aboutit que s'il reconduit au monde réel. A l'anachorèse doit donc succéder une catachorèse, un retour au monde des obligations quotidiennes. La meilleure preuve que la route de l'aventure de la conscience, avec tous ses périls, a réellement abouti, c'est incontestablement la capacité d'aimer.

Une petite scène de l'Évangile de saint Marc montre symboliquement ce *double chemin* de l'intégration psychologique — la séquence Mc 1, 12-13, reprise à la tradition de Q, point de départ du « récit de la tentation » également repris en Mt 4, 1-12 et Lc 4, 1-13 —, un épisode que, comme nous l'avons vu, on peut psychanalytiquement interpréter comme une préfiguration symbolique de la « vie monastique » [102]. Il n'en est que plus remarquable de constater que le récit de Marc se termine en racontant (par allusion à Is 65, 25) [103] que Jésus était « avec les bêtes sauvages » et que « les anges le servaient ». Si on prend au mot cette très ancienne image de promesse du paradis, on peut interpréter cette « paix avec les bêtes » comme unité du moi avec les puissances pulsionnelles de l'inconscient, et le service des « anges » comme l'unification du moi et des contenus du surmoi[104]. S'appuyant sur ce schéma biblique, l'Église devrait considérer que sa première obligation consiste à tenir ouverte la vie inspirée par les conseils évangéliques, de façon assez analogue à la pratique « indienne » ou toutes les orientations restent possibles, et donc admettre un système souple de passerelles permettant aux individus d'adapter leur forme de vie à la situation psychologique du moment sans rien renier des idéaux du christianisme. C'est ce qui devrait se passer si l'Église avait vraiment le souci du premier bien des personnes qui, dans ses rangs, cherchent un chemin vers Dieu. Or, tout à l'inverse, elle fait l'impossible pour empêcher un tel système de transition et pour forcer à accepter l'alternative tranchée du travail professionnel *ou* de la pauvreté, de l'existence bourgeoise *ou* du cénobitisme, du mariage *ou* du célibat. Cela ne montre pas seulement qu'elle est plus soucieuse de la tranquillité de l'institution que de la vie concrète des personnes ; cela révèle en même temps son incroyable peur de la liberté humaine, tant qu'elle ne l'a pas enserrée dans l'étroit corset de ses lois et de ses règlements.

On peut évidemment se dire qu'il n'est pas tellement important de savoir comment l'Église se comporte à l'égard d'un pourcentage relativement réduit de ses membres. On peut également estimer que cette façon d'administrer le système des conseils évangéliques a quand même l'avantage de lui permettre de surveiller et de contrôler la situation. Mais on pourra répondre que cette fonctionnalisation d'idéaux supérieurs dans un style pratique et juridique à seule fin de les administrer à sa guise ne fait pas que séparer laïcs et clercs, mais provoque chez ces derniers un clivage qui sépare ce qui devrait aller de pair, puisqu'elle fait d'une voie de recherche marquée par le risque un devoir de soumission à des vérités prescrites. A la coupure entre laïcs et clercs correspond celle qui existe dans la psyché même des clercs entre le spirituel et le temporel, tout comme « théologiquement » viennent contradictoirement s'opposer l'un à l'autre Dieu et l'homme — avec comme seule passerelle possible la culpabilité, le sacrifice et la réparation. La fonctionnalisation extériorisante de ce qu'il y a de plus intime en l'homme, le domaine du religieux, en vue de mieux l'administrer et de mieux le régir, transforme les conseils évangéliques, ressorts essentiels du salut dans le christianisme, en règles rigides d'aliénation, de direction extérieure et d'oppression de soi. On peut appliquer à cette perversion des idéaux essentiels d'une religion la sentence latine : *Corruptio optimi pessima* — la pire corruption c'est celle du meilleur[105].

Il ne suffit pas de dire que l'Église elle-même, tant qu'elle reste attachée à ces formes extériorisantes de sa spiritualité, risque de se voir soupçonner, et même, depuis cent cinquante ans, accuser, de ne faire que détruire la liberté et de susciter des formes collectives de maladie et de névrose, au lieu de promouvoir son message de libération. D'un point de vue psychanalytique, il est aussi indispensable de noter combien, du fait de ces institutions préétablies de dépersonnalisation et de refus de l'autonomie personnelle, le choix des conseils évangéliques — peu importe ici qu'ils soient vécus comme décision personnelle ou « vocation divine » — s'opère dans un champ et dans un climat de contrainte intérieure. A la fin de notre étude, nous montrerons en détail comment, en redécouvrant ces conseils évangéliques, on pourrait leur redonner sens, valeur et force convaincante. Ici, notre problème n'est pas de savoir quelle signification il faudrait donner aux idéaux de la « vie monastique » en soi et pour soi. Il est beaucoup plus précis : savoir dans quelles conditions psychogénétiques une femme ou un homme en arrivent à penser comme vérité authentique et vocation de leur existence cette forme caricaturale que l'Église donne à ces conseils en les déterminant de l'extérieur et en les présentant sous forme d'institutions objectivement valables, « génératrices de grâces » et « voulues par Dieu ». Il ne s'agit pas d'analyser la psychologie des moines bouddhistes, mais de percevoir la somme de directivité, d'aliénation et d'intimidation qu'un individu a dû connaître, au cours de son enfance, pour ne plus voir dans sa vie qu'une vocation divine à renoncer à soi et à ne plus vivre que « pour autrui ». Et, inversement, en voyant la façon dont l'Église gère ce que son enseignement présente comme ses acquis spirituels les plus précieux, de mesurer le clivage névrotique qui imprègne ses structures lorsqu'elle en arrive à scinder tout bonnement les formes objectives d'une vie sauvée des personnes mêmes à travers lesquelles elle prétend apporter aux hommes le « salut » du Christ. Son éternelle contradiction consiste en ce qu'elle prétend appeler ses clercs à se consacrer totalement au salut des autres, alors qu'elle les empêche d'accéder à une maturité humaine convaincante dans tous les domaines pulsionnels. Eux qui disent être toujours là pour les autres n'ont jamais à se trouver eux-mêmes, et la sainteté de leur statut est ce qui leur ôte tout droit à leur propre sanctification.

Dans ces conditions, la question psychologique des conseils évangéliques se transforme en problème de psychopathologie. Ce n'est qu'après avoir mesuré les raisons et les conséquences des distorsions et des fausses interprétations de ces conseils que nous serons en mesure de chercher en théorie et en pratique le vaccin adapté à cette maladie contagieuse de destruction psychologique et spirituelle.

Si ce n'était un simple palliatif, nous pourrions adopter d'emblée le point de vue, fort judicieux, que formulait voilà déjà cinquante ans Harald Schultz-Hencke en parlant des conseils évangéliques : « La vie ne peut pas être emprisonnée dans un système, écrivait-il, et pourtant elle est objet de science, et il faut donc autant que faire se peut la décomposer, la délimiter et l'ordonner. Quand on s'est occupé, une décennie ou davantage, de cette tranche de vie qui est celle de l'homme inhibé, on voit peu à peu se dégager ces trois domaines que sont le désir de posséder, le désir de se faire valoir et le désir sexuel. Ce sont toujours eux qu'on voit pointer derrière l'inhibition. Mais il a fallu longtemps pour comprendre qu'on tenait là le dénominateur commun d'une grande quantité de faits psychologiques. Car, au départ, ils se présentaient en ordre dispersé, et sans lien entre eux[106]. » « Le refoulement transforme ce qui tendait à l'expansion en chose refoulée. C'est ce qui se passe dans la vie des individus qui se conforment à l'ordre de leur environnement ou doivent s'y soumettre. [...] C'est ce que nous confirme l'histoire passée, mais aussi présente : ce n'est pas par hasard qu'on a rapproché la pauvreté, la chasteté et l'obéissance ; elles ont du sens ; ce sont de grandes exigences et de grands devoirs. Du fait que ces trois domaines du désir humain présentent des traits communs au sein de la multiplicité des désirs, on les a élevés au rang de commandements. Ce sont donc là des besoins pressants auxquels l'homme s'accroche instinctivement au point d'en perdre facilement son âme, pour le plus grand dommage des autres, mais aussi pour le sien. [...] Ce qui est grave, ce n'est pas qu'il ambitionne, désire, aime, mais qu'il se perde et transforme alors en vice ce qui aurait pu être source d'épanouissement tranquille. Ce n'est qu'à cause de ce parallélisme entre ce dommage intérieur et celui qu'une vie en expansion peut infliger à son entourage, qu'on a prôné ce triple commandement et sa stricte observance en les marquant du signe de la sainteté. Il s'agit avant tout de créer un environnement de préceptes protégeant l'individu contre lui-même. Et si ces préceptes sont ainsi compris et approuvés, ils doivent protéger. Ainsi se crée une loi représentative à laquelle accordent une valeur les rares personnes qui se sentent poussées à lui soumettre leur existence entière. Celles-ci deviennent alors les témoins de l'essentiel. A moins de risquer de s'effondrer sur elle-même, leur existence s'oriente sur une valeur limite. La psychologie des névrosés, donc de personnes qui souffrent d'un développement malsain dans ces trois domaines existentiels, montre avec une clarté croissante la profondeur des valeurs limites que constituent ces trois commandements [107]. »

Le problème psychanalytique ne réside pas en effet dans le fait que, du point de vue de la psychologie sociale, on puisse faire des conseils évangéliques un critère d'orientation, même absolu, mais dans la psychologie individuelle de ceux qui, toute leur vie, se sentent poussés à faire la volonté de Dieu telle que l'Église catholique l'interprète.

A cet endroit de notre analyse, il faut d'entrée de jeu s'opposer à l'idée, inspirée par quelque névrose de compulsion, que l'abandon à ses pulsions serait un besoin naturel de la psyché humaine auquel on ne saurait opposer que le rigorisme moral d'une discipline ascétique [108]. Les animaux, en lesquels on se complait classiquement à voir l'exemple type d'êtres soumis à leurs instincts, donc le modèle d'un automatisme nécessaire d'une existence uniquement vouée aux sens, nous enseignent exactement le contraire. Si par exemple un mammifère oublie les devoirs de la couvaison, on peut être sûr que c'est parce qu'il est sérieusement perturbé [109]. Il n'en va pas autrement de l'Homme. On ne saurait voir dans celui qui prétend fonder sa vie sur le pur « principe de plaisir [110] » qu'une personnalité profondément névrosée qui, ou bien n'a jamais appris à nouer de profondes relations avec ses semblables, ou bien décompense l'excès de dressage du surmoi en fuyant dans l'asociabilité. En d'autres termes : les pulsions humaines (l'« animalité » en nous) n'ont originellement rien d'effrayant ni de dangereux ; elles ne le deviennent que du fait des troubles et des ravages d'une angoisse qui peut à tout moment pousser à la démesure, à l'inassouvissement et à la destruction le quantum en soi limité et inoffensif des besoins instinctifs. Inversement, cette angoisse peut, justement par réaction, conduire quelqu'un à les réprimer et à les encadrer sans plus s'autoriser aucun compromis raisonnable entre le désir et la réalité. Quand on se met à obliger les gens à fonder par fonction leur vie sur cet extrême que sont les conseils évangéliques, ainsi que le fait l'institution Église catholique, on ne peut plus parler de sage régulation autonome de l'univers des pulsions humaines. Psychanalytiquement, dans la vie de quelqu'un, ce n'est rien de plus qu'une fuite devant des exigences pulsionnelles que l'angoisse a conduit à surévaluer et qui en sont devenues démesurées[111].

Quiconque veut comprendre le cheminement biographique d'un clerc de l'Église catholique doit donc tout d'abord s'inquiéter des conditions qui ont conduit un enfant à bloquer des besoins instinctifs en soi naturels et normaux, puis, par crainte d'une rupture des digues, à laisser sa vie pulsionnelle se dessécher jusqu'à en devenir désertique. Il lui faut comprendre pourquoi quelqu'un est amené à fuir dans cette absence radicale de besoins qu'est la pauvreté spirituelle afin de ne pas paraître « trop exigeant » et « insupportable » ; de même, pourquoi il lui paraît souhaitable de se plier à l'autorité d'une volonté étrangère simplement pour couper court par son humilité à la menace de sa volonté personnelle et se rendre agréable à Dieu et aux hommes par une obéissance totale ; et surtout pourquoi il renie même en fin de compte l'amour entre un homme et une femme pour vouer ainsi une vie « plus pure » à Dieu et à l'humanité.

Que s'est-il donc passé, pour qu'un être veuille renoncer à tous ses besoins, à tout son bonheur terrestre (comme si nous pouvions connaître quelque chose d'un autre bonheur « céleste » sans rien savoir de ce bonheur « terrestre »), à tout ce qui dans la vie ne serait qu'humain (comme si pour les hommes il pouvait y avoir des décisions « divines » en dehors ou au-delà de l'humain), en se rappelant que cette renonciation n'est pas simplement relative à une situation donnée, mais stricte, absolue, irrévocable ?

Et qu'en est-il enfin de l'Église catholique elle-même si, rien que par peur de la liberté de l'homme — pourtant essentielle (à en croire la théologie) dès lors qu'il s'agit des conseils évangéliques —, elle fait tout pour empêcher ses clercs, même ceux qui ont manifestement échoué, de quitter cette forme de vie extrême qu'est l'existence monacale, allant jusqu'à les intimider et les punir, à les réduire civilement à la ruine et à provoquer toutes les difficultés possibles devant un nouveau départ dans l'existence ?

Impossible de le cacher : nous aurons d'abord à lire et à comprendre les « conseils évangéliques » comme des cristallisations d'une angoisse individuelle et collective. Nous aurons à faire ressortir la faute objective de l'Église catholique, sa façon cynique d'exploiter la souffrance morale au bénéfice de ses fins propres, prétendument saintes et divines parce que découlant de la mission que lui a confiée le Christ, avant de pouvoir imaginer des conditions meilleures (un jour, qui sait ?) permettant de vivre cette humanité supérieure et cette action libératrice dont rêvait un Bouddha et que le Christ a traduites dans sa vie. N'en reste pas moins vrai que la manière dont l'Église catholique régit l'institution des conseils évangéliques fait violence aux hommes qui se soumettent à ses idéaux, ce qui revient à dire qu'elle est elle-même constituée d' « élus » qui ont grandi dans un climat d'extrêmes oppression et aliénation.

Tout va dans le sens de ce que nous avons déjà découvert concernant la justification et la stabilisation des conseils évangéliques en général. Pour justifier idéologiquement les idéaux chrétiens, on ne cherche pas à en montrer le lien avec la destinée personnelle et l'expérience des gens ; considérant comme valeur suprême le fonctionnement sans heurt du système extérieur « Église », on extériorise ce qui est avant tout intérieur. On bloque ou on annule toutes les premières étapes de la maturation humaine et du développement qui pourraient conduire à trouver un sens aux conseils évangéliques. On ne veut plus considérer que les étapes finales d'une initiation qu'on fixe objectivement et qu'on institutionnalise en en faisant une donnée obligatoire à prendre telle quelle comme base de la vie. Ainsi se constitue-t-on une réserve de troupes d'assaut qu'on discipline de façon quasi militaire, des troupes composées de personnes qui, non seulement n'ont jamais rien vécu du « salut » qu'elles doivent annoncer, mais n'en doivent même jamais rien connaître. C'est une armée de mercenaires sans patrie, une « Légion étrangère » du bon Dieu, des apatrides assermentés qu'on dresse au patriotisme le plus ardent. Ainsi l'état de clerc et la vie selon les conseils évangéliques deviennent-ils une sorte de conduite forcée qui engloutit les énergies qu'on a détournées de l'existence personnelle. En fin de compte, dans cette atmosphère d'« être-pour-autrui » obligatoire, on allègue, pour parler comme Søren Kierkegaard, cette scandaleuse hypocrisie que serait un « christianisme pour autrui[112] » qu'on solennise au surplus de façon mystificatrice en célébrant la sainteté de ministères, de vocations et de missions auxquels il n'est pas question de renoncer. Finalement, on fait ainsi globalement de la liberté une servitude et du service de Dieu ou du Christ une farce. Car Dieu, tel que Jésus l'a compris, voulait précisément ce que l'Église redoute : une vie humaine libre, heureuse, pleinement mûre et adulte, fondée, non sur la peur, mais sur une confiance obéissante, délivrée des contraintes tyranniques d'une tradition théologique qui cherche plus volontiers la vérité de Dieu dans de saintes Écritures que dans la sainteté de la vie humaine ; une vie sensible et chaste face à toutes les formes de mal moral ou social, et téméraire jusqu'à la mort quand il s'agit d'actualiser le petit bout de vérité découverte, en s'engageant totalement dans ses relations avec les autres.

Mais suffit de ces préliminaires. Maintenant, place au détail.

B. LA PAUVRETÉ, OU LES CONFLITS DE L'ORALITÉ

a. Les dispositions ecclésiastiques et leurs déformations : l'idéal de la disponibilité

Dans l'Église catholique, il n'existe guère de véritable spiritualité de la pauvreté. On tient en public d'interminables discussions sur le conseil évangélique du non-mariage pour le Royaume des Cieux, autrement dit sur le célibat, quitte à voir l'administration ecclésiastique mettre tout son poids pour étouffer les conclusions des débats. Mais de la pauvreté, en dehors des ordres religieux, il n'est guère question. Lorsque le Synode romain des évêques (1971) traita du « ministère sacerdotal », il y eut cinq pages sur le célibat, mais pas une sur la pauvreté ; à moins de penser que les considérations suivantes la concernaient : « Que le prêtre, comme membre de la communion des saints, tienne son espoir orienté vers les choses célestes. Qu'il porte souvent son regard sur Marie, la Mère de Dieu qui a accueilli l'œuvre de Dieu avec une foi parfaite. Qu'il lui demande quotidiennement la grâce de la ressemblance avec son Fils[1]. » « Le soin des âmes offre également une nourriture irremplaçable pour la vie spirituelle des prêtres. [...] Car par l'exercice de sa fonction le prêtre tire lumière et force de l'action générale de l'Église et de l'exemple de ses fidèles. Même les renoncements que son œuvre pastorale lui impose l'amènent à une participation toujours plus profonde à la croix du Christ et ainsi à un amour désintéressé pour ceux qu'on lui a confiés[2]. » « La même charité amènera aussi les prêtres à conformer leur vie spirituelle aux modes et aux formes de sanctification qui sont plus adaptés et qui conviennent mieux aux hommes de leur âge et de leur culture. Désirant se faire tout à tous afin de les sauver tous (1 Co 9,22), le prêtre doit être attentif aux inspirations de l'Esprit-Saint dans le temps présent. Ainsi, c'est non seulement par son effort humain qu'il annoncera la Parole de Dieu, mais il sera assumé comme un instrument authentique par le Verbe lui-même, dont la Parole est " efficace et plus pénétrante qu'un glaive à deux tranchants "[3] » (He 4,12).

La lecture de ces lignes ne donne pas seulement l'occasion de sourire du style onctueux de ces directives hiérarchiques, un style qui, par son ton de savoir supérieur, plane au-dessus de toutes les misères terrestres. Elle permet en même temps de se faire une idée de la mentalité sous-jacente aux idées ecclésiastiques concernant les conseils évangéliques : une attitude intellectuelle extrêmement schématisante et standardisée. L'élément caractéristique de ces considérations très idéales, ce n'est pas la psychologie concrète, mais un certain modèle *a priori* de sainteté objective. Du reste, s'agissant de « pauvreté », on n'ose plus préconiser sérieusement aux prêtres séculiers les normes de la « vie monastique », car l'Instruction se termine par cet avertissement tutélaire : « La rémunération des prêtres, déterminée certes dans un esprit de pauvreté évangélique, mais dans la mesure des possibilités, équitable et suffisante, constitue un devoir de justice et doit également comprendre une sécurité sociale[4]. »

Au lieu d'une spiritualité de la véritable pauvreté, il s'agit donc désormais d' « esprit » de pauvreté. Et, de fait, on remarque bien peu de « pauvreté », au moins dans le clergé allemand.

Par ailleurs, en langue allemande, on ne manque naturellement pas de traités de spiritualité sur la pauvreté, avec des développements du genre suivant : « Jésus, Fils de Dieu, de même nature que le Père, reçoit toujours tout du Père. Rien ne lui est propre, tout vient du Père. Il est infiniment pauvre, car il ne possède rien. Tout appartient au Père, et pourtant il est infiniment riche car il reçoit tout de la main du Père. — Là se révèle l'amour du Fils pour nous, lui qui nous visite pour nous offrir sa joie : ne rien posséder et tout recevoir. Jésus ne cesse de reparler de cette pauvreté dans ses prédications : [...] c'est vers elle qu'il guide aussi ses disciples. Il les appelle et eux le suivent, abandonnant ainsi leur métier, leur parenté. [...] Dans son sens plénier la pauvreté est le legs le plus précieux du Christ à son Église. A la pauvreté extérieure ne cesse de s'allumer, comme à une brillante lumière, la volonté intérieure de tout demander au Père céleste et de tout attendre de Lui, Lui qui a compté les cheveux de notre tête[5]. »

Toutes ces exigences exagérées ont en commun de tracer, à travers la figure du Christ, un modèle idéalisé, littéralement élevé à l'infini, que l'être humain doit chercher à atteindre, évidemment sans y parvenir jamais. On ne s'interroge pas sur l'effet psychologique que peuvent avoir de tels ouvrages ni sur les présupposés psychologiques nécessaires pour que la réalisation d'idéaux si élevés soit quelque peu pensable. Ce genre de considérations gardent la forme rhétorique des sermons dominicaux, donc restent absolument coupés de la vie, ne cherchant qu'à propager une mauvaise conscience chronique, cette marque de la vie cléricale que nous avons déjà notée. Le modèle « infini » pointe très logiquement l'index sur l'impossibilité de principe d'une imitation ; mais la contrition, l'esprit de pénitence et un sentiment permanent de culpabilité ont précisément pour fonction de pallier cette impossibilité[6].

Les conséquences en sont graves, car elles ont une portée structurelle : comme la théologie chrétienne n'a pas l'habitude de fonder le conseil évangélique de pauvreté de l'intérieur, psychologiquement, l'exigence ecclésiastique de pauvreté adressée à ses clercs ne permet pas d'exprimer un sentiment vraiment vécu, une vérité existentielle. Elle vise directement à créer et à fixer un certain sentiment névrotique de pauvreté, au sens d'une incapacité, d'une dépendance et d'une inanité de la personne. Inversement, il faut une fois de plus constater que ce genre de prédication « chrétienne » touche surtout des personnes chez lesquelles le sentiment de leur valeur est passablement névrotique au point que ces attitudes ne font paradoxalement que les renforcer. Ce n'est que lorsque la prédication « chrétienne » sur la pauvreté parvient à faire apparaître ce sentiment névrotique d'inanité du moi, non plus du tout comme pathologique, mais plutôt comme la vérité cachée du monde, comme divine révélation de l'être, que le chemin de la vocation cléricale s'ouvre à la pauvreté chrétienne. En réalité, il ne s'agit en cela pas du tout de pauvreté, mais de soumission à la volonté divine, d'une obéissance totale qui implique également l'acceptation de se laisser conduire de l'extérieur, ainsi que nous aurons à le voir quand nous envisagerons les règlements et les statuts des ordres religieux qui ont formellement pris au sérieux cette « pauvreté chrétienne ».

Ici, on pourra objecter l'impossibilité de prêter fondamentalement à l'Église cette volonté presque cynique d'exploiter la détresse spirituelle. Nous devons effectivement faire des distinctions et mettre des nuances. Même en tenant compte du fait, déjà évoqué, qu'il y a eu des époques entières de l'histoire de l'Église marquées par l'esprit de cupidité et l'affairisme sans scrupule — et qu'il n'est pas question d'absoudre —, il ne serait pas juste de reprocher en bloc des motivations de ce genre aux ministres de l'Église actuelle pris individuellement. Quand il s'agit de clercs catholiques, il faut au contraire sans cesse avoir sous les yeux le décalage qui existe entre les personnes et la fonction ; il se produit quand des personnes, apparemment plutôt modestes et peu exigeantes, se trouvent subjectivement prises, ou vont chercher refuge, précisément à cause de leur faiblesse et de leur dénuement, dans le jeu d'un appareil. Mais, objectivement, ce mécanisme fonctionne grâce à toutes les formes d'aliénation possibles et vise lui-même massivement à l'exploitation de ses collaborateurs cléricaux.

On peut illustrer cette situation contradictoire par un exemple connu : l'effondrement du Banco Ambrosiano. Le 18 juin 1982, on trouva pendu sous un pont de la Tamise un cadavre, qu'on identifia comme étant celui de Roberto Calvi. Le *signore* Calvi était président du Banco Ambrosiano, le plus grand groupe bancaire d'Italie, avec des intérêts économiques dans quinze pays. Dans ce groupe, fondé en 1895, ne pouvaient entrer jusqu'en 1970 que des actionnaires ayant un certificat de baptême à exhiber. En 1967, Calvi avait rencontré le banquier sicilien Michele Sindona qui, par la fondation d'un empire mondial de banques et de sociétés holdings, était devenu un des hommes les plus riches d'Italie, mais aussi secrètement le représentant commercial du Vatican en Italie et aux États-Unis. Au début des années 70, alors que Calvi était déjà président de l'Ambrosiano, il fit aussi connaissance, toujours par l'intermédiaire de Sindona, de l'archevêque Paul Marcinkus lequel, grâce à sa stature, avait eu de l'avancement en 1964 comme garde du corps de Paul VI, puis avait été nommé « maire » de l'État du Vatican et finalement gérant de « l'Institut des œuvres religieuses », ainsi qu'on appelle par euphémisme la banque du Vatican.

On aurait pu attendre des réalisations grandioses de la collaboration de ce triumvirat de financiers : Sindona, Calvi et Marcinkus, s'il n'y avait pas eu en 1964 l'effondrement de la Banque Franklin où Sindona avait de fortes participations : l'empire de ce remuant personnage craquait sans rémission. Le Vatican perdit alors probablement plusieurs centaines de millions de dollars, mais ses agissements bancaires sont couverts par un des secrets les mieux gardés du monde et échappent à tout contrôle démocratique, si bien qu'on ne peut pas, même aujourd'hui, fournir d'indications exactes à ce sujet. En 1980, Sindona fut lui-même condamné aux États-Unis à vingt-cinq ans de prison et à 207 000 dollars d'amende pour faux, parjure et malversations. Tout au long de son procès, il espéra être blanchi par le Vatican. Mais le cardinal Agostino Casaroli, secrétaire d'État, intervint personnellement pour empêcher Marvin E. Frankel, un ancien juge fédéral allemand, principal défenseur de Sindona, de récupérer des vidéocassettes que des amis de Sindona, dont l'archevêque Marcinkus, avaient faites. Plusieurs prélats du Vatican, fermement convaincus que Sindona n'avait pas dérobé d'argent à la Franklin National, mais avait engagé plutôt des millions de fonds propres pour sauver sa banque, estimaient que le traitement infligé par le Vatican à son ancien gérant était une « lâcheté confinant à la trahison[7] ». A partir de 1980, après la déconfiture de son ami Sindona, Marcinkus ne fit que davantage confiance au savoir-faire du Banco Ambrosiano sous la direction de Calvi, lequel pouvait en 1981 exhiber un actif de 18 milliards de dollars.

La chute de Calvi se produisit en 1982 lorsque la Banque nationale d'Italie, en vérifiant les comptes, découvrit des pratiques irrégulières au Banco Ambrosiano et s'aperçut qu'il n'était pas possible de distinguer entre la fortune en actifs du Banco

Ambrosiano et l'actif de la banque vaticane, du fait d'innombrables et complexes investissements communs et de liaisons croisées. Calvi se sentit coincé : il devait rembourser des crédits en dollars qu'il ne pouvait se procurer à cause de la faiblesse croissante de la lire italienne et de la force du dollar. Dès 1981, dans sa détresse, il avait liquidé ses affaires avec des banques d'Amérique du Sud et d'Amérique centrale, cela grâce à des « lettres de recommandation » de l'archevêque Marcinkus, lesquelles devaient donner l'impression que la banque vaticane couvrirait ses transactions. Jusqu'à aujourd'hui, on ignore ce que Marcinkus connaissait personnellement de ces agissements ; en tout cas le Vatican prétendit plus tard que tous les crédits du groupe Ambrosiano avaient été réalisés avant ces « lettres de recommandation », et l'État italien, qui n'a pu vérifier ces déclarations, dut de ce fait renoncer à tout droit de recours, et ne put même pas obliger le Vatican à s'expliquer sur les dessous de la ruine du Banco Ambrosiano, ni même l'inciter à le faire. En juillet 1981, un tribunal italien condamna Calvi à quatre ans de prison pour exportation illégale de 26,6 millions de dollars entre 1975 et 1976. Mais on le libéra ensuite sous caution. Même alors, Marcinkus le soutint sans défaillance. L'État italien n'en insista pas moins pour obtenir des éclaircissements sur la responsabilité, au moins morale, de la banque vaticane dans les « lettres de recommandation ». Pendant tout ce temps, Marcinkus avait coupé tout contact avec le monde extérieur, s'isolant dans son appartement de l'État du Vatican, et, selon le souhait du pape Jean-Paul II, le cardinal secrétaire d'État A. Casaroli avait pris la place de l'archevêque dans l'embarras [8].

Mais la protection de Calvi, le complice de Marcinkus, fut moins efficace. Dans son désespoir, il s'adressa à de bons amis de la Propaganda Due (P2), une loge dite « maçonnique » qui, en 1981, avait provoqué la chute du gouvernement de coalition du Premier ministre Arnaldo Forlani ; mais la P2 l'abandonna également. Le 15 juin, pour boucher un trou de 1,2 milliard de dollars, Calvi tenta encore de vendre des parts de la Banco Ambrosiano à Artoc Bank and Trust, dominée par des intérêts arabes, lorsqu'il apprit que le marché des actions de sa banque avait été gelé et que les directeurs avaient démissionné. Le 17 juin 1982, la secrétaire de Calvi, Graziella Teresa Corrocher, se tua en se jetant par la fenêtre de son bureau, à Milan. Lorsque, le lendemain, on trouva Calvi lui-même pendu, on se mit à douter des enquêtes concluant à des suicides. Calvi n'avait-il pas été assassiné par des membres de la loge P2 ? Sa fille Anna déclara que son père avait dit au sujet de la banque vaticane : « *I preti saranno la nostra fine.* » : « Les prêtres seront notre mort. » Les derniers temps, Calvi ne sortait plus jamais sans son pistolet chargé ! Il y avait certainement des milieux qui avaient intérêt à sa disparition, quand ce n'eût été que pour l'empêcher de révéler les voies par lesquelles les fonds du Banco Ambrosiano avaient filé en Amérique latine [9]. Comme le déclara plus d'une fois l'archevêque Marcinkus lui-même : « On ne peut pas faire fonctionner l'Église avec des Ave Maria [10]. »

Même s'il est un observateur bienveillant, celui qui, pendant des mois, doit découvrir des faits de ce genre dans la presse du matin se laissera facilement convaincre que les responsables de la politique financière vaticane n'ont pas grand-chose à voir avec les successeurs des apôtres du Christ, mais plutôt avec des experts d'une bande du genre mafia. Et la malheureuse politique de secret du Vatican contribue encore à renforcer cette impression qu'on manie l'argent avec autant de méticulosité et d'application qu'un enfant de deux ans ses excréments (sur le modèle du compulsif anal [11]).

En vérité, le problème du comportement financier du Vatican ne consiste pas tant dans l'attitude criminelle de ses représentants que dans leur dilettantisme manifeste. L'archevêque Marcinkus, en particulier, a dû répondre à une mission pour laquelle il n'était aucunement qualifié ; selon ses propres déclarations, il n'avait jamais bénéficié d'une initiation au fonctionnement des banques, et n'avait quasiment aucune notion d'économie politique. De même les cardinaux, auxquels le pape Jean-Paul II a demandé de contrôler les activités de son premier homme d'affaires, n'étaient pas à même de détecter les ficelles et les arcanes des arrangements Marcinkus-Calvi. « A vrai dire, leur tâche consistait uniquement à jeter un regard sur la feuille de comptes que Marcinkus devait présenter au pape deux fois l'an, et à opiner du bonnet au vu des sombres résultats avoués [12]. » « Avec une incroyable naïveté », le pape Paul VI tenait même un homme comme Sindona pour un génie de la finance parce que, en 1962, alors qu'il était lui-même archevêque de Milan, celui-ci avait réussi à trouver 2,5 millions de dollars pour une maison de vieux, la Casa della Madonnina [13]. Financièrement parlant, les meilleurs jours du système bancaire du Vatican se situèrent en

1929, après les accords du Latran négociés entre Mussolini et le pape Pie XI, stipulant que, en dédommagement de la cession de 41 440 km^2 de territoire à l'Italie, le Vatican recevrait environ 90 millions de dollars. A cette époque, le pape avait engagé le banquier Bernardine Nogara, un juif converti au catholicisme, qui fit immédiatement changer un tiers de la somme en or et la déposa à Fort Knox, investissant le reste selon cette devise : Il ne faut pas que les programmes financiers du Vatican soient limités par des considérations théologiques [14]. Quand Nogara mourut en 1958, il laissa une série de sociétés holdings, prospères, mais profondément imbriquées les unes dans les autres : une politique d'investissements étudiée, et la conviction que, comme le dit son successeur, « il avait été la meilleure affaire que l'Église ait connue depuis Notre Seigneur Jésus-Christ [15] ».

C'est un fait que « le Vatican est aujourd'hui le plus grand trust religieux du monde, fermement engagé dans de nombreuses entreprises du domaine de l'immobilier, des matières plastiques, de l'électronique, de l'acier, du ciment, des textiles, de la chimie, de l'alimentation et de la construction. Le Vatican est un des plus grands banquiers d'Italie, possède plusieurs grandes compagnies italiennes d'assurances et investit à grande échelle à la Bourse des valeurs de New-York — aux alentours de plus de 2 millions de dollars. Il représente une énorme puissance financière internationale qui dispose d'actifs de plus de 20 milliards de dollars [16] ». Le revers de la médaille, c'est que, en dépit de combines souvent à la limite de la légalité, sa banque se trouve aujourd'hui pratiquement en faillite.

Il reste naturellement à définir théologiquement ce que l'Église gagne à cette « légalité spéciale » involontaire de l'argent qui se trouve entre ses mains. Car elle ne se contente pas de prétendre idéologiquement mépriser l'argent : beaucoup de ses représentants le font réellement, par conviction. Normalement, les milieux de clercs ne s'intéressent guère à cette chose aussi méprisable et aussi peu évangélique que le vil Mammon. On perçoit par ailleurs l'ambivalence de cette attitude fondamentale, faite à la fois de mépris et de vénération singulière et presque magique de l'argent, à la façon d'une mentalité primitive qui divinise toujours les puissances vitales dont elle se sent dépendante, mais qu'une crainte superstitieuse l'empêche de connaître vraiment. Ainsi, tiraillée par sa conscience morale touchant à l'aspect extérieur d'une pauvreté qu'elle ne conçoit qu'extérieurement, l'Église oscille entre un irrationalisme chamarré d'eschatologisme, avec signes et prodiges de type pauvreté franciscaine, et un quasi-cynisme dû à ce qu'elle n'a pas assimilé intérieurement la pratique des réalités économiques.

De toute manière, il est clair que ni prêtres ni papes ne peuvent ni ne doivent être « pauvres », au sens extérieur du terme. Dès lors, comme toujours quand il y a conflit entre l'idéal et la réalité, on cherche à nier celui-ci en le moralisant : la pauvreté devient alors le terme d'aspirations et d'efforts infinis dont on pose idéologiquement le principe en définissant la vie cléricale ; mais elle reste un idéal qu'on ne peut atteindre. Ainsi intériorise-t-on une conviction non plus existentiellement, mais comme une charge qui s'impose à la vie. On intériorise un statut par lequel le moi se sent tenu de faire ce qu'il ne peut pas faire, et d'être ce qu'il n'est pas. Cela suscite bien une sorte de « pauvreté », qui n'est cependant plus une expérience libératrice de grand large et de bonheur, mais qui apparaît au contraire constamment comme une défaite morale de quelqu'un qui ne cesse de se « repentir » de son impuissance. L'inversion des valeurs est évidente : là où l'esprit de pauvreté devrait fonder une nouvelle manière de vivre, cet idéal, imposé de l'extérieur, parce qu'on ne le comprend qu'extérieurement, violente le moi au point de le rendre vraiment « pauvre d'esprit ».

Un simple coup d'œil sur les encycliques des papes de ce siècle adressées aux prêtres sur cette question fait bien voir le dilemme que pose cette ambivalence due à la fonctionnalisation extérieure, ou, inversement, à l'abstraction moralisante de cette exigence. Dans le meilleur des cas, l'absence de spiritualité fait retomber celle-ci du niveau d'une attitude religieuse fondamentale à celui d'un apostolat caritatif auréolé du désir d'imiter parfaitement le Christ, pour déchoir finalement à celui du Synode romain des évêques de 1971, où le problème de la pauvreté se réduit à savoir quelle est la rémunération qui convient à des existences bourgeoises.

Cet état de choses a une longue histoire. Pour le pape Pie XI, dans son encyclique *Ad catholici sacerdotii*, la « pauvreté » signifiait en somme « désintéressement » et réaction contre le matérialisme. Il écrivait ceci : « Sans aucune visée d'intérêt personnel, dans un saint mépris pour toute basse convoitise et toute aspiration à des avantages terrestres, au milieu de la dépravation d'un monde où tout s'achète et se vend, il (le prêtre) doit se mettre à la recherche des âmes, et non de l'argent, de l'honneur de Dieu, et non du sien. Il n'est pas le salarié du travail non temporel, ni le fonctionnaire qui, en accomplissant consciencieusement les devoirs de sa charge, spéculerait aussi sur un avancement de carrière [...]. Il est le serviteur de Dieu et le père des âmes. Il sait que ses peines et ses efforts ne sauraient être récompensés par des richesses terrestres et des honneurs. Il ne lui est pas interdit d'accepter un salaire approprié. Mais, appelé à " avoir part au Seigneur ", comme son nom de " clerc " l'indique, il n'attend pas d'autre salaire que celui que le Christ a promis à ses apôtres [...]. Malheur si le prêtre, oublieux des promesses divines, commence à se montrer " affamé de gains infâmes " et se range dans la masse des enfants de ce monde. Quand on songe que Judas, un apôtre du Christ, a été précipité dans l'abîme de la malfaisance par l'esprit de convoitise des biens terrestres, on comprend tous les malheurs que ce même esprit a provoqués dans l'Église au cours des siècles[17]. »

Bien sûr, ce n'est pas cette dernière affirmation qui pose question, mais le fait que ces propos escamotent par la polémique le problème essentiel : être personnellement « dévoué » et « désintéressé » en manipulant de l'argent, c'est exactement la définition que Karl Marx donnait déjà du capitaliste[18] ; et Max Weber a montré le rôle que, dans le cadre de l'éthique protestante, une certaine ascèse personnelle de l'épargne a joué dans la naissance de notre économie moderne[19].

Il faut en dire autant de Pie XII qui, dans son exhortation *Menti nostrae*, ayant eu le courage de s'adresser à la conscience des prêtres en entrant dans le détail concret de leur style de vie, se perd dans des évocations surnaturelles aussi solennelles que dépourvues de toute portée[20].

Reste donc à savoir de quelle sorte de « pauvreté » il est finalement question. On ne peut relever le défi de la misère économique par le paupérisme, si bien intentionné soit-il, et le renoncement volontaire à une possession personnelle peut certes témoigner d'un maximum de solidarité avec la misère d'autrui, mais ne présente par lui-même qu'une réponse symbolique à celle-ci. Il faut également louer le « don sans réserve » et le « désintéressement », mais ce n'est pas la même chose que la pauvreté du train de vie, et au total cela dépasse de beaucoup la question du bon maniement de l'argent. En d'autres termes, tant qu'on n'aura pas compris la psychologie de l'argent et de l'avoir[21], il n'existera pas non plus de spiritualité de la pauvreté susceptible de nous faire voir comment vivre dans les conditions actuelles le style et l'état d'esprit de Jésus de manière crédible. Et tant qu'on n'aura pas approfondi théologiquement l'angoisse qui nous conduit à voir dans l'argent et dans les biens matériels une garantie fétiche, il restera à jamais impossible de comprendre en quoi la « pauvreté » peut après tout receler en elle-même un élément de véritable libération.

Cette constatation vaut encore pour les termes émouvants avec lesquels le pape Jean XXIII, prolongeant les propos de Pie XI dans son encyclique *Sacerdotii Nostri Primordia*, présentait aux prêtres l'exemple de saint Jean-Marie Vianney, le curé d'Ars. D'un côté, le pape recommandait l'exemple de ce modèle ; mais, d'un autre côté, il citait aussi saint Bède le Venérable qui déclarait : « Ce n'est pas le sens de ce commandement [celui de la pauvreté] que les serviteurs de Dieu ne puissent réaliser aucune épargne à leur bénéfice ou celui des pauvres. Comprenons donc que le Seigneur lui-même [...] avait une caisse pour la fondation de l'Église [...]. Il s'agit plutôt de ne pas servir Dieu pour de l'argent ou de ne pas blesser la justice par crainte de la misère. » Et il poursuivait ainsi : « C'est pourquoi Nous faisons nôtre le souci de Notre prédécesseur immédiat et adressons aux fidèles la prière instante d'écouter de bon cœur l'appel de leurs évêques qui, d'une manière louable, s'efforcent d'assurer à leurs collaborateurs un indispensable entretien matériel[22]. »

En considérant l'exemple de l'Église de France — un exemple plus parlant que celui de l'Allemagne fédérale avec son système d'impôt d'Église garanti par l'État, on voit combien peu les prêtres eux-mêmes, et les « fidèles » à leur suite, peuvent tirer parti de déclarations aussi contradictoires, et combien l'exigence de pauvreté personnelle au sein d'une Église collectivement riche peut paraître ambivalente. H. Mischler a parfaitement raison quand il écrit : « Du fait que l'Église a du mal à digérer son passé, la situation financière des prêtres français reste aujourd'hui encore taboue dans les milieux ecclésiastiques. Avant la Révolution française et tout au long du XIXe siècle, elle a appuyé résolument et consciemment les forces conservatrices de la noblesse et de la bourgeoisie. Aujourd'hui, on voudrait par tous les moyens donner au moins l'impression qu'on se tient du côté des pauvres et des opprimés[23]. » « La raison principale de la pauvreté de l'Église vient de ce que, par sa séparation d'avec l'État en 1905, elle a perdu tous ses privilèges. Depuis, l'Église est pauvre ; elle ne reçoit plus un sou de l'État. L'année 1905 a été pour elle un traumatisme qui l'a profondément secouée[24]. » « A part cela, il faut noter que l'Église officielle n'a pas la partie facile avec ses fidèles. Dans un large secteur de la population française survit le vieux préjugé traditionnel de la richesse de l'Église ; c'est celui que, depuis un siècle, tout particulièrement l'aile laïciste de l'Éducation nationale inculque aux enfants et aux jeunes. Aussi ne peut-on attendre aucun soutien financier de cette partie de la population qui fait la sourde oreille à toute demande de verser le denier du culte (contribution à l'entretien des prêtres). Lors d'un sondage effectué en 1978-1979, 51 % des catholiques français estimaient que les prêtres avaient des moyens matériels suffisants pour mener une vie confortable [...]. Une autre partie de la population catholique pense le contraire, mais vit encore de l'image romantique du curé d'Ars que lui a inculquée l'Église : celle du pauvre curé de campagne dans une société rurale pré-industrielle ! C'est ici qu'on en arrive au mécanisme psychologique du " parangon de vertu ", si fréquent chez le chrétien moyen[25]. »

Essayons de tirer honnêtement au clair cette question du sort économique du prêtre. Pour cela, on peut considérer bien des réflexions de l'Église française actuelle comme porteuses d'avenir, quand elle demande qu'on mette fin à la situation particulière du prêtre en lui donnant tout simplement une rémunération d'ouvrier. « On dépasserait aussi les anachroniques rémunérations par honoraires de messes, qui, aux yeux des fidèles, tendent à le figer dans son rôle cultuel [...]. Beaucoup de prêtres français considèrent comme dépassé le système de la République fédérale allemande où les prêtres font partie des fonctionnaires et sont payés selon l'échelle A14 des salaires. Mais la situation financière des prêtres français est également ressentie comme très désagréable et a plutôt des incidences négatives sur le recrutement sacerdotal. Les jeunes actuels n'admettent plus qu'on ne vive que du culte. Certes, la pauvreté est une vertu, mais la misère et le dépérissement ne l'ont jamais été ! Chaque être humain a besoin d'une existence assurée au minimum, et le prêtre aussi. Peut-être l'Église de la République fédérale pourrait-elle tirer quelque profit de l'expérience de sa voisine française. Personne ne peut prétendre que les Églises d'Allemagne, d'Autriche et de Suisse recevront éternellement leurs subsides de l'État. La désertion de l'Église par les jeunes et le phénomène grandissant de la déchristianisation sont des réalités sociologiques qui font que demain l'Église ne sera plus que minoritaire. Dans une telle situation, pourquoi bénéficierait-elle de privilèges particuliers ? Beaucoup de pays limitrophes de la France connaissent théoriquement la situation financière précaire des prêtres français. Il y a des années déjà, des prêtres allemands s'étaient engagés à passer chaque année quelques jours chez leurs confrères français. Ils estimaient cela plus profitable que huit jours de retraite annuelle[26]. »

Quoi qu'il en soit, il s'agit de découpler le problème du revenu des prêtres séculiers de l'idéologie de la « pauvreté évangélique », et de le ramener positivement à celui des exigences pratiques de la pastorale du lieu en fonction d'une paroisse donnée. Il faudrait alors repenser à nouveaux frais le sens spirituel de l'exigence évangélique de pauvreté, en partant d'abord de la psychanalyse et sur fond des circonstances actuelles et de la mentalité nouvelle. Bornons-nous ici à constater que, en République fédérale, il n'y a qu'une minorité de prêtres à voir dans la « pauvreté évangélique » une raison, primordiale ou annexe, de s'engager dans le ministère.

Si nous voulons voir en quoi cette problématique de la « pauvreté » peut constituer un idéal clérical, il ne faut donc pas nous tourner d'abord vers les séculiers, car, du fait qu'elle repose sur un malentendu, leur forme de vie est en la matière trompeuse. Il faut par contre examiner ce qu'il en est de ceux qui ont pris au sérieux le conseil évangélique, tout au moins si on en juge d'après les constitutions monastiques : les religieux et les religieuses. Jaugée à leur mesure, la « pauvreté » des premiers n'apparaît que miniature.

Pour comprendre ce qui est finalement en cause dans cette forme de vie, ses conséquences psychologiques et les présupposés indispensables pour qu'on puisse considérer une telle forme de vie comme sainte et digne d'être désirée, le mieux est de se tourner vers les formulations de saint Benoît, au chapitre 33 de sa *Règle :*

« Par-dessus tout, il faut retrancher du monastère ce vice jusqu'à la racine : que personne ne se permette de rien donner ou recevoir sans permission de l'abbé, ni d'avoir rien en propre, absolument aucun objet, ni livre, ni tablette, ni stylet, mais absolument rien, puisqu'on n'a même pas le droit d'avoir son corps et sa volonté à sa propre disposition. Tout ce dont on a besoin, on le demande au père du monastère, et personne n'a le droit de rien avoir que l'abbé ne lui ait donné ou permis. Que " tout soit commun à tous ", comme il est écrit, en sorte que " personne ne dise sien quoi que ce soit ", ni ne le considère comme tel.

Si quelqu'un est pris à se complaire dans ce vice extrêmement pernicieux, on l'avertira une et deux fois ; s'il ne s'amende pas, il subira une réprimande[27]. »

Les déclarations de l'ordre des Bénédictins concernant ce texte disent : « La compréhension que les Bénédictins ont de la pauvreté s'inspire de la vie de la communauté primitive de Jérusalem, où " tout était commun " (Ac 4, 32). Elle vise à rendre le moine disponible pour l'avenir et pour l'action de grâce à Dieu dont procède tout bien. Le moine vise à refléter en soi le Christ, l'imitant par son absence d'exigences et sa renonciation à toute propriété personnelle, ce qui ne saurait être un prétexte à la négligence et au gaspillage des biens de la communauté[28]. »

« Par ses vœux solennels, le moine se dépouille de son droit d'acquérir une propriété, d'en recevoir ou de s'en défaire. Tout ce qu'il acquiert et reçoit, c'est pour le couvent[29]. » « Sans autorisation, un moine n'a pas le droit de solliciter un cadeau, d'en accepter ou de le céder à autrui. Les usages domestiques règlent les détails[30]. » « Sans préjudice de son droit à la propriété, chaque couvent doit s'efforcer de pratiquer une vie simple et, sur le plan social, d'éviter l'accumulation de biens, tout appétit de gain déréglé et le luxe. Que plutôt, suivant ses possibilités, il songe à atténuer pour sa part la misère dans le monde et à être toujours prêt à partager ses biens matériels et spirituels[31]. »

La question qui se pose alors est naturellement celle de l'arrière-plan inconscient dont procède cette disponibilité, et même presque ce désir d'une forme de sainte pauvreté comme celle-ci — et justement de *cette* forme, c'est-à-dire de cette volonté de se livrer sans réserve à une communauté qui exige une renonciation totale, mais qui récompense celle-ci en prêtant assistance dans tous les domaines de la vie, au prix toutefois d'une soumission absolue aux décisions des supérieurs. Comment peut-on concevoir cela, et qu'est-ce qui s'est donc passé pour qu'un être humain demande formellement à renoncer à tout souhait et à toute volonté et à livrer « librement » son être à d'autres plutôt que de vivre par lui-même, en s'imaginant même coupable par rapport au modèle offert par Jésus-Christ ?

Pour répondre à la question, il nous suffira de remplacer dans l'expérience de la petite enfance le modèle « Jésus-Christ » par celui de la mère.

b. De l'idéal de la pauvreté à la pauvreté de l'humain

Commençons par ce qui est à la surface. Dans toute anamnèse psychanalytique vient le moment où se pose la question de savoir de quel argent de poche le patient a disposé, enfant, et comment il pouvait en user. Encore qu'à cet égard je ne dispose pas d'enquêtes statistiques, je me sens personnellement autorisé à dire que, dans toutes les conversations que j'ai pu avoir une vingtaine d'années durant avec des prêtres, des religieux ou des religieuses, je n'en ai rencontré aucun qui, entre 8 et 15 ans, ait vraiment disposé d'argent à lui. Leur vie a sans exception été marquée par la parcimonie. Ou on n'a jamais eu aucun argent de poche, ou bien on n'en avait qu'en récompense de services bien déterminés (lavage de voiture, tonte du gazon, travaux de jardinage, courses, etc.) ou pour des bonnes notes scolaires. Encore ne pouvait-on même pas dépenser librement cet acquis : il fallait le mettre dans une tirelire, sous surveillance des parents, afin de l'utiliser le moment venu pour un achat qui en valait vraiment la peine : une nouvelle paire de souliers, un pantalon, ou autre chose de ce genre. Bien entendu, ces façons de faire ne sont pas particulièrement favorables au développement du libre exercice du maniement de sa fortune et de la propriété. Qu'elles soient si fréquentes est d'autant plus étonnant qu'elles ne sont que fort rarement dues à une véritable situation de misère, mais bien plutôt à un esprit d'économie (et d'obéissance) tel qu'en font vertu les classes moyennes de la société. C'est une façon de se conformer au proverbe qui veut que celui qui ne sait pas estimer un sou ne mérite pas d'avoir un franc. Les mêmes parents qui contrôlaient si sévèrement leur fils ou leur fille étaient par ailleurs convaincus qu'il fallait leur assurer le nécessaire. Lors d'une excursion scolaire, par exemple, ceux-ci ne devaient pas avoir une moins bonne place que les enfants des autres. On ne faisait aucune difficulté à l'achat de cahiers, de stylos à bille et de livres. En d'autres termes, tandis que les enfants ne possédaient rien, les parents pouvaient se vanter que leurs enfants ne manquaient de rien, qu'ils avaient tout ce qu'il leur fallait et qu'ils n'avaient donc nulle raison de se plaindre.

Ce système préfigure exactement l'usage de l'argent et des biens qu'on retrouvera plus tard sous la forme des règles monastiques de pauvreté telles que nous les avons déjà analysées. On apprend déjà que l'argent, c'est d'abord ce qu'on n'a pas, ce qu'il est même interdit de désirer, et que pour le reste, la Providence de Dieu ou la prévoyance de la mère y pourvoiront infailliblement, pourvu qu'on soit assez gentil pour remettre tout son avoir personnel entre les mains d'un tiers : aux parents ou aux membres de la congrégation. Dans cette perspective, l'argent (et avec lui toute autre forme de propriété) apparaît comme quelque chose d'essentiellement bas, primitif et méprisable. Mais en même temps on le désire au point qu'il prend l'apparence d'une force quasi magique. « Celui qui donne ce qu'il a, reçoit ce dont il a besoin », enseigne le conte de Grimm, *Sterntaler*. Encore ne faudrait-il pas prendre cette leçon dans son sens obvie, mais spirituel, comme un symbole ; car elle est certainement fausse matériellement parlant : on sait bien que ce n'est pas en dépensant son argent qu'on le multiplie.

En tout cela, il est important de comprendre que toutes ces façons de voir ne tiennent pas à une construction philosophique quelconque, par exemple aux modèles sociaux de la pensée communiste, à l'instar des utopies sociales monastiques de Thomas More[1] ou de Tommaso Campanella[2]. Elles procèdent d'un sentiment profond, de dispositions psychologiques qui se sont déjà pleinement exprimées dès la puberté et qui ont survécu sans changement à toutes les modifications ultérieures. En d'autres termes, la vie de pauvreté monacale ne commence nullement à l'âge de 20 ans, mais elle s'affirme bien plus tôt, au plus tard au cours de l'adolescence, sous forme d'un dispositif d'orientations affectives qui ne feront que trouver leur expression objective dans la vie monastique et se rationaliser en prenant forme d'idéal chrétien.

Pourtant ces orientations n'attendent pas la puberté pour se dessiner. Une des plus importantes trouvailles de S. Freud, c'est la découverte que, contrairement à ce qu'on éprouve subjectivement, les conflits de la puberté ne surgissent pas comme de façon soudaine et inattendue, mais ne font en réalité que répéter des expériences faites au cours de l'enfance, puis refoulées au cours de la période de « latence » pour sombrer ensuite dans l'oubli[3]. Si nous appliquons cette intuition à notre question, ce n'est donc plus dans les circonstances de la vie de l'adolescent que nous devons nous attendre à trouver une explication du besoin de pauvreté monacale d'un clerc catholique. Il s'agit tout au contraire d'expliquer pourquoi un jeune homme ou une jeune fille de 15 ans se soumettent plus ou moins volontiers au contrôle des parents pour ce qui touche à l'argent et à la propriété. Du point de vue psychanalytique, il faut comme toujours chercher la réponse dans la petite enfance.

1. Jeannot et Margot, *ou le facteur de la pauvreté extérieure*

Procédons de la manière la plus simple possible. On peut imaginer une situation dans laquelle la pression de la pauvreté de la famille influence des enfants au point de les marquer toute leur vie de son empreinte. Pour décrire à moindres frais ce qu'il peut y avoir de typique dans cette constellation psychologique, nous recourrons à un conte de fées, le plus approprié ici étant celui des frères Grimm, *Jeannot et Margot.*

C'est l'histoire de deux enfants d'un pauvre bûcheron. Comme le coût de la vie dans la région ne cesse d'augmenter, les parents ne savent plus comment se nourrir, eux-mêmes et leurs enfants, et ainsi la mère (marâtre) en vient-elle un soir à proposer à son mari de mener les enfants dans la forêt et de les y laisser se débrouiller tout seuls. Le père commence par refuser, puis doit finalement bien accepter. Mais Jeannot et Margot, que la faim a empêchés de s'endormir, entendent la conversation des parents. Alors Jeannot sort de nuit ramasser des petits cailloux, et, en partant en forêt, il les sème, marquant ainsi le chemin du retour. Lorsqu'elle revoit les enfants, la mère les gronde et leur reproche d'être restés si longtemps dans la forêt, comme s'ils n'avaient pas eu envie de revenir. Mais lorsque le pain manque à nouveau elle songe une fois de plus à les perdre. Cette fois-ci Jeannot trouve la porte de la maison verrouillée, de telle sorte qu'il ne peut ramasser de cailloux. Le lendemain, lorsqu'il essaie de marquer son chemin avec ses dernières miettes de pain, les animaux les mangent.

Abandonnés à eux-mêmes, les enfants ne savent que faire. Pendant trois jours, ils cherchent dans la forêt, et finissent par trouver une maison de sorcière faite de pain, de gâteaux et de sucreries. Ils ont l'impression de se trouver au Ciel, mais en réalité, la méchante sorcière en veut à leur vie. Elle met Jeannot à engraisser dans une étable pour l'abattre dès qu'il sera assez gros ; par contre, sous son commandement, Margot doit travailler très durement au ménage, ne recevant pour toute pitance que des coquilles de crabe. Bientôt le sort des deux enfants devient tellement lamentable que Margot prie le Ciel, en pensant qu'il aurait mieux valu se faire dévorer dans la forêt par les bêtes sauvages. Cependant lorsque la sorcière, qui a la vue très basse, vient tâter les doigts de Jeannot pour voir s'ils sont assez charnus, celui-ci réussit à la tromper : il lui tend un os. Finalement, la vieille en a assez d'attendre. Elle commande perfidement à Margot de chauffer le four pour rôtir l'enfant et le dévorer. Mais la fillette a percé à jour le plan de la vieille et, avec l'énergie du désespoir, elle pousse elle-même la sorcière dans le feu. Puis elle délivre son frère. Chargés des trésors de cette méchante vieille et portés par un canard qui leur fait franchir un grand cours d'eau, les deux enfants reviennent à la maison. Là ils ne trouvent plus en vie que leur père qui va désormais vivre avec eux, joyeux et sans souci.

Ce conte de fées est particulièrement à même de faire comprendre comment on peut intérioriser une situation de pauvreté extérieure en sentiment existentiel de misère. En même temps il propose une solution à ce genre de difficultés qui diffère typiquement de celle que le futur clerc trouvera aux siens, au cours de sa croissance, mais qui peut par contraste nous aider à mieux comprendre le désir de pauvreté monacale sous-jacent à l'adoption du « conseil évangélique ».

Quiconque pénètre dans le monde enfantin de *Jeannot et Margot*[4] bute d'abord sur la contradiction poussée à son paroxysme entre le désir et la conscience du devoir des parents et leur situation objectivement sans issue. Ce serait une injustice que de voir d'emblée dans la mère une marâtre, comme les enfants le font. C'est exactement le contraire. C'est une femme qui aime ses enfants, et peut donc par amour glisser dans le désespoir en les voyant la regarder avec reproche, du ghetto de leur détresse. F. M. Dostoïevski par exemple, l'écrivain russe qui a plus que personne fait dans sa vie l'expérience de ce qu'on peut éprouver psychologiquement quand on est pauvre et qui a su le redire avec art, avait toujours le souci de montrer comment les plus beaux sentiments humains peuvent dégénérer en haine et fureur de détruire quand on n'a plus la possibilité de les vivre dans la réalité[5]. Une mère qui veut vraiment le bien de ses enfants se sent tenue de leur procurer au moins le nécessaire pour vivre et se sent coupable de ne pas y parvenir. De voir souffrir ses propres enfants sans pouvoir leur venir en aide peut éventuellement représenter une torture morale tellement insupportable que c'est comme un soulagement de ne plus les avoir sous les yeux Inversement, dans un monde de dénuement, cela crée chez les enfants le sentiment effrayant d'être refusés, voire repoussés par leur mère . Ce n'est pas par hasard si, dans *Jeannot et Margot*, les enfants sont réveillés et écoutent les conversations des parents : ils ne font que découvrir la vérité nocturne qu'on nie en plein jour, celle que, du simple fait qu'il faille les nourrir, les enfants surmènent leur mère, et que celle-ci vit donc dans l'angoisse permanente, nuit et jour, d'en arriver à devoir un jour se séparer d'eux, inévitablement et définitivement.

Dans une telle situation, tout ce que mère et enfants éprouvent, pensent et peuvent faire est contradictoire et équivoque. Jeannot et Margot doivent en un sens se montrer « désobéissants » pour pouvoir rester avec la mère ; ils ne doivent pas écouter ce que les parents disent, mais ils doivent aussi deviner assez tôt comment on veut se débarrasser d'eux, afin de trouver à temps la façon d'échapper aux ruses de leurs parents. Cette duplicité est inéluctable. Car quelle mère pourrait reconnaître ouvertement que l'existence de ses enfants lui devient tout simplement insupportable ? Par amour pour eux, elle est obligée de leur mentir ; mais, en fait, elle ne peut les aimer à cause de la cruelle vérité de la misère. Dans le conte de Grimm, le caractère paradoxal des réactions maternelles se manifeste surtout lorsque, le soir, contre toute attente, Jeannot et Margot reviennent chez la mère. En fait, elle est furieuse de n'avoir pas réussi à se débarrasser d'eux, mais ne peut le leur faire voir, et elle prétend donc être fâchée de les voir revenir si tard. Il y a pourtant aussi du vrai dans son mensonge : au départ, c'est bien son excès même de souci qui l'a poussée à sa décision extrême. Et, pour achever de compliquer les choses, les enfants sont obligés d'entrer dans son double jeu. Ils ne peuvent en aucun cas révéler une vérité qu'ils connaissent, car c'est uniquement l'ambivalence des relations qui leur assure la marge de manœuvre suffisante pour continuer à vivre avec elle. Mais, de ce fait, le conflit, extérieurement insoluble, se transforme en conflit intérieur. Quand nous entendons raconter que, pour pouvoir retrouver des parents aimants-frustrants, Jeannot doit semer sur le chemin le reste de pain qu'on leur a donné, c'est là l'indication d'un problème capable d'assombrir toute la jeunesse de certains enfants. Cela revient à dire : ce n'est que si tu as tout ce qui te fait vivre et tout ce dont tu dois vivre que tu peux rentrer chez toi. C'est la formule qui transforme immédiatement la maison des parents en maison de sorcière.

Quiconque a souffert assez longtemps de faim physique sait comment, à partir d'un certain moment, toute la pensée tourne autour d'images de victuailles. C'est ainsi qu'il faut comprendre que Jeannot et Margot, chassés par la misère de leurs parents, se trouvent soudain près d'une maison où, non seulement il y a assez à manger, mais qui est même construite avec les aliments les plus délectables. Il s'agit manifestement d'un vœu fantasmatique de compensation opposé à l'expérience d'un manque réel. Mais il y a plus : nous apprenons que cette maison est habitée par une sorcière qui a l'intention d'engraisser et de manger les enfants, en particulier Jeannot, et, en attendant, d'exploiter leur force de travail, comme c'est le cas de Margot. « Celui qui prendrait le risque d'assouvir sa faim dans la maison de la misère doit savoir qu'il sera engraissé, abattu et dévoré » : ainsi se traduit l'angoisse mortelle qu'engendre l'intériorisation de la pauvreté.

Si nous voyons dans la sorcière l'image négative de la mère, nous comprendrons qu'elle est la figure sur laquelle se projettent avec toute la violence du désir les sentiments oraux de faim. La mère qui refuse est d'abord celle qu'on hait comme une sorcière et qu'on aimerait « dévorer » ; mais sous la pression des sentiments de culpabilité, il y a dans un second temps refoulement de ces inclinations. Dorénavant, ce ne sont plus les enfants qui voudraient dévorer la mère, mais la mère qui apparaît elle-même comme un monstre dévorant qui ne leur apporte plus à manger que pour les avaler ensuite le plus tôt possible. Tel est le cercle vicieux de fantasmes et d'angoisse qu'on a des chances de retrouver chez beaucoup de personnes atteintes d'anorexie mentale[6] : tout comme Jeannot ne peut survivre qu'en tendant un os à la sorcière, celui qui souffre d'anorexie se sent obligé de maigrir jusqu'aux os dans la prison de sa mère par peur de voir l'énergie qu'il emmagasine susciter en lui des attentes immenses, impossibles à satisfaire, et qu'en particulier une augmentation de poids ne lui vaille de terribles sentiments de culpabilité : « Ce jeune ôte le pain de la bouche de ses parents... », ou bien : « Là, on voit bien où passe la nourriture », diront les gens. On ne peut s'imaginer jusqu'où peut aller l'effet dévastateur de reproches de ce genre sur fond de détresse réelle. De peur de devenir coupable et d'être mangé, Jeannot cesse donc complètement de s'alimenter, alors que sa faim l'avait inversement conduit à rêver d'une maison en pain d'épice et à prêter à sa mère des traits de cannibalisme.

Du point de vue psychanalytique, le conte *Jeannot et Margot* présente pour nous l'intérêt inestimable de traduire poétiquement le problème de la pauvreté en termes d'oralité et de thématiser ainsi une escalade de sentiments très vifs d'angoisse, d'agressivité et de culpabilité. Dans une telle ambiance, manger signifie être obligé de tuer et d'être tué[7], et la décision qui vient trancher ce blocage oral de la vie est vraiment une question de vie et de mort. Si la culpabilité prend le dessus, il y aura inévitablement tendance à une attitude dépressive sacrificielle avec représentations oblatives : cela peut conduire à une opération survie, celle de Margot, par exemple, qui se rend tellement utile dans la maison de la sorcière qu'elle en devient indispensable à la vieille. L'élément capital de ce développement, celui que nous retrouvons en priorité dans l'attitude de dénuement de la psyché cléricale, c'est certainement le fait que la misère ne dure pas trop et ne dépasse pas un certain degré de tension psychique. Car c'est seulement dans certaines limites que peut germer l'espoir d'être toléré quand même dans la « maison de la sorcière », dans la mesure où on adopte une attitude de gentillesse, de renoncement et de sacrifice.

Notons cependant à ce sujet ce que dit le conte : un jour la situation devient tellement critique pour Margot que, au paroxysme de la peur, elle pousse d'un geste décidé la « sorcière » dans le four : c'est elle ou c'est nous ! C'est seulement quand les enfants de l'histoire se trouvent confrontés à cette alternative qu'ils osent risquer une percée vers la liberté. C'est précisément ce geste qui empêchera Jeannot et Margot de devenir jamais prêtre ou religieuse ; car, sur le chemin de l'existence cléricale, l'aiguillage fonctionne exactement à l'opposé. Au lieu de la révolte et de la lutte, il y a soumission et fuite du conflit ; au lieu de haine ouverte, il y a perpétuation du sentiment de culpabilité et des tentatives de réparation s'y rapportant ; au lieu de l'affirmation de soi et de la liberté, il y a une mentalité de sacrifice de soi et de dépendance. *Jeannot et Margot* révèle déjà l'alternative que Freud a décrite en parlant de « complexe de castration » dans le cadre du conflit œdipien [8], mais en situant la prime orientation du développement psychologique dans la phase orale du développement, donc bien avant l'expérience de la « sexualité ».

Il n'est pas non plus sans intérêt de trouver une fois de plus dans ce conte une confirmation de nos observations précédentes concernant le rang d'un futur clerc dans la fratrie. Si on lit le conte au niveau objectal, « Jeannot » serait condamné à une anorexie permanente dans sa petite étable (ce qui le prédisposerait à devenir clerc de l'Église catholique) si sa sœur « Margot » n'était pas disposée à faire pour elle-même le pas décisif et à enfourner la mère-sorcière. En décrivant la forme de pensée du clerc, il nous était déjà apparu qu'elle était avant tout marquée par le souci angoissé de définir de façon précise son statut de dépendance et de dévouement ; de même, dans le conte de Grimm, nous voyons « Jeannot » chercher à maintenir par tous les moyens sa dépendance ambivalente à l'égard de ses parents, au besoin en sacrifiant sa nourriture. Mais c'est précisément cette attitude « régressive » qui rend impossible l'accès à une vie personnelle et transforme son existence en interminable captivité. Si on examine la vie de beaucoup de clercs, on découvrira avec effarement cette vérité profonde de leur être : leur obéissance et leur peur devant la mère souffrante ont fini par constituer une véritable prison dont les barreaux pourront se transformer par la suite en murs de presbytère, de couvent ou de palais épiscopal, ou tout simplement en grillage d'une existence fonctionnarisée. Et tout leur art de vivre consistera, par peur de se voir « dévorés », à ne jamais faire voir d'eux-mêmes, de leur moi véritable, qu'un os mort Pour des êtres du genre « Jeannot » il n'y a finalement d'échappatoire que dans la peur de « Margot » d'avoir à disparaître si elle ne s'affirme pas devant la mère.

D'un point de vue « subjectal », on peut sûrement reconnaître en « Margot » l'aspect de la psyché d'un « Jeannot » qui rejette désormais l'attitude régressive crispée qui le condamnait au sacrifice et à la dépendance, et qui cherche à y échapper en s'affirmant activement. Ce qui est capital, c'est que, de son côté, « Margot » ose endosser une charge de culpabilité énorme en repoussant la mère qui la rejette : situation inverse de celle d'Oreste[9], dans la tragédie antique, où le frère assume la culpabilité du meurtre de la mère, alors que les déesses de la vengeance poussent Électre dans la folie en déclenchant en elle un violent sentiment de faute. D'un point de vue objectal, la dualité des personnes dans *Jeannot et Margot* est très importante, car c'est elle qui permet de résoudre activement, sthéniquement, le conflit oral de la pauvreté.

En étudiant la psychogenèse du clerc, nous avons précisément remarqué combien sa relative solitude dans la fratrie était caractéristique, car le fait que les enfants plus âgés ou plus jeunes aient été pour lui source d'obligations supplémentaires le conduisait à ressentir plus durement le poids de ses responsabilités. Au premier abord, les autres ne sont pour lui ni des aides ni des alliés : ils ne font que peser sur lui. Est donc exclue d'entrée de jeu la protestation solidaire que Sigmund Freud a décrite dans *Totem et Tabou* en montrant le soulèvement de la horde fraternelle contre la tyrannie du « père originel ». Dans son développement psychologique, le clerc ignore tout de l'expérience d'une alliance contre une personne déterminée (père ou mère) pour l'éliminer par la force[10]. N'y joue au contraire de rôle que le sentiment constant d'avoir à affronter le conflit soit en limitant ses propres exigences, soit, ce qui serait mieux, en le niant, autrement dit en le réinterprétant jusqu'à ce qu'il finisse par en devenir « inoffensif ».

Venons-en maintenant au père : dans le conte, il ne voudrait absolument pas voir la mère chasser les enfants. Mais il n'est pas difficile de voir que ce n'est là que la projection du vœu de ceux-ci. Apparemment, tel qu'il est présenté, il ne s'occupe pas d'eux, et il peut donc prendre à leur égard une attitude beaucoup plus décontractée qu'une mère complètement surmenée. Le calme que permet cette distance peut suffire à éveiller chez l'enfant déçu par la mère l'envie de chercher un recours auprès de lui, en adoptant cette idée salvatrice que lui, au moins, est bien disposé à son égard et se refuse à le rejeter. Certes, le père non plus ne sait que proposer pour résoudre le problème de la pauvreté. Mais pour tous les « Jeannot » et « Margot » de la terre, il est essentiel de pouvoir croire que, quoi qu'il arrive, lui ne consent pas à les voir « sacrifiés » à la survie de la famille. Seule cette confiance donne aux enfants le courage nécessaire pour affronter les sentiments d'angoisse et de culpabilité de l'oralité qui les assaillent dans la « maison de la sorcière ». En opposition manifeste à l'esprit de sacrifice que nous avons noté dans la psychogenèse des clercs, nous constatons que, dans le conte de Grimm, c'est la mère qui refuse de se sacrifier pour le bien des enfants. Seule sa mutation en « sorcière » leur permet de se sentir autorisés et même poussés à s'insurger agressivement contre elle pour échapper à la maison de servitude. Autrement dit, à supposer que la mère du conte ait été aussi dépourvue de moyens qu'on la présente, mais ait été mieux disposée à se sacrifier généreusement, les enfants n'auraient guère eu de chance d'échapper à leur monde de misère.

Cela nous permet de mieux comprendre l'esprit de pauvreté des clercs, en nous faisant voir que, déjà au stade oral, l'exemple de l'attitude de sacrifice de la mère est essentiel pour la formation de la psyché infantile. Ce n'est pas la « mère-sorcière » qui représente le pire danger sur le chemin de l'épanouissement et de l'indépendance, mais bien ce mélange de détresse et de sacrifice, de pauvreté et de devoir, d'impuissance et d'entêtement qui, par son ambivalence, projette sur l'enfant tenté de résister un tel filet de sentiments de culpabilité que cela préfigure presque immanquablement son orientation vers une vie religieuse marquée par la résignation.

Mais, du point de vue de la psychologie religieuse, le conte nous offre encore un autre enseignement touchant à l'expression cléricale de la théologie chrétienne du sacrifice. Il est hors de doute que le retour des enfants chez leur père a une signification religieuse, en particulier si on envisage le thème du canard qui transporte les enfants de l'autre côté du fleuve. Car c'est là un des symboles favoris de la mort. Il suggère une « migration de l'âme » vers l'autre « rive » de la vie, le Ciel. Toujours est-il que, après le meurtre de la sorcière, les enfants, l'âme plus sereine, reviennent chez leur « père », lequel n'a plus rien d'équivoque ni d'ambivalent : la « sorcière » qui se tenait à ses côtés a définitivement cessé d'exister.

Paradoxalement, ce récit de la délivrance de Jeannot et Margot présente un point extrêmement important, à la fois semblable et opposé au mythe chrétien du salut. Selon la croyance chrétienne, le monde des hommes n'est également délivré du péché qu'à travers un « meurtre ». Mais, en dépit de la ressemblance des images symboliques, la différence des sentiments est énorme. Les enfants qui entendent l'histoire de *Jeannot et Margot* sont finalement heureux et soulagés de voir ceux-ci réussir à se défendre contre la méchanceté de la vieille et tuer en elle celle qui les aurait elle-même tués. La psychologie de ce conte développe et stimule donc sans équivoque dans le moi ses énergies spirituelles de résistance et de lutte ; en ce sens elle est exactement à l'opposé exact de toute idéologie de sacrifice. Le récit chrétien de la mort du Fils de Dieu est tout différent : celui-ci fut « sacrifié », si bien que le récit de sa mort ne peut pas ne pas provoquer d'abord dans l'âme de chaque enfant de la tristesse et un sentiment de culpabilité pour sa propre méchanceté. Dans le conte de Grimm, les enfants ne peuvent revenir chez leur père qu'après avoir réussi à résister et à s'imposer par leur énergie. Par contre la variante chrétienne du thème a pour effet que ne peut retourner auprès de Dieu « Père » que celui qui a lui-même suivi l'exemple du Sacrifié et est entré dans la « mort » avec lui. La bonté du Dieu de la théologie chrétienne du sacrifice repose donc toujours sur l'exemple et l'imitation du « sacrifice » unique de la Rédemption. Dans ces conditions elle ne parvient jamais à absoudre l'être humain de l'agressivité légitime qu'il manifeste déjà dans le champ de l'expérience orale, de sorte que les sentiments de culpabilité finissent par faire de l'Église elle-même une sorte de château hanté, une maison de sorcière, où les ambivalences orales sont non pas résolues, mais rationalisées et pérennisées.

Dès lors, il est d'emblée inévitable de voir surgir une opposition entre sanctification et guérison, entre pastorale et psychologie. Dans le conte de Grimm, il est accordé aux « enfants de ce monde » de rentrer dans la maison de leur père riches et comblés de trésors, tandis que le chrétien doit demeurer pauvre pour permettre au « père » de les récompenser en leur rendant dans une autre vie les richesses dont ils se seront privés ici-bas. (Mc 10, 28-31). La misère du moi engagé sur la route de la théologie du sacrifice tient donc à la pauvreté des conditions extérieures de vie. Mais seul celui à qui, dans sa petite enfance, on a déjà fait voir dans ce schéma de pensée l'unique issue à cette misère pourra plus tard trouver dans l'enseignement de la théologie chrétienne une exemple sacré : sa vie devra désormais consister tout entière à assurer définitivement cette réévaluation de toutes ses aspirations infantiles au bonheur, et à réinterpréter les conditions difficiles de sa petite enfance comme les signes d'une providence et d'une vocation divines.

Naturellement, la pauvreté extérieure n'est qu'un premier point de départ — psychanalytiquement, en soi le plus simple — pour comprendre comment des expériences infantiles peuvent fonder l'attitude de renoncement à toute possession personnelle chez un adulte. Ce que nous avons dit nous permet aussi de noter l'importance d'un sentiment de culpabilité écrasant à l'égard de ses propres souhaits. Si on persistait à affirmer ses besoins et ses exigences, on pourrait tuer la mère. C'est cette crainte qui empêche de gémir et de pleurer pour l'obliger à vous consacrer son attention, son secours, son temps. Le mieux est de se borner à serrer les lèvres, de se tenir là, passivement, les yeux grands ouverts, éclatants de désir, et d'attendre que la mère remarque d'elle-même ce dont on a besoin et trouve enfin les moyens de répondre aux vœux qu'on ne formule pas, qu'on a refoulés dans l'inconscient. L'inhibition orale due à la peur de réclamer quelque chose pour soi, et éventuellement de le prendre, s'accompagne toujours d'une capacité un peu dépressive à lire soi-même les pensées et les souhaits d'autrui. Ce n'est que s'il existait un monde où chacun saurait de lui-même, sans qu'on ait besoin d'en parler, par une sorte de télépathie, ce dont l'autre a besoin, et où il pourrait le lui donner, un monde où les individus seraient reliés par une sorte d'harmonie préétablie qui ferait disparaître les conflits de la misère, de la concurrence et de l'alternative meurtrière : « toi ou moi » de la simple lutte pour la subsistance, qu'on pourrait espérer y voir l'inhibition orale faire place à une sorte de bonheur.

Celui qui regarde les choses de l'extérieur ne verra dans la façon dont s'alimentent les clercs et dans leur idéal en la matière, qu'un détail minime, un simple problème de vie monacale. Il s'agit en réalité là d'une expression très profonde précisément de cette expérience d'inhibition orale. Pour des « raisons d'ascèse », on a durant des siècles pratiqué le rite suivant : après une prière canoniale, on entre à une heure bien précise au réfectoire, où chacun se rend à sa place bien fixée à une des tables. Tout se passe en silence. A l'appel de celui qui préside (supérieur, directeur, mère supérieure ou un(e) délégué(e)), on récite debout la prière du *Benedicite*. Les servants désignés pour ce jour et cette heure se rendent au guichet de la cuisine et portent ensuite sur les tables les aliments prévus. Entre-temps, le lecteur est monté au pupitre et, dès que le bruit des bouches et des chaises de bois glissant sur le carrelage s'est calmé, il commence la lecture spirituelle : une méditation du fondateur de l'ordre sur un thème relatif au calendrier liturgique, un chapitre des écrits d'un Père de l'Église, un extrait d'une légende de saint, peu importe. Il s'agit simplement de détourner l'attention des hôtes des plaisirs trop sensuels de l'alimentation, et de la tourner en direction du monde supérieur des joies célestes.

De cette manière, on réussit aussi à dépersonnaliser la communauté de table, ce qui dispense du plaisir des contacts personnels ; on crée ainsi un monde de pratiques communes où tous se conforment au même idéal de pensée et d'activité religieuses, tout cela évoquant la sphère de valeurs inattaquables et soustraites à toute critique à laquelle l'élection divine à l'état clérical donne de participer. Mais surtout, le fait d'avoir à se taire pour écouter quelqu'un d'autre empêche toute réclamation concernant la nourriture. On a toujours considéré que, pour un clerc, la bonne façon de se tenir à table consiste à ne jamais demander à un autre de vous tendre le pain ou les légumes : quand on a vidé son assiette, on doit attendre que votre voisin s'en soit aperçu et vous tende le plat désiré. On doit même considérer comme un progrès dans la vertu la façon de se comporter d'Euthymia, la sainte religieuse : le médecin lui avait prescrit un régime sévère ; dans sa sainte modestie, au lieu d'expliquer à la cuisine qu'on se trompait, elle préféra prendre une nourriture qui mettait sa vie en danger plutôt que de rompre son attitude de silence touchant ses désirs « oraux »[11].

Être capable de ne formuler aucun vœu personnel : telle est la première façon d'intérioriser psychologiquement la pauvreté, et il n'existe guère pour cela d'expression plus manifeste que cette forme idéale de comportement lors du repas. Dans la biographie du clerc, il faut simplement mettre à la place du lecteur sa mère, et on a immédiatement devant ses yeux les scènes de son enfance qui, repas après repas, se sont gravées dans sa psyché : la mère (ou le père, éventuellement un speaker de la radio) monologue, tandis que les enfants n'ont qu'à fermer la bouche et que les adultes discutent entre eux. Il n'y a qu'à manger — et à finir — ce qu'on a dans son assiette, sans jamais se montrer gourmand. Au lieu de lorgner spontanément vers la viande ou le gâteau, il faut s'exercer à être « gentil » et à partager.

Certes, on ne peut penser que des expériences de ce genre

puissent à elles seules expliquer le comportement à table des clercs au cours de leur temps de formation et dans la suite de leur vie. Mais, inversement, il faut bien constater que de telles pratiques perpétuent de façon idéale les attitudes de renoncement et d'inhibition oraux des années d'enfance, celles qui ont fourni la première couche d'une « pauvreté » concrète. A la différence de ce qui se passe dans le conte de *Jeannot et Margot*, la vie cléricale présente cependant une apparence d'espoir, le revers des interdits oraux : celui qu'un degré suffisant de modestie et de respect d'autrui permettra à tous d'avoir assez, sans exclure même une espèce de prime spéciale en récompense et en marque d'approbation. C'est ainsi que, chez des êtres à qui on a appris dès l'enfance à renoncer à tout souhait personnel, le système qui consiste à les gâter « oralement », celui dont nous avons déjà montré le rôle dans la dépendance structurelle du clerc, ne fait que gagner une force attractive redoublée.

2. La Jeune Fille sans mains, *ou la pauvreté spirituelle par peur du « Diable »*

Il n'y a guère de clerc qui voudrait reconnaître dans l'action violente de Jeannot et Margot le scénario symbolique de son enfance. En revanche, dans des conversations après des conférences, ou dans la correspondance que je reçois, j'ai constaté que les religieuses se montraient les premières intéressées par mon interprétation d'un autre conte de Grimm intitulé : *La Jeune Fille sans mains*[12].

Dans ce récit, l'angoisse est moins celle que suscite la mère que celle que provoque le père miséreux. Dans sa détresse, celui-ci, un meunier ruiné, a étourdiment promis sa fille au diable et a ainsi obtenu de lui une richesse inespérée. Mais, trois ans après, lorsque le diable revient chercher la fille du meunier en exécution du contrat, celle-ci a tellement pleuré dans ses mains que le diable n'a plus aucun pouvoir sur elle. Il exige alors du père qu'il lui coupe les mains. Le père se repent, mais craint d'être lui-même emmené par le diable ; il se sent donc obligé d'accomplir sur sa fille l'affreux sacrifice ; celle-ci, voulant éviter le pire, consent « librement » à cette œuvre de destruction. Mais, ce faisant, elle pleure si fort sur ses moignons que le diable est obligé de se retirer sans avoir pu réaliser son affaire. Le père aimerait bien récompenser richement sa fille pour le sacrifice consenti. Mais la fille se fait lier les mains sur le dos et, le lendemain, au lever du soleil, elle part dans le monde, espérant y trouver des « gens capables de pitié » qui lui offriront « tout ce qui lui sera nécessaire ». Se produit alors un épisode de « chute originelle » inversée : sous la protection d'un ange, la fille arrive un soir dans un jardin interdit, celui d'un roi, et elle y mange une poire en la happant dans sa bouche. La nuit suivante, le roi découvre la jeune fille, la prend à sa cour, lui fait faire des prothèses en argent pour remplacer ses mains, et l'épouse. L'histoire se poursuit par un conflit conjugal dramatique plein de transferts paternels. Ceux-ci ne se résolvent que lorsque la fille du meunier devenue reine s'enfuit de chez son époux dans « un pays sauvage », et arrive dans une maison au-dessus de laquelle est placé un écriteau disant : « Ici, on vit libre. » Dans cette demeure de miséricorde, à nouveau placée sous la protection d'un ange, la jeune femme voit ses mains repousser. Au bout de sept années de recherche, le roi retrouve son épouse.

Ce conte présente de manière quasiment barbare la façon dont une situation d'extrême pauvreté au cours de l'enfance peut mener aux pires inhibitions au niveau oral-captatif. Mais il fait avant tout voir le contraste qui existe entre une attitude masochiste d'oubli complet de soi dans un esprit de sacrifice et l'attente passive de la « pitié » d'autrui. D'un côté, la fille éprouve une angoisse mortelle de voir le « diable » emmener son père si elle s'obstine à croire avoir le droit de garder ses mains, donc celui d'intervenir personnellement dans le cours des choses. D'un autre côté, il lui paraît évident que seul un torrent de larmes peut lui éviter la « diabolisation ». On pourrait traduire ainsi le scénario construit sur ces bases : « Ce n'est que lorsque je suis triste que je ne suis pas méchante ; mes larmes seules peuvent me purifier ; seuls mon abattement et ma dépression m'évitent le désagrément de voir les autres se déchaîner furieusement contre mes désirs. »

Mais on aurait une fois de plus tort de croire que ce fond infantile de dépression et de résignation doive nécessairement susciter par la suite un être chroniquement maussade. Certes, il peut arriver que la tristesse de la prime enfance s'aggrave de plus en plus. Mais il est bien plus vraisemblable de voir le futur clerc évoluer dans une direction différente : il ne faut pas être à charge à autrui ! Cette suprême maxime de conduite de tous les véritables dépressifs, qu'inculquent fort efficacement les avertissements des parents — « Qu'est-ce que tu as encore ? » « Quelle figure tu fais ! » « Ne regarde donc pas toujours comme ça ! » —, conduit habituellement à un effort désespéré pour ne jamais permettre aux autres de deviner ses véritables sentiments. Dans le conte de Grimm, la fille du meunier dit mot pour mot à son père qui veut lui couper les mains : « Fais de moi ce que tu veux. » Cette disponibilité absolue correspond évidemment à une tristesse sans fond ; elle signifie en elle-même l'abandon complet de toute forme de vie personnelle. Mais s'y exprime en même temps le renoncement à toute manifestation de ses propres sentiments, en particulier de sa propre tristesse. La véritable disponibilité implique en principe qu'on n'accepte de faire montre que des sentiments correspondant aux souhaits des autres et ne leur occasionnant aucune peine supplémentaire. En psychothérapie, il faut avoir vu le sourire qu'affichent toutes les religieuses qui ont en même temps les larmes aux yeux, et qui s'excusent encore en souriant de ne plus pouvoir retenir leurs sanglots. On comprend alors l'étendue de la gaieté de façade, celle que « les filles qui n'ont plus de mains » ont justement dû apprendre pour pouvoir se risquer à approcher les autres. Finalement, l'art de nier ses propres sentiments confine à la virtuosité · les anciens pleurnicheurs se muent en de spirituels boute-en-train, en acteurs remarquables, en héros des soirées les plus gaies ; mais ce qui se passe vraiment au fond d'eux-mêmes ne regarde évidemment personne.

Qu'il soit bien entendu qu'un tel travail de deuil débouchant sur une gaieté de façade ne caractérise pas seulement la psychogenèse du clerc. On peut sans nul doute trouver les mêmes traits psychologiques chez des femmes et des hommes qui n'ont jamais manifesté l'intention d'entrer dans un couvent ou de devenir prêtres de l'Église catholique. Pour réaliser une constellation psychologique aussi complexe que celle de l'existence cléricale, il faut tout un groupe de facteurs que nous avons déjà énumérés ou que nous avons encore à dégager. *La Jeune Fille sans mains* ne nous présente pas non plus le parcours d'une religieuse, mais d'une future épouse. En revanche, il montre remarquablement bien comment, au milieu de la « cour du roi », entourée de pompe et de magnificence, on peut toujours rester la pauvre fille mutilée du meunier, avec sa brillante prothèse en argent signifiant une gaieté artificielle, sans nul sentiment nulle impression personnelle. Ce sort n'est pas du tout lié à un « état spirituel » particulier. Et pourtant la tension qu'il y a sous cette gaieté dépressive n'est jamais aussi forte que chez ces « jeunes filles qui n'ont plus de mains » et qui ont fui dans un couvent, comme si là seulement elles pouvaient trouver vraiment la maison portant l'écriteau « Ici, on vit libre ».

Du fait des attentes de son époux, du fait de certaines contraintes sociales précises, du fait des exigences de son rôle et de ses obligations de représentation en tout genre, une femme avec une structure caractérielle comparable peut se sentir extérieurement acculée à jouer une comédie permanente d'adaptation. Mais une religieuse de l'Église catholique n'a pas à faire preuve uniquement de joie extérieure ; c'est de l'intérieur qu'elle doit vivre et incarner la délivrance dans le Christ, la vraie joie des enfants de Dieu.

Dans un de ses romans, *La Joie,* G. Bernanos a tenté de montrer comment peut naître vraiment « la Joie » chrétienne[13]. De même, dans *Le Soulier de satin*, P. Claudel montre un exemple grandiose de renoncement héroïque et le véritable bonheur chrétien qui en résulte[14]. Ces deux chefs-d'œuvre littéraires démontrent cependant, d'une manière exemplaire, parce que involontaire, comment, par idéologie, on peut faire fi de la psychologie réelle en construisant un drame purement symbolique d'idées échafaudé sur des sentiments qui ne sont que pensés. Il faut toujours le répéter : aucune sorte de sainteté n'est plus crédible aujourd'hui, cent ans après la découverte de la psychanalyse, si elle ne « colle » pas humainement. Malheureusement, on peut percevoir avec effarement dans la vie de beaucoup de religieuses et de prêtres à quel point la joie *in Christo* peut manquer de liberté et rester crispée, parce qu'elle est simple affaire de devoir, allant à l'encontre de ce qu'on ressent.

En réalité le dilemme est parfait : d'un côté, on fait de l'obligation de sacrifier sa vie l'exemple à suivre, tout à fait dans le style de *La Jeune fille sans mains,* en se référant au don de soi du Christ en croix — on échappe ainsi littéralement aux poursuites de Satan, mais on ne retrouve le « Père » aimant que si on se « dévoue » jusqu'à l'anéantissement. D'un autre côté, le sacrifice du Christ n'est pas douloureux précisément parce que, s'il est bien compris, il est vraiment libérateur et nous donne la joie véritable en ôtant de notre cœur toute tendance égoïste et tout désir désordonné qui provoqueraient ce malheur qu'est le péché. Il s'ensuit que, plus que tous les autres humains, nous avons des raisons de vivre de la joie que le Christ nous a gagnée sur la croix par l'acceptation de sa souffrance, suivant le mot de l'Apôtre : « Réjouissez-vous, je vous le redis : réjouissez-vous » (Ph 4, 4).

« Vous n'êtes pas Jean de la Croix », disait il y a peu un directeur de petit séminaire à un étudiant qui n'arrivait plus à s'y retrouver dans la confusion de ses sentiments. Ce n'est pas là seulement un problème d'absence quasi totale, aujourd'hui encore, parmi ceux qui forment et suivent les clercs, de pasteurs maîtrisant tant soit peu les rudiments de la psychanalyse, et donc capables de juger et de traiter l'arrière-fond des conflits spirituels qu'on leur confie. C'est surtout celui de la peur de ne pas être conforme à ce qui est objectivement juste, aux sentiments chrétiens corrects, une peur qui, sous l'apparente gaieté d'enfants de Dieu vraiment sauvés, perpétue toutes sortes de désespoirs de la prime enfance.

Mais il y a mieux encore : bien sûr, il se peut que telle religieuse ou tel prêtre n'aient guère vécu de quoi leur donner un « air un peu plus sauvé », ainsi que le leur demandait Nietzsche[15]. Mais la sainteté objective de l'Église catholique n'est-elle pas en elle-même un motif inexprimable de joie ? Quelle chance incroyable déjà d'être né dans une famille catholique, alors que peut-être 20 km plus au nord, au-delà d'une rivière qui marque la frontière, on aurait pu naître dans une région anciennement sous la coupe d'un souverain protestant, et donc très probablement dans la religion protestante — ce qui représenterait une participation moindre à la vérité totale du Christ ! Et songeons que, 200 km plus à l'est, pourrait s'ajouter à une mentalité majoritairement protestante l'influence éducatrice du communisme d'État avec sa propagande athée ! Sans compter que, 2 000 km plus au sud, il y aurait une forte probabilité d'avoir grandi dans l'islam et de n'avoir donc jamais connu les enseignements du Christ ! Quelle somme de chances ! Il faut fêter ça !

On déclare qu'est « pauvre » celui qui ne dispose de rien de ce qu'il lui faudrait pour vivre. Comment faut-il donc qualifier l'âme qu'on a vidée de force, pour dettes, de tous ses sentiments, de toutes ses pensées, de toutes ses impressions personnelles ? Pitoyable, à coup sûr ! Mais que dire lorsque, après avoir saisi pour dettes le mobilier de quelqu'un, on installe aussitôt dans sa maison un mobilier étranger, de sorte qu'un observateur non prévenu trouve que tout est en ordre ? Comment qualifier des humains qui ne peuvent habiter chez eux qu'en sous-location ? Il n'existe même pas de terme en allemand pour désigner, même approximativement, un tel état d'aliénation. « Inhibition orale » : voilà le titre qu'on pourrait à la rigueur donner à cette forme de pauvreté qui ne consiste pas seulement à ne rien posséder, mais aussi à n'avoir jamais le droit de rien posséder, de ne même pouvoir considérer comme légitime l'amorce d'un désir de quelque chose qu'on aurait en propre. Mais c'est bien ce genre de pauvreté que la formation cléricale idéale exalte en en faisant la base de l'imitation du Christ.

Voici, par exemple, une religieuse qui, en souvenir de son travail missionnaire en Afrique, a l'idée de suivre des cours de perfectionnement d'anglais dans l'école supérieure du lieu : elle réussit tellement bien que le professeur chargé des cours lui demande si elle n'accepterait pas elle-même de diriger un groupe. Jusqu'alors, contrairement à son devoir d'obéissance, elle n'avait absolument pas informé sa supérieure de ses activités. Mais celles-ci prennent maintenant une telle ampleur qu'elle en a des remords de conscience. Conformément aux statuts, elle se voit donc dans l'obligation de demander l'autorisation de poursuivre ces activités. Mais la supérieure a peur que, si elle s'absente un soir par semaine de la maison, elle ne devienne « trop » étrangère à la vie de la communauté. Elle soupçonne de plus une poussée d'orgueil blâmable dans le cœur de sa consœur. Et elle persiste à penser qu'une religieuse est là pour faire connaître le message du Royaume de Dieu, et non pour enseigner l'anglais. Toujours est-il qu'elle met son veto à la réalisation de ces projets fantaisistes. Or, pour cette religieuse, les cours d'anglais étaient le seul endroit où elle pouvait encore s'affirmer. C'était la seule chose en laquelle elle pouvait se reconnaître et s'éprouver comme personne indépendante ; pour elle, il ne s'agissait pas de l'anglais, mais littéralement d'être ou de ne pas être. A cela près qu'elle ne pouvait s'expliquer ! « Tu veux donc te comporter en personne indépendante ! » Voilà un langage qu'on ne peut tenir ou entendre que dans une communauté religieuse, et il est bien évident que l'esprit de pauvreté doit refuser comme inconvenant une telle attitude. Voyons, l'indépendance ! N'est-ce pas exactement le contraire de la dépendance qu'on souhaite par ailleurs ?

Chez cette religieuse, l'interdiction du cours d'anglais provoqua l'effondrement de la totalité de son monde sans que personne ait pu, même de loin, en supposer la raison. Depuis lors, elle passait pour un esprit biscornu aux yeux de ses consœurs ; elle-même s'éprouvait comme pécheresse et coupable à l'égard de ses propres vœux. Mais elle ne pouvait pas pour autant renoncer à son désir originel : elle se trouvait complètement coincée.

On voit immédiatement la gravité que ce conflit doit atteindre si on songe à l'impuissance totale qui caractérise essentiellement l'inhibition orale. Pour quelqu'un comme cette religieuse, qui a dû sans cesse vivre avec le sentiment d'être à charge au monde et sans justification profonde, et qui se sent aussi coupable d'avoir simplement un désir personnel, il est naturellement absolument impensable de trouver encore le courage nécessaire pour défendre et faire triompher ses idées. Elle a déjà dû rassembler toute son énergie pour présenter à sa supérieure sa demande de participer à ses cours d'anglais. Ce dont elle aurait eu grand besoin, ç'aurait été d'une approbation et d'un encouragement francs à manifester ses désirs et à les justifier, à dire pourquoi ils avaient pour elle une telle importance. On peut penser que, dans ce cas, la supérieure aurait pris une autre décision. Mais la règle de la pauvreté interdit absolument qu'on prenne en considération les cas particuliers. Les individus ne doivent avoir rien en propre ; il ne peut donc y avoir de raisons d'autoriser quelque chose de « spécial ».

C'est la marque d'une pensée « de fonction » que de toujours savoir d'emblée ce qui est juste, et donc de toujours être injuste envers les personnes, dans l'intérêt et pour le plus grand profit de la collectivité. Conséquences pour une religieuse qui se trouve dans cette situation : ou bien la régression dans une résignation définitive et dans la solitude, ou bien, pour les plus délurées et les audacieuses, la découverte que, dans un ordre religieux, on ne peut vivre l'idéal de la pauvreté qu'au prix du mensonge et de la duplicité : celui qui ne pose pas de questions ne risque guère d'être payé de sottes réponses ! Ou encore l'idée — et c'est le point de vue des petits enfants — que ce n'est pas le larcin par gourmandise qui est défendu : c'est de se faire prendre. Une éducation dont l'idéal est l'interdit engendre toujours une « morale » des sans-droits. Mais une conception de la « pauvreté chrétienne » qui se manifeste de telle façon qu'elle ne produit finalement que soumission et dépendance, non seulement appauvrit vraiment des êtres originellement richement doués, mais présuppose déjà un appauvrissement du sentiment de sa valeur propre dans une ambiance d'angoisse et de culpabilité. Au lieu d'exalter cette valeur comme une obligation spirituelle liée à la perfection chrétienne, il faut d'urgence la soumettre au travail psychanalytique.

3. *De la contrainte à la dépossession de soi et au malheur*

Comme l'aspect psychique de la pauvreté nous apparaît de plus en plus nettement, il n'en est que plus nécessaire d'en venir à des formes de « dépossession de soi » qui n'ont absolument plus aucun rapport avec une « pauvreté » pécuniaire ou économique.

C'est ainsi qu'une religieuse vint en thérapie parce qu'on avait constaté avec surprise qu'elle paniquait chaque fois qu'on lui faisait un compliment, que ce soit à propos de son travail, à l'occasion de son anniversaire ou d'une simple rencontre avec un inconnu. Elle-même ne comprenait pas pourquoi elle prenait la fuite devant toute remarque amicale. On avait naturellement pensé qu'il pouvait s'agir d'angoisse sexuelle conditionnée à l'approche d'un homme, mais on avait rapidement renoncé à cette explication en constatant qu'il n'y avait aucune différence lorsque le compliment venait d'un homme ou d'une femme : c'était chaque fois la même frayeur. A l'arrière-plan de ce problème se cachait la figure d'une mère qui souffrait manifestement d'un grave sentiment d'infériorité, et à qui il arrivait souvent de s'accuser violemment devant ses enfants d'incapacité et d'insuffisance manifestes. Plus d'un observateur avait pu croire que, dans ses moments dépressifs d'autoaccusation, cette femme n'était sans doute pas loin de dire vrai sur elle-même, tellement elle montrait de sottise dans sa manière de se comporter avec ses enfants. En revanche, à ces moments-là, les enfants, qui avaient appris à vénérer et à aimer leur mère comme une femme courageuse et bonne, souffraient beaucoup. Et la future religieuse souffrait en particulier énormément de son sentiment d'avoir à consoler sa mère. Elle avait à peine huit ans lorsqu'elle fit une découverte surprenante : chaque fois qu'on la félicitait, ou quelqu'un d'autre, en présence de sa mère, celle-ci éclatait en plaintes désespérées de ne pas se sentir elle-même comprise et appréciée comme son enfant ou cette autre personne. La future religieuse en conclut qu'il lui fallait dans tous les cas éviter que sa mère ne paraisse se trouver dans son tort, autrement dit qu'il fallait toujours la faire paraître à son avantage aux yeux des tiers. Compte tenu d'elle, il lui semblait aussi de son devoir de paraître « méchante », ou tout au moins de ne pas attirer l'attention sur elle : un rôle de Cendrillon par excellence.

A vrai dire, en comparaison, la « Cendrillon » du conte de Grimm connut un sort meilleur, puisqu'elle jouissait, quoique modestement, d'une certaine affection de la part de son père. Notre religieuse, par contre, avait même appris à craindre le sien : dans la guerre conjugale déclenchée depuis longtemps entre sa mère et son père, celle-ci tenait absolument — au besoin à grand renfort de dépressions — à voir ses enfants prendre le parti de l'élément faible, autrement dit d'elle. Bien sûr, l'enfant aurait fort volontiers entendu un éloge quelconque de son père qu'elle vénérait de loin. Mais il fallait à tout prix empêcher de se laisser entraîner par le père à une infidélité à l'égard de la mère qui souffrait. Ainsi s'était-elle fait un devoir formel de se rabaisser, et même de devenir injuste envers elle-même. Pour éteindre efficacement la colère qui grondait en elle devant les dépressions maternelles, elle avait fini par prendre tout naturellement l'habitude de transformer en leur contraire les remarques critiques qu'elle se faisait sur elle comme sur les autres. Pour elle, le dogme intangible, c'était que sa mère (ou ses successeurs) faisai(en)t bien ce qu'il fallait, mais que c'était elle qui était méchante et incapable, si elle ne parvenait pas, en se dévaluant elle-même, à redonner à sa mère le sentiment de sa valeur qu'elle perdait à chaque crise. Ainsi était née une situation qui est celle de bien des gens : en dépit de leurs capacités souvent remarquables, ils ne parviennent néanmoins jamais à découvrir leurs propres possibilités et à les utiliser.

Dans *Nœuds*, R. D. Laing a décrit la trame relationnelle qui est en cause dans cette forme de dépossession de soi : « Jusqu'à quel point faut-il être malin pour être stupide ? / Les autres lui ont dit qu'elle était stupide. Elle s'est donc rendue stupide / pour ne pas voir combien ils étaient stupides de penser qu'elle était stupide, / parce qu'il était mal de penser qu'ils étaient stupides. / Elle a préféré être stupide et bonne plutôt / que mauvaise et maligne. / Il est mal d'être stupide : il faut qu'elle soit maligne pour être aussi bonne et aussi stupide. Il est mal d'être malin, parce que cela montre combien ils étaient stupides de lui dire combien elle était stupide[16]. » Ce que Laing formule ici d'une manière magistrale, c'est le devoir de refuser, en considération d'autrui, toute appréciation positive de sa propre personne et, finalement, d'en arriver à effacer autant que possible toute trace d'orgueil narcissique devant la perfection de cet anéantissement de soi. C'est bien ici que celui qui est à la recherche des formes d'une pauvreté véritablement vécue en esprit peut les trouver.

Cependant, notre religieuse alla encore plus loin dans ses penchants à se saboter elle-même. Pour pouvoir offrir à sa mère la joie d'avoir une fille dont les succès professionnels ne pourraient blesser le sentiment qu'elle avait elle-même de sa valeur, celle-ci conclut ses fort sérieuses études de préparation à une carrière sociale par un examen lamentable. Au lieu de songer à ses propres examens, elle s'était consacrée avec une fierté remarquable et un succès tout aussi remarquable à la rédaction de diplômes d'autres personnes, leur valant ainsi les félicitations qu'on lui refusait si cruellement. Son évidente disponibilité à rendre service ne lui paraissait évidemment pas un problème ; bien au contraire, c'est sur cette disponibilité qu'elle s'était essentiellement basée pour entrer dans une congrégation avec la certitude qu'elle était apte à cette vie religieuse. Elle demandait formellement à ce qu'on continue à l'exploiter, et elle trouvait une confirmation de sa manière de voir dans l'exemple toujours valable de la Mère de Dieu, l'éternelle servante, dont elle portait respectueusement le nom. Si elle n'avait un jour été victime d'une violente colite ulcéreuse, on n'aurait jamais découvert son extrême « inhibition rétentrice », sa totale incapacité de garder quelque chose pour elle. On n'aurait jamais pu démontrer et réduire cette conjonction presque inévitable d'une disposition hautement névrotique à se vider de soi et de ses idéaux de vertu, selon l'esprit chrétien de pauvreté, à l'image du Divin Sauveur et de sa vénérable Mère.

Nous en revenons donc au même reproche que nous aggravons même : la définition fonctionnelle et la gestion purement pragmatique des conseils évangéliques ne restent pas seulement aveugles aux véritables motivations des clercs individuels, mais elles ne font que rationaliser leurs complexes psychologiques en les drapant de vocables mystiques et en les utilisant cyniquement pour des avantages institutionnels. Seuls la maladie et l'effondrement permettent pour la première fois une espèce de refus et un début de pensée critique.

En plus des mortifications de nature orale, cet exemple met aussi en valeur un facteur complémentaire de cette forme dépressive de l'attitude de pauvreté : le sentiment de culpabilité souvent dramatique qu'engendre chaque utilisation du mot *non*. C'est avec la capacité de dire non que l'enfant acquiert pour la première fois le sentiment de la limitation de son moi [17], c'est en le disant qu'il exprime sa volonté et sa résistance. Le temps de sa fusion duelle avec sa mère est définitivement terminé, et désormais commencent celui des conflits caractéristiques de la phase « anale » par lesquels il affirme sa propre volonté, ou, à l'inverse, celui de sa soumission à la volonté d'un tiers. Mais, parallèlement à leur sentiment de dépendre obligatoirement de la mère, des enfants dont le développement a déjà été si lourdement obéré à sa phase « orale » par des angoisses et des sentiments violents de culpabilité qu'ils ne sont que partiellement en mesure de construire leur moi personnel vont être incapables de dire « non » sans ressentir en eux-mêmes les pires scrupules. Au lieu de s'opposer, ils éprouvent une forte nostalgie d'un refuge paradisiaque où il ne serait plus nécessaire de distinguer entre moi et toi, entre le mien et le tien, mais où tout serait commun comme dans le giron maternel. Des idées de fusion orale tendent à nier, par peur et par culpabilité, un comportement naturel de concurrence et de discussion concernant l'avoir et la propriété de biens, et se traduisent alors par des rêves de communisme primitif tel que l'idéologie communautaire chrétienne le proclame et le promeut. Celle-ci est alors capable d'exercer une séduction qui n'est que trop compréhensible sur des âmes de ce genre. Mais cette incapacité d'avoir un moi propre (éventuellement parce qu'on ne s'y sent pas autorisé), et de pouvoir le constituer en le délimitant par un « non » sans équivoque, peut devenir source de drame.

Nous venons d'expliquer comment les coups du père ou de la mère peuvent formellement inculquer à un jeune être la pauvreté du moi. Mais il y a pire. Dans un court texte, Sigmund Freud a décrit ce qui se passe dans l'âme d'un enfant qu'on bat [18]. Un de ses élèves, Hans Zulliger, défendit avec sérieux l'opinion suivante : « Il y aura inévitablement des guerres sur cette terre tant qu'il y aura des enfants que les adultes battront [19]. » Quand un enfant est battu, il se produit dans son âme une telle accumulation d'angoisse et de colère, d'humiliation et de haine, de refus de soi et de rage de détruire, qu'on ne peut guère espérer voir se dénouer un tel nœud de réactions sadiques et masochistes. En un certain sens, il y a pour un enfant quelque chose de pire encore : c'est d'être témoin de la torture qu'on inflige à l'un de ses frères ou sœurs, au moins lorsque celui-ci lui est très proche. Un tel enfant doit se sentir obligé d'empêcher autant qu'il peut cette horreur. Il lui faut chercher à savoir quand et pour quel motif les coups sont donnés ; il lui faut chercher à avertir et à consoler l'autre, le pire étant pourtant la perspective d'y passer soi-même la fois suivante. Si on est sauvé, ce n'est naturellement pas qu'on est moralement meilleur, mais parce qu'on a éventuellement un peu de chance. Même des enfants de ce genre, rendus « sages » par la frayeur et qu'on n'a jamais été obligé de punir ni même de gronder, racontent interminablement qu'ils tremblaient de tout leur corps quand on battait un de leurs frères ou une de leurs sœurs. Aujourd'hui encore, ils font tout ce qu'ils peuvent pour ne jamais se trouver dans une situation où quelqu'un pourrait leur faire quelque reproche. Toute l'enfance de la jeune femme en question avait été de ce type.

Ces réflexions nous mettent à même de faire le dernier pas dans la compréhension de la pauvreté psychologique en nous introduisant dans une structure psychique de l'expérience où ce n'est plus la maladie, mais le désir de mort, ou la menace de mort, qui vient directement se substituer au « non » du refus. Cela nous fait voir du même coup ce qu'est le revers de toutes les inhibitions : la démesure inconsciente des attentes qui, sans qu'on s'en rende compte, n'est rien d'autre qu'un jeu avec la mort pour faire chanter l'entourage. Des êtres que leur culpabilité a rendus incapables de vivre engendrent finalement, précisément chez ceux qui les prennent au sérieux, de pénibles sentiments de culpabilité pour avoir été partiellement responsables de la mort de l'autre, par négligence, par inattention, par manque de perspicacité.

Les exigences inconscientes exagérées de personnes à qui on en a trop demandé débutent souvent, au niveau des inhibitions orales, par un mutisme complet qui exprime la façon dont tout désir et tout projet sont devenus tabous. On peut rester une heure entière assis face à une religieuse, à un prêtre, sans obtenir plus que le balbutiement d'une ou deux phrases. Naturellement, il ne s'agit pas ici d'une forme de « confiscation de pensée », comme dans un interrogatoire, ou sous l'influence de voix étrangères, comme c'est typiquement le cas dans le silence psychotique. Il s'agit « simplement » du fait que toutes les idées qui se précipitaient à la pensée au début de l'entretien semblent comme annulées, ou alors qu'à chaque mot une voix intérieure se fait entendre pour déclarer sans importance, ridicule, stupide, sans fondement, etc. le terme qu'on avait justement sur la langue. Il est dans la manière de beaucoup de dépressifs de réserver par principe ce qui est important jusqu'à midi moins cinq, et tant qu'à parler, de ne dire jusqu'à ce moment que des choses sans intérêt. Ce n'est que sous la pression du temps, quand l'heure est presque passée, qu'ils osent lâcher le morceau, avec chaque fois le même rituel tragique de l'adieu. Bien sûr, il y a d'un côté le désir contraignant d'en finir ; mais, de l'autre, il faut bien tenir compte du thérapeute. Si celui-ci tient au respect de l'heure, il déçoit, et il provoque donc angoisse, colère, antipathie : sentiments qu'il faut immédiatement refouler et qui vont engendrer à nouveau le mutisme juste au moment où on aurait enfin lâché le mot décisif. L'embarras de se sentir gênant s'accroît, pendant qu'à l'inverse le thérapeute s'efforce entre deux portes de calmer la tension, toujours anxieux de l'accroître en insistant trop fortement. Cependant, s'il s'engage dans une « proposition d'entretien après fermeture du magasin », il risque de voir le patient (ou la patiente) saisi(e) de doute et se faire des reproches : ne s'est-il pas conduit de façon intolérable ? Le thérapeute n'avait-il pas clairement manifesté depuis longtemps son congé ? Quand il regardait sa montre, n'était-ce pas une façon de montrer son impatience ? Des peurs de ce genre sont le meilleur signe que la prochaine séance débutera par les mêmes blocages qu'à la fin de la dernière — cercle vicieux qui aurait de quoi mettre en colère un saint ! Mais un thérapeute ou un pasteur qui n'a pas appris à penser sur le mode psychanalytique remarquera sans doute trop tard, au moment où son client réagit pour ainsi dire « normalement » et tente de briser par un coup de force ce silence compulsionnel, qu'il est — une fois de plus — devenu l'acteur d'une très ancienne compulsion de répétition dans la vie de celui-ci.

On peut d'ailleurs constater le même va-et-vient à propos des cadeaux. Pour expier la faute qu'il y aurait à importuner son semblable avec ses propres difficultés, plus d'une religieuse, faute de posséder quelque chose, apporte des fleurs du jardin du couvent, qu'elle s'est « débrouillée » pour avoir : une façon de couvrir un « vol » par un autre. Se sentant coupable, donc peu sûre d'elle-même, elle attend naturellement un signe d'approbation ou de reconnaissance de la part du donataire dans le secret espoir que celui-ci se montrera d'une façon ou d'une autre particulièrement sensible à son égard. Ainsi se crée une situation insoluble. Car si le thérapeute (ou le pasteur) apprécie « trop peu » son cadeau — mais que signifie trop peu ? —, il semble ne pas comprendre ou même mépriser sa cliente pour laquelle ce don prend une importance énorme, compte tenu de ses privations habituelles. Mais s'il l'apprécie « trop », il risque par mégarde d'éveiller l'impression que la prochaine fois la patiente serait malvenue de ne plus apporter ce signe de « réparation ». De toute façon, dans les deux cas, le problème, tant thérapeutique qu'humain, est d'en arriver à un comportement plus libre touchant le tien et le mien. Mais c'est justement ce à quoi s'oppose la règle de l'ordre, selon la devise : « Il n'y a plus pour nous ni tien ni mien. Nous sommes tous au Christ et le Christ est à nous ! » Il est évident que de telles formules ne font que rationaliser et figer idéologiquement au niveau d'un idéal des formes extrêmes d'inhibition orale-captative, qu'on retrouve dans tous les secteurs de la vie de telles « jeunes filles sans mains ». Mais qui donc, parmi les « directeurs » et les supérieurs aussi bien que parmi les personnes concernées, ose s'avouer que telle semble bien être la vérité ? Or le chemin vers l'humanité passe par la vérité.

Il est particulièrement douloureux de devoir découvrir constamment à quel point la peur peut s'insinuer dans les plus infimes détails. Celui qui entend traiter des inhibitions orales en matière de « pauvreté évangélique » doit savoir que les sentiments d'angoisse et de culpabilité auxquels il se heurtera peuvent remonter au début de la vie, et submerger sous des charges émotives toute relation promettant de devenir un peu plus profonde car ils renvoient aux jours de l'enfance passés auprès de la mère. Une des grandes difficultés dans la fréquentation des clercs tient au fait que l'accumulation des prescriptions concernant les contacts humains constitue une entrave à l'établissement d'une relation suffisamment dense pour déclencher les mécanismes de répétition et de transfert dont l'élaboration permettrait au patient de prendre conscience de sa psychogenèse. Naturellement, les défenseurs de l'ordre établi n'ont aucune peine à brandir l'« objection » que c'est finalement la psychanalyse qui rend tel prêtre ou telle religieuse malade et névrosé, qu'elle complique tout et brouille même les choses les plus simples : « Autrefois, cette sœur, ou ce prêtre, était tout à fait « raisonnables... » En fin de compte les « gens sensés » ont l'impression qu'il aurait été bien préférable d'en rester à la pratique ancienne. De toute façon, il n'est pas souhaitable de libérer les gens d'habitudes qui remontent presque toujours à l'enfance, et les formes de vie cléricales se gardent bien de le faire.

Celui qui songe à guérir psychiquement ne serait-ce qu'un seul être ne peut éviter de mettre en cause le système qui l'a rendu malade. C'est pourquoi, quand il aura partiellement neutralisé les résistances « objectives » : le règlement de l'ordre, l'esprit de communauté, le droit canon, l'obéissance à l'évêque, etc., il se heurtera encore fort souvent à un cycle d'angoisse d'anéantissement et de désirs formels de mort auxquels il ne pourra échapper par ses propres forces. Mais pour celui qui entend pourtant s'attaquer au problème, c'est un véritable jeu d'échecs avec la mort qui s'engage, avec pour enjeu tout ou rien C'est justement ce fait que l'enjeu ne soit pas seulement quelque chose, mais tout, qui rend si dramatique l'affrontement des inhibitions orales et conduit à ce qu'on pourrait appeler « la démesure des gens délicats », ou encore « le totalitarisme de la revendication des angoissés totaux ».

On peut décrire les neuf degrés qui jalonnent la façon de se comporter face à ces désirs inhibés, le dernier venant boucler le cercle de la répétition en reconduisant au point de départ de cette programmation du malheur chronique, avec toujours pour toile de fond une véritable dramaturgie vécue de l'être ou du non-être. Dans l'ordre :

1. J'ai un souhait et je trouve quelqu'un qui peut le combler, qui sans doute même le souhaite.

2. Je commence à avoir peur d'être puni pour avoir osé un souhait pareil et avoir même sincèrement souhaité le voir se réaliser.

3. Je prends la fuite devant la menace que représente la réalisation de mon souhait, de peur d'être puni et je cherche tous les prétextes possibles pour éluder la rencontre avec la personne qui pourrait le réaliser ; éventuellement, je fais tout mon possible pour que le contact ne soit pas satisfaisant.

4. Je me sens vide et solitaire, et je reproche à l'autre d'avoir éveillé en moi ces souhaits, puis de m'avoir abandonné à ma vacuité et à ma solitude.

5. Je pousse l'autre à se défendre et à me déclarer qu'il ne m'a ni séduit ni repoussé ; je le presse si longtemps qu'il finit par se fâcher.

6. Je sais que l'autre ne s'est fâché que pour me punir de mes souhaits, mais je ne le lui dis pas. Je lui dis qu'il est arrogant et méchant, et qu'il veut toujours avoir raison : la question de la relation devient alors une question de pouvoir.

7. Je souhaite mourir, car je n'attends plus rien sur cette terre. Après tout, je ne souhaite plus rien et je veux aller au Ciel. Mais il faut au moins que l'autre reconnaisse avant combien il est fautif à mon égard.

8. J'ai peur de la mort et je voudrais que l'autre vienne me sauver ; mais je me refuse à le faire chanter par mon souhait de mort ; il suffira que, lorsque je mourrai, il reconnaisse ses torts.

9 = 1.

Tout cela ne fait qu'exprimer une revendication constante : Sauve-moi ! Et en même temps, la négation angoissée de cette revendication, qui se traduit dans l'attitude suivante : De toi je ne veux absolument rien. Ce qui rebondit en reproche : Tu es un monstre si tu ne remarques pas de toi-même ce qui me manque.

Au lieu d'affirmer que tous ces démêlés constituent une sorte de jeu d'échecs avec la mort, on peut également dire qu'il s'agit d'un combat avec l'Hydre de Lerne, dont la tête repoussait aussi souvent qu'on la coupait.

A l'origine de cette fuite radicale par peur de la rencontre, et de cette nostalgie de la rencontre, on trouve régulièrement au stade oral un comportement maternel qui en trace l'esquisse : la mère « donne le sein » à l'enfant, c'est-à-dire qu'elle fait tout pour le contenter ; mais elle ne peut le faire qu'avec le sentiment qu'elle en a assez de cet enfant, en même temps qu'avec l'insistance de celle qui est enfin contente — en d'autres termes, elle met dans ses soins une espèce de violence qui ôte à l'enfant toute marge de manœuvre ; pour parler en termes de morale, il n'a plus le droit de se plaindre, pas plus que Jeannot et Margot. Mais, devant cette pression, l'enfant prend peur et « pleurniche » sans qu'on puisse comprendre ce qui peut lui manquer, puisqu'on a tout fait pour qu'il soit content. La mère interprète de nouveau la plainte de son enfant pour ce qu'elle est réellement : un reproche de ne pas être assez aimé. Et débute alors ce combat à la vie à la mort entre elle et l'enfant, celui qui se reproduira sans cesse par la suite. L'enfant apprend qu'il casse tout en rendant sa maman maussade et de mauvaise humeur (en lui « mordant le sein », dans le langage de K. Abraham[20] et de M. Klein[21]), et c'est justement ce sentiment d'être coupable de vouloir tout démolir qui deviendra plus tard un devoir formel : il faut de propos délibéré ruiner les relations, alors qu'au fond on souhaite en vivre. Par ailleurs, ce sentiment de culpabilité conforte évidemment chez la mère la certitude de son droit illimité de dominer : elle doit savoir, et elle sait, ce qui est bon pour cet enfant méchant et jamais satisfait. Pour l'enfant, c'est une dépendance, certes, mais il peut l'éprouver comme une retraite sûre et comme une protection, par rapport à lui-même et par rapport à un monde ressenti comme hostile. Recommence alors le va-et-vient entre la peur de se perdre dans la proximité de la mère et de perdre tout droit à un moi personnel, et l'angoisse affreuse de se voir abandonné à sa solitude. Ainsi ne peut-on plus supporter de rester ni chez l'autre, ni chez soi.

Mais le pire est que cette contrainte, ou ce plaisir de détruire ce qui pourrait rendre heureux et cette volonté désespérée de retrouver ce qu'on a « déchiré à belles dents » sont toujours à la recherche de nouvelles « victimes ». Celui qui veut comprendre ce qu'est la véritable « pauvreté » la découvre ici ; car nul n'est plus pauvre que celui qui doit sans cesse refaire son malheur. En dehors de l'élaboration psychanalytique de ces jeux du destin dans l'inconscient, il n'existe sans doute plus d'autre alternative que, selon le modèle biblique, de rendre ou Dieu ou le diable responsable de cette impulsion à détruire son propre bonheur. Tant qu'on lutte, on peut encore soupçonner qu'il s'agit de quelque chose de « démoniaque », d'un « mauvais esprit » à l'œuvre dans cette intériorisation de ces sentiments d'angoisse et de culpabilité. Mais, à partir d'un certain point, on se laisse saisir par un sentiment de reconnaissance résignée : on a été élu par Dieu pour enrichir les autres en se laissant dépouiller de tout. C'est d'ici que démarre la voie des clercs.

Nous en sommes au point de notre développement où nous nous heurtons à l'ultime manœuvre de fuite, aussi claire que fatale, de ces êtres psychologiquement démunis devant eux-mêmes : la fuite dans la solidarité avec ceux qui sont matériellement pauvres, une solidarité dont nous avons déjà vu comment on pouvait la rationaliser en l'idéalisant. Quel bien cela ne fait-il pas, de pouvoir oublier sa propre pauvreté personnelle en se sentant quasi magiquement attiré par ceux qui sont prétendument encore plus pauvres !

Il faut insister encore : nous n'avons rien contre la tentative de combattre de toutes ses forces la misère et la détresse dans le monde. Mais il faut bien voir qu'il n'est psychologiquement pas possible d'engager toutes ses forces tant qu'on a soi-même besoin de la misère d'autrui pour éviter d'avoir à travailler ses propres conflits, ou même pour les justifier et donc continuer à vivre sans y toucher. Celui qui fait vertu de sa misère ne sera pas particulièrement apte à diminuer objectivement une misère étrangère. Quant au reste, précisons bien les concepts. Répartir équitablement la prospérité existante, ce n'est pas lutter contre la pauvreté, mais pour la justice ; il s'agit d'imposer le Bill of Rights, et non le conseil de la pauvreté évangélique. Mais, psychologiquement, il faut se poser clairement la question : comment sont donc construits ces gens qui ont besoin de vivre les formes extérieures de l'idéal chrétien de pauvreté, et qui le souhaitent même ardemment, pour pouvoir se sentir enfin sur la bonne route ?

Il s'agit donc ici de démonter les mensonges, les falsifications et les clichés névrotiques qui permettent de continuer à agir comme s'il était possible de vivre de réalités divines objectives en se dispensant d'être authentiquement humain et en faisant fi de sa cohérence personnelle. Il s'agit en particulier de remettre radicalement en question la façon dont on exalte théologiquement une image de la mère en la subsumant sous l'idéal du Christ et de la volonté divine.

Pour dire les choses en d'autres termes : sainte Thérèse de l'Enfant Jésus était sans aucun doute véritablement « pauvre », au sens traditionnel de l'idéal chrétien de pauvreté. Dans ses *Lettres*, elle développe d'interminables considérations pour dire combien elle souhaite être petite et pauvre pour se jeter dans les bras de l'enfant Jésus comme un ballon dépourvu de toute volonté : « [...] Je n'ai qu'un désir, celui de faire sa volonté. Tu te souviens peut-être qu'autrefois j'aimais à me dire " le petit jouet de Jésus ", maintenant encore, je suis heureuse de l'être, seulement j'ai pensé que le Divin Enfant avait bien d'autres âmes remplies de vertus sublimes qui se disaient " ses jouets ", j'ai donc pensé qu'elles étaient ses *beaux jouets* et que ma pauvre âme n'était qu'un *petit* jouet sans valeur... pour me consoler, je me suis dit que souvent les enfants ont plus de plaisir avec des *petits jouets* qu'ils peuvent *laisser* ou *prendre*, *briser* ou *baiser* à leur fantaisie qu'avec d'autres d'une valeur plus grande qu'ils n'osent presque pas toucher... Alors je me suis réjouie d'être *pauvre*, j'ai désiré le devenir chaque jour davantage afin que chaque jour Jésus prenne plus de plaisir à se *jouer* de moi [22]. » Et à un autre endroit : « Jésus, priez pour le pauvre petit grain de sable, que le grain de sable soit toujours à sa place c'est-à-dire sous les pieds de tous, que personne ne pense à lui, que son existence soit pour ainsi dire *ignorée*, le grain de sable ne désire pas d'être *humilié*, c'est encore trop glorieux puisqu'on serait obligé de s'occuper de lui, il ne désire qu'une chose, être OUBLIÉ, compté pour *rien* (Im I, 2,3) !... Mais il désire être *vu* de *Jésus*, si les regards des créatures ne peuvent s'abaisser jusqu'à lui que du moins la face ensanglantée de Jésus se tourne vers lui... Il ne désire qu'un regard, un seul regard [23] !... »

Ici se pose une question de principe : celui qui ne se sentirait pas inquiet, comme homme, comme pasteur, devant de tels accents de dépouillement mystique de soi-même, mais qui y verrait sans réserve un modèle exemplaire de la pauvreté chrétienne doit s'attendre à se voir reprocher son incapacité à distinguer entre névrose et sainteté, voire sa propension à déclarer que, dans certaines conditions que l'institution ecclésiastique reconnaîtrait comme positives, la névrose peut être une sainte obligation. Mais cela ne servira à rien : dans l'Église, nous sommes aujourd'hui dans l'obligation de réinterpréter nos catégories centrales, par exemple celle de la pauvreté, pour leur redonner leur crédibilité humaine et leur valeur libératrice. C'est tout aussi vrai pour les autres catégories : l'obéissance et la chasteté, ce que nous allons voir sans tarder.

C. OBÉISSANCE ET HUMILITÉ : LES CONFLITS DE L'ANALITÉ

« Que Dieu me donne la force
de ne pas Lui accorder aveuglément confiance. »
(Otto Hahn)

a. Les dispositions et les prescriptions de l'Église : l'idéal de la disponibilité

Disons d'emblée que l'attitude d'obéissance n'est pas une exigence nouvelle surajoutée à celles de la vie monacale, car elle n'est essentiellement que l'aspect extérieur de la pauvreté afférente à la vie en commun des clercs. Tant qu'on considère la pauvreté évangélique comme une forme de vie purement extérieure et matérielle où l'on s'engage par solidarité avec les pauvres de l'humanité, par exemple, on risque de ne pas apercevoir la cohérence qui existe entre les conseils évangéliques. Déjà dans l'exigence de pauvreté il s'agissait en réalité, et il s'agit toujours, de l'expression d'un sentiment qu'on a de sa vie : celui de vide intérieur et de vanité, celui d'un moi qui renonce à ses désirs, celui de la destruction de son être personnel. Avec l'obéissance prise au sens idéal, il s'agit d'un escamotage de tout ce qu'il y a de personnel dans l'activité, de la mortification du moi dans ses actes, du transfert de la volonté du moi sur celle, tout extérieure, d'un autre.

Bien sûr, il suffit d'écrire cela pour entendre se déchaîner un chœur de personnes indignées clamant à tue-tête que la véritable obéissance s'adresse au Christ, et donc à Dieu, qui est à la source de l'être et de l'agir humains, qu'il rend précisément possibles. Mais c'est justement la question dont nous avons à traiter : que signifient exactement les réglementations ecclésiastiques quand elles réclament l'obéissance des clercs, et quelles sont les raisons et les conséquences psychologiques de cette exigence ?

Celui qui a lu les dernières phrases de Thérèse Martin sur la pauvreté peut estimer qu'après tout elles ne font rien d'autre que traduire humilité et amour de Dieu. Ce n'est pourtant pas le cas. A y regarder de près la « petite Thérèse » ne fait que décrire l'état caractérisant le sixième degré de l'humilité, celui que saint

Benoît, au VIe siècle, rendait obligatoire dans sa Règle de la vie monastique en Occident, en le considérant comme une des douze étapes de la progression dans l'humilité. Quand on parcourt les stipulations de cette Règle, on comprend mieux, après coup, non seulement l'unité de la pauvreté, de l'obéissance et de l'humilité, mais aussi le degré incroyable de destruction psychologique de soi et de crispation névrotique qu'on peut constater chez les clercs de l'Église catholique, en particulier dans leur promesse d'obéissance[1].

C'est dans la Bible que Benoît a puisé les textes — qu'il interprète selon l'exégèse du temps[2], c'est-à-dire en les arrangeant quelque peu — qui fondent ce chemin de la mortification personnelle. Psychologiquement, ce chemin commence explicitement par le thème de la pauvreté. Puis il s'élève par degrés de la conscience croissante du péché à la remise de soi entre les mains d'autrui, puis à l'abandon de tout mouvement de volonté propre, jusqu'à cette « vertu » d'humilité qui s'accompagne tout naturellement de la joie[3]. Peu importe la façon dont on peut expliquer la maturation de cette attitude, que ce soit à partir du traité des vertus d'Aristote[4] ou des auteurs à la mode à l'époque (saint Basile[5] et saint Augustin[6]). Psychanalytiquement, une chose semble hors de doute : il s'agit d'un système d'intériorisation progressive d'une direction venant de l'extérieur. Ce qui est valable, ce n'est pas le moi, indigne, pécheur, peu sûr et récalcitrant, mais la direction d'autrui : le modèle du Christ, la monition du supérieur ou éventuellement du directeur spirituel[7]. Que ce soit le Christ ou l'ordre, le siège de la vérité se trouve de toute façon par principe en dehors de la personne. Et cette équivalence posée entre ce qui est personnel et l'inauthentique, le non-chrétien, et même ce qui s'oppose à Dieu, ne peut pas ne pas entraîner une constante méfiance à l'égard de la psyché personnelle, ainsi que la propension désespérée à chercher son salut en d'autres en acceptant leur direction. Si on prend au mot cette invitation à l'humilité, cela engendre dans la vie une échelle de valeurs selon laquelle ce qui est personnel est erroné par principe parce que c'est personnel ; de même ce qui vient du dehors doit paraître vrai tout simplement parce que cela vient du dehors et est donc censément désintéressé.

De cette manière, le divin, la vérité, se situe dans la négation purement abstraite de la volonté propre, laquelle se trouve ainsi vidée de tout contenu concret et se réduit à la volonté purement formelle de ne pas vouloir par soi-même. Il ne s'agit donc pas, en aucune manière, de surmonter les motivations « égoïstes » d'une volonté qui la pousseraient à faire ce qui lui convient. Il s'agit de détruire en lui-même le fondement de la volonté personnelle. La faute, ce n'est pas de faire du moi l'objet unique de la volonté, c'est qu'il prétende être le sujet de celle-ci. C'est cela, l'imperfection, l'erreur, donc ce qu'il faut vaincre. Vouloir être sujet de son propre vouloir équivaut à une volonté subjective, et c'est la source de tout mal. Dans ces conditions, on ne peut même pas répondre logiquement à la question de savoir comment ce moi extérieur — la personne du supérieur par exemple — pourrait et devrait faire exception et ne pas être affligé de cette prétendue imperfection et faiblesse. Mais on masque habituellement cette question en affirmant que, dans l'autre, c'est en quelque sorte Dieu lui-même, ou éventuellement « l'Église du Christ » qui parle, et que, de ce fait, la vérité divine trouve d'elle-même son expression[8]. Ainsi se crée l'illusion d'une collectivité sans sujets voulue par Dieu, quoi qu'il arrive et quoi qu'on ordonne. En d'autres termes : l'élimination du moi individuel s'accompagne nécessairement de la transformation idéologique du groupe en une grandeur absolue qui, en tant que collective, prétend être la vérité même et rendre celle-ci visible sans aucune contestation possible[9].

Dans le prolongement de cette analyse, on saisit en même temps la signification de la fonctionnalité dont nous avons ci-dessus analysé le détail dans les formes de pensée, de vie et de relations humaines. Ce n'est même pas parce que le supérieur a une personnalité particulière en tant qu'individu qu'il est nanti d'une science divine, mais parce qu'il est l'homme d'une fonction. Il a raison et il jouit donc de tous les droits parce qu'il est le supérieur. En d'autres termes : l'impasse sur la volonté personnelle va de pair avec la totalisation du collectif ; et la méfiance de principe dont on affecte l'individu se mue en une confiance de principe et sans restriction dans la vérité du groupe en tant que tel. On ne peut pas substituer de manière plus parfaite l'identification de l'individu avec le groupe à ce qui devrait être le terme de l'intégration : l'individuation. L'individu ne se joint pas à la communauté des « sauvés » parce qu'il serait ramené à lui-même ; il n'a au contraire de chance d'être « sauvé » qu'en se niant totalement lui-même pour s'abandonner sans réserve à la communauté des « sauvés », l'Église[10]. Toute la tension de la recherche de la vérité entre le particulier et le général, toute la dialectique et toute la dynamique du dialogue et de l'effort pour répondre à la mission divine se trouvent ainsi reportées sur la substantialité d'une Église qui porte la vérité en elle, alors que l'individu, par principe, parce qu'il n'est qu'individu, incarne et représente la non-vérité. Entre l'objectif et le subjectif, il n'y a donc plus de ce fait d'autre médiation que celle de l'obéissance, de la soumission totale, de l'abnégation de la volonté personnelle, voire de l'extirpation de celle-ci au profit du monopole absolu de la vérité du groupe constitué.

Certes, il ne manque pas aujourd'hui, en particulier chez les bénédictins eux-mêmes, de tentatives importantes et remarquables pour réinterpréter ces manières de voir, et ce n'est pas un hasard que de nombreuses communautés prennent pour modèle Bouddha [11]. Vue dans l'optique de la psychologie des profondeurs, la volonté d'unité avec le Christ ne peut-elle être comprise analytiquement comme une exigence de fusion avec le vrai moi, avec la figure du « Fils de l'Homme », avec le divin présent en son propre cœur [12] ? Pour la formation d'une conscience de soi, n'est-il pas indispensable de renoncer à l'idée que le moi personnel, le caractère personnel de la décision, est le principe de tout mal [13] ? Et le processus permettant de cheminer vers ce résultat ne comporte-t-il pas nécessairement un apprentissage progressif de l'obéissance ?

De fait, un des exercices les plus importants du bouddhisme consiste à évider le moi. La psychologie et la métaphysique de cette religion tendent même à nier l'ipséité de la conscience humaine avec des arguments qui rappellent la critique d'Emmanuel Kant [14] concernant la connaissance du caractère substantiel de l'âme humaine [15]. La différence n'en est pas moins éclatante, et aucun artifice d'interprétation, si bien intentionné et si heureux soit-il, ne saurait permettre de l'éliminer. En effet, lorsque Bouddha mourut à Kuṣinara, il demanda précisément à ses moines de l'oublier, lui, l'Éveillé, comme personne individuelle, et de ne point chercher à le prendre pour modèle extérieur. « Vous êtes à vous-mêmes votre lumière. Cherchez sans cesse » : telles furent ses dernières paroles [16].

Il est indéniable qu'on trouve également dans l'Eglise catholique des essais de recherche du Christ intérieur, surtout chez les mystiques du Moyen Âge [17]. Mais il est tout aussi certain que l'Église catholique a toujours manifesté de la méfiance à l'égard du mysticisme : il est soi-disant trop subjectif. Il n'aurait essentiellement pas besoin de la médiation d'autrui pour rejoindre Dieu. Il prendrait place en droite ligne parmi les ascendants du protestantisme — les théologiens politiques, autrement dit les révolutionnaires eschatologistes tels que Thomas Müntzer[18], n'ont-ils pas eu recours aux sermons de Tauler[19], le mystique, pour y trouver des munitions spirituelles ?

A la lecture des textes dans lesquels saint Benoît évoque l'humilité et l'obéissance, aucun doute n'est possible : il n'est à aucun moment question d'une obéissance mystique au Christ intérieur : tout au contraire, on identifie de façon purement extérieure l'autre (le supérieur, le directeur, l'abbé) au Christ. Selon cette vision des choses, l'obéissance aux supérieurs est *ipso facto* obéissance au Christ et, si elle est consentie « joyeusement », elle devient un acte méritoire devant Dieu. Qu'on note bien qu'il ne s'agit jamais là de certains contenus qui obligeraient dans tel ou tel cas particulier. Il s'agit d'un principe formel, fondé sur l'annihilation de la volonté personnelle, qui est élevé en soi au rang d'idéal des chrétiens. On ne peut s'empêcher de voir en cette affaire l'expression la plus poussée d'une imposition extérieure de la décision, d'une hétéronomie totale, au sens kantien du terme[20].

Celui qui voudrait relativiser ou discuter l'évidence de ce jugement en tenant compte de l'époque, le VIe siècle, n'a qu'à voir le retentissement historique qu'à eu cette façon de penser dans les dispositions ecclésiastiques concernant la vie monastique. Cette enquête à travers l'histoire le mettra sans équivoque possible devant une situation pire encore. En la matière, les membres de l'ordre des Jésuites sont de véritables experts, tout comme les Franciscains le sont pour la pauvreté. Dans ses *Exercices spirituels* (IIe partie, point 3), le fondateur de l'ordre, saint Ignace, recommande par exemple au retraitant qui s'est déjà instruit des jours entiers des ruses et des tentations de Satan les vertus de pauvreté spirituelle et d'humilité qu'il considère avec raison comme profondément unes. « Il y a, dit-il, trois échelons : le premier, la pauvreté contraire à la richesse ; le deuxième, l'opprobre ou le mépris contraire à l'honneur mondain ; le troisième, l'humilité contraire à l'orgueil ; et [qu']à partir de ces trois échelons, ses envoyés [du Christ] conduisent à toutes les autres vertus[21]. »

Plus précisément, dans sa conception de l'obéissance, saint

Ignace tient à une totale indifférence du vouloir. Il met celle-ci au même niveau qu'une indifférence quasi stoïque à l'égard de tous les devoirs et objectifs possibles[22]. Pour lui, la parfaite obéissance consiste en ce qu'on ne veut souhaiter ni vouloir rien de particulier, et donc à se tenir ainsi intérieurement prêt à toutes les missions possibles[23]. Ce qu'il a donc dans l'esprit quand il parle d'obéissance, c'est la disponibilité pure et simple. Comparée avec la Règle de saint Benoît, la notion elle-même garde le même contenu ; elle est simplement comprise de façon plus pragmatique, plus instrumentale, plus militaire.

On a eu raison de noter la ressemblance très forte qui existe entre cette pensée d'Ignace dans les *Exercices* et l'Hesychasme de l'Église orientale ; ainsi, quand Grégoire Palamas écrit : « Ne se souciant que d'eux-mêmes, par une attention rigoureuse et une prière pure, parvenus jusqu'à Dieu par une union mystique et supra-intellectuelle avec Lui, ils [les moines] ont été initiés à ce qui dépasse l'intelligence[24]. » Pourtant, le règlement de l'Ordre que saint Ignace formula en 1551 montre de toute évidence qu'il n'est pas question du tout d'obéir aux mouvements de son propre cœur, mais essentiellement et exclusivement aux instances ecclésiastiques, et cela avec une rigueur qui, dans son intransigeance et sa dureté, n'a pas sa pareille dans l'Église catholique. Écoutons encore les *Statuts*, chap. Ier, 6e partie : « Ce qui concerne l'obéissance » : « Tous s'exerceront à l'obéissance avec grand soin et y excelleront non seulement dans les choses obligatoires, mais aussi dans les autres, lorsque sans ordre formel un supérieur se contentera d'exprimer sa volonté. L'esprit doit être dirigé vers Dieu notre Seigneur et Créateur pour l'amour duquel nous obéissons à un homme. Ni la crainte ni l'inquiétude ne doivent nous guider mais seulement l'amour. Il faut s'efforcer avec persévérance de ne jamais rester en deçà de la perfection qu'on peut atteindre avec la grâce de Dieu, en observant exactement les Constitutions et en accomplissant ce qu'exige le caractère particulier de l'Ordre. Toutes les forces doivent s'appliquer à cette vertu qu'est l'obéissance, due d'abord au Pape ensuite au supérieur de l'Ordre. Pour tout ce à quoi peut s'appliquer l'obéissance dans l'amour, chacun, sur un mot du chef, comme si ce mot sortait de la bouche même du Christ, se tiendra prêt sans aucun retard, renonçant à toute autre occupation, même à achever une lettre d'alphabet commencée. Toutes nos pensées et tous nos efforts dans le Seigneur doivent tendre à ce qu'en nous soit toujours plus parfaite la sainte vertu d'obéissance, aussi bien dans l'exécution que dans notre volonté et dans notre intelligence, tandis qu'avec persévérance et joie intérieure nous accomplissons volontiers tout ce dont nous sommes chargés. Tout ordre doit nous convenir. Nous renierons, pour notre part, toute autre façon de voir et toute autre opinion dans une sorte d'obéissance aveugle, et cela en tout ce qui n'est pas un péché. Chacun doit être convaincu que quiconque vit dans l'obéissance doit se laisser guider et diriger par la Divine Providence, avec l'intermédiaire de ses supérieurs comme s'il était un cadavre, qu'on peut transporter n'importe où et traiter n'importe comment, tel encore le bâton du vieillard qui sert partout et à tout usage. C'est ainsi que celui qui obéit accomplira, l'âme joyeuse, chaque tâche que le supérieur lui confiera pour le bien de tous, convaincu que de cette façon, plus que de toute autre où il suivrait son sens et sa volonté propres, il se conforme à la volonté divine. On recommande donc instamment à tous de témoigner un grand respect, intérieurement surtout, à leur supérieur, de voir et d'honorer le Christ en lui, et de l'aimer profondément comme leur père dans le Christ. C'est pourquoi leur vie intérieure et extérieure sera pour le Supérieur comme un livre ouvert, afin qu'ils puissent être conduits d'autant mieux dans un esprit d'amour sur le chemin du salut et de la sanctification[25]. »

On voit nettement à quel point ces ordonnances expriment jusque dans leurs formulations l'esprit commun à tout le monachisme occidental. Il ne s'agit donc ici absolument pas d'une pensée propre à Ignace. La formulation classique de « l'obéissance comme un cadavre », par exemple, se retrouve sous des images analogues, par exemple dans la Règle de saint François[26] dont nous aurons à reparler bientôt plus en détail. Le seul apport personnel dont il faille le créditer réside dans sa radicalisation et son intensification de l'héritage reçu. L'essentiel, il le doit à la tradition elle-même : l'obéissance sans réserve et sans hésitation, la joie à se soumettre, et surtout l'identification de la volonté du supérieur avec celle de la Divine Providence.

Il importe ici de bien voir que lorsqu'il fonda l'ordre jésuite, au XVIe siècle, les temps avaient beaucoup changé. On peut inscrire au crédit de la règle de saint Benoît, écrite au VIe siècle, qu'elle fut conçue à une époque où on pouvait considérer comme évidente la soumission à des autorités instituées par Dieu. Mais en revanche le siècle d'Ignace, celui de la Renaissance et de la Réforme, avait connu l'orageuse découverte de la liberté individuelle, un pas préparé depuis longtemps par le développement économique. Il faut se rappeler que, au début du Moyen Âge, l'activité professionnelle était presque exclusivement le fait des couvents et des fermes seigneuriales ; pas plus le travail que l'efficacité ne favorisaient le développement de la conscience autonome. C'est le développement des villes et de ce qui y est lié, la libération économique et juridique des bourgeois, qui devinrent à partir du XIIe siècle un puissant facteur d'émancipation et d'indépendance, par rapport à l'Église comme par rapport aux seigneurs. Ainsi naquirent le commerce, l'artisanat et les métiers[27]. Certes, même alors, une grande partie des biens de consommation venaient de la production familiale, surtout à la campagne. Mais jusqu'au XVe siècle se développèrent dans les grandes villes de soixante-dix à quatre-vingts métiers manuels qui se regroupèrent partout en corporations[28]. En d'autres termes, la vie devint de plus en plus compliquée et différenciée. Il fut de moins en moins possible de soumettre la réalité sociale à un plan et à un commandement uniques. On n'en vit que davantage s'affirmer des idées telles que celle de compétence, ou se développer la nécessité de soumettre les diverses activités professionnelles à des règlements particuliers.

Dans ces conditions, la formulation de l'obéissance, déjà dans la Règle de saint François, et davantage encore chez Ignace de Loyola, trois cents ans plus tard, représente vraiment, du point de vue de l'histoire spirituelle comme de celui de l'histoire sociale, un retour à l'époque antérieure au Moyen Âge. Elle constitue même en un certain sens une protestation dirigée contre les forces auxquelles nous devons le passage du Moyen Âge aux temps modernes. En d'autres termes, il y a six cents ans, la réponse de l'Église au pluralisme croissant d'un monde de plus en plus complexe aurait déjà dû consister en une ouverture à plus de liberté et à plus de responsabilité personnelles, donc à un style de vie marqué par le dialogue et la coopération. Au lieu de quoi l'Église catholique a tenté jusqu'à l'extrême de rassembler ce monde de plus en plus diversifié sur la base d'une image périmée. Elle s'est ainsi condamnée elle-même à déclarer hérétiques une masse immense d'humains qui ne voulaient pas se soumettre à son autocratie monolithique[29]. On a substitué le volontarisme d'une vérité imposée à une perspective de recherche tâtonnante d'une vision et d'une conviction communes. Il n'y a pas de doute que l'exigence d'obéissance, telle que l'entendait Ignace, avait pour visée essentielle de transformer l'ancienne attitude monacale d'humilité en un glaive de la Contre-Réforme de l'Église catholique[30]. Rien n'exprime mieux cette volonté de vérité que l'Escorial de Philippe II, ce monument vide et sans substance, exemple même de l'architecture catholique, forteresse de la puissance, où l'âme se sent pétrifiée et le corps gelé[31]. La vérité sur ordre, celle qui se prétend crédible parce que faite de la soumission de la volonté, ce froid volontarisme dédaigneux de tout ce qui est personnel, voilà une attitude qu'on ne peut ni interpréter ni comprendre sans penser au prix qu'il a fallu la payer, celui qu'elle exigeait et qui la justifiait : les guerres de religion et l'Inquisition, les persécutions des juifs et les bûchers des sorcières, le début des conquêtes coloniales et la destruction des cultures « païennes » par le glaive, suivant la parole du Seigneur Jésus-Christ (Ap 19, 15)[32]. Il s'agissait d'une obéissance où l'individu se violente psychologiquement lui-même et violente les autres et se donne par là même le droit de soumettre par la force tous ceux qui pensent autrement. Pour dire les choses carrément : l'obéissance n'a de sens que là où quelqu'un commande ; mais ne peut commander que celui qui dispose de la force à cet effet. Le contenu toujours caché sous l'idéalisation de l'obéissance, c'est l'idéologie de puissance de l'Église elle-même. Jamais humains n'ont régné de façon plus totale et plus absolue que quand ils ont déclaré commander à la place de Dieu et avoir donc droit à l'obéissance absolue.

Pour « justifier » l'exigence d'obéissance selon saint Ignace, malgré le caractère fondamentalement anachronique qui était déjà le sien à l'époque de la fondation de l'Ordre, on pourrait encore faire valoir certaines circonstances historiques. Aux temps de l'absolutisme, deux cents ans encore après lui, les souverains régnants s'arrogeront comme allant de soi le droit de décider de la religion de leurs sujets[33]. Et des formules comme celle par laquelle Louis XIV se déclare « roi par la grâce de Dieu » pourraient provenir sans aucune retouche de celles par lesquelles les anciens Égyptiens vénéraient dans leurs pharaons des « fils du Soleil »[34]. Pourquoi alors le pape de Rome, le *pater Patrum,* le père des Pères, n'aurait-il pas le droit d'imposer sa vérité à ses subordonnés[35] ? Il l'aurait peut-être eu si malheureusement la parole de Jésus n'avait pas gardé sa validité, aussi et précisément pour lui : « Mais vous, ne permettez jamais qu'on vous appelle père » (Mt 23, 9)[36]. N'oublions pas non plus que les souverains ne purent s'approprier une autorité en matière de religion qu'après que le chaos de la Guerre de trente ans eut montré l'impossibilité d'atteindre à une paix de tolérance et de concorde, comme celle conclue à Münster en 1648, sinon en réussissant à contenir dans certaines limites de la raison humaine et du pragmatisme religieux la manie fanatique d'imposer sa foi[37]. En fait, le despotisme éclairé se débarrassera dès le milieu du milieu du XVIIIe siècle de toute prétention à une compétence religieuse et déclarera que la religion est affaire privée des personnes : c'est ainsi que, sans qu'on l'ait explicitement voulu, l'absolutisme du pouvoir humain prit fin[38].

Du point de vue de l'histoire spirituelle, c'est au plus tard à partir de ce moment-là qu'on peut considérer comme liquidé et définitivement dépassé le principe d'une obéissance par soumission du sujet individuel à un système d'observances extérieures. Il n'en paraît que plus effrayant de voir que, en Occident, de tous les groupes à activité culturelle ou spirituelle, l'Église catholique est le seul à n'avoir pas renoncé à sa vision de la sainteté de l'obéissance évangélique, comprise comme une soumission sans condition de la personne à la volonté des supérieurs ecclésiastiques, et à n'avoir pas cherché à mettre en accord son style de vie avec le principe fondamental de l'époque contemporaine : la liberté humaine, et en particulier la « liberté du chrétien[39] ».

Ainsi comprise et en dépit des notations sur la route « commune », l'obéissance est une sorte de participation au martyre du Christ. Idéalement, cette attitude comporte le sacrifice, le dévouement permanent et l'abnégation au profit de la communauté en laquelle la volonté de Dieu prend figure concrète. Le personnage suprême auquel s'adresse cette soumission de l'individu à la volonté de l'Église, c'est le « père des Pères », le Saint-Père, le pape. La divinisation de son pouvoir de commandement apparaît comme le pendant logique de la volonté absolutisée de ne-pas-pouvoir-être-soi-même. Autant on peut dire que l'attitude d'humilité de saint François semblait s'opposer logiquement à la volonté de puissance d'un pape comme Innocent III, autant, d'un point de vue psychosociologique, les deux attitudes semblent se conditionner réciproquement comme les deux foyers d'une ellipse : l'absolutisation d'un groupe humain, considéré comme le haut-parleur exclusif de la volonté divine, engendre nécessairement la polarisation de la toute-puissance et de l'impuissance, ce qu'il ne faudrait pas comprendre à la manière de la dialectique maître-esclave de Hegel, car celle-ci entraîne un continuel renversement des rôles, tandis que nous avons ici affaire à une structure hiérarchique qui n'admet qu'une forme de fonctionnement : linéaire, irréversible, pyramidale.

Rien ne fait mieux voir la correspondance entre l'obéissance religieuse et le pouvoir papal que ce pontife qui, le premier, a perçu dans les trois conseils évangéliques le moyen idoine pour affirmer le centralisme romain à l'extérieur aussi bien qu'à l'intérieur, en luttant contre les rois, les anti-papes et les hérétiques afin de réaliser une théocratie de la meilleure coulée, créant ainsi les bases de l'idée « Église catholique romaine ». C'est en effet Grégoire VII (1073-1085) qui, dans son *Dictatus Papae* bien connu, exigeait la suprématie sans limites du pape : « Sur terre personne ne peut juger le pape. L'Église romaine ne s'est jamais trompée et sera infaillible jusqu'à la fin des temps. Le pape seul peut déposer des évêques [...] Il peut déposer l'Empereur et les rois, et dispenser leurs sujets de leur allégeance. Tous les souverains doivent lui baiser les pieds [...] Un pape régulièrement élu est indiscutablement un saint de par les mérites de saint Pierre[40]. » Dans l'histoire de la papauté, c'est la première fois qu'on faisait valoir si ouvertement, non seulement la revendication de la puissance romaine, mais plus encore la combinaison du pouvoir et de la vérité, ou mieux encore, la définition du pouvoir comme vérité, telle que l'exprime cette pensée. Et qu'on ne s'y méprenne pas : il ne s'agit pas d'épisodes ou de reliques médiévaux, mais du fondement spirituel sur lequel se construit l'exigence d'obéissance absolue à l'autorité religieuse. Ce n'est que quand la fonction du pape est elle-même la vérité de Dieu qu'elle peut mériter et exiger de ses subordonnés le dépouillement total de leur être propre. L'histoire de l'Église nous montre avec quelle adresse Grégoire VII a su fonder « théologiquement » son pouvoir : à coups de faux documents, ceux sur lesquels s'appuiera cent ans plus tard le moine bénédictin Gratien pour composer son *Decretum*, une compilation de citations comprenant notamment des déclarations inauthentiques d'autorités romaines des quatre premiers siècles, par lesquelles on cherchait à montrer que le pape est « sans réserve au-dessus du droit », qu'il en « est la source ». « Il doit donc prendre la même place que le fils de Dieu[41]. »

Désormais, l'Église romaine prendra sa marque caractéristique : « Chaque Église devait se conformer au modèle romain, si éloigné fût-il de ses origines et de ses expériences. Latin, célibat, théologie scolastique : tout cela fut si bien imposé que l'uniformité fondée sur Rome prit la place de l'unanimité. Les changements amenés par Grégoire se reflétèrent même dans le langage. Avant lui on donnait traditionnellement au pape le titre de représentant de Pierre. Après lui, ce fut celui de représentant du Christ. Seule cette " représentation du Christ " pouvait justifier ses prétentions absolues, et c'est de ce pape que ses sucesseurs en ont en réalité hérité, et non de Pierre ou de Jésus[42]. »

C'est à l'ombre ou, si l'on veut, au soleil d'une telle façon de penser qu'Innocent III (1198-1246) conféra par la suite au pouvoir pontifical une forme permettant de mettre sur le même niveau les prétentions papales à l'autorité et l'expansion sur terre de la vérité du Christ[43]. A ses yeux, l'Église était l'âme du monde, et ses décisions devaient s'imposer à tous les membres du corps. En traitant des croisades contre les cathares, nous avons déjà parlé de la mentalité de ce personnage à propos de la « pensée fonctionnelle » ; il n'existe pas de fanatisme qui ne se manifeste objectivement sous forme d'une volonté de pouvoir en cherchant à lier subjectivement les individus par intériorisation de l'obéissance. C'est Innocent III qui a poussé à l'extrême l'aporie des exigences ecclésiastiques en la matière : « Tous les clercs doivent obéir au Pape, même s'il ordonne le mal ; car personne ne peut s'ériger en juge du pape[44] », déclarait-il.

Pas de doute possible : au XXe siècle, il n'existe qu'un mot pour qualifier cette mentalité, elle est fascisante : le « Führer », maître de la vérité et du droit[45], et l'obligation d'obéir, moyen pour imposer les vérités prescrites. Quelle perversion de la vérité du christianisme ! Quelle singulière théologie, celle qui, dans une Église ainsi conçue, doit se soucier d'uniformiser la profession de foi de tous les vrais croyants ! Quelle distance entre une telle réalité et les propos sarcastiques de Jésus sur « les chefs des nations » qui « leur commandent en maîtres » et sur « les grands qui font sentir leur pouvoir » (Mc 10, 42)[46], avec cette injonction finale : « Il ne doit pas en être ainsi parmi vous. » On ne peut qu'approuver Thomas Hobbes quand il écrit dans son *Léviathan* : « [...] la papauté n'est rien d'autre que le spectre du défunt Empire romain, assis couronné sur sa tombe [...][47]. » Qu'on lise aussi les Défenseurs de la paix de Marsile de Padoue et on verra avec frayeur ce que, déjà à cette époque, au XIIIe siècle, on pouvait écrire, d'un point de vue politique, contre le principe théocratique de la papauté[48] : en ce temps-là, c'étaient les chefs des nations qui, dans leurs reproches adressés aux papes à propos de la « querelle des Investitures », se montraient plus proches de la vérité du Christ que les serviteurs les plus haut placés du Christ eux-mêmes !

Les apologistes de l'obéissance au pape pourront alléguer le temps qui nous sépare des papes du Moyen Âge. Mais cet argument s'effondre de lui-même, dès qu'on considère l'histoire ultérieure de la papauté. Celle-ci montre comment on n'a cessé de maintenir et de renforcer jusqu'à nos jours des exigences papales du genre de celles de Grégoire VII et Innocent III, réclamant un pouvoir illimité et s'arrogeant la possession d'une vérité infaillible, et ceci malgré les transformations spirituelles à notre époque. Certes, extérieurement, l'État pontifical, celui des successeurs de Pierre et des représentants du Christ sur terre, n'a cessé de perdre de plus en plus de pouvoir, de biens et de prestige. Mais il n'a fait que renforcer sa prétention spirituelle à voir les fidèles obéir inconditionnellement à leurs supérieurs.

C'est incontestablement le pontificat du pape Pie IX (1846-1878), qui marque le sommet de ce développement, en ces jours où les États pontificaux s'effondrent politiquement mais où, en revanche, s'affirme plus que jamais la prétention papale à la possession exclusive de la vérité divine, avec la proclamation du dogme de l'infaillibilité pontificale, le 18 juillet 1870[49]. Déjà, en 1864, dans le célèbre *Syllabus,* de sinistre mémoire, un catalogue papal des thèses erronées, Pie IX avait condamné quasiment tous les acquis de la pensée moderne, en sciences de la nature, en philosophie et en théologie[50] : ils étaient en contradiction avec la vision médiévale de la tradition catholique. Malgré le court espoir soulevé par Vatican II, c'est toujours ce style de pensée et d'action qui reste à l'œuvre dans l'Église, et, à bien considérer les choses, qui a même repris un nouvel essor.

Pour savoir où nous en sommes actuellement en la matière, voici deux faits :

Le premier, c'est les mesures prises contre les Jésuites en 1981.

S'il y a dans l'Église catholique un ordre religieux spontanément prêt à faire preuve d'une mentalité quasi militaire en matière d'obéissance, dès lors qu'il s'agit des exigences et des besoins spirituels du Saint-Siège, c'est bien cet ordre à qui son fondateur avait commandé dans les *Exercices* : « Pour parvenir à la vérité en toute chose, nous devrions être toujours prêts à croire qu'est noir ce qui nous paraît blanc si l'Église hiérarchique le définit ainsi. » Pour le pape Jean-Paul II, la soumission des plus obéissants des serviteurs du Christ au trône de Pierre n'était dès le départ pas suffisante. C'étaient des Jésuites, des hommes comme Karl Rahner en tête, qui avaient perçu dans Vatican II une chance et une mission personnelles, celles de renouveler l'Église et de la préparer à se confronter sans réserve aux questions et aux problèmes de notre temps. On s'est répété des années des plaisanteries comme celle-ci : « Les Jésuites ont introduit une nouvelle formule dans leurs vœux religieux : *Voveo dialogum perpetuum* », je promets de discuter indéfiniment. C'est justement cette disponibilité toute nouvelle au dialogue et cette capacité de le pratiquer qui parurent dès le départ suspectes au pape actuel. Peter de Rosa, qui a rassemblé tous les documents concernant cette affaire, juge Jean-Paul II comme « le pape le plus rigoriste de tous ceux de notre temps. Il faut remonter à Pie X, à la fin du siècle dernier, pour en trouver un qui écoute moins et qui exige plus l'obéissance immédiate. La raison en est évidente. De par sa nature et sa formation, c'est un platonicien. Il croit que la vérité est éternelle et invariable. En tant que représentant du Christ, il en a une vision privilégiée inspirée du Saint-Esprit, et il doit donc rappeler à l'Église les vérités dont il ne peut être question de s'écarter même d'un iota[51] ».

Voilà qui semble très pertinent, encore que cela fasse tort à Platon. Car autant celui-ci croyait à l'immutabilité de la vérité, autant il croyait peu à l'infaillibilité des hommes. Il tenait au contraire qu'on ne pouvait trouver la vérité que dans le dialogue avec autrui, dans la quête commune et dans l'écoute réciproque. Mais, à l'évidence, cette conviction philosophique ne se concilie justement pas avec la certitude de la vérité, d'une vérité que garantit la fonction telle que l'entend la papauté romaine. Dans l'Église, ce ne sont pas la réflexion et l'échange qui donnent part à la vérité divine, mais l'obéissance et l'exécution des ordres. Voilà déjà une raison pour laquelle il fallait stopper la mutation de l'ordre Jésuite, celle qui risquait de faire d'une troupe de pionniers spirituels de l'administration pontificale un collège de philosophes en recherche.

C'est en particulier le général de l'ordre, Pedro Aruppe, qui avait tenté de mettre en pratique les décisions du Concile par une libéralisation de l'ordre. « Lorsqu'il devint malade, c'est le R.P. Vincent O'Keefe qui fut nommé vicaire général pour expédier les affaires courantes. O'Keefe, un Américain, ancien recteur de Fordham, l'université jésuite de l'État de New York ! Jean-Paul II estima que ce n'était pas acceptable pour lui. En 1981, il imposa à l'ordre son délégué personnel, Paolo Dezza, un homme de 79 ans, presque aveugle. Jamais un pape n'avait fait chose pareille. » Ce n'est que lorsque le pape put être sûr que les Jésuites « modifieraient leur comportement et éliraient un général acceptable pour lui qu'il les laissa faire [52] ». Même alors, il voulut ouvrir personnellement la 33e assemblée plénière, à la Maison des Jésuites, à Borgo San Spirito, près du Saint-Office, et, par sa présence, il imposa l'élection du R. P. Piet Hans Kolvenbach, un Hollandais qu'on considérait comme un modéré [53].

Second exemple, plus éloquent encore par sa mesquinerie (sans parler du retrait de l'autorisation d'enseigner de Hans Küng en 1979 et de Charles E. Curran en 1986). En 1987, un Jésuite américain, Terence Sweeney, de Los Angeles, avait questionné « trois cent douze évêques catholiques américains sur quatre thèmes en rapport avec le célibat des prêtres et le sacerdoce des femmes. Parmi les cent quarante-cinq qui avaient répondu, trente-cinq étaient partisans du mariage des prêtres, compte tenu de la pénurie des vocations. Onze auraient volontiers vu des femmes prêtres [54] » A peine le cardinal Ratzinger eut-il appris le résultat de cette consultation qu'il invita à plusieurs reprises le Père Sweeney, soit à détruire la documentation ainsi constituée, soit à quitter l'ordre. Sweeney estima qu'une obéissance non étayée sur la raison et la vérité était inconciliable avec la dignité humaine. « Vraiment, estime P. de Rosa, on peut difficilement comprendre pourquoi ce jésuite en vue fut forcé de quitter l'ordre — non pas pour un manquement concernant le dogme ou la morale, mais pour avoir rendu publique l'opinion d'évêques qui avaient répondu librement à ses questions. Le pape semblait effrayé à la pensée que quelqu'un puisse connaître ce que les évêques — ses évêques —

pensaient réellement. La tableau s'impose de lui-même : le pape considère les évêques comme des fonctionnaires de haut niveau. Ils ne font pas la politique, ils l'exécutent seulement. Peu importe leur opinion personnelle ; ils n'ont qu'à la garder pour eux. Le pape seul parle pour l'Église. On a l'impression que c'est déjà grave de voir un évêque avoir une autre opinion que le pape, mais trente-cinq dans un seul pays, ce n'est pas supportable. Une telle révélation fait voler en éclats la façade d'unité totale, orgueil du catholicisme [...] Difficile de ne pas conclure que les évêques ont bien trop peur de dire leurs convictions concernant le bien de l'Eglise et de leur diocèse. De toute façon, ils n'ont aucun moyen pour exprimer une opinion divergente. Il n'en va pas autrement au niveau de la paroisse : les curés donnent à leurs ouailles des conseils très libéraux, mais seulement au confessionnal. Ils n'ont aucune envie de jouer publiquement les martyrs. Ils pensent que mieux vaut se taire que de mourir. Mais où est alors le témoignage de la vérité de l'Évangile ? Et qu'en sera-t-il de cette grande institution, si elle vit de mensonges en tant de domaines importants[55] ? »

Cet exemple fait également bien voir à quel point le centralisme autocratique, autrement dit théocratique, de l'autorité romaine est soucieux du détail. Alors que pour les affaires d'argent les fonctionnaires de la curie romaine font preuve d'un certain dilettantisme, nous l'avons vu, ils disposent indiscutablement de plus d'expérience que n'importe quelle autre organisation étatique dans le maniement du pouvoir et dans l'extorsion de l'obéissance spirituelle.

Mais on ne peut manquer par ailleurs de noter le caractère structurellement irrationnel des formes autoritaires de domination. Contrairement à toutes les déclarations sur le caractère désintéressé du pouvoir clérical, la concentration de tous les pouvoirs en une seule personne conduit nécessairement à donner *de facto* une importance énorme à la personne du souverain du moment. Finalement ce sont bien ses façons de voir, ses préférences, ses préjugés qui deviennent l'étalon de tous dès son entrée en fonction, soufflant sur les fronts penchés d'obéissants subordonnés comme le vent sur les épis d'un champ de blé. Et comme dans l'obéissance ses opinions et décisions ont toujours force de loi divine, le devoir des subordonnés consiste de plus en plus à manifester leur approbation, autrement dit à chanter les louanges de ses propos les plus occasionnels, et peut-être les plus arbitraires, en les qualifiant de manifestations de la très haute sagesse et de la volonté divine. Si la volonté du supérieur est volonté divine, il faut donc du même coup la considérer comme toujours sage, visionnaire et « très profondément humaine ». Cette façon de conduire de l'extérieur ne trouve sa pleine application que s'il n'y a plus personne qui ose rien dire qui n'ait été préalablement lu et approuvé par le supérieur ou le souverain, ou qui ne viserait pas à la réalisation du plus grand consensus possible. Le manque de personnalité est le point faible essentiel de toute domination autoritaire.

Dans les milieux dirigeants du parti communiste de Russie soviétique, on rapportait une anecdote qui vaudrait tout aussi bien pour l'Église catholique. Lorsque, le 12 octobre 1961, au XXIIe congrès du P.C.U.S., Nikita S. Khrouchtchev tint son grand discours sur la poursuite de la déstalinisation, quelqu'un aurait demandé tout haut dans la salle : « Et où étiez-vous donc vous-même en ce temps-là, camarade Président ? » On dit que Khrouchtchev aurait interrompu son discours et demandé qui l'avait interpellé. Personne ne se manifesta. « Voyez-vous, camarades, à cette époque j'étais là », aurait-il répliqué. Dans un système autoritaire de terreur, avoir raison au bon moment ne vaut jamais rien ; ce qui compte, c'est d'avoir collectivement raison rétrospectivement, et le zèle empressé pour appliquer les nouveaux ordres une fois que tout est passé.

Dans sa pièce *Jeanne ou l'Alouette du bon Dieu*, l'écrivain français Jean Anouilh voit dans l'Inquisition de l'Église catholique l'illustration éternellement valable du combat des tenants du pouvoir absolu contre la liberté de l'être humain. Nulle part dans la littérature moderne on ne trouve de mise à nu aussi parodique du principe romain de l'obéissance que dans les paroles de l'Inquisiteur à la jeune fille, sorcière ou sainte, qui a osé suivre ses voix et ses visions intérieures au lieu des ordres d'autrui : « Vous le voyez, mes maîtres, l'homme, relever la tête ! Vous comprenez maintenant qui vous jugez ? Ces voix célestes vous avaient assourdis aussi, ma parole ! Vous vous destiniez à chercher je ne sais quel diable embusqué derrière elles... [...] L'homme, l'homme transparent et tranquille me fait mille fois plus peur. Regardez-le, enchaîné, désarmé, abandonné des siens et plus très sûr — n'est-ce pas Jeanne ? [...] S'écroule-t-il, suppliant Dieu de le reprendre dans Sa main ? [...] Non. Il se retourne, il fait face sous la torture, l'humiliation et les coups, dans cette misère de bête, sur la litière humide de son cachot ; il lève les yeux vers cette image invaincue de lui-même... qui est son seul vrai Dieu ! Voilà ce que je crains[56] ! » « Car la chasse à l'homme ne sera jamais fermée... Si puissants que nous devenions un jour, sous une forme ou sous une autre, si lourde que se fasse l'Idée sur le monde, si dures, si précises, si subtiles que soient son organisation et sa police, il y aura toujours un homme à chasser quelque part qui lui aura échappé, qu'on prendra enfin, qu'on tuera et qui humiliera encore une fois l'Idée au comble de sa puissance, simplement parce qu'il dira “ non ” sans baisser les yeux. L'insolente race ! Avez-vous besoin de l'interroger encore, de lui demander pourquoi elle s'est jetée du haut de cette tour où elle était prisonnière pour fuir ou se détruire, contre les commandements de Dieu ? [...] Il faudra que nous apprenions, mes maîtres, d'une façon ou d'une autre, et si cher que cela coûte à l'humanité, à faire dire “ oui ” à l'homme ! Tant qu'il restera un homme qui ne sera pas brisé, l'Idée, même si elle domine et broie tout le reste du monde, sera en danger de périr. C'est pourquoi je réclame pour Jeanne l'excommunication, le rejet hors du sein de l'Église et sa remise au bras séculier pour qu'il la frappe [...] Ce sera une piètre victoire contre toi, Jeanne, mais enfin tu te tairas. Et jusqu'ici nous n'avons pas trouvé mieux[57]. »

Dans sa pièce, Anouilh sait faire comprendre en particulier que l'obéissance à la manière de l'Inquisition ne sera vraiment imposée que lorsqu'elle aura réussi à se rendre maîtresse des sentiments humains, notamment de ceux qui ont valeur éthique : la pitié et la miséricorde. C'est ainsi qu'il fait dire à l'Inquisiteur ces paroles adressées au frère Ladvenu : « Je vous prie de ne pas oublier que je représente ici la Sainte Inquisition, seule qualifiée pour distinguer entre la charité, vertu théologale, et l'ignoble, le répugnant, le trouble breuvage du lait de la tendresse humaine... Ah ! mes maîtres !... comme vous êtes prompts à vous attendrir ! Que l'accusé soit une petite fille, avec de grands yeux bien clairs ouverts sur vous, deux sous de bon cœur et d'ingénuité et vous voilà prêts à l'absoudre — bouleversés. Les bons défenseurs de la foi que voilà ! Je vois que la Sainte Inquisition a du pain encore sur la planche et qu'il faudra tailler, tailler, toujours tailler et que d'autres taillent encore lorsque nous ne serons plus, abattant sans pitié, éclaircissant les rangs, pour que la forêt reste saine[58]... » Ce n'est que lorsque la terreur de la réglementation de l'extérieur aura pénétré jusqu'au domaine du sentiment, que lorsqu'il n'y aura plus ni pensée, ni impression, ni élan du sentiment qu'on puisse considérer de soi comme incertains, susceptibles d'erreur, de toute façon soumis à la censure d'un autre, que lorsqu'on aura dépouillé le cœur de l'être humain de toute évidence intérieure, de toute vision personnelle, qu'on atteindra ce que l'idéal de l'Église catholique exige de ses clercs, une obéissance semblable à celle de morts privés de toute volonté.

Il faut donc commencer très tôt à éduquer : il faut interdire la pensée personnelle, car déjà le doute au sujet de l'enseignement de l'Église est un péché grave ; il faut développer la peur d'être privé d'appui, même si on ne fait que s'éloigner, si peu que se soit, du secourable pilier de l'autorité. Il faut cultiver une morale pour petits enfants selon laquelle c'est à l'autorité concernée de discerner le juste et le vrai. L'angoisse sociale devra remplacer la conscience personnelle. Il faudra aussi assurer la dépendance totale à l'égard du système régnant, de telle sorte que même les fautes les plus cachées seront liées à l'aptitude du groupe à pardonner : l'institution de la confession devient un remarquable instrument de domination qu'on ne pourra jamais introduire assez tôt dans l'âme des enfants. Il n'est pas nécessaire de montrer comment l'administration du « sacrement de la pénitence » a aujourd'hui pris une forme purement extérieure frisant le ridicule[59]. On a lié un acte censé décider entre le Ciel et l'enfer au fait d'énumérer formellement au prêtre de l'Église les « péchés » (au sens de transgressions de certains commandements) qu'on a commis en pensée, en paroles et en actions ; suit alors l'absolution avec imposition d'une prière déterminée ou d'un acte de pénitence. Le triomphe intégral du principe catholique, ce serait de pouvoir maintenir toute leur vie les adultes au niveau de communiants de huit ans, en les obligeant à soumettre tous les détails de leur vie, même les plus intimes, aux directives et aux monitions des pasteurs ecclésiastiques. Quand on en arrive à considérer ainsi la confession, le problème n'est même plus de conduire les gens à se pardonner à eux-mêmes en faisant confiance à Dieu : ce serait précisément égoïsme, orgueil, prétention individualiste ; il s'agit de leur faire sentir que l'homme n'est rien sans la bénédiction de l'Église. La force libératrice de cette dépendance obligatoire de l'Église est donc proportionnelle au degré d'angoisse et d'insécurité. Cette dépendance permet de diriger les gens de l'extérieur en réduisant leur vie à quelques formules pratiques qu'il suffit d'appliquer. Cette dissolution parfaite de la spiritualité aboutit à l'application mécanique d'un pensum rituel bien bouclé qu'on ornemente en l'intitulant « décision personnelle en vue du Seigneur », « authenticité intérieure », « vérité » et « fidélité » aux « promesses du baptême » qu'on a jadis articulées.

Comme le moi ne se laisse plus conduire par sa vue raisonnée des choses et leur résonance affective, il finit par se laisser psychologiquement dominer par une contrainte qu'il a intériorisée. Si quelqu'un vit en catholique, ce n'est pas parce qu'il l'a décidé, mais sur ordre, par entraînement, par un réflexe conditionné qui provoque en lui un sentiment de culpabilité chaque fois qu'il s'écarte si peu que ce soit des règles et des règlements ecclésiastiques. Ainsi a-t-on atteint le résultat cherché : la mauvaise conscience permanente d'avoir une volonté propre, même si elle ne se manifeste plus que dans le désir, fait d'humilité et d'obéissance, de se défaire de toute volonté personnelle. Conflit que J.-P. Sartre a remarquablement mis en scène dans sa pièce *Le Diable et le Bon Dieu*, à travers le personnage de Götz[60], faisant ainsi preuve de plus de perspicacité dans son existentialisme que la plupart des ascètes chrétiens : même la volonté de celui qui renonce à sa propre volonté reste inexorablement la sienne ; personne ne peut aliéner sa liberté, même par obéissance « volontaire ».

Telle devra être désormais notre question : d'où vient donc cette interdiction qu'on se fait d'être soi-même créatif, de suivre sa propre fantaisie, de suivre le jeu de sa propre pensée, de rêver la poésie de son propre cœur et de réaliser ses rêves dans l'action extérieure ? Voilà ce à quoi il faudra désormais réfléchir.

A la différence de ce qui se passe dans l'armée, l'influence d'une institution religieuse comme l'Église catholique n'attend pas l'âge mûr pour montrer son efficacité ; c'est dès l'âge le plus tendre qu'elle marque le développement humain. Cependant, ici encore, il existe des aspects du problème qui ont peu à voir avec la religion, mais dont les conséquences contribuent à tracer le chemin vers une vie de clerc.

b. La soumission passive de la volonté : les avantages de rester dépendant

Le problème du clerc concernant l'obéissance évangélique ne tient pas seulement à la volonté de puissance de l'Église ou de ses clercs, ses meilleurs hommes de peine et en même temps ses plus pauvres victimes. Pour bien comprendre les choses, il faut chercher beaucoup plus loin : l'appel de l'Église à l'obéissance absolue n'est pas une simple variante de son désir de diriger ; ce mobile est largement recouvert par celui, plus fondamental, de la peur de la contingence et de la liberté de l'existence humaine, car, en un sens, il est dangereux d'être esprit[1] et de savoir qu'il est toujours possible d'errer en pensant, voulant ou faisant quelque chose. Cette angoisse est si grande qu'une religion désireuse de répondre à ce problème peut facilement succomber à la tentation d'y proposer une solution définitive : si on détruit le moi de l'individu, il n'y aura plus non plus de liberté devant laquelle on devrait s'angoisser.

L'angoisse devant la liberté est un réflexe subjectif spontané de l'être humain[2]. Mais comment se fait-il qu'elle augmente au point de devenir si insupportable à l'individu que celui-ci en arrive finalement à voir dans l'obéissance une délivrance du fardeau de sa propre subjectivité ? Car il ne fait plus rien qui ne soit purement formel et fonctionnel, du simple fait que c'est lié, non seulement à un ordre précis, non même seulement à un supérieur donné, mais à cette abstraction humaine qu'est une instance de commandement qu'on considère objectivement comme sainte, à un ministère.

Jusqu'à présent, nous n'avions discuté du conseil évangélique de pauvreté que sur fond des conflits de la phase orale. Avec l'obéissance, nous nous trouvons devant un problème caractéristique de ce qu'on appelle la phase anale du développement. Jusqu'à présent la question était celle de la légitimité du moi personnel, avec ses besoins et ses souhaits ; maintenant, c'est celle de la légitimité d'une pensée, d'une volonté et d'un agir personnels. De même, nous étions jusqu'à présent dans ce cadre réducteur de l'existence qu'est la dépression ; désormais nous nous tournons vers une problématique qui se situe sous le signe de la névrose de compulsion : celle du pouvoir, de l'autorité et de la soumission, celle des exigences extérieures et celle de la volonté personnelle, celle de l'efficacité et de la libre disposition de soi[3]. Mais il est évident que les ratés qui se sont déjà produits dans la phase orale du développement psychique continuent à marquer de façon capitale l'expérience de la phase suivante. Celui qui doute de son droit à l'existence sur terre aura d'autant plus de mal à faire preuve de volonté personnelle face à certaines résistances, ou même à affronter ouvertement à son profit les conflits et les différences d'opinions. Tout comme la théologie ne peut envisager et proposer les conseils évangéliques que comme un tout, la psychanalyse ne peut éclairer les raisons qu'on peut avoir d'entrer dans la vie monastique, avec son contenu et ses exigences, qu'en montrant l'unité des trois phases de la psychogenèse de l'enfant. Seules des raisons didactiques permettent de considérer isolément la psychologie de l'obéissance » comme un conflit de la phase anale. Il n'en reste cependant pas moins vrai que, dans certaines conditions, il peut exister des cas particuliers où il y aura une structure névrotique de compulsion sans qu'il y ait particulièrement lieu de mentionner les ratés de la phase orale (ou la rétention des conflits œdipiens).

Quoi qu'il en soit, notre question est désormais la suivante : comment éduque-t-on à l'obéissance telle que nous l'entendons ? Quelles sont les impressions qu'un adulte a dû éprouver au cours de son enfance pour livrer sans condition son moi à la volonté de détenteurs des fonctions sacrées et en arriver à voir carrément dans ce renoncement le plus haut idéal de la vie chrétienne ?

En gros, on peut s'imaginer trois façons de faire apparaître à l'enfant l'obéissance inconditionnelle comme un devoir, puis comme un besoin :

1. l'intimidation autoritaire,
2. l'identification au modèle correspondant,
3. l'ébranlement de sa capacité personnelle de jugement.

Ces trois façons peuvent aussi se compénétrer et se renforcer les unes les autres. Mais, si elle est assez forte, chacune d'elles suffit à orienter la vie vers l'obéissance cléricale.

1. L'intimidation autoritaire ou la ruine du sentiment de sa valeur

Il est indéniable que les conceptions les plus simples et les plus frustes concernant l'origine de certains phénomènes psychiques sont souvent exactes : l'attitude d'obéissance inconditionnelle peut tenir à l'influence directe d'une éducation placée sous le signe de la maxime : « Un enfant sage obéit tout de suite. » Plus les parents mènent l'enfant à grand renfort d'ordres et de punitions, plus ils réussiront à briser sa volonté et à diminuer en lui le sentiment de sa valeur.

Nous avons déjà mentionné le fait qu'un enfant, du simple fait d'être sans défense, aura tendance à se sentir coupable parce qu'il est puni. Moins un acte particulier lui paraîtra mériter une sanction, plus il considérera paradoxalement son propre moi comme punissable en tout cas. Du point de vue moral, c'est précisément la punition imméritée qui peut graver le plus profondément en lui le sentiment de n'avoir aucun droit, même pas celui d'exister. C'est ce que F. Kafka expliquait très clairement à son père dans une de ses *Lettres*[4]. Face à l'autorité paternelle on a, de toute façon, non seulement le sentiment d'être inférieur et médiocre, mais également celui de ne jamais être en mesure de répondre aux normes établies que le père représente. On n'est pas coupable du fait d'une volonté moralement répréhensible : ce serait l'hypothèse la meilleure, car elle ferait au moins place à une possibilité de conversion et à un espoir. Mais on est coupable du fait d'une impuissance physique : on est raté de naissance, c'est tout. On ne sera jamais autre chose que ce que les remontrances paternelles ont toujours donné à comprendre : un merdeux lamentable qui devrait se sentir heureux d'avoir un père assez fort pour venir relever celui qui traîne par terre et pour le traîner au but comme un paquet[5]. Et lorsque le père a ainsi réussi à intimider son enfant au point de lui ôter toute idée de sa valeur, celui-ci finit par avoir besoin de l'autorité qui l'a détruit pour se relever en s'appuyant sur elle, tel un pampre de vigne qui a besoin d'un treillage pour le soutenir. C'est ainsi qu'une attitude d'obéissance inconditionnelle peut venir directement d'une remise en question inconditionnelle du moi personnel par le père. On ne peut plus vivre sans dire oui à celui qui vous dit non à vous-même. Ce n'est qu'alors que l'obéissance devient délivrance, et même « grâce divine ».

Remarquons bien que nous ne sommes plus ici à une étape du développement psychique où l'enjeu est l'être ou le non-être, comme c'était le cas quand nous parlions de la dépression dans la phase orale. A la phase anale, il s'agit plutôt de savoir si notre propre personne est dans une position juste ou fausse, car il existe déjà un moi qui jouit des conditions requises pour faire valoir sa propre volonté. Mais c'est justement pour cela que les éducateurs se heurtent à la question de savoir comment ils vont pouvoir la former et la diriger.

Dans la foulée de la révolution culturelle de 1968, effrayés par les conséquences d'un style d'éducation autoritaire, on a mis à la mode une pédagogie qu'on a délibérément voulue anti-autoritaire, et qui, inspirée du « laissez-faire » de Rousseau, cherchait avec un maximum de bonne foi et de tolérance à éviter le plus possible tout ce qui pouvait susciter des sentiments d'angoisse et de culpabilité[6]. Depuis, on s'est aperçu que cette non-directivité pouvait aussi engendrer angoisse et sentiment de culpabilité, tout au moins si le refus des parents de s'immiscer dans la vie de leur enfant apparaît comme un signe d'indifférence, de désintérêt et de faiblesse. L'enfant perçoit de toute façon son environnement naturel et social comme angoissant[7] du simple fait qu'il ne le connaît pas et le trouve trop compliqué s'il n'y a personne pour l'y introduire en lui montrant les chemins déjà balisés. Et les sentiments de culpabilité sont la suite de cette peur, à partir du moment où les choses lui apparaissent opaques, sans règles du jeu précises, tour à tour mauvaises ou bonnes, fausses ou justes, non souhaitables ou souhaitables. En d'autres termes, un enfant a besoin d'une autorité qui lui dise ce qu'il doit faire ; il lui en faut une certaine dose pour que, la reconnaissant, il y trouve une certaine sécurité, une espèce de protection et de recours. Ce n'est donc pas cette mesure d'autorité et d'obéissance, pédagogiquement souhaitable, que nous remettons en cause. Notre propos est de comprendre comment quelqu'un, un clerc, en vient à accepter comme base de son existence l'obéissance inconditionnelle à une autorité qu'il considère comme sainte. Dans le cas de figure dont nous traitons ici, celui où son obéissance est la simple suite de l'autorité paternelle, cela renvoie à une situation de son enfance où cette obéissance était la seule façon de s'en sortir. Pour que quelqu'un en arrive à considérer que la vérité vient par principe du dehors, il faut qu'il ait vécu dans une ambiance éducative où on ne voyait dans sa volonté qu'entêtement, et où on lui déniait tout droit, l'autorité (paternelle) étant seule dépositaire et garante de la vérité.

Il faut évidemment faire observer que la notion d'autorité ainsi comprise reçoit son contenu de l'adjectif autoritaire. Car on peut aussi penser une autorité appuyée sur la bonne volonté et la confiance amicale, fondant ainsi le respect et l'estime qui sont dus. L'autorité paternelle peut se situer dans une relation « partenariale » : il suffit que l'enfant sente qu'on le prend au sérieux et qu'on lui permet de faire ce dont il est lui-même déjà capable. Dans ce cas, l'exigence d'obéissance se règle sur le niveau d'apprentissage et de maturité de l'intéressé. Elle n'évacue pas le moi. Tout au contraire, elle l'engage activement. Elle lui propose déjà des conduites de vie éprouvées, non pas en les prescrivant aveuglément, sans rien donner à comprendre, mais en tenant compte de son intérêt bien compris. Elle est donc tout autre que l'autorité autoritaire, celle dont nous traitons ici en vue de comprendre la psychogenèse de l'obéissance cléricale. Dans ce cas, celui qui nous occupe, l'exigence d'obéissance n'est plus au service de l'épanouissement du moi personnel, mais sert tout au plus à renforcer démesurément le moi paternel. Dans ce style d'éducation, tout se passe comme s'il fallait déjà bloquer l'enfant à environ un an et demi en matant son « orgueil » naissant sous une pression correspondante de la volonté des parents[8]. Dans une éducation autoritaire, les parents (le père) partent du principe que l'enfant ne sait pas, ne peut pas savoir, même au pire ne veut pas savoir ce qui est bon pour lui et où est son intérêt. Les personnes chargées de l'éducation confisquent toute responsabilité, ce qui va à jamais réduire l'enfant à la dépendance vis-à-vis du pouvoir adulte.

Parler ici d'autorité et de pouvoir évoque immédiatement ce nœud d'attitudes patriarcales faites d'accaparement égoïste du pouvoir, celui que Freud a si remarquablement décrit en parlant de complexe d'Œdipe[9]. Il faut cependant redire ce que nous avons déjà dit à propos de la pauvreté et de l'obéissance, et respecter la chronologie du développement psychologique, donc remonter bien avant cette phase œdipienne. Lors de sa phase orale, donc bien avant de se demander s'il peut aimer et mérite d'être aimé sexuellement, l'enfant s'inquiétait de la justification de son existence en général ; au stade anal, son souci, c'est son droit à une volonté propre. Or, on peut castrer celle-ci, non seulement par la dureté de méthodes de commandement tyranniques et une manie despotique d'avoir toujours raison, mais également en faisant montre d'une angoisse chargée d'une sollicitude trop pesante qui ne permet plus à l'enfant de faire face. Ces deux attitudes peuvent une fois de plus exister indépendamment l'une de l'autre ou se conjuguer, ce qui permet toutes les nuances et variations possibles.

La situation « classique » où se développe au mieux l'obéissance cléricale, c'est celle où il y a conjonction d'une mère plutôt angoissée et d'un père autoritaire. Au début de l'histoire, il y a alors habituellement une femme peu sûre d'elle-même, tant envers soi qu'envers les autres, donc une personne manifestement faible[10]. Elle n'en a que plus tendance à attendre beaucoup d'un mari présentant l'apparence d'un être sûr de la façon de s'y prendre. En s'unissant à lui, elle espère trouver quelqu'un qui pourra la guider et l'assister. Or, psychanalytiquement parlant, la force de caractère du mari se révèle fréquemment n'être qu'une cuirasse extérieure, donc non pas une propriété de son moi, mais le résultat des injonctions du surmoi. Inversement, la disponibilité et la soumission spontanées de la femme ne proviennent pas d'une simple faiblesse de son moi, mais représentent une sorte d'adaptation obligée à son propre surmoi. En tant que femme, elle n'a pas le droit de vivre en personne consciente de sa valeur, active, gaie et expansive : cela ne correspondrait pas à l'image de la femme qu'elle a intériorisée étant fillette. Dans le mariage, ce ne sont donc pas des moi qui se rencontrent. L' « amour » qui unit les époux, ou plutôt l'avantage qui les soude, se fonde sur une certaine complémentarité de leurs surmoi, les deux s'accordant bien sur les prescriptions touchant les rôles masculin/féminin : l'homme est celui qui commande, la femme celle qui reçoit ses commandements. Dès le départ, c'est cette configuration caractérielle inconsciente des parents qui marque l'enfant né de leur mariage : la structure névrotique dépressive-compulsive de leur couple et leur style de vie lui en disent déjà plus sur l'obéissance que ne pourront jamais le faire les mesures éducatives explicites ultérieures. C'est leur comportement profond et le blocage de leurs sentiments qui, lors de chaque rencontre avec eux, viennent agir à la façon d'une clôture électrique invisible qui signale les limites du champ qui lui est laissé pour se mouvoir. Impossible à des parents qui ne sont pas eux-mêmes libérés d'élever leur enfant de manière libérale. La situation de tension intérieure qui en résulte provoque un processus qu'il n'est pas sans intérêt de décrire dans le détail.

Il y a d'un côté le rapport de l'enfant à son père (en faisant ici abstraction de la composante spécifiquement sexuelle, selon qu'il s'agit d'un garçon ou d'une fille). Plus le père paraît sévère, agressif, coléreux, grondeur et capable de violence, plus l'image qu'il présente plonge évidemment l'enfant dans l'angoisse et l'effroi : c'est la première phase de l'intimidation. L'enfant apprend que celui qui parle le plus fort a manifestement toujours raison. Cette simple expérience suffit à elle seule pour dresser un barrage insurmontable à toute psychothérapie éventuelle d'un clerc ; les moyens habituels d'une cure analytique : compréhension, patience, accompagnement, explication de transfert, etc. se révéleront globalement inopérants en face de l'angoisse primaire de l'enfant devant son braillard de père [11]. Mais l'évolution ne s'arrête pas là : celui contre qui on a ainsi tonné voit grandir en lui l'envie de tonner à son tour contre quelqu'un. Cette tendance se nourrit à la fois de l'angoisse personnelle de l'enfant, qui stimule son agressivité, et de l'expérience qu'il a de son père, celle qui prouve que n'est efficace que celui qui réussit à donner le ton. L'identification avec l'agresseur [12] fait que ce père redoutable devient directement une partie du moi de cet enfant apeuré. La thérapie de personnalités extrêmement obéissantes se heurtera toujours à cette difficulté, celle de leur grand désir d'imiter ce père impressionnant et de faire un jour sienne sa façon d'agir. On comprend cependant que les tentatives d'un enfant pour imiter les agressions du père qu'il vénère ne peuvent durer longtemps. Celui-ci n'en cherche que plus énergiquement à briser cette indocilité qui s'éveille. Le père et l'enfant entrent donc en concurrence sur un véritable ring familial, l'enjeu étant la domination sur la famille. Sa défaite apprend à l'enfant qu'il était mauvais, méchant et sot d'avoir ainsi provoqué le père [13]. S'il a jusqu'à maintenant autant détesté qu'admiré son père, il lui consacrera désormais son admiration, pour se réserver sa haine à soi-même. La leçon finale, c'est que rien n'est plus méritoire que d'obéir, car à vouloir commander soi-même on ne fait que provoquer bagarres, conflits, troubles et destructions, chez soi et dans le monde.

Ce n'est que quand les choses se passent ainsi que l'enfant

remarque qu'il est mauvais de suivre sa volonté personnelle, et que le seul chemin pour éviter cette méchanceté est de démissionner totalement[14] : il ne sera un être humain bon et acceptable qu'en devenant obéissant au point de renoncer à tout vouloir propre, et même à tout son être. Ce n'est que sur fond de cette alternative : volonté parentale ou volonté enfantine, que peut se constituer l'idéal clérical d'obéissance. En d'autres termes, on ne peut comprendre la radicalité de cette exigence, telle que l'Église la formalise et la fonctionnalise en la poussant à bout, que si on y décèle la suite d'une castration lors de la phase anale du développement. Ou bien, ce qui revient au même, on ne la comprend que si on la ramène à sa source, celle de la prime enfance : cette obéissance, normalement due à Dieu, mais qu'on accorde à un humain, est la répétition de celle accordée à un père qui apparaissait comme un monarque absolu jouissant lui-même du pouvoir divin de distinguer le bien du mal. Depuis, ce n'est pas sa propre capacité de jugement qui décide de ce qu'il faut faire ou pas, mais seulement la parole du père.

Seule cette conjonction d'expériences permet de comprendre la contradiction de la théologie chrétienne : d'une part elle déclare avec insistance que Dieu veut la liberté de l'homme et la respecte, et d'autre part elle définit au nom du Christ des idéaux qui substituent à la courageuse repartie de Pierre devant le Sanhédrin : « Il faut obéir à Dieu plus qu'aux hommes » (Ac 5, 29), l'injonction d'obéir aux hommes pour obéir à Dieu. C'est dans cette disposition de pensée que l'ambivalence des sentiments de l'enfant à l'égard de son propre père trouve son expression rationalisée. Certes, il voit bien que son père est un homme, mais un homme absolu, car il dispose de toute sagesse et de tout pouvoir ; c'est son autorité qui modèle l'image de Dieu et cette image autoritaire de Dieu la déclare en retour sacro-sainte. C'est un péché que de désobéir à ses parents[15] !

Il faut alors affirmer qu'une religion dont les fondements reposent sur une forme aussi extériorisée de l'obéissance ne s'expose pas seulement au soupçon de refuser la liberté et l'indépendance de l'être humain, mais qu'elle exige et promeut vraiment la dépendance infantile de ceux qu'on a intimidés au nom de Dieu.

Le seul exemple d'une autorité patriarcale écrasante peut humilier quelqu'un et le rendre obéissant à un point tel qu'il inclinera à entrer dans le jeu d'une Église qui exige la soumission. La seule question qui se pose est de savoir à quel genre d'Église nous avons affaire, du moment qu'elle prétend élever ses dômes et ses cathédrales sur les ruines du sentiment que le fidèle a de sa valeur personnelle.

Habituellement, la seule influence paternelle ne suffit pas pour fixer dans l'enfant cette attitude d'obéissance. L'attitude de la mère est aussi déterminante : comment se comporte-t-elle vis-à-vis du père ? Quelle place garde-t-elle en matière d'éducation ? C'est l'autre aspect du problème que nous soulevions en parlant du mariage d'une dépressive avec un compulsif et en nous interrogeant sur sa suite normale, l'intimidation autoritaire de l'enfant.

La structure autoritaire du caractère paternel a d'autant plus de chances de marquer profondément l'âme enfantine qu'à côté du père, la mère, de caractère opposé, manifeste une attitude de soumission angoissée. Supposons que celle-ci finisse un jour par remarquer à quel point son mari la dédaigne, ne tenant jamais compte de ses demandes et lui jetant toujours à la tête ses instructions sur le ton du commandement. Lassée d'un mariage aussi peu harmonieux, qui la laisse encore plus angoissée après qu'avant, elle sera encline à reporter sa propre angoisse sur son enfant en l'entourant d'une sollicitude surprotectrice[16]. Dehors il pleut : « Prends tes chaussures en caoutchouc ! » ; dehors il gèle : « Prends tes gants ! » ; le soleil brille : « Mets ta casquette ! » ; des voitures passent : « Fais attention qu'il ne t'arrive rien ! » Pas de domaine où cette mère ne prodigue ses conseils et ses avertissements. Ainsi son propre style d'éducation ne sera-t-il pas du tout marqué d'estime et de confiance, mais d'angoisse, à ceci près qu'elle compensera son angoisse en protégeant son enfant avec empressement, plutôt qu'en l'accablant d'ordres, comme son mari.

Cependant, dans son contraste avec celle du père, cette attitude est doublement efficace sur l'âme de l'enfant. Plus il apprend à se soumettre peureusement à la sévérité paternelle, plus lui paraîtra consolante la proximité maternelle. Mais il ne trouvera ni d'un côté ni de l'autre l'appui lui permettant de construire en lui-même ce qui serait pourtant le plus important pour lui : la confiance en soi et l'autonomie. Tout au contraire, l'attitude protectrice de sa mère lui fait éprouver le monde comme hostile et plein de périls ; il est donc exclu de s'y affirmer par son expérience et son action propres ! Il va alors tenter de trouver l'appui et la protection dont il a besoin dans l'obéissance à sa mère. En un mot, nous avons là le portrait type d'un parfait enfant gâté, une situation œdipienne dont les composantes se montrent actives bien avant le complexe d'Œdipe, une castration du sentiment de sa propre valeur qui intervient bien plus tôt que Freud ne l'avait pensé. Il est possible qu'un enfant qui ait grandi à l'ombre d'une telle constellation de caractères tente par la suite de se démarquer de cette surprotection et de cette sollicitude maternelles excessives en réagissant contre ses aspects extérieurs, qu'il jugera agaçants et ridicules. Mais il n'oubliera jamais la leçon, essentielle pour un clerc : seule l'obéissance sauve, purifie et sanctifie ; elle seule peut rendre l'enfant acceptable et agréable au Père divin comme au père divinisé. Le cercle vicieux se referme.

2. L'identification au modèle correspondant : l'attitude « type François »

Dans la situation familiale que nous avons envisagée, la psychogenèse d'une attitude cléricale d'obéissance paraît implicitement liée au fait que, malgré leur opposition, le père et la mère semblent dans une certaine mesure concourir au même résultat ; ainsi, malgré ses contrastes, le sceau qu'ils impriment par tout leur être donne-t-il une image complémentaire. Peu importe que la soumission résulte de la sévérité ou de la faiblesse des parents : elle est ce qu'ils visent tous les deux. Il nous suffit cependant d'imaginer que la tension entre les parents monte d'un cran pour que cette collaboration si contrastée se mue en une opposition irréconciliable, laquelle suscite une nouvelle attitude d'obéissance : nous l'appellerons le « type François ».

Lorsque saint François voulait faire comprendre à ses compagnons en quoi consiste l'obéissance parfaite, il utilisait lui aussi l'image de l'obéissance d'un cadavre : « Prends un corps sans vie et mets-le où tu veux, tu verras qu'il n'oppose aucune résistance au mouvement, il ne murmure pas contre sa situation, il ne proteste pas quand on l'abandonne. Qu'on le mette sur un trône, son regard ne sera pas tourné vers le haut, mais vers le bas. Qu'on l'habille de pourpre, il paraîtra doublement pâle. Voilà l'obéissance véritable. Il n'essaie pas de comprendre pourquoi on l'envoie, il ne se soucie pas de savoir à quel endroit on va le placer, il n'insiste pas pour qu'on le change de place. Est-il appelé à quelque fonction, il conserve son humilité habituelle. Plus on l'honore, plus il s'en juge indigne[17]. » C'est du même esprit que l'on retrouvera l'expression dans la bouche de saint Ignace. Présentement, nous ne cherchons pas à discuter cet idéal en soi, mais seulement à voir ce qui prédispose psychologiquement à cette attitude. Or c'est cette genèse que nous paraît particulièrement illustrer la biographie de saint François.

Lorsque François eut vendu tous ses biens dans la ville de Foligno et trouvé refuge auprès d'un prêtre à Assise, son père se mit à sa recherche. Les moqueries que l'aspect dépenaillé de François avait provoquées dans la foule lui apprirent bien vite où était la cachette de son fils. Voici ce que Thomas de Celano écrit sur son comportement : « Il va à sa rencontre sans aucune retenue, tel un loup se jetant sur l'agneau, le regarde d'un air courroucé et furieux, l'empoigne et le traîne honteusement chez lui. Là, il l'enferme sans pitié plusieurs jours dans un réduit ténébreux. Et comme il espère pouvoir faire fléchir la volonté de son fils et la rendre docile à la sienne, il l'entreprend d'abord en paroles, puis avec des coups et des chaînes[18]. »

Quelle que soit la part à faire à la légende et à l'histoire, ce récit des motivations et du comportement de Pietro di Bernardone permet de se faire une claire idée de sa personnalité. Il est hors de doute que cet homme aime son fils et met tout en œuvre pour le rendre heureux. Mais il poursuit son action éducative avec une telle violence que, prétendant faire plier sa volonté, il provoque chez lui un résultat manifestement contraire à celui qu'il espérait : de la résistance au lieu de la docilité, de l'aversion au lieu de la reconnaissance, du refus au lieu de l'obéissance.

La question s'impose alors : comment un fils capable d'opposer à son père une désobéissance si obstinée peut-il par la suite mettre tant d'insistance en invitant ses compagnons à l'obéissance inconditionnelle ?

Selon toute apparence, c'est dans le comportement de la mère que nous trouvons la réponse à cette question. En fait, elle aussi semblait du même avis que le père ; mais on raconte que, s'opposant complètement à la rudesse braillarde et brutale du mari, elle n'en approuvait pas les méthodes et qu'elle parlait au contraire « à son fils avec de tendres paroles ». « Mais comme elle vit qu'elle ne pourrait pas l'empêcher de suivre son idée, son cœur de mère s'amollit : elle dénoua les chaînes avec lesquelles son père l'avait attaché et le laissa partir. Lui cependant remercia le Tout-Puissant et s'empressa de retourner promptement en ce lieu où il avait séjourné autrefois[19]. » « Sur ce, le père revint et, ne trouvant plus son fils, il accabla sa femme de reproches, accumulant ainsi péché sur péché. Alors, tempêtant et criant, il courut à ce lieu pour chasser son fils du pays, à défaut de pouvoir le raisonner[20]. » On en vient alors à la fameuse scène sur la place du marché d'Assise : François rend à son père tout l'argent qu'il avait pensé engager dans la restauration de l'église de San Damiano et, devant l'évêque et la foule, il déclare : « A partir de maintenant, je dirai : " Notre Père qui es aux cieux, et non plus mon père, Pietro Bernardone, à qui je ne restitue pas seulement son argent — regardez — mais aussi tous mes vêtements[21]. " »

Il est évident qu'à ce moment-là François oppose immédiatement l'image du Père céleste à celle de son père terrestre. Les deux sont en contradiction complète, de telle sorte qu'il faut bien désobéir à l'un pour obéir à l'autre. Le père terrestre est-il violent et brutal ? Son fils sera donc doux et paisible en obéissant à l'appel de Dieu de partir du monde. Le père Pietro Bernardone en tient-il pour la propriété et la reconnaissance bourgeoises ? Son fils, confiant en son Père céleste, choisira pour bien-aimée la pauvreté et n'aura que mépris pour l'approbation de la foule. Manifestement, tout ce que le Père céleste veut contredit totalement ce que veut le père, Pietro. D'un point de vue psychanalytique, ce qui frappe, c'est que François ne s'oppose pas *en personne* à son père ; ce n'est pas lui-même, ce n'est pas son moi qui ose se dresser contre celui-ci ; disons plutôt qu'il projette sa protestation sur l'image de Dieu qui non seulement légitime sa révolte contre le père, mais l'exige. D'un conflit subjectif entre père et fils en sort un autre entre le père Pietro Bernardone et Dieu le Père. Sa désobéissance à l'égard du père terrestre apparaît de ce fait comme une obéissance inconditionnelle à Dieu, sa protestation personnelle comme un appel de Dieu.

Il apparaît cependant que les contenus que François considère comme objectivement fondés dans l'image de Dieu qu'il véhicule en lui sont aussi déjà objectivement donnés dans sa propre expérience. Ainsi ce conflit entre un père terrestre et un Père éternel ne fait que refléter à un niveau supérieur celui qui se traduisait déjà dans l'opposition entre son père et sa mère. Selon toute apparence, c'est la manière d'être de sa mère, tendre et accommodante, qui a laissé dans l'âme du saint comme l'empreinte d'une conscience divine et le pressentiment d'une source inépuisable d'aspirations à l'amour, à l'harmonie et à la réconciliation universels.

Ce qui me paraît révélateur, c'est que François ne se risque jamais à se référer à sa mère pour justifier le refus qu'il oppose à son père, et avec raison. Car elle-même, dans sa douceur compréhensive, aurait tout fait pour apaiser la querelle entre son mari et son fils ; dans son esprit de soumission, elle aurait elle-même insisté pour que son fils se soumette à l'ordre du père ; c'est en tout cas en ce sens que nous devons comprendre son intervention en l'absence du mari. Mais au lieu de cela, François n'a apparemment pas besoin de mettre son moi en jeu dans la lutte : dans ce démêlé, c'est le contenu de son surmoi lui-même qui prend la responsabilité. Ce déplacement du conflit interne à un niveau supérieur cache naturellement bien des agressions. Mais ce processus a l'avantage d'éloigner du moi tous les mouvements de colère, d'indignation et d'aversion ; subjectivement, il n'y a plus que bonne volonté, piété et sainte obéissance à Dieu. *De facto*, la substitution du Père éternel au père terrestre n'en prend pas moins l'allure d'une condamnation massive de Pietro Bernardone, à ceci près que cette condamnation sera désormais l'affaire de Dieu et des biographes, alors que François lui-même a l'avantage de pouvoir s'abstenir de tout jugement sur son père, comme le rappelle l'Évangile de saint Matthieu : « Ne jugez point et vous ne serez point jugés » (Mt 7, 1).

Nous trouvons d'ailleurs la confirmation de cette hypothèse selon laquelle, dans l'expérience de François, c'est en somme l'image de la mère qui se drape dans la gloire de l'absolu et du divin dans l'histoire même de sa vocation. Thomas de Celano nous raconte que celle-ci, après sa vaine tentative pour faire changer d'avis son fils, prit finalement son parti contre son mari et qu'elle s'attira ainsi sa colère ouverte[22]. Il ne s'agit pas seulement de voir que ce père, comme on pouvait le craindre, se révélait quelqu'un de repoussant et d'inhumain. D'un point de vue psychanalytique, il faut conclure que si le résultat est tel, les causes doivent être en rapport avec lui ; en d'autres termes, la suite de ce drame familial fera bien voir que le conflit qui se développe dans l'âme de François entre Dieu et son père est bien ce que nous pensions : c'est un conflit d'une extrême violence entre la mère et le père du saint.

S'il en est bien ainsi, nous devrions corriger une unique notation de la biographie de Thomas de Celano, le passage de son introduction où il déclare que, dès sa plus tendre enfance, les parents de François l'auraient « élevé dans l'orgueil des vains préceptes du monde », en sorte qu' « il imita longtemps leur déplorable vie et leurs mœurs, n'en devenant que plus vain et plus orgueilleux[23] ». Nous devons au contraire conclure que François a dû aimer sa mère au moins autant qu'elle l'aimait elle-même ; lorsque, la situation étant devenue critique, elle prend définitivement parti pour lui, nous pouvons penser que, de son côté, il était aussi toujours secrètement du côté de sa mère contre son père. Et quand, dans la vision où il se perçoit comme appelé, celui-ci découvre dans son image de Dieu ses véritables desseins, il ne reste pas non plus à la mère d'autre voie que de reconnaître elle-même son être véritable à travers l'orientation prise par son fils. Mais s'il en est bien ainsi, il faut admettre que c'est par obéissance à son mari qu'elle a contribué à cette éducation à la « vanité », et non pas du tout par conviction personnelle. Il faut de même admettre que, dans son hypersensibilité, son fils a nettement senti ce qu'a dû coûter à sa mère cette attitude de reniement d'elle-même, à tel point qu'il lui a semblé suivre beaucoup plus authentiquement son image sous sa forme absolue et divine en osant entrer en conflit avec son père et en l'y entraînant, elle.

En ce qui concerne le problème de l'obéissance, on peut en tirer trois conséquences :

Primo : nous sommes maintenant en mesure de comprendre comment un homme comme François peut faire de l'obéissance une exigence idéale absolue. Ce genre d'obéissance n'est pas la reprise pure et simple de celle à laquelle prétendait son père ; mais elle résulte de l'identification avec la personne que, par opposition à son père, il a le plus aimée étant enfant : sa propre mère. L'obéissance qu'elle a montrée des années à un mari aux mœurs si étrangères à sa personne a dû la lui faire apparaître comme un modèle inconditionnel. A ses yeux, justement par contraste avec son mari, elle a dû lui apparaître comme l'abri et la gardienne d'un monde authentique et idéal qu'il s'agissait de reconstruire et de mettre à l'abri des atteintes du père ; sa figure ne pouvait être préservée dans sa pureté que par la totale négation du père. Ainsi l'obéissance à ce modèle et à cette image maternelle élevée au rang d'image de Dieu même devenait-elle condition indispensable d'une vie de sainteté.

Secundo : nous comprenons pourquoi, après sa décision, François fera tout son possible pour monter son entourage contre lui et, malgré sa grande humilité, malgré sa contrition totale, ne perdra jamais le sentiment d'être coupable. D'un point de vue psychanalytique, on peut immédiatement s'attendre que ce déplacement du moi vers le surmoi de son énorme agressivité contre le père resurgisse sous forme de fantasmes de punition, donc de besoin formel d'opprobre et d'humiliation. Et si, comme dans le schéma auquel nous avons déjà eu recours, nous mettons à la place du Christ la figure ou la personne de la mère, nous comprenons de même fort bien le vœu du saint de souffrir aux côtés du Christ jusqu'à reproduire en son propre corps les marques des blessures divines. S'identifier à sa mère contre le père devient la substance véritable de sa vie. Quand, par la suite, s'appuyant sur sa vocation, le saint voulut renouveler l'Église du Christ, on peut psychanalytiquement voir là un déplacement et même une prolongation de la nostalgie originelle, celle de pouvoir délivrer cette mère, misérable, violentée et humiliée, des griffes du négociant Pietro Bernardone, avide de biens et de pouvoir.

Tertio : nous comprenons ainsi ce paradoxe autrement inexplicable : comment une personne peut-elle être obéissante au dernier degré alors qu'elle a jeté toute obéissance par-dessus bord ? Psychanalytiquement parlant, c'est l'obéissance selon le modèle de la mère ou l'obéissance à la mère, qui, à un moment donné, a poussé à désobéir en dernier recours à un père comme Bernardone, donc à une alternative dramatique. Du même coup devient compréhensible la double attitude que François adoptera plus tard à l'égard de l'Église. Dans l'histoire de l'Église, il n'y aura personne à se montrer par tout son être aussi durement critique du pouvoir romain, aussi provocant même. Ce n'est cependant pas son moi, mais le contenu objectivé, autrement dit divinisé, de son surmoi qui devient provocant sans qu'il profère jamais un mot contre Rome, en humble obéissance à l'égard de Dieu. Ainsi peut-on comprendre qu'il se résolve à comparaître devant Innocent III pour supplier ce Bernardone géant de bien vouloir reconnaître sa vie de moine mendiant[24]. Si ce n'était pas l'identification et l'obéissance à sa mère qui l'avaient poussé à désobéir à son père et s'il n'y avait pas eu soustraction totale de la composante agressive de son moi, on peut penser que François, animé d'une plus farouche volonté d'aboutir mais aussi moins disposé à se soumettre, serait devenu plutôt un rebelle ou un réformateur qu'un saint et un fondateur d'ordre[25].

Tout cela ne nous autorise pas à penser que la psychanalyse permet d'éclairer en quelques pages la vie d'un génie comme lui. Mais son exemple nous apprend certainement qu'il est impossible d'ériger la vie d'un grand saint en exemple sans prendre en considération les motivations psychologiques qui s'y révèlent. Il nous fait voir comment un certain type idéal d'exigence d'obéissance peut se fonder sur l'attachement d'un enfant à celui de ses parents qui a dû lui-même se soumettre totalement à l'autre, même étranger et détesté, pour ne pas mettre en danger par sa désobéissance tout l'édifice de la vie conjugale. L'identification avec le modèle bien-aimé, ainsi que la connaissance du péril extrême que d'éventuels mouvements de désobéissance entraîneraient forcément, plus l'énorme ambivalence qui caractérise l'autorité (paternelle) : voilà les caractéristiques structurelles de cette obéissance de « type François ». Éprouvant sa propre mère comme étant tellement plus aimable, plus proche de l'idéal, plus digne d'être imitée et plus humaine dans sa soumission, il commence à percevoir sa force secrète et sa valeur morale, à tel point qu'il ne peut que souhaiter de tout son cœur devenir semblable à elle : aussi patient, doux et dévoué ; et non pas comme son père, dans lequel il ne voit qu'un matérialiste, un violent jamais maître de lui-même, un despote âpre au gain et sans pitié, etc. Nous aurons à revenir plus tard en détail sur la composante féminine qui est en cause dans cette structure psychologique marquée du type « franciscain » d'obéissance, du fait de l'identification à la mère et du refus opposé au père. Pour le moment, il suffit de souligner que tous les conflits mentionnés existent déjà à la phase anale du développement psychologique et qu'on peut parfaitement les analyser sans avoir à recourir aux complications du complexe d'Œdipe.

Dans le cadre de cette grille d'interprétation, une seule question n'a pas encore trouvé de réponse suffisante : d'où vient *l'énergie* qui va élever l'image de la mère au niveau divin ? La réponse classique de la psychanalyse est : du processus de refoulement qui s'est produit lors de la résolution du complexe d'Œdipe. Mais nous ne pouvons accepter cette réponse, puisque nous avons souligné que la problématique de l'obéissance est complètement pré-œdipienne. Du point de vue historique, s'agissant de saint François, nous n'avons naturellement que des récits principalement légendaires, et l'analyse reste donc réduite à des hypothèses. En ce qui concerne la psychogenèse de l'attitude cléricale d'obéissance du « type François », nous pouvons cependant signaler une condition qui semble très souvent réalisée. En effet, l'image de la mère se prête au mieux à cette élévation au niveau de la sphère du divin lorsque son attitude réelle donne à sentir quelque chose d'un rapport à la transcendance. Obéir à sa mère apparaît à un enfant d'autant plus facilement comme une exigence divine que la mère elle-même, par son comportement, permet à l'enfant de se dire qu'elle n'aurait pas accepté cette obéissance-là s'il n'y avait pas eu derrière elle une personne absolue qui l'exigeait et qui lui donnait la force nécessaire pour cela.

Déjà, en examinant le facteur religieux, nous avions signalé combien le fait que l'un des parents (la mère de préférence), à l'opposé de son conjoint (époux ou épouse), trouve une force spirituelle dans son rapport à l'Église était déterminant dans la psychogenèse d'une vocation de clerc. Il nous est maintenant possible de préciser les choses : au cours du développement psychologique de l'enfant, la façon dont le parent qui fournit la norme et apparaît comme l'exemple à suivre se réfère à une réalité transcendante l'incline à le voir dans la lumière dont il dit vivre. La participation de la mère à la transcendance favorise chez l'enfant la « transcendisation », autrement dit l'idéalisation de l'image maternelle, et implante en lui quelque chose du « mystère » auquel il se sentira lié sa vie durant.

3. *L'ébranlement des facultés personnelles de jugement*

Jusqu'à présent, nous n'avons fait connaissance que des formes d'obéissance dues à l'influence directe de l'éducation parentale ou de l'identification à l'un des deux parents. Dans ce dernier cas, on aura remarqué l'importance de la tension qui semble exister entre le père et la mère, ou tout au moins de ce qu'en voient les enfants. Supposons maintenant que cette tension prenne un caractère encore plus dramatique et plus dangereux que dans la variante « franciscaine » de l'obéissance, et nous en arriverons bientôt à un point tel que l'attitude de soumission résultera d'un trouble profond de la capacité personnelle de juger. Un homme comme François pouvait encore se rendre compte à quel point ses parents s'entendaient mal ; mais le risque, c'est que quelqu'un, le percevant, se croie toujours obligé de falsifier ou de nier ses observations et ses conclusions personnelles — conformément à la devise : « Ce qui ne doit pas être ne peut pas être » — et cela peut engendrer une telle insécurité vis-à-vis de son propre jugement qu'il en arrive à rechercher quasi désespérément quelle est la vision « juste » des faits. L'obéissance ne concerne alors plus seulement la volonté, mais la pensée ; pour être plus précis, elle consiste en une volonté de tenir pour vrai ce que dit autrui afin de ne pas avoir à constater ce qu'on pourrait soi-même constater. Si on veut arriver à comprendre comment il est possible d'exiger une obéissance « à la saint Ignace », où on doit aveuglément (c'est le cas de le dire) soumettre son jugement personnel à l'ordre du supérieur, et en trouver de plus des partisans enthousiastes, il faut fouiller dans un passé où ces gens, enfants, ont été obligés de fermer les yeux pour ne pas voir ce qui aurait manifestement eu des conséquences désastreuses.

Dans ce cas encore, le modèle simpliste sceau-empreinte se révèle à peu près inutilisable pour expliquer la psychogenèse des idées des clercs. Certes, il peut parfois arriver qu'un adolescent, par exemple chaque fois qu'il donne un avis personnel, se heurte à un père qui le rabroue en reprenant durement tout ce qu'il dit ou en le tournant en ridicule. Il peut aussi arriver à un enfant de perdre toute capacité de juger, tant il a souffert d'avoir à grandir à l'ombre d'un père (ou d'une mère) qui, en raison de son sentiment d'infériorité, ressentait comme une vraie menace le fait d'avoir un enfant doué, intelligent, capable d'analyse critique, donc de remise en question de l'univers étroit de ses parents. Il peut vraiment y avoir des parents qui, par manque d'assurance, croient devoir tout savoir, même ce qu'ils ne savent pas, et ne savent alors plus que faire d'un enfant éveillé et de bon jugement capable de percer à jour leur arrogante surcompensation : si on étudie psychanalytiquement le conte de Grimm *La Sage Élise,* on y trouvera un cas parfait de ce genre[26]. Mais il y a des vérités plus dangereuses que celles qui peuvent menacer le sentiment que tel ou tel parent peut avoir de sa valeur, et donc plus dangereuses aussi pour la joie de découvrir et de chercher d'un enfant curieux. Ce sont celles qu'il ne faut pas dire, parce qu'elles provoqueraient l'effondrement de la cohésion familiale.

La simple supposition que quelque chose risque de clocher suffit à provoquer une angoisse mortelle qu'on repousse fort simplement en recourant au déni de la réalité[27]. Mais c'est justement cette négation des conflits entre les parents qui, du fait des tabous et du risque qu'on aurait couru pour oser dire la vérité, engendre chez l'enfant une irritation de la pensée[28] et une disposition à l'obéissance. Celle-ci, à son tour, tend à ne plus permettre de vivre sans faire preuve d'une bienveillance inconditionnelle envers certaines autorités, ce qui prépare psychologiquement fort bien à la vie de clerc. Et se referme le cercle vicieux de l'éviction de la vie personnelle au profit d'un mécanisme parfaitement huilé de reproduction du système chez l'individu.

« Chacun savait toujours d'avance ce qui était bon et juste pour moi, me disait ces jours-ci une religieuse. J'étais simplement trop sotte pour comprendre pourquoi les autres avaient raison. Étaient marqués au sceau de l'éternité des chemins et des normes qui me restaient étrangers et que je devais accepter quand même ! Je n'avais qu'à me dire contente, bien qu'en moi-même je ne le fusse pas. Aujourd'hui encore, quand je rencontre quelqu'un, je me dis : Que veut-il de moi ? Et alors j'en oublie de penser à ce que j'avais moi-même envisagé de faire. En fin de compte j'en veux à cette personne de m'avoir empêchée de faire ce que j'avais dans l'esprit. Après, voilà qu'il faut que je me reprenne et me blâme d'avoir été si méchante d'en vouloir à cette personne. Mais tout cela reste confiné en moi-même ; de vous le dire maintenant fait naître de nouveau la peur d'être chassée. Je préfère dire que je ne sais pas ; et je refile la responsabilité à l'autre. Seulement cet autre, je le déteste de faire comme s'il savait ce que je veux et ce qu'il me faut. Mais je n'ai pas le droit de haïr quelqu'un. C'est pourquoi je me déteste moi-même d'être dans une telle confusion et de n'être capable devant vous que de pleurnicher. Je suis aussi moche que ma mère ; elle aussi tordait la vérité de tout, ne savait jamais ce qu'elle voulait mais savait constamment ce que les autres devaient vouloir. Intellectuellement, je sais que tout cela vient de ce que je me censure en permanence. A peine ai-je attrapé au vol une pensée ou un sentiment que déjà je l'évalue, ne l'admettant que si j'estime pouvoir l'avouer à quelqu'un. Mais, justement, de cette manière tout est faussé. Je n'ai pas le droit de nourrir en moi tel sentiment ou telle pensée parce qu'ils sont mauvais, et je n'ai pas non plus le droit de me censurer ainsi. Je ne sais plus rien. Je ne voudrais plus rien être : simplement exister et vivre ; mais cela, je n'ai jamais été autorisée à le faire. Il fallait toujours imiter les saints et suivre l'exemple de quelqu'un d'autre. »

Cette façon de continuellement s'autocensurer, ces troubles de la pensée, ce transfert d'agressivité sur soi-même, ce report sur la personne du thérapeute de sentiments ambivalents à l'égard de sa mère, le sentiment d'être perpétuellement étranger à soi-même sont structurellement des signes certains d'une névrose de compulsion caractéristique de la phase anale. Cependant il nous suffit ici de souligner comment l'obéissance peut non seulement naître d'une contrainte autoritaire ou de l'identification à un modèle parental auquel on se soumet comme à une puissance étrangère, mais aussi, comme c'est ici le cas, d'une façon plus spirituelle, « sublimée » du mensonge existentiel des parents. Ceux-ci posaient comme vérités nécessaires des positions qui contredisaient ce que l'enfant percevait, mais qui, parce qu'il lui fallait les admettre, devenaient pour lui les conditions de son expérience et de sa survie.

Simplement, quand l'ébranlement de la capacité de penser et de juger est tel qu'il n'est plus possible ou plus permis à quelqu'un de savoir quelle attitude prendre devant sa propre perception des choses, on comprend que celui-là puisse en arriver à taxer d'opiniâtreté toute idée personnelle et d'entêtement toute volonté propre, à tel point qu'il ne voit plus de sceau de garantie de la vérité que dans le fait de ne plus juger ni de rien ordonner soi-même, mais de laisser un autre le faire à sa place. Nous ne parlons pas ici de ces clercs auxquels l'exigence d'obéir apparaît plutôt comme une prétention abusive qu'ils « règlent » en passant et de façon purement formelle, mais des personnes pour lesquelles c'est une affaire très sérieuse, des gens comme Benoît, François et Ignace, pour lesquels cette obéissance est un besoin.

Il importe toutefois de voir que l'embrayage entre l'incertitude individuelle et le comportement de soumission d'une part, et la fixation institutionnelle de la prétention à la vérité avec son appareil de fonctionnaires organisé hiérarchiquement de l'autre ne s'enclenche pas seulement à propos d'ordres à donner ou à recevoir, mais est constitutif de l'idéologie de l'Église catholique. Pour dire les choses autrement, il aurait été absolument impossible de faire tenir debout l'édifice dogmatique de l'Église pendant des siècles[29] et il serait également impossible de le maintenir aujourd'hui encore dans toute son ampleur, deux cents ans après les Lumières, si on n'avait pas au préalable tellement intimidé et insécurisé les fidèles en matière de religion que, en tant que laïcs sans véritable information, ils n'osent plus s'octroyer la moindre compétence en ce domaine. L'obéissance à la foi n'est à la lettre pas seulement un aspect de l'Église catholique, mais son centre, son cœur. Pour peu qu'on tienne en public le moindre propos s'écartant si peu que ce soit de l'homélie dominicale habituelle, il y aura immanquablement dans la discussion qui suivra quelqu'un qui se mettra à parler non plus de ce qui a été dit, mais de ce qu'en pensera l'Église. La marque du bon catholique, c'est de savoir si on a le droit de faire un tel discours. En Occident, il n'y a pas d'institution à avoir su mieux que l'Église catholique prescrire aux gens des pensées qui ne sont pas les leurs, mais qu'ils doivent réciter, qu'ils les comprennent ou non, pour être « sauvés » dans le temps et l'éternité[30]. Encore aujourd'hui, la plus haute ambition de l'enseignement théologique de l'Église n'est pas la liberté de pensée, mais la transmission d'une structure rigide d'une pensée et d'un vouloir imposés.

Voyons-en les conséquences.

Nous en sommes actuellement au point que les théologiens, au lieu de publier leurs connaissances au profit de la masse des croyants, doivent les garder par-devers eux — par exemple celles concernant l'historicité de tel ou tel texte biblique —, sous peine de voir les fidèles eux-mêmes, puis la commission doctrinale de la conférence épiscopale du lieu les accuser d'hérésie. Cette classe de responsables de la doctrine, patentés et obéissants, flotte, telle une pellicule opaque, sur les yeux de croyants ignares et désinformés au point d'être à la limite de la plus franche superstition, et préférant le rester d'ailleurs pour ne pas mettre en danger leur foi infantile. Qu'est devenu l'espoir de saint Ignace de rendre l'Église extérieurement plus efficace parce qu'une obéissance monacale de style militaire l'aurait renforcée de l'intérieur ? Le fait est patent depuis longtemps : c'est justement cette formulation de l'exigence d'obéissance qui a dévoré les forces spirituelles inhérentes à la vie religieuse. On peut le dire avec certitude : pour l'essentiel, l'avenir de l'Église catholique dépend aujourd'hui d'une définition renouvelée et crédible du conseil évangélique d'obéissance, d'une définition qui réponde aux exigences de la critique — psychanalytique et philosophique — des XIXe et XXe siècles.

L'évolution intellectuelle qui s'impose depuis longtemps est certes déjà fortement handicapée par la passivité imposée aux « obéissants », mais plus encore par la fascination paradoxale qu'exercent sur tous ces gens assujettis les manipulations de leurs « chefs ». Les fonctionnaires sont finalement des modèles réduits de leurs supérieurs, animés qu'ils sont du secret espoir de pouvoir un jour les égaler en faisant comme eux. Déjà, en analysant la phase orale de l'attitude de pauvreté, nous avons évoqué la brutalité des personnes délicates, autrement dit la façon dont des personnes dépassées par leurs obligations en arrivent à se surcharger encore plus. De même faut-il signaler la soif latente de puissance des impuissants [31]. En obéissant, ceux-ci ont dû réprimer tant d'élans en eux-mêmes et se sont si fortement identifiés aux modèles vis-à-vis desquels ils devaient faire preuve de loyauté que, à partir d'un certain moment, ils sont vraiment mûrs pour gravir à leur tour l'échelle de la hiérarchie. Pour que cela arrive, il est préférable, si l'on peut dire, d'être soi-même suffisamment marqué d'une névrose de compulsion pour éprouver encore une certaine tension entre soi et les contraintes qu'il a fallu intérioriser : une structure caractérielle dépressive qui conduirait le moi à s'identifier complètement aux contenus du surmoi n'aurait plus le recul suffisant par rapport à soi-même pour s'imposer extérieurement et donc pour avoir une vocation de gestionnaire d'un pouvoir ecclésiastique. Au contraire, une attitude marquée de névrose de compulsion fournit exactement le type que nous rencontrons le plus souvent parmi les fonctionnaires de l'Église : elle est celle d'hommes chez qui les sentiments ne jouent aucun rôle, ni les leurs ni ceux d'autrui ; qui savent constamment ce qui est vrai, bon, utile et nécessaire ; qui sont toujours « officiels » et ne remarquent jamais comment ils élèvent leurs propres besoins au niveau d'exigences métaphysiques ; qui n'admettent par principe que ce qui leur paraît clair, indubitable, confirmé, garanti par des autorités étrangères, et surtout assuré depuis leur enfance. Ce n'est pas par mauvaise volonté qu'à toutes les questions posées ils réagissent non par leur propre personne, mais par des instructions et des mesures administratives. C'est plutôt la perte de toute volonté et de toute pensée personnelles qui les amène à se conduire avec les autres comme avec eux-mêmes : « selon la règle ». Ils se sont donnés eux-mêmes au Christ et ils sont dès lors structurellement incapables de remarquer que ce refus de toute existence personnelle en son nom revient à transformer son message de liberté de l'homme en programme tyrannique et en incessante censure de la pensée et de la conscience.

C'est ainsi qu'on recrute les obéissants d'aujourd'hui pour produire les chefs ecclésiastiques de demain. Mais reste à savoir ce qu'il advient de l'obéissance au sens de l'Évangile. La réponse à cette question décidera si le christianisme se comprend essentiellement comme une religion du surmoi, ou s'il donne le courage de voir dans la relation de l'homme à Dieu une fonction du moi, et le courage de vivre en conséquence. Il y a déjà plusieurs décennies qu'un Albert Einstein a dit ce qu'on devait penser d'une obéissance à la Ignace : « Si quelqu'un aime bien marcher en rang, je ne peux que le mépriser ; car il n'a reçu son cerveau que par inadvertance — sa moelle épinière lui suffirait amplement [32]. »

D. CHASTETÉ ET CÉLIBAT, OU LES CONFLITS DE LA SEXUALITÉ ŒDIPIENNE

a. Sens et absurdité des idées, des attitudes et des décisions de l'Église

Nous en dirons autant et sans réserve de ce qu'on appelle le troisième conseil évangélique : l'exigence de chasteté et de célibat. Du point de vue psychogénétique, elle touche cette phase du développement qu'est le complexe d'Œdipe, et nous verrons qu'il y a beaucoup de raisons d'aborder la discussion sur le célibat par ce biais. Mais avant d'en arriver là, il est indispensable de préciser la question sous l'angle de la psychologie religieuse, car, dans l'Église catholique, il n'est pas de problème aussi chargé d'idéologie et de passion que celui-là : on aurait peine à y trouver un domaine où on cache, où on mente, où on souffre, et où on se dispute autant qu'à son propos.

1. La victoire sur la finitude et la lutte contre les religions de la fertilité

D'entrée de jeu, nous poserons une thèse importante : le célibat n'est pas la suite et le produit d'une animosité particulière de l'Église catholique à l'égard de la sexualité. Ce serait plutôt l'inverse.

L'idéal d'une abstinence sexuelle à vie (qui implique à la fois chasteté et non-mariage) est bien plus ancien que le christianisme. Il ne tient pas à une quelconque pruderie personnelle ou sociale, mais à une attitude fondamentale de l'être humain devant sa vie, étant bien entendu que cette attitude peut provoquer certaines crispations névrotiques dans le domaine sexuel ; ce que montre en particulier l'histoire du christianisme. Mais de quoi s'agit-il finalement ?

Pour autant que je le sache, les recherches sur le thème de la morale sexuelle de l'Église souffrent, sans aucune exception, des conséquences d'une perspective trop étroite : elles ne s'occupent exclusivement que de l'histoire du christianisme [1]. Comme dans nombre d'autres traités de théologie, on part de l'idée qu'on peut comprendre le christianisme uniquement par lui-même. Tout au plus consent-on à mentionner en introduction l'influence de l'Ancien Testament et de l'Antiquité gréco-latine. Mais les tenants du célibat refusent en tout cas la plupart du temps de s'occuper de psychologie religieuse et d'histoire des religions. Pour eux l'exemple du Christ est tout simplement incomparable, et ils ne sauraient s'inspirer d'aucun autre. Il n'y a donc qu'à louer comme il convient la sublimité d'un tel idéal et à l'accepter comme volonté divine [2].

En 1987, à Augsbourg, le pape Jean-Paul II a tenu devant des religieuses et des jeunes filles un discours pour nous caractéristique de cette façon de voir : « Chères sœurs, disait-il, vous avez appris à reconnaître et aimer la possibilité d'une intime communauté de vie avec Jésus-Christ, d'une vie où vous voulez vivre comme lui a vécu. Sa vie est votre modèle, son action est votre norme, son esprit votre force. Par votre alliance avec lui, vous prenez part à sa mission et vous témoignez de l'intervention salvatrice de Dieu. Vous trouvez la force et la disponibilité nécessaires pour cette éminente mission dans une vie de chasteté et dans un célibat choisis pour le Royaume des Cieux, dans une vie de pauvreté devant Dieu et les hommes et dans une obéissance à Dieu dans le cadre d'une communauté religieuse. Vous avez offert votre amour d'épouse au Seigneur et y avez trouvé le sens de votre vie. Sa vie, puisée à la plénitude d'être du Père, peut aussi combler la vie personnelle de chacune de vous. Vous trouvez votre liberté dans une rencontre avec lui que vous demandez dans votre prière et sur laquelle vous avez médité, dans la certitude de foi qu'il sera fidèle. Ainsi pouvez-vous vous offrir au service des humains et dans la vie fraternelle de vos communautés. Ne craignez pas d'y perdre votre personne ou de n'y pas trouver votre compte : l'amour de Dieu vous entoure et vous donne le soutien nécessaire. Vous êtes par là en mesure de renoncer par amour pour le Royaume de Dieu aux biens éminents d'une communauté conjugale et de la maternité charnelle. Cette attitude virginale, Marie l'a parfaitement incarnée. De l'annonciation de l'Ange jusqu'à la crucifixion, elle a comme nulle autre eu le souci du Seigneur. C'est pour cela qu'elle est devenue la mère de toute l'Église. Beaucoup d'entre vous portent son nom. Portez aussi son image dans votre cœur et imitez sa fidélité. Quand vous manifestez qu'une vie de continence acceptée pour le Royaume de Dieu mène à la joie et à l'accomplissement d'autant plus sûrement qu'elle est menée librement et avec dévouement, vous faites briller un flambeau pour les hommes de notre temps. Ne restent dans les ténèbres que ceux qui vivent avec un cœur partagé, ceux qui n'aiment qu'à moitié. Jeunes filles, considérez attentivement ce signe de virginité chrétienne[3] ! »

Ce discours suggère d'emblée bien des remarques.

Primo : il idéologise purement et simplement toutes les données de l'expérience psychique. A entendre de tels propos, les religieuses ne sauraient rencontrer de problème humain sérieux dans leur état de vie religieuse, puisque cet état plaît à Dieu et se trouve donc entouré et soutenu par son amour. En posant la sainteté de cette vie comme quelque chose d'objectif, on en fait une réalité subjective. On ne veut connaître ici que la « véritable liberté » et, selon cette manière de voir, quiconque éprouverait autrement les choses doit normalement s'attendre qu'on lui reproche de ne vivre et de n'aimer qu'à moitié. Le surnaturalisme, ou peut-être le monophysisme de cette pensée, rend inutile tout examen psychanalytique des véritables motivations de la vie de clerc (et de leur genèse dans l'histoire personnelle). Mais, du point de vue psychanalytique, il a pour premier effet de susciter une structure psychologique se caractérisant par le refus de concéder au moi individuel de la religieuse une marge d'action légitime. A en croire ces paroles, une religieuse doit être ce qu'elle est par statut, et c'est cet anéantissement du moi qu'on déclare liberté de Dieu. Impossible de dire le contraire : c'est ainsi qu'on justifie idéologiquement le surmoi créateur de tant de névroses de compulsion. Ainsi l'institution aura raison dans tous les cas et elle l'emportera toujours sur l'intérêt des personnes individuelles. Voilà comment on fait de l'amour, qui est un sentiment, une attitude volontaire d'oppression de soi-même, ce que nous aurons à préciser par la suite.

Secundo : on présente comme allant de soi le symbole mythique de la naissance virginale du roi divin. Or celui-ci a une longue préhistoire[4] au cours de laquelle on l'avait formulé en termes poétiques psychologiquement très fins, mais sans jamais l'interpréter dans un sens biologique ou moral. C'est pourtant ce que fait une certaine mariologie qui s'accroche à l'histoire, en en tirant alors comme tout naturellement un idéal de chasteté féminine[5]. Ainsi un symbole archétypique constant de l'histoire des religions fournit-il un modèle ascétique. Du fait de cette fausse interprétation biologiste ou objectiviste d'un discours symbolique, on accepte, apparemment sans aucune réticence, de déclarer paradoxalement qu'un prodige absolu et non répétable, celui de la conception et de la naissance virginales d'un enfant, doit servir de modèle de conduite à la vie de tout un chacun. On s'était précédemment refusé à faire une différence entre surnature et nature, entre théologie et psychologie ; on se refuse de même maintenant à poser une distinction entre biologie et morale, entre miracle de Dieu et volonté humaine[6].

Tertio : un psychanalyste ne peut manquer d'être frappé en voyant à quel point l'exigence de chasteté est fondée sur l'idéal de la mère, de la mère Marie, mais aussi de la mère terrestre du clerc individuel. Toujours le même jour et dans la même ville, au cours de la consécration d'un nouveau séminaire, le pape déclara également que, par leurs prières et leurs sacrifices, les mères devaient guider leurs fils sur le chemin de la prêtrise, à l'exemple de sainte Monique dont les prières inquiètes redoublaient lorsque son fils Augustin « cheminait loin du Christ, croyant trouver là sa liberté ». Le pape déclara : « Si la rénovation désirée de l'Église dépend avant tout du ministère des prêtres *(sic)*, c'est également vrai et à un degré élevé des familles et particulièrement des femmes et des mères. » Il ajouta même ceci : « Si la communauté paroissiale et la famille créent ainsi une atmosphère pénétrée de foi, la conviction de l'Église est que Dieu, malgré le renforcement des difficultés et des obstacles, malgré le maintien du célibat sacerdotal, appellera aussi en notre temps suffisamment de jeunes gens au sacerdoce et leur accordera un cœur généreux pour suivre son appel[7]. » A lui seul, l'enchaînement grammatical de ce propos révèle déjà qu'on reconnaît combien l'exigence de célibat représente actuellement plutôt un obstacle qu'un but sur le chemin de la prêtrise. Mais on espère que l'exemple des mères aidera les enfants à franchir également cette haie. Nous aurons à nous interroger, en recourant à la psychanalyse, sur le comment de la chose.

Quarto : la logique de l'alternative salutaire qu'on réaffirme point par point est tout à fait remarquable : « Ne vous laissez pas tenter par ceux qui ne veulent que vous attacher à vos pulsions. N'est vraiment libre que celui qui, par son lien au Christ, a trouvé le moyen de se donner soi-même par amour à Dieu et à sa miséricorde pour le monde et les hommes », lançait le pape aux jeunes filles venues avec les religieuses[8]. On doit penser que leur condition virginale est la réponse essentielle des chrétiens à l'homme moderne livré au jeu de ses pulsions. A écouter le pape, il faudrait voir dans leur pauvreté un signe spirituel dirigé contre le consumérisme sans frein de la société d'abondance, et, selon lui, leur obéissance « libre » dans la liberté de l'« amour » montrerait le chemin pour éviter « la captivité de l'égoïsme et de la haine ».

Nous trouvons bien explicitement dans ces formulations la « fonctionnalisation d'un extrême » en lequel nous avons déjà appris à voir un des problèmes essentiels des conseils évangéliques. En arrière-plan de cette vision des choses, on trouve explicitement exprimée la constante angoisse devant le chaos intérieur. Les conseils évangéliques ainsi compris représentent le moyen ultime pour discipliner la psyché et la préserver du danger menaçant de dépérissement. Disons cela en langage psychanalytique : il s'agit là d'une mentalité où le moi, dans sa fuite devant les aspirations refoulées et déformées du ça, se réfugie dans le surmoi pour échapper au péril de poussées pulsionnelles asociales. Ainsi rationalise-t-on le refoulement lui-même : on conforte l'instance refoulante, le surmoi, et on prépare donc le moi à une fuite éperdue dans les voies institutionnellement offertes par la vie selon les préceptes monastiques. Le recours à cette argumentation schématique permet de supprimer la tension entre le moi et le surmoi, entre la personne et l'institution, entre l'individu et la société, et nous comprenons pourquoi ici le discours théologique doit être monophysite, ou surnaturaliste, afin de légitimer et de susciter au maximum la conformité de l'individu au collectif ecclésiastique.

Nous ne saurions insinuer que Jean-Paul II se serait ici ou là trompé dans le choix de ses mots ou de ses tournures de phrases. C'est à bon droit que le pape peut prétendre que lui-même et son message préservent et transmettent la tradition de l'Église. Et, s'agissant de prescriptions concernant les ordres religieux, on peut même affirmer que son discours lui reste fidèle jusque dans ses formulations

Voyons maintenant les positions des adversaires du célibat obligatoire (en comprenant cette obligation au sens global, donc sans tenir compte de la distinction canonique entre celui des prêtres et celui des religieux) : leur argumentation est elle aussi plus souvent théologique que psychologique, et ils s'échinent à affiner leurs discours sur les points particulièrement délicats du discours ecclésiastique. Leur préoccupation est presque toujours de montrer à quel point l'animosité de fait de l'Église catholique à l'égard de la sexualité est vraiment antichrétienne. Leur argument principal est que le comportement de Jésus était d'un tout autre genre : à la différence de ses contemporains du milieu rabbinique, il avait des contacts avec des femmes, des prostituées même, et son attitude envers elles était exempte de toute crainte et de toute crispation[9].

Mais d'où vient-il que, dans une grande partie du Nouveau Testament, on trouve sans aucun doute une hostilité au mariage ? La question mérite d'être prise en considération.

Il faut d'abord mentionner le passage classique exprimant l'exigence de célibat : « Il y a en effet des eunuques qui sont nés ainsi dès le sein de leur mère, il y a ceux qui le sont devenus par l'action des hommes, et il y a ceux qui se sont faits tels en vue du Royaume des Cieux. Comprenne qui pourra. » (Mt 19, 12 s.)

Un auteur comme U. Ranke-Heinemann, adversaire résolue du célibat, considère ces paroles comme authentiques. Elle est donc obligée de se demander comment Jésus a pu tenir de tels propos. En guise d'explication, elle déclare qu'il ne s'agit pas ici de castrats, donc de gens « impropres au mariage », mais de ceux qui renoncent volontairement à un second mariage, autrement dit au divorce. Mais ne pourront accepter sa conclusion que ceux qui ignorent les derniers travaux des exégètes sur ce passage [10]. On aura aujourd'hui de la peine à en trouver un admettant que « le propos sur les eunuques » sous sa forme actuelle remonterait à Jésus. La structure de la phrase montre en revanche clairement que Matthieu prend personnellement position en faveur du célibat — le problème du remariage est tout autre que celui de l'adultère et du divorce. Les versets précédents (3-12) montrent nettement que l'évangéliste a introduit son propos sur le divorce en vue de celui sur les ennuques. Ce à quoi il vise, c'est finalement à montrer une progression dans l'histoire du salut : en 19, 4-6, il commence par présenter l'ordonnance de la Création ; en 19, 7-8, il poursuit par la mention de la loi mosaïque, liée à l'endurcissement des cœurs ; puis, après 19, 9, par le rétablissement de l'ordre originel. Son développement culmine en 19, 11-12 dans la recommandation du célibat [11].

On peut penser que, derrière ces idées, il y a l'influence de milieux proches de la communauté de Qumrân [12]. Cependant on ne peut absolument pas considérer la mentalité intellectuelle de cette secte comme une dérivation « gnostique » d'un judaïsme initialement étranger à l'ascétisme, comme semble vouloir le faire U. Ranke-Heinemann [13]. Il s'agit au contraire d'une radicalisation extrême d'un fond de pensée pharisienne que vient renforcer une attente apocalyptique très forte, ce qui ne permet vraiment pas de trouver de sens au mariage ni à la famille [14]. Mais on ne peut alors éviter de se demander dans quelle mesure Jésus lui-même, en dépit de son opposition à ce groupe et à sa vision de la loi, et ne serait-ce que de par ses liens avec Jean le Baptiste, n'a pas partagé certaines idées qumraniennes, telles que l'attente de la fin imminente du monde.

Il faut en dire autant de la position de saint Paul sur ce sujet. G. Denzler défend avec raison l'apôtre contre l'accusation globale d'être ennemi de la chair, et il insiste sur le fait que, à l'encontre de l'éthique grecque, Paul voulait en réalité faire ressortir l'idée qu'il ne fallait pas considérer le domaine du corps comme moralement indifférent et sans valeur : « La vérité est que Paul avait une grande estime pour le corps et voulait donc voir l'esprit dominer toutes les activités sexuelles[15]. » Certes, il est manifeste qu'il place la continence du célibat plus haut que le mariage (1 Co 7, 8-9), et on ne peut que regretter de le voir conseiller à cet endroit le mariage comme une sorte de remède pour échapper à la convoitise ! Si on n'est pas psychanalyste, on ne peut que difficilement se faire une idée de l'allure qu'ont des mariages vraiment conclus pour ce motif, par exemple celui de certains théologiens qui ont « basculé » : que de ressentiments, d'humiliations et de haines peuvent venir de ce sentiment de n'avoir pu vivre la continence ! Mais, inversement, c'est bien le même Paul qui, en 1 Co 7, 3, invite le couple à faire droit aussi aux exigences sexuelles de la femme : une différence considérable avec les conceptions morales de l'Antiquité qui « sur ce point ignoraient toute égalité de droit entre l'homme et la femme[16] ».

Au demeurant, la motivation « eschatologique » de Paul a provoqué à la longue une réticence très nette à l'égard du mariage. « Après la mort de l'apôtre, c'est dans son orbite missionnaire que naît l'évangile de Luc, peut-être composé par un de ses disciples. Et c'est là que surgissent d'un seul coup des logia hostiles au mariage, ainsi que nombre de phrases qu'on ne trouve jamais dans les autres évangiles. Matthieu, par exemple, raconte la parabole du festin des noces qu'il a puisée dans les logia (27, 2). Dans le passage parallèle, Luc ne parle plus que d'un grand festin (Lc 14, 16). En revanche, il reprend quelques lignes plus loin le thème de la noce en lui donnant une connotation négative. Car l'un des premiers invités s'excuse en disant " j'ai pris femme et je ne puis venir ". En d'autres termes, cela signifie que le mariage est un obstacle sur le chemin du Royaume de Dieu. A la fin de la parabole, le Christ de Luc dit (Lc 14, 26) : " Si quelqu'un ne hait pas père et mère, femme (!) et enfants, frères et sœurs et, de surplus, sa propre vie, il ne peut être mon disciple ". Autrement dit, suivre le Christ peut exiger de quitter ou de repousser son épouse. On voit que les considérations pastorales de l'apôtre Paul (1 Co 7) ont pris ici la forme prestigieuse de paroles du Seigneur[17]. »

Cela continue[18]. Matthieu avait cité ainsi un propos des *logia* : « Quiconque répudie sa femme, hormis le cas de fornication, la voue à devenir adultère » (5, 32). Luc la reprend de la façon suivante : « Quiconque répudie sa femme et en épouse une autre, commet un adultère » (Lc 16, 18, et aussi Mt 19,9). Ce qui signifie : celui qui répudie sa femme — pour des motifs de foi, par exemple — et retourne de ce fait au bienheureux état de célibat, ne doit pas recontracter mariage et en revenir ainsi à cet état infortuné. En Lc 17, 34, l'évangéliste s'empare d'un propos apocalyptique, toujours tiré des logia, que Matthieu avait formulé ainsi : « Alors, deux hommes seront aux champs : l'un est pris, l'autre laissé » (Mt 24, 40). Chez lui, cela devient : « Je vous le dis : en cette nuit-là (celle du Jugement Dernier) deux seront dans le même lit : l'un sera accepté et on abandonnera l'autre. » On ne peut guère songer ici à un lit d'homosexuels, mais bien plutôt à un couple homme-femme que la venue du Fils de l'Homme vient donc déchirer. Autrement dit, ou bien le mariage, ou bien le Royaume de Dieu ! Où est l'un, l'autre ne peut pas être, ou ne peut plus être ! En Lc 18, 29,30, l'évangéliste reprend un propos que Mc 10, 29-30 formule ainsi : « Nul n'aura quitté maison, frères ou sœurs, mère ou père, enfants ou champs à cause de moi et à cause de la Bonne Nouvelle, qu'il ne reçoive le centuple. » Dans cette énumération de tout ce qu'il faut abandonner (ou « haïr », selon Lc 14, 26) pour l'amour du Christ, Luc ajoute sciemment l'épouse (à la différence également de Mt 19, 29). Il est vrai qu'il pose ainsi un problème, celui de savoir comment il sera possible de se voir rendre « au centuple » même sa femme… Ce fut saint Jérôme, pourtant si démesurément prompt à louer le célibat et la virginité, qui, dans un commentaire relatif à ce passage, trouva cette compensation fantaisiste : il offre littéralement cent femmes en céleste récompense à ceux qui, sur terre, en auraient répudié une seule, la leur, pour le Royaume de Dieu[19]

Luc ne nourrissait certainement pas de telles espérances, tout au contraire. C'est en 20, 24-36 qu'il exprime le plus nettement sa vision des choses. Rapportant l'entretien de Jésus avec les Sadducéens à propos de la Résurrection, Marc avait dit « Lorsqu'on ressuscite d'entre les morts, on ne prend ni femme ni mari, mais on est comme des anges dans les cieux » (Mc 12, 25), ce qui, dans ce contexte, signifie simplement qu'on ne peut se représenter le Ciel avec un regard terrestre. Mais pour Luc, cela devient une franche réprobation du mariage, peut-être même une dramatique déclaration de guerre, qu'il formule ainsi : « Les fils de ce monde se marient et sont mariés. Mais ceux qui sont reconnus dignes de l'autre monde et dignes d'avoir part à la résurrection des morts ne se marient pas et ne sont pas mariés. Ils ne peuvent pas mourir non plus ; car ils sont semblables aux anges et enfants de Dieu, étant enfants de la résurrection. » Cette déclaration se contente de reprendre la vieille idée, héritée de l'Égypte ancienne[20], selon laquelle on devient fils de Dieu en mourant et en ressuscitant. Elle revient avant tout à dévaluer l'ordre de la vie terrestre, y compris l'amour entre homme et femme, comme quelque chose d'irrémédiablement dépassé. Seuls se marient encore les « enfants de ce monde », c'est-à-dire ceux qui vont à leur perte (!) ; en revanche, ceux que Dieu a appelés à la félicité éternelle ne peuvent ni ne doivent plus se marier.

Voilà donc, sous sa forme la plus pure, le fondement du célibat choisi en vue du Royaume des Cieux, à ceci près qu'il ne concerne manifestement pas l'état religieux de clerc, mais la véritable forme de vie de *tous* les « élus » de Dieu. Ce à quoi il faut ajouter que, à côté du célibat, Luc prend sur la pauvreté une position très rigoureuse, plus tranchante et plus dédaigneuse de tout compromis que celle des autres évangélistes[21]. S'agissant de la puissance terrestre et des puissants de ce monde, son opinion absolue est que Dieu les livre aux mains de Satan, lequel les répartit de son côté à son gré entre ses partisans (Lc 4, 6)[22]. Voilà pourquoi, dans le Nouveau Testament, on peut considérer cet évangéliste comme le principal initiateur du système des conseils évangéliques, et plus particulièrement comme le théologien du célibat. Comment s'étonner alors que des groupes élitistes toujours renaissants, telles les communautés d'inspiration néo-testamentaire[23], trouvent en Luc le modèle à suivre ? Mais on voit bien également quels problèmes la théologie lucanienne soulève.

Si on veut comparer l'attitude spirituelle de Luc à celle d'autres groupes connus, on songera surtout au mouvement des Encratites, au IIe siècle, qui prétendaient imposer à tous les chrétiens une existence virginale ainsi qu'une sévère mortification corporelle, avec abstinence de viande et de vin[24]. A vrai dire ce n'était pas une secte, mais des personnes qui prenaient leur foi particulièrement au sérieux. C'est cependant par là qu'on voit justement le mieux combien leur ascèse s'éloignait de l'image de Jésus dans le Nouveau Testament. On considère généralement leur réserve marquée à l'égard du monde comme due à certaines influences gnostiques. Mais, en ce qui concerne Luc lui-même, il s'agit sans doute plutôt d'un problème lié au retard du retour de Jésus qu'on attendait comme proche[25]. Ce qui pouvait alors paraître aller de soi dans l'attitude de Jésus, compte tenu de cette perspective d'une fin du monde pensée comme imminente : sa distance par rapport à tout ce qui concerne ce monde, sa renonciation à l'avoir, au pouvoir et à la famille, tout cela se détache de plus en plus de la motivation initiale pour se transformer en exigence morale. Ce qui était initialement attitude existentielle devient ainsi de plus en plus postulat éthique. Le message de libération fondé sur la proximité de Dieu prend la forme d'une nouvelle légalité censée nous rapprocher de lui. Et, semble-t-il, c'est seulement ce « trou » entre la présence historique de Jésus et le non-accomplissement de la promesse d'une fin du monde comprise de façon totalement extérieure, qui a transformé l'extase enthousiaste du début en ascèse résolue chez les épigones des deuxième et troisième générations. C'est le problème de toute succession, à partir du moment où on la comprend essentiellement comme une imitation purement extérieure du modèle, dans laquelle on tient trop peu compte des motifs et des expériences qui avaient déterminé ce modèle de l'intérieur. On a en tout cas l'impression que le sentiment apocalyptique de la fin prochaine du monde vue dans le cadre des catégories historiques de la pensée juive est sensiblement identique à celui de ce qu'on appelle la « gnose », pour laquelle, sur cette terre, l'homme n'est qu'un étranger solitaire et abandonné[26]. C'était bien le sentiment qui était à la base du message de Jésus, mais il trouvait tout au moins son contrepoids dans l'euphorie de l'« attente proche ». En revanche, la déception devant le fait que la fin n'arrive pas semble avoir rendu l'Église primitive réceptive à l'influence de systèmes et d'attitudes gnostiques. Ainsi, la joie à l'idée d'une fin proche fait place à un programme volontariste pour tenir jusqu'au bout. C'est manifestement cette mentalité qui fonde, ou au moins favorise, un certain genre d'existence monacale, en particulier la renonciation à l'amour conjugal et à la famille.

Dans cette mesure, il n'est que partiellement vrai, sinon complètement faux, de considérer l'exigence de célibat comme une erreur commise sur l'enseignement de Jésus, autrement dit comme une gnose étrangère à la Bible. Il faudrait plutôt affirmer que le message et la personne de Jésus ont paru un moment occulter et surmonter une tension qui par la suite n'a fait que resurgir de façon plus insistante : l'effondrement de la synthèse très particulière de Jésus devait libérer le sentiment gnostique de la déréliction et de la souffrance de l'homme devant les étroites limites de sa finitude. Il est en tout cas essentiel de comprendre que le célibat de la vie monacale émane bien plus du besoin d'être délivré de l'existence terrestre que d'une soi-disant animosité à l'égard de la sexualité ou de la femme, toutes choses que ce besoin n'en a pas moins incontestablement favorisées en milieu chrétien.

A côté du reproche de gnosticisme, les adversaires du célibat avancent souvent que son existence serait due à certaines influences « mythiques », en tout cas « extérieures au christianisme ». Dans un passage très valable sur les diverses sources du mépris chrétien du mariage et de l'animosité contre la sexualité, U. Ranke-Heinemann attire en particulier l'attention sur ce point. Elle signale avant tout la peur archaïque de la menstruation féminine ainsi que la fausse interprétation, à la fois moralisante et biologisante, du récit de la naissance virginale du Messie chez Matthieu et Luc[27]. Ces deux facteurs ont joué. Il n'en reste pas moins qu'on ne peut admettre de voir présentées comme de ridicules extravagances certaines problématiques qui ont déterminé historiquement la sensibilité et la pensée de l'humanité pendant des millénaires, autrement dit de les réduire à de simples symptômes d'une idée fixe illogique en laquelle on ne voit plus que la dégénérescence d'une existence en soi radieuse. Une telle manière de voir ne rend pas justice au sérieux des moines et clercs de l'Église catholique de jadis et de maintenant ; mais elle déshonore en même temps les aspirations pleines de sagesse et parfaitement valables des pythagoriciens, stoïciens, néo-platoniciens, manichéens et gnostiques[28] de jadis, aussi bien que des bouddhistes et hindouistes actuels, avec leurs bikkhous[29], sadhous et fakirs, sans parler des derviches et soufis[30]. Plus important encore : elle méconnaît l'origine décisive d'une expérience qui seule peut expliquer l'attitude religieuse sous-jacente aux pratiques ascétiques monacales, celle du déficit fondamental de l'existence terrestre. Il ne s'agit pas de détruire de gaieté de cœur une existence en elle-même savoureuse, mais, bien au contraire, de la libérer essentiellement de conditions qui font éprouver la vie comme « lourde de souffrances » (duhkha) et « vide », pour reprendre des termes bouddhistes[31]. Et la légende originelle du bouddhisme s'oppose justement par principe à toute tentative pour relativiser cette expérience en l'expliquant par des conditions sociales ou politiques. C'est bien Siddhartha, un fils de roi heureux, si on en juge de l'extérieur, qui découvre combien la richesse, le pouvoir et les délices des sens les plus variés ne sont que vernis superficiel, illusion génératrice de souffrances et mensonges sous le voile de la Maya[32].

Il faut chercher à comprendre comment cette expérience métaphysique d'une existence humaine ressentie comme un abîme insondable pénètre et imprègne toute l'expérience de la sexualité. Pour cela il faut remonter bien plus loin dans l'histoire des religions que ne le font généralement les maigres recherches sur le « célibat obligatoire ». Si on se fonde sur les traditions mythiques des peuples, il semble que la femme soit apparue comme la Grande Mère, maîtresse absolue et mystérieuse de toute vie[33]. On ne connaissait manifestement pas le rôle de l'homme dans l'acte de génération, et on n'avait pas compris qu'un geste habituel et quotidien entre un homme et une femme pouvait produire un événement aussi extraordinaire qu'une grossesse et une naissance[34]. Selon toute probabilité, c'est dans ce caractère normal et sans problème du sexuel que l'image mythique de la naissance virginale trouve son origine[35]. Le cycle de la femme paraissait étonnamment semblable à celui de la lune. Au fil des jours, celle-ci revient, toujours nouvelle dans sa rayonnante splendeur, resurgissant de la ténèbre des choses passagères à la vie et retrouvant comme par magie, grâce à son bain dans l'océan céleste, la lumière de sa pureté originelle. Le côté merveilleux, apparemment supraterrestre et lunaire de la nature féminine projette à vrai dire une ombre importante. De la femme viennent la vie et le bonheur de l'amour, mais on ne peut manquer de voir le revers de la médaille : la sexualité et la reproduction n'ont de signification qu'au prix de la mort[36]. Ce qui meurt est obligé de se reproduire. Mais, en même temps, chaque nouvelle vie, chaque procréation, suscite aussi à nouveau dans le monde le vieillissement, la souffrance et la mort. Impossible d'échapper à ce cycle de la naissance à la mort. Et c'est le mystère de la femme, en soi déjà assez ambivalent, qui provoque et déclenche cette contradiction. Ce n'est qu'à partir de là qu'on peut comprendre la relation que de nombreux mythes populaires établissent entre la découverte de la sexualité et une culpabilité et une punition originelles : en s'acquittant de leur œuvre, d'elles-mêmes les femmes provoquent la mort.

Mais les hommes sont également entraînés dans ce cycle

énigmatique : pendant que les femmes, en tant que mères, créent de la vie, le devoir des hommes est de la détruire par la chasse et la guerre[37]. Nombreux sont les peuples à traduire dans les chants et les danses de leurs rites d'initiation le sens de cette entrée dans la vie adulte, la nécessité d'assumer ensemble, et par opposition en tant qu'homme ou femme, la polarité conflictuelle de la mise au monde et de la mise à mort, des semailles et des récoltes, de la floraison et de la fructification, de la maturation et de la décrépitude. La magie initiatrice des rites de fécondité apparaît alors comme le meilleur moyen pour fortifier les énergies de la vie et la volonté de vivre de l'Homme[38]. L'ivresse, l'extase orgasmique, avait pour but, sinon de vaincre la mélancolie du deuil, tout au moins d'en consoler. On voulait réconforter par tout le bonheur terrestre imaginable un homme blessé du fait d'avoir pris conscience de son existence : la vie est si courte ! Et pourtant on trouve déjà dans ces images de régénération et de disparition incessantes le pressentiment symbolique d'une participation et d'une renaissance spirituelles à une réalité transcendant totalement la réalité.

Il est très important de voir que la religion de l'Ancien Testament n'apporte que des réponses très insuffisantes à toutes ces questions. A la fin de l'ère biblique, elle était comme fatalement mûre pour un retour de tous les problèmes refoulés des origines. Ceux-ci apparurent dès lors sur le devant de la scène sous forme de gnose ou de platonisme. La religion israélite s'était détournée avec horreur de celle de l'ancienne Égypte et avait mené une lutte rigoureuse contre le monde du mythe païen en cherchant à placer le Dieu d'Israël face aux dieux des nations. Elle avait lié le plus intimement possible l'unicité de Yahvé avec l'unicité d'Israël. En attaquant les rites de la fécondité, elle avait cherché à faire éclater le temps circulaire de la nature pour lui substituer une théologie linéaire de l'Histoire, avec sa providence divine et la responsabilité personnelle. Ainsi s'était-elle radicalement opposée sur toute la ligne au monde de la Grande Mère. Tous les essais de la théologie féministe pour retrouver les traits féminins ou maternels de l'image du Dieu de l'Ancien Testament ne peuvent atténuer ce contraste : le Yahvé d'Israël est la vivante contradiction de toute déification de la nature ; il est en lui-même la radicale négation monothéiste de la polarité des sexes divinisée dans les mythes[39]. Par sa colère, sa volonté de s'imposer, sa jalousie aussi bien que par son armée d'anges, il accuse des traits parfaitement masculins, d'une extrême virilité, et même, dans certains cas, brutaux et fanatiques[40]. Tel était apparemment l'inévitable prix à payer pour faire découvrir pour la première fois dans l'histoire humaine la présence d'une personnalité et d'une liberté absolues au cœur de l'existence des hommes.

Pourtant, malgré ses efforts, la religion de l'Ancien Testament ne put vraiment échapper aux contradictions de l'existence terrestre, de plus en plus nettement évidentes depuis la révolution du néolithique. Rejetant l'idée et le culte d'une âme immortelle tout autant que la divinisation de la nature, elle restait, encore plus que n'importe quelle autre forme de religion, engluée dans l'existence présente, sans espoir d'en échapper. Est-ce vraiment une consolation et un signe d'espérance que de n'entrevoir de perspective de justice et de bonheur que dans le règne d'un roi dispensateur de salut, envoyé par Dieu, mais à la fin des temps[41] ?

Au fond, Israël ne faisait que perpétuer l'idée des religions de la fécondité en liant ses promesses à la succession des générations, et donc à la force régénératrice de l'amour humain. Par ailleurs, elle dépouillait la sexualité humaine de toutes ses composantes symboliques divines. Sa tentative pour dépasser les contradictions des religions de fertilité eut pour conséquence de rendre contradictoire l'attitude religieuse devant la fécondité humaine elle-même. Les prophètes et prêtres d'Israël étaient saisis d'horreur et de dégoût devant l'extase, l'ivresse, la spontanéité du désir sexuel ; en considérant alors tout simplement ces religions comme des péchés[42], ils projetaient l'ombre de la faute sur la fécondité humaine elle-même.

Depuis quelque temps, on vante beaucoup le ton spontané du Cantique des Cantiques dans l'Ancien Testament[43], mais pas tellement avec raison. Ce qui est vrai, c'est que ce recueil d'hymnes à l'amour sexuel ne serait déjà pas du tout concevable dans le Nouveau Testament. Mais l'Ancien ne l'admit que parce qu'on s'était accordé pour l'interpréter d'une manière essentiellement allégorique, comme un symbole de l'amour conjugal de l'âme et de son Dieu, et non pas d'abord comme la glorification de l'amour entre l'homme et la femme[44]. Si on y regarde de près, on découvre que pratiquement rien de lui n'a germé en terre d'Israël, que tout au moins ses plus belles fleurs ont grandi en Egypte, sur les bords du Nil, dans les étangs de lotus[45] — en tout cas que c'était la séculaire colonisation égyptienne de la Palestine qui avait semé les graines de ce lyrisme, bien avant qu'Israël ne prenne possession de son sol. En d'autres termes, le Cantique des Cantiques ne prouve guère que l'Ancien Testament soit accueillant à la sexualité. Il y reste corps étranger, une simple exception, tout comme le merveilleux Psaume 104, avec son amour de la nature, reprise étonnante et unique du cantique au Soleil d'Akhenaton[46] dans le psautier hébraïque. Qu'on considère la sensualité des fresques égyptiennes, par exemple dans le tombeau de Nakht, dans la vallée des Rois[47] : il est impensable de trouver dans la religion biblique des mots ou des images y ressemblant, même de loin. Ainsi, celui qui reproche au christianisme — avec raison d'ailleurs — son animosité à l'égard du corps et de la sexualité est dans la situation de celui qui veut arracher le liseron dans son jardin : les racines de la « mauvaise herbe » descendent bien plus profond qu'il n'y paraît à la surface du sol. Et celui qui ne veut arracher que les pousses visibles laisse le mal en terre, parfois même en le multipliant : arrivées à leur maturité, les fleurs répandent leurs graines chaque fois qu'on les touche.

Disons surtout que l'Ancien Testament n'a jamais pu surmonter la peur du tabou de la virginité[48] ainsi que de la menstruation de la femme (une peur archaïque qui n'est pas uniquement « patriarcale »). Il l'a au contraire plutôt aggravée par tout un catalogue de lois de purification. Les pratiques venues du fond des âges, celles qu'on retrouve encore aujourd'hui dans les civilisations orales de l'Afrique noire[49], sont bien celles de la tradition biblique, de Moïse à Mahomet, et elles marquent encore la législation présente de toute l'aire culturelle sémitique. C'est même le mérite incontestable du christianisme d'avoir débarrassé les épaules des femmes d'une pesante hypothèque, par une sorte de libéralisme éclairé peut-être inspiré par l'exemple de Jésus lui-même (cf. la guérison de l'hémorroïsse, Mc 5, 25-34)[50]. Encore faut-il malheureusement reprocher plus particulièrement au catholicisme d'en avoir repris et perpétué la tradition dans certains sacramentaux comme les « relevailles »[51].

Mais la question essentielle reste bien celle-ci : la religion de l'Ancien Testament se montre incapable de faire face à l'angoisse fondamentale que la révolution néolithique et les débuts de la conscientisation ont suscitée dans l'histoire humaine, celle qui a culminé lors de sa « période axiale ». L'objection est aisée à formuler : si la vieillesse, la maladie et la mort, ces figures du destin, entourent déjà le berceau de chaque nouveau-né, comment peut-on trouver espérance et confiance à porter son regard vers un lointain avenir où quelque hypothétique roi messianique viendrait remettre de l'ordre dans l'histoire et la destinée humaine en y faisant preuve de bonté et de clémence ? Entre-temps les hommes souffrent et meurent ! Nulle société future, si pacifique, si juste et si prospère soit-elle, ne changera d'un iota l'essentiel : « les hommes meurent et ils ne sont pas heureux [52] » tant qu'ils sont sur terre — et c'est dans quelques décennies que commencera pour chacun de nous la fin du monde.

C'est le christianisme qui a vigoureusement repris dans l'héritage de l'ancienne Égypte l'idée d'une vie éternelle dans un monde de l'au-delà, et a tenté de la combiner avec la religion de l'Ancien Testament. Mais il créa de ce fait une nouvelle tension entre l'ici-bas et l'au-delà, entre une religion de fécondité et la croyance individuelle en une Résurrection, ce qui contribua a replacer le thème de la sexualité dans la pénombre où il se trouve encore aujourd'hui. Depuis se pose la question de savoir quel est l'objet essentiel de l'amour humain : les réalités terrestres ou les réalités supraterrestres ? Le transitoire ou le permanent ? Désormais, il y a nécessairement concurrence entre l'amour de l'homme et l'amour de Dieu. C'est alors seulement que peut rebondir dans la théologie biblique de l'Histoire le vieux thème hindou : comment peut-on libérer l'homme des chaînes de sa captivité terrestre ? Comment dépasser la souffrance, le péché et la mort ? Le christianisme est suspendu à cette question.

C'est aussi là que réside le génie — la grandeur, les limites et le danger — de saint Augustin. « Mais qu'est-ce que j'aime, en vous aimant ? » se demande-t-il, et il répond en termes de prière : « Ce n'est pas la beauté des corps, ni leur grâce périssable, ni l'éclat de la lumière — cette lumière si chère à mes yeux —, ni les douces mélodies des cantilènes aux tons variés, ni l'odeur suave des fleurs, des parfums et des aromates, ni la manne, ni le miel, ni les membres faits pour les étreintes de la chair. Non, ce n'est pas tout cela que j'aime, quand j'aime mon Dieu. Et cependant il est une lumière, une voix, un parfum, une nourriture, une étreinte que j'aime, quand j'aime mon Dieu : c'est la lumière, la voix, le parfum, l'étreinte de “ l'homme intérieur ” qui est en moi, là où resplendit pour mon âme une lumière qui ne limite aucune étendue, où se déroulent des mélodies que n'emporte pas le temps, où s'exhalent des parfums qui ne se dissipent pas aux souffles du vent, où l'on goûte un aliment que nulle voracité ne fait disparaître, et des étreintes que nulle satiété ne désenlace ; voilà ce que j'aime, quand j'aime mon Dieu ! » « La vérité me dit en effet : “ Ton Dieu n'est ni le ciel, ni la terre, ni aucun autre corps. ” Leur nature l'affirme. Pour quiconque ouvre les yeux, toute masse est moindre dans ses parties que dans son tout. Déjà tu es meilleure, ô mon âme, je te le dis, puisque c'est toi qui vérifies la masse du corps qui t'es lié, en lui prêtant la vie, qu'aucun corps ne peut assurer à un autre corps. Mais ton Dieu est pour toi aussi la vie de ta vie[53]. »

Dans cette émouvante méditation, on sent une irrémédiable nostalgie. Pour Augustin, la totalité de ce que nos sens peuvent éprouver en ce monde n'est qu'allusion à l'invisible — mais, du fait de sa beauté fascinante, peut nous induire en tentation d'oublier le Créateur. La fin essentielle de l'existence terrestre est de provoquer en notre âme le désir de l'éternité, de l'y entraîner et de la transformer à cet effet. Et, à celui qui a vécu une fois avec assez de force la pensée de l'infini, cet effroi de Pascal[54], il sera difficile de récuser la vision d'Augustin. Oui, il faudrait ici faire silence : car quiconque refuse l'exigence de célibat de l'Église doit d'abord se remettre également à l'esprit la grandeur et le sens du conseil évangélique, et se demander sous quelle autre forme on pourrait préserver ce qui est en cause. Il est cependant indéniable que, dans cette vision des choses, l'énergie de la nostalgie se perd dans l'infini sans jamais revenir en ce petit monde fini. Il n'y a plus moyen d'aborder tranquillement les choses de la vie et de les accueillir sans angoisse, en s'en jouant. Le péché originel, enseigne Augustin avec autorité, a fait que l'attachement naturel de l'Homme au monde des sens est devenu péché[55]. Pour atteindre à la vie pure et céleste du monde divin, il faut désormais que l'« homme naturel » soit crucifié, au nom du Christ et à son exemple. Il faut fuir comme autant de chaînes et de pièges tous les besoins du corps : désir de nourriture, de force et d'épanouissement sexuel, tous les souhaits de la chair. « Oui, dit-il dans sa prière, vous m'ordonnez assurément de me défendre “ contre la concupiscence de la chair, contre la concupiscence des yeux et l'ambition du monde ”. Vous avez interdit toute union charnelle illégitime, et, quant au mariage, tout en le permettant, vous avez montré qu'il y a un état qui lui est supérieur. Et grâce à votre don, j'ai choisi cet état avant même de devenir le dispensateur de votre sacrement. Mais elles vivent encore dans ma mémoire — dont j'ai si longuement parlé —, les images de ces plaisirs : mes habitudes passées les y ont fixées. Elles se présentent à moi, débiles tant que je suis à l'état de veille ; mais quand c'est pendant mon sommeil, elles provoquent en moi non seulement le plaisir, mais le consentement au plaisir, et l'illusion de l'acte lui-même. Elles ont, quoique irréelles, une telle action sur mon âme, sur ma chair, qu'elles obtiennent, ces fausses visions, de mon sommeil, ce que les réalités n'obtiennent pas de moi quand je suis réveillé — suis-je donc alors autre que moi-même, Seigneur mon Dieu[56] ? »

Ainsi donc, cette lutte pour la pureté, cette volonté spirituelle de perfection morale, doit se poursuivre jusque dans le rêve. A travers un passage comme celui-ci, on comprend avec effroi que la théologie chrétienne a très tôt et sans restriction pris une direction qui n'a fait que s'accentuer au cours des siècles : il fallait libérer l'être humain, y compris dans son sommeil, en le poussant à s'opposer consciemment à lui-même et à la nature environnante. A mille cinq cents ans de distance, ce programme d'Augustin nous apparaît l'exact contrepoint de ce que proposeront Nietzsche et Freud dans leur critique du christianisme et leur retour à l'hellénisme : une reconquête de la santé morale (le parallèle est d'autant plus naturel que la perspicacité psychologique et une pratique semblable de l'examen de conscience rapprochent les protagonistes). C'est un fait : les apologistes chrétiens des premiers siècles — déjà sensibilisés par l'animosité vétéro-testamentaire à l'égard des religions de la fécondité — n'ont vu dans l'antiquité gréco-romaine, avec ses mythes et ses mystères, qu'une source sans fin de voluptés et de vices[57]. La visée de la théologie augustinienne n'est pas d'approfondir, avec ses énigmes et ses secrets, la nature qui entoure l'Homme et détermine sa psyché. Le devoir du vrai chrétien est plutôt de se concentrer sur l'étude de « Dieu et l'âme ». L'attitude de confiance enfantine que Jésus incarnait se transforme maintenant au niveau moral et spirituel en tentative de vaincre la nature en soi et autour de soi. Dorénavant, l'âme chrétienne est constamment traversée par l'angoisse. Sous la menace de péchés graves et des peines éternelles de l'enfer, celle-ci exerce sa contrainte jusque pendant la nuit, obligeant l'homme à être constamment sur ses gardes face à lui-même, à mortifier la chair et à tout faire pour se dominer lui-même. Le « libre arbitre » de la morale chrétienne lutte désormais contre la dégradante « chute dans l'esclavage » que provoque une nature « bestiale ». L'harmonie de la Grèce classique, à supposer qu'elle ait jamais été réalisée, devient dorénavant non seulement impensable et inimaginable, mais occasion de succomber au péché, ce qui est bien pire.

On ne peut comprendre le combat désespéré mené par l'Église catholique contre la sexualité, avec toutes ses contradictions, ses extravagances et ses absurdités, que comme un moyen de délivrer l'homme en tant qu'« âme », en tant que personne réfléchie capable de s'autodéterminer en toute liberté, donc en l'éloignant aussi loin que possible d'une nature qu'on juge chose matérielle, sans âme, basse et avilissante. Depuis lors, on continue à considérer la sexualité comme une survivance païenne, comme la force en laquelle se déguisent de préférence les « dieux étrangers », les démons, ceux qui réussissent à faire du plaisir sexuel une façon de détourner les hommes de Dieu, puisqu'il ne s'agit là que d'un bonheur terrestre. Dans ces conditions, on ne peut que remercier Dieu à genoux, lui qui, en maudissant Adam et Ève pour leur péché, a aussi veillé à ce que jamais plus l'être humain ne puisse trouver de vrai bonheur de façon « purement animale » en « succombant » à « l'impulsivité sexuelle ». Ainsi le cercle se referme-t-il, et il semble vraiment plus avantageux de fuir de toutes ses forces et autant que c'est possible la sexualité, véritable source de toutes les convoitises désordonnées.

Il n'est pas dans notre intention ici de discuter l'enseignement chrétien sur le péché originel ou d'interpréter le récit biblique de la Chute ; nous l'avons déjà fait en détail dans un autre ouvrage[58]. Nous ne voulons pas davantage éclaircir en théologien le concept de « convoitise mauvaise » (la concupiscence), ni montrer la valeur de la vision chrétienne, à la lumière d'une psychanalyse qui consentirait à fouiller dans le détail la déformation de tout le système pulsionnel humain sous la pression de l'angoisse, dans un monde marqué par l'absence de Dieu. Notre objectif ici est très limité : il nous faut d'abord comprendre les structures psychologiques qui permettent de toucher du doigt des polarisations qui deviennent de véritables névroses de compulsion, celles qui déterminent toute la pensée cléricale en matière de sexualité, celles qui font peser sur la vie sentimentale leurs équivoques, crispations, autoaccusations et servitudes continuelles. Le paradoxe est que deux mille ans après Jésus-Christ, l'Église catholique en reste toujours à une attitude de peur et de méfiance à l'égard de tout ce qui est « naturel » : au lieu de chercher à intégrer le monde des pulsions, elle en réclame un sacrifice, une soumission, une oppression et une crucifixion qu'elle a certes cessé (?) de proclamer obligatoires pour tous les chrétiens, mais en lesquelles elle n'en continue pas moins à voir l'idéal.

2. *Le culte marial, retour au règne de la Grande Mère*

Il y a une centaine d'années, dans son roman *La Faute de l'abbé Mouret*, Émile Zola a voulu décrire la vie de quelqu'un qui entendait réaliser à la perfection les enseignements de l'Église dans sa vie de clerc. Profondément influencé par le romantisme et le naturalisme, il considérait avec raison l'ascèse antinaturelle de l'Église catholique comme une provocation fondamentale lancée à sa pensée et à sa fantaisie créatrices, défi qu'il voulut précisément relever dans cette œuvre. L'écrivain français dépeint un prêtre qui survient comme un saint dans la paroisse des Artaud. Il vit avec une sœur qu'on considère comme une débile, Désirée, une vraie figure d'*anima*, qui déborde d'amour pour tous les animaux qu'elle élève dans la cour du presbytère. A côté d'elle frère Archaugias, son antithèse spirituelle, bizarre mélange de saint Michel et de Cerbère, un homme qui ne sait des femmes qu'une chose : qu'elles ont le diable au corps et puent le diable (« aux jambes, aux bras, au ventre, partout... »). « Elles ont, pense-t-il, la damnation dans leurs jupes. Des créatures bonnes à jeter au fumier, avec leurs saletés qui empoisonnent tout [1] ! » Pourtant, précisément par sa grossièreté, ce frère apparaît à l'abbé Mouret comme « un véritable homme de Dieu sans attache terrestre, tout à la volonté du ciel, humble, rude, l'ordure à la bouche contre le péché. Et il se désespérait de ne pouvoir se dépouiller davantage de son corps [2] ».

Dans la pieuse ferveur de son renoncement au monde, le prêtre passait « ses journées dans l'existence intérieure qu'il s'était faite, ayant tout quitté pour se donner entier. Il fermait la porte de ses sens, cherchait à s'affranchir des nécessité du corps, n'était plus qu'une âme ravie par la contemplation. La nature ne lui présentait que pièges, qu'ordures ; il mettait sa gloire à lui faire violence, à la mépriser, à se dégager de sa boue humaine.[...] Aussi se regardait-il comme un exilé sur la terre[3] ». L'essentiel ici, c'est le contraste que Zola orchestre délibérément entre l'ascèse chrétienne et la toute-puissance de la Nature élevée à un niveau mythique. Les habitants des Artaud apparaissent déjà eux-mêmes comme des descendants lointains des adorateurs de la Grande Déesse. Toutes leurs pensées sont déterminées par leurs vignobles avec la terre desquels ils voudraient s'accoupler : une population grossière, sensuelle, brutale, qui copule comme elle veut, de façon graveleuse et obscène, et qui exerce sur le sensible abbé Mouret un charme brutal. Mais c'est le paysage français lui-même qui, dans sa pose suggestive, s'impose durant les nuits aux yeux du prêtre comme la Grande Déesse.

C'est dans la jeune et belle Albine que l'abbé va faire la connaissance d'une véritable enfant de la nature. Au milieu du Paradou, sous l'arbre de la vie, elle va le « séduire » et le faire tomber dans le « péché ». La scène est d'une innocence qui rappelle dans l'Antiquité celle de Daphnis et Chloé[4], ces deux enfants de la nature qui tardent à comprendre ce qui se passe entre eux et ce que la nature leur apprend ; à ceci près que, chez Zola, la nature s'empare de ces deux êtres d'une manière bien plus réfléchie, quasiment démoniaque, comme si elle voulait réavaler ces êtres qui ont grandi trop vite dans le sein de son murmure et de ses chuchotement tout-puissants et inconscients. Dans cette scène, tout parle le langage de l'amour, de l'accouplement et de la génération. Tout se passe comme si Albine et Serge se trouvaient sous hypnose, redevenant soudain profondément obéissants à un appel pressant et chaleureux d'un sang chargé lui aussi de divin. Ils se donnent l'un à l'autre c'est-à-dire *se perdent* l'un dans l'autre : « Ils cédèrent aux exigences du jardin. Ce fut l'arbre qui confia à l'oreille d'Albine ce que les mères murmurent aux épousées, le soir des noces. Albine se livra, Serge la posséda. Et le jardin entier s'abîma avec le couple dans un dernier cri de passion. Les troncs se ployèrent, comme sous un grand vent ; les herbes laissèrent échapper un sanglot d'ivresse ; les fleurs, évanouies, les lèvres ouvertes, exhalèrent leur âme ; le ciel lui-même, tout embrasé d'un coucher d'astre, eut des nuages immobiles, des nuages pâmés, d'où tombait un ravissement surhumain. Et c'était une victoire pour les bêtes, les plantes, les choses qui avaient voulu l'entrée de ces deux enfants dans l'éternité de la vie. Le parc applaudissait formidablement[5]. »

C'est précisément ce devant quoi la piété chrétienne a depuis toujours fui avec effroi et honte comme devant le fond de l'enfer : ce ravissement naturel de la génération, ces spasmes voluptueux des membres qu'embrasent l'amour, ce chant absolu d'une nostalgie énamourée en chaque élément de la nature. L'enfer, c'était et c'est encore le sein de la terre elle-même, le sein des femmes, la vie naturelle, la source de l'existence, contradiction apparemment impossible à résoudre. Telle est l'hallucination qui se produit dans la tête des clercs, quand ils pensent à la fois aux voluptés interdites et à la punition inséparable de l'horreur coupable d'un coït en sueur et des gémissements de l'amour. Ils se refusent à voir que les vagues de la passion n'engloutissent pas la barque du moi humain mais la portent ; il faut simplement régler sa course suivant le vent et le courant, au lieu de vouloir partout ramer contre les éléments. L'être humain ignore le rut, certes ; mais y aurait-il quelque danger à ce qu'il déchoie à ce niveau si on n'apprenait pas aux gens à avoir honte de ce qu'ils sont à coup sûr, eux aussi : un produit tardif de l'évolution, une branche latérale des mammifères, une partie de la nature qui prend lentement conscience de son être ? L'abbé Mouret en tout cas apprend trop tard et de manière tragique que la prétendue invincibilité de la sexualité, la fatale tentation d'une nature toute-puissante, l'irrésistible attrait de la femme, Eve éternelle, ne se vérifient à coup sûr que si on a toute sa vie été contraint de l'extérieur, ou qu'on s'est soi-même obligé intérieurement à étouffer et refouler tous les élans de la chair, en poursuivant un idéal inhumain de chasteté forcée.

C'est cet idéal que l'abbé Mouret, poussant l'effort jusqu'à la folie, a toujours tenté d'atteindre en consacrant sa vie à la « Mère éternelle », à l'anti-Cybèle, à la Vierge Marie, Mère divine toute pure, figure antithétique d'Eve la tentatrice.

Nul règlement monastique, nulle instruction ecclésiastique, nul discours pontifical qui, pour parler de l'exigence de chasteté et de célibat monacal, n'en vient à traiter, comme par une nécessité intérieure, de la dévotion à la Mère de Dieu. L'histoire des religions comme la psychanalyse montrent bien comme les deux choses se touchent. Mais ce rapport révèle d'une manière presque inquiétante le caractère tragique de la piété mariale, en dépit des intentions de l'Église.

Dans l'Antiquité, on a connu les *galles*, ces prêtres de Cybèle qui, transportés dans une sainte extase, s'émasculaient et jetaient les dépouilles de leur virilité dans le giron de la Grande Déesse[6] : rites d'une union œdipienne fictive entre la mère et le fils, que le tabou de l'inceste a dans la réalité poussé à l'autre extrême, le rêve d'accomplissement sexuel se réalisant au prix d'une destruction volontaire de soi-même, du sacrifice de sa virilité, cette automutilation constituant la condition permanente pour continuer à rêver d'une union avec la divinité, union jamais consommée[7]. Dans l'Église catholique, sûrement personne ne s'opposera à cette interprétation psychologique du culte de Cybèle et Attis. En revanche, de façon assez incompréhensible, on réagira massivement devant la simple tentative d'interpréter de la même façon le culte de la Madone et son exigence de chasteté, d'autocastration et de fixation à la mère. Voilà pourtant plus de cent ans qu'un romancier, indépendamment des découvertes de la psychanalyse, faisait preuve d'une intuition extraordinairement juste, en montrant à travers le personnage de l'abbé Mouret combien des rapports de ce genre étaient non seulement plausibles, mais carrément évidents. Au lieu de proposer théories et hypothèses, il a tout simplement présenté à nos yeux la vie et l'expérience d'un homme pour qui la vénération de la Mère de Dieu n'est pas simplement un à-côté de son existence, mais son centre, ce qu'on lui conseillait d'ailleurs.

Le récit d'Émile Zola montre le prêtre au début du mois de mai, dans son église, devant l'autel fraîchement fleuri de Marie, au moment où il essaie de retrouver le calme qu'il a perdu lors de sa première rencontre avec la belle Albine au Paradou. Encore tout bouleversé, il prie : « “ Mère très pure, Mère très chaste, Mère toujours vierge, priez pour moi ! ” balbutia-t-il peureusement, se serrant aux pieds de la Vierge, comme s'il avait entendu derrière son dos le galop sonore d'Albine. “ Vous êtes mon refuge, la source de ma joie, le temple de la sagesse, la tour d'ivoire où j'ai enfermé ma pureté[8]. ” » Tout se passe comme si le désir fervent d'union et de fusion avec la Mère, tel que le manifeste l'accumulation de notations sexuelles que la prière masque à grand-peine, ne faisait qu'accroître le refoulement de l'orant, désormais obligé de se déclarer innocent, asexué, prépubertaire, en présence de sa mère, pour ne pas voir à quel point ses élans traduisent ses désirs adultes d'une femme. C'est cette dialectique psychologique que Zola développe hardiment quand il fait dire au prêtre : « Je voudrais encore être enfant. Je voudrais n'être jamais qu'un enfant marchant à l'ombre de votre robe[9]. »

Le prêtre en lui semble avoir un premier pressentiment du secret désir qui traverse ses prières, puisqu'il supplie la Madone elle-même de lui rendre le service de la Cybèle antique. « Eh bien !, continua-t-il plus follement, faites que je redevienne enfant, Vierge bonne, Vierge puissante. Faites que j'aie cinq ans. Prenez mes sens, prenez ma virilité. Qu'un miracle emporte tout l'homme qui a grandi en moi. Être vierge, s'aimer vierge, garder au milieu des baisers les plus doux sa blancheur de vierge ! Avoir tout l'amour, couché sur des ailes de cygne, dans une nuée de pureté, aux bras d'une maîtresse de lumière dont les caresses sont des jouissances d'âme ! [...] O Marie, vase d'élection, châtrez en moi l'humanité, faites-moi ennuque parmi les hommes, afin de me livrer sans peur le trésor de votre virginité[10] ! »

Du point de vue psychanalytique, cette prière, apparemment composée par un auteur qui aurait écouté celles d'innombrables clercs, mais qui n'avait finalement eu qu'à lire des ouvrages de piété de l'Église catholique, est d'une évidence bouleversante : malgré l'honnêteté de sa lutte, ce prêtre se porte de plus en plus vers son but inconscient. Car, si chastement qu'il tente de déplacer le point d'union à sa bien-aimée du sein à la bouche[11], et en dépit de sa façon de se réduire à une pure bouche après sa castration, autrement dit à se figurer féminin, subsiste quand même en lui cet ardent désir d'une « fusion chaste », et du même coup l'image éclatante d'Albine. Impossible d'éloigner celle-ci par la prière. Une fois introduite dans ses veines, la fièvre de l'amour s'empare de tout son corps et ne le quittera plus jusqu'à la catastrophe.

On voit ici que le refoulé finit quand même par s'imposer, ceci non seulement au niveau de la psyché individuelle, mais aussi du point de vue de l'histoire religieuse : au fond, c'est Cybèle, la mère, qui se fait entendre à travers l'idéal de chasteté de l'Église catholique tel que Zola le décrit.

Il n'est pas jusqu'à l'iconographie chrétienne qui n'incline à cette interprétation du romancier français. Dans le domaine artistique, on peut considérer que la sexualité refoulée s'exprime de préférence dans l'imagerie de compensation qu'est le kitsch. Que penser des madones en plâtre qui, les mains jointes, en longues robes blanches, le regard nostalgiquement tourné vers le ciel, toujours pieds nus, avec une petite bouche vermeille, la chevelure défaite tombant largement dans le dos, tentent l'orant par des appels aussi sensuels qu'extravagants ? L'effet de telles images sur une âme pieuse s'accroît cependant quand elles prennent pour thème la « Mère de douleurs » qui, parallèlement aux images du Sacré-Cœur, expose par amour son cœur blessé. C'est ainsi que Zola peut montrer son abbé Mouret puisant avec ferveur son inspiration dans la blessure colorée du Sacré-Cœur de Marie. Sur cette image, la Mère de Dieu « écartait son corsage, montrait dans sa poitrine un trou rouge où son cœur brûlait, traversé d'une épée, couronné de roses blanches[12] ». Émile Zola ne décrit pas seulement une aspiration inassouvie à l'amour, il fait aussi preuve d'une connaissance détaillée d'un langage symbolique qu'il interprète génialement — et ceci bien avant les découvertes de Freud. Il suggère parfaitement l'aspiration sans remède, jamais comblée, de la psyché du clerc : celle d'être aimé maternellement, comme un enfant, sans cesse et éternellement. Et si maints psychanalystes ont pu estimer que le sein de la mère représente l'arrière-fond de tout rêve d'amour humain et de toutes les rêveries de plénitude[13], ils ne peuvent trouver dans les prières du pauvre abbé que la confirmation parfaite de leur idée. Seulement celui-ci n'est plus un petit enfant ; et c'est pour cela qu'il est saisi d'angoisse jusqu'au désespoir, d'une « insupportable horreur devant la souffrance d'une femme », devant cette épée qui s'enfonce par un « trou rouge » dans le sein de Marie. Naturellement cette horrible « épée » est un symbole phallique et toute la scène est une rêverie de coït où le sein de la femme habituellement si dangereux est simplement déplacé vers le haut et où le cœur transpercé entre les deux seins remplace le vagin entre les deux cuisses. Mais, dans ce contexte, il faut aussi interpréter le sang lui-même, qui accroît encore ce terrible spectacle, comme l'inévitable accompagnement de la défloration. Ce n'est que dans un tel schéma d'interprétation qu'on peut comprendre le « sourire sublime » au milieu de la souffrance aussi bien que le passage sur la « souffrance d'une femme », c'est-à-dire de toutes les femmes. Ce qui fait frissonner si profondément l'abbé

Mouret, dans sa prière d'amour et de supplication, c'est son souhait inouï de posséder virilement la Vierge. La réaffirmation constante de la virginité permanente de la Madone répond manifestement à son souci de confirmer le tabou de l'hymen autant qu'au souhait de l'homme de le briser virilement. Ainsi la vénération de la Mère éternellement vierge réunit-elle deux choses en une : la fixation œdipienne à la mère de son enfance et la réanimation régressive de ce lien œdipal par fuite du désir sexuel adulte. Il y a en même temps un déplacement important du désir originel vers son stade sadique : la joie devient souffrance, la volupté devient douleur, le processus de génération devient un acte vraiment létal.

En lisant les développements d'Émile Zola avec un regard de psychanalyste, on est effaré et surpris de voir comment l'Eglise catholique n'a pas tiré la moindre conséquence de cette description, pourtant vieille de cent ans, des motivations et des retentissements psychologiques des écrits mystiques (avant tout des jésuites espagnols) auxquels il avait eu recours pour étudier ce genre de piété mariale. Pour notre auteur, un homme comme l'abbé Mouret n'est pas un saint, mais un être malade, aux confins de la folie, qui, pour guérir, devra comme un enfant réapprendre les débuts de la vie dans les bras d'Albine, au lendemain de son effondrement au Paradou. Nous aurons l'occasion de revenir sur les souffrances de ce serviteur de Dieu, quand nous nous interrogerons sur les difficultés auxquelles s'exposent inévitablement les clercs catholiques s'ils osent briser le tabou du lien incestueux à la mère et se lancer dans un amour adulte homme-femme. Il nous suffit de constater ici que, dans l'Eglise, les choses en sont encore au même point qu'en 1875, lorsque Émile Zola publiait son livre et proposait ainsi son diagnostic de sa situation psychologique globale.

Mais répétons encore que notre propos ici n'est pas de traiter dogmatiquement de la mariologie catholique. Il s'agit simplement de découvrir en quoi et comment la vénération de Marie toujours vierge et mère en même temps que la méditation sur ses joies, ses souffrances et sa magnificence contribuent au refoulement des désirs sexuels. C'est bien sur l'arrière-fond de l'histoire religieuse, plus précisément du culte de la Grande Mère, avec ses expressions extatiques, qu'on retrouve dans toute l'humanité, que la Madone apparaît dans l'Église catholique comme un contre-investissement ascétique rendant possible le rebondissement névrotique de tendances sexuelles originellement refoulées. Le résultat, c'est une infantilisation sensible de l'affectivité, une énorme accumulation d'angoisses pubertaires et une hyperactivité fantasmatique, laquelle ne cesse d'osciller entre l'idéal de la mère pure et la peur de certaines obsessions sadiques.

Ici aussi, il n'est pas sans intérêt de considérer l'expérience historique des Églises de la Réforme. Dans les discussions œcuméniques à propos de la mariologie, entre théologiens catholiques et protestants, on fait porter tout l'effort, soit sur la possibilité de fonder le culte marial sur certains passages de l'Écriture sainte, soit au contraire sur la possibilité d'alléguer contre ses formes de piété certaines données de l'histoire des religions païennes[14]. En fait, il semble bien plus indiqué de comparer entre elles les structures des mentalités religieuses en jeu. On peut alors constater sans peine le lien étroit qui existe dans le catholicisme entre la piété mariale traditionnelle et la répression de la sexualité cléricale. On remarquera en revanche que, dans les Églises de la Réforme, le caractère facultatif du mariage des clercs a, à plus ou moins brève échéance, sapé la base psychologique de cette piété, parfois à l'encontre de la volonté déclarée des Réformateurs.

Deux exemples montreront à l'inverse combien le célibat obligatoire entretient encore une mentalité « à la Mouret », faite d'un mélange de fixations œdipiennes, autrement dit de nostalgie maternelle, d'interdits sexuels à relents de castration, de rêveries de viols et de déflorations, d'angoisses de sanctions et de contre-investissements sadiques relatifs à la personne de « Marie Mère de Dieu et toujours vierge ».

— Le premier, c'est la façon dont une certaine piété mariale s'associe à des tendances au sadisme sexuel. Tous les catholiques qui ont grandi dans les années 50 se rappellent très nettement la vénération dont on a entouré Maria Goretti. Cette fillette fut violée et tuée par un jeune homme : pour le pape Pie XII un motif suffisant d'élever cette martyre sur les autels en en faisant la modèle de la chasteté virginale. « Plutôt la mort que le péché » : telle fut la devise qu'on lui attribua. Sur ce sujet, on fit un film intitulé *La Fille des marais*. Des années durant, on le produisit presque obligatoirement pour l'édification des jeunes catholiques. A la même époque on tonnait du haut des chaires contre le film *La Pécheresse*[15], de Willi Forst, parce que Hildegard Knef y figurait quinze secondes en modèle d'un peintre, fervent adepte d'une amusante religion de la lumière fort étrangère à toute pruderie périmée et à toute superstition obscurantiste. Cette époque fut aussi un temps d'amour fervent de la Madone : les dévotions du mois de mai faisaient recette, on multipliait les récitations de chapelets, toujours très fréquentées, et les femmes pieuses ne manquaient pas la messe du samedi matin.

Tout cela fondit comme neige au soleil avec l'irruption de la libération sexuelle dans notre société : une évolution qu'illustre peut-être le mythe déjà bien passé de Brigitte Bardot à la fin des années 50 et au début des années 60. Un ouvrage sur l'esthétique du cinéma érotique portait ce jugement sur celle-ci : « Avec son jeu d'actrice, la sexualité féminine atteint un degré de franchise et de naturel qui corrige véritablement, peut-être pour la première fois dans le cinéma érotique, l'image de la femme forgée dans l'“ Occident chrétien ”. Déjà la manifestation de son être corporel révèle une totalité, une unité du corps et de l'esprit, de la sexualité et du caractère qu'aucun sex-symbol n'a atteint avant elle et bien peu après elle. On ne peut rien soustraire à son érotisme, et c'est pour cela qu'elle reste sujet. Il est sans doute exagéré de la considérer comme une figure symbolique de l'émancipation féminine. Mais cette féminité indivisible, qu'on ne peut arbitrairement ni simplifier, ni non plus aisément démoniser ou caricaturer, était certainement un message[16]. » « Le message de Brigitte Bardot s'est élaboré à travers des petites séquences où l'actrice, oublieuse d'elle-même, était entièrement elle-même et où l'équivalence de l'érotisme et de la joie de vivre se manifestait dans les images les plus simples : un baiser, un pas de danse, sans rien de la dramatisation des stars d'Hollywood, des moments de bonheur, pas seulement de celui d'un amour sûr de lui-même, mais aussi celui des “ cajoleries ” du soleil et de la mer, donnaient le plus souvent un démenti mérité aux réserves “ morales ” que pouvaient inspirer les scénarios. La nouveauté de cet événement cinématographique consistait déjà dans cette possibilité, jusqu'alors réservée au sexe masculin, de séparer sur le plan émotionnel l'objet du désir de la jouissance sexuelle elle-même, sans lien donc à l'amour “ éternel ” et sacré (“ Chaque amour a la durée qu'il mérite ”, dit-on fréquemment à cet égard dans certains milieux). Mais cette nouveauté résidait aussi dans une juvénile revendication de l'expérience érotique[17]. »

Depuis, la sensibilité générale a changé. À une attitude

décontractée à l'égard en particulier de la sexualité correspond le fait qu'un certain type de piété est devenu franchement obsolète, et on n'a pas attendu bien longtemps pour que la révolte de 68 fasse apparaître clairement cet état de fait.

Il est indéniable que, dans la piété catholique, trois facteurs se conjuguent : le centralisme autoritaire du pouvoir paternel, une sévérité de la morale sexuelle qui restreint les conduites autorisées, et une vénération très large de la Vierge et Mère. En langage psychanalytique, cela signifie qu'il s'agit indéniablement d'une forme du complexe d'Œdipe projetée au niveau collectif et amplifiée socialement, faite de surestimation de l'autorité paternelle, de menace de castration, suite normale de celle-ci, et de fixation névrotique de tendances libidineuses dirigées vers la mère. Et cela chez des personnes qui, dans leur pensée comme dans leur sensibilité, sont empêchées — littéralement de par la volonté du Ciel — d'être autre chose que des enfants gentils, obéissants, peu sûrs d'eux-mêmes et dépendants à l'égard de ceux qui leur dispensent ordres et instructions ; des enfants qui n'ont précisément pas le droit d'être ce qu'on dit qu'ils devraient être en tant que chrétiens : des personnalités libres, confiantes en elles-mêmes, capables d'amour, adultes.

De nos jours c'est spécialement l'aspect sadique de la piété mariale « à la Mouret » que vient confirmer, involontairement, mais d'une manière très éloquente, l'attitude de Jean-Paul II. En ce siècle, ce pape est certainement après Pie XII le plus fervent dévot de Marie qui ait été sur le trône de saint Pierre. On a alors l'impression d'une sorte de commentaire de la nébuleuse affective propre à la piété mariale quand on apprend que, sous son règne, dans la foulée de la canonisation de Maria Goretti, on a déjà déjà béatifié six femmes au destin analogue, dont, en 1985, Anuarite, une religieuse de 23 ans assassinée au Zaïre avec deux mille autres victimes ; Karoline Kozka, assassinée en 1914 à 16 ans ; le 4 octobre 1987, Antonia Mesina, assassinée en 1935 à 16 ans et Pierina Morosini qui mourut à l'âge de 27 ans[18]. Dans une telle perspective, la sauvegarde de l'idéal de la virginité ne permet guère de voir la relation homme-femme autrement que comme la violente irruption d'une pulsion. Il s'ensuit que, tout à fait à l'exemple de l'abbé Mouret, on doit fuir dans les bras de la Mère pure par peur devant sa propre sexualité réprimée : éternel cercle vicieux de l'angoisse, du refoulement, de la régression, des rêves de transgression, de nouvelles angoisses et de nouveaux refoulements.

— Le second exemple apparaîtra plutôt marginal, mais il est à sa manière d'une éloquence révélatrice : c'est le jugement clérical sur le film de Martin Scorsese : *La Dernière Tentation du Christ*[19]. Avant de l'avoir vu, on annonça que ce film déformait la croyance chrétienne et on le déclara d'emblée de peu de valeur artistique (mais quand donc l'Église a-t-elle dédaigné le kitsch, du moment qu'il était pieux ? Or le spectacle de Scorsese n'était pas du kitsch, mais une œuvre sérieuse).

Le problème n'était pas le film lui-même, mais le livre de Nikos Kazantzaki dont il était tiré. Cet auteur grec, qui s'était chargé sa vie durant « de la responsabilité de la misère humaine » pour se mesurer « avec l'ennemi juré de l'humanité, la mort », avait été fasciné par le Christ, Bouddha et Lénine, ces « morts immortels[20] ». C'est entre autres pour se débarrasser de ces « trois sirènes » et harmoniser « leurs trois voix disparates[21] » qu'il avait voué son roman « à Jésus mourant » : ainsi en était-il arrivé à présenter celui-ci comme constamment en butte aux instigations de Judas, son apôtre, cherchant toujours à convaincre son maître d'entreprendre une action politique contre l'armée romaine d'occupation ; pour pouvoir interpréter de façon tant soit peu politique le message de Jésus, encore eût-il fallu que la tradition nous livrât des paroles sur ou contre Rome.

Mais la pierre d'achoppement du film, la raison pour laquelle l'Église le rejeta, ce ne fut pas le fait que Jésus aurait pu être tenté par la violence. Ce fut parce que le romancier, qui avait toujours été tiraillé entre Apollon et Dionysos, évoqua la possibilité que le Christ en croix, flanqué d'un ange gardien compatissant, aurait pu s'imaginer marié avec Marie de Magdala ou quelque autre femme, et avoir eu des enfants d'elles. Le Jésus de Kazantzaki se demande si, en refusant d'épouser Marie Madeleine, son amie d'enfance, il ne l'a pas poussée à la prostitution. Ce n'est donc qu'au terme de sa vie, et sous l'empire de la douleur, que son ange gardien le mène en esprit vers sa bien-aimée, laquelle le prend tendrement dans ses bras. Entre les deux s'établit alors un dialogue qui cherche à opposer à la théologie du salut par la souffrance, symbolisée par une divinité prenant la forme d'un rapace griffu, la promesse et l'expérience du bonheur de l'amour. « Je ne savais pas, femme bien-aimée, dit le Jésus de

Kazantzaki, que le monde était si beau et la chair si sainte : qu'elle était aussi fille de Dieu et sœur pleine de grâce de l'âme. Et que la joie de notre corps n'était pas un péché[22]. »

Telles sont les paroles qui, en l'an 1988, ont constitué le grand motif de l'irritation cléricale : ce dont rêvait le romancier grec, c'est d'une réconciliation chrétienne entre les opposés, entre le ciel et la terre, le temps et l'éternité, l'homme et la femme, l'esprit et la sensibilité. Jésus dans les bras d'une femme ! L'amour des sexes comme chemin de la délivrance de l'âme ! Le bonheur terrestre de la sexualité comme une manière de connaître Dieu : c'est cela qu'il faut combattre, même s'il ne s'agit que d'en évoquer la possibilité, de la penser, de la sentir, de se la représenter.

Le prêtre doit rester célibataire, dit-on, pour être plus disponible pour l'Église[23]. Mais, après les travaux de Wilhelm Reich[24] sur la relation entre oppression sexuelle et dictature, il n'est tout simplement plus possible de tenir une telle position. Cette manière de réduire le moi, de tuer la pulsion sexuelle, et cette soumission de l'individu au groupe ne sont rien d'autre que l'expression d'un psyché névrotique et d'une psychologie des masses qui ne l'est pas moins. Friedrich Nietzsche avait en tout cas raison de dire dans *Zarathoustra* : « Vais-je vous conseiller la chasteté ? Chez quelques-uns elle est vertu, mais chez beaucoup tout près d'un vice. Certes ils se contiennent, mais à travers tout ce qu'ils font la chienne Sensualité jette un regard de convoitise. Même sur les cimes de leur vertu, et jusque dans leur esprit froid, cette bête les poursuit, avec son insatisfaction. Et comme habilement la chienne Sensualité, quand on lui refuse un morceau de chair, sait d'un morceau d'esprit se faire la mendiante[25] ! »

Il n'est pas possible de fonder plus longtemps l'imitation du Christ sur des tabous et des refoulements de tout genre et de la décrire par-dessus le marché en termes de don total, de renoncement libre et de vie chrétienne vertueuse. En cette fin de siècle où nous comprenons mieux ce que sont l'authenticité et la sensibilité psychologiques, impossible de continuer ce jeu de mensonges imposés par décret. Il suffit une fois de plus de considérer les communautés religieuses où on prend au sérieux l'idéal de la vie monastique sous tous ses aspects pour constater combien peu la forme actuelle du vœu de chasteté résiste à la critique psychanalytique, et combien peu il peut être question de cette « liberté » qu'on suppose.

Dans les écrits qui s'opposent au célibat religieux, on fait le plus souvent ressortir, et avec raison, combien l'hostilité catholique à la sexualité a mené — et devait mener — à la dépréciation, et même à la démonisation systématique de la femme. On oublie là trop vite que toute chose a deux faces : à la démonisation de la femme chez les clercs masculins correspond une démonisation de l'homme chez les clercs féminins, même si, du fait de l'inégale distribution du pouvoir dans l'Église, la position des hommes y est plus avantageuse que celle des femmes. Mais on retrouve dans les deux cas la même angoisse devant l'autre sexe. Cette angoisse se traduit dans les mesures de précaution les plus raffinées et les plus subtiles qui soient pour interdire tout contact, même sans arrière-pensée, entre hommes et femmes. Quelques exemples empruntés aux règlements des ordres religieux suffisent à le montrer.

En composant sa Règle, saint Augustin avait en tête un idéal de virginité vouée à Dieu. Selon les termes d'Adolar Zumkeller, il rêvait d'une « vie surhumaine, semblable à celle des anges », « entièrement orientée dès ici-bas, dans la chair passagère, vers la contemplation de l'éternel impérissable[26] ». Pour obtenir cette joie sans limites, il avertissait ceux qui s'y sentaient appelés à être particulièrement prudents et à surveiller leurs sens. Il en voulait surtout aux yeux, insistant ainsi au troisième chapitre de sa Règle : « Si vos yeux se portent sur quelqu'un, qu'ils ne se fixent sur personne. En vos allées et venues, il ne vous est pas défendu de voir des femmes ; mais il est coupable de les convoiter et de désirer qu'elles vous convoitent. Ce n'est pas seulement par approche et contact, c'est aussi par le regard que s'exerce la convoitise de la femme. Ne dites pas : mon cœur est chaste, si vos yeux ne le sont pas. L'œil impudique dénonce le cœur impudique. Quand, mutuellement, à défaut même de paroles, par l'échange du regard, des cœurs dévoilent leur impudicité et, cédant à la concupiscence de la chair, se délectent en de réciproques ardeurs, les corps ont beau être à l'abri de toute violence impure, la chasteté a fui, quant à elle, des mœurs. Et qu'il ne s'imagine pas, celui qui fixe son regard sur une femme et se complaît en un regard fixé sur lui, que d'autres ne s'en aperçoivent pas, alors qu'il en agit ainsi ; il est parfaitement vu de ceux dont il ne se doute pas. » Bien entendu, c'est avant tout l'œil de Dieu qui, à chaque instant, surveille les regards des yeux humains. « Quand vous êtes donc ensemble, à l'église et partout où il y a des femmes, veillez mutuellement sur votre chasteté ; car Dieu, qui habite en vous, et par ce moyen même, veillera par vous sur vous[27]. »

En conséquence, Augustin va jusqu'à prescrire en détail les moyens par lesquels les membres de l'ordre doivent s'avertir mutuellement en contrôlant leurs regards. « Et ne vous taxez pas de malveillance lorsque vous vous dénoncez, écrit-il, bien au contraire, vous n'êtes pas sans reproche, si vos frères, que votre dénonciation peut corriger, sont abandonnés, par votre silence, à leur perte[28]. » La dénonciation des regards impudiques doit monter jusqu'au supérieur. Au quatrième chapitre de sa Règle, Augustin déclare qu'on ne doit jamais aller aux bains seul, mais au moins à deux ou trois, le supérieur de l'ordre désignant les frères de compagnie[29]. Cela n'empêche nullement le saint de conclure sa Règle en écrivant qu'il ne considère pas ses moines comme des « esclaves sous la loi, mais en hommes libres sous le régime de la grâce[30] ».

Dans cette même ligne spirituelle, on peut aussi citer saint Ignace, qui estime nécessaire de s'étendre sur la bonne manière de pratiquer le vœu d'obéissance, mais le fait beaucoup moins à propos de la chasteté. Pour lui, « il est entendu qu'on doit l'observer à la perfection, en s'efforçant d'imiter la pureté des anges par sa limpidité rayonnante de corps et d'âme[31] ».

Comment se présente pratiquement une existence semblable à celle des anges dans la liberté de la grâce des enfants de Dieu ? On peut s'en faire une idée en consultant une fois encore, dans la mesure où il est représentatif des autres, le *Directoire des Sœurs missionnaires* qui a tant servi pour comprendre les conseils évangéliques de pauvreté et d'obéissance. On y lit ceci :

« La sainte pureté est l'habit d'honneur, le plus précieux joyau, la couronne d'une fiancée du Christ. Le vœu de la sainte chasteté est le plus beau des vœux, mais aussi celui qu'il est aisé de violer[32]. » « Quand il s'agit de la sainte pureté, pas de différence entre vœu et vertu. Chaque fois que la vertu est enfreinte, le vœu l'est aussi. Si une religieuse, avec une pleine connaissance et un plein consentement, se permettait un péché grave contre cette vertu, elle commettrait un double péché mortel : l'un contre le sixième commandement, et l'autre contre le vœu. Ce serait un sacrilège, car une personne vouée à Dieu se trouverait profanée. Si la connaissance intellectuelle n'était pas nette ou l'assentiment de la volonté insuffisant, le péché ne serait que véniel. [...] En dehors des péchés qui blessent directement la chasteté, les religieuses doivent également éviter tous les actes intérieurs ou extérieurs qui, par suite de la fragilité humaine, pourraient les exposer au danger de commettre de tels péchés [33]. »

Ces mots montrent clairement à quel point on prend au sérieux les enseignements, donnés comme infaillibles, de la morale sexuelle des théologiens de l'Église ; il faut considérer comme péché grave, comme péché mortel, tout ce qui, librement et en claire connaissance de cause, conduit en dehors du mariage à une sensation sexuelle voluptueuse, que ce soit en pensée, parole ou action, et il faut en toute circonstance fuir l'occasion propice à de telles fautes.

La question devient alors pour nous celle-ci : comment une jeune fille ou un jeune homme en viennent-ils à voir dans cette vie un idéal voulu par Dieu ?

b. « Parce qu'ils n'aiment personne, ils se figurent qu'ils aiment Dieu. » (Léon Bloy)

Sigmund Freud a raison : le désir d'amour et la nostalgie de la mort, mêlés à l'angoisse d'être créature et à la censure culturelle, constituent les forces élémentaires de l'existence humaine. Qui veut donc comprendre quelqu'un du centre de lui-même doit porter la plus grande attention à sa manière d'aimer et d'intégrer sa mort dans sa vie. La capacité d'amour et de travail est la véritable mesure de la santé psychique [1]. Il faut considérer comme psychiquement malade celui qui n'est pas capable d'en faire montre de façon pleinement responsable, qu'on regarde ou non son existence comme exemplaire. L'examen du comportement sexuel d'une personne présente en particulier cet avantage de permettre de connaître vraiment son caractère « en chair et en os ». Toutes nos pensées, nos sentiments et nos autres mouvements cachés du cœur peuvent être équivoques et variés ; mais c'est la sexualité qui montre sans nul doute possible ce qu'il en est de quelqu'un. On voit la vérité de son être dans sa façon de gérer ses diverses tendances pulsionnelles. Ici, on voit ce qui est mensonge et ce qui est vérité. Il suffit de bien regarder et écouter.

Il est également vrai que celui qui ampute quelqu'un de sa

sexualité n'empoisonne pas seulement la source de ses pulsions. Il entrave aussi sa clarté de pensée, la pureté de sa perception et la sensibilité de ses aspirations. Pour pouvoir justifier ce qui originellement apparaissait comme une injustice, le moi, désireux de s'adapter aux barrières de ses inhibitions, se voit très vite contraint de renoncer à penser. Nous constatons que c'est cette logique absurde qui détermine la pensée et la vie des clercs. Si curieux que cela puisse paraître au regard de l'exigence de célibat si vigoureusement maintenue par l'Église, le moyen le plus visible et le plus évident de reconnaître la maturité spirituelle d'un clerc, c'est de regarder comment il se comporte comme prêtre avec les femmes ou comme religieuse avec les hommes. L'angoisse, la crispation, l'assurance apparente, la fuite, la professionnalisation de la relation, ou inversement la cordialité, l'ouverture, la réceptivité, la sensibilité à l'autre sont les plus sûres cartes de visite du cœur. Comme le disait aussi Paul : « Quand je distribuerais tous mes biens en aumône, quand je livrerais mon corps aux flammes, si je n'ai pas la charité, cela ne me sert de rien » (1 Co 13, 3). Bien des clercs donnent leur corps en pâture aux flammes parce qu'ils n'ont pas l'amour. La question est seulement de savoir si on leur permet, et s'ils se permettent à eux-mêmes, de laisser brûler leur corps par amour ou, mieux encore, en amour ?

1. *La maturité forcée et ses variantes dans la vie des parents et dans la vie des « élus »*

En cette fin du XXᵉ siècle, on commettrait, une grave injustice à l'égard des clercs si on en présentait une image de «横 curetons » [2], celle qu'en donnent maints critiques en n'y voyant que monstres lubriques, menteurs et assoiffés de puissance. On accordera certes qu'il n'a pas manqué dans l'histoire de l'Église catholique de grandes époques d'hypocrisie et de joyeux cynisme [3]. Mais nous ne traiterons pas ici de nonnes ni de curés allégrement désinvoltes du genre de ceux du *Décameron* de Boccace. Pas question ici de nous pencher sur ces farces où on met en scène une mère abbesse se hâtant pour surprendre en flagrant délit une nonne dont on a lui a dénoncé les amours, mais qui, couchant elle-même avec un prêtre, s'est par mégarde coiffée de la culotte de celui-ci en la prenant pour son voile :

l'accusée ayant fait remarquer à l'abbesse l'extravagance de son accoutrement aurait ainsi pu continuer à cheminer sur la voie illicite de l'amour sans plus être inquiétée, car, à en croire le jugement indulgent que Boccace met dans la bouche de l'abbesse, il n'est personne qui puisse la condamner en tirant argument d'une vie meilleure[4]. Et on pourrait se demander ce que serait cette vie meilleure qui pourrait se passer d'amour ? Chez les clercs d'aujourd'hui, même condamnés à vivre dans l'équivoque et la duplicité, on ne saurait retrouver, même en secret, la témérité de pirates que Stendhal prête à des héros apparemment sortis tout droit de la Renaissance[5] : il s'agit tout au plus de « criminels blêmes », selon le mot de Nietzsche[6], de personnes qui pèchent par faiblesse et non par violence et qui, dévorées par leurs scrupules de conscience, mettent toute leur passion à souffrir et à faire souffrir alors qu'ils devraient répandre la joie et le bonheur.

Selon une vue simpliste des choses, les inhibitions sexuelles sortent tout droit des interdits sexuels, et elles sont donc le résultat d'un morale répressive et la suite d'une continuelle inversion de chaque plaisir charnel en péché mortel. Il y a incontestablement quelque chose de vrai dans cette manière de voir. Ceux qui ne sont pas concernés peuvent difficilement se représenter à quel point la théologie morale catholique s'est incrustée dans l'âme des gens pieux, étant entendu que ceux-ci se sentent en accord avec la tradition séculaire, apparemment unanime et invariable, des directives pontificales et des déclarations de théologiens.

Actuellement, l'Église catholique a sans doute pris une certaine distance par rapport à ces positions rigoureuses. Mais elle l'a fait plus par faiblesse que par conviction, et elle n'en a jamais vraiment fait le deuil. Elle n'ose plus imposer ses points de vue avec la rigueur qui était la sienne dans les années 50, mais, le 29 décembre 1975, la Congrégation pour la doctrine de la foi du Vatican n'en a pas moins rappelé sans équivoque sa pensée. Pour lutter contre la dégradation des mœurs qui se développe sournoisement dans la société pluraliste, elle a cru devoir formuler les conseils suivants contre les débordements du plaisir sexuel : « En notre temps aussi, aujourd'hui même plus qu'autrefois, les croyants doivent recourir aux moyens que l'Église a toujours recommandés pour mener une vie de chasteté : discipline des sens et de l'esprit, vigilance et prudence pour éviter l'occasion du péché, préservation de la pudeur, mesure dans la jouissance, distractions saines, prière assidue et fréquente réception des sacrements de pénitence et d'eucharistie. Les jeunes plus particulièrement doivent pratiquer assidûment la vénération de la mère de Dieu conçu sans péché et suivre l'exemple de la vie des saints et d'autres, surtout des frères dans la foi qui se sont signalés par une chaste pureté. Tous devront avant tout tenir en haute estime la vertu de chasteté et son éclat rayonnant[7]. »

Qu'on se présente en lisant un discours si suave devant une classe d'apprenties coiffeuses ou de futurs patrons, et on saisira avec évidence à quel point l'Église catholique est fanatiquement étrangère aux réalités du monde, et même franchement sectaire. On peut formuler une masse de critiques contre les concours de sexe sur les pages de couverture des illustrés et magazines, ou contre une commercialisation du sexe comme denrée des maisons de passe et des peep-shows. Mais ce qui est une fois pour toutes impossible, c'est de prendre plus longtemps au sérieux cette véritable ordonnance médicale de croire qu'on ne peut éduquer à l'amour qu'en apprenant à le fuir, que, dans ce domaine si important de l'expérience de la vie, il faut avoir terminé sa route avant de l'avoir vraiment trouvée, par essais et erreurs ; et qu'on « sanctifiera » le corps, la chair, le monde, la femme en les déclarant sources de péchés. Pendant des siècles, et pour d'innombrables personnes, cette vision des choses n'a été source que de maladie, voire de folie. Chaque fois qu'on la rappelle, cela ne fait que déclencher la rage des gens, pour ne pas dire des moqueries de cabaret. On peut la croire définitivement dépassée. Mais les morts peuvent encore jouer les revenants, et il faut même dire que ce n'est qu'une fois mort qu'un individu a le pouvoir de jouer les fantômes. C'est là que se situe manifestement aujourd'hui le véritable problème de la théologie morale de l'Église.

Si on interroge les clercs sur leur développement sexuel, la plupart nient avoir reçu une éducation répressive. Mais si on y regarde de plus près, on reconnaît la vieille angoisse, simplement sous une forme muette et refoulée. Le camouflage peut aller si loin que bien des clercs prétendront n'avoir jamais connu de difficultés avec « ça », au cours de leur développement sexuel pendant leur enfance et leur jeunesse. Ils ne se doutent pas que précisément cette absence de difficultés révèle le véritable problème et explique en tout cas pourquoi, justement dans ce domaine, ils sont confrontés à d'énormes difficultés.

Le mariage bien catholique

Il faut se demander comment se transmettent de parents à enfants l'attitude d'angoisse, de fuite et de sentiments latents de culpabilité, les tabous et l'impossibilité de jamais parler des problèmes de la sexualité. C'est facile à voir si on a la moindre l'idée de ce que peut être un couple bien catholique, selon l'idéal qu'on en propose.

Il suffit de prendre brièvement l'exemple d'une épouse élevée exactement dans le sens de cet idéal. Des années durant elle s'est évertuée à préserver son corps des approches de tout jeune homme, et elle a avant tout appris à considérer ses sentiments et ses pulsions comme des signaux avertisseurs de danger. Ce caractère contradictoire des buts éducatifs est une source constante de véritables bouleversement et de désarrois.

La tare la plus grave de cette éducation est sans doute l'inhibition de la parole dès qu'il s'agit de sexualité. On n'a pas de mots pour la tendresse, pas de poésie des sens et du corps qui permettrait de se situer entre le tabou et la pornographie. Une femme un tant soit peu sensible ne peut qu'être choquée, même avant 14 ans, de découvrir à quel point tant de mots salaces ne font que traîner son corps dans la boue : tous les peuples peuvent célébrer celui-ci, mais la bonne éducation catholique ne fait que dégrader l'érotisme[8]. Elle ne conduit pas seulement la jeune fille « convenable » à considérer tous les jeunes gens avec crainte et dégoût dès qu'ils emploient un tel langage ; mais elle la pousse à se considérer constamment elle-même comme un danger et une tentation, pour peu qu'elle provoque de tels propos.

Nous avons déjà dit l'inconvénient qu'il peut y avoir pour une fille qui grandit à être trouvée exceptionnellement belle. Le moment est venu de montrer ce que veut dire en plus le fait d'être obligée de considérer comme peccamineuse chaque sensation agréable qu'elle éprouve en prenant conscience de son propre corps, et d'être contrainte d'éviter tout geste de tendresse comme une tentation. Cela conduit droit au paradoxe auquel tant d'épouses catholiques devront faire face : n'ayant jamais appris à parler des réalités sexuelles, et à plus forte raison de leurs désirs, elles sont habituées à attendre un mari venant jouer le rôle de prince libérateur. Tout comme « la jeune fille sans mains » en matière de biens matériels, elles mettent toute leur espérance en un prince qui devra trouver de lui-même ce qu'elles peuvent souhaiter et aimer. Il va de soi qu'il n'est pas aisé à dénicher, cet oiseau rare. Et même alors, il ne sera guère facile de surmonter l'équivoque de cette nostalgique aspiration à se réaliser, alliée à une défense aussi vigoureuse contre les pulsions en question. Car il y a ici trois problèmes différents qui se conditionnent et se compénètrent.

— Le premier, c'est la difficulté d'être spontanée. Une femme qui, fillette et jeune fille, a appris pendant dix à quinze ans à refuser courageusement toute approche masculine développe en elle une crainte toute spéciale des yeux et des mains d'un homme. Une jeune fille moins inhibée ressentirait comme un compliment le fait que des jeunes gens qui la dévisagent « avec convoitise » se retournent sur son passage et se répandent en propos aisés à imaginer. Pour voir ce qu'il en est aujourd'hui, il suffit de penser à certaines chansons de musique pop, par exemple à *Dirty looks on me* que chante Diana Ross, la reine du disque et de la chanson. On croit sans peine la belle Noire quand elle assure que les regards salaces des hommes la mettent vraiment en forme. Il en va évidemment tout autrement chez une jeune fille à laquelle on a inculqué dès l'enfance que des regards « impudiques » sont des péchés graves, et que c'est à elle de prendre ses responsabilités, soit en induisant les hommes en faute, soit en faisant preuve de pudeur et de convenance. La première et la plus importante découverte de la psychanalyse, la nécessité de considérer la sexualité humaine comme un moyen d'expression, et non comme un *brutum factum*, n'entre que difficilement dans la tête des théologiens moralistes catholiques et dans le cœur de ceux qui sont soumis au magistère de l'Église catholique en une « obéissance de foi bien comprise ».

Le tragique réside avant tout dans l'écart entre les visées et le résultat de cette morale sexuelle. L'Église engage des moyens considérables dans la pastorale du mariage et de la famille ; il n'est pas de domaine où elle en fasse autant. Mais il n'en est pas non plus où la population se soit autant écartée de ses directives et de ses avertissements. Car l'expérience apprend aux gens ce que les clercs célibataires — c'est pourtant eux qui enseignent la théologie morale — ne veulent pas ou ne peuvent pas reconnaître : que les unions qui se font sous son égide n'en sont pas renforcées, mais mises en danger. Le constat est évident : celle qui durant toute sa jeunesse a dû apprendre à avoir peur des yeux et des mains de ses semblables — comme si, suivant les propos d'un saint qui fut un modèle d'ascétisme, il s'agissait de faucons et de furets, de toute façon de bêtes sanguinaires — pourra arriver vierge au mariage, mais, dès la première heure de sa nuit de noces, sera sûrement incapable d'une chose : de jouir des préliminaires de l'amour [9]. On accordera que les temps sont passés où on conseillait aux femmes de réciter en ces moments délicats un chapelet à Marie, la Vierge Immaculée, en la suppliant, elle, pleine de grâce, d'accorder son aide secourable [10]. Pour boycotter la tendresse, il suffit tout simplement de son angoisse profondément enracinée devant l'attrait de voir, devant le plaisir des sens ainsi que devant l'orgueil de la chair ; et on aura ainsi une jeune épouse qui insistera en pleurant pour baisser la lumière et, pour l'amour du Ciel, pour garder quelque vêtement et se voir éviter la souffrance de caresses impudiques. Au lieu de quoi elle risque le cas échéant de provoquer formellement son mari à faire sans ambages ce que les tabous voulaient précisément éviter. Le surmoi ne « pense » pas logiquement, mais automatiquement ; et c'est ainsi qu'une femme, précisément parce qu'elle ne pouvait pas envisager « une telle chose » durant sa jeunesse, et que cela restait du domaine du non-dit, éprouve peut-être devant l'union physique avec son mari moins de répulsion et de honte que devant les joies des préliminaires. C'est précisément ce déficit de tendresse dans les mots, gestes et regards qui, à la longue, blesse nécessairement au plus profond d'elle-même une femme tant soit peu sensible. Tout vire en son contraire : celle qui, jeune fille, n'avait jamais le droit de faire ce qu'elle aurait aimé s'offrir doit réclamer maintenant quelque chose qu'elle ne peut plus vouloir.

— Ici surgit le second problème, lié à celui de la « spontanéité forcée » : l'incapacité de formuler ses désirs. Afin de ne pas mettre en danger leur couple, et par égard pour leur époux, rares sont les femmes catholiques capables de dire à leur mari ce qu'elles souhaitent et éprouvent vraiment. Suivant le degré d'inhibition déjà présent au stade oral de leur développement, et du fait surtout des tabous pesant sur la sexualité, il leur sera difficile, à elles qui ont déjà tant de mal à formuler leurs souhaits, d'exprimer à leur époux leur besoin d'amour et de tendresse. S'ajoute alors un facteur aggravant typiquement catholique : l'idée invraisemblable selon laquelle une femme qui se respecte en se conformant à l'idéal de Marie, vierge et mère, ne peut souhaiter pour elle une « chose pareille ». La sexualité est alors exclusivement l'affaire des hommes, qui en veulent et en ont besoin. Si une femme souhaite « quelque chose de ce genre », ce ne peut être que de façon tout à fait désintéressée : pour plaire à son époux et ne trouver elle-même de bonheur qu'en permettant celui qu'elle lui donne par son attitude chrétienne de don total. « Dans notre mariage, il en était toujours ainsi, me racontait une femme qui remplissait dans sa paroisse une fonction relativement importante. J'étais entièrement centrée sur l'idée de satisfaire mon mari. Quand il avait fini, je pensais : Maintenant, c'est à toi ; mais il était trop fatigué et tout était terminé. De temps en temps je me donnais moi-même secrètement du plaisir, mais j'en avais honte. Honnêtement je ne comprends pas non plus que mon mari soit si égoïste. » Cette femme avait le plus grand mal à comprendre que c'était probablement son prétendu désintéressement — elle ne devait rien éprouver tant qu'elle n'aurait pas accompli son « devoir » — qui lui faisait paraître son mari égoïste. Car, du point de vue de celui-ci, c'était l'inverse : évidemment, il ressentait le besoin de tendresse de sa femme ; naturellement, il aurait bien voulu lui procurer aussi sa satisfaction, et cela lui aurait même redonné un peu conscience de sa valeur, passablement meurtrie dans l'affaire. Au lieu de quoi il avait bien dû se rendre compte que sa femme lui interdisait bel et bien les véritables préludes amoureux. Il lui avait donc fallu, avec un regret lancinant, tenter à chaque fois l'impossible : stimuler de façon purement génitale, sans aucune caresse manuelle ou orale, une épouse extrêmement réticente devant tout attouchement descendant en dessous de la tête ou des épaules, et cela pour une durée douloureusement longue à son goût.

On ne comprend que trop les sentiments que provoquaient de telles relations : chez la femme, un mélange de honte et d'irritation ; elle compensait sa déception en refoulant autant que possible, en épouse dévouée, son déplaisir devant le tact prétendument insuffisant de son époux et en se vouant d'autant plus consciencieusement à son devoir conjugal au lieu d'y prendre du plaisir ; l'époux, lui, ne pouvait interpréter la froideur de son épouse si serviable que comme un refus inavoué de sa personne, à lui, donc en fin de compte comme un manque d'amour ; après avoir bien sué dans son effort, il se sentait frustré de n'avoir pas réussi à tirer de sa femme la moindre réaction encourageante. « Elle est tout simplement là comme un sac de farine, et elle me sourit, comme si elle voulait me signifier : “ Tu ne m'auras pas ”. » Et le mari poursuivait sa plainte : « J'ai toujours l'impression de ne pas être à la hauteur. J'ai eu mon dû, mais pas elle. »

En réalité il touchait ainsi un autre aspect important de l'affaire : une femme qui, à cause de ses sentiments de culpabilité, se ferme à toute impression de plaisir pour ne pas paraître égoïste engendre nécessairement chez son mari un sentiment de culpabilité similaire, celui de n'être qu'un égoïste, à prendre ainsi le plaisir qu'elle n'a pas eu parce que, au fond, il n'a pas le droit de le lui donner. Très vite se crée de cette manière un nouveau cercle vicieux : pour ne pas s'apparaître comme un coupable et un raté, l'homme force sa femme à des réactions lui permettant le maximum de jouissance, l'amenant ainsi à complimenter comme il convient l'auteur de ce plaisir. Mais la femme a l'impression qu'il fait ainsi pression sur elle : il veut la contraindre de l'extérieur à faire quelque chose qu'on ne peut vivre qu'à partir de soi. Il en résulte qu'intérieurement elle est encore plus craintive, plus réservée et plus froide qu'avant.

En général les deux partenaires ne se rendent pas compte que leur comportement sexuel ne fait que copier et confirmer très exactement une extériorité fondamentalement constitutive de la morale catholique traditionnelle. Si cette femme fait suffisamment preuve de bonne volonté, elle aura tendance à faire tous les efforts possibles pour jouer des sentiments et des impressions qu'elle n'a pas, une jouissance qu'elle épouvera subjectivement d'autant moins qu'elle est obligée de substituer à ses sentiments réels le spectacle de sensations inauthentiques — ce qui répond exactement au système obligeant les clercs à des sentiments forcés. Désormais ce sera l'alternative : ou bien le bonheur apparent d'un bon mariage catholique, harmonieux, consolidé par le sacrement de l'Église ; ou bien une minimisation du conflit existant en faisant intervenir ces mécanismes de défense que sont la bagatellisation ou le déni. En résulte de toute façon cette duplicité structurelle dont nous avons vu qu'elle était le terreau idéal pour le développement des personnalités de clercs [11].

— Car ce n'est pas fini : voici que s'ajoute le troisième problème, celui de la dissociation des sentiments et de la rationalisation des prétextes. On sait que les sentiments ne disparaissent pas simplement du fait qu'on les refuse. Au contraire, plus violent est le blocage qu'on leur oppose dans une direction donnée, plus énergique sera la recherche d'échappatoires et de détours dans une autre direction. Dans ces conditions, un homme sera presque inévitablement poussé à chercher des issues à son activité sexuelle, et un nouveau cercle vicieux va bientôt se refermer : cet homme risque de s'éprouver comme un vrai raté et d'avoir honte de ses pensées et de ses compensations, observant devant sa femme un silence plein d'égards, se rassurant à la pensée qu'après tout c'est elle qui veut que cela se passe ainsi. En revanche la femme, se conformant à son éducation catholique, va se mettre à la recherche d'objectifs « permis » en dehors de la famille, même les moindres, acceptant par exemple toute la charge de la paroisse, ce qui va encore renforcer l'impression d'un mariage catholique exemplaire. Désormais, pour éviter plus efficacement que jamais toute approche du mari, la morale sexuelle catholique est à nouveau d'un grand secours.

En dépit des chaleureux appels des évêques et du pape à se dresser contre le consumérisme résigné de l'esprit du temps et à répondre courageusement par un « oui à l'enfant » en vue d'améliorer les statistiques de la religion catholique, les familles de plus de deux ou trois enfants sont relativement rares. C'est au plus tard après la naissance du deuxième que beaucoup de femmes catholiques peuvent mesurer l'opportunité des enseignements du magistère catholique suprême selon lesquels, dans l'« acte conjugal » (cette excellente expression de l'Église) la fécondité naturelle, que Dieu, Seigneur et Créateur de toutes choses, a liée indissociablement au don de la sexualité humaine, comme occasion et comme fin, ne doit pas être arbitrairement limitée ou entravée par des moyens non naturels. Sur ce point, des millions de femmes n'en penseront pas moins ce qu'elles veulent et utiliseront la pilule ou le stérilet. Mais les autres, celles qui sont fidèles, les meilleures au sens de la morale catholique, vont trouver dans l'interdiction de toute forme de contraception artificielle un merveilleux alibi pour se refuser à leur maris. Elles ont des règles irrégulières, ou une dysménorrhée ou une ménorragie empêchant d'appliquer les méthodes ecclésiastiques de contraception naturelle (on la dit « naturelle » alors qu'elle fait du corps féminin l'objet d'examens biologiques de première classe, avec emploi de calendriers, mesures de température, etc.).

Pour apprécier correctement l'ambivalence psychologique de

telles normes de comportement, il faut encore tenir compte d'un autre élément essentiel de l'éducation catholiques des filles : plus celle-ci met en exergue l'idéal, plus elle met en garde contre l'enfant illégitime. Ainsi a-t-on dès leur jeunesse développé chez elles la crainte d'une grossesse qui serait le châtiment d'un manque de contrôle de ses réactions sexuelles. Il faut reconnaître que cette mentalité correspond très exactement au super-contrôle que demande le pape à propos de tous les processus sexuels importants, mais cette fois en vue d'éviter cette « bénédiction » si peu souhaitée qu'est l'enfant. Et une fois de plus se referme le cercle vicieux entre la morale sexuelle artificielle que déterminent les clercs et les influences éducatives auxquelles les soumettent leurs parents, et en particulier leur mère, consciemment ou non, afin de les préparer à leur futur état clérical. Il faut avoir présente à l'esprit l'importance non avouée d'une encyclique telle que *Humanæ Vitæ* pour l'autoreproduction du système clérical, pour comprendre pourquoi le magistère ecclésiastique trouve un intérêt si considérable à imposer et à favoriser des théories et des thèses qui ne peuvent qu'être nuisibles à la vitalité des gens ordinaires. Mais c'est justement là que certaines femmes catholiques trouvent un inappréciable avantage. A l'aide du dédale des jours féconds et inféconds, elles parviennent en un tour de main à convertir en son contraire la « malédiction de la Genèse » (3, 16) selon laquelle, à la suite de la chute originelle, l'homme est appelé à dominer sa femme : en tout ce qui concerne la sexualité, c'est elles qui vont s'imposer comme elles l'entendent au nom d'une morale supérieure.

Si elles se sont vouées à l'idéal de la Madone, que reste-t-il à l'homme sinon à jouer le rôle de saint Joseph ? Ainsi réalise-t-on l'idéal de la Sainte Famille, celui d'une communauté conjugale à la piété suffisamment asexuée, telle qu'elle serait nécessaire pour produire le plus de clercs possible.

On connaît l'objection habituelle : face à leur Église, les laïcs catholiques d'aujourd'hui auraient en général une position plus émancipée et plus sûre d'elle-même qu'on ne le suppose ici. C'est vrai, mais pas à propos du point dont nous traitons présentement. Accordons que nous utilisons ici un modèle psychodynamique reposant sur une série de présupposés simplificateurs inévitables pour faire comprendre ce que nous voulons dire. Mais, sur l'essentiel, on peut le considérer comme une image fidèle de la réalité. Ses présupposés n'ont rien d'irréel :

nous partons simplement de la situation des familles où on prend au sérieux et où on applique aussi largement que possible les idées de la morale sexuelle catholique traditionnelle. Bien entendu, il existe aussi des familles catholiques où l'enseignement traditionnel sur le bon comportement sexuel ne joue plus un grand rôle. Mais en regard du magistère et de ses normes, celles-ci ne paraissent précisément plus « catholiques », au véritable sens du terme, même si subjectivement les conjoints continuent sans hésiter à se considérer comme appartenant à l'Église. Ce ne sont point elles qui engendreront ces êtres dont la vie ne prendra sens qu'à répandre fonctionnellement le plus possible les idées de l'Église, parce qu'ils se seront totalement soumis aux intérêts de celle-ci. Les hypothèses qui sont à la base de notre modèle reposent finalement sur l'analyse des conséquences des enseignements et des idéaux de l'Église catholique dans la vie psychologique des gens. Nous avons déjà développé précédemment la thèse suivant laquelle les familles qui fournissent des vocations cléricales doivent spécialement donner l'impression qu'« il n'est pas bon de se marier » (Mt 19, 10). Nous commençons maintenant à comprendre comment cette impression peut se créer dans le domaine de la sexualité.

La transmission de l'angoisse

La retransmission d'inhibitions sexuelles, surtout de la mère à l'enfant, débute au fond avec la maternité elle-même. Sigmund Freud nous apprend combien il est difficile à un enfant de cinq à six ans de faire son deuil de l'étroite union à sa mère et d'accepter que sombrent dans le refoulement ses désirs sexuels d'elle, tels qu'ils se manifestent pour la première fois [12]. Mais ce qui nous importe ici, se sont les complications du développement sexuel bien antérieures au complexe d'Œdipe, car elles seules permettent de comprendre l'influence du « climat catholique » sur la psychogenèse de la personnalité du futur clerc. Il est assez facile d'y élucider le mécanisme de la transmission des inhibitions sexuelles.

Une femme qui a grandi dans le climat que nous venons d'évoquer ressent de façon particulière sa sexualité, non seulement en tant qu'épouse, mais en tant que mère de son enfant. Mis à part la maladie et la mort, il n'y a pas d'événement de la vie féminine sur lequel la biologie ait plus d'emprise que sur la grossesse. C'est précisément cette partie de l'être humain, jusque-là constamment négligée ou redoutée, qui réclame maintenant la plus grande attention : le corps, le ventre. Pour désigner cet état, le langage catholique a trouvé en allemand cette formule significative : l'enfant croîtrait « sous le cœur de la mère ». Mais cette façon symbolique de parler ne suppose pas seulement un amour vraiment « cordial » de la part de la mère, elle exprime une fois de plus au niveau du langage un déplacement des processus biologiques vers le haut, donc les vieux tabous chargés d'angoisse touchant le corps féminin en dessous de la ceinture. Des femmes qui ont grandi dans une telle atmosphère de refoulement ressentent leur être en conséquence.

Certes, l'Église catholique accorde la plus grande importance à la naissance d'un enfant ; elle y a vu et y voit encore la fin principale de la sexualité. Mais on a beau déclarer que la grossesse est une récompense morale, l'expérience qu'en font beaucoup de mères catholiques est très éloignée des idées des moralistes de l'Église sur le bonheur « naturel » d'une future mère. Plus d'une femme élevée dans l'atmosphère d'une morale sexuelle non naturelle ressentira de la honte à être enceinte. Son état atteste sans équivoque possible la réalité du processus de la génération. Aujourd'hui encore, la plupart des parents ressentent une telle gêne devant les données de la conception et de la naissance qu'ils ne peuvent en parler de façon naturelle à leurs enfants. De même maintes futures mères auront du mal à adopter une attitude naturelle devant leur grossesse. Pour quelqu'un qui, en un certain sens, n'aurait jamais dû être femme, mais aurait dû sauter sans transition de son état de jeune fille à celui de mère, il est incroyablement difficile d'accepter ce qui va désormais modifier toute sa vie. Ne parlons pas de ce qui se passait jadis, quand l'Église catholique avait plus d'influence et de puissance et quand le curé considérait comme étant de son devoir le plus sacré de rendre visite un an au plus tard au jeune couple de sa paroisse pour s'informer consciencieusement de l'état d'avancement de la prochaine « bénédiction ». Comme la femme en question a appris à voir dans sa féminité quelque chose d'hostile, elle aura tendance à éprouver les changements qui ont continuellement lieu en elle comme un défi, comme une punition biblique (Gn 3, 16). Il n'est pas rare qu'elle ressente subjectivement comme une humiliation les visites régulières chez un gynécologue, les propos directs et sans fioritures de celui-ci, ceci bien sûr, selon son degré de sévérité en matière de mœurs et de pudibonderie. Mais elle se dit par ailleurs que cela fait partie de ses devoirs et qu'elle ne peut donc se permettre aucune négligence : la visite chez le gynécologue est indispensable !

Passe encore. Mais le pire, c'est que les difficultés ne vont faire que croître considérablement après la naissance. La nature a sagement prévu qu'immédiatement après celle-ci se déclencheraient une série de comportements innés liant profondément la mère à son nouveau-né : elle le presse instinctivement sur sa poitrine en le tenant sur son bras gauche, à proximité de son cœur. C'est normalement la tétée qui procure la plus grande satisfaction, à l'enfant, bien sûr, mais non moins à elle : elle éprouve la succion de l'enfant comme une source de soulagement et de plaisir. Mais cela ne fait justement qu'éveiller les sensations et les sentiments qui s'amorcent et se frayent normalement la voie dans les préliminaires amoureux entre hommes et femmes — la psychanalyse et la psychologie du comportement montrent avec évidence que la relation entre la mère et l'enfant est fortement teintée de plaisir sexuel.

Mais c'est là que surgit une difficulté quasi insoluble pour celle à qui on a appris, enfant, à être « chaste ». Selon l'idéal catholique strict, le modèle de la femme « pure », c'est la Mère de Dieu, vierge avant et même dans et après la naissance de Jésus, ainsi que le déclare expressément le dogme[13]. Ainsi que l'ont répété des siècles durant les théologiens, Marie mère n'a jamais éprouvé la moindre sensualité, même en donnant le sein à son enfant, comme le laissent penser maintes madones où Marie et l'enfant Jésus, bien séparés l'un de l'autre, regardent le spectateur comme pour l'en avertir[14]. Si une mère chrétienne prend vraiment au sérieux ce modèle de pureté façonné par la grâce divine, on peut dire que le miracle surnaturel engendre aussitôt chez elle un comportement affecté.

Certains contes des frères Grimm, comme l'histoire de *Frérot et Sœurette* ou celle de *L'Enfant de Marie*, parlent de femmes qui, au moment de leurs couches, voient leur belle-mère leur subtiliser l'enfant nouveau-né[15]. Dans le conte *L'Enfant de Marie*, c'est la Madone elle-même qui, naissance après naissance, vole à la jeune reine les enfants qu'elle vient de mettre au monde ; c'est elle qui expose celle-ci, punie par le mutisme, au reproche d'être cannibale. De tout le recueil des frères Grimm, ce conte est le plus marqué par le catholicisme. Sa signification est effectivement criminelle. On peut en effet penser au cas d'une femme qui se sent appelée à la maternité. Mais le refoulement — par devoir — de ses propres sentiments la conduit à se situer face à son enfant non pas en vertu de son moi propre, mais seulement en vertu des contenus de son surmoi. Au moment de commencer à assumer son rôle de mère, c'est sa propre mère, éventuellement sa belle-mère, qui vient se substituer à sa personnalité, en l'obligeant à traiter son enfant de la même manière qu'on l'a traitée, elle, à ce même âge. Ainsi une série de mesures éducatives « correctes » et de sentiments moraux, imposés par le milieu, viennent-ils constamment rompre la spontanéité chaleureuse du sentiment maternel. La question n'est plus désormais : qu'est ce que j'éprouve ? ou : que souhaite ma fille ou mon fils ? mais : comment faire pour agir de telle sorte que ma mère m'approuverait, si elle me voyait ? Le rapt d'un enfant par la Madone exprime en particulier le danger que court une mère à entrer dans une relation vraiment personnelle avec son enfant, et cela malgré sa bonne volonté, voire à cause d'un excès de bonne volonté ; cela parce qu'une série d'inhibitions sexuelles perturbent sensiblement son rapport à son propre moi-corps. Une telle mère, façonnée sur le modèle de la Madone, n'a pas le droit, par exemple, d'éprouver ce qu'elle éprouve en donnant le sein. Sa propre angoisse, liée à son conditionnement sexuel, marque également inévitablement le moi-corps de l'enfant, et on ne peut qu'approuver le conte quand il narre la façon dont les nouveau-nés de la reine sont subtilisés à leur mère immédiatement après leur naissance, ceci par l'intermédiaire de la Madone, autrement dit, par celui de l'échafaudage des prescriptions de pureté chrétienne.

Ce simple exemple d'un conte de Grimm montre avec une netteté saisissante comment un certain idéal catholique, en prétendant se placer sous le signe de la Mère de Dieu pour promouvoir la dignité de la femme, joue en réalité un rôle nécessairement dévastateur dans la psyché d'une petite fille ou d'un garçon. Le plus curieux de l'histoire, c'est que c'est l'Église catholique elle-même qui semble avoir lancé le récit de *L'Enfant de Marie* à l'époque de la Contre-Réforme pour rendre le peuple plus enclin à la vénération de la Vierge. Il est rare d'observer de façon aussi nette et concise le décalage et le contraste entre le message religieux conscient qu'on entendait promouvoir et l'effet réel obtenu en refoulant inconciemment la sexualité. A lui seul, ce conte réfute toute la doctrine morale catholique, fondée sur la réduction de la psyché de l'homme à son intelligence et à sa volonté.

Veut-on poursuivre l'examen des ramifications des inhibitions sexuelles dans le développement d'un enfant ? Il faut noter la multitude de signaux et de messages qu'une mère inhibée transmet inévitablement à celui-ci. A sentir la façon dont on le regarde, le caresse, le lange, le nettoie, l'enfant perçoit très vite quelles zones de son corps la mère ressent positivement ou négativement. Ainsi, bien avant de pouvoir parler, apprend-il à interpréter les valeurs maternelles comme un complexe de règles définies. Au stade suivant, c'est la parole de la mère qui montrera à l'enfant quels mots, et donc quels domaines de la réalité, il faut considérer comme convenables ou inconvenants, quels sont les termes qu'on peut prononcer ou pas, ce qui peut se dire et ce qui est littéralement de l'ordre de l'indicible. A travers le langage de sa mère, il découvre ainsi la vision du monde que sa mère véhicule par tous ses mots. En même temps que ce qu'on ne peut dire, il apprend ce qu'on doit éviter, ce qu'on ne doit pas penser, ce qu'on doit même autant que possible refouler hors de sa conscience.

Telles sont les formes « toutes naturelles » d'influence éducative que la mère exerce sur son enfant, du simple fait de son refoulement sexuel tel que viennent le conforter les idéaux de la morale catholique.

Cela suffira à provoquer l'impression, subjectivement assez juste, de tant de clercs catholiques : dans les conversations thérapeutiques, ils affirment avec véhémence n'avoir jamais connu aucun problème sexuel au cours de leur enfance ou de leur adolescence, toute opinion opposée étant à mettre au compte d'une psychanalyse dont on ne connaît que trop les présupposés obcènes et la façon dont elle ne perçoit jamais que ce qui est déformé et tordu. Il leur paraît évident que, à ce moment de leur vie, ils ne se sont jamais heurtés à un interdit sexuel. En fait, c'est exact. Mais, dans notre aire culturelle, il n'est pas nécessaire de faire comprendre à un enfant que le cannibalisme pratiqué par les « sauvages » est quelque chose de « mauvais » ; de même, dans maintes familles catholiques, est-il superflu de signifier explicitement que la sexualité est chose à éviter. Dans le cadre de telles familles à la pédagogie exemplaire, cette sexualité semble en fait n'exister que dans un monde très lointain, « primitif » et « sauvage ». On peut cependant s'en faire une certaine idée à travers des traités d'ethnographie ou de tel ou tel lexique où, à défaut de pouvoir briser le mur de silence de leurs parents, les enfants chercheront à trouver quelque lumière. Dans l'expérience subjective de tels enfants, ces tabous de la première enfance peuvent effectivement constituer une telle chape que même les violentes pulsions de la puberté ne pourront contrer le refoulement ainsi garanti.

Mais, sur le chemin qui conduit à la vie cléricale future, il est essentiel de voir comment intervient le système de valeurs typique de l'Église catholique : il conduit à interpréter très tôt ces inhibitions comme une forme de pureté idéale, et même, à y regarder de plus près, comme le signe d'une « vocation » possible à une vie de prêtre ou de religieuse. C'est cet idéal névrotique de l'Église catholique elle-même qui fournit l'alibi des névroses juvéniles en les légitimant, voire en les divinisant. Au lieu de s'inspirer de l'humanité de Jésus et de donner aux jeunes le courage de surmonter[16], autant que faire se peut, les angoisses et les inhibitions de leur puberté, elle entreprend *de facto* tout ce qu'elle peut pour accroître encore celles-ci. Impossible de dire le contraire : déjà par le détour de l'éducation parentale, ses idées viennent insensiblement conduire dans une impasse les garçons et les filles sur lesquels elle garde une influence, impasse au bout de laquelle elle se dresse elle-même, présentant comme une voie d'élection divine une existence déjà souvent largement saccagée humainement, et offrant de la poursuivre sans entraves, et aussi loin que possible de toutes les influences perturbatrices du monde, derrière les murs de séminaires épiscopaux ou de couvents. De par cette falsification, la névrose devient sainteté, la maladie signe d'élection, l'angoisse de vivre sainte confiance en Dieu. Exactement le tableau que, dans son *Zarathoustra*, Nietzsche brossait des « prêcheurs de mort » : « Voici les phtisiques de l'âme ; à peine sont-ils nés que déjà ils commencent à mourir et nostalgiquement aspirent aux leçons de lassitude et de renoncement[17]. »

La lutte contre la nature, l'esprit tendu contre la simple existence de créature, tout cela a pris dans l'idéal catholique une forme « pure », « angélique », qui a formellement besoin du pathologique, de l'équivoque, du mensonge et de la perte pour resurgir à partir du levain d'une vie affadie et viciée. Ceux qui sont ainsi « appelés » dès leur enfance vivent dans une atmosphère de serre étouffante. Un des pires reproches qu'on puisse élever contre la forme actuelle de l'idéal clérical catholique, c'est cette séparation d'avec la vie, cette façon dont il confond odieusement tout penchant naturel avec le péché, ceci avec un tel coefficient de réussite que les intéressés n'ont pas même une chance de remarquer à quel point on a préformé et préorienté leur vie dans un sens donné, sans véritable alternative.

« Lorsque j'avais 17 ans, se souvient un professeur de théologie, je ne savais au fond pas ce qu'on entendait par sexualité. Croyez-le ou pas, j'étais capable de tenir à d'autres d'excellents discours sur ce sujet, sur la partition des chromosomes et la rencontre des gamètes, sur le processus ou le cycle féminin, sur la constitution et le fonctionnement des organes externes et internes chez l'homme et la femme ainsi que sur le stade de développement de l'embryon — le sujet m'intéressait énormément. Mais je n'avais pas la moindre idée du rapport qu'il pourrait y avoir entre tout cela et ma propre personne. » A vrai dire, ce n'est qu'en parlant ainsi qu'il remarquait combien toute sa vie était déchirée entre la pensée et le sentiment, entre l'activité intellectuelle et la sensation.

A ce point de notre développement, il est très important de comprendre que les enseignements de la morale catholique commencent à agir très tôt sur le développement psychologique d'un enfant, et qu'ils tendent non à favoriser, mais à empêcher l'expérience sexuelle. Ils ne cherchent pas à faire comprendre le vécu en aidant à l'affronter, mais forment comme un véritable corset idéologique qui permet d'éviter cette expérience. Aucun clerc n'a jamais osé s'approcher, même de loin, d'un représentant de l'« autre » sexe. Les gens aiment bien se raconter des histoires de religieuses entrées au couvent par déception sentimentale, et les médias adorent rappeler l'attachement qu'à la fin de son adolescence Jean-Paul II aurait eu pour une actrice polonaise : était-ce « quelque chose », ou rien ? Dans la vie de presque tous les clercs sincères avec eux-mêmes, la réponse est bien plus affligeante que le bon peuple ne le pense : leur développement psychologique ne leur a jamais permis et ne leur a jamais donné l'audace de se tourner, jeune homme vers une jeune fille, jeune fille vers un jeune homme, de parler ensemble, en toute confiance, d'entrer en relation intime et tendre. Au cours de leur adolescence, prince et princesse de l'amour se trouvaient enfermés dans un château enchanté de désirs et d'angoisses. Et plus l'accomplissement terrestre de leurs rêves leur apparaissait définitivement interdit sur terre, plus leurs figures se transfiguraient. Mais, comme nous venons de le voir, c'est à leur mère que leurs rêves et leurs désirs se fixaient.

C'est en parlant de complexe d'Œdipe que Sigmund Freud a montré ce qu'était cette constellation d'angoisses, de refoulements et de pulsions aveugles propres au développement humain. On n'a cessé d'adresser toutes sortes d'objections, justifiées ou non, à ce point central de la psychanalyse. Mais une chose est certaine : dans un climat de répression sexuelle, on en arrive inévitablement à ces situations et à ces sensations que Freud a décrites d'une façon si claire. Si l'enfant croît dans le giron de quelqu'un qui éprouve de la honte en pensant aux circonstances de sa conception et de sa naissance, il apprendra très tôt à haïr son propre père, l'homme qui a infligé à la mère chérie un tel outrage. Dès lors, pour cet enfant, mais surtout pour ce jeune homme, combattre cet homme et le vaincre dans sa virilité sera une condition on pourrait dire stratégique de sa survie. Celui qui reproche à l'Église catholique d'être patriarcale et misogyne doit d'abord expliquer les raisons pour lesquelles, dans ce climat de répression sexuelle, on trouve actuellement chez les clercs masculins une telle haine caractérisée de la virilité, et même une honte latente d'être homme.

Dans l'imagination cléricale, le thème de saint Georges, qu'on retrouve dans les mythes et dans les contes de fées, joue un rôle énorme[18]. Tant qu'à être un homme, qu'on pense au moins à délivrer du dragon satanique la vierge menacée (sa propre mère !). Dressé sur son coursier, avec la pudeur et le courage d'un chevalier, on s'élance contre la sulfureuse haleine de feu du monstre ; ainsi combat-on et surmonte-t-on toutes les tendances et les pulsions mauvaises, en soi et chez les autres ; ainsi déploie-t-on toute son énergie masculine pour lutter contre la virilité ; ainsi le programme de vie d'un futur clerc consistera-t-il à poursuivre par des moyens idéologiques et par l'ascèse cette croisade contre le dragon masculin : son propre père, et les tendances viriles de son propre cœur[19]. L'enjeu sera toujours la pureté immaculée de la femme, de la seule aimée, de sa propre mère, qu'il faut préserver et délivrer des entreprises de ce « monstre » qu'est son propre père. Naturellement ce combat est par principe interminable, et dans l'expérience subjective, il ne se termine absolument pas de façon aussi grandiose que dans les récits et les légendes de héros et de saints. Et s'il y a une chose à laquelle on ne peut toucher dans l'esprit d'un clerc, c'est bien à l'image de sa mère qui, quoique femme, est sublimement au-dessus de tout soupçon d'avoir pu connaître des pulsions sexuelles, lesquelles n'auraient pourtant été que toutes naturelles. Dans ce refus de se dégager de cette mère idéale et de devenir un homme sur le modèle détesté du père, nous retrouvons la mystique que nous avons découverte à travers la vie du malheureux abbé Mouret.

Mais il y a d'autres hommes que le père. Au cours de son adolescence, le futur clerc a beaucoup de difficultés dans ses contacts avec ses pairs (garçons et filles). Eux font en effet manifestement ce qui est interdit, et ils ne se contentent pas de le faire : ils en parlent, s'en vantent, et considèrent même comme un succès et un exploit ce qui est péché aux yeux de la morale de l'Église, péché grave. Déjà Augustin, une fois converti, se reprochera d'avoir raconté à ses camarades comme un acte glorieux ce qui n'était que vilenie et honte, en exagérant d'ailleurs mensongèrement cette vantardise[20]. Dans la jeunesse de tout clerc et dans celle de tous ceux qui aspirent à le devenir, on retrouve la même distance morale, la même réserve angoissée, la même obligation d'être meilleur que les autres, mais aussi la même récompense qu'il s'attribue secrètement : l'espoir que Dieu lui sera reconnaissant pour tant de bonne volonté, de privations et de sacrifices.

Plus l'éducation catholique se montre sévère sur les questions de morale sexuelle, plus le développement psychologique d'un jeune homme ou d'une jeune fille va se polariser sur cette question : osera-t-il (osera-t-elle) violer les règles du catéchisme, ou continuera-t-on à s'y tenir ? Un futur clerc s'y tiendra. Il n'osera pas faire le « mal ». Mais alors, les autres, les camarades de classe et de jeu, les amis, ne sont-ils pas des pécheurs devant Dieu ? La plupart de ceux qui sont de l'étoffe dont on fait des clercs ont appris très tôt à fermer les yeux devant cette question — n'est-il pas écrit : Tu ne jugeras point (Mt 7, 1) ? Il reste pourtant le sentiment amer que les autres — c'est-à-dire quasiment tous sans exception — sont chrétiennement parlant des cochons. Tout au moins serait-ce une cochonnerie si on suivait soi-même leur comportement. Il est vrai qu'on n'a pas le droit de proclamer bruyamment une telle appréciation : on doit se réjouir quand quelqu'un du village se marie ; et il n'est pas vrai que l'Église méprise le mariage, puisqu'elle le bénit par un sacrement.

Mais qu'en est-il donc si est péché, sans exception, tout ce qui prépare à cet état sanctifié ? Voilà que resurgissent tous les problèmes non résolus et non formulés de la vie de la mère, et ils restent aussi peu résolus et aussi peu formulés dans la vie de l'adolescent. Donner un baiser, est-ce un péché ? Se baigner nu, un péché ? Se caresser, un péché ? La « bonne » réponse sera toujours : « Non, si on ne le fait pas " égoïstement ". » Mais où est la pulsion qui ne serait pas égoïste ? « Il ne faut pas chercher uniquement la " pure satisfaction " d'une pulsion, sinon cela serait impur. » Et « il faut se garder " pur " pour le mariage ». Mais les jeunes gens et les jeunes filles de la classe ou des groupes de jeunes qui sont heureux d'être ensemble ne pensent manifestement pas qu'à eux-mêmes.

Voilà une morale qui, avec ses concepts abstraits et idéaux, n'autorise aucune pédagogie de l'apprentissage et de la maturation, avec les transitions qu'elle supposerait. Elle crée d'abord une confusion totale de la pensée et de la sensibilité dans les têtes et les cœurs de ceux qui s'orientent selon ses normes. Elle oblige finalement les plus courageux, les non-clercs, ceux qui sont quelque peu normaux, à se créer eux-mêmes leurs propres règles de vie, au-delà de l'Église.

Mais désormais se joue dans la tête du futur clerc quelque chose qu'on peut qualifier d'abstraction missionnaire ou de prédication dépersonnalisée. Jusqu'alors l'abstraction de la pensée ne concernait que ses sentiments et ses impressions propres. Désormais elle affecte aussi ses relations humaines. Commence alors ce que nous avons précédemment décrit en parlant de l'impersonnalité de la pensée fonctionnelle et du style ministériel du comportement. S'affirment une masse de jugements tranchants ou de préjugés permettant de classer et d'apprécier « en soi » le comportement des autres. Mais le comportement seulement, car comment reprocher à l'autre d'être ce qu'il est ? On doit toujours distinguer entre le pécheur et le péché, entre l'homme et son acte ! Cette distinction cléricale constitue une indispensable protection contre ses propres agressions. Les autres n'en restent pas moins pécheurs, encore que, il faut en convenir, pris en eux-mêmes, ce soient de bons bougres. D'où l'idée de prier, de souffrir et de se sacrifier patiemment pour eux.

Un jour viendra peut-être où on pourra leur faire du bien en vertu de son ministère. La haine qu'on porte à son propre père en tant qu'homme, à sa propre virilité, à tout ce qui est masculin, se manifeste désormais par l'idée de sauver le monde, ce qui correspond exactement à l'idéal maternel de pureté, d'« amour », de don de soi dans des œuvres de charité. On cherchera longtemps un clerc capable d'avouer, à lui-même et aux autres, tout ce que maintes proclamations de tel ou tel point de morale sexuelle catholique peuvent comporter de vengeance différée pour plus d'une décennie d'humiliations juvéniles.

C'est en tout cas dans ces conditions que se développe le sens de la différence infinie : bien sûr, le clerc admet que l'on fasse ce qu'il ne fait pas lui-même, que ce soit interdit ou pas. Mais Dieu, c'est-à-dire la morale de la mère, déclare qu'on n'est vraiment gentil que si on évite ce que font et disent les mauvais garçons, les voyous. D'où la conscience d'être spécial, d'être appelé à une destinée particulière, comme prédestiné par la providence divine. Cette fierté narcissique d'être radicalement *autre* ne va cependant pas sans trouble. Il existe quelque part comme un refus instinctif de se pardonner une vie faite d'angoisse et de faiblesse. Et cette voix de la nature donne à connaître comme lâcheté ce que les serments religieux nomment fidélité et ordre. « Je n'ose presque plus porter ma défroque noire », me déclarait il y a quelque temps un curé. « Jadis j'étais fier de ma soutane et de mon col romain ; aujourd'hui, je sais qu'ils n'ont fait que cacher mon angoisse ; devant tous ceux qui ont réussi et qui sont devenus de véritables hommes, j'ai honte. Je ne veux plus de cet habit féminin. J'entends constamment les rires des gens dans mon dos. »

Évidemment, ce ne sont pas là que des problèmes de clercs masculins. Il suffit de les transposer pour retrouver ceux de nombre d'adolescentes qui se présentent dans des congrégations. Pour comprendre la psychologie de ces véritables « innocentes », sexuellement parlant, il faut comprendre à quel point une mère qui a elle-même subi la pression d'une éducation catholique pourra refuser et renier en sa fille ce qu'elle a dû réprimer en elle : contrainte de se plier aux angoisses de sa mère, avec toutes ses réactions de défense et ses tabous, celle-ci pourra même s'en trouver beaucoup plus marquée qu'un garçon empêtré dans son rôle œdipien d'amant de remplacement, et dont les liens à la mère sont donc plutôt de nature amoureuse : c'est sûrement cette pression qui explique entre autres raisons pourquoi, lors de leur puberté, certaines filles échappent encore plus que des garçons à toute fièvre sexuelle. Il suffit de connaître un peu plus profondément l'histoire de certaines religieuses pour voir combien la peur de leur père a encore plus pesé sur elles que ne l'a fait sur les clercs masculins le refus de celui-ci. En psychanalyse, il n'est pas rare d'en rencontrer certaines qui sont incapables de se souvenir d'expériences sexuelles précises, affirment en toute honnêteté n'avoir jamais ressenti aucune excitation sexuelle, et se font même un titre de fierté de ne s'être jamais préoccupées de « ces choses », avant de se rappeler peu à peu comment la vision angoissée de leur mère devant la sexualité leur a fait d'emblée percevoir le personnage paternel comme redoutable : « Les hommes ne veulent que ça ! » Désormais hantées par l'avertissement maternel, elles ne pouvaient plus considérer leur père qu'avec crainte. Si les rêveries favorites des clercs masculins portent avant tout sur des scènes de délivrance d'une vierge « pure » des griffes d'un dragon à sept têtes (type *Les Deux Frères* des contes de Grimm, ou légende de saint Georges), les rêverie sexuelles de nombre de religieuses ont pour thème essentiel celui de *La Belle et la Bête* tel que l'ont repris les frères Grimm. Tout comme, dès leur enfance, on a inculqué comme un article de foi incontestable à certains clercs que les femmes (au moins celles du genre de leur mère) ne sauraient avoir d'elles-mêmes aucun désir sexuel, ou qu'elles ne « le » font que pour faire plaisir à leur mari, on a aussi appris aux fillettes à se méfier constamment des hommes et à garder le contrôle de la situation, tout comme une éducation bien catholique l'avait jadis transmis à leurs mères, à la façon d'un saint viatique.

A elles seules, les angoisses sexuelles de la mère seraient cependant insuffisantes pour barrer l'attirance qu'une fillette peut naturellement éprouver pour son père. Il est surprenant de voir le nombre de religieuses qui, en cherchant bien, se rappellent avoir réellement subi les importunités du père, ou s'être même senties systématiquement poursuivies. Après de lourdes hésitations, l'une d'elles me confia : « Le samedi, chaque fois que je voulais me baigner, mon père s'arrangeait pour avoir à faire à la cave. Mon père insistait encore pour me sécher alors que j'avais déjà sûrement treize ans. » Et une autre avouait : « Quand j'étais debout devant la glace pour me peigner, il s'approchait par-derrière pour me serrer la poitrine. » « J'ai vraiment su qui était mon père lorsque, à l'occasion d'un anniversaire, il me pressa tellement contre lui que je ressentis son émotion. J'aurais voulu hurler de peur, mais je n'en avais pas le droit. » On ne saurait interpréter des aveux de ce genre comme de pures fantaisies subjectives, au sens de la « scène primitive » freudienne[21] : ils traduisent des souvenirs authentiques qui comptent parmi les secrets les mieux gardés de certaines religieuses, en particulier de celles qui ont tellement refoulé le thème de la sexualité qu'elles l'ont pour ainsi dire chassé de leur conscience.

Il n'est cependant pas difficile de deviner ce qui se cache derrière tout cela. Mais c'est tellement énorme que c'en est presque informulable. Une femme qui ressent elle-même comme désagréables et douloureuses les tentatives de rapprochement de son mari réussit tôt ou tard à l'éloigner d'elle ; dans ces circonstances, un homme vraiment soucieux d'une vie conjugale bien catholique ne peut que se sentir perdu. Sexuellement frustré, il sera tenté de chercher une issue analogue à l'amour maternel de la femme, donc en redoublant d'amour paternel ; et, un certain temps, sa femme trouvera touchant de voir son mari s'occuper ainsi de sa fille. Mais, en grandissant, la fille sent vite fort bien que son père la préfère, elle, jeune et fraîche, à sa mère, constatation qui la remplit non seulement d'orgueil, mais aussi de frayeur ; il vaut donc mieux s'en masquer la portée — et elle doit donc refouler tant la menace sexuelle du père que sa propre réaction à celle-ci. De son côté, sa mère est bien obligée de prendre part à ce jeu de refoulement : elle perçoit certes bien ce qui se passe entre le père et la fille, et elle suit le manège avec méfiance et jalousie, mais sans pour autant se l'avouer ; car, si elle appelait les choses par leur nom, elle exprimerait une telle monstruosité qu'elle mettrait en danger l'ordre et la paix conjugaux. En d'autres termes, la mère réagit comme le racontent *Les Deux Frères* de Grimm (ou le mythe du Minotaure[22]) : il y est question d'un royaume où on doit chaque année sacrifier une vierge à un monstrueux dragon. Une femme qui, dans sa pruderie sexuelle bien catholique, doit constammment se « sacrifier » à son mari, ne pourra finalement faire autrement que sacrifier sa propre fille à ce monstre de mari qui est aussi son père. Ainsi la seconde génération vient-elle répéter les angoisses sexuelles qu'elle a elle-même éprouvées tout au long de sa vie.

Quand on a la patience d'écouter assez longtemps certaines religieuses raconter leur enfance, on ne cesse de découvrir la vanité du rêve clérical de n'avoir jamais connu d'embarras avec la sexualité et d'être appelé « depuis toujours » par Dieu à se mettre totalement à la suite du Christ en menant une vie pure et préservée. On découvre comment certaines, aujourd'hui encore, sont incapables d'embrasser leur père lorsqu'elles rendent visite à leurs parents, ou que, depuis quatorze ans, elles ne peuvent s'endormir sans un rite consistant à se coucher sur le ventre et, en signe de protection, à se glisser les mains sous le bassin, comme pour empêcher celui qui entrerait subrepticement dans leur chambre à coucher — comme sans doute leur père autrefois — de venir toucher indécemment la gisante sans défense. Naturellement, une personne aussi troublée se heurte constamment à d'autres situations angoissantes : un jeune homme qui la raccompagnait après la leçon de danse lui a fait brusquement des avances inquiétantes ; en 1945 les Russes ont failli violer celle qui n'était alors qu'une jeune fille de 16 ans (ou l'ont réellement fait) ; ou, un soir, dans un parc, elle s'est vraiment trouvée dans une position difficile. On se rend d'ailleurs trop rarement compte à quel point une angoisse excessive provoque immanquablement le danger contre lequel l'avertissement met initialement en garde. Une jeune fille dont toute l'attitude traduit une fuite de la sexualité éveille tout naturellement chez ses camarades masculins leur instinct de chasseur et les incite à tenter un essai pour « y » arriver quand même : cercle vicieux qui ne fait finalement que confirmer tous les préjugés des jeunes filles sur les impulsions masculines. Dans un monde si dangereusement corrompu, qui rappelle beaucoup les histoires de la mythique Sodome (Gn 19, 1-14), il est vraiment préférable de rejoindre l'abri sûr du couvent et de se jeter littéralement corps et âme dans les bras du Père céleste.

Mais la vraie perfidie ne fait que commencer. Toujours sous le signe de l'engagement total pour le Christ — sous forme d'un don personnel, librement consenti —, on accueille ces jeunes de 18 à 20 ans au noviciat ou au séminaire. Au nom de la sainte règle, et pour écarter toute tentation sensuelle, on veille soigneusement à les préserver de tout contact garçons-filles en les enfermant dans le ghetto de leurs angoisses pubertaires. La formation cléricale n'a aucune visée thérapeutique : elle ne cherche qu'à stabiliser et à rationaliser certains refoulements massifs. Si quelqu'un ose dire le contraire, il faut lui répondre qu'il ne reconnaît pas la vérité des faits, ou qu'il se refuse à la reconnaître, pour quelque raison que ce soit. Stricte séparation de l'homme et de la femme ! Il ne suffit pas de se conformer aux règles de comportement de chasteté qui sont en vigueur dans la congrégation, il faut avant tout les intérioriser en se contraignant à réprimer tout sentiment.

Dans l'Église catholique, on continue manifestement à croire qu'il suffit de « commander » à ses sentiments, erreur qu'on ne fait que répéter sous un nouvel habillage. S'appuyant sur la devise qu'on attribue, manifestement à tort, à Vatican II : « Voyez, je fais toutes choses nouvelles », on montre son agacement devant le sempiternel reproche qu'on adresse à l'Église d'être ennemie du corps, d'opprimer la sexualité et d'avoir peur des femmes. Ce faisant, on nie tout simplement son attitude passée en la refoulant. On ne veut plus voir dans ceux qui l'avaient adoptée que des esprits tordus qui avaient manifestement mal interprété ce qu'on leur avait enseigné, et on se flatte de faire désormais preuve de tolérance et de libéralisme, ne faisant ainsi que repasser en fraude les vieilles valeurs à des prix réajustés aux conditions du marché des opinions. Mais il suffit de regarder de près les tragédies que provoquent à la base, dans l'esprit des gens de la « troupe », le genre d'ordres du style : « Attention halte ! En avant marche ! Attention halte ! ». « Voyez-vous, déclarait en éclatant de rire une maîtresse des novices expliquant sa pédagogie si nouvelle et éclairée à un ecclésiastique de haut rang, nous avions une postulante qui traversait toujours le couloir les épaules tombant en avant. Je me suis occupée de psychologie, n'est-ce pas ? Je lui ai dit : Tu as sûrement peur de montrer tes seins. Et elle l'a reconnu. » Pour cette pédagogue, plus de problème ! Elle en avait fourni la preuve : finies les anciennes méthodes ! Mais en réalité, nous sommes devenus pires encore ! Cette postulante — forte fille de la campagne, un peu grassouillette — n'avait fait que manifester l'effet normal de l'éducation catholique reçue depuis l'enfance. Elle avait vécu sa puberté comme un cauchemar, et elle avait donc conclu que le mieux pour elle était de se faire religieuse. On lui avait appris à avoir honte de son développement de femme. Le conseil « décontracté » de sa maîtresse des novices ne lui apprenait en rien à se sentir plus à l'aise dans sa peau, mais simplement à *avoir honte de sa honte.* Elle se sentait encore plus humiliée, plus incapable et plus désorientée qu'avant. Une Église qui ne s'intéresse qu'au comportement des gens, mais non à leurs rapports, et qui leur présente ses « vérités divines » remises au goût du jour ne suscite en rien liberté et bonheur, mais ne fait au contraire que redoubler en eux des sentiments d'angoisse et de dépendance. Dans ces conditions, la seule impression durable qu'elle donne, c'est qu'elle a toujours raison, donc que l'individu est automatiquement dans son tort s'il ne réussit pas à suivre. Simple !

C'est vrai : sous des apparences extérieures de respect des règlements, nombreux sont ceux qui tentent de s'émanciper à titre personnel. Mais cela ne fait que confirmer, plutôt qu'infirmer, le fâcheux tableau général. Pour bien des religieuses ou pour maints prêtres de 35 ou 40 ans, c'est un véritable signe d'épanouissement humain que d'avoir réussi, en dépit de leurs angoisses, à embrasser une fois un représentant de l'autre sexe. Peut-être tout « cela » n'est-il pas aussi grave qu'on se l'imaginait ? On n'en éprouve pas moins un besoin urgent de se rassurer. Rien ne doit avoir le même sens que pour les autres ; on ne s'embrasse que pour se donner « spontanément », « par pure joie », en signe de « communion fraternelle », un signe de protection, d'intimité, d'intérêt. On ne s'en sent que davantage au-delà de tout sentiment sexuel ; et si on réussit à prouver cette indépendance à l'égard du sexuel, la joie est vraiment chrétiennement parfaite.

Sigmund Freud, bien entendu, a complètement tort quand il affirme que la tendresse n'est rien d'autre que de la sexualité refoulée[23]. Et effectivement, si on comprend « sexualité » au sens strict, sa perspective psychanalytique est intenable. Du point de vue de l'évolution, la tendresse humaine tire pour une bonne part son origine du comportement de couvaison, et non de la sexualité génitale[24]. Mais il est aussi indéniable qu'on retrouve ce même comportement ritualisé dans les attitudes de séduction du partenaire et dans les préliminaires de l'amour, de telle sorte que, concernant les données de l'inhibition sexuelle, Freud a encore raison là même où il s'est objectivement trompé. Car, quand on entend certains clercs, pleins de bonnes intentions, revenir constamment dans leurs déclarations sur le caractère purement spirituel de leurs gestes de tendresse, on n'y retrouve à coup sûr rien d'autre que ce que Freud y voyait déjà : les premiers signes de l'éveil de l'intérêt pour la sexualité, mais d'un éveil qui n'ose pas encore prendre conscience de lui-même. On ne saurait parler d'une amélioration des choses tant que, parallèlement à la liberté de la pensée, on n'accordera pas au clerc la liberté de sentiment, donc tant qu'on lui refusera, sous peine de perdre sa place pour le restant de ses jours, d'apprendre l'amour quand il est mûr pour ce faire.

2. *Fantaisies masturbatoires d'une existence « pure »*

Jusqu'à maintenant nous avons supposé que la « vocation » cléricale prenait corps dans une inexpérience sexuelle totale. Avouons que c'est une condition bien rarement réalisée, même si elle est celle qui cependant répond le mieux à l'idéal de la morale catholique, et peut donc servir de modèle de départ pour comprendre aussi toutes les autres formes de problèmes sexuels des clercs.

Le sacrifice de l'« innocence », la véritable faute originelle dans la vie de la plupart des clercs, c'est la masturbation. Celle-ci est en somme pour la plupart, et leur vie durant, la seule forme d'expérience sexuelle. Quiconque veut vraiment comprendre les positions — souvent bien étonnantes — de la théologie morale catholique sur les divers aspects de la sexualité humaine ne peut éviter d'accorder une attention particulière à cette question.

Veut-on la confirmation de l'importance qu'on lui a toujours prêtée dans le cadre de l'idéal clérical ? Qu'on se le rappelle : il y a peu de temps encore, l'admission au presbytérat ou à l'ordre religieux était absolument liée au fait d'avoir réussi à éviter ce « vice » secret. « *Probata castitas* », une chasteté éprouvée. Même les derniers jours précédant son ordination sacerdotale, le diacre devait s'interroger : cette chasteté, Dieu lui en avait-il vraiment accordé la grâce, ou n'avait-il pas, par sa faute, laissé se perdre cette distinction unique de la vocation au sacerdoce éternel ? « Chasteté éprouvée » ? Cela signifiait qu'au moins la dernière, ou les deux dernières années, on ne s'était plus touché avec indécence. Il est juste de dire que sur ce point la formation sacerdotale a toujours été loyale : dès le début de ses études, on avertissait expressément le candidat au sacerdoce que, vue l'imperfection due à sa jeunesse, il lui était possible de commettre encore par-ci par-là ce péché sans que ce soit un signe définitif d'indignité de la vocation, mais que, au plus tard au troisième ou quatrième semestre, il lui faudrait s'être totalement débarrassé de cette faute. Il faut bien voir que, jusqu'à il y a une vingtaine d'années, presque tous ceux qui ont renoncé à poursuivre leur chemin vers le sacerdoce l'ont essentiellement fait à cause de leur échec en matière de masturbation. Ils n' « y » étaient pas arrivés et par là Dieu leur avait montré qu'ils étaient plutôt appelés au mariage, lequel leur permettrait une vie sexuelle « ordonnée ».

Aujourd'hui, si on voulait encore procéder de cette manière, on pourrait dire en toute certitude que les prêtres susceptibles d'être ordonnés se compteraient probablement sur les doigts d'une main. Mais que ce soit clair : il ne s'agit pas là d'une tolérance liée à une conviction éthique, mais d'une tolérance du mensonge à seule fin de permettre à l'Église de se perpétuer. Jamais le magistère de l'Église catholique n'a admis la licéité d'une jouissance sexuelle hors mariage, donc celle de la masturbation. Jamais elle ne s'est reconnue responsable d'avoir, des siècles durant, conduit des jeunes, obsédés par leur culpabilité sexuelle et leur crainte de châtiment, à la maladie et la folie. Certes, il y a bien eu quelques théologiens pour lancer des appels à la prudence — psychanalytiquement souhaitable — en rappelant qu'il ne fallait pas juger un acte sans tenir compte des circonstances ambiantes : il ne faut pas confondre la masturbation d'un veuf de soixante ans et celle d'un homme de trente ans trop paresseux pour se marier. Les « circonstances », pour l'Église, ce sont aujourd'hui avant tout les chiffres alarmants des entrées dans la vie sacerdotale ou religieuse : ce sont eux seuls qui ont forcé l'Église à tellement se centrer sur le problème de sa continuité à travers le clergé, ce qui a logiquement conduit à cesser de conseiller aux jeunes de lier absolument leur vocation au problème de la masturbation. « Dieu a besoin de serviteurs » : c'est plus important que la question de la perfection morale totale.

C'est clair : de telles directives n'ont en rien arrangé le problème psychologique. Elles l'ont plutôt aggravé. La doctrine déclarant pécheur quiconque tombe dans ce vice n'a fondamentalement pas changé. Mais on entend désormais que le clerc offrira au Dieu de miséricorde et de pardon ce sacrifice ultime qu'est le renoncement à sa dignité. Au lieu d'examiner honnêtement le problème et de tenter d'accorder d'une manière ou d'une autre la pensée, le sentiment et l'expérience, la duplicité cléricale a encore trouvé à se justifier en faisant appel à une nouvelle variante de la vieille théologie sacrificielle : celui qui ne réussit pas à juguler (au moins en dehors de ses rêves) ses pulsions sexuelles doit poursuivre ses efforts vers la pureté, celle-ci n'étant plus la condition préalable de la vie cléricale, mais seulement sa visée. Encore doit-il consentir à ne toujours considérer la part la plus importante de sa vie personnelle, son énergie amoureuse, que comme une réalité de soi neutre qu'il ne réussit pas encore à maîtriser, et qu'il doit donc abandonner à la grâce et miséricorde de Dieu : méthode presque aussi désespérée que la création d'une ville au bord de marais impénétrables dont, à la longue, les miasmes toxiques provoqueront inévitablement chez les habitants maladies et épidémies. Renoncer au défrichage, c'est faire preuve de légèreté et courir un risque mortel. Mais on attend toujours de la morale catholique la reconnaissance de cette vérité : ces « marais » ne sont dus qu'à l'accumulation des eaux derrière des barrages artificiels qu'on juge nécessaires pour protéger la population contre la menace des inondations.

Une morale consistant à se fuir est au contraire inévitablement réaspirée par le gouffre du moi, comme par la force de succion du vide. Moins on permet à un homme d'exister par lui-même, plus il voudra aller à la recherche de soi. Celui qu'on empêche de se trouver lui-même ne fera alors éventuellement que tourner en rond sans jamais se trouver. Pour préciser les choses : s'il est un péché mortel que la morale catholique devrait dénoncer dans l'onanisme, c'est bien celui des trois fautes qu'elle commet elle-même : de détruire la confiance en soi du moi en promulguant des lois impraticables ; de construire sur les ruines du moi et d'ériger sous l'idéal du dévouement et du sacrifice la construction narcissique d'une pure morale du surmoi pour se préserver soi-même ; enfin, dans la formation qu'elle donne à ses clercs, de ne leur laisser d'autre issue qu'un *no man's land* psychique, ceci parce qu'elle s'en tient aux mystifications traditionnelles des besoins psychologiques.

Procédons par ordre !

La plupart des clercs éduqués dans un sens strictement catholique, en particulier presque tous ceux de sexe masculin, se souviennent de la véritable honte qu'ils ont éprouvée lors de leurs premières pratiques masturbatoires. Ils en ont ressenti un intense sentiment de culpabilité avant même de savoir ce qu'on entendait au juste par des mots comme onanisme ou masturbation.

A écouter les récits de certains clercs, on constate qu'ils ont tous vécu leur éveil pubertaire à la sexualité comme une catastrophe morale à laquelle ils n'auraient jamais dû consentir et qu'il leur fallait désormais empêcher à tout prix de se reproduire. Cent soixante ans plus tôt, Sören Kierkegaard avait pourtant déjà montré, précisément à la lumière de l'expérience sexuelle, comment l'angoisse du mal, une fois qu'elle s'est saisie de l'homme, ne peut que gagner en intensité à l'issue même de chaque acte, du simple fait qu'elle resurgit chaque fois à la conscience devant la possibilité même de l'acte, au point que la rechute dans l'interdit finit par devenir presque un soulagement en arrachant un bref instant à la pression de la possibilité[25]. Plus on acceptait la théologie morale catholique, telle qu'on l'avait toujours sévèrement enseignée jusqu'à Vatican II, plus on se trouvait nécessairement sans force et désespéré dès qu'on se sentait chassé du paradis de l'innocence. Si on avait en plus appris à voir dans l'Église une institution divine à l'enseignement moral infaillible, comment se faire à l'idée que son enseignement séculaire pouvait avoir tort et qu'on pouvait soi-même avoir raison, en dépit du caractère chaotique de son expérience de jeune ? A supposer même qu'on arrivât à en admettre l'idée, comment le sentiment de sa propre culpabilité n'aurait-il pas brisé toute prétention d'opposer cette expérience à la doctrine de l'Église ?

Nous nous heurtons ici une fois de plus à un facteur très important de la pensée « fonctionnaire », qui marque profondément de son empreinte le statut du clerc : l'impossibilité d'opposer sa propre raison à un système dogmatique tant que ce système a le pouvoir de déclarer le moi personnel fondamentalement coupable. Impossible de traiter la morale sexuelle catholique de folie inhumaine ou de perversion de la pensée et de la sensibilité en prétendant justifier son jugement par le fait que ceux qui la suivent en deviennent psychologiquement malades. Si on ne parvient pas à maîtriser ses pulsions impures et à regagner sa liberté morale, on se trouve au contraire obligé de se considérer soi-même comme malade et pervers. Car il n'est d'exigence morale à laquelle l'homme libre ne puisse répondre, puisque cette morale se fonde sur la liberté que Dieu nous a donnée. Au lieu de se repentir de son péché, celui qui voudrait donc alléguer de son impuissance et de son incapacité à accomplir réellement ce qui est bon et reconnu comme vrai ne ferait que l'aggraver en cherchant faux prétextes, échappatoires et excuses. Loin de manifester sa contrition, ce pécheur endurci se montrerait incapable de s'ouvrir à la grâce divine du pardon.

En tout cela, ce qui est grave, ce n'est pas seulement de voir cette morale qualifier de pécheurs des jeunes qui n'ont d'autre tort que d'être biologiquement bien équipés pour un développement normal. C'est aussi de voir présenter comme sagesse divine ce qui n'est qu'une absurdité, car cela ne peut que fausser les idées dans la tête des croyants.

Mais il faut pousser plus loin les choses.

Outre cette destruction de l'intelligence, la vision cléricale de la masturbation comporte une autre conséquence véritablement dramatique : elle tue inévitablement et durablement la conscience de soi et la confiance en soi. Comment continuer à s'estimer soi-même, alors qu'on se montre chaque jour plus incapable de faire ce à quoi on se trouve tenu ? L'idéal catholique de la pureté, avec son interdit absolu de tout plaisir sexuel en dehors du mariage, oblige dès le début de leur puberté les croyants à s'engager de toutes leurs forces morales dans la répression de certaines pensées et de certains actes. Certes, de nos jours, pour défendre l'Église, on allègue volontiers que cette façon de résumer sa perspective en termes de combat contre soi-même trahit sa vraie pédagogie, axée sur l'amour désintéressé et sur le don de soi dans la fidélité. Mais cela ne change rien au fond des choses : pour elle, le plaisir sexuel n'a en soi pas de valeur. Ainsi continue-t-elle aujourd'hui encore à inculquer aux jeunes sa peur séculaire du corps, des instincts et des sentiments. Sa recette pédagogique est assez révélatrice ! Devant la menace toujours renaissante de la masturbation, elle ne sait que répéter : Renoncez ! Renoncez à vous-mêmes. Cherchez refuge chez les autres. Autrement dit, protégez-vous en acceptant le contrôle du groupe. De la joie, mais pas celle-là. Par ailleurs, douches froides, repas sans trop de sel, du chou cuit à l'étuvée ! Attention au cinéma, et pas trop de télévision !

Ainsi s'exerce-t-on à ce qui sera si nécessaire au futur clerc : le refoulement masochiste de sa sexualité, la haine de son corps et de ses sentiments, la pratique de la souffrance expiatrice et la réaffirmation d'un idéal qui, loin de servir la vie, ne fait que renforcer à n'en plus finir un sentiment de culpabilité. Chaque fois que « cela » se reproduit, en dépit de tous les efforts faits pour s'en défendre, c'est la totalité de la personnalité morale qui s'effondre encore un peu plus : véritable catastrophe qui ligote de plus en plus dramatiquement un être condamné à s'accuser lui-même. Quand on se trouve obligé de qualifier moralement de vices ces réalités absolument naturelles, il ne reste au moi d'autre possibilité que de se sentir tôt ou tard vicieux et, à partir d'un certain degré de névrose, de le devenir réellement. On se trouve ainsi pris dans une spirale d'angoisses, de culpabilité, d'impuissance et de faute que les efforts ascétiques pour se contrôler et les réactions désespérées de fuite et bonnes résolutions ne font que relancer : au total, un sentiment croissant d'infériorité, un moi chaque jour un peu plus atrophié et l'affaiblissement constant de l'énergie qui serait si nécessaire pour accéder à quelque chose comme une conduite morale autonome.

C'est en particulier en matière de masturbation que ce cercle vicieux du surmenage moral, de la frustration, du sentiment d'infériorité et, par réaction, du rebondissement d'une exigence chaque fois plus exacerbée, se révèle fatal. De quelle humanité ne fait pas montre le conte de Grimm *Neigeblanche et Roserouge* lorsqu'il illustre la façon dont deux fillettes peuvent se développer harmonieusement en apprenant à jouer avec les forces apparemment brutales d'une sexualité en éveil[26]. C'est bien de cette humanité que la morale catholique se montre incapable, actuellement encore. Elle ne fait que soumettre les jeunes sur lesquels elle a encore de l'influence à une douche écossaise d'idées de pureté irréalisables et d'humiliants sentiments de honte — à une sorte de névrose compulsive qui finit par user la personne en la broyant entre deux meules. Car on ne peut dissocier sexualité et sentiment de sa valeur. Quand on inculque à un enfant l'idée que cette sexualité est d'une certaine manière chose dangereuse, qu'on ne peut ni l'accepter ni s'y livrer sans réserve, c'est cette estime de soi qu'on lèse en lui. Devenu adolescent, celui-ci n'en aura que plus de mal à entrer en relation avec les autres et à leur communiquer ses sentiments, nécessairement teintés de sexualité. Dans ses rapports avec l'autre sexe, il se trouvera donc condamné à se replier solitairement sur lui-même. Ce qui amorce précisément la situation dans laquelle nous avons été conduit à voir une condition fondamentale de la vie des clercs : ceux-ci, tous sans exception, ont appris à se fuir eux-mêmes et à fuir les autres, au plus tard au moment même où ils risquaient de voir couronnées de succès leurs tentatives d'approche encore hésitantes, autrement dit au moment où la proximité de l'autre provoquait tout naturellement en eux une expression sexuelle.

Mais, détourné de l'autre, l'afflux d'énergie tend à refluer sur le moi propre. Ainsi on peut d'emblée s'attendre à voir le problème de la masturbation tenir une place énorme dans l'économie psychologique des clercs de l'Église. Car celle-ci ne consiste pas uniquement en une décharge quasi biologique d'énergie sexuelle, mais aussi en une tentative quasi désespérée de se prouver à soi-même que, en dépit de tout, on mérite d'être aimé, même au sein d'une solitude morale faite de méfiance de soi, de sentiments d'infériorité, d'angoisse et de sentiments de culpabilité. Tandis que la phase ascétique de répression de soi faisait apparaître l'idéal de pureté héroïque comme proche, celle des irruptions pulsionnelles plus ou moins volontaires suscite des élans virils d'une extrême violence (ou, chez la fille, des fantasmes démesurés de séduction irrésistible), souvent couplés avec des rêveries hermaphrodites de fusion masculin-féminin qui n'exigent finalement plus de partenaire de l'autre sexe, car le moi s'est rendu autarcique et devient tout à la fois amant et amante, celui qui courtise et celle qui est courtisée, le point de départ et l'aboutissement de toutes les pulsions.

Certes, peu après, tout se retourne, et la réalité en apparaît d'autant plus honteuse : dans le monde rêvé le moi paraissait incomparable, et il apparaît soudain de nouveau haïssable. Il est fréquent d'entendre des clercs raconter comment leurs pratiques masturbatoires s'accompagnent de rêveries et de pratiques sadiques. « Chaque fois que je le faisais, disait un prêtre, j'aurais voulu me l'arracher définitivement. » Pour empêcher « ça », il avait interminablement maltraité son sexe, cherchant simultanément à se défendre contre le plaisir et à le provoquer. Il n'est pas rare de voir des religieuses rêver d'un viol où pourraient se rejoindre la peine et le désir, et où le caractère de contrainte de l'acte imaginé diminuerait un peu le sentiment de culpabilité d'avoir souhaité soi-même « quelque chose comme ça ».

Ces contradictions entre le rêve et la réalité touchent en particulier le domaine de l'efficacité. Plus le moi se sent faible, plus il tend à ressentir les exigences du travail quotidien comme du surmenage. La nostalgie d'un retour au monde maternel protecteur, dans laquelle la littérature voit souvent la cause, et non la conséquence, des problèmes de masturbation, ne cesse de croître, en opposition à la dureté de l'exigence « paternelle » de travail. Une paresse chargée d'angoisse, compensée par les fantasmes régressifs de gros seins maternels et d'éblouissantes rêveries de grandeur et de génie, favorise de son côté la tendance à chercher dans l'onanisme la confirmation de soi dont on manque, comme si la taille de son propre membre pouvait constituer la preuve de la taille de sa propre puissance. Rappelons-nous aussi ce que nous avons dit plus haut concernant le sentiment chronique de culpabilité du clerc devant toute forme de plaisir et de satisfaction, et sur son manque de vie privée. Paradoxalement, dans un monde plein d'obligations et nécessairement dépourvu de joie, la masturbation constitue la seule forme de délassement encore possible. Quand ils ont le courage de parler honnêtement d'une question pour eux si délicate, bien des clercs avouent que, quand ils se heurtent à des difficultés de travail, par exemple à un devoir de séminaire ou à une préparation de sermon, il leur faut commencer par se masturber pour vaincre l'angoisse et l'hésitation devant la tâche exigée et pour neutraliser leur penchant à fuir le travail. « J'étais alors chaque fois [c'est-à-dire après la masturbation] comme étourdi ; c'est alors que, sans doute aussi par besoin de punition, je pouvais fournir du bon travail », explique un prêtre. « On dit de William Faulkner qu'il n'a pu écrire nombre de ses romans que sous l'empire de l'alcool. Pour moi la masturbation avait l'effet d'une drogue de ce genre : elle élargissait ma conscience et favorisait ainsi mon travail. » A vrai dire, une fois celui-ci fini, il ne trouvait comme récompense que la triste ressource de l'onanisme. Effort et épuisement : dans sa vie, tout se trouvait de plus en plus suspendu à ce qu'il appelait son vice secret. Au début, avant chaque messe à célébrer, il allait vite trouver un confrère entre l'autel et la sacristie pour lui demander l'absolution. Mais il avait depuis longtemps renoncé à cette habitude ; restait visiblement la souffrance du sentiment fondamental d'être en fin de compte un homme de moindre valeur morale. Qu'on y regarde de près, et on comprendra qu'en particulier la comparaison avec l'alcoolisme du génial Faulkner pourrait, entre autres, offrir également une explication de l'abus d'alcool, notoire chez beaucoup de clercs : nombreux sont ceux d'entre eux qui ont commencé à boire parce qu'il est toujours préférable de s'anesthésier la cervelle que de choir dans un péché grave. Et ils ont recommencé à boire parce que pour un temps la sensation confuse qui suit l'ivresse alcoolique les débarrassait de leur cafard moral.

Le refus obstiné de l'Église catholique de reconnaître sa part de responsabilité dans le malheur de ses propres victimes, et d'y réfléchir, apparaît alors à peine croyable. Bien plus, cette Église réussit même à interpréter globalement la dépression morale qui succède à une poussée onaniste comme la confirmation de la vérité divine de ses enseignements. Elle les utilise pour sa propagande en expliquant aux jeunes non pas que ce sont les sentiments de culpabilité chrétienne qui l'induisent nécessairement dans toutes sortes de cercles vicieux, mais que c'est le péché qui, en contrevenant à l'ordre de la Création, rend nécessairement triste, nerveux et apathique. Cette exploitation de sentiments dépressifs qu'on a soi-même provoqués fait une fois de plus bien voir l'objectif de ce type de théologie morale : elle ne porte pas le souci du bonheur et de la réussite de jeunes en plein développement, mais elle vise à les intimider par l'imposition d'un ordre divin sublime qui se concrétiserait sur terre de façon indépassable dans l'Église. En grandissant dans une telle atmosphère spirituelle, un jeune qui s'est déjà sacrifié en consentant à la pauvreté et à l'obéissance ne s'entend pas seulement redire ici une troisième et dernière fois qu'il est personnellement injustifié, pécheur et corrompu, mais aussi qu'il n'est pour lui qu'un lieu de salut : l'institution de l'Église catholique par laquelle les prêtres remettent les péchés. Une fois qu'on a réussi à convaincre ainsi les gens de l'impossibilité de vivre sans prêtres, on peut être certain de trouver des hommes incapables de s'imaginer d'autre vie possible que celle de prêtre.

D'un point de vue psychanalytique, on peut dire qu'il se crée ainsi une dictature du surmoi qui n'autorise plus l'épanouissement de la personne, et on ne peut manquer de reprocher à l'Église catholique de justement tenter par tous les moyens imaginables de créer cette situation. On en arrive ainsi à ce paradoxe que, sous couvert d'éducation à un idéal absolu de désintéressement et de don de soi, on ne fait en réalité que susciter une psyché au plus haut point « onaniste ». Le but visé, c'est avant tout l'adaptation de la personne non pas aux besoins réels des autres, mais à ceux de son propre surmoi. Dans le cadre de cette structure psychique, le problème essentiel n'est plus de savoir à qui tel ou tel comportement pourra rendre service, mais en quoi il pourra satisfaire narcissiquement le surmoi — donc fournir à celui qui aura fait « ce qui était bien » un sentiment de satisfaction de soi. Il est clair qu'on peut vivre de façon totalement égoïste l'idéal chrétien de désintéressement. S'il est possible de voir avant tout dans la masturbation un acte de compensation narcissique, on peut inversement désigner fort justement ce narcissisme, avec la compensation qu'il implique, comme étant de part en part « onaniste ». Ainsi se crée une sorte de cercle vicieux : le surmoi, en violant la psyché cléricale, suscite un narcissisme structurel qui vise non à l'ouverture et à la franchise, mais bien davantage à la conservation et à la défense de soi. En fin de compte l'Église ne se soucie pas du tout de la pureté et de la chasteté qu'elle prétend défendre, mais de la conformité formelle au statut du célibataire. Toute fière de sa découverte, une religieuse déclarait récemment : « Ce n'est pas à la chasteté que je me suis vouée, mais au célibat. » C'est en effet bien ce qu'elle avait fait. Mais comment vivre ainsi sans glisser dans un cynisme sans fond ?

En ce qui concerne la masturbation des clercs, le pire est sans conteste le blocage du développement psychologique. En psychothérapie d'une religieuse vraiment « intacte », qui n'a par exemple jamais consciemment éprouvé d'émotion sexuelle, il n'est pas rare de découvrir ce que peut provoquer la brusque fracture de la charge du refoulement. C'est ainsi que, encouragée par le traitement, une religieuse manifesta un peu trop librement son désir de connaître enfin l'amour et la tendresse. Toujours est-il que le médecin de service sentit son aspiration à se sentir prise dans les bras de quelqu'un, service qu'il lui rendit, mais qu'il se rendit sans doute aussi à lui-même. Il ne pouvait se douter des suites dramatiques de ce contact ! C'était comme si le foehn s'était brusquement mis à souffler sur un glacier congelé depuis une éternité, et que les rayons du soleil avaient commencé à chauffer son lit de pierres : le faible moi de la religieuse se trouva des mois et des années enseveli sous une avalanche de désirs jusque-là inconnus. Cela commença par des cauchemars nocturnes : elle était couchée sur son lit et elle sentait sur sa poitrine comme un poids pesant. Saisie d'une inquiétude inexplicable, elle fuyait en ville durant ses heures libres sans jamais vraiment savoir ce qu'elle fuyait. Puis, en se douchant, elle découvrit que, en lui massant le bassin, le jet provoquait à certains endroits de son corps de très étranges sensations. Enfin, en pleurant, elle avoua qu'elle avait fait le « mal » pour la première fois, à près de 40 ans. Depuis, elle devait sans cesse le refaire, toujours et encore. Elle souffrit de terribles angoisses de punition, la première fois persuadée qu'elle s'écroulerait sûrement morte, allant jusqu'à mesurer continuellement sa tension artérielle pour savoir si son sacrilège ne provoquerait pas un arrêt du cœur : il fallut un travail énorme pour la convaincre que, dans ses conditions de vie, une certaine dose de masturbation était sans doute chose tout à fait normale et ne constituait en tout cas sûrement pas un péché mortel.

Que dire après cela ? Ceux qui ont vécu à 14 ans, mais dans des conditions moins dramatiques, ce que cette religieuse découvrit à 40 ans connaissent habituellement un développement sans problèmes qui débouche sur l'amour d'une autre personne. Mais, dans la vie d'un clerc, ce détour normal est absolument interdit. C'est pourquoi sa psychothérapie se heurte à un grave problème qui reste finalement sans réponse : dans quelle mesure peut-on prendre la responsabilité de réveiller chez lui des énergies vitales qui ne pourront jamais s'épanouir légitimement ? La vie de beaucoup de clercs constitue la preuve attristante des conséquences d'une existence qu'on a déformée par un idéal suicidaire de pureté désintéressée avant même qu'elle n'ait eu une chance de se découvrir elle-même : au départ, ils nourrissaient l'espoir de faire rétrograder la roue du développement pour retrouver le statut de l'innocence enfantine, mais ce n'était qu'une illusion. Par la suite, il s'avère presque impossible de parler sérieusement à d'autres de ses conflits intérieurs. Dans leur embarras et leur désespoir, beaucoup cherchent une réponse dans les écrits de théologiens moralistes modernes. Ce qu'ils y trouvent n'est certes plus si net ni si univoque que vingt ans plus tôt, mais n'en reste pas moins tout aussi troublant. Ainsi un ouvrage de Franz Burger, publié en 1985, leur apprendra-t-il qu'on ne saurait considérer la masturbation comme moralement indifférente, et que, en dépit de la compréhension souhaitable devant certains antécédents, il faut la rejeter éthiquement car elle ne correspond pas à l'idéal de la sexualité humaine[27]. Qu'on ouvre le *Lexique de la morale chrétienne* de 1976 à l'article « Masturbation », et on y apprendra sous la plume de K. Hörmann qu'il faut refuser la masturbation comme une forme erronée du comportement sexuel, car elle est susceptible d' « asservir l'homme et de l'empêcher d'aboutir à l'amour hétérosexuel et encore plus à l'enfant qui couronne cet amour[28] ». Quel langage ! Et la Congrégation de la foi nous fournit l'état le plus récent de la théologie catholique en la matière : la masturbation serait un « acte gravement opposé à l'ordre » en ce sens que « l'usage librement consenti de la puissance sexuelle en dehors des rapports conjugaux normaux, et pour quelque motif que ce soit, contrevient fondamentalement à sa finalité ; car il lui manque la relation sexuelle exigée par l'ordre moral[29] ». Pour le reste, la Congrégation de la foi reconnaît certes que tel ou tel facteur peut limiter la liberté d'un acte en soi immoral ; mais elle détourne explicitement de toute acceptation a priori d' « absence de responsabilité » dans l'acte masturbatoire.

Ainsi donc recommence le vieux jeu déconcertant du Ciel et de l'enfer : était-ce un acte libre, donc un péché grave ? Jusqu'à quel point l'acte n'était-il pas vraiment libre, donc simplement péché véniel ?... Mais on n'arrête pas le progrès ! Subjectivement, au vu des conceptions morales de la plupart des citoyens moyens, nombreux sont désormais ceux qui considèrent préférable de céder à la masturbation que de faire par exemple comme tant de confrères qui ont une liaison illégitime. Il y a quelque cent ans, dans le vilain langage de frère Archaugias, É. Zola exprimait ainsi ce point de vue de certains clercs : « Il vaut mieux se traîner sur le dos que de souhaiter pour matelas la peau d'une coquine. Vous m'entendez, hein ! On est une bête pour un moment, on se frotte, on laisse sa vermine. Ça repose. Moi, lorsque je me frotte, je m'imagine être le chien de Dieu, et c'est ce qui me fait dire que tout le paradis se met aux fenêtres, riant de me voir[30]. » Le plus grand danger de cette façon de voir réside probablement dans son cynisme et dans son mépris sans limites de soi-même. Fréquemment s'y ajoute le problème de la démesure.

Si la masturbation est déjà en elle-même un acte extrêmement chargé de fantasmes, il existe de plus actuellement une industrie de matériel pornographique en tout genre qui soutient l'imagination ; et devient alors presque vraie la supposition maligne que la pire impureté de cœur se trouve finalement chez ceux qui, sous le vêtement de la pureté, prétendent incorporer la moralité la plus haute. « Des sépulcres blanchis », aurait dit Jésus d'un tel état de l'âme (Mt 23, 27). Pourtant, notons-le bien, cette situation ne tient pas à la faute de l'individu, mais à un système littéralement impénitent, celui de l'Église cléricale. « J'ai honte de le dire, avouait il y a quelque temps un prêtre, mais je sens chaque jour un peu plus que, chez moi, la luxure n'est pas liée à une faiblesse de la chair, mais à une attitude spirituelle. C'est ma tête qui, comme par habitude, me force à être à l'affût d'occasions propices à une excitation sexuelle. Oui, quand je récidive, j'obéis en quelque sorte à un commandement supérieur allant à l'encontre de mon besoin réel. » Telles sont parmi d'autres les plaintes de gens chez qui on a systématiquement empoisonné les sources de la vie. Ils ont perdu la force de vouloir encore passionnément quelque chose, de souhaiter, d'aimer, de désirer. Ils ne sont plus que cendres fumantes, victimes d'un système qui gère la mort au nom de la vie.

Et l'Église souhaite que cela dure. Il y a quelque temps un prêtre, décidé à épouser une femme sans se faire réduire à l'état laïc, perspective actuellement sans espoir, me racontait sa conversation avec l'évêque, au moment de prendre congé de lui. « Vous vivez maintenant dans un état de péché grave », lui signifia Son Éminence, pour conclure ses vingt années de sacerdoce. « En réalité, je ne souhaite que fuir le péché », répliqua-t-il, espérant vainement avoir enfin, et pour la première fois de sa vie, maintenant que tout était fini, une sorte de conversation pastorale avec son « chef spirituel ». « Je pense préférable d'aimer une femme que de me masturber », ajouta-t-il, puisant du courage dans sa relation. « Mais, voyons, cela n'a rien à voir ! » lui répondit l'évêque. « Je l'ai regardé dans les yeux », me raconta cet ancien prêtre. « J'aurais aimé lui dire : donc tu le fais aussi. » Malheureusement, dans l'Église catholique, c'est toujours ce qui est juste et important qu'on tait. Mieux vaut une vie dans la masturbation que de séduire une femme ou, pire encore, se laisser séduire par elle.

3. L'échappatoire homosexuelle : un tabou spécifique de la profession cléricale

S'il appert déjà que la morale cléricale d'autopréservation, cachée sous l'apparence du don de soi, favorise une attitude foncièrement onaniste liée au narcissisme caractéristique que suscite la domination du surmoi, ce genre de dialectique apparaît encore avec plus d'évidence dans ce domaine de l'expérience que l'Église catholique range depuis toujours parmi les formes les plus horribles du péché, parce qu'elle se refuse à comprendre ce qu'elle favorise pourtant elle-même : l'homosexualité.

A en croire la déclaration de la Congrégation de la foi de 1975, il y aurait lieu de distinguer les formes d'homosexualité inguérissables et celles qui ne le sont pas, étant entendu qu'il faudrait faire montre de prudence avant de juger les premières[31]. Remarquons combien ces déclarations de principe sont purement extérieures et coupées du réel, dans leur prétention de distinguer d'emblée ce que la psychothérapie ne découvre qu'au bout d'années d'efforts. C'est à la fin d'un traitement, et non à ses débuts, qu'on pourra déceler ce qui, dans un cas individuel concret et dans des conditions bien déterminées de rencontres et de confrontations avec des tiers « occasionnels », paraît « guérissable » ou « inguérissable ». Dans tous les cas, une « guérison » n'est pensable qu'à condition de ne pas commencer par obérer moralement le problème. Du simple fait de leurs pulsions, la plupart des homosexuels souffrent déjà d'un terrible sentiment de culpabilité, mais plus encore les chrétiens. Nous aurons même à voir plus loin comment ceux-ci ne sont souvent que les victimes d'une certaine éducation cléricale.

Mais, aussitôt après son appel à une différenciation du jugement, au lieu de chercher à décrisper moralement le problème, la déclaration de la Congrégation de la foi, poursuit ainsi : « A la lumière de l'ordre moral objectif, les relations homosexuelles sont des agissements dépourvus de leur finalité essentielle et indispensable (c'est-à-dire la procréation). L'Écriture sainte les condamne comme des événements graves et finalement comme la triste conséquence d'une négation de Dieu. Certes ce jugement de l'Écriture sainte ne permet pas de conclure que tous ceux qui souffrent de cette anomalie en sont personnellement responsables ; mais il atteste que les actions homosexuelles sont en elles-mêmes contraires à l'ordre et ne peuvent être considérées comme bonnes d'aucune manière[32]. » La Congrégation de la foi proteste en particulier contre le fait que, « en opposition à l'enseignement constant du magistère et du sentiment moral du peuple chrétien, certains aujourd'hui, en référence à des observations de nature psychologique, ont commencé à juger avec indulgence des liaisons homosexuelles, même à les excuser complètement[33] ». Impossible de dire le contraire : ce genre de déclaration revient à verrouiller à double tour toutes les portes qu'il faudrait ouvrir pour résoudre thérapeutiquement le problème.

Tout aussi discutables sont les jugements d'éminents moralistes. Il est clair que beaucoup de ces théologiens n'ont aucune idée des vrais problèmes qui se posent en psychothérapie des homosexuels, ni à quel point cela n'a vraiment aucune importance de savoir si quelqu'un se sent finalement hétéro-, homo-, bi- ou autrement-sexuel, du moment qu'il a au moins le sentiment d'être lui-même. Mais ce qui doit ici retenir notre attention, c'est l'énorme part de responsabilité que peut avoir cette façon tout extérieure de juger quant à l'apparition de nombreuses formes d'homosexualité, en particulier dans les rangs de ceux d'où naîtra par la suite la troupe des moralistes : les clercs. La source de l'injustice qu'on fait peser en permanence sur les intéressés consiste avant tout dans le refus de la théologie morale actuelle de formuler ses règles et ses normes en partant de l'expérience réelle des gens, au lieu de les imposer de l'extérieur en les déduisant d'un jugement prétendument objectif des actes et des comportements [34]. Avec sa dichotomie et son extériorité, cette morale ne fait que présupposer et susciter une constante aliénation de la conscience par rapport aux sentiments vécus, et elle est essentiellement responsable de ce que des personnes, d'abord par simple peur d'elles-mêmes, puis par peur de l'autre sexe, enfin par peur de leurs propres impressions, ne sachent finalement plus où elles en sont. En fin de compte, c'est bien la même Église qui, dans sa « mission pastorale », se présente avec des déclarations du genre de celles que le cardinal Joseph Ratzinger adressait en 1986 à tous les évêques, en les appelant, après des années de libéralisme excessif, estimait-il, à une plus grande sévérité de jugement et de comportement à l'égard des homosexuels. Etre homosexuel n'est pas encore un péché, déclarait-il, mais il y a péché chaque fois qu'on commet des actes d'homosexualité, car ceux-ci contredisent la nature et la finalité de la sexualité humaine [35]. En octobre 1979, lors de son voyage en Amérique, le pape Jean-Paul II avait déjà interdit tout bonnement l'homosexualité [36]. A la lumière du jugement de saint Paul en Rm 1, 26-27, la question lui paraît claire : l'Apôtre pense que l'homosexualité est une « débauche contre nature » (1 Cor 6, 9) [37]. Mais pourquoi cette incapacité d'admettre que certaines idées morales bibliques touchant la « nature » de l'homme peuvent être aussi conditionnées par l'époque que l'est la vision biblique de la nature des étoiles, des plantes et des animaux dans les deux récits de la Création, et qu'on ne peut mettre au même niveau l'histoire morale de la Grèce et de la Rome antiques[38] et les comportements des hommes à Detroit, Boston ou Berlin-Ouest ? Et que, quatre-vingts ans après les premières découvertes de la psychanalyse dans le domaine de l'homosexualité, il n'est plus possible de continuer à enseigner la même morale qu'avant simplement en en rendant l'expression un peu moins stricte ?

A moins de se trouver personnellement concerné, ou tout au moins d'avoir à aider psychiquement les intéressés en tant que père, mère, frère, médecin, thérapeute, il est difficile de se rendre compte de la charge morale que fait peser l'Église sur les homosexuels en ne leur reconnaissant d'autre moyen de répondre correctement à leurs pulsions que la maîtrise de soi, la chasteté et l'abstinence. Cela signifie une lutte continuelle, à reprendre chaque jour, entre le moi et le ça, l'individu et la société, le vouloir propre et l'obligation morale.

Toute sa vie, Julien Green est resté très attaché à l'Église. Dans le récit de sa vie entre 1919 et 1930, il raconte le moment où, dans une piscine de Weimar, il découvrit son indubitable penchant homosexuel : « A peine m'étais-je déshabillé dans ma cabine que je me mis à souffrir. Je souffrais lourdement. Mon ironie naturelle ne m'était plus d'aucun secours quand je voyais quelqu'un que je désirais. Les entrailles serrées comme par une corde et le désespoir au fond des yeux, je regardais des jeunes gens qui me paraissaient les plus beaux du monde. A vrai dire il y en avait tant que je ne savais plus de quel côté tourner la vue. Enfin je choisis d'aller m'étendre sur une terrasse réservée aux hommes. Est-il besoin de dire que je n'y étais pas seul ? Une vingtaine de baigneurs dormaient là au soleil, qui sur le dos, qui sur le ventre. Avec une feinte indifférence, je m'installai sans bruit à côté de garçons qui reposaient dans des attitudes dont ils ignoraient la grâce, car enfin se doutaient-ils de leur immense pouvoir sur l'inconnu qui se glissait près d'eux ? Certains me faisaient ressouvenir des damnés de Gustave Doré qui avaient hanté ma trouble et mystique enfance. [...] Aujourd'hui encore, je reconstitue sans peine cette espèce de délire intérieur qui s'emparait alors de tout mon être. Couché sous le feu qui tombait du ciel, j'entendais les cris des enfants sur les pelouses et ces cris m'atteignaient en plein cœur. Que faire cependant contre la faim monstrueuse qui me rongeait ? Ce que je voulais, je le frôlais presque. Un autre que moi eût agi, eût parlé, eût dit n'importe quoi à ces jeunes gens que mon obsession transformait en demi-dieux. Était-il si difficile de demander à quelle heure fermait l'établissement et, partant de là, d'amorcer un entretien ? Je ne le pouvais pas. La beauté traçait un cercle magique impossible à franchir pour un homme de ma complexion. A moins que l'on ne s'offrît, je ne bougeais pas et retombais dans un abîme qui valait tous les châtiments. Les plus cruels souvenirs de ma jeunesse, je ne les cherchais pas ailleurs que là, dans ce lieu où triomphaient la lumière et l'exultation païenne de la nudité[39]. » Pour J. Green, le plus affreux, c'est la réalité « tout bonnement atroce » de cette découverte : « Il n'y avait pas de place pour le pécheur dans le royaume de Dieu[40]. » « Qu'on ne me parle pas ici d'influence janséniste. L'ignorant que j'étais rejoignait à son insu le cardinal Newman qui ne prêchait pas autre chose dans le plus démoralisant de ses sermons (*The State of Salvation*). Avec les vues aussi catégoriques et, j'espère, aussi fausses qu'étaient les miennes, je ne pouvais plus justifier à mes yeux ma présence à la messe et je cessai, du reste, d'y assister [...] Un homme, Jacques Maritain, aurait pu m'aider à voir clair si j'avais pu me confier à lui, mais discuter de choses sexuelles avec un être aussi visiblement désincarné me paraissait impossible. Un prêtre ? Je n'en connaissais pas un. De 1919 à 1938 il ne se trouva pas un seul homme d'Église pour s'entretenir avec moi. Le Père Lamy que je rencontrai chez Maritain en 1928 laissa tomber de mon côté une phrase épouvantable en réponse à une question que je lui posai, et ce fut tout. Le Père Lamy était un mystique et sans doute un saint. Il n'entendait pas grand-chose à la littérature [...] mais il avait vu le diable et j'eus la légèreté de demander quel aspect avait le diable. Sans même tourner la tête vers moi, le Père Lamy dit d'un trait : " C'est un beau garçon. "[41] »

Ces propos bouleversants de l'écrivain français sont un exemple saisissant de la vie véritablement tragique de beaucoup d'homosexuels dans l'Église catholique. Voici un homme, croyant convaincu, qui, à en croire l'idéal de stricte chasteté de beaucoup de ses personnages, se trouve fort proche de la doctrine de l'Église en la matière ; et c'est lui qui, du fait de son homosexualité, doit traîner sa vie durant des sentiments écrasants de culpabilité !

Or, si on y regarde de plus près, on constate qu'au fond il y a une sorte de secrète complicité entre l'Église catholique et certaines formes de l'homosexualité. Il ne s'agit pas seulement de cet éros artistique et pédagogique si fréquent chez nombre d'homosexuels éminents, mais bien de certains traits de nature homosexuelle fort caractéristiques de la fonction même des clercs. Revenons-en une fois encore à la question du vêtement et, par comparaison avec celui d'une autre profession, cela nous permettra de comprendre de quoi il s'agit. L'Église catholique attache une immense importance à ce que le prêtre se distingue clairement, particulièrement durant la messe, par un habit spécial de grand style. Or celui-ci n'est pas de caractère masculin, mais bel et bien féminin.

L'extérieur ne fait que refléter l'intérieur. Dans *La Faute de l'abbé Mouret*, Émile Zola montre comment Serge, jeune prêtre, est obligé de se comporter, lui, si gracile dans sa virilité languide, mystiquement épris de la Madone, parmi ces paysans robustes mais rustauds que sont les Artaud. Disons pour le moins qu'on ne le prend pas au sérieux. Il appartient manifestement à un monde qui n'a rien à voir avec celui des vignobles, du commerce et des mariages avantageux, avec tout ce que cela peut comporter de désirs masculins, d'agressivité brutale et de grivoiseries obscènes[42]. La virilité qu'on réprime sans l'avoir intégrée prend d'elle-même des traits féminins, homosexuels et, chez ces soudards païens que sont les Artaud, elle ne peut pas ne pas provoquer le rire. De même Guy de Maupassant, un disciple et un ami de Zola, a-t-il dépeint dans une petite nouvelle la figure d'un prêtre qui, lors d'une cérémonie de baptême d'enfant, devient tristement la risée de tous lorsqu'on le découvre finalement seul dans sa chambre en train de bercer l'enfant dans ses bras, comme une mère[43]. La nostalgie de la mère perdue, le souhait d'un monde moins rude, sensible à la bonté, l'aspiration à l'harmonie et à la paix au-delà des agressions et conflits d'une réalité dictée par les hommes : dans la psyché cléricale, toutes ces idées chrétiennes du Royaume de Dieu se fondent en une image empreinte de féminité et d'homosexualité qui exprime à la fois l'inhibition de l'agressivité et des sentiments sexuels d'angoisse et de culpabilité. « Quand j'étais enfant, je préférais toujours jouer avec les filles », reconnaissait un prêtre il y a des années. « Elles étaient tellement plus douces et plus gentilles ! »

Cela fait comprendre pourquoi, depuis longtemps, les prêtres de l'Église catholique n'ont en somme plus rien de valable à dire aux hommes. Par tout leur comportement, ils sont les représentants d'une mentalité et d'une morale difficilement conciliables avec la réalité quotidienne ; vraiment, la seule forme de réalité où ce type de docteurs de la loi se retrouvent chez eux, c'est le monde des livres et des bibliothèques.

Quand on y regarde de près, on découvre que ce qui anime psychologiquement la plupart des clercs, c'est une dévotion infantile à la mère, jamais dépassée. Les exigences excessives de celle-ci, telles que nous les avons déjà décrites, son maternage abusif se fondent en un étrange ensemble que l'Église catholique ne cesse de répéter avec un déploiement cérémoniel sans pareil. D'où sans doute aussi le curieux attrait qu'elle exerce justement auprès des femmes. Celles-ci sont à la fois les personnes qu'elle opprime le plus, mais en même temps celles qui donnent encore un sens à la célébration matinale quotidienne et à une homélie dominicale qui, sans elles, se passerait devant des bancs presque vides. Les structures patriarcales de l'Église catholique laissent entrevoir une haine latente de la virilité qui constitue en même temps le véritable noyau de l'oppression des femmes. Les hommes qui dominent ici ne veulent pas être des hommes ; mais c'est justement leur fluide homosexuel latent qui les fait en quelque sorte apparaître à beaucoup de femmes comme des hommes meilleurs, plus cultivés, plus sensibles et plus délicats que les autres. Ce sont les mères elles-mêmes, à qui on a à peine permis d'être des femmes, qui reconnaissent dans les prêtres les enfants qu'elles auraient désiré avoir, ces êtres sages comme des enfants gâtés, des modèles d'enfants à travers lesquels elles peuvent d'ailleurs également retrouver le père qu'elles auraient voulu avoir.

L'occasion est ici trop belle pour ne pas revenir sur la comparaison faite au début de cet ouvrage entre la vocation d'un clerc de l'Église catholique et la vocation onirique des chamans, dans les cultures dites « primitives ». A propos de ceux-ci, la littérature ethnologique évoque aussi bien souvent l'inversion des finalités pulsionnelles [44] : ils se présentent en habits féminins, parlent avec une voix de tête et révèlent des traits évidents d'homosexualité. Mais, selon toute apparence, dans ces cultures, le chamanisme ouvre la voie à une intégration de l'homosexualité, en ce sens que la position « intermédiaire » de ceux qui sont ainsi appelés à jouer le rôle de médiateur entre les sexes apparaît également intermédiaire entre le divin et l'humain, entre ciel et terre, entre le rêve et le jour. Ce qui ne fait que mieux ressortir la différence entre la position de l'Église catholique et celle des cultures « primitives », entre la contrainte et la dichotomie de la première, et la liberté et l'acceptation des secondes. Dans les religions chamaniques, l'homosexualité des rêveurs de Dieu ne pose pas de problème moral : elle est un pur problème de disposition religieuse. On la considère comme une des conditions permettant de trouver un chemin conduisant au-delà de la normalité. L'Église catholique va dans un sens opposé. Notons pourtant combien l'Occident européen serait culturellement appauvri si on négligeait tous ses homosexuels géniaux, à commencer par Platon et en passant par Léonard de Vinci, Piotr Tchaïkovski, André Gide, Thomas Mann, Ludwig Wittgenstein entre autres. L'Église peut donc se montrer fière de ne s'être jamais trompée dans sa condamnation des homosexuels et d'avoir imperturbablement et sans variation transmis cet enseignement à travers les siècles. Mais il est clair que les temps sont venus où il faudra définitivement cesser de voir la sexualité selon le modèle catholique essentiellement orienté vers la procréation, autrement dit cesser de condamner l'homosexualité comme « contre-nature ». Il faudra dorénavant se demander tout simplement ce qu'un être a réussi à faire de ses possibilités, hétéro- ou homosexuelles, pour enrichir la culture commune de l'humanité.

Ce n'est pas le lieu ici de montrer en détail les causes du développement de l'homosexualité, dans la mesure où elles sont d'origine psychique. Cependant, un bref aperçu de l'idée que la psychanalyse se fait de sa psychogenèse et de sa psychodynamique est nécessaire pour comprendre comment des homosexuels peuvent prendre le chemin du sacerdoce et de la vie religieuse, et les difficultés auxquelles ils se heurtent alors, spécialement dans l'Église catholique. S'appuyant sur Freud, Leopold Szondi décrivait ainsi les étapes psychologiques du développement de l'homosexuel : « *1.* fixation à la mère, 2. identification à la mère, *3.* recherche d'objets de même sexe, semblables à lui, et qu'il peut aimer comme sa mère l'avait aimé, lui au même âge. C'est pourquoi l'objet d'amour homosexuel doit avoir le même âge que celui où s'est produit l'inversion. » Il ajoute : « Selon Freud, d'autres raisons peuvent aussi intervenir : *1.* le choix narcissique d'objet est plus facile chez un garçon, *2.* l'estimation flatteuse de l'organe masculin et l'incapacité de renoncer à sa présence chez l'objet d'amour, *3.* la faible estime de la femme, l'aversion à son égard ; selon Freud, ce dégoût viendrait de l'angoisse de castration. S'ajoute le renoncement à entrer en concurrence avec le père. Donc, d'après Freud : *1.* fixation à la mère, *2.* narcissisme, *3.* angoisse de castration constitueraient les motifs psychologiques les plus importants de l'homosexualité. Mentionnons en plus : *4.* des fixations résultant de séductions précoces, *5.* des facteurs organiques favorisant le rôle passif. Selon Freud un autre chemin pourrait conduire à l'homosexualité, celui de la jalousie par rapport aux frères. Dans ce cas les étapes seraient les suivantes : *1.* la fixation à la mère, *2.* la jalousie à l'égard d'un rival (du frère, éventuellement du père), *3.* la haine et le souhait de voir mourir ce rival, *4.* l'inversion, la transformation de la haine en amour. Donc l'exact opposé de ce qu'on trouve dans la paranoïa *persecutoria.* Selon Freud les identifications sociales et tendres naissent comme des formations réactionnelles aux impulsions agressives refoulées. Cela signifie que l'homosexualité est une formation substitutive du besoin primitif, mais refoulé, de tuer le rival. La psychanalyse considère les sentiments sociaux comme des sublimations de positions objectales homosexuelles. Chez les homosexuels cette sublimation et la séparation de l'objet d'amour ne sont que partiellement réussies[45]. »

Le profil des pulsions, tel que Szondi l'a réalisé grâce à son test des homosexuels, fait apparaître au premier plan l'image d'une femme « bonne, juste et douce, porteuse de l'idéal féminin du moi : l'intéressé veut donc exister comme femme[46] ». A l'arrière-plan, l'homme, Caïn, avec son moi masculin, est « projeté » par cette image féminine. « A travers la formation de son idéal féminin, c'est-à-dire à travers son souhait d'être femme, l'homme peut désormais se mettre à la recherche de l'homme et s'attacher à l'homme que, en tant qu'objet de désir, il a projeté dans le monde extérieur[47]. » « Nous insistons ici sur le fait que l'homme homosexuel ne conserve en soi que la moitié féminine de la personnalité, non seulement dans son sexe, mais aussi dans toute sa structure pulsionnelle. L'homosexualité de l'homme est par conséquent une façon de résoudre l'antinomie des pulsions qui détermine toute la personnalité : *1.* sexuellement il ne veut être qu'une femme, *2.* affectivement, il ne veut être que doux, *3.* au niveau du moi, il ne veut être qu'une femme, *4.* pour ce qui est du contact humain il est encore très proche de la liaison incestueuse à la mère[48]. »

Si on accepte ce modèle explicatif de l'homosexualité, et après tout ce que nous avons dit concernant la psychogenèse des clercs, on notera à quel point l'expérience même des personnes concernées permet d'illustrer et de creuser ce facteur de progression de la névrose que l'Église catholique constitue elle-même, de par sa morale sexuelle. Encore est-il sans doute nécessaire de compléter ce schéma de base de l'attitude exclusivement féminine de l'homosexualité masculine par une variante masculine complémentaire des manières en question.

Nous connaissons déjà l'influence qu'une mère à la fois trop exigeante et trop portée à la gâterie peut exercer sur la vie d'un clerc : c'est à la valeur de son modèle que s'accroche toute la mentalité de sacrifice de celui-ci, avec tout le système correspondant de réparation, de responsabilisation excessive, etc. Partant de là, on peut de façon générale présupposer chez lui une certaine angoisse devant sa mère et à son sujet, et donc l'existence d'un certain facteur homosexuel dans son développement psychologique. On peut en particulier reconnaître dans certaines formes de théologie de la communauté chrétienne, présentes en arrière-plan d'expériences enfantines de ce genre, des formes rationalisées d'aspirations fondamentalement homosexuelles : c'est le rêve d'une fraternité universelle qui, sans conflits, sans concurrence, mais grâce à l'engagement total de tous ses membres, réalise l'idéal d'une famille gouvernée par la mère. Structurellement, des institutions telles que les « Communautés intégrées » de Munich ou Hagen, par exemple, remplissent totalement les conditions d'un matriarcat de ce genre[49], de telle sorte que leur théologie communautaire « lucanienne » va jusqu'à impressionner des théologiens, lesquels, dans leur désir de trouver un substitut au giron de leur mère si douloureusement absente, peuvent fuir directement dans le giron de la Sainte Mère l'Église. Ainsi que nous l'avons déjà montré, dans des communautés de ce genre, l'excès de gâteries et la soumission à des exigences excessives se complètent fort bien, en théorie comme en pratique : un système de sacrifice total vient s'allier aux avantages d'une assistance matérielle sur la base d'une distribution des biens dans le style d'un communisme idéal. La « valeur » de l'individu ne réside pas dans le fait qu'il est lui-même, mais dans celui qu'il appartient à cette communauté eschatologiquement élue[50].

C'est maintenant seulement que nous commençons à comprendre vraiment cet interdit si révoltant en soi des communautés religieuses qu'est celui des amitiés particulières. Nous disions plus haut que cette disposition visait à éliminer tout sentiment individuel. Nous pouvons désormais être plus précis : il s'agit essentiellement d'écarter certains sentiments homosexuels. Une communauté faite du rassemblement de « frères » et de « sœurs », donc fondée, non par accident, mais par essence, sur des composantes homosexuelles latentes, a sans doute besoin de prendre des précautions particulières pour empêcher le matériau psychique refoulé de sortir de sa latence et, en se faisant conscient, de se traduire en comportements explicites.

Mais ici encore la comparaison avec la psychologie des peuples primitifs est riche d'enseignements.

Dans la culture de beaucoup d'ethnies, il est d'usage de ritualiser la phase homosexuelle de transition du début de la puberté : on regroupe garçons et filles dans des maisons d'hommes et des femmes prévues à cet effet, en les tenant un certain temps sévèrement séparés[51]. Le but de cette mesure est évidemment en premier lieu de faciliter l'identification des jeunes avec les rôles masculin et féminin tels que les définit la culture, cela avant que de mettre les deux sexes en présence l'un de l'autre. Car le développement des jeunes comporte toujours une phase homosexuelle où garçons et filles forment des groupes qui se tiennent à l'écart les uns des autres[52]. Il y a bien des raisons de croire que les groupes homogènes d'hommes et de femmes des ordres religieux ne font fondamentalement que perpétuer cette psychologie d'adolescents en fin de puberté : on se refuse à perdre l'innocence de l'enfance en quittant cet état bienheureux où l'on ignorait encore le péché du sexe ; on trouve un refuge dans l'observance d'une obéissance enfantine et on fait le serment de s'en remettre pour toujours, sans restriction, avec tout ce qu'on a et possède à la communauté de la « horde » des hommes ou des femmes. Considéré sous cet angle, l' « appel de Dieu » à vivre en clerc apparaît comme une grandiose tentative visant à stabiliser de très anciennes angoisses pubertaires et à fixer ainsi le facteur homosexuel latent du développement pulsionnel. Vu à travers les lunettes de la psychologie cléricale, ce qui devrait être humainement pure transition vers une maturité accrue apparaît aux yeux de Dieu comme le stade final d'une vocation particulière, l'intégration dans un groupe qui se donne comme maternel venant dépasser l'angoisse de la séparation d'avec la mère. Nous disions précédemment que l'Église catholique tendait à répondre à l'angoisse de l'individu en lui fournissant de l'extérieur des béquilles au lieu de lui donner des possibilités de la dominer de l'intérieur. Nous pouvons maintenant toucher de près ce qui se passe : il s'agit d'une structure qui devrait « travailler » sur l'angoisse, mais qui en fait la répand, donc d'un système de traitement de l'angoisse par la dépersonnalisation.

Il nous faut en particulier considérer de plus près le rôle de la mère dans la psychogenèse d'un développement homosexuel. Il est vrai que le développement homosexuel d'un garçon se fonde essentiellement sur la peur qu'il a d'elle : cette crainte tient le plus souvent à la pression psychologique excessive que celle-ci exerce en adressant à son enfant des exigences auxquelles un adulte aurait lui-même du mal à répondre, l'accablant ainsi d'un surcroît de responsabilités difficilement supportable. Ce en quoi nous avons vu une des caractéristiques de la croissance du clerc s'applique en fait tout particulièrement au développement spécifiquement homosexuel. Ainsi pouvons-nous sensiblement mieux comprendre l'attrait subjectif de maints homosexuels pour certaines charges données de l'Église. Il faut désormais ajouter à cet ensemble un autre facteur : l'angoisse sexuelle de la mère.

A en croire l'orthodoxie freudienne, l'angoisse du garçon devant la mère ne proviendrait pas de la mère elle-même. Ce serait plutôt le père qui intimiderait tellement le garçon en le menaçant de castration que celui-ci commencerait à redouter la mère, parce que, femme, elle aurait déjà vécu la perte du pénis [53]. Mais en réalité, à travers les propos des homosexuels, on voit nettement que leur « angoisse de castration » tient souvent directement aux angoisses sexuelles de la mère elle-même, et que la peur du garçon devant le père ne reflète souvent que celle de la mère devant son mari. La « castration › du garçon, en d'autres termes son orientation vers l'homosexualité, débute par le fait que la mère, de par ses propres angoisses sexuelles, voudrait en faire un être asexué à la place de son père. A vrai dire, cette manière de voir les choses ne contredit pas vraiment l'idée freudienne, sauf qu'elle tente davantage de comprendre la psychogenèse de l'homosexuel en tenant compte du comportement parental.

« Mon premier souvenir, racontait un prêtre homosexuel, je l'ai encore nettement à l'esprit. Je devais avoir quatre ans. Par une tiède soirée d'été, j'étais couché dans mon lit et je ne sais plus ce que j'ai fait. En tout cas ma mère est venue dans ma chambre ; elle s'est penchée sur moi et m'a demandé si je m'étais touché. Je ne savais pas du tout ce qu'elle voulait dire, mais elle m'a regardé d'un air très sévère, a élevé un doigt menaçant en me disant : “ Les garçons qui font ça deviennent gravement malades et le diable viendra les chercher. ” J'essayai de me justifier, mais elle ne m'écouta pas. » Ne discutons pas la question de savoir pourquoi ce prêtre dit encore aujourd'hui ne pas savoir ce qui s'est passé à ce moment-là. Ce qui nous importe, c'est qu'un souvenir qui, objectivement, ne devait pas être le plus ancien dont il se souvienne, soit pourtant celui qu'il pense être le premier. A la manière de « mythes d'origine » privés, de tels « premiers souvenirs » racontent toujours quelque chose de l'être de la personne, en ce sens qu'ils restituent en les concrétisant les impressions déterminantes des années d'enfance. Tout comme dans le roman déjà cité d'Émile Zola, pour ce prêtre, c'était littéralement la Grande Mère, Cybèle mère des dieux, qui exigeait pour elle le sexe de son enfant. On peut *grosso modo* considérer cette féminisation de l'homme par la mère comme le trait essentiel du développement sexuel des clercs masculins de l'Église catholique.

Un autre prêtre racontait de même comment, au début de sa puberté, il s'était trouvé devant sa mère dans un costume de sport très étroit, et qu'elle lui avait dit en montrant son membre en érection : « Qu'est-ce que tu as donc là ? » Ce prêtre avait alors eu terriblement honte, et ce souvenir ne lui est revenu à l'esprit qu'après bien des heures de conversation.

Mais à partir de telles situations, ou d'autres semblables, se présente une double possibilité de développement. Il existe un type d'homosexualité dans lequel — différemment du schéma freudien — diverses formes de protestation masculine viennent se superposer à une inhibition sexuelle qui n'est pas réellement surmontée[54]. De tels caractères aiment particulièrement manifester extérieurement leur virilité : par leur port de la barbe, de vêtements de cuir, ou tout autre comportement adapté, ils veulent qu'on n'ait pas le moindre doute quant à leur appartenance au sexe masculin. Ils n'en sont intérieurement que plus dubitatifs au sujet de leur véritable identité, et ainsi la rencontre d'une femme suscite-t-elle chez eux une triple crainte : ils ont d'abord beaucoup de mal à croire qu'ils puissent avoir « l'instrument » leur permettant d'être aimé par une femme ; ils redoutent alors en deuxième lieu de voir une femme les tromper et les soumettre à des exigences excessives, les femmes leur apparaissant en quelque sorte sous la forme du fameux diable qui, après le petit doigt, veut prendre la main tout entière ; enfin, troisièmement, ils redoutent en général l'approche de ce monde féminin qui leur est si étranger en saisissant les occasions les plus futiles pour confirmer encore et toujours les vieux préjugés de la puberté. En langage psychanalytique, il faudrait dire que la protestation masculine qui fonde l'homosexualité, c'est la peur devant sa propre castration et devant son impuissance, ainsi que devant la castration par une femme perçue comme un immense gouffre dévorant. A partir de ce genre d'expérience, on finit par croire qu'on n'a sûrement pas besoin d'une femme, et, dans ces conditions, tout suggère la retraite vers le monde masculin. De cette façon, on en arrive à voir que la possession du pénis constitue justement une condition d'amour de la part d'un homosexuel « masculin » activement en recherche.

Face à lui comme l'objet de son désir, il y a le plus souvent un homosexuel « féminin ». Jusqu'ici, dans notre réflexion sur la psychogenèse de l'homosexualité, nous avons sûrement beaucoup trop négligé l'influence que joue le père sur le développement du garçon. Sans doute l'intimidation que le premier joue sur son fils n'est-elle généralement pas si décisive que Freud le supposait : ses agressions ne sont en rien déterminantes de l'orientation homosexuelle primaire ; mais il peut avoir une influence durable sur sa structuration. Supposons que l'homosexuel voie sa mère, en dépit de toute ambivalence, comme la personne qui donne le ton ; un père faible, d'allure féminine, poussera alors bien vite le garçon, dans le cadre de sa relation homosexuelle à la mère, à adopter un comportement masculin renforcé, par réaction marquée à celui du père ; en revanche un père rude, sévère ou sadique l'incitera probablement à adopter le style de sa mère, et en tout cas pas le sien : c'est ainsi que nous avons déjà trouvé une constellation psychique de ce genre dans l'attitude d'obéissance du « type François ». Autrement dit, dans ce dernier cas, quand on est garçon, il apparaît à partir d'un certain moment que n'être sûrement pas un homme n'est plus du tout un inconvénient, mais plutôt une sorte d'avantage moral. C'est avec joie qu'on intériorise ici la castration ; elle devient la source d'un degré supérieur de l'être-homme. Avec leur allure ostensiblement féminine, les clercs de ce type sont le plus souvent remarquablement doués pour comprendre comme par empathie les sentiments et les conflits des femmes. Sous ce rapport, on peut considérer *L'École des femmes* d'André Gide comme la description parfaite d'une sensibilité féminine chez des homosexuels masculins[55].

Il est évidemment très difficile de prévoir comment les choses tourneront par la suite. On peut tout imaginer : par la finesse de ses antennes et son allure sexuellement rassurante, un homosexuel de type féminin peut devenir le chouchou des dames, lesquelles se sentent comprises et entourées et n'ont pas à craindre pour leur intégrité morale. Avec un brin de méchanceté on peut sans doute ajouter que c'est justement ce type d'homosexualité que, conformément à son idéal christique, l'Église souhaite trouver chez ses pasteurs, si toutefois — et dans la mesure où — de telles personnes, clercs « par la grâce de Dieu », sont suffisamment « nettes de tout symptôme », c'est-à-dire capables d'éviter tout geste manifestement homosexuel. Mais de tels gestes ne sont pas à exclure, dans la mesure où le sentiment d'infériorité sexuelle de caractères du type éthéré de l'abbé Mouret ressentent une certaine aspiration à rencontrer des hommes « véritables », donc du type qu'ils croient le plus percevoir chez leurs collègues homosexuels « masculins », avec leur virilité surcompensée. Ceux-ci, à leur tour, moins intimidés par leur père, sont habitués à prendre leurs responsabilités aux côtés de leur mère. On en arrive ainsi aisément à un arrangement homosexuel de complémentarité sur une base masculin-féminin. La plupart du temps, l'un des deux partenaires joue le rôle actif de celui qui aide, alors que l'autre prend le rôle passif de celui qui a besoin d'être aidé. L'un éprouve le plus grand bien à être aimé et recherché ; l'autre est content de trouver soutien et assistance. Dans le langage de C. G. Jung, l'un est la partie « englobante », l'autre l' « englobée »[56]. En un certain sens, chacun fuit sa solitude chez l'autre, et on voit s'établir une complicité de gens abandonnés partageant le même sort. De telles liaisons échouent le plus souvent parce que la partie englobante se sent quelque peu à l'étroit et engluée ; elle se fatigue d'avoir toujours à assister l'autre, et elle aspire à des rapports plus simples ; inversement, l'autre partie apparemment dépendante peut aussi se détacher et aspirer à une nouvelle relation. Théoriquement, les deux ont aussi naturellement la possibilité d'évoluer et de s'orienter vers une liaison avec une femme ; et c'est bien là le point où la pratique effective de l'Église catholique envers les clercs homosexuels se révèle finalement n'être qu'une hypocrite camisole.

Tout ce que nous avons dit jusqu'à maintenant reposait sur l'hypothèse paradoxale que l'homosexualité cléricale fige la situation pubertaire. Il y a paradoxe, en ce sens que tous les commandements et les interdictions de l'Église n'ont pour raison d'être que de rendre plus difficile, voire d'empêcher, le contact du jeune adolescent avec les jeunes filles, mais absolument pas de l'engager dans le « péché » bien plus grave de l'homosexualité ; or, c'est pourtant ce qui se produit. Du fait de l'interdit de tout contact hétérosexuel, toute l'énergie psychique se porte naturellement dans la direction qui devait a priori paraître tellement monstrueuse aux parents et à l'Église qu'on avait tout simplement oublié de l'interdire. C'est ainsi que très fréquemment la pédophilie, l'amour des jeunes, s'enracine dans l'expérience ultérieure des homosexuels. Il faut bien voir que ces personnes, finalement extrêmement solitaires, vivent habituellement leur première amitié avec un garçon, c'est-à-dire aussi leur première rupture véritable avec leur mère, sous une énorme pression intérieure : non seulement les aspirations à l'amour et à la tendresse, trop longtemps accumulées, surgissent avec une énorme violence, comme la lave de la cheminée d'un volcan, mais cette coulée de lave incandescente se refroidit aussitôt et se solidifie dans la forme qu'elle prend alors : les relations pubertaires des futurs clercs ne s'aventurent à peu près jamais dans la zone taboue de la sexualité génitale ; si ces jeunes prenaient conscience du côté sexuel de leur amitié, ils la refouleraient même immédiatement. Il n'en a pas moins été assez fort pour déclencher, des années après, un effroi épouvantable : se pourrait-il qu'on ait été plus répréhensible encore que tous ces jeunes gens et jeunes filles qui à 16 ans déjà s'amusaient ensemble ? Entre la pression et la répression des pulsions homosexuelles, l'angoisse cristallise nostalgiquement ces premières expériences amoureuses en un tableau radieux. Par la suite, les relations amoureuses des prêtres homosexuels auront lieu avec des enfants ou des jeunes correspondant exactement à l'âge où ils avaient jadis fait ces premières « expériences » de l'amour qu'ils avaient immédiatement réprimées par devoir d'état. Bien plus, cette situation hybride constitue souvent une motivation supplémentaire puissante du choix de la profession cléricale : puisque de toute façon le mariage avec une femme est exclu et que perdure l'angoisse devant une irruption possible d'actes et de relations homosexuels, l'attitude de répression sexuelle de l'Église catholique semble alors promettre la délivrance de ce dilemme. Naturellement la réalité est tout autre. Car les séminaires abritent précisément une série de jeunes qui connaissent les mêmes difficultés et qui s'attirent donc d'emblée selon des règles non moins énigmatiques que les signaux cachés des amoureux hétérosexuels. En d'autres termes, celui qui se figurait avoir fait au sec sa pelote de laine doit désormais reconnaître au contraire qu'il s'est en réalité jeté sous la gouttière.

Considérons maintenant le sens diplomatique de l'Église catholique. Elle entreprendra tout l'imaginable pour flatter et protéger une homosexualité latente, caractérielle, surtout du type « féminin ». Tout est en ordre tant qu'il ne « se passe » rien. Tout se conforme aux propos du cardinal Ratzinger selon lesquels ce n'est pas l'homosexualité elle-même qui est peccamineuse, mais seulement le comportement homosexuel. Aux élèves qui s'inquiètent de leurs rêves, dans lesquels ils ont eu des rencontres intimes avec leurs camarades d'études, on dira avec la coutumière sagesse pastorale que de tels rêves sont sans signification et sont tout à fait normaux parmi les hommes. A l'inverse on sera très sévère pour les cas d'homosexualité manifestes — avant l'ordination. S'ils se manifestent après, les hommes d'Église auront droit à toutes les protections. Quand on connaît un cas d'homosexualité, on s'arrange pour procéder avec la plus grande discrétion afin de ne pas créer de scandale parmi la population. Si l'intéressé fait par ailleurs preuve de sa fidélité à l'égard de l'Église, on se montrera disposé à lui apporter une aide médicale et morale. En revanche, si son comportement n'est pas loyal à son égard, s'il la critique, ou même nie les faits, le plus souvent dénoncés par d'autres, et ne montre aucun repentir, on va sans tarder prendre des mesures décisives : pour le moins une mutation, et, en cas de besoin, une suspension. Mais il y a une chose qu'on ne fera sûrement pas : donner à cet individu une chance honnête de poursuivre son développement comme prêtre. La même Église qui recommande si vivement la psychothérapie dans ses instructions et avertissements concernant les homosexuels « réversibles » va pour l'amour du Ciel tout faire pour refuser ou entraver l'intervention psychothérapeutique nécessaire à ce type de prêtre homosexuel.

Que pourra-t-il alors se passer ? Aucun thérapeute au monde ne peut savoir a priori si un prêtre qui vient lui demander des soins est un homosexuel « réversible » ou « irréversible ». Son premier souci sera de vérifier comment se présente la situation, la force de pression du « mal », les possibilités de « guérison » existantes, la façon dont se présente le transfert. Il procédera ensuite à l'anamnèse : quelle est la situation familiale ? Quelles ont été les influences marquantes ? Quelle évolution a-t-il pu y avoir ? Mais arrive le moment critique : à supposer que le prêtre concerné ne montre pas le moindre signe d'un retournement de son organisation pulsionnelle, quel thérapeute digne de ce nom va insister pour obtenir de ce client ce que l'Église catholique exige catégoriquement : l'abstinence à vie devant des penchants considérés comme « contre-nature » et pervers ?

Et s'il s'avère que cette organisation pulsionnelle est quand même « réversible » ? Alors, l'Église catholique va montrer une étrange duplicité. Elle qui paraissait encore attacher une si grande importance à la psychothérapie n'acceptera jamais de la vie le processus d'apprentissage tardif qui devrait et pourrait pourtant démarrer. En psychothérapie, le développement « normal » d'un prêtre homosexuel — si toutefois un retournement de l'organisation pulsionnelle peut réussir, ce qui ne doit être ni la condition ni le but déclaré de la thérapie — s'accompagne en principe d'une série de rencontres particulières avec des femmes, ces femmes étant elles-mêmes d'une manière ou d'une autre en recherche d'amour et de compréhension, donc capables de sentir avec finesse les premiers signes d'une transformation chez leur vicaire ou leur curé. En tant que psychothérapeute, on ne peut que se réjouir de trouver — quand il y en a — des personnes mariées capables de fournir la juste mesure d'expérience et de réponse aux aspirations d'un tel prêtre qu'il faut prendre en main, et de le décharger pas à pas de son angoisse face à l'amour, face à la femme et face à lui-même. Selon la morale de l'Église cela signifie adultère et violation du célibat. Et pourtant des rencontres de ce genre, dans les *no man's lands* de l'amour, sont souvent d'une grande sensibilité et d'une grande tendresse, poétiques, aériennes et légères comme un parfum de roses écloses dans un jardin au printemps. L'alternative ne pourrait être qu'une thérapie du comportement sous la conduite de professionnelles rémunérées[57]. L'âme torturée, la plupart des homosexuels ont traversé trop souvent et sans succès tous les bordels possibles pour ne pas en avoir assez de ces pratiques thérapeutiques. Finalement personne n'a jamais débarrassé personne de son angoisse devant un être humain en humiliant son partenaire par un service mécanique. Il n'existe par conséquent pas d'autre remède que les formes de l'amour auxquelles les interdits de l'Église catholique s'opposent absolument. Arriver à dissoudre thérapeutiquement ces interdits dans la tête des clercs homosexuels, c'est déjà presque la moitié du succès.

La même chose vaut aussi symétriquement pour les religieuses venant en traitement pour des difficultés homosexuelles. Toutes ont en propre, héritée de leur famille, une angoisse marquée devant les hommes, l'idée qu'elles se font d'elles-mêmes — parallèlement à ce que nous venons de dire — pouvant être du genre « majeur » ou « mineur ». Maintes d'entre elles ont appris, étant encore fillettes, à mépriser leur père en tant qu'homme et à prendre elles-mêmes aux côtés de leur mère le rôle de l'homme « convenable » (conformément aux exemples masculins identiques cités plus haut). Une mère faible (éventuellement dominant par sa faiblesse), un père dont la présence (ou l'absence) pèse lourdement sur la famille et une fille estimant qu'il est de sa responsabilité de prendre la place paternelle forment une triade idéale pour la psychogenèse de religieuses homosexuelles « masculines ». Du fait de leur vertu, elles n'ont jamais fait l'expérience de l'amour. Mais à la longue, le plus souvent vers 30 ou 35 ans, il est presque inévitable que leur ascétisme excessif se relâche ; elles n'ont plus besoin de lutter pour remplir leur fonction ou pour se voir reconnaître professionnellement. Elles sont alors de plus en plus prêtes à s'offrir à elles aussi un peu de joie de vivre. Il est dans la nature des choses de voir des personnes de ce genre agir comme des aimants sur d'autres dont le penchant homosexuel comporte de forts éléments de dépendance et de soumission. Ces religieuses homosexuelles « féminines » ont fréquemment souffert d'une enfance pleine d'échecs. Par exemple, elles ont grandi prises en sandwich entre deux garçons ou à l'ombre d'une sœur plus âgée et plus forte. Elles ont peut-être connu le même genre de surmenage que celui que nous avons déjà analysé, avec cette différence que, au lieu d'apporter leur contribution à la résolution des problèmes de la famille, ces fillettes ont d'abord dû apprendre à ne pas encombrer celle-ci de leur existence. Elles ont dû courber l'échine pour passer inaperçues, les yeux suppliants et la bouche close, aussi prêtes que possible à se mettre au service des désirs de chacun. Devant les garçons, ces homosexuelles de mode mineur n'ont le plus souvent fait qu'éprouver des sentiments d'infériorité, et ce n'est que par ouï-dire qu'elles ont entendu qu'il pouvait exister quelque chose comme des émotions sexuelles. Si une religieuse homosexuelle de ce type « féminin » découvre tout d'un coup qu'une autre religieuse « forte » peut l'estimer, la désirer et la courtiser, cela pourra facilement déboucher sur des gestes lesbiens sans qu'on ait jamais pu observer une quelconque inclination homosexuelle caractérisée de l'une ou de l'autre. Au départ, on trouvera simplement que cela fait du bien de s'embrasser et de se caresser ; c'est beau de se serrer l'une contre l'autre ; ce ne sont que des jeux innocents comme en ont entre elles des fillettes de 12 ans ; il est clair qu'on a simplement du plaisir à se dénuder l'une devant l'autre et à se raconter les questions qu'on se posait quand on était si jeune encore : ne devait-on pas avoir honte d'être femme, avec ce corps, cette apparence ? Mais voici que tous ces doutes sur soi convergent vers la réponse totalement rassurante : « Je t'aime. » Celle qui entend pour la première fois ces mots donnera cher pour connaître cette expérience et, compte tenu de son besoin manifeste de soumission, elle sera prête à faire pour l'autre bien des choses qu'elle n'aurait souvent jamais faites pour elle-même. Ou bien, inversement, c'est la sœur la plus « faible » qui, par ses doutes et ses plaintes, amènera l'autre à lui donner des preuves d'amour qui dépassent de beaucoup ses propres besoins de contacts homosexuels.

De toute manière la question est de savoir quels développements on peut dès lors envisager. Des sentiments de honte et d'angoisse pourront éventuellement prendre une telle ampleur qu'on rejettera bientôt avec dégoût ce qui semblait promesse d'aide et de joie. Mais il se peut également que ces relations d'une homosexualité de complément se stabilisent et fassent alors preuve d'une solidité nettement supérieure à celles comparables entre hommes. Par ailleurs, le contrôle social dans les ordres religieux féminins est sensiblement plus intense que par exemple dans le cas de prêtres séculiers, lesquels, avec un minimum de précautions, peuvent au fond faire ce qu'ils veulent sans avoir à redouter des découvertes désagréables. Dans des communautés de femmes, il n'est pas rare de voir surgir des formes spécifiques de querelles et de jalousies à motivations homosexuelles, sans doute du seul fait que, dans les couvents, on tente plus que nulle part ailleurs de prendre au sérieux les obligations d'une vie communautaire vraiment chrétienne. Sous la pression d'une surveillance constante et dans cette atmosphère propice à l'intrigue se forment malgré tout des relations relativement stables entre des lesbiennes. Cela ne vient pas seulement de l'intensité de l'énergie qui y pousse, mais peut-être aussi de ce que de telles relations tendent à former une sorte de communauté de détresse à deux dirigée contre le reste du monde. Dans ce cas, en se témoignant de l'amour, les deux intéressées apprennent finalement à être plus indépendantes que les autres et se montrent de ce fait capables d'assumer le mépris de ceux qui s'affirment catholiques, comme ces nonnes américaines qui racontent leurs expériences homosexuelles au couvent[58]. Naturellement, l'Église catholique se dit épouvantée lorsque des personnes de ses propres rangs avouent ouvertement leurs inclinations lesbiennes et lui réclament même de faire preuve de tolérance, sinon de les reconnaître et de les aider. Devant Dieu et devant les hommes, il n'existe aucune raison valable de le leur refuser.

Quoi qu'il en soit, l'Église catholique reste toujours conséquente quand elle condamne moralement ses clercs homosexuels, tant masculins que féminins. Son attitude n'a rien à voir ni avec la logique ni avec la morale, mais uniquement avec le maintien de son pouvoir, quand elle fait tout pour empêcher ses clercs d'échapper à leur homosexualité et de faire le pas qui serait psychothérapiquement si souhaitable : pour un prêtre, s'amouracher éperdument d'une femme, pour une religieuse d'un homme.

4. *Liaisons sous le signe de l'interdit*

Nous avons précédemment développé assez largement le « tragique des citernes asséchées », montrant comment, du simple fait de l'insuffisance de la structuration de son moi et de son identification à sa charge, le clerc se sent peu sûr de lui lorsqu'il doit entrer dans une véritable relation personnelle, que ce soit avec un homme ou une femme. Mais la rencontre entre un prêtre et une femme, ou entre une religieuse et un homme, se révèle en règle générale extrêmement compliquée du fait de très anciennes inhibitions pubertaires. Il sera sûrement très utile d'approfondir sérieusement ces difficultés typiques. « Quand il me parle, me disait ces jours-ci une femme à propos d'un prêtre qui, jeune, avait vraiment été amoureux d'elle, il peut dire des choses très belles et très fines, mais lui-même n'en vit pas. Il est plein d'aspirations, mais il n'ose pas être fidèle à lui-même. Il place toujours entre lui et les gens un rideau invisible d'obligations et il appelle cela Dieu. » Cette personne, qui parlait sur un ton de respect et d'amertume mêlés, traduisait d'une manière très personnelle l'expérience de toute une époque : on ne peut plus accorder foi à un discours sur l'amour qui épargne à ceux qui le tiennent le risque de vivre et de se plonger eux-mêmes dans le fleuve des sentiments les plus ardents.

Voilà déjà cent ans que, dans *La Faute de l'abbé Mouret*, Zola donnait le coup de grâce à une religion qui célèbre la mort sous les fantasmagories d'une vie plus pure. C'est ce qu'éprouve en tout cas Albine, lorsque, après des journées d'attente, elle essaie de récupérer Serge, son amoureux, à l'église où il s'est réfugié dans une douloureuse pénitence après les journées lumineuses du Paradou. Cette héroïne de Zola exprime ce qu'ont senti et dit à leur manière tant de femmes brisées par leur amour pour un prêtre : « Garde tes prières. C'est toi que je veux [...] Je ne peux pas te laisser ici. C'est parce que tu es ici que tu es comme mort, la peau si froide, que je n'ose te toucher [...]. » Déjà l'architecture et l'ornementation de l'église lui font penser à une tombe : « Une agonie lamentable emplissait la nef, éclaboussée du sang qui coulait des membres du grand Christ ; tandis que, le long des murs, les quatorze images de la Passion étalaient leur drame atroce, barbouillé de jaune et de rouge, suant l'horreur. C'était la vie qui agonisait là, dans ce frisson de mort, sur ces autels pareils à des tombeaux, au milieu de cette nudité de caveau funèbre. Tout parlait de massacre, de nuit, de terreur, d'écrasement, de néant. Une dernière haleine d'encens traînait, pareille au dernier souffle attendri de quelque trépassée, étouffée jalousement sous les dalles[59]. » Dans ces conditions, Albine évoque en vain les journées chaudes, brûlantes, de leur joie commune : « Tu te rappelles comme il faisait beau au soleil ? Un matin nous avons cheminé à gauche du jardin des fleurs le long d'une haie avec de grands buissons de rosiers. Je me souviens de la couleur de l'herbe : elle était presque bleue et se tendait vers le vent. Lorsque nous sommes arrivés au bout de la haie, nous avons fait demi-tour, tellement le soleil sentait bon à cet endroit. Et c'était là, pour notre promenade ce matin-là, vingt pas en avant, vingt pas en arrière, un coin de bonheur dont tu n'avais plus envie de partir. [...] Tu murmurais : " Comme la vie est bonne ! " La vie, c'étaient les herbes, les arbres, les eaux, le ciel, le soleil qui nous blondissait, avec ses cheveux blonds. [...] La vie, c'était le Paradou. Comme elle nous paraissait grande ! Jamais nous ne pouvions trouver sa fin. Les feuillages ondulaient là-bas, sans résistance jusqu'à l'horizon, avec un bruit de vagues. Et que de bleu au-dessus de nos têtes ! Nous pouvions croître, nous envoler, voyager comme les nuages sans rencontrer d'obstacles que des nuages. L'air nous appartenait. » Serge sent devoir contrer ce message de vie : « L'Église est grande comme le monde. Toute la grandeur de Dieu y trouve sa place. » Mais Albine, d'un geste montrant les croix, les christs mourants, les tortures de la Passion repartit : « Et tu vis au milieu de la mort. Les herbes, les arbres, les eaux, le soleil, le ciel, tout agonise autour de toi[60]. »

Après les Lumières, Friedrich Nietzsche et le naturalisme, et même avant la psychanalyse, il est clair qu'on ne peut plus et ne veut plus croire à un christianisme prêchant de cette manière un Dieu souffrant qui voudrait être honoré et loué dans la destruction de la vie et de l'amour. On ne peut plus annoncer la Bonne Nouvelle d'un christianisme à travers la lâche solennité d'une chasteté qui, devant une femme aimante, n'a rien de plus à dire que : « Je n'ai pas le droit. » C'est aussi sur ce point que les doutes de Nikos Kazantzaki sont justifiés : un homme qui quitte celle qu'il a aimée dans sa jeunesse pour servir un Dieu jaloux derrière les murs d'un cloître peut-il être vraiment innocent alors qu'elle, jadis répudiée pour Dieu, est obligée de se réfugier dans le mariage avec un autre homme qu'elle n'aime même pas ? Ce sont bien sûr les prêtres et les religieuses les « meilleurs », autrement dit les plus humains, qui sont souvent confrontés à la nécessité de quitter une personne — ou de la « haïr » (comme dit avec raison la Bible) — pour le Royaume des Cieux. Mais quel étrange Royaume des Cieux s'il doit se construire sur les larmes de tous ceux que les élus ont rejetés dans les fossés sur le chemin de leur vocation. Et comment faire revenir sur terre l'âme de ceux que le Ciel a élus ?

Emboîtant le pas à Zola, un autre écrivain français, André Gide, a dépeint dans son roman *La Porte étroite* ce que peut signifier ce chemin de la vocation divine du point de vue des victimes. C'est la déchirante histoire du combat que la jeune Alissa, amoureuse de son ami Jérôme, a cru devoir mener pour emprunter la « porte étroite », voie recommandée par le Christ : « Car large et spacieux est le chemin qui mène à la perdition et il en est beaucoup qui le prennent » (Mt 6, 13). Après la mort d'Alissa on trouve ses notes de journal montrant le drame spirituel qui se cachait en réalité derrière l'apparence d'une froideur farouche, et la ruine tragique d'une vie en fleur. Ainsi notait-elle, dans son journal le 20 septembre : « Mon Dieu, donnez-le [c.-à.-d. à Jérôme] -moi, afin que je vous donne mon cœur. Mon Dieu, faites-le-moi revoir seulement. Mon Dieu, je m'engage à vous donner mon cœur ; accordez-moi ce que mon amour vous demande. Je ne donnerai plus qu'à vous ce qui me restera de vie... Mon Dieu, pardonnez-moi cette misérable prière, mais je ne puis écarter son nom de mes lèvres, ni oublier la peine de mon cœur. Mon Dieu, je crie à Vous ; ne m'abandonnez pas à ma détresse[61]. » Le 3 octobre Alissa écrivait : « Tout s'est éteint. Hélas ! il s'est échappé de mes bras, comme une ombre. Il était là ! Il était là ! Je le sens encore. Je l'appelle. Mes mains, mes lèvres le cherchent en vain dans la nuit... Je ne puis ni prier, ni dormir. Je suis sortie dans le jardin sombre. Dans ma chambre, dans toute la maison, j'avais peur ; ma détresse m'a ramenée jusqu'à la porte derrière laquelle je l'avais laissé ; j'ai ouvert cette porte avec une folle espérance : s'il était revenu ! J'ai appelé. J'ai tâtonné dans les ténèbres. Je suis rentrée pour lui écrire. Je ne peux accepter mon deuil[62]. » Puis elle continue le 5 octobre : « Dieu jaloux, vous m'avez dépossédée, emparez-vous de mon cœur. Toute chaleur désormais l'abandonne et rien ne l'intéressera plus. Aidez-moi donc à triompher de ce triste restant de moi-même. Cette maison, ce jardin encouragent intolérablement mon amour. Je veux fuir en un lieu où je ne verrai plus que Vous[63]. » Et finalement le 12 octobre : « Que votre règne vienne ! Qu'il vienne en moi, de sorte que vous seul régniez sur moi ; et régniez sur moi tout entière. Je ne veux plus vous marchander mon cœur. Fatiguée, comme si j'étais très vieille, mon âme garde une étrange puérilité. Je suis encore la petite fille que j'étais, qui ne pouvait pas s'endormir que tout ne fût pas en ordre dans sa chambre, et bien pliés au chevet du lit les vêtements quittés... C'est ainsi que je voudrais me préparer à mourir[64]. »

André Gide s'opposait à la mystique du renoncement prônée dans l'œuvre de Paul Claudel[65]. Il remet évidemment en question ce spectre méchant et cruel que le christianisme vénère et adore sous le nom de Dieu — étant entendu que, au lieu d'apprendre aux jeunes âmes l'amour et de leur conseiller d'obéir à leur cœur, il les pousse systématiquement à démolir comme par caprice précisément ce qui est le plus à même de leur procurer épanouissement et bonheur. Ainsi intitula-t-il *Nourritures terrestres*[66] le manifeste dans lequel il exposait sa conception du monde, véritable antithèse d'un christianisme ennemi de la nature et opposé à l'amour.

Nous en avons assez dit sur les conditions familiales, sur l'enfance et la puberté des clercs, pour comprendre l'origine de l'image de Dieu d'Alissa, et l'intérêt que le catholicisme, sous sa forme actuelle, trouve à favoriser et à soutenir de tout son poids l'infantilisme et la puérilité d'une innocence asexuée : la promotion et le maintien de son système patriarcal de pouvoir. Dans ces conditions, il faut vraiment se demander pourquoi, malgré leur enfance et leur adolescence, malgré leur croyance à une élection divine et à une bénédiction de l'Église, malgré leurs serments sacrés et les censures morales, malgré la dépendance financière et la puissance de l'habitude, il se trouve encore et toujours des êtres qui, après des années de vie cléricale, prennent des chemins qui les ramènent aux sources cachées et interdites de l'amour. Quels sont les motivations et les sentiments qui les guident, quels dangers doivent-ils affronter et quelles chances ont-ils d'aboutir à un bonheur partagé ?

On comprend qu'ici, ayant à analyser psychanalytiquement les choses, nous ne puissions faire nôtres les jugements, lourds de préjugés, de la morale de l'Église. Aussi ne parlerons-nous pas de tentation, mais de quête, non de trahison d'une vocation passée, mais d'ouverture à un nouvel appel. Nous prendrons le droit d'accompagner sur les chemins hasardeux du cœur ceux que, en psychothérapie, nous sommes si souvent obligés de guider avec l'énergie du désespoir. Car les tabous et les interdits sont si difficiles à surmonter que toute cure de clerc entreprise dans ces conditions devient un véritable parcours du combattant, et qu'un spécialiste connu de l'analyse existentielle nous disait récemment y avoir totalement renoncé, tant il la considérait comme une perte de temps. Mais si on accepte de perdre du temps pour chercher « la centième brebis », on en apprend beaucoup sur l'humanité et sur soi-même, beaucoup aussi sur la nécessité de la miséricorde au-delà de toute culpabilité.

Sigmund Freud estimait que les inhibitions de certains artistes les handicapaient à vie, mais que leurs rêves et leurs capacités d'expression leur ouvraient finalement des chemins détournés leur permettant d'atteindre ce que les gens sains trouvaient par la voie directe : l'estime de la masse et l'amour des femmes[67]. En transposant cela sur les clercs, on peut souvent dire un peu la même chose. Originellement, c'est leur inhibition des sentiments des gens ordinaires qui les ont empêchés, jeunes, de conquérir les faveurs d'une femme. Mais une décennie après les défaites de l'adolescence peut se produire éventuellement un singulier phénomène. Voilà un prêtre qui, dix ans après cette déroute de l'adolescence, fait d'étonnantes homélies sur la bonté et l'amour. Extérieurement, il donne le sentiment d'un homme physiquement sain et équilibré. En société, sa fonction lui vaut une bonne réputation et, chez les croyants, une sorte de respect sacré. Personne n'aurait l'idée de le considérer comme quelqu'un souffrant d'un échec personnel : il réussit ; son intelligence est pétrie de sagesse ; sa piété sérieuse inspire confiance ; sa douceur et son irénisme attirent tout le monde. C'est surtout un homme dont l'état et l'attitude donnent à penser qu'il protégera la vertu des femmes venant chercher aide et conseil auprès de lui. Mais soudain, dans cette atmosphère de calme, un choc se produit. Refoulée, la sexualité fait resurgir des émotions et des sentiments inavoués, faisant ainsi germer des fleurs qui n'auraient jamais osé se montrer sous un ciel moins clément.

Quand une femme vient trouver un prêtre pour lui demander de l'aide, elle a sans doute d'abord le sentiment nostalgique d'avoir enfin rencontré un être humain véritable, un homme tout à fait différent des autres. Sa situation, qui lui semblait naguère un fardeau, se transforme en un instant en avantage : après bien des années de « bon mariage catholique », tel que nous l'avons évoqué, elle perçoit comme une bénédiction du ciel, et pas forcément à tort, le fait de trouver un ecclésiastique qui sache écouter ses misères. Supposons-la aussi débordant de bonnes dispositions à l'égard des « pères », des « prêtres », de ces « saintes personnes ». Comment s'étonner dès lors qu'elle commence à porter les sentiments les plus vifs à ce bon prêtre ? Elle n'éprouve consciemment aucune émotion sexuelle et n'en perçoit aucune chez son ami prêtre. C'est précisément ce style de rencontre, sublime et délicat, qui lui paraît désormais d'une beauté surhumaine et vraiment céleste. Elle a l'impression de comprendre maintenant pour la première fois nombre de paroles de la Bible sur la pureté du cœur (Mt 5, 8) et sur l'amour qui ignore la crainte (1 Jn 4, 18). En d'autres termes, voici que commence pour elle une période de bonheur insoupçonné, de piété intense et de liberté telle qu'elle n'en avait jamais connue.

Le prêtre, lui aussi, subit une transformation remarquable. Lui, l'angoissé, celui qui craignait le contact humain, celui qu'on évite, découvre étrangement d'un seul coup ce qu'on peut ressentir quand on est désiré et courtisé, et ceci non pas par une personne quelconque, mais par une femme qui, à ses yeux, est vraiment supérieure du fait de sa maturité et de son expérience. Elle n'en vient pas moins chercher aide et conseil auprès de lui. Cette relation le revalorise, et comme l'estime qu'elle lui témoigne tient avant tout à son rôle de prêtre, il peut avoir l'impression de n'avoir jamais connu un tel épanouissement. Sa prédication, sa voix, ses formes d'expression s'adoucissent. Il cause plus avec les gens, se montre plus humain. Surmontant sa séparation entre son moi et son surmoi, il mène une vie en un sens plus conforme à son idéal de clerc. Du même coup et sans qu'il s'en rende compte, son centre de gravité psychique s'abaisse. Se décentrant de son surmoi, son moi se renforce. Plus son inclination s'intensifie, plus il se sent accepté et justifié pour lui-même, et une brise tiède commence à faire fondre les profondeurs glacées de son être. Son manque d'assurance ontologique se résorbe peu à peu. Si cette évolution se poursuit, elle pourra peut-être susciter une personnalité nouvelle, qui cessera de chercher sa justification dans sa fonction de prêtre (ou de religieuse) pour vivre enfin de façon personnelle son rôle.

Mais plus un prêtre (ou une religieuse) se rapproche de cet état, plus il commence, intérieurement ou extérieurement, à ressentir comme pénibles les formes institutionnelles de sa vie.

Dès le début, la relation entre les intéressés se heurte à une difficulté majeure : son ambiguïté. On n'a pas le droit de parler des sentiments qu'on éprouve. Le curé se rend bien compte de ce qui se passe chez sa visiteuse, et la perception de ses sentiments lui procure un peu de chaleur. Mais comment ne pas redouter de voir le feu s'éteindre si, par imprudence, on s'avouait ouvertement la vérité ? Sous différents couverts, on le maintient donc sous la cendre, se contentant d'un compromis avec la réalité. Pour mieux comprendre la situation, il faut se dire qu'aucun des deux, ni la femme ni le prêtre, n'est préparé à tirer au clair ce qui se passe entre eux. La femme vénère son ami. Elle voit en lui un être supérieur. Elle ne saurait penser que, derrière le masque du rôle d'un ecclésiastique habitué au monde, il n'y a qu'un homme tout simple, sans expérience de l'amour, avec des sentiments inhibés, sans liberté ni assurance, heureux de sentir pour la première fois un minimum de proximité humaine et d'attention à sa personne. Quant au prêtre, il voit en cette femme une personne mûre, avec son expérience de la vie, son habitude des hommes, « inoffensive » du fait de son statut matrimonial. Il ne soupçonne pas, même de loin, les inhibitions et les blocages dont peut souffrir une bonne catholique, même après dix ou quinze ans de mariage, pas plus que le plaisir et l'angoisse qu'elle éprouverait à rejeter les vieilles entraves. Ils sont donc tous les deux dans l'impossibilité d'échanger sur ce qu'il y a de plus important dans leur relation, sans même savoir pourquoi ils n'ont pas le droit de le savoir et de se le dire, même s'ils le voulaient. Amoureuse d'un prêtre, une femme mariée serait mortellement blessée si on venait lui dire sans détour la vérité sur ses sentiments, et le prêtre lui-même ne se trouve qu'apparemment dans une meilleure situation. Vu de l'extérieur, il a certes tous les atouts. Ce n'est pas lui qui a lancé l'affaire ; il n'a donc pas besoin de manifester ses sentiments ; et il peut à chaque instant se retrancher derrière les exigences de son devoir sacerdotal. Il peut, à volonté, soit se livrer personnellement, soit rester « de service ». Mais cela ne colle plus avec sa personnalité. Quand donc un prêtre aurait-il appris à tirer librement au clair ses sentiments ? Nous l'avons vu, il sait tout au plus les éprouver sous le couvert de sa fonction. C'est bien pourquoi il se trouve dépassé dès qu'il lui faut répondre avec toute sa personne aux besoins personnels de quelqu'un d'autre. Ainsi est-ce la simple immaturité de l'âme de tant de « médecins des âmes » qui les embarque trop souvent dans tant de tragiques complications.

Désormais la relation nouvelle peut s'engager dans deux directions : la stagnation, autrement dit la résignation, ou la provocation.

— La plus fréquente est certainement la stagnation, mais, psychiquement, c'est la forme la moins intéressante et la plus stérile des amours cléricales, parce qu'elle se borne à figer l'ambiguïté dans un *statu quo* qui n'est rien d'autre qu'accommodement à des sentiments qu'on réprime parce qu'on les veut « irréprochables ». On verra alors une femme continuer des années à venir souhaiter joyeusement l'anniversaire et la fête de « son » ami prêtre. Elle lui fera des petits cadeaux : fleurs, ouvrages faits à la main, ornements d'autel, photos, gravures, ouvrages de littérature, toutes choses qui expriment secrètement mais sûrement ce qu'elle éprouve réellement, mais qui ne dépassent jamais les convenances. Se développent au contraire des sentiments de respect et de reconnaissance pour une intégrité morale qui exclut toute intimité. En général, dans les milieux cléricaux, on se satisfait largement de ce mode d'intimité équivoque : il permet de sauvegarder sa dignité, de maintenir une attitude et une position irréprochables, et il offre la possibilité de devenir un charmant amoureux. Encore faut-il payer ce peu d'un prix élevé : dans les limites imposées, on n'apprendra jamais à connaître l'amour. Au nom de l'Église dont on est le représentant, on en parlera en termes solennels de mission divine, mais sans jamais cesser d'entendre une petite voix rappeler que toutes ces parlottes ne sont rien de plus qu'une manière pieuse de se faire illusion. On ne peut mentir à la nature. Elle se refuse à réduire les mouvements du cœur à un simple jeu de société.

Et surtout, ce flou continuel ! La vie ne consent pas facilement à ce qu'on vive trop longtemps à contresens d'elle. Mais quand la plus grande partie de l'énergie psychique est consacrée à des relations qui ne pourront jamais connaître la transparence ni aboutir, à moins de se trouver écrasé sous le poids de la culpabilité, on ne peut échapper au risque de voir le rêve se substituer à la réalité, créant ainsi un clivage entre l'imaginaire et le réel. Celui qui se refuse à reconnaître les graves dangers pathologiques de cette évolution psychologique, ou qui les admet tout en proclamant qu'il ne « se passe » rien, pratique une pastorale à laquelle s'applique pleinement le mot de Jésus sur les pharisiens : « Vous filtrez le moucheron et vous avalez des chameaux » (Mt 23, 24). Finalement, ce clivage entre le rêve et la réalité, entre l'âme et le corps, entre le désir et le devoir, ne fait une fois de plus que traduire et perpétuer le pur narcissisme du surmoi clérical, ce qu'il faudra fréquemment payer par une série de graves symptômes psychosomatiques.

Psychanalytiquement parlant, la préférence accordée à cette stagnation équivoque pour « résoudre » un amour clérical nous apprend vraiment quelque chose de nouveau sur l'état psychologique de l'Église catholique, en particulier sur sa nature *hystérique*[68] : cette façon de s'esquiver dans un monde flou, ambigu ou même équivoque, où n'importe quoi peut vouloir tout dire, cette sorte de « brouillard à la Fleurier », comme nous le disions plus haut. Mais ici, nous découvrons en plus l'étonnante corrélation existant entre une morale autoritaire d'esprit patriarcal et ces réactions hystériques. A y regarder de plus près, les femmes qui cherchent soutien et abri chez un prêtre le font le plus souvent, soit pour fuir leur père, soit pour le retrouver, et souvent les deux à la fois : elles espèrent trouver en celui-là une image positive opposée à ce qu'elles ont connu de celui-ci — tout en ayant en même temps peur de retrouver en lui l'image négative de leur père, et donc en le fuyant. Disons plus concrètement que, dans le cas de stagnation de leur amour, la plupart des femmes redoutent d'être obligées de prendre immédiatement la fuite pour peu qu'elles révèlent la moindre part de leurs véritables sentiments. Du seul fait de leur peur panique d'être déçues, elles n'osent que rarement proférer une parole véritable et s'engager dans une relation vraie. C'est pourquoi il serait très important de réfléchir à ce manque de transparence et de faire comprendre aux femmes intéressées à quel point, depuis leur enfance, elles sont captives de cette ambivalence du désir et de la peur de leur père, et combien cela les incline à désirer par principe l'inatteignable (en l'occurrence un prêtre d'apparence asexuée) uniquement dans le dessein d'éluder ce qui, à l'arrière-plan, reste atteignable (leur propre mari, par exemple), et ceci du fait d'une très ancienne crainte de punition et de rejet. Mais un tel travail d'élaboration suppose de trouver dans le prêtre non plus quelqu'un qui se sente personnellement flatté par des sentiments qui s'adressent à son rôle et tire de cette sensation des idées et des élans pieux plus apparents que réels, mais un homme vraiment capable de reconnaître le problème d'un autre être qui n'a pas le droit d'aimer, sinon de cette manière ambiguë. Le discours sur Dieu d'une Église qui ne cesse de boycotter concrètement l'amour plutôt que d'affronter ses problèmes débouche sur un dilemme hystérico-compulsif, l'homme, le clerc, adoptant le rôle tranquille et la femme remplissant la tâche à laquelle elle est encline : celle de l'abeille en quête de miel sur un tronc en décomposition, avec ses douces odeurs.

Le Nouveau Testament rapporte l'histoire de la guérison d'une femme, au terme de douze années de souffrance dues à une perte de sang. Son salut lui vint d'avoir osé toucher l'homme de Nazareth, violant ainsi l'interdit des lois judaïques de pureté (Mc 5, 25-34)[69]. Le catholicisme réel fait actuellement tout pour empêcher que de tels prodiges puissent jamais se renouveler entre un clerc et une femme. En les frustrant affectivement, il fait même tout pour rendre hémoroïsses des femmes en elles-mêmes saines.

— Mais que se passe-t-il quand la relation entre une femme et un prêtre continue ?

Du point de vue psychanalytique, il est déjà important de connaître les forces capables d'écarter les inhibitions qui se manifestent, tant dans le comportement personnel du prêtre que dans son « corset » institutionnel.

Chaque transgression des limites imposées provoque de violents sentiments de culpabilité. On peut donc penser que, pour la plupart des clercs, l'amour ne leur « tombe » pas dessus, mais qu'ils s'en approchent au contraire peu à peu, centimètre par centimètre, sous tous les prétextes et avec tous les subterfuges possibles, à travers des compromis constants.

Il existe certes bien des histoires de moines du Moyen Âge et, dans leur sillage, celle du *Père Serge*, ce conte de Tolstoï, qui racontent le cas d'une femme, véritable mal incarné, venant sournoisement induire en péché un pauvre et irréprochable ermite, saint homme de Dieu. En réalité, il est bien rare que les choses se passent ainsi. Psychanalytiquement, tout ce qu'on peut retenir de cette manière de s'imaginer les choses, c'est bien sûr la façon dont on a dès son enfance mis le clerc en garde contre la fréquentation du sexe opposé. Cependant, dans cette atmosphère, son angoisse essentielle ne se rapporte absolument pas à la réalité de la femme, mais uniquement à son propre ça. Tous les clercs ont très tôt appris à se méfier d'eux-mêmes, et leur blocage réside justement dans le fait que, d'eux-mêmes, jamais ils n'iraient à la rencontre d'une femme en nourrissant « des désirs sensuels ». Il peut alors naturellement arriver qu'une femme se sente effectivement tentée de mettre à l'épreuve la solidité d'une telle chasteté, cette piété ostentatoire de stylite — tout simplement pour voir ce qui se cache derrière. Elle-même, étant fillette, a peut-être souffert de vivre sous le poids d'un idéal de pureté qu'elle a dû briser avec douleur et amertume pour accéder à la féminité ; elle éprouvera peut-être alors une sorte de satisfaction maligne apaisante à constater qu'en somme les prêtres « ne sont que des hommes ». Dans de telles conditions, il est tout à fait possible qu'une tentative de ce genre, telle qu'en rapportent des légendes de saints, en les haussant sur le mode franchement fantaisiste au niveau de la tentation en soi, conduise bien plus facilement au but recherché qu'on n'aurait pu le soupçonner. Bien prémunis contre eux-mêmes, certains prêtres se trouvent en revanche totalement démunis, de par une naïveté qui les laisse sans défense, devant une telle provocation. Craignant chez eux-mêmes une irruption de leurs pulsions, ils n'avaient jamais osé s'approcher d'une jeune fille ou d'une femme. Et maintenant qu'on leur tend le cadeau de la tendresse, ils manquent tout simplement d'expérience et de routine pour maîtriser la situation.

« Je ne me rappelle que ceci, me disait en pleurant un prêtre, voilà quelques années : un matin, je me suis réveillé dans le lit d'une femme. Je ne l'avais jamais vue auparavant. Je ne sais absolument pas comment j'en suis arrivé là. J'ai tellement honte. Je me sens tellement indigne... » etc. En fait nous pûmes très bien reconstruire ce qui s'était passé pour qu'il en arrive là ». Laissons tomber l'habituelle excuse de l'alcool ; cette nuit-là, sous l'effet du désir que lui témoignait une charmante jeune femme, il avait perdu toute contenance. Lui qui, sa vie durant, avait dû éviter la vie, il était tombé là, subitement, sans nulle préparation, sur une occasion qu'il avait jugée extrêmement favorable et qu'il ne reverrait jamais, qu'il s'agissait donc de saisir avec l'énergie de quelqu'un en train de se noyer. S'y ajoutait une motivation qui mérite d'être notée : cet homme de Dieu, au tempérament très fin et de caractère délicat, n'avait absolument pas voulu repousser une femme qui se déshabillait devant lui et voulait se donner à lui de toute son âme. « Elle se serait sentie tellement humiliée ! » Déclaration vraiment sincère et objectivement crédible. Il existe une vulnérabilité particulière, essentiellement propre à la conscience narcissique du clerc : le système de sauvegarde personnelle qu'on a appris se brise sans réserve du simple fait qu'il n'a jamais tenu compte de l'autre, de ses souhaits, de ses espérances, de ses inclinations, etc. Dans ces conditions, on peut alors comprendre maints écarts de conduite insoupçonnés de certains clercs ; mais, jusqu'ici, il ne s'agit ni plus ni moins que de simples écarts.

Par la suite, il se peut que de telles expériences et de telles rencontres, une fois faites, créent des attitudes durables : une fois trouvée l'« occasion favorable », plus d'un peut souhaiter la renouveler. « Depuis (c'est-à-dire depuis un incident de ce genre), je suis toujours retourné au bordel », avouait un autre prêtre. « Je cherchais à entrer en conversation avec la femme qui me plaisait le plus. Je n'ai jamais voulu me jeter sur elle comme ça, cependant je ne parlais avec elle que pour ne pas perdre complètement la face devant moi-même. Mais ce n'était pourtant pas satisfaisant. Ce que je voulais vraiment connaître, c'était le désir d'une femme pour moi, celui que j'avais alors éprouvé ; je voulais être désirable et sentir que je l'étais, mais ça ne s'obtient pas avec de l'argent. » Pour ce prêtre la « séduction » de jadis avait eu manifestement des conséquences considérables, non dans le sens d'une relation durable, mais plutôt dans celui d'un commencement de décompensation par rapport à des idéaux de pureté devenus intenables. En ce qui nous concerne, ce cas n'a d'autre intérêt que de nous faire voir comment un prêtre considère son détour par l'amour interdit et son attitude sexuelle littéralement sans amour comme plus avantageux que de s'éprendre réellement d'une femme, et ceci non sans justification du point de vue ecclésiastique. Conformément à son devoir et son propos bien affirmé en confession, il a évité la « séductrice » de jadis. « Mais, ma foi, si je ne sais où aller, j'y vais. »

Comme on le voit, il ne s'agit là que d'une variante de ce libéralisme apparent que nous avons relevé dans l'attitude de l'Église catholique au sujet de la masturbation chez les clercs, d'une tolérance à l'égard de la « faiblesse humaine » unique« ment consentie en vue de consolider le système en interdisant l'amour. « Alors, vous voulez vraiment renoncer à votre charge pour une femme de 45 ans ? » demandait récemment le secrétaire général d'un diocèse à un de ses prêtres las du célibat ; « encore quelques années et elle (la femme actuellement amoureuse du prêtre) sera vieille et flasque », ajouta-t-il, dans un style d'un tel cynisme qu'on ne peut le traduire en langage littéraire. Pour retrouver cette misogynie patriarcale, telle qu'on la découvre encore actuellement d'une manière évidente dans cette caste d'élite que sont les clercs masculins de l'Église catholique, pour peu qu'on écarte le voile des belles phrases et périphrases de style ambassadeur et qu'on se penche sérieusement sur la pensée et la sensibilité véritables des intéressés, il faudrait remonter aux récits de Theodor Fontane illustrant la mentalité des officiers prussiens dans leurs rapports avec les femmes[70].

Du reste cette échappatoire dans des amours vénales ne constitue naturellement jamais qu'une des formes de la frustration et du blocage manifeste de l'épanouissement de la personnalité. Il faut en tout cas noter encore que des êtres à qui on a dès l'enfance interdit l'amour finissent par ne plus avoir de goût que pour l'amour interdit, puisque seul celui-là peut encore leur procurer l'excitation nerveuse, l'irruption d'un sentiment voluptueux de honte et la folle résurgence d'un orgueil masculin écrasé d'humiliation qu'ils avaient déjà connues lors de la puberté, au cours de leurs interminables luttes sous le fouet de la morale sexuelle catholique. Finalement, le sentiment de culpabilité, qui avait toujours été lié à toute leur expérience de la sexualité, devient le stimulant nécessaire à leurs sensations sexuelles : l'interdit joue désormais le rôle du sifflet de Pavlov appelant ses chiens à la pâtée.

— Mais que se passera-t-il si les choses continuent ?

Même dans l'âme des clercs, il n'existe vraiment que deux formes d'amour qui aient le pouvoir de provoquer des miracles. Appelons-les « l'amour de la fée libératrice » et « l'amour de la princesse à délivrer ». Toutes deux sont liées à la magie d'un autre monde, d'où les appellations quelque peu romantiques que nous leur donnons ; et toutes deux touchent à ces thèmes cléricaux permanents que sont la délivrance et le salut, le sacrifice et l'engagement. La « vie ordinaire » ne viendra que plus tard, si elle vient jamais. Toutes deux ont ceci de commun qu'elles les obligent à affronter, en premier lieu leurs propres sentiments de culpabilité, puis les instances qui se tiennent derrière ces sentiments. La plupart du temps, les deux choses vont ensemble.

La plupart des grandes amours surgissant dans la vie de prêtres prennent naissance dans leur ministère même. Comment pourrait-il en être autrement ? Mais, servant de couverture à la croissance de ces amours, ce ministère en masque la gravité aux amoureux, au moins au début, parfois fort longtemps. En fait, pour provoquer une modification durable chez le prêtre, la relation nouvelle doit absolument s'apparenter à une espèce de psychanalyse spontanée, donc provoquer dans un premier temps une véritable déconstruction de toute la personnalité, avec tous les risques et les surprises que l'inconscient tient en réserve sous le couvercle de refoulements massifs. Le point capital, celui en fonction duquel tout s'ordonne, est le suivant : quand un prêtre, échappant au conditionnement de sa fonction, accède à la liberté d'une relation ouverte en « je » et « tu », il se produit en lui un processus de maturation qui délivre le moi des fers dans lesquels l'enfermait le surmoi. Le moi se dégage donc de tous les dispositifs de protection et de soutien qui lui garantissaient auparavant stabilité et sécurité. Il accède pour la première fois à lui-même, à supposer qu'il ne soit pas happé de nouveau par une irruption de sentiments d'angoisse et de culpabilité. En conséquence, s'il s'agit d'un véritable événement et non d'une banale aventure ou d'une glissade dans un marécage, la plupart des prêtres vivent l'irruption de l'amour, cette douce séduction de la liberté, comme un combat pour la vie, pour l'être ou le non-être.

Comment peut-on faire la connaissance d'une femme dans le cadre du ministère ? La plupart du temps le début est simple : voici un prêtre, « pasteur des âmes », « conseiller spirituel », qui ne doit quasiment pas apparaître comme une personne et qui, en fait, n'apparaît jamais comme telle. En face, une femme qui, heure après heure, se révèle à lui avec ses questions et problèmes, et est bien obligée de le faire. Si les choses vont bien, chaque entrevue renforce sa confiance et du même coup sa sympathie et son intérêt pour le prêtre, cet homme qui la seconde si heureusement. Elle sait que la règle du jeu de telles conversations est d'exclure tout ce qui est privé. Mais si simple qu'elle paraisse, cette règle recèle ses pièges propres : faut-il comprendre qu'elle n'a le droit de lui rendre visite que dans la mesure où elle en a sérieusement besoin ?

Trois données de la démarche qui peut conduire un prêtre (ou une religieuse) à pénétrer dans le paradis des amants, en dépit de tous les tabous et de tous les interdits, sont structurellement essentielles, même si elles peuvent prendre des formes différentes selon les cas concrets. Ce sont :

1. Le désir de sauver. Nous avons déjà noté que, dans une psyché de clerc, cette motivation peut avoir plusieurs origines, mais que toutes renvoient à une source unique : la personne de leur mère, perçue dans la situation œdipienne[71]. A tous les niveaux du développement psychologique, qu'il s'agisse de pauvreté, d'obéissance ou de chasteté, c'est elle qu'il s'agit de sauver, du surmenage matériel et psychique, de la destruction d'elle-même (autrement dit de l'organisation de sa famille), ainsi que de ses humiliations par la sexualité masculine. Le clerc adulte ne fait que reprendre, jusqu'au courage du désespoir, l'idée enfantine de se sacrifier soi-même pour une mère elle-même obligée de se sacrifier pour se concilier un père-Dieu tragiquement cruel, toujours présent à l'arrière-plan de la relation mère-enfant. C'est dire que, pour lui, des relations que les gens « normaux » éviteraient avec un sûr instinct de conservation constituent un appât particulièrement efficace. Seule l'idée de sauver la bien-aimée, telle que la chantent tant de contes de fées, peut avoir une vigueur suffisante pour renouer avec ces régions de la sensibilité du clerc qu'on a désertifiées en lui déniant tout droit d'oser être par lui-même et de posséder, de vouloir et d'agir, d'aimer et de vivre. Seule une femme qui, dans sa détresse, fait preuve d'un degré de don de soi et de dévouement semblable à celui de la mère de jadis, et qui, à l'abri de cette coquille protectrice que constitue le sens du devoir, de la pitié et de l'aide, commence à s'épanouir comme femme et comme partenaire amoureuse, est capable, fût-ce en imposant en un sens au prêtre la charge de la libérer, de délivrer en réalité celui-ci de la prison de sa mère, et de lui permettre de s'épanouir à son tour en homme.

2. La trame d'un amour de clerc révèle un autre problème structurel : la tendance à déléguer à l'autre la responsabilité.

De par sa fonction, le prêtre tend à prendre le maximum de responsabilités pour l'autre, alors qu'on ne lui a guère appris à se prendre lui-même en charge. Or, il n'y a d'authentique relation amoureuse qui n'ait tendance à le dépouiller de son habit fonctionnel, littéralement à le faire paraître à nu, donc purement pour ce qu'il est en vérité. C'est bien pourquoi l'amour, de par sa tendance radicale à personnaliser et à individualiser, constitue une menace de premier ordre, tant pour l'individu en fonction que pour les institutions qui l'encadrent. Il fait peur, car il exige et rend possible le rejet du rôle protecteur en devenant soi-même et en s'engageant. D'où le paradoxe que plus un clerc s'engage dans une relation amoureuse — en apparence par pur exercice de sa fonction —, plus il sent se dérober peu à peu sous ses pieds son motif ministériel. Disons mieux : puisque seul l'amour ne peut avoir pour motif que lui-même, le clerc sent lui échapper des mains l'échelle de corde dont il espérait qu'elle le sauverait de l'abîme de l'insécurité ontologique.

Pour un clerc, l'amour ne commence à être sérieux que lorsqu'il ose s'offrir à l'autre, sans rien : sans sa fonction, sans sa réussite, sans cadeaux, sans réparations, simplement tel qu'il est, avec ses défauts et ses faiblesses. Tant qu'il s'imagine être encore obligé de mériter l'amour de l'autre, il garde une auréole de liberté qui, en l'incitant à forcer ses efforts pour être proche de l'autre, empêche en même temps cette proximité. Il subsiste en tout cela quelque chose d'unilatéral profondément identique avec la secrète fuite devant le véritable engagement. Une femme qui s'est laissé séduire par les manières plus qu'amicales de son prêtre amoureux peut connaître une mauvaise surprise quand, dans son partenaire si empressé, elle se met à soupçonner la personne véritable, alors que ne font encore que s'annoncer les souffrances du surmoi clérical annonciatrices de la naissance d'un véritable moi. C'est surtout après les premiers contacts indiscutablement sexuels que se déclare chez beaucoup de prêtres une tendance à réagir de façon quasiment phobique précisément devant la femme à laquelle ils promettaient la lune il y a peu de temps encore. La plupart des femmes en question, surtout celles que leurs souffrances personnelles poussaient à chercher l'aide d'un prêtre, ne sont pas du tout préparées à comprendre et à accepter un tel degré de scission d'une personnalité tiraillée entre la gentillesse et la dureté, entre la bonté et la sévérité, entre la libéralité et le refus, entre un surmoi masculin rigide et un moi structuré d'une manière quasi féminine. Ce qu'elles soupçonnent le moins, c'est à quel point, lorsqu'elles osent enfin se donner totalement, elles peuvent infuser de l'angoisse à un partenaire qui les a courtisées des années durant.

L'Église catholique a mené une croisade insensée contre le thème prétendument si égoïste de la « réalisation de soi », cet objectif commun des psychothérapeutes de toutes tendances.

Comment donc aurait-elle jamais été à même d'apprendre à ses clercs à comprendre l'égoïsme et l'égocentrisme de leur idéologie du don et du sacrifice de soi, si chargée d'angoisse et si névrotiquement axée sur la conservation de soi-même ? Et, dans leur célibat divinement consacré, comment ces clercs auraient-ils pu trouver une occasion de comprendre ce qui se passe réellement dans le face-à-face avec un autre être désireux de les voir exister par eux-mêmes ?

3. Dans chaque « roman de clerc », on trouve structurellement un troisième moment qu'on peut appeler « la vérité du mythe gnostique du sauveur sauvé[72] ».

On objecte sans cesse à l'interprétation psychanalytique de la doctrine chrétienne du salut qu'elle retombe dans une idée purement humaine de la « libération de soi[73] ». En réalité, l'expérience psychanalytique est précisément ce qui peut faire voir combien celle-ci est impensable, en tout cas tant que le diagnostic concernant le besoin de libération désigne l'« angoisse[74] ». On n'élimine pas celle-ci à coups de dogmes bien définis, pas plus qu'on ne la surmonte en cherchant à escamoter l'insécurité ontologique propre à l'existence humaine. L'angoisse liée au fait d'avoir un moi propre et de devoir mener sa vie propre ne peut être apaisée que grâce à la rencontre d'une autre personne capable, par sa proximité bienveillante, de procurer le sentiment que son existence est justifiée et que quelqu'un l'accepte vraiment. Il n'est possible d'oublier sa peur dans le face-à-face avec l'autre que si on ose lui faire confiance sans réserve. La vie de la plupart des clercs, qui n'ont jamais accepté (et ne doivent pas accepter) de se laisser toucher, lier et contraindre par l'amour d'un autre être, montre cependant bien involontairement comment, sous le couvert d'une doctrine toute ficelée de salut du monde par le sacrifice sur la croix de Jésus-Christ, on peut fort bien, on doit même, de par sa fonction, faire tout son possible pour procurer aux autres cette libération — sans en avoir soi-même jamais vécu psychologiquement quoi que ce soit. La profonde expérience du prêtre en question, c'est celle de la nécessité de se libérer de son complexe de sauveur pour être littéralement « sauvé » lui-même. Lui qui s'était élancé pour rendre la femme à elle-même s'est retrouvé lui-même grâce à son amour à elle. C'est bien à travers cette croissance et cette maturation de leur amour mutuel qu'ils ont finalement pu croire avec raison s'être retrouvés en celui qu'ils appelaient Dieu.

Appliqué à Dieu, le mythe gnostique du Sauveur sauvé peut n'être dogmatiquement qu'une vieille hérésie[75]. Mais, appliqué à l'expérience humaine, c'est un symbole antique et sage des voies tortueuses de la découverte de soi.

C'est bien pour cela que le cheminement d'un tel amour de clerc constitue, par sa réussite même, une provocation pour une Église constamment tentée de lui barrer la route au nom de Dieu. Si pour se trouver soi-même, pour arracher son moi de la caverne du surmoi, pour s'épanouir, il est nécessaire de relativiser la fonction sacerdotale ou les vœux religieux, cela ne veut-il pas dire que toutes les idées de fidélité et d'élection, de vocation et de grâce d'état, de liberté et de salut sont en train de se disloquer ? C'est effectivement ce qui se passe.

5. *De la fidélité et de l'infidélité ou le culte de la mort et la bonté de l'être*

Jusqu'à maintenant, nous n'avons parlé que des clercs masculins qui s'éprenaient d'une femme et trouvaient en cet amour la force de se dégager de leur habituelle identification de la personne avec la fonction. Il faut bien voir que les problèmes d'une religieuse qui tombe amoureuse d'un homme ne sont pas fondamentalement différents. Certes, compte tenu de la division patriarcale des rôles dans l'Église catholique, elle est beaucoup moins marquée que son homologue masculin par la prétention à une héroïcité du style légendaire à la saint Georges ou à la saint Martin. Mais on n'en peut pas moins noter que ses rapports interpersonnels reposent avant tout sur une volonté de sauver. A l'arrière-plan de son insécurité ontologique règne sans partage la certitude de ne pouvoir s'approcher de son semblable qu'en lui rendant service. Ainsi le travail est-il chez elle à la base de toute relation plus profonde. Une sœur garde-malade s'éprend d'un diabétique et décide de lui consacrer le restant de sa vie, avec son savoir spécialisé. Une autre, physiothérapeute, préposée au service des bains, fait la connaissance d'un homme âgé qu'elle adopte dans son cœur du seul fait de son amabilité charmante. Une autre, infirmière en salle d'opération, découvre le réconfort que sa conversation procure à un jeune chirurgien, le soir, après une journée épuisante. Dans la vie d'une religieuse, le premier sol nourricier de l'amour, c'est toujours ce sentiment d'être enfin utile à quelque chose, d'être appréciée, d'être aimée pour ses services. Mais les difficultés psychologiques auxquelles elle se heurte sur le chemin de l'amour sont exactement les mêmes que celles que nous avons décrites à propos des hommes : il s'agit toujours d'une lutte contre le sentiment de culpabilité et de la peur de la sexualité, d'une angoisse de punition devant tout lien un peu étroit, d'un renoncement à sa prétention d'être utile, etc. Ce à quoi il faut ajouter que, du fait de son lien plus strict à une communauté, une sœur a beaucoup plus de mal à se frayer un nouveau chemin qu'un prêtre séculier, celui-ci n'ayant tout au plus à affronter que la critique de ses paroissiens et celle de son supérieur ecclésiastique, relativement lointain. Certes, en principe, les réactions de l'Eglise catholique, que ce soit dans un ordre religieux ou un diocèse, sont les mêmes à l'égard de tous ceux qui souhaitent renoncer à leur existence cléricale à cause du célibat ; dans les deux cas, elle sont faites d'un cynisme dédaigneux de toute dignité humaine. Cela suffit à démentir cruellement le bavardage idéologique sur la liberté et la richesse de grâces des conseils évangéliques et à faire paraître vraiment effrayante l'attitude de l'Église catholique, même à ceux qui l'aiment.

Le drame commence dès que cet amour clérical est publiquement connu, c'est-à-dire quand les supérieurs ecclésiastiques ont vent de la chose. Peu importent les raisons pour lesquelles on a dénoncé l'inclination d'un curé pour une femme ou celle d'une religieuse pour un homme : jalousie d'une rivale dans les bonnes grâces du pasteur, envie d'une pieuse consœur qui, dans sa famille, détestait déjà voir ses sœurs se jeter au cou d'un jeune homme de 18 ans, ou dépit névrotique d'une personne que son mariage malheureux à rendue malade, l'important n'est-il pas de protéger l'honneur de l'Église et d'empêcher un scandale ? C'est à ceux à qui leur fonction confère la charge d'agir en toute sagesse et conscience de mettre en œuvre les règles et procédés qui ont fait leurs preuves dans l'Eglise au cours des siècles passés.

Le premier objectif devra être de séparer les amants l'un de l'autre. Autrefois c'était très simple : un sévère rappel du vœu prononcé suffisait à faire comprendre au clerc concerné le caractère intenable de sa situation, et le pécheur repentant acceptait volontiers en guise de sanction de voir l'évêque le déplacer à l'autre bout du diocèse. A dire vrai, de nos jours, cette pastorale protectrice à l'égard des pasteurs des âmes répond à des exigences plus élevées, mais le résultat est le même. On a pu affiner le système, mais même des gens enseignant et pratiquant depuis des années la psychologie pastorale semblent toujours d'accord pour y collaborer. Avant de s'interroger sur l'administration de l'Église, ils préfèrent mettre en question le clerc individuel, isolé, donc peu sûr de lui-même.

Il y a quelque temps un théologien jugé digne d'enseigner en faculté mais coincé par les contraintes d'un amour illicite s'adressa à un éminent formateur en pastorale pour lui demander conseil et avis. Son curé de village, un peu fruste, lui avait très clairement rappelé une aventure célèbre : n'avait-il pas appris ce qui lui arriverait si, tel Abélard, le moine savant, il mettait plus souvent la main dans le corsage de son Héloïse que dans ses livres[76] ? Quatre personnes s'étaient emparées du coupable pendant son sommeil pour, avec un couteau, couper court à tout désir luxurieux. C'était il y a neuf cents ans... De nos jours le couteau protecteur de la chasteté ne coupe plus la chair, mais il tranche dans l'âme. Dans une brève missive, le formateur en pastorale susmentionné répondit à son correspondant que la meilleure façon de clarifier les choses serait de passer plusieurs mois, ou même un an, dans un couvent pour y suivre une retraite. La signification de ce conseil était claire : celui ou celle des clercs à qui les feux de l'amour n'avaient pas encore infligé des brûlures suffisamment douloureuses trouverait vite dans l'atmosphère sublime de cette retraite claustrale un rafraîchissement apaisant pour sa concupiscence échauffée. Qui a connu l'amour comprendra sans peine l'apparence cruelle, et même diabolique, de ce conseil, au moment précis où l'amour, encore à ses débuts, est le plus tendre et le plus vulnérable : un jeune prêtre ou une jeune religieuse amoureux n'ont plus grand-chose à voir avec les marins des îles Frisonnes au XIXe siècle, et leurs fiancées, à qui il apparaissait normal et banal de se trouver séparés l'un de l'autre, dans l'espace et dans le temps. Pour eux, séparation ne peut signifier que rupture, et c'est justement le but recherché. Encore aujourd'hui, dans le souci de maintenir leur discipline, certaines communautés monastiques vont jusqu'à condamner un confrère en danger à l'isolement total du monde extérieur, sans courrier ni téléphone. Après tout, pensera-t-on, la situation sera ainsi claire et chacun saura où il en est. Mais, dans une Église moderne et avancée, un éducateur en pastorale a évidemment dépassé de telles méthodes de contrainte ! Or donc, quand le candidat au poste universitaire, conscient des conséquences, mais impressionné par le torrent de larmes de désespoir de son amie, refusa la retraite monastique qu'on lui proposait, son conseiller lui envoya un petit discours pressant lui rappelant l'importance de sa décision. Mais un bon psychothérapeute sait qu'il ne faut jamais forcer celle-ci au moment où l'intéressé se trouve dans une phase de crise et d'immaturité. Dieu merci, faut-il dire, ce jeune homme s'aperçut donc à temps du jeu qu'on voulait lui faire jouer, et il rédigea un mot émouvant, mais énergique, expliquant que, sa vie durant, il n'avait jamais eu le droit de s'épanouir librement, qu'il était donc en droit de se considérer comme immature, mais que si jamais il avait une chance de compenser cette immaturité et de devenir lui-même, c'était maintenant, et aux côtés de son amie. Et, après ce coup d'étrier, il franchit la dernière haie en annonçant dans le même courrier à son évêque sa décision de se marier.

Mais qu'arrive-t-il donc si les couteaux de chasteté ne réussissent plus à trancher ? Ils se transforment en tondeuses qui détruisent systématiquement aussi bien l'amour que les amants. Parlons d'abord de la procédure de réduction à l'état laïc. Etant donné que, dans ces questions pour elle si délicates, l'Église tient au secret le plus absolu, personne en dehors de la Curie romaine ne sait même approximativement combien de prêtres quittent chaque année leurs fonctions. On peut se référer à l'estimation selon laquelle, durant les vingt-cinq dernières années, plus de quatre-vingt mille prêtres catholiques romains sur un total de quatre cent cinquante mille se sont mariés et ont quitté leur ministère[77]. Même si les prélats romains peuvent se consoler à l'idée qu'un expert en humanité comme Jésus de Nazareth avait quand même tiré un mauvais numéro en choisissant ses douze apôtres, il faut bien reconnaître qu'un tel pourcentage est trop élevé. On va donc user de tous les moyens pour rendre plus difficile la réduction à l'état laïc.

D'un point de vue strictement dogmatique, celle-ci est absolument impossible, car le concile de Trente a formellement déclaré, en opposition à la conception réformée du ministère, que la réception de l'onction sacerdotale conférait à l'individu consacré la marque indélébile d'une grâce qui ne peut plus jamais lui être enlevée[78]. Mais tel est le jeu de la vie ! Les mêmes clercs qui déclarent en gros indissoluble un mariage, bien qu'il n'imprime pas de marque éternelle et ineffaçable, adoptent en filigrane une attitude différente concernant leurs semblables. Ils ont donc imaginé une procédure, non sacramentelle, certes, mais de droit ecclésiastique, qui permet de dispenser quelqu'un de son statut clérical, devenu trop gênant, et d'en revenir au statut de laïc.

On peut dire ce qu'on veut du pontificat du pape Paul VI, mais il faut bien reconnaître, tout à l'honneur de ce pape, que lui, si scrupuleux en matière de morale sexuelle, à l'exemple de son modèle vénéré Pie XII, fut d'une grande honnêteté dans son attitude envers les clercs. Jusque dans les années 70, quiconque estimait ne plus pouvoir vivre sans dommage spirituel dans le célibat pouvait demander sa réduction à l'état laïc sans difficulté, sinon sans complications, et il n'y avait pas de dogmatique qui tienne. Mais le flot des demandes s'accrut tellement que, dès le lendemain de son élection, le pape Jean-Paul II décida promptement et sans discussion de bloquer toutes les procédures en cours. Avant lui, il était d'usage d'engager des prêtres réduits à l'état laïc comme professeurs de religion ou de les récupérer dans des postes de responsabilité. Sous la présidence de Joseph Stingel, on les prit comme conseillers professionnels dans les services du travail, et le cardinal Dörfner créa dans son diocèse de Munich un service de liaison chargé d'aider pastoralement ces prêtres « tombés ». Il y avait manifestement là quelque chose de l'esprit de Vatican II. Mais avec l'entrée en fonction du cardinal Ratzinger comme archevêque de cette même ville, ce service fut immédiatement dissous[79] ; et, en la matière, le vent qui souffle ces temps-ci avec force sur l'Allemagne ramène les nuages menaçants des années 50.

Il faut bien se rendre compte que, même en l'interprétant favorablement, la pratique de la réduction à l'état laïc implique toute une série de présupposés idéologiques intenables et inhumains. Tout au plus peut-on les expliquer en comprenant que l'Église catholique, soucieuse de clarté objective, ne se demande pas comment les hommes s'accommodent de leur fonction, mais seulement comment on peut les amener à s'y comporter de façon satisfaisante selon ses vues. Ce qui l'intéresse dans le cas des prêtres, ce ne sont pas les personnes vivantes, mais plutôt des figurines de saints, de vénérables icônes qui peuvent être aussi vermoulues qu'on voudra, pourvu que la feuille d'or finement ciselée cache la tare aux yeux de l'observateur critique. La question de la réduction à l'état laïc repose en particulier le problème de sa si étrange position en matière de morale sexuelle.

La question qui décide de la possibilité ou de l'impossibilité de la réduction d'un prêtre à l'état laïc, c'est celle de savoir jusqu'à quel point l'intéressé était libre au moment où il a prononcé ses vœux. S'il l'était, aux yeux de l'Église, ces vœux l'obligent devant Dieu, et aucune puissance au monde ne peut les révoquer. C'est seulement si l'intéressé n'était pas libre en cette occasion que l'Église peut statuer juridiquement sur cet état de fait et estimer que l'ordination sacerdotale n'a en somme pas eu lieu : la liberté nécessaire à la réception du sacrement n'existait pas. C'est une position qui, à peu de chose près, ressemble structurellement à la distinction entre le divorce et la déclaration de nullité d'un mariage : là non plus, on n'a pas le droit de dissoudre ce que Dieu a uni ; on peut tout au plus constater que Dieu n'a pu conclure quoi que ce soit, puisque les présupposés humains n'étaient pas réalisés. L'Église catholique ne veut pas admettre que son attitude revient à déchirer violemment la vie : elle projette sans aucune précaution sur l'histoire des personnes son concept abstrait de liberté, sans tenir le moindre compte de la distinction entre conscient et inconscient. Au lieu d'admettre qu'il peut exister différents stades de maturation, tout comme à propos des questions de masturbation ou d'homosexualité, elle oppose ce qui est libre et ce qui ne l'est pas, et elle accroche le plus sérieusement du monde à cette distinction fictive le problème du Ciel et de l'enfer. S'agissant de l'échec d'un mariage, elle ne parvient pas à admettre que deux conjoints aient pu essayer de tirer le meilleur de leur amour, mais que, vingt ans plus tôt, ils ne connaissaient pas les difficultés qui allaient s'amonceler devant eux ; qu'il est donc possible qu'ils ne soient pas coupables de leur échec ; que la vérité de cet échec tragique, c'est souvent qu'il n'y a plus d'espoir de bonheur commun. En matière de réduction à l'état laïc, elle ne réussit pas plus à dire que, vingt-sept ans plus tôt, tel prêtre avait estimé mettre autant qu'il le pouvait sa vie au service de Dieu, mais qu'il ne pouvait se douter que la forme dans laquelle il tentait son engagement se révélerait peu à peu trop stricte pour lui. Elle doit donc tenir le langage suivant : tous ceux qui abandonnent leur fonction sacerdotale ou leur état de mariage commettent objectivement un péché grave, sauf s'il n'y a pas eu de volonté libre pour s'y engager.

La réduction à l'état laïc nous oblige donc à nous confronter au véritable problème : l'incapacité de l'Église à reconnaître que les formes de croissance et de maturation humaines sont plus diverses et riches que ses schémas objectivistes étroits. A l'écouter, on ne saurait penser ce qui est pourtant l'expérience indubitable de tant de prêtres qui ont accroché leur soutane à un clou : qu'ils ne sont pas moins prêtres pour être passés par l'école de l'amour et par les mains des femmes ; que bien au contraire, ils le sont plus que jamais, du simple fait qu'ils sont devenus plus libres, plus ouverts, meilleurs, plus compréhensifs, bref, plus humains qu'ils n'avaient jamais eu le droit de l'être leur vie durant. Si jamais l'affirmation de la doctrine catholique de la grâce, celle selon laquelle la grâce divine suppose la nature de l'homme, peut montrer sa justesse, c'est bien en manifestant ici ses conséquences pratiques : l'Eglise devrait se réjouir de ce que certains de ses prêtres aient trouvé dans leur condition sacerdotale une attitude humaine naturelle leur permettant de parler personnellement de Dieu de façon plus crédible, pastoralement plus efficace et religieusement plus juste. Elle devrait apprendre de tous ceux qui l'ont appris par l'amour qu'il n'y a pas deux royaumes : l'un sur terre et l'autre au Ciel, mais un unique Royaume des âmes, plein des rêves d'une poésie céleste faite de miséricorde et de bonté. Elle devait apprendre aussi que le seul étalon pour mesurer notre vie, c'est la mesure dans laquelle nous avons voulu rassasier les affamés, délivrer les prisonniers et vêtir ceux qui étaient nus (Mt 25, 35 s.) — peut-être encore plus spirituellement que matériellement. Les prêtres mariés sont ceux qui pourraient introduire dans l'Église une forme de vie dépassant enfin les funestes clivages entre homme et femme, corps et âme, sensualité et sensibilité, réalité et promesses, nature et grâce, piété et expérience. Plus encore : ce sont eux, justement eux, qui, par leur exemple, pourraient frayer un chemin menant de l'angoisse humaine à la foi, en rappelant que le particulier est plus important que le général, qu'il conduit même à oser briser certaines lois sacrées plutôt que le cœur d'un humain.

Mais non, justement ! L'Église tient à ses lois, et elle ne semble jamais, au grand jamais, en mesure de convenir que la forme célibataire du sacerdoce, sinon en idée, du moins dans la réalité concrète d'une existence individuelle, peut être quelque chose de limité, de momentané, de psychologiquement et spirituellement particulier que le développement même de la personne amènera à transformer, à élargir et même, en un certain sens, à dépasser ; et cela non pas parce qu'un prêtre donné n'était jadis qu'un mauvais prêtre, un malade, un psychopathe, mais tout au contraire parce que ce qui le conduisait déjà alors, c'était une humanité et une bonté qui l'ont amené d'elles-mêmes dans les bras d'une femme. C'est bien cela que, dans sa constitution actuelle, l'Église catholique ne veut ni ne peut admettre. Dans ses rangs, il faut considérer le fait d'être prêtre comme quelque chose d'absolu, d'éminent, de tout simplement ultime et donc, par là-même, comme quelque chose d'éternel. Et il faut que cela le soit sans exception et par principe, en idée et en réalité, en général et en particulier. Elle dénie le fait que cette position fasse violence à la réalité au bénéfice d'une idéalité vide et abstraite, et qu'en exaltant ainsi la cléricature, elle dépouille l'âme humaine de sa force au bénéfice d'un désir de puissance, ceci jusqu'à un point pathologique. Il ne saurait y avoir de développement psychologique outrepassant la vie cléricale, pas plus qu'il ne saurait y en avoir au-delà d'une certaine forme de mariage. Le définitif est le dernier mot de tout, du moins de tout développement fécond. Cette façon de voir les choses revient à porter à l'absolu non seulement la volonté de puissance, mais la volonté de tout boucler dans une rectitude immuable.

Cela ne fait que provoquer la comédie suivante. En posant l'état sacerdotal comme quelque chose de valable absolument et définitivement, on n'a plus d'autre possibilité que de psychiatriser la quête et la lutte de personnes conscientes de leur inachèvement et du caractère non définitif de leur état spirituel. L'Eglise, qui ne s'intéresse quasiment pas à la psychodynamique de l'inconscient et qui se défend à la seule idée d'en prendre connaissance, semble attacher la plus grande valeur à des expertises psychiatriques pour ses clercs en mal de réduction à l'état laïc. Mais elle le fait uniquement pour tenir ainsi à distance les questions véritables et les perspectives de la psychiatrie et de la psychothérapie, autrement dit pour continuer à avoir raison contre les personnes. Elle préfère toujours imposer comme normes ses statuts tout faits, plutôt que de s'ouvrir à la possibilité de nouvelles expériences et de nouveaux espaces de développement.

Une Église qui n'a cessé d'exiger serment sur serment en refusant de reconnaître le droit à un libre développement personnel ne dispose finalement plus d'autre moyen de se montrer secourable vis-à-vis de ses membres que de leur concéder la grâce du manque de liberté. Mais le plus invraisemblable dans tout cela, c'est qu'on trouve toujours des gens très raisonnables (psychologues spécialisés en pastorale, médecins, thérapeutes) qui acceptent de collaborer activement à cette farce, avec l'intention de rendre au moins à l'intéressé le service dont il a besoin pour être en paix avec son Église. En réalité, quand on cherche à se montrer humain à l'intérieur des règles d'un jeu inhumain, on ne rend finalement service qu'au système lui-même. En tout cas, au lieu de coopérer avec empressement à une entreprise inconsistante, il serait plus honnête et plus clair d'aider l'individu à trouver le courage de vivre ouvertement sa contradiction avec cette forme d'Église et de refuser lui-même énergiquement d'y collaborer. Dans tout système totalitaire, les « types gentils » sont objectivement les plus dangereux, parce qu'ils créent toujours l'illusion de ce qui n'est pas. Mais qu'est-ce donc que cette Église qui, dès que ses meilleurs amis commencent à tomber amoureux, se voit obligée de les déclarer temporairement déments pour leur accorder la paix avec son système ?

Même en faisant abstraction de cette exigence d'une capitulation psychiatrique du clerc devant le tribunal chargé de la procédure de réduction, il reste le scandale du temps nécessaire pour obtenir une réponse. De l'extérieur, on peut croire que cela n'est dû qu'à la pesanteur de l'administration. Ce n'est pas seulement une difficulté bureaucratique, c'est l'étroitesse d'esprit d'une bureaucratie ecclésiastique toujours bien décidée à « réguler » et à étrangler avec acharnement les affaires sentimentales par des moyens de pouvoir, qui peut laisser traîner dix ans l'affaire avant de faire savoir si Rome accepte ou non la réduction à l'état laïc. C'est clair : cette torture morale est voulue pour décourager. Quel est donc ce saint état de gens « appelés librement par la grâce de Dieu » qui, pour se maintenir, a besoin de recourir à ce genre de tourments ?

Car, à y regarder de plus près, la pratique vaticane, qui gouverne arbitrairement en fonction de ses intérêts administratifs, met intentionnellement et ouvertement les intéressés devant un dilemme par principe insoluble, si on admet la logique des présupposés de l'Église, et accule donc à une alternative qui est une insulte aux exigences de la simple humanité. Voilà un prêtre de 32 ans qui s'est épris d'une monitrice de jardin d'enfants de 28 ans. Tous deux veulent être fidèles à leur amour, quoi qu'il en coûte. A elle seule, une telle décision déclenche le plus souvent un vrai roman de crises intérieures et de démarches du type de celles décrites plus haut, mais au moins avec la perspective de tout arranger pour un bonheur futur. Après mûre réflexion, ils ont pris ensemble leur décision. Ils adoptent alors la solution qui, humainement parlant, semble la plus honnête : au lieu d'attendre une quelconque dénonciation, ils osent d'eux-mêmes annoncer publiquement leur situation et font part à leur évêque d'une union qui, selon la doctrine de l'Église catholique, est indissoluble, puisque c'est Dieu qui l'a conclue : l'amour est inviolable et contraignant. Mais l'Église institutionnelle agit tout autrement avec les prêtres en fonction : quand le système d'espionnage et de dénonciation a manifestement échoué, il faut tout mettre en œuvre pour éviter ce qui est apparemment le pire pour l'autorité ecclésiastique, et donc empoisonner de souffrance le bonheur d'aimer.

C'est compréhensible : les deux intéressés voudraient se marier le plus tôt possible. Mais c'est précisément ce qui est humainement compréhensible et « trop naturel » qu'on doit, au nom du surnaturel, dénaturer en acte monstrueux et punissable. Un prêtre qui se marie sans être réduit à l'état laïc contrevient au canon 277 du droit ecclésiastique de l'Église romaine, lequel stipule dans ses paragraphes 1 et 2 : « Les clercs sont tenus par l'obligation de garder la continence parfaite et perpétuelle à cause du Royaume des Cieux, et sont donc astreints au célibat, don particulier de Dieu par lequel les ministres sacrés peuvent s'unir plus facilement au Christ avec un cœur sans partage et s'adonner plus librement au service de Dieu et des hommes. Les clercs se conduiront avec la prudence voulue dans leurs rapports avec les personnes qui pourraient mettre en danger leur devoir de garder la continence ou causer du scandale chez les fidèles [80]. » Selon le canon 915, un prêtre qui ne se conforme pas à ces prescriptions est de ce fait exclu de la communauté sacramentelle des fidèles [81] ; selon les normes de l'Église catholique, il vit dans une « union irrégulière » sur laquelle repose non la bénédiction de Dieu, mais la malédiction de l'Église. Dans cette situation, ce prêtre, s'il voulait se réconcilier avec l'Église, devrait en confession regretter tous ses péchés graves et éviter immédiatement et pour un temps indéterminé l'occasion du péché grave en la personne de son épouse, pardon ! de son amie. Pour pouvoir continuer à exister comme prêtre, il devrait se renier comme personne, avec tous ses sentiments, autrement dit, pour dire psychologiquement les choses, attester que sous la dictature de son surmoi il n'a jamais réussi à vivre d'une manière assez autonome pour être capable d'une véritable décision personnelle. Et c'est précisément dans ce manque d'autonomie personnelle que l'Église catholique, avec sa politique d'intimidation, voit naturellement un motif suffisant de devenir clerc.

Notons bien que ce n'est pas à quelques marginaux de l'Église qu'on impose ce genre de tortures de conscience, mais à des personnes qui ont totalement intériorisé le système ecclésiastique et pour qui l'Église catholique est, depuis l'enfance, leur patrie spirituelle : elles ont cru ce que sa doctrine leur affirmait : qu'elle était la gardienne infaillible de la vérité divine, l'axe secret de l'histoire universelle, la norme pour le temps et l'éternité. Devant ces doctrines, si absurdes et si intolérantes qu'elles puissent paraître aux gens du dehors, ces personnes n'ont jamais manifesté religieusement le moindre doute. Mais voilà que c'est cette même Église qui les oblige dorénavant à brûler tout ce à quoi elles ont cru. En posant sa brutale alternative entre croire et être humain, elle fait elle-même preuve de la contradiction et de l'intransigeance spirituelles de son système hiérarchique et dogmatique.

Il ne manquera certes pas de lecteurs qui, surtout après avoir lu nos réflexions de la première partie sur la pensée et la vie « de fonction », se demanderont si, après tout, les termes dans lesquels nous présentons la façon qu'aurait l'Église de poser une alternative entre la personne et l'institution, entre le moi et le surmoi, entre l'homme et Dieu, est aussi claire que cela. D'ailleurs, si on pense en termes religieux, n'est-elle pas concevable, pour ne pas dire acceptable ? Mais nous tenons ici la preuve de notre raisonnement : ne faut-il pas dire en effet qu'un système qui, depuis des siècles, continue à forcer des gens à choisir entre Dieu et l'amour d'un autre est à la fois inhumain et opposé à Dieu, parce qu'il est littéralement sans amour, ligoté qu'il est dans ses structures de pouvoir et d'administration ? Ce n'est pas aux prêtres de venir se confesser à l'Église de s'être montrés infidèles et assez culottés pour « se perdre » avec une femme, en dépit des remontrances de leur surmoi ; c'est à elle de s'accuser et de reconnaître devant les hommes (et alors devant Dieu) son inhumanité et sa cruauté morale.

Paroles trop dures ? Jugement trop hâtif ? Attendons encore un peu pour le dire, car nous n'en sommes encore qu'aux procédures par lesquelles l'Église catholique cherche à extirper par la torture du cœur de ses prêtres le danger de l'amour, en y instillant et en y accrochant des sentiments de culpabilité. Dans ce combat contre l'amour, elle dispose de cette arme supplémentaire qu'est la mise en quarantaine sociale. En ce qui concerne le célibat des clercs, les laïcs ont actuellement plutôt tendance à rester neutres. A leurs yeux, cette question, qu'on prétend capitale, n'a pas grande importance pour le salut, et c'est aux prêtres de la régler entre eux. Je me souviens d'une paroisse, il y a bien des années, dont on devait déplacer un curé à cause des bruits qui couraient. Les paroissiens savaient quasi officiellement qu'il vivait maritalement avec sa gouvernante, mais cela leur était égal. Ils voyaient que la gouvernante, qui collaborait assidûment à la vie pastorale, communiait presque chaque jour et ils estimaient que tous deux avaient à « en » prendre la responsabilité devant leur Seigneur. Il fallut que le curé tonnât tout un sermon contre le célibat ecclésiastique, qu'il présentait comme antichrétien en regard des paroles de Jésus, pour qu'ils se missent à murmurer : « Qu'il nous fiche la paix avec ses problèmes personnels ! » A vrai dire, cette indifférence pratique de la plupart des laïcs en la matière révèle une curieuse ambivalence. Elle ne dénote pas seulement la distance croissante qui s'établit entre eux et l'Église des prélats et des évêques ; elle dénote la façon dont ils continuent à dépendre de l'autorité et sont toujours prêts à lui obéir, sans compter leur acceptation de la distinction, à leurs yeux toute naturelle, entre laïcs et clercs. Mais ce même public chrétien qui, par indifférence ou par impossibilité de faire autrement, s'« habitue » à la vie sentimentale, secrète ou semi-publique, de ses prêtres peut faire preuve de l'instinct meurtrier d'une meute de chasse et se ruer sur l'individu que l'Église, pour des raisons politiques, a décidé de livrer aux poursuivants.

C'est d'ailleurs par là que l'attente de la décision devient si cruellement éprouvante. Si par exemple ce prêtre de 32 ans faisait tout simplement part un dimanche matin à la paroisse de sa décision de se marier et bouclait ses valises l'après-midi, le drame se résoudrait probablement en vingt-quatre heures. Mais tant que subsiste l'impression — celle que souhaite l'Église — que l'hétérosexualité de son prêtre est peut-être « réversible », les fidèles auront l'impression qu'il est de leur devoir de chrétiens de rappeler celui-ci à la raison ; on s'acharnera donc tout particulièrement sur son côté prétendu le plus faible : sa bien-aimée. On lui reprochera d'avoir malgré lui séduit le prêtre de façon odieuse et éhontée ; on ne tiendra pas compte du fait qu'elle refuse de se défendre en racontant comment ils se sont connus, par discrétion pour celui qu'elle aime. Si elle persiste à ne pas montrer de signe de repentance, on la traitera de « putain de curé » ou de « curaillonne » ; les fidèles la considéreront comme déshonorée. Elle ne doit pas fréquenter l'Église où ce prêtre dit la messe ; il aurait même le devoir de refuser de l'admettre au banc de la communion. Et, si tout cela ne suffit pas encore, si tous les deux persistent quand même dans leur amour et que lui est obligé de quitter ostensiblement son ministère, la chasse ne s'en poursuivra pas moins. La plupart des prêtres mariés disent à quel point ils se sont sentis brusquement abandonnés, comment leurs amis apparemment les plus sûrs se sont mis à les fuir. Certains croient même avoir remarqué une joie mauvaise dans les réactions de ceux qu'il est convenu d'appeler les confrères : il est vrai qu'il n'y a rien qui donne autant l'impression de sa propre force de caractère que la « faiblesse » des autres.

Mais le pire, c'est la façon dont les angoisses du surmoi, de toute manière présentes, viennent se conjuguer avec le système bien établi de punition sociale de l'Église. La silencieuse rupture du contact avec des amis chers, les airs déçus d'anciens collègues ou la méchanceté ouverte de ceux « qui savaient depuis toujours » suffisent pour provoquer subjectivement un ébranlement violent qui peut à son tour troubler de façon durable la toute nouvelle relation amoureuse. Il y a des prêtres mariés qui, même des années après, ne se risquent toujours pas à remettre les pieds sur le territoire de leur ancienne paroisse ou même dans la ville épiscopale. En dépit de tous leurs raisonnements, ils se sentent d'accord avec les règles de l'Église, et ils se perçoivent donc comme des réprouvés qu'on méprise. Même à leurs propres yeux, ils sont et restent les hors-la-loi de la communauté catholique.

Mais cela ne suffit encore pas à satisfaire la fureur vengeresse de l'Église. Et c'est ici le point où celle-ci laisse définitivement tomber le voile qui masquait son fanatique mépris institutionnel pour l'humain. Supposons que ce prêtre dont nous venons de parler, malgré ses scrupules et les menaces de punition sociale, ait le courage de ne pas se laisser intimider et accabler. Il reste encore une dernière carte que l'appareil de pouvoir de l'Église catholique jouera sans vergogne : la dépendance économique.

On est bien obligé de le dire : maintenant que les choses deviennent sérieuses, la même Église qui recommande et propose à ses clercs le conseil évangélique de pauvreté, fait de celle-ci une menace pour garder ses gens sous son contrôle. En analysant l'aspect fonctionnel de la vie du clerc, nous avons toujours souligné comment, psychologiquement, prêtres et religieux trouvaient dans leur lien à l'Église une solution à leur angoisse existentielle. Or, voici que le cercle se referme, quand nous constatons comment cette Église cherche elle-même à créer l'angoisse, tant matérielle que psychologique, afin de s'assurer de la « fidélité » de ses sujets. En ajoutant la menace de la déchéance sociale à ses autres mesures coercitives, son intention, qu'elle déguise sous des considérations de théologie morale, est de faire revenir les intéressés dans ses bras miséricordieux. Et si ces mesures ne suffisent pas pour atteindre ce résultat, il n'en faut pas moins les prendre pour intimider les autres en réagissant contre tout précédent fâcheux : fidélité d'abord.

Nombreux sont les prêtres qui cachent leurs amours, intimidés qu'ils sont par de telles pratiques, soucieux de leur statut social, mais aussi des répercussions de leur attitude sur les autres fidèles. C'est pour eux qu'est rédigé le canon 1395, 1 : « Le clerc concubin [...], et le clerc qui persiste avec scandale dans une autre faute extérieure contre le sixième commandement du Décalogue, seront punis de *suspens,* et si, après monition, ils persistent dans leur délit, d'autres peines pourront être graduellement ajoutées, y compris le renvoi de l'état clérical [82]. » Mais il faut toujours interpréter une loi selon son strict libellé, et, pour des oreilles romaines, il faut savoir entendre ainsi celui-ci : s'il « persiste » et « persiste avec scandale »... Autrement dit, là où il n'y a pas de scandale, il n'y aura pas non plus de sanction. C'est de cette situation que rend exactement compte Ursula Goldmann-Posch quand elle écrit : « Si un prêtre et une femme vivent en “ union irrégulière ”, cela peut être moralement blâmable, mais, canoniquement parlant, cela ne devient pertinent que “ lorsque la faute est prouvée ”. Si le couple a envie de mettre fin à ce regrettable état de “ concubinage ” et veut tenter un mariage civil à défaut du mariage religieux, il faut considérer cela comme un “ acte public ”, avec les conséquences évoquées. Un professeur de théologie allemand, qui vit depuis quinze ans avec une femme, peut parler d'expérience : “ Il y a des évêques qui vont jusqu'à donner au prêtre intéressé le conseil de vivre simplement avec cette femme ; le mien, en tant qu'évêque, le tolérerait. Il ne se sentirait obligé de prendre des mesures que dans le cas d'un mariage. ” “ Il ne s'agit en réalité que de maintenir un ordre, commentait-il. Si le système en tant que tel n'est pas mis en cause, on peut admettre beaucoup d'exceptions dans les cas particuliers. Je trouve cela très grave. J'ai quelquefois l'impression que l'Église n'est plus qu'une institution du maintien du célibat et de l'ordre[83]. ” » En vérité l'Église est aujourd'hui obligée d'admettre beaucoup d'exceptions.

Sont franchement évidentes les hypothèques que l'interdit fait peser sur une telle relation. Posons cette hypothèse, qui n'est sûrement pas généralisable : celle d'un prêtre qui ne prend pas prétexte de l'impossibilité d'un mariage public pour se garder libre de pouvoir échapper à son gré à sa liaison, d'une femme par ailleurs assez forte pour supporter devant sa conscience et devant Dieu cette « union sans acte de mariage ». N'en subsistera pas moins toujours l'obligation de la clandestinité. Il ne sera jamais possible d'aller en ville la main dans la main, comme les autres, ni de s'embrasser en pleine rue ; il faudra même toujours éviter en public la tendresse des mots et des regards. La femme renoncera définitivement à avoir un enfant, c'est-à-dire qu'elle devra ou bien vivre dans l'angoisse constante de la catastrophe toujours menaçante d'une grossesse possible, ou pratiquer la contraception artificielle, ce que l'Église catholique condamne très sévèrement. Le pire sera naturellement s'il arrive quand même « quelque chose ». Peu nombreux seront les prêtres qui trouveront le courage nécessaire pour se condamner à une sorte de désert. Il n'existe évidemment pas de statistiques concernant la fréquence des avortements dans ces « mariages » de prêtres ; mais si on tient compte de la relative inexpérience précisément de ces prêtres, s'agissant de leurs premiers contacts avec une femme, de la dépendance de ces femmes qui ne veulent pas provoquer la ruine de leur amant, et qu'on ajoute à tout cela l'énorme pression des sanctions ecclésiastiques, plus le fait que ces prêtres portent en eux un surmoi plus sévère que celui des autres, mais qu'ils n'en sont pas pour autant nécessairement meilleurs, on pourra supposer que le nombre des avortements provoqués par les clercs de l'Église catholique n'est pas moindre que celui d'autres catégories sociales.

Mais, pire encore que tout cela, il y a le cynisme insidieux, fait de fausseté et de duplicité. « Quiconque provoque un avortement s'attire de ce seul fait la peine de l'excommunication », déclare le canon 1398[84]. Combien de prêtres excommuniés y a-t-il donc ? Espérant en la miséricorde de Dieu, qui est plus large que leur cœur et très certainement que celui de leur Église, il leur faudra dire la messe jour après jour, dispenser les sacrements, et même peut-être lire à chaque début de Carême le mandement de leur évêque sur les unions illégitimes, les relations sexuelles extraconjugales, la contraception artificielle et l'avortement... sans avoir le droit de dire à quel point ces directives et recommandations sont ridicules et absurdes, si on les rapporte à l'existence des hommes réels. Il leur faudra sans cesse défendre leur Église de l'extérieur, une Église en laquelle eux-mêmes ne croient plus ; la consolation consistant à se dire qu'il vaut mieux rester dans l'Église et aider les gens que d'en sortir et de vivre dans la solitude est certes humainement très compréhensible, mais elle n'empêche pas la même question lancinante de se reposer sans cesse : que vaut finalement une aide qui doit être payée de tant de mensonges ?

Et pourtant il semble que même le mensonge, même la duplicité vaillent mieux que le reniement de l'amour ! Il est préférable de mentir à une Église qui s'attend manifestement à ce qu'on le fasse, plutôt que de trahir un être humain dont la confiance mérite franchise et fidélité sans réserve ! Une fois de plus, le véritable choix n'est pas entre Dieu et l'homme, mais entre l'amour et l'angoisse devant l'avidité de pouvoir de certains.

Il y a une dizaine d'années, l'écrivain australien Collen McCullough a raconté dans son roman *Les oiseaux se cachent pour mourir* l'histoire d'un amour de ce genre, qu'un prêtre avait renié par souci maniaque de sa carrière. Ce récit a profondément touché des millions de gens. Si son œuvre a provoqué un tel effet, c'est bien parce qu'elle reflétait sans contestation possible les vues de l'Église. Malgré le tragique des situations, celle-ci ne les a jamais remises en cause. La romancière relate la vie du cardinal Ralph de Bricassart qui, en dépit de sa beauté, de sa jeunesse et de son intelligence, a pensé offrir sa vie comme prêtre à Dieu. « J'ai été destiné à la prêtrise dès le berceau, mais c'est encore bien davantage. Comment pourrais-je expliquer cela à une femme ? En quelque sorte, je suis un réceptacle... et parfois il m'arrive d'être plein de Dieu... Et cette plénitude, cette unité avec Dieu, n'est pas fonction d'un lieu donné... Évidemment, elle est difficile à définir parce qu'elle reste un mystère, même pour les prêtres. Une possession divine qu'aucun autre homme ne peut jamais connaître... Peut-être est-ce cela ? Y renoncer ? Je ne pourrais pas[85]. » « Il faut des années de réflexion avant d'en arriver à l'ordination... Une lente évolution amenant à un état d'esprit qui ouvre le réceptacle à Dieu. Elle se mérite ! Chaque jour on la mérite. C'est le but des vœux, voyez-vous ? Aucun élément temporel ne s'interpose entre le prêtre et sa vocation... Ni l'amour d'une femme, ni l'argent, ni la répugnance à se plier aux ordres d'un autre homme. La pauvreté n'est pas nouvelle pour moi ; je ne suis pas issu d'une famille riche. J'accepte la chasteté sans éprouver trop de difficultés. Et l'obéissance ? En ce qui me concerne, c'est le plus pénible. Mais j'obéis, parce que si je m'estime moi-même plus important que ma fonction de réceptacle de Dieu, je suis perdu. J'obéis[86]. »

Sous la plume de l'auteur, ces paroles, que le Père Ralph oppose à la dubitative Mary Carson, sont subjectivement parfaitement crédibles. Elles correspondent parfaitement aux stéréotypes de la pensée de l'Église tels que nous les avons découverts, et c'est précisément ce qui alerte le lecteur dès le début du roman : celui qui parle est un jeune idéaliste qui ne se connaît pas vraiment, un homme que l'Église a bourré d'une phraséologie qu'il confond avec la vie, avec sa vie, et qui considère avec suffisance que sa distance vis-à-vis de la réalité des autres hommes lui confère une mission divine. Mary Carson note d'ailleurs assez vite que, selon toute apparence, le Père Ralph, entre-temps devenu cardinal, regarde et caresse sa pupille adolescente, Meggie, d'une manière qui dépasse la simple sollicitude. Mais, s'en tenant courageusement à son attitude d'abnégation, le Père Ralph n'en déclare pas moins encore : « Je suis un prêtre ! Je ne peux pas ! Je ne suis pas un homme... Je suis un prêtre », avant de se trouver en butte aux doutes les plus cruels : « Elle a raison, pensa-t-il brusquement, elle a raison, évidemment. Un imposteur. Un véritable imposteur. Ni prêtre ni homme. Seulement quelqu'un qui souhaiterait savoir comment être l'un et l'autre. Non ! Ni l'un ni l'autre ! Prêtre et homme ne peuvent coexister — être un homme équivaut à ne pas être prêtre. Pourquoi me suis-je pris les pieds dans sa toile ? Son poison est violent, peut-être plus perfide que je ne le pense... Combien cela ressemble à Mary de m'appâter [par la jeune et belle Meggie] ! Que sait-elle, que devine-t-elle ? Qu'y a-t-il à savoir ou à supposer ? Rien que de la solitude ; un effort stérile ; et le doute ainsi que la douleur. Toujours et toujours de la douleur. Pourtant vous vous trompez, Mary. Je suis capable de me manifester comme homme. Il se trouve simplement que j'ai choisi, que j'ai passé des années à me prouver que cette turgescence pourait être contrôlée, subjuguée. Car cette érection sied à l'homme et je suis prêtre[87]. »

L'habileté psychologique de la romancière australienne consiste à produire de façon parfaitement crédible ses principaux personnages comme des marionnettes suspendues à leurs conflits œdipiens : Meggie, élevée sans père, voit dans le prêtre son seul véritable ami, son protecteur, l'amour de sa vie, celui qu'elle désire et qu'elle doit pourtant fuir pour ne pas offenser Dieu. Lui n'ose donner cours à ses sentiments que sous couvert d'un rôle paternel apparemment innocent, pour reconnaître beaucoup trop tard que depuis longtemps, en sa pupille il aime la femme et non plus seulement l'enfant. Ainsi l'amour le surprend-il comme il surprend tant d'autres prêtres : il est souhaité et maudit, rêvé et jugé inacceptable parce que éternellement interdit : « Elle avait baissé la tête... ses paumes remontaient le long de la poitrine, glissaient sur les épaules avec une sensualité délibérée qui le frappait de stupeur. Fasciné, terrifié, voulant à tout prix se libérer, il pivota, lui repoussa la tête, mais ne réussit qu'à se retrouver dans ses bras, serpents enroulés autour de sa volonté, étouffant jusqu'à l'ombre d'une velléité. Oubliée la douleur, oubliée l'Église, oublié Dieu. Il trouva sa bouche, lui écarta avidement les lèvres, affamé d'elle, sans découvrir dans l'étreinte l'apaisement de l'affolant élan qui montait en lui. Elle lui offrit son cou, dénuda ses épaules dont la peau était fraîche, unie, satinée ; il lui semblait qu'il se noyait, s'enfonçait de plus en plus profondément, à bout de souffle, désarmé. La perception de son état de mortel pesait sur lui, énorme poids lui écrasant l'âme, ouvrant les vannes au jaillissement amer de ses sens qu'emportait un flot irrésistible ; les derniers vestiges de son désir se tarirent sous le fardeau que lui assenait sa condition d'humain, et il délia les bras serrés autour de son corps misérable, se laissa retomber sur les talons, tête baissée, paraissant totalement absorbé par la contemplation de ses mains tremblantes posées sur les genoux. Meggie, que m'as-tu fait ? Que me ferais-tu si je me laissais aller ? Meggie, je t'aime. Je t'aimerai toujours. Mais je suis prêtre, je ne peux pas... Je ne peux tout simplement pas[88] ! »

Et on en revient toujours là, à ce combat dramatique entre l'homme et le prêtre, entre le ça et le surmoi. C'est bien parce que Collen McCullough n'attaque jamais formellement les doctrines de l'Église, et que ses héros, parce que croyants, et en dépit de leurs sentiments de culpabilité, ne franchissent jamais les bornes de leur conception du monde, qu'il n'en apparaît que plus clairement à quel point Dieu et la religion apparaissent ici comme des instances du surmoi, comme des formes de violence intériorisées, comme des forces opposées à l'amour, comme des complexes destructeurs et hostiles à l'humain d'une psyché façonnée par l'Église. Pour protéger son ami le prêtre contre lui-même, Meggie fuit dans les bras de Luke, un rude vacher d'apparence assez primitive, lui aussi un « pasteur » qui, comme son pendant spirituel, ne songe qu'à améliorer sa situation. Mais sa brusquerie virile supprime tout risque de voir Meggie oublier, ne fût-ce qu'une seconde, son véritable ami, cet envoyé de Dieu, cet homme dérobé à Dieu. Certes, monseigneur l'archevêque va prier pour la « rose » du Père Ralph, si profondément blessée ; mais elle va bientôt se trouver enceinte de lui. Elle fera de lui un homme, si bien qu'un bref instant il va déclarer que cette « recherche de la divinité, de sa propre divinité » n'est qu'« illusion » sans l'amour d'une femme. « Les prêtres sont-ils tous les mêmes, aspirant à être comme Dieu ? Nous renonçons à l'unique acte qui prouve irréfutablement notre condition d'homme[89]. » Meggie va aimer son fils Dane à la place de son amant prêtre, et Dane à son tour va trouver en Ralph son idéal spirituel, celui qui lui inspirera à son tour la décision de se faire prêtre. Ainsi le scénario se répète-t-il à la génération suivante. Dane trouvera la mort en voulant sauver de la noyade deux jeunes filles qui l'avaient poursuivi dans la mer — loi d'un Dieu cruel, suivant laquelle doit mourir celui qui cherche à suivre la pente de l'amour. Mais au fond, celui qui meurt en Dane, c'est l'adolescent que le Père Ralph a jadis été lui-même avant de devenir prêtre. C'est littéralement le complexe du sauveur de ses angoisses œdipiennes qui a tué l'homme en lui avant qu'il eût le droit de s'affirmer. Et c'est trop tard, littéralement devant la tombe, qu'il va reconnaître que Dane était son fils. En le découvrant, son cœur va se briser, et il mourra dans les bras de Meggie, d'une Meggie qui doit rester jusqu'à la fin son « serpent », sa « déesse de mort », puisqu'un Dieu cruel l'a obligé toute sa vie à la repousser comme l'ange de sa vie[90].

Le roman de C. McCullough constitue un tableau fascinant de l'amour qui renonce, car il montre avant tout le sacrifice que les femmes doivent faire, lorsqu'elles cachent leur enfant même à leur ami prêtre pour ne pas le charger des suites de son amour, et qui consentent plutôt à un mariage malheureux sans amour qu'à oublier le véritable objet de leur désir. Ce contraste entre la fidélité de cœur de personnes aimantes et la dureté inhumaine de la loi romaine est ce qui appelle à briser formellement la statue d'un Dieu devenu semblable à Moloch, un Dieu qui exige jalousement le sacrifice de l'enfant, le sacrifice de l'enfance, pour éveiller dans les corps de ceux qui sont morts depuis longtemps les schèmes exsangues de ses prêtres.

Dans l'Église catholique, ce n'est pas de la modification de tel ou tel paragraphe du code que nous avons besoin, mais d'un changement de tout le comportement religieux, d'une nouvelle définition de ce qu'il faut comprendre par « idéal religieux ». Nous avons besoin de découvrir une façon plus intégrale de vivre, d'aimer, de prier, de danser, de rêver, de souffrir et d'être heureux ; de retrouver — par-delà la cassure — l'unité de ce qu'on a séparé : Création et grâce, Église et société, clercs et laïcs, prêtre et homme, sainteté et responsabilités dans le monde, âme et corps, sensibilité et intellect, femme et homme, pulsion et esprit, nature et culture, car seule cette unité a de la valeur aux yeux de Dieu. Celui-ci n'est là que si l'Homme est réconcilié avec lui-même. En d'autres termes, pas de salut possible dans le statut psychoreligieux d'une secte aussi névrotique que névrotisante.

DEUXIÈME PARTIE

PROPOSITIONS DE THÉRAPIE : DE LA REMISE EN CAUSE À UNE APOLOGIE RENOUVELÉE DES CONSEILS ÉVANGÉLIQUES

I.

En quoi consiste exactement le salut que propose le christianisme ?

A ce point de notre ouvrage, on peut supposer que nos lecteurs vont diverger. Ceux qui y ont retrouvé leur expérience personnelle vont respirer, soulagés à la pensée qu'on va désormais pouvoir réfléchir librement et ouvertement à la solution des problèmes posés. Mais d'autres se sentiront peut-être personnellement offensés, convaincus qu'on traîne dans la boue leur état tout entier. Ils seront alors enclins, soit à considérer que tout ou partie de ce que nous avons affirmé jusqu'à présent n'est pas valable, soit à s'accrocher à certaines déclarations qu'ils jugent particulièrement critiquables. Mais nous autres, clercs, nous ne devons pas nous en tirer en recourant aux mécanismes de défense qui consistent à minimiser ou à isoler les questions. Le problème que nous avons à résoudre est celui des conséquences structurelles de la psychodynamique que provoque la forme actuelle de la vie cléricale elle-même, dans la mesure où celle-ci reste pétrie des idéaux traditionnels. Ce que nous avons décrit, c'est un modèle qui prétend refléter non pas certes la vie de chaque clerc en particulier, mais bien la réalité des clercs qui correspondent vraiment au modèle qu'on a voulu leur inculquer. Attention ! Il ne s'agit pas ici de « modèles » au sens scientifique, tels qu'en construisent inductivement l'économie politique, la chimie ou la physique, en partant d'expériences particulières dont on met en valeur les présupposés logiques. Notre modèle, ici, c'est une vision a priori de l'idéal de la vie cléricale. Nous avons donc procédé en sens inverse de la pensée scientifique, puisque nous sommes parti du modèle donné pour chercher ensuite à comprendre psychanalytiquement les présupposés psychologiques expliquant pourquoi on y adhérait. Nous pouvons donc dire que nos descriptions valent exactement dans la mesure où la vie du clerc individuel se rapproche de la forme idéale de son état. Elles le seront d'autant moins qu'on aura pris quelque distance vis-à-vis d'elle. Tombe donc d'elle-même une objection qu'on aura parfois pu formuler lors de notre réflexion sur les conseils évangéliques : qu'il y a pourtant aussi des ordres religieux et des formes de vie sacerdotale ou religieuse où « les choses ne sont pas si rigides » que nous le supposons. Bien sûr, le pire n'est pas toujours vrai. Mais ce n'est pas de cela qu'il s'agit. L'idéal des conseils évangéliques ne peut être humainement crédible et salutaire que dans la mesure où l'empreinte qu'ils laissent est vraiment celle du véritable épanouissement humain et de la perfection. Or, si on s'en tient à la façon dont on le définit actuellement, ce n'est pas du tout le cas.

En littérature, le premier auteur à avoir formulé une critique globale de la forme traditionnelle de la vie monacale fut Denis Diderot, il y a deux cents ans, dans son roman satirique *La Religieuse*. Il ne se contentait pas de dénoncer ses conditions fâcheuses dans la société et l'Église de son temps. Ce qu'il souhaitait voir disparaître, c'était une certaine conception de l'idéal religieux lui-même, celle qui, pour prospérer et maintenir sa façade, a besoin de contraindre, de réprimer, de dépersonnaliser et de détruire les sentiments. Ses questions de principe touchaient tous les domaines : la politique, l'histoire, la psychologie, la médecine et la morale, et elles témoignent d'une extraordinaire lucidité dans leur analyse. Il s'attaque d'abord aux obstacles juridiques dressés devant celui qui veut quitter l'état clérical. Il écrit ceci :

« Il me semble pourtant que, dans un État bien gouverné [...] (on devrait) difficilement entrer en religion, et en sortir facilement. Et pourquoi ne pas ajouter ce cas à tant d'autres, où le moindre défaut de formalités anéantit une procédure, même juste d'ailleurs ? Les couvents sont-ils donc si essentiels à la constitution d'un État ? Jésus-Christ a-t-il institué des moines et des religieuses ? L'Église ne peut-elle absolument s'en passer ? Quel besoin a l'époux de tant de vierges folles (cf. Mt 25, 1-14, Note de l'auteur), et l'espèce humaine de tant de victimes ? Ne sentira-t-on jamais la nécessité de rétrécir l'ouverture de ces gouffres, où les races futures vont se perdre ? Toutes les prières de routine qui se font là valent-elles une obole que la commisération donne au pauvre ? Dieu, qui a créé l'homme sociable, approuve-t-il qu'il se renferme ? Dieu, qui l'a créé si inconstant, si fragile, peut-il autoriser la témérité de ses vœux ? Ces vœux, qui heurtent la pente générale de la nature, peuvent-ils jamais être bien observés que par quelques créatures mal organisées, en qui les germes des passions sont flétris, et qu'on rangerait à bon droit parmi les monstres, si nos lumières nous permettaient de connaître aussi facilement la structure intérieure de l'homme que sa forme extérieure ? Toutes ces cérémonies lugubres qu'on observe à la prise d'habit et à la profession, quand on consacre un homme ou une femme à la vie monastique et au malheur, suspendent-elles les fonctions animales ? Au contraire ne se réveillent-elles pas dans le silence, la contrainte et l'oisiveté avec une violence inconnue aux gens du monde, qu'une foule de distractions emporte ? Où est-ce qu'on voit des têtes obsédées par des spectres impurs qui les suivent et qui les agitent ? Où est-ce qu'on voit cet ennui profond, cette pâleur, cette maigreur, tous ces symptômes de la nature qui languit et se consume ? Où les nuits sont-elles troublées par des gémissements, les jours trempés de larmes versées sans cause et précédées d'une mélancolie qu'on ne sait à quoi attribuer ? Où est-ce que la nature, révoltée d'une contrainte pour laquelle elle n'est point faite, brise les obstacles qu'on lui oppose, devient furieuse, jette l'économie animale dans un désordre auquel il n'y a plus de remède ? En quel endroit le chagrin et l'humeur ont-ils anéanti toutes les qualités sociales ? Où est-ce qu'il n'y a ni père, ni frère, ni sœur, ni parent, ni ami ? Où est-ce que l'homme, ne se considérant que comme un être d'un instant et qui passe, traite les liaisons les plus douces de ce monde comme un voyageur les objets qu'il rencontre, sans attachement ? Où est le séjour de la haine, des dégoûts et des vapeurs ? Où est le lieu de la servitude et du despotisme ? Où sont les haines qui ne s'éteignent point ? Où sont les passions couvées dans le silence ? Où est le séjour de la cruauté et de la curiosité ? [...] Faire vœu de pauvreté, c'est s'engager par serment à être paresseux et voleur, faire vœu de chasteté c'est promettre à Dieu l'infraction constante de la plus sage et de la plus importante de ses lois ; faire vœu d'obéissance, c'est renoncer à la prérogative inaliénable de l'homme, la liberté. Si l'on observe ces vœux, on est criminel ; si on ne les observe pas, on est parjure. La vie claustrale est d'un fanatique ou d'un hypocrite [1]. »

Même celui qui se refusera à accepter sans restriction ce jugement impitoyable sera quand même obligé de reconnaître que ce réquisitoire recouvre exactement les points où nous avons psychanalytiquement décelé les faiblesses et les tares de l'existence cléricale : le retournement de l'ouverture humaine caractéristique de Jésus en un système de contraintes étouffantes, de règles de vie aussi névrotiques que névrotisantes ; l'extériorisation de l'intériorité du religieux telle que la provoque une réglementation rigide qui, en organisant toute la vie, finit par la mécaniser ; la collectivisation de l'individu par des modes répétitifs d'expression du religieux qui finissent par aliéner la sensibilité personnelle ; l'inversion de comportements humainement utiles et pleins de sens en une vie « commune » abstraite qu'on prétend surnaturellement sainte ; un système de promesses de fidélité fondé sur le serment, qui rigidifie moralement la personne et perpétue même parfois une impersonnalité psychologique ; la destruction ou la déformation de pulsions naturelles en vue d'une exploitation totale de toutes les ressources psychiques et physiques de l'individu ; la rationalisation de structures répressives qui prétendent assurer la maturation de l'élection divine et de la vocation ; la consolidation progressive et l'extension d'une psychopathologie de l'individu qui débouche en fait sur des formations somatiques substitutives et se traduit par toutes sortes de déformations caractérielles, ainsi que leurs formations réactionnelles ; les clivages conscience-inconscience, volonté-motivation, comportement-attitude, qui conduisent à faire du résultat le but ; en un mot à tuer la crédibilité du discours sur Dieu tel qu'on le formule dans le cadre d'un système inhumain où on dirige tout de l'extérieur, et où on décide à la place des gens. Suivant son orientation, le lecteur en tirera la conclusion — étonnante, effrayante, scandaleuse, révoltante même — que pendant deux cents ans l'Église catholique n'a pas seulement refusé d'entendre, nié et refoulé la critique de Diderot, mais qu'elle a *de facto* amplifié sa problématique, la confirmant et la dépassant à tel point qu'elle en a pris un caractère affligeant.

Celui qui s'intéresse encore à l'Église catholique ne peut pas plus longtemps consentir à lui rendre ce soi-disant service qui consiste à souffrir en silence et à faire montre d'une indulgence ou d'une tolérance qui se croient généreuses. Il faut au contraire tenter de lui faire prendre conscience le plus clairement possible, sans échappatoire ni faux-fuyant, et dans son intérêt même, de la façon dont elle a retourné et détourné ses idéaux. Il y a des fautes qui sont inexcusables déjà du fait qu'elles n'ont que trop duré Il y a des idées erronées qu'on ne peut justifier en disant qu'elles ont joué un rôle positif dans les conditions de jadis. Celui qui veut attaquer la rouille se doit d'utiliser des produits corrosifs : il y a assez longtemps que nous nous sommes contentés de passer du vernis.

Je sais bien que plus d'un préférerait continuer à fermer les yeux sur la problématique actuelle tant elle se présente sous un jour pénible et désastreux : « Les choses ne sont pas si graves que cela » ; « Je connais des prêtres et des religieuses qui mènent une vie exemplaire selon leurs vœux et qui ne sont pas le moins du monde malheureux, malades ou névrosés. » Ou encore : « Si quelqu'un — comme cet auteur — ne peut pas s'arranger des décisions de l'Église catholique, qu'il en sorte. » Tel sera à peu de chose près le style des objections proférées.

En vérité, il faut écouter ici G.W.F. Hegel[2] : ce n'est pas en niant les contradictions, mais en se montrant capable de les affronter, de les mettre en valeur, de les analyser et de les surmonter d'un point de vue supérieur, au prix de nouvelles contradictions et de nouveaux développements que l'on fait preuve de force spirituelle. Il n'existe aucun problème de l'esprit auquel on puisse apporter une solution définitive. Mais dans l'Église catholique, au moins depuis la Contre-Réforme, nous avons agi comme si nous avions trouvé des solutions définitives à nos problèmes de comportement envers Dieu et envers les hommes, et donc comme si nous n'avions plus qu'à continuer en recommandant aux fidèles de suivre généreusement et pieusement. Aux défis que l'esprit moderne lance à la religion, ceux que le protestantisme a su affronter valablement et courageusement : la découverte de la subjectivité, le surgissement de la personne, l'angoisse individuelle, le postulat de la liberté, la transmission de la foi par le témoignage, et non plus par l'endoctrinement, le catholicisme n'a su répondre que par un durcissement de l'institutionnel, de l'objectivité, de la fonctionnalité, de la ritualisation. Nous sommes donc obligé de constater les effets désastreux que cet unilatéralisme forcé a provoqué dans la psychologie de ceux qui en sont le plus marqués : les fonctionnaires porteurs du système eux-mêmes. En ce sens, on ne saurait trop insister sur le caractère contradictoire de la forme actuelle du catholicisme. Car s'il doit y avoir une possibilité de sortir de cette impasse, on ne saurait la trouver en poursuivant au même étage la même route, mais seulement en intégrant de façon constructive la critique et en fondant à un niveau plus élevé, et en reconstruisant à nouveaux frais ce qui n'est plus actuellement que décombres d'un passé mort.

Nous ne pouvons faire l'économie d'une telle reconstruction du système général, et plus tôt et résolument nous la ferons, mieux cela vaudra. Voilà pourquoi il est vrai que toutes nos affirmations sur les conséquences psychologiques de l'idéal actuel de vie cléricale — qu'il nous fallait bien poser — conduisent à saper des habitudes de pensée et des formes de vie vénérables, chères et familières ; mais ce n'est qu'en formulant ces remises en question de la vie cléricale présente que nous serons en mesure de défendre le contenu spirituel des conseils dits évangéliques et montrer le rôle qu'ils peuvent tenir dans une vie de prêtre et de moine.

Mais, objectera-t-on, si la critique psychanalytique est si radicale et si absolue, comment croire à une restauration possible de ce contenu spirituel ?

Il est maintenant hors de doute que la nouvelle vision des choses devra être aussi radicale et aussi absolue que la remise en question. Le point de vue psychologique marque la fin de tous les débats de théologie biblique, d'histoire de l'Église, et de dogmatique (de ce qu'on appelle le dialogue œcuménique) par lequel on cherchait comment concilier autant que faire se pouvait le fonctionnement des Églises catholique et protestante, en les fondant sur l'exemple de Jésus, autrement dit sur le témoignage de certaines couches de la tradition néo-testamentaire. Oublions donc la difficulté évidente de briser des cercles herméneutiques idéologiquement marqués et de rapprocher les points de vue : psychanalytiquement, on ne peut considérer le positivisme d'une pensée purement extérieure que comme dommageable pour tout système religieux. Or, extérieures restent toutes les doctrines et toutes les monitions qui prétendent fonder le style de vie d'un prêtre ou d'une religieuse en ne sachant que répéter : « Jésus-Christ a dit ceci... fait ceci et cela » ; ou : « C'est l'action du Saint-Esprit ; le Concile, le Synode (ou éventuellement le pape) qui en ont décidé ainsi. » Ce qui est essentiel, au contraire, c'est de se demander pourquoi Jésus, l'Esprit du Christ ou son Église ont pu élever un style de vie déterminé au niveau d'un idéal religieux, quelle vérité s'exprime à travers lui, autrement dit quelle évidence humaine ou divine il comporte. Tant qu'on n'a pas éprouvé et vécu pour elle-même une attitude donnée, l'initiation extérieure à certains modèles religieux ne peut mener qu'à l'intériorisation d'une conduite extérieure telle que nous l'avons décrite en détail. Il ne sert à rien de dire : « Jésus, le Fils de l'Homme a dit. » Il s'agit, à travers l'humanité des paroles de Jésus, de deviner et de découvrir qu'il est le Fils de l'Homme.

Il faut en particulier tirer les enseignements des fautes et des carences manifestes inhérentes à la forme présente de l'existence cléricale. La question est de savoir en quel sens il est aujourd'hui possible de vivre en prêtre, en religieux(se), sans avoir à s'empêtrer dans tout un filet d'angoisses, de résignations, de sentiments de culpabilité et de renoncements névrotiques. Comment peut-on donner un sens aux conseils évangéliques en les faisant apparaître comme des façons de vivre en hommes, et non plus comme des formes de masochisme réservées à des personnes appelées « spécialement » à la croix du Christ ? Comment est-il possible de réapprendre l'évidente bonté spontanée avec laquelle Jésus guérissait des malades et chassait des « démons » (Mc 6, 7-8)[3], annonçant ainsi le Royaume de Dieu ? Celui qui aura lu la citation de Diderot pourra peut-être penser que, dans l'Église catholique, esprit et forme sont si inséparablement mêlés que vouloir les séparer serait en quelque sorte prétendre séparer l'âme du corps, avec l'illusion qu'au terme de l'opération il resterait encore quelque chose de vivant. Une telle impression est plus que compréhensible. Et pourtant il semble au moins profitable de regarder une fois, à titre d'essai, dans la direction opposée et de se demander comment on peut redonner vie à ce qui est mort : comme si, en somme, dans l'état présent de l'Église catholique, ses contenus les plus importants attendaient formellement de sortir et de retrouver leur liberté parce qu'on les aurait arrachés à la cage où ils se trouvaient enchaînés, celle de l'extériorisation traditionnelle, de l'ergotage dogmatique, de la chicane d'une administration despotique, d'un pouvoir hiérarchique arrogant, d'une volonté arbitraire qui se prétend divine et d'un fétichisme sans esprit et sans âme fait d'objectivisme et de formalisme bureaucratique.

Et si cet ébranlement et ce renouveau ne signifiaient pas dommage, mais bénédiction pour l'Église elle-même, même si le prix en était douloureux ? Que ne serait-il pas possible, si nous, les clercs, nous qu'on a intimidés et apeurés à souhait pendant des siècles, nous osions faire état de notre expérience personnelle, au moins sur les questions qui nous concernent, sans crainte des déclarations et des lamentations d'instances et d'institutions « spirituelles » qui le sont si peu ? Au lieu de regretter cette Église qui se meurt et d'en porter le deuil comme dans un « grand cimetière sous la lune[4] », une Église où il ne s'agit plus que de régler les heures des messes du dimanche et de se préoccuper de la protection et du maintien de la sainteté des lieux, nous devrions enfin oser dire où nous en sommes, en nous appuyant sur notre connaissance réelle de la situation. Rien n'est plus désagréable à un appareil sclérosé ; mais rien ne lui est aussi plus salutaire que la liberté de penser, de sentir et de vivre.

Je ne vois pas ce qui pourrait nous en empêcher, à part la vieille peur. Qu'on ne le souhaite pas, c'est bien évident ! Mais quel médecin s'occupe de la souffrance que son patient lui oppose ?

Le pouvoir exige le respect et punit toute forme de déloyauté ? Certes ! Cependant, le premier devoir d'un homme n'est pas de se comporter avec loyauté, mais d'être soi-même, et un respect fondé sur la crainte de la sanction n'est en soi que honte infâme.

Oui, mais, vont dire les gens qui cherchent avant tout dans l'Église leur tranquillité et une retraite assurée contre tout ce qui les dérange et contre toutes les questions allant à la racine des choses ? Il est évident que celui qui perçoit sa prison comme un refuge et voit dans son ghetto sa patrie trouvera toujours que la liberté est une charge désagréable. Mais notre opinion est tout autre : celui qui apaise son angoisse en détruisant sa liberté ne vit plus qu'en hibernation. S'étant ainsi coupé de la source de sa vie personnelle, il lui faut alors faire appel à l'institution pour échapper au néant. Ayant renoncé à être sujet, il n'est plus qu'objet. Ne pouvant plus se mouvoir, il s'agrippe au monolithe rigide du pouvoir. Ayant renoncé à sa quête tendue de vérité adulte, il recourt à un système infaillible de vérités toutes faites. S'étant défait de son pouvoir de sentir, de ressentir et de souffrir, il recourt à un ramassis d'expressions, et il substitue un catalogue de slogans ressassés et un dressage périmé fondé sur la mémorisation forcée du passé au riche terrain de l'expérience, tout cela détruisant finalement ce qu'il y a de meilleur dans l'homme : son imagination, sa créativité, la poésie, l'amour, le courage de résister, la force du moi, l'autonomie du cœur, en un mot : la force d'une personnalité libre. D'une personnalité qui se refuse à confondre vérité du Christ et cotte de mailles ou cuirasse permettant à ceux qui jouent les sentinelles de service ou les valets d'armes de se croire inattaquables et invulnérables.

Il est aujourd'hui clair que c'est essentiellement la psychanalyse qui corrode de l'intérieur ce système clérical et provoque son effondrement. Non pas parce que ses représentants (c'est-à-dire surtout une poignée de médecins) se montreraient particulièrement agressifs dans leurs critiques, mais parce que, s'efforçant de susciter une forme de vie plus saine, sa thérapie confirme ce qu'avaient déjà formulé certains philosophes du XIXe siècle tels que Feuerbach[5], Marx et Nietzsche : le christianisme est une forme d'aliénation de la concience, un état pathologique de la société comme de l'individu. Or, c'est surtout dans la forme actuelle de l'existence cléricale que tous les idéaux et contenus chrétiens apparaissent greffés de l'extérieur, au lieu de surgir de l'intérieur. Même les clercs les plus sincères offrent tout à fait l'aspect de ces gens dont Heinrich Heine disait qu'ils étaient aussi raides d'apparence que s'ils avaient avalé le bâton avec lequel on les rosse. Il semble en tout cas évident qu'il faut en finir avec un système où on considère l'angoisse devant l'épanouissement personnel comme le fondement de la hiérarchie des fonctions ; où l'on tente de mettre en œuvre la « délivrance » des hommes dans le Christ avec des personnes dont la formation du caractère se solde par sa déformation durable, sous l'emprise de l'angoisse et de la contrainte, et où on cherche sans cesse à fonder de l'extérieur, en les mettant au service des autres, la valeur et le sens d'une forme de vie, autrement dit d'une Église qui s'engage au service de groupes humains bien déterminés, en son sein ou en dehors d'elle, au lieu de se demander d'abord ce qu'une telle attitude et une telle orientation de la vie signifient pour celui qui entreprend de les assumer, comment il peut s'en arranger, les motivations qu'elle révèle, etc. Si c'est aujourd'hui la psychanalyse qui pose avec le plus d'insistance le problème de la vie du clerc, cela signifie que nous devons en particulier tenter de comprendre les contenus de la vie monacale d'une manière qui non seulement résiste à sa critique, mais en découle même directement.

Est-ce impossible ? Oui, tant qu'on s'agrippe pour l'essentiel au schéma fonctionnel que, par désespoir, on pousse actuellement à ses dernières conséquences pour fonder cette forme de vie. Certes, méconnaissant la vérité des choses en les mettant cul par-dessus tête, on multipliera les efforts en recourant à de grands mots à résonance moderne pour parler de l'imitation de la passion de Jésus et paraître ainsi justifier rationnellement la vieille peur des théologiens devant la psychologie et ses exigences de faire advenir le moi. Mais en vain.

C'est ce qu'on constate clairement, par exemple dans l'ouvrage de Johann Baptist Metz, *Un temps pour les ordres religieux ?*. Selon cet auteur, l'imitation totale de Jésus « comporte toujours un élément mystique et un élément politique (au moins en un certain sens), un élément de résistance — au besoin d'acceptation de la souffrance — contre les idoles et les démons d'un monde injuste et méprisant pour l'humanité[6] ». On veut bien en tomber d'accord, à condition qu'il soit entendu qu'on cherchera le domaine commun de « la mystique et de la politique », de l' « imitation de Jésus et de l'attachement au monde » dans l'âme humaine elle-même où les « idoles et démons » de cette injustice qu'est le mépris des hommes trouvent leur origine. Les pulsions de l'agressivité et de la sexualité, de la soif de pouvoir et de possession ne sont pas les fruits de la société dans l'âme humaine ; elles sont en un certain sens antérieures à l'humanité elle-même, et celui qui a l'habitude de partir en guerre pour délivrer le monde de toutes sortes de dragons fera bien de commencer à les chercher dans son propre cœur. Il est indéniable que, dans l'état présent de l'histoire humaine, nous en sommes encore absolument au B.A.-BA en matière de relations culturelles, sociales, écologiques et économiques. Mais celui qui fait ici appel aux « démons » court continuellement le risque de décrire les données relatives de l'Histoire avec des concepts absolus, mythiques en somme, qui sont certes très commodes pour une diabolisation moralisante, mais absolument impropres à une compréhension et à une analyse véritables. Ajoutons qu'il n'est pas de système de violence que l'âme humaine ne puisse intérioriser avant de l'extérioriser dans la société. Et s'il est dans une certaine mesure justifié de combattre la malaria en limitant les lieux où se développe la mouche tsé-tsé, cela ne soulage en rien celui qui se trouve frappé des frissons de ce mal.

Nous trouvons surtout monstrueuse la cécité psychologique que pense devoir décréter Metz, cent ans après Nietzsche, quand il cherche à justifier catégoriquement l'engagement (en soi très légitime) en faveur de gens qui souffrent de la misère politique et sociale en décrétant que, du fait de l'histoire du bon Samaritain,

« il n'est pas permis aux chrétiens de se retirer de l'histoire de la souffrance humaine pour se réfugier dans la psychologie : ils ne peuvent ni ne doivent réinterpréter les histoires qui appellent à imiter le « Jésus dangereux » en faisant de lui un « doux » Jésus de l'épanouissement personnel, qui prendrait discrètement congé une fois que l'homme se serait « trouvé » lui-même, autrement dit, aurait atteint son identité[7].

Dans ces phrases, presque tout est faux, parce que des théologiens comme lui se refusent tout bonnement à prendre en considération, même de loin, l'énorme somme de souffrance et de misère psychologiques qui les environne, ou qui est même tout simplement la leur, et encore moins à lever le petit doigt pour y changer quelque chose. Les gens qui osent enfin se réaliser eux-mêmes, après avoir vécu des années sous une domination qu'on justifiait toujours par le Christ, le bon Dieu ou le Saint-Esprit ne sont pas des démissionnaires, mais des personnes qui s'exposent peut-être pour la première fois de leur vie et qui œuvrent sur cette partie de l' « histoire de la souffrance humaine » qui se personnalise et se concrétise en elles. Elles ne « prennent pas congé » « sans bruit », simplement parce que, se sentant tenues de comprendre plutôt que de condamner, elles auront désormais une voix moins criarde et plus « douce ». Elles auront entre-temps appris que les choses sont plus compliquées qu'on n'a l'air de le dire en les regardant de l'extérieur, et elles savent que ce ne sont pas les avertissements tranchants de saint Jean Baptiste qui résoudront vraiment leurs problèmes existentiels, mais seulement le « doux joug » de Jésus de Nazareth (Mt 11, 30)[8]. Quelle mesure de temps et d'engagement personnel ne faut-il pas contre les résistances de la peur et l'idéologie ecclésiastique du « sacrifice » et du « don total » pour en arriver à être un peu plus proche de l'autre, ne serait-ce qu'un peu ! Mais, simplement en omettant de réfléchir aux problèmes de la pastorale de l'Allemagne, des gens comme Metz ne font qu'accroître des sentiments de culpabilité qui existent de toute manière. En matière de libération, la psychanalyse et l'émancipation politique peuvent et doivent absolument se compléter l'une l'autre.

On dit que la théologie de la libération repose sur deux évidences et sur un pari. Les évidences : en elle-même la théologie n'est pas d'abord une affaire de justesse de doctrine mais de justesse de vie ; et vivre « justement », au sens de Jésus, c'est se tenir aux côtés de ceux qui souffrent le plus. Le pari : on doit réussir à surmonter ensemble le mal qui existe.

Appliqués à notre situation, ces principes devraient conduire tout droit à un changement profond du paysage théologique impliquant que les principales disciplines théologiques intègrent réellement la psychanalyse et la psychothérapie. Ni l'exégèse, ni la théologie morale ni la dogmatique ne devraient plus passer à côté de la souffrance psychologique des hommes : elles devraient au contraire faire ressortir en actes et en paroles la réponse de salut que le message de Jésus, le christianisme et l'Église proposent ici. Or, au lieu de commencer par se proposer de devenir soi-même plus humain, on sacrifie à cette croyance étonnante qu'il est possible d'améliorer l'humanité prise comme un tout. Avec de telles doctrines, en prétendant changer la société au lieu de commencer par modifier l'Église dans ses structures d'apparence inhumaine, le théologien s'assure considération et avancement dans les rangs du clergé. Au lieu d'évaluer d'abord la longueur du travail thérapeutique à mener à bien pour passer du particulier au général, on s'offre le luxe de décréter une fois de plus, à grand renfort de sublimes évidences, ce qu'au fond on a toujours su.

Notons ici combien cette surcharge d'idéalisme moraliste ne fait le plus souvent qu'entraver le pragmatisme, si bénéfique en matière politique, sans oublier qu'une théologie foncièrement temporelle doit en toute logique s'attirer le reproche qu'on fait très volontiers — mais absolument à tort — à une théologie de tonalité psychothérapique : il ne s'agirait là que d'une simple doctrine de la libération de soi-même[9]. En vérité, celui qui attend essentiellement le salut de l'humanité de l'action humaine et qui croit par ailleurs que les hommes sont d'eux-mêmes fondamentalement capables d'agir justement n'échappe pas à l'hérésie déjà condamnée il y a mille cinq cents ans sous le nom de « pélagianisme[10] ».

Mais cessons de discuter théologie. Psychologiquement, il semble très regrettable qu'une vision de la rénovation des ordres religieux et de la vie selon les conseils évangéliques, telle que celle de J. B. Metz ne cesse de supposer déjà réalisé ce qui est l'aspect central du christianisme : la rédemption libératrice. La rédemption : voilà un objectif social et politique pour les autres ! Il présuppose évidemment que nous-mêmes, membres de l'Église, devons être considérés comme sauvés et que nous disposons du même coup d'un « salut » que nous n'avons qu'à transmettre au reste de l'humanité comme un ensemble de recettes toutes prêtes. Dans ces conditions on ne se demande jamais quel est notre état psychologique, celui des clercs, des membres des ordres religieux. On fait comme si, de par notre appartenance à l'Église catholique depuis notre réception du baptême et pour peu que nous le voulions, nous étions psychologiquement en état de fournir à nos contemporains toutes les bénédictions du Ciel le plus agréablement et le plus conformément possible à la volonté divine, de telle sorte que si, dans tel ou tel cas, nous n'avons pas suffisamment œuvré au salut du monde ou si n'avons pas su nous y prendre, c'est de notre faute. A écouter cette idée, Dieu a déjà fait l'essentiel en Jésus-Christ et l'a réalisé en nous par le baptême œuvre de salut, de telle sorte que nous pouvons en tout temps vouloir ce que nous devons et pouvons faire. Une telle théologie ne se demande jamais avec quelle sorte de gens au juste elle entend entreprendre la « libération » du monde. Elle ignore consciemment tout ce que les structures de l'Église, loin de libérer, n'ont fait que consolider, tout ce que l'âme de ses fidèles n'a fait qu'intérioriser. Elle ne se rend pas vraiment compte que, psychologiquement, rien ne s'est encore passé en un être humain quand, à l'âge de six semaines, on l'a porté dans l'église la plus proche et tiré de son sommeil en lui versant de l'eau froide sur la tête. Mais plus encore : elle ne soupçonne absolument pas à quel point, psychologiquement parlant, tout discours sur Dieu tenu dans une ambiance d'angoisse et d'hétéronomie ne peut que s'annuler dialectiquement.

En soi, on pourrait croire que l'idée de mystique, celle par laquelle J. B. Metz entend rénover le mode de vie des clercs, pourrait traduire psychologiquement ce que nous opposons à la catégorie du politique : elle désignerait le lieu véritable où l'individu pourrait faire l'expérience du salut de Dieu. D'ailleurs, Metz ne considère-t-il pas la mystique comme la source capitale de l'inspiration et de la motivation en vue de l'engagement politique ?

Pourtant, si on y regarde de plus près, on constate que le discours sur Dieu qui prévaut chez lui n'est précisément mystique que dans la mesure où, décrochant de l'expérience psychologique et la refoulant même, il rend l'inconscient métaphysique et extériorise le divin. Un théologien comme lui ne se rend pas compte que, du point de vue psychodynamique, quand quelqu'un prie son Dieu, il renforce d'abord son surmoi[11]. Au lieu de commencer par distinguer les contenus « justes » ou « faux » du surmoi (autrement dit de voir comment mesurer Dieu et sa parole à l'aune de cette théologie), il faudrait d'abord voir au cas par cas comment une personne donnée se situe par rapport à son surmoi, et donc reconnaître si son attitude religieuse est plutôt une fonction du surmoi ou une fonction du moi. C'est essentiellement dans la personnalité de l'individu qu'on peut voir si sa piété est crédible, et il s'agit donc de reconnaître que les plus beaux discours sur la liberté, l'humanité, l'amour et l'égalité des droits ne garantissent en rien la liberté de quelqu'un. Un homme pris dans un système de contraintes aura peut-être de très bonnes idées, mais ennuiera et écrasera les autres parce qu'il ne fera rien d'autre que masquer sous sa virtuosité purement intellectuelle et son arrogance un moi rabougri submergé sous ses sentiments d'infériorité. En d'autres termes : après des siècles de névrotisation de la psyché cléricale, il faut fondamentalement repenser aussi l'élément mystique du christianisme, et justement lui. Il faut en particulier réinterpréter les conseils évangéliques existentiellement, et non plus fonctionnellement. Psychologiquement et non plus politiquement. Thérapeutiquement et non plus « eschatologiquement ».

Nous voyons bien que cela ne dispense en rien de l'engagement politique. Mais celui-ci cesse d'être l'élément caractéristique et essentiel pour n'être plus qu'élément dérivé et relatif. Autrement dit, celui qui veut par exemple combattre la pauvreté la rencontre certes d'abord sous sa forme extérieure, une forme si écrasante qu'au premier abord toutes les questions psychologiques commencent par en paraître secondaires. Pourtant plus sa lutte sera couronnée de succès, plus il devra inévitablement découvrir que la pauvreté ne se cantonne nullement au domaine social, mais qu'elle existe au moins autant au niveau psychique : misère, dépendance, exploitation et aliénation renvoient infailliblement à la psychologie, autrement dit font tout simplement sauter l'enrobage social sous lequel elles se cachaient. Dès lors la pauvreté exige une réponse personnelle. Ici encore, à ce niveau purement psychologique, il s'agit de formes de pauvreté qui ne sont pas le propre de l'homme et qui sont donc surmontables — c'est pourquoi elles apparaissent par principe scandaleuses et inhumaines. Mais plus le travail thérapeutique sur ces formes fondamentalement non nécessaires de pauvreté sera efficace, plus on verra que la pauvreté est en définitive une propriété métaphysique de l'existence humaine, et c'est à ce niveau que se situe vraiment le religieux. Car seule la religion peut dire à l'homme comment vivre avec une pauvreté qui le caractérise nécessairement, en tant que créature terrestre et limitée. C'est bien là qu'elle est nécessaire à l'être humain. C'est là, à propos de questions auxquelles par principe aucun moyen terrestre ne peut procurer de réponse, qu'elle trouve sa place et peut faire preuve de compétence, tandis que, en matière de psychologie et de sociologie, elle ne peut tout au plus que jouer un rôle d'auxiliaire sans véritable fonction. En ce sens, elle n'est d'elle-même ni politique ni thérapeutique. Il est par contre évident qu'on ne peut attendre que du bien de quelqu'un qui réussit à vivre avec les soucis et les angoisses qui sont fondamentalement les siens. Il n'en sera que plus à même de surmonter ceux qui ressortissent à des moyens psychiques. S'il se trouve alors dans un état psychologique à peu près satisfaisant, il n'en combattra que plus résolument et sans entraves personnelles l'oppression et l'inhumanité des structures et des pratiques de sa culture et de sa société. La psychanalyse n'est pas une école de paresse, mais tout au contraire une façon de s'expliquer avec l'aliénation et la violence à tous les niveaux.

On peut bien entendu remarquer que le niveau du psychologique est plus proche de la religion que la sphère du sociologique, et qu'en ce sens mystique et politique ne se situent pas côte à côte, mais plutôt l'une au-dessus de l'autre ; et cette constatation change aussi la façon de procéder. Quiconque s'occupe de psychanalyse a tôt fait de comprendre que les directives morales ne peuvent résoudre les véritables questions de l'existence. Il verra même qu'on ne fera que ralentir et empêcher l'évolution psychologique en l'accablant d'un catalogue tout prêt de postulats, d'options et d'impératifs, non pas parce que ces objectifs moraux seraient en eux-mêmes déplacés, mais parce que, tant qu'ils ne s'imposent pas de l'intérieur dans un processus de développement psychologique, ils continuent à enfoncer le moi dans son tort ; parce que la loi tue, non parce qu'elle est fausse, mais tout simplement parce qu'elle n'est que la loi : cette constatation de saint Paul (Rm 7, 10) fait partie intégrante de toute espèce de psychothérapie analytique et elle oblige aussi à reprendre la réflexion sur les formes de vie des clercs de l'Église catholique.

On ne peut donc qu'être d'accord avec ce qu'écrit Paul M. Zulehner : « La mystique, c'est [...] s'enraciner, plonger en Dieu [...] La *Geschwisterlichkeit** ne fait que prolonger l'idée de fraternité. Ce développement linguistique est en rapport direct avec le développement de la conscience féministe, dans la société comme dans l'Église [...] La politique signifie engagement pour plus de justice. » Et il conclut ainsi : « En tant que peuple de Dieu, l'Église est mystique. Plus notre Église sera mystique, plus elle sera *geschwisterlich* (fraternelle) et plus notre Église sera mystique, plus elle sera politique [12]. »

Tout cela est fort bien en soi, mais n'offre pas la moindre piste pour sortir de difficultés bien connues, pour savoir par exemple comment aider nombre de clercs à travailler sur les violents conflits frères-sœurs (*geschwisterlich)* pour parvenir à une relation frères-sœurs crédible, autrement dit à surmonter les énormes barrières qui existent chez eux entre hommes et femmes, ou comment concilier l'amour de Dieu et l'amour du monde (c'est-à-dire pour parler concrètement : d'un homme ou d'une femme), alors que la problématique du célibat reste obérée de tant d'angoisses sexuelles, etc. Disons en d'autres termes que, si on veut éviter que l'Église reste toujours bâtie sur du sable, il faut engager la discussion à un niveau bien antérieur à celui des déclarations, définitions et directives de style postulats, et se garder de définir les formes idéales de vie des clercs avant d'avoir vu le service que cet idéal peut rendre psychologiquement sur le chemin de la découverte de soi.

Au fond, il s'agit finalement de définir par des moyens psychanalytiques l'équivalent empirique de ce processus qu'en termes théologiques on appelle « rédemption », mais qu'on doit commencer par insérer dans l'existence personnelle si on veut avoir sous les pieds un sol ferme. C'est précisément la psychanalyse qui permet de montrer ce que nous avons par ailleurs fondé et décrit en détail en faisant aussi appel à l'exégèse et à la philosophie existentielle [13] : que, pour sortir de l'impitoyable champ de l'aliénation « au-delà de l'Éden » et revenir à soi-même et à Dieu, c'est essentiellement de l'angoisse qu'il faut

* Ce mot allemand désigne la relation conjointe entre frère et sœur. Il n'a malheureusement pas d'équivalent en français. (*N.d.T.*)

délivrer les humains, ceci en vertu de la confiance que Jésus a rendue possible par toute sa personne. Essentiellement, ce n'est pas de l'injustice politique, de la pauvreté sociale ou de l'exploitation économique que les hommes ont besoin d'être délivrés, mais de l'angoisse qui, aussi longtemps qu'elle dure, ne cesse de susciter tous ces symptômes de malheur à tous les niveaux de l'existence personnelle et de l'histoire. Et elle durera aussi longtemps qu'on se contentera de répéter déclarations et postulats moraux au lieu de travailler concrètement sur les problèmes qui se posent au niveau de la vie de la personne.

La dimension individuelle est ici particulièrement importante. Tant qu'on déterminera de façon purement fonctionnelle les formes de vie cléricale, en particulier la façon de vivre les conseils évangéliques, on restera entièrement dans l'erreur ; on continuera à sacrifier la personne à l'institution, le moi au surmoi, l'être à la fonction, l'individuel au fonctionnel, le subjectif à une objectivité considérée isolément. Mais il n'est pas possible de faire avancer la libération humaine et la « rédemption » tant qu'on reste soi-même simplement l'homme d'une fonction, qu'on n'est donc pas libre intérieurement et qu'on reste étranger au salut. On ne peut pas enseigner l'amour si on a soi-même peur devant l'amour ; on ne peut communiquer aux autres le courage nécessaire pour vivre personnellement tant qu'on n'a pas osé vivre personnellement ; on ne peut faire un bout de chemin avec un autre que jusqu'au point où on est soi-même parvenu. C'est pourquoi, dans la vie des clercs, il est essentiel de comprendre les conseils évangéliques non comme « service de l'Église », non comme « témoignage eschatologique », non comme « sacrifice fait au Christ » ni non plus comme un témoignage de solidarité avec des groupes déterminés, mais comme des attitudes ayant leur valeur par elles-mêmes. Max Scheler disait des « vertus » qu'on ne pouvait pas sans pharisaïsme et sans hypocrisie prétendre les atteindre directement en voulant devenir vertueux, mais qu'il suffisait pour y parvenir de vivre certaines valeurs évidentes ; les « vertus » apparaîtront alors d'elles-mêmes « au dos des actes [14] ». Il n'est de même pas possible de vivre les conseils évangéliques en vue d'atteindre tel ou tel objectif, pour soi ou pour autrui. Ou ceux-ci trouvent leur fondement dans la vie de l'être humain lui-même, ou alors ils sont littéralement dépourvus de fondement. Ils ne supportent pas de figurer d'une manière purement utilitaire, comme des instruments de travail en vue de l'obtention de buts qui se situeraient au-delà d'eux-mêmes. Ou bien on les vit comme allant de soi, avec l'énergie de sa propre humanité libérée, ou bien ils sont intérieurement morts et provoquent la mort. S'ils doivent apparaître crédibles (et il le faut), vrais signes d'une existence libérée, il faut les comprendre non de manière totalisante, mais intimement, non de manière fonctionnelle, mais personnellement, non comme des devoirs, mais comme des formes d'expression. La question n'est pas de savoir comment tel prêtre ou telle religieuse peuvent s'appuyer sur eux pour se mettre plus intensivement, plus utilement, plus solidairement et plus loyalement au service du système global de l'Église, mais au contraire de savoir comment l'individu peut arriver à redécouvrir la valeur et la grandeur de sa propre personnalité et les suivre alors comme choses allant de soi à partir de cette expérience.

Il est évident que cette manière de placer les accents ou les priorités est également radicalement différente du « principe politique » de Martin Buber [15], même si elle porte à comprendre que la forme actuelle du politique a elle-même besoin d'être sauvée. Si on part de la doctrine chrétienne du péché originel, on découvrira l'erreur tragique qui consiste à croire qu'on peut délivrer le monde du politique avec les moyens du politique. Si c'était cela qu'avait voulu Jésus, il aurait eu tout avantage à organiser le Royaume de Dieu sur le modèle de la politique pacifique de l'empereur romain Auguste tout en tenant compte des propositions réformistes des Gracques. Or, c'est justement ce que Jésus n'a pas fait, et il y avait de bonnes raisons pour cela. Qui dit aujourd'hui « politique » pense aussi toujours jeu avec des hommes et violation du principe supérieur de l'humanité suivant lequel on ne saurait faire de l'homme un moyen en vue d'une fin en oubliant qu'on doit toujours le prendre pour fin en soi [16] ; celui-là songe aussi aux tragédies bien réelles qu'impliquent la conquête du pouvoir et le maintien au pouvoir. Face à une telle perspective, l'Église catholique devrait au contraire se montrer « politique » en ce sens qu'elle subvertirait le principe régnant du politique et le transformerait en un modèle de communauté humaine qui ouvrirait et offrirait à la personne un lieu d'épanouissement de soi. C'est bien elle qui devrait renoncer à dépersonnaliser l'individu et à dissoudre les conseils évangéliques en les réduisant à un faisceau de rôles, de fonctions et de devoirs qu'on affuble du titre de vie parfaite. Ce n'est que quand on pourra voir en eux un aspect de la réalisation de soi-même, et non plus une façon de se réprimer, autrement dit de se sacrifier, qu'on pourra considérer comme « dépassée », au sens hégélien du terme, la critique psychanalytique de la forme actuelle de l'existence cléricale.

Mais cette recherche se heurte inévitablement, une fois de plus, à la doctrine de souffrance, celle sur laquelle jusqu'à présent on a essentiellement voulu fonder la nécessité des conseils évangéliques. C'est en s'appuyant sur elle qu'on appelle l'individu à se sacrifier pour l'Église et la société, à l'exemple du Christ. Mais la rédemption du monde ne consiste pas à sacrifier le moi personnel, tout au contraire. Elle consiste à l'établir dans ses droits et ses libertés et à l'armer contre le terrorisme de la collectivité en en faisant un être indépendant, ouvert et résolu. C'est bien à la psychologie des profondeurs que nous devons de connaître le sens profond que prennent les symboles chrétiens de la rédemption dans le processus de découverte et de réalisation de soi, et de percevoir comment ils jouent régulièrement un rôle efficace et indispensable à tous les stades de la maturation et de la croissance, dans l'histoire de l'individu comme dans les religions des peuples. La psychanalyse ne renie pas la Croix du Christ, elle révèle même où réside sa valeur libératrice. Dans la religion, tout ce qui n'est pas interprété et compris à partir de l'intérieur de l'âme humaine ne libère pas mais détruit ; et aujourd'hui, c'est la psychanalyse qui peut et doit alerter sur l'effet névrotisant de toute extériorisation du religieux.

1. UNE PAUVRETÉ QUI LIBÈRE

Chacun des idéaux de la vie cléricale est grevé d'une hypothèque séculaire d'oppression psychologique et d'aliénation. Ne serait-ce que pour cette raison, il est indispensable de décrire leur finalité d'une manière non seulement psychanalytiquement incontestable, mais susceptible de faire sentir concrètement le sens de ce thème central du christianisme qu'est la libération de l'homme et de permettre d'en vivre. Actuellement, on assiste à quantité d'essais de reformulation des conseils évangéliques, mais ils sont largement affligés du vice que nous avons analysé, celui de la pensée fonctionnelle.

Tenant compte des phases du développement psychogénétique, nous commencerons par la pauvreté. Sur ce point, il faut s'arrêter longuement sur un exposé de Johann Baptist Metz qui mérite une attention particulière. Dans son opuscule *Un temps pour les ordres religieux ?*, il s'élève avec vigueur contre la stricte intériorisation de l'exigence chrétienne de pauvreté, car il voit en cette exigence « la seule forme communicable, socialement visible et efficace, de résistance contre la fascination d'une société entièrement axée sur le besoin et le marché, dominée par la raison calculatrice pour laquelle on ne donne jamais rien sans rien, qui ne pense plus qu'en termes de cibles et de valeurs d'échange, et qui ne laisse donc plus aucune place à d'autre justice qu'à celle du marché ni à d'autre humanité qu'à celle des " battants "[17]. » Il pense en particulier que l'opposition Nord-Sud constitue le défi capital lancé à la solidarité pratique avec les pauvres et les opprimés : « Comment l'Église une peut-elle s'arranger de cette lutte des classes entre les pays du Nord et ceux du Sud, puisqu'elle regroupe en son sein ces deux ensembles régionaux[18] ? » « Il est clair que le message de Jésus est déjà politique, en ce qu'il proclame la dignité de la personne et la qualité de sujet de chaque être humain devant Dieu. C'est pourquoi les témoins de cet Évangile doivent se porter garants de cette qualité de sujet chaque fois qu'elle est en danger. Ils doivent se battre non seulement pour la maintenir face aux contraintes collectives croissantes, mais aussi pour que ceux qui vivent dans la misère et l'oppression puissent l'acquérir. Il me semble que cela fait partie des devoirs les plus urgents de la pauvreté comme vertu évangélique[19] » Sous le titre de pauvreté, il demande fort justement à l'Église de changer radicalement de point de vue et de prendre nettement position en faveur des pauvres et des sans-droits, donc du « peuple ». Il a parfaitement raison quand il écrit : « On voit se développer une défection silencieuse de la " base " et l'identification du peuple avec l'Église, loin de progresser, régresse — et cela en dépit du discours sur l'Église " peuple de Dieu " et sur le sacerdoce des fidèles, et malgré les incantations sur l'importance des laïcs dans l'Église, etc.[20]. »

Il est clair que les problèmes que Metz formule se posent avec la plus grande urgence ; mais on n'en a pas moins l'impression que ses propositions perdent nécessairement de leur fécondité parce qu'elles négligent complètement la dimension psychologique de la pauvreté, autrement dit qu'elles n'y voient rien de plus qu'un reflet des conditions sociales. Or, en particulier quand il s'agit des « entraves à l'accession à la qualité de sujet », il est impossible de discourir sur la pauvreté sans commencer par traiter psychanalytiquement de la façon dont l'extériorisation des idéaux de l'Église constitue un glacis inhibant le langage ; sans quoi on risque d'en venir à discuter immédiatement de ses formes extérieures, sans disposer d'aucun critère permettant à ceux qui veulent ou doivent réaliser l'idéal de pauvreté de percevoir dans leur propre vie sa pertinence psychologique.

Il n'y a actuellement sans doute pas d'exemple plus impressionnant de pauvreté chrétienne, au sens matériel, que la vie de la merveilleuse Sœur Emmanuelle chez les chiffonniers de la vieille ville du Caire[21]. Durant des années, sur mission de son ordre, elle avait enseigné dans des écoles secondaires de jeunes filles de la haute société de France ou du Proche-Orient, lorsqu'un jour, à la vue d'enfants dépenaillés qui ramassaient des détritus dans les rues de la capitale égyptienne, elle incita ses élèves à donner autant qu'elles le pouvaient de leur superflu à ces mendiants. Choquée de voir les sommes dérisoires que ces enfants de parents aisés ramassaient péniblement alors qu'ils dépensaient l'instant d'après des fortunes en glaces et en bonbons, elle décida de ne plus consacrer un instant de plus à enseigner le français à ces pimbêches, pour s'engager désormais exclusivement en faveur des chiffonniers de la zone de Moallaka, l'« Église suspendue ». Aujourd'hui Sœur Emmanuelle est une légende vivante, l'une des très rares personnes aux pieds desquelles on se sente spontanément invité à déposer tout ce qu'on possède, comme on le faisait dans l'Église primitive aux pieds des Apôtres. En matière de pauvreté chrétienne, il n'est pas possible de faire plus et mieux que cette femme hors pair. Voici quelque temps, elle a même réussi à faire mettre en service une usine d'incinération d'ordures combinée à une centrale électrique au bénéfice de ses frères et sœurs coptes dans la misère. Il n'en est pas moins clair que sa pauvreté n'est salutaire que grâce à la relative richesse d'autres gens ; or c'est cette richesse qui constitue le problème politique essentiel, et il ne suffit pas de simples interventions caritatives pour l'attaquer ; jusqu'à maintenant, nous ne sommes pas en mesure de le résoudre. Il n'en reste pas moins que le magnifique engagement de Sœur Emmanuelle, en tant que personne, est parfaitement crédible. Il en va tout autrement de gens qui ont inscrit l'exigence de pauvreté sur leurs étendards d'exégètes ou de professeurs de théologie dogmatique, alors qu'eux-mêmes continuent à vivre dans la gloire et l'opulence. Chez eux, la contradiction entre la vie et la doctrine tourne nécessairement à une bouffonnerie qui ne garde d'apparence bienfaisante qu'à leurs yeux. Ne serait-ce que par solidarité avec d'autres collègues de la faculté, ils ne voient aucun inconvénient à passer leur prochain congrès d'études tranquillement à l'ombre des Pyramides et à réfléchir aux origines de l'antique Israël, dans l'intention de présenter une semaine plus tard avec flamme à leurs étudiants la signification politico-sociale de la tradition de l'Exode. Pour eux, tout est si bien cloisonné, le personnel est si bien séparé du général, qu'on comprend aussitôt l'avantage évident d'une telle théologie de la pauvreté, dédaigneuse de ses aspects psychologiques : elle permet de « s'engager » pour les pauvres sans avoir à en ressentir le moins du monde les effets en son propre corps. Il n'y a là rien d'autre qu'une perversion de la théologie en haine bourgeoise de soi-même, donc de la variante particulière déjà mentionnée de l'autosatisfaction narcissique du surmoi. Elle ne se préoccupe absolument pas de ses applications dans la vie ; il lui suffit de cultiver et d'embellir, à ses yeux et à ceux d'autrui, l'image flatteuse qu'on donne de soi, en se posant comme une exception du fait qu'on se montre conscient et critique.

Même chez ceux qui, dans les rangs des clercs, trouvent le courage de se dégager du système corrompu de la « pauvreté fonctionnalisée » de l'Église catholique, il reste quand même un problème apparemment insurmontable, même pour un homme comme Léon Tolstoï[22] : même s'il se privait de la part non indispensable de sa grande richesse, il restait encore un riche et il fallait bien qu'il soit riche pour aider les pauvres. Pour sacrifier à un idéal abstrait, cela aurait été une attitude irresponsable de vendre aux enchères fermes et biens ruraux qui donnaient du travail et du pain à beaucoup de gens. Tolstoï aspirait donc avec ferveur à la pauvreté évangélique, mais il n'en prit pratiquement le chemin que peu avant sa mort. Il en fut tout autrement de son grand antagoniste, F. M. Dostoïevski, qui passa de longues périodes de sa vie dans une véritable pauvreté et en traita donc souvent dans ses romans en en démontant bien toutes les conséquences psychologiques. Il ne la cherchait pas ; il cherchait à la vaincre, et il montra avant tout dans ses personnages, tels que Sonia, la fille de l'ivrogne impénitent Marmeladov, qu'il était possible d'en surmonter les conséquences ruineuses, la perte de sa propre estime, par une plus profonde confiance en Dieu[23].

Si on juge crédible la peinture que cet écrivain nous a laissée dans ses romans sur ce thème, il faut avant tout en conclure qu'il est impossible de continuer à définir plus longtemps la pauvreté chrétienne comme une pauvreté matérielle. Celle-ci n'est ni un but ni un idéal, mais ne peut raisonnablement et pratiquement avoir qu'une valeur de transition. Relevant de pitié caritative et d'un comportement social responsable, il faut tout simplement la vaincre : c'est tout. À l'inverse, il faut se demander pourquoi le Nouveau Testament met de façon si insistante en garde contre la richesse, en la présentant comme un véritable anti-Dieu, comme une idole. Autrement dit, en quoi consiste le caractère fétichiste de l'argent et de la richesse[24] ? Quelle est la valeur psychologique de la pauvreté, son expression, sa nécessité compensatrice ?

On aura déjà bien avancé quand on aura remarqué que, au fond, le problème central du Nouveau Testament n'est pas la pauvreté, mais la richesse. Mais il est très important de comprendre que la mise en garde de Jésus devant celle-ci n'a nullement d'abord une motivation sociale, mais ressortit immédiatement à sa relation à Dieu : elle ne doit pas s'interposer entre Dieu et l'être humain ; elle ne doit pas finir par devenir pour celui-ci ce que finalement Dieu seul peut être pour lui en cette vie, l'assurance ultime contre l'angoisse. Si on veut être en mesure de comprendre que la pauvreté, telle que Jésus l'entend et la veut, est une expression de libération, et cela non pas d'abord pour autrui, mais pour soi-même, il ne faut pas manquer d'apercevoir cet arrière-fond d'angoisse existentielle. J'ai besoin d'être pauvre, et non pas je dois abandonner tous mes biens pour autrui : telle est l'expérience capitale que nous invite à faire Jésus. Si on se place dans cette perspective, on n'aura guère de peine à comprendre la pauvreté évangélique d'une manière qui évite toute déformation névrotique. Bien sûr, cette façon de voir signifie la fin de toute interprétation essentiellement matérielle, autrement dit fonctionnaliste, qu'on en donne. Elle suppose aussi qu'on commence à centrer les trois conseils évangéliques sur la question fondamentale de l'existence humaine, celle de l'angoisse, à tous les stades du développement de cette existence et dans toutes ses dimensions. On ne peut comprendre ce que cela veut dire, si on ne voit pas en quoi consiste réellement l'expérience vécue de la pauvreté.

Nous avons vu qu'un des problèmes fondamentaux de l'expérience orale-dépressive du monde consistait dans le sentiment de la finitude de la vie. À tout instant, nous sentons la mort qui nous guette, l'insuffisance de nos forces, la fragilité de notre moi et la façon dont celle-ci porte ombrage à notre rêve de paraître dignes d'amour aux yeux des autres. Psychanalytiquement parlant, c'est cette carence existentielle et les sentiments psychologiques d'infériorité qu'elle provoque qui sont les sources essentielles de la triste idée que nous nous faisons de nous-mêmes, et ce sont elles qui nous poussent à devenir riches. Pour dire autrement les choses, est « riche », aux yeux de Jésus, non pas celui qui possède beaucoup, mais celui qui se sent obligé de posséder beaucoup pour calmer son angoisse de ne pas être assez bon, assez capable, assez respecté, assez parfait, assez fort pour mener une existence tranquille et rassérénée. Ce n'est que lorsque l'argent et la possession sont censés résoudre des questions auxquelles par principe ils ne peuvent pas répondre que le possédant devient un captif, l'argent un fétiche, l'avoir un moins-être. L'alternative est claire : ou on ne peut être délivré de la pauvreté matérielle que par plus de richesse matérielle, ou le vrai problème est de délivrer un homme qui se cramponne à ses affaires comme s'il y trouvait sa félicité. Comment faire saisir à celui-ci que moins, c'est plus ? Intellectuellement parlant, il n'est pas particulièrement difficile de comprendre qu'un schéma de pensée qui déclare en soi positive toute espèce d'augmentation a plus d'inconvénients que d'avantages : par exemple, quand le corps produit des doses exagérées d'hormones ou d'enzymes, cela met la santé en danger, et ce n'est donc pas le toujours plus qui apporte le bien-être, mais la dose juste[25]. Psychologiquement, tout l'art de vivre en sachant user de ses biens consiste à atteindre cette « juste mesure ». Or, psychanalytiquement, on s'aperçoit que cette mesure juste de l'avoir n'est pas facile à atteindre tant que subsiste l'angoisse de la finitude, autrement dit le sentiment de culpabilité. Une idéologie de la pauvreté qui grèverait d'emblée, et de façon purement extérieure, de sentiment de culpabilité cette « juste mesure » ne serait donc pas libératrice, mais fanatique. Ce serait au contraire un grand point de gagné si on pouvait renforcer suffisamment la conscience que quelqu'un peut avoir de lui-même pour qu'il puisse se défaire de ses formes gênantes de richesse où la possession d'objets déterminés ne sert qu'à compenser de prétendues insuffisances intérieures ou extérieures.

C'est ainsi qu'une femme peut apprendre qu'il n'est pas nécessaire de prouver sa beauté à coups de cosmétiques, de bijoux et de vêtements, qu'un homme peut découvrir qu'il a droit au respect et à la considération même s'il n'a pas deux titres académiques ou n'obtient pas sa promotion à une meilleure échelle de traitement. Chacun a besoin d'apprendre à sa manière qu'il n'est d'autre protection contre le vieillissement, la maladie et la mort qu'une vie bien remplie et qui a du sens. Mais on peut vérifier dans tous les cas que le problème n'est pas celui d'une pauvreté entendue au sens matériel, mais celui d'une forme de richesse qui s'efforce de cacher une pauvreté intérieure.

C'est cette signification de la pauvreté évangélique qu'a développée Walter Dirks dans son ouvrage *La Réponse des moines*, lorsque, voici déjà quelques années, il faisait valoir en saint François quelqu'un qui « n'était pas un pauvre qui se refusait à devenir riche, mais un homme qui s'était fait pauvre[26] ». Il écrivait : « Il faut remarquer ce caractère particulier de sa prédication : il ne prêche pas la justice, ni l'égalisation des fortunes. Certes il exigeait des riches qu'ils donnent l'aumône ; bien sûr, il demandait au frère qui voulait s'agréger à sa troupe de donner ses biens aux pauvres. Mais, en cela, il se souciait beaucoup moins du pauvre qui recevait que de celui qui donnait : il s'inquiétait beaucoup plus de la menace de la richesse que de la faim des autres. Qu'on donne au pauvre ce dont il a besoin va de soi ; mais cela ressortit à la fraternité et à la communauté, cela n'a rien à voir avec Dame Pauvreté. S'il n'y avait eu aucun pauvre pour recevoir, François aurait quand même jeté ce qu'il possédait dans la gorge de montagne la plus proche pour s'en débarrasser, pour être libre à son égard. Le refus inconditionnel de l'argent est poussé au point que les frères n'ont pas le droit d'en accepter même au profit des pauvres. Ils n'ont même pas le droit d'en ramasser pour en faire cadeau et, s'ils en trouvent sur leur chemin, ils doivent le piétiner. Si les frères mineurs se faisaient agents d'affaires et acceptaient des aumônes et de l'argent pour les répartir parmi les nécessiteux, ils se rendraient pourtant utiles. Mais non, rien de tout cela ! François ne veut pas avoir à s'en occuper. L'ordre des Franciscains n'est pas un ordre caritatif ; il vit dans la pauvreté évangélique et il prêche la paix de Jésus-Christ, rien d'autre[27]. »

On pourra s'étonner que W. Dirks considère que la pitié pour les pauvres va de soi et qu'il la distingue nettement du sens évangélique de la pauvreté ; mais c'est bien ce qui se passe. De grandes personnalités de notre temps, comme Elsa Brandström ou Florence Nightingale, qui ont librement vécu dans la pauvreté en s'occupant des victimes de guerre, blessés ou prisonniers, vivaient sans aucun doute l'Évangile, mais n'avaient pour cela besoin d'aucune motivation religieuse particulière. Le sens de la pauvreté évangélique se situe bien en deçà d'une solidarité en acte vécue avec les pauvres ; considérée d'un point de vue pratique, elle peut même être un handicap. Mais quand il s'agit de la pauvreté de l'être[28], du creux de l'angoisse au cœur de l'expérience personnelle, la religion est seule à pouvoir apporter une réponse, et c'est là que s'ancre essentiellement l'exigence de pauvreté du message biblique.

Plus paradoxalement encore : en psychothérapie, il n'est pas rare d'avoir par exemple affaire à une femme qui ne manque extérieurement de rien, mais qu'on devra conduire, peut-être pour la première fois de sa vie, à s'offrir pour son anniversaire, ne serait-ce qu'un objet symbole de sa situation, un manteau de vison ou un collier de platine. Du point de vue de la psychanalyse, il n'est pas de forme crédible de pauvreté évangélique qui puisse faire l'économie d'un passage par un renforcement correspondant du moi. Toute la difficulté consiste à apporter à la personne un appui suffisant pour lui permettre de surmonter ses doutes et ses sentiments d'infériorité, et d'oser être ce qu'elle est, au lieu de vivre en dehors d'elle-même, sous l'emprise d'un avoir étranger. Mais, pour en arriver là, il faut d'abord avoir reconsidéré les limitations que le surmoi a imposées au moi, celles qui, dès l'enfance, ont bloqué toute possibilité d'un rapport sain au tien et au mien. Il est ainsi fort fréquent d'avoir à s'exercer à des formes de vraie possession avant de pouvoir commencer à se préoccuper valablement de la pauvreté chrétienne. On ne peut pas magiquement créer la réalité de la foi en usant de formules pathétiques, d'avertissements moraux et de gestes spectaculaires ; on ne peut en rendre crédible et humainement digne la force libératrice que si le moi personnel a pris assez de consistance et de force pour faire sauter les défroques qui lui étaient nécessaires pour se protéger de l'angoisse, donc pour faire craquer l'obligation de ne rien avoir, tout comme en automne les châtaignes font éclater leurs bogues épineuses. Apprendre à posséder pour pouvoir vivre sans posséder : tel est bien souvent le chemin qu'il faut prendre en psychothérapie avec les clercs catholiques. Mais l'absence de possession n'est jamais le but ni la récompense que viserait indirectement la psychothérapie, en aidant à passer de la névrose à la sainteté. Elle est tout au plus le résultat thérapeutique d'un moi qui s'est trouvé lui-même, ni plus ni moins. Elle est littéralement l'œuvre d'une confiance en Dieu qui apaise l'angoisse de l'être, avec toutes ses limitations et son sentiment de ne pas avoir le droit d'exister ici-bas.

Ce n'est qu'à cette condition qu'on peut échapper à l'ambivalence psychologique de l'exigence évangélique de pauvreté ainsi qu'au danger permanent d'un terrorisme du surmoi. Inversement, ce n'est qu'ainsi que la pauvreté apparaît comme quelque chose où le moi cesse de se trouver corseté et enclos et de devenir ainsi victime de lui-même, mais se libère de soi, trouve son centre et peut récupérer tout ce qui lui avait été littéralement volé : jeunesse, vitalité, indépendance, confiance en soi, bref, tout ce qu'il avait péniblement tenté de compenser en accumulant des biens extérieurs. En y regardant de près, on note qu'il faut interpréter l'un des passages de la Bible les plus importants sur la pauvreté chrétienne (Mc 10, 17-31, l'histoire du jeune homme riche[29]) comme un rappel de l'impuissance de principe de l'être humain à pouvoir faire preuve par ses propres forces de sa bonté devant Dieu (Mc 10, 27). Autrement dit, un des points essentiels de la pauvreté au sens de Jésus, c'est de conduire l'homme à découvrir l'absurdité qu'il y a à se faire moralement valoir devant Dieu, et à saisir que la seule sécurité de la vie réside dans la confiance en celui-ci ; c'est de cette attitude que découle tout le reste. Même l'idée de récompense de Mc 10, 21, celle de « trésor dans le ciel », se concilie bien mal avec l'attitude de Jésus et pourrait fort bien provenir de la première prédication chrétienne[30]. Quand on l'appelle « Bon Maître », Jésus récuse cette apostrophe : « Dieu seul est bon ! » (Mc 10, 18.) Dans son néant, l'homme peut quand même se redresser en toute confiance devant Dieu : c'est cela, le véritable objet d'une pauvreté qui libère.

D'une telle pauvreté, il peut être très difficile de faire l'apprentissage ; c'est ce que fait fort bien voir la psychothérapie analytique, tout simplement parce que c'est elle qui se rapproche le plus des formes essentielles de la pauvreté.

Du côté du thérapeute, il s'agit d'abord de se déshabituer de ses idées moralisantes sur l'avoir. Il est extrêmement important pour lui de comprendre qu'on ne peut aider un patient que si on renonce strictement à prendre la mesure de sa vie et à la juger d'après ses propres catégories et ses normes personnelles. Il se peut que la femme au manteau de vison inspire à première vue une énorme aversion au thérapeute qui a passionnément pris parti contre l'exploitation des animaux ; mais, s'il est un bon thérapeute, il ne cherchera pas à la contredire avec les doctrines d'Albert Schweitzer sur « le respect de la vie[31] ». Il se dira que, au point où elle en est, comme dans le conte *La Jeune Fille sans mains*, cette femme a d'abord besoin d'apprendre à pouvoir enfin se souhaiter quelque chose. L'objet de son intérêt se précisera de soi. Ce qui est essentiel, c'est que le thérapeute exige de lui-même de mettre entre parenthèses les valeurs de sa vision du monde et essaie de voir ce monde avec les yeux de sa patiente. S'il arrive des moments où celle-ci risque, à son propre détriment, de méconnaître des secteurs importants de la réalité ou de ne plus les percevoir que déformés, il se souciera de faire valoir le « principe de réalité », lequel peut aussi intégrer certains principes moraux généralement acceptés dans notre société. Mais, là-dessus, il aura à cœur de s'abstenir de tout jugement. Il se laissera porter par l'espoir que sentiments et souhaits se traduiront d'autant plus aisément par des projets et des actions raisonnables qu'il aura accueilli avec bienveillance leur émergence en aidant à en saisir avec confiance le sens, tandis que censure et opposition n'auraient fait que les réprimer sans laisser au moi aucune chance de les intégrer Pour lui, l'essentiel est donc de comprendre qu'il ne peut pas savoir ce qui est le mieux pour sa patiente. Il ne peut rien faire d'autre que l'accompagner avec le plus de compréhension possible. Il lui faut se libérer de ses solutions et de ses recettes toutes faites pour s'ouvrir à l'autre. S'il veut délivrer et guérir, il doit littéralement devenir pauvre. Aussi longtemps qu'il s'enfermera dans un rôle de maître compétent, de spécialiste entraîné, d'expert qualifié, il restera lui-même victime des conflits d'autorité que provoqueront ses manières. Ce n'est que s'il adopte totalement l'attitude de celui qui chemine avec l'autre qu'il permettra un travail sur les transferts qui proviennent de l'expérience que cet autre aura vécue avec son père ou sa mère. Tout ce que le thérapeute pensera « avoir », en dehors de son être propre, fera obstacle entre lui et son patient. S'il veut être plus proche de lui, il faut que tout cela disparaisse. Ce n'est que lorsqu'il sera sans filet de protection qu'il cessera de diffuser de l'angoisse. Ce n'est que lorsqu'il se sera vidé de lui-même qu'il sera capable d'accueillir une souffrance et une détresse étrangères. Cette pauvreté solitaire lui fera du bien également. Elle lui procurera la tranquillité intérieure de celui qui ne se croit pas obligé d'être plus qu'il n'est, de savoir plus qu'il ne sait, de faire plus qu'il ne peut réellement : celui-là apprend finalement à vivre avec ses limites, sûr que la vie de l'autre est quelque chose qui vaut en soi (en langage chrétien : que Dieu l'a voulue). Acceptant alors ses lacunes et ses faiblesses, il permet à d'autres de ne pas s'effondrer à la vue de leurs lacunes et de leurs faiblesses. La pauvreté vraiment libératrice ? Une sorte de merveilleuse multiplication des pains (Mc 6, 30-44 ; 8, 1-10)[32] !

Une telle comparaison est particulièrement riche d'enseignements : elle ne montre pas seulement ce qu'on peut entendre psychanalytiquement par « pauvreté ». Elle fait aussi voir aux clercs de l'Église catholique le caractère extrêmement sérieux de leur vie chrétienne. Nous avons assez souligné combien leur vie reste équivoque et leur « pauvreté » peu engageante et peu crédible, tout au moins dans notre aire culturelle, aussi longtemps qu'ils persisteront à interpréter faussement, en un sens purement matériel, ce conseil évangélique. Mais ce n'est que maintenant qu'il apparaît avec évidence combien, avec tous leurs discours sur le sujet, ils ne peuvent structurellement que faire barrage à la véritable pauvreté, et que leur inaptitude à vivre celle-ci est très étroitement liée à leur dépendance de ce surmoi dont cette exigence de pauvreté devrait précisément les délivrer. Les clercs disposent de bien des ressources qui les dispensent de s'accepter eux-mêmes dans leur pauvreté, y compris cette pauvreté forcée dont ils se font une protection. Au lieu de vivre pour eux-mêmes, ils ont leur fonction, et de par leur fonction ils ne disposent pas seulement de tous les agréments d'une forme d'existence bourgeoise tout à fait normale ; en tant que « ministres », ils bénéficient côté jardin, par l'entrée de service, de tous les avantages qui leur seraient normalement refusés s'ils avaient le statut de personnes ordinaires : eux, les élus, les inspirés de Dieu, on les entoure d'admiration et de respect sacré, on les nimbe d'une auréole divine. Ainsi peuvent-ils jouer sur la mystique et la politique, sur la superstition et sur le pouvoir, sur le secret et sur la façade, sur la valeur en soi et sur le manteau jeté sur leur futilité où se réfléchit leur être pour soi ; et surtout, sur la garantie que l'Église leur fournit en tant que ministres, en lieu et place de la relation personnelle confiante à Dieu qui devrait être la leur. « Comment est-ce que je me situe comme être humain, comme personne aux yeux de mon Créateur ? » Cette vraie question se dilue littéralement dans l'assurance dite « libératrice » de vivre dans un état conforme à la volonté de Dieu et sanctifiant par lui-même, celui qui conduit l'individu à renoncer progressivement à soi-même pour ne plus chercher qu'à s'adapter avec toute la souplesse souhaitable à l'« objectivité ».

Et, tout en déchargeant le sujet de lui-même, cette objectivité devient le lieu de toutes les prétentions : professeurs de théologie, les clercs sont en permanence en mesure d'inspirer crainte et dépendance à leurs étudiants et contemporains, avec leur savoir indispensable en matière de mystères divins et de manifestations de l'économie du salut. Comme prêtres, ils disposent de la vraie doctrine de l'Église, qu'ils n'ont plus qu'à transmettre. Ils possèdent une toute-puissance sacramentelle secrète qui n'appartient qu'à eux. Ils sont les propriétaires du Christ et de sa mission, celle à laquelle ils doivent obéir comme envoyés de leur évêque ; ils peuvent juger de ce qui est vice ou vertu, péché et mérite, piété ou impiété, et ils jouissent du pouvoir de remettre ou non les péchés (Jn 20, 23)[33]. De telles personnes, qui n'existent essentiellement que de par leurs fonctions, ne peuvent jamais connaître véritablement la pauvreté. Elles ne sont jamais vraiment exposées, désemparées, en recherche, exilées, livrées au doute et au non-savoir. Qu'on pardonne l'expression : elles ne sont jamais véritablement croyantes. Seul le moi propre peut s'avouer sa pauvreté. Tant qu'il se réfugie sous la protection de la carapace de son surmoi, il est semblable à un chevalier errant dont la cuirasse et le manteau seraient couverts de pourpre et d'or, du rôle qui empêche la véritable pauvreté.

C'est là le point capital : estime-t-on qu'être pauvre, c'est sacrifier et abandonner son moi personnel ? Voici qu'à l'ombre de cet écrasement masochiste de soi se fait jour une revendication d'avoir et d'autorité plus brutale encore. Mais être pauvre, c'est faire vraiment sienne la faiblesse de son moi en faisant confiance à Dieu, sans échappatoire ni faux-fuyant ! Nous n'avons rien de plus que ce que nous sommes, parce que Dieu nous l'a confié quand il nous a créés. Tout ce qui prétend aller au-delà dénature notre être et barre notre accès à l'humain.

Paul M. Zulehner, qui avait par ailleurs cherché à lier fondamentalement l'idée de pauvreté à ce qui en constituerait le contenu « politique », à « l'aspiration à la justice », a développé des considérations en elles-mêmes assez séduisantes. A la lumière de l'histoire de Caïn et d'Abel (Gn 4, 1-16), il a tenté de montrer qu'il y a une manière d'offrir, celle qui se traduit à travers Abel, qui ne se situe pas au niveau des choses ; mais ce mouvement fondamental de la vie serait refoulé par l'exigence de Caïn, « liée aux choses terrestres » ; il s'agirait toutefois de réconcilier ces deux aspects de l'humain, le détachement du monde et l'attachement à lui [34]. De fait, cette réconciliation entre les orientations divergentes de nos impulsions est un vrai problème. Mais l'histoire de Caïn et d'Abel montre justement dans quel déchirement l'homme doit vivre dès que sa relation à Dieu est essentiellement marquée au sceau du sacrifice [35]. Tant qu'il se sent tenu de se réconcilier d'abord avec Dieu, il ne peut se réconcilier avec lui-même. Cependant la véritable pauvreté n'est pas celle qui commence par cette bonne œuvre que serait la dépossession méritoire, mais par la confiance qui nous autorise sans restriction à être ; elle ne consiste pas à mener à son point de perfection l'aventure de Caïn et Abel, mais bien à nous évader de cette histoire pour nous laisser reprendre par la main et nous laisser reconduire au Paradis perdu, en passant devant les anges aux épées de feu (Gn 3, 24), jusqu'à ce que nous retrouvions ce monde où il nous sera permis d'être « nus » devant les yeux de Dieu et des hommes en perdant toute honte de ce que nous sommes (Gn 2, 25) [36].

C'est Ernst Bloch lui-même qui racontait un jour : « Un vieux sage se lamentait, disant qu'il était plus facile de sauver l'homme que de le nourrir. Le socialisme à venir, lorsque tous seront assis à la table, lorsque tous pourront s'y asseoir, devra affronter plus que jamais, en un combat particulièrement difficile et paradoxal, le renversement bien connu de ce paradoxe : il est plus facile de nourrir l'homme que de le sauver [37]. »

2. UNE OBÉISSANCE QUI OUVRE ET UNE HUMILITÉ QUI ÉLÈVE

Il semble presque impossible, en particulier en ce qui concerne les conseils évangéliques d'obéissance et d'humilité, de déblayer les décombres séculaires qui affectent la valeur de ces notions ; les mots eux-mêmes sont devenus inutilisables. « Obéissant » ? On associe à ce terme l'attitude d'un petit enfant ou celle de militaires en situation tragique auxquels on a ordonné de se défendre jusqu'au bout, sans plus tenir aucun compte de la valeur de la vie individuelle. « Humble » ? Là, c'est la fillette qui baisse la tête et regarde par terre dans l'espoir que son attitude lui vaudra l'attention et la faveur du maître. En dehors de leur usage ecclésiastique, ces termes sont devenus obsolètes et ridicules comme, bien entendu, le comportement qu'ils désignaient originellement. Tant qu'on n'aura pas analysé à fond les déformations psychologiques qu'ils impliquent, on ne pourra les réemployer de façon crédible ni dans l'Église ni dans la société.

Là encore, un propos de J. B. Metz nous fournira un excellent exemple. Il a évidemment bien repéré le problème : il dit que l'obéissance « ne désigne pas en premier lieu la disponibilité radicale à l'égard des fonctionnaires de la hiérarchie et dans le cadre des ordres religieux [38] ». En second lieu, alors ? Car c'est bien cela que le terme a signifié pendant des siècles et signifie encore maintenant. Aujourd'hui, celui qui accepte d'être consacré évêque doit entre autres choses affirmer dans son serment de fidélité : « Je m'efforcerai de promouvoir et de défendre les droits et l'autorité des papes ainsi que les prérogatives de leurs envoyés et représentants. J'informerai honnêtement le Souverain Pontife de ce qu'on pourrait entreprendre contre eux [39]. » Le professeur J. Kremer, qui n'a sûrement pas la réputation d'un progressiste, a parfaitement raison en estimant que, par ce serment, le candidat à l'épiscopat renonce à son indépendance et accepte de se considérer comme un simple auxiliaire de la Curie. Depuis le 1er mars 1989, on a encore renforcé cette obéissance, déjà suffisamment fâcheuse du fait qu'elle est conçue de façon purement extérieure, comme un loyalisme à l'égard du Magistère, en exigeant des professeurs de théologie, vicaires généraux, supérieurs d'ordres, curés et autres porteurs de charges ecclésiastiques un nouveau serment de fidélité. Dorénavant, lors de leur entrée en fonction, ils doivent jurer de respecter la discipline ecclésiastique et les dispositions du droit canon et, entre autres choses, de s'en tenir « à tout et en tout » à « l'enseignement de la foi et des mœurs », qu'il soit formulé dans une déclaration suprême et solennelle ou par le Magistère ordinaire[40]. Pour justifier cet engagement, les milieux de la Curie ont surtout attiré l'attention sur les questions de contraception artificielle, de remariage des divorcés et d'ordination sacerdotale des femmes. Il ne s'agit nullement de doctrines déjà couvertes par l'autorité magistérielle suprême, mais l'obéissance qu'on exige à leur propos laisse à penser qu'en dernière analyse il faudrait les comprendre comme telles.

Ce qui est étonnant dans les réflexions de J. B. Metz et d'autres, c'est avant tout la légèreté avec laquelle ils omettent purement et simplement l'aspect psychique de cette exigence cléricale. Il faut avoir l'occasion de vérifier semaine après semaine combien un prêtre ou une religieuse en psychothérapie ont de la peine à prendre une décision personnelle ou simplement à s'accorder une fois ou l'autre le droit d'avoir un sentiment propre, un désir à eux, et à les défendre contre les objections réelles ou imaginaires des autres, pour comprendre que la première chose à faire, c'est de leur arracher de l'esprit les inhibitions anales et œdipiennes qui entravent leur épanouissement et les empêchent de se construire une personnalité. Ce n'est qu'alors qu'ils auront alors peut-être le courage d'admettre la nécessité d'interpréter tout autrement qu'autrefois le conseil évangélique « en soi ». Chez nous autres, théologiens, la croyance en la toute-puissance de la pensée touche parfois à la superstition infantile en nous donnant à croire qu'il suffit de quelques formules nouvelles pour nous débarrasser d'un héritage séculaire, comme s'il ne s'agissait que d'effacer d'un tableau noir les signes d'une mauvaise opération mathématique. Cela montre bien comment on perpétue de vieilles erreurs sous un nouvel habillage.

J. B. Metz a donc tout à fait raison quand il déclare que les chrétiens doivent orienter leur vie sur le modèle du Christ et se laisser juger à cette aune. Mais comment donc apprendre l'obéissance de Jésus de Nazareth ?

S'il y a quelque chose à apprendre de lui sur ce point, c'est le courage de la désobéissance privée en particulier face aux autorités ecclésiastiques. Mais de cela, on ne trouve chez Metz pas un traître mot : au lieu de fonder vraiment la passion sur la désobéissance, comme il le voudrait, il disserte sur une « mystique » de la Passion qui s'enracinerait dans l'« obéissance » à Dieu telle qu'elle s'exprime en Hb 5, 8 : celle que Jésus dut apprendre consista essentiellement à assumer la souffrance de la croix, conformément à la volonté du Père [41]. Il n'est pas nécessaire de rappeler ici combien la conception biblique selon laquelle le Père a voulu offrir son Fils sur la croix pour nos péchés obéit à certaines notions archaïques empruntées à l'Ancien Testament, mais qui sont parfaitement impropres à fonder une morale de l'obéissance du seul fait qu'elles tendent à considérer l'histoire humaine aussi bien que la vie de Jésus à partir d'un soi-disant point de vue divin [42].

Mais voyons comment un auteur comme le nôtre a peur d'une psychologie qu'il caricature jusqu'à l'absurde : il le montre avec évidence quand, insistant sur l'idée qu'il se fait de l'obéissance par conformité au Christ, il ajoute : « Le Dieu de cette obéissance ne pousse pas à une recherche frénétique de l'identité, il n'étouffe pas notre faculté de prendre part à la souffrance d'autrui, il l'éveille et la nourrit plutôt [43]. » Chacun de ces termes parle pour lui-même : pour « chercher son identité », il faudrait vraiment que quelqu'un de son opinion y soit « poussé » ! Il ne vient pas un instant à l'esprit de celui qui se réclame d'une telle obéissance par adhésion que cette recherche de l'identité personnelle est la seule raison de notre existence ici-bas, et que notre tâche essentielle, c'est d'y satisfaire ; et cela s'explique, ainsi que le dit gentiment notre auteur : partir à la recherche de soi-même serait de la « frénésie », et se demander quel genre d'homme nous sommes ne manquerait de nous conduire à quelques rapides découvertes désagréables, car nous nous heurterions à Dieu ! Vraiment, qu'on se rassure ! Le « Dieu de cette obéissance »-là ne sera pas assez cruel pour nous demander d'être nous-mêmes. Mais cette assurance ne suffit pas : « La recherche de l'identité » ? Quelle horreur ! « Elle étouffe notre faculté de prendre part à la souffrance d'autrui » ! il faut le savoir : elle tient du vampirisme ! C'est de l'égoïsme à l'état pur, quelque chose de brutal, de borné, d'inhumain ! Et voilà revenu dans toute sa splendeur le christianisme du renoncement à soi, du blocage de l'affectivité, de la culture masochiste du devoir

Certes, théologiquement, on a saisi la difficulté de conjuguer Père de Jésus-Christ et tyrannie et automutilation. Mais on ne sait en tirer aucune conclusion, sinon la négation idéologique d'un masochisme qu'on justifie sous d'autres enseignes. Dans la théologie de l'obéissance de Metz, le devoir suprême du chrétien reste celui de renoncer à une énervante recherche de soi-même, sous prétexte qu'elle dérobe et dissipe des forces qui devraient revenir aux autres, aux frères et aux sœurs plongés dans la misère. Cette théologie nous assure que Dieu le veut ainsi. Mais cela nous oblige à poser trois sortes de questions :

— Premièrement : qu'est-ce donc que ce Dieu qui veut sans cesse le bonheur d'autrui et qui condamne comme nuisible la volonté d'être soi-même heureux ? Et quel étrange ordre est donc celui de sa création, où il semble possible d'accorder à autrui une liberté dont on ne jouit pas soi-même, de lui procurer un bonheur auquel on n'a soi-même aucune part, de lui apporter un salut qui tue littéralement sa propre vie ? Toutes ces idées ne font que prolonger l'enfermement dans la compulsion au sacrifice, à l'obéissance et à l'hétéronomie intériorisée : quoi qu'il arrive, c'est toujours l'autre qui est et restera l'étalon et la norme de la vérité divine, à ceci près que ce rapport, au lieu de se situer comme d'ordinaire dans le cadre d'ordres venus de l'extérieur, se trouve transposé en exigences caritatives et politiques. Et règne sans cesse l'antique et cruelle alternative : selon cette vision des choses, ce n'est qu'en se dévouant et en se sacrifiant sans restriction aux autres qu'on peut atteindre Dieu et, espérons-le, en Dieu se retrouver aussi soi-même. Psychanalytiquement, on sent ici à l'évidence ce qu'on est en train d'idéologiser : à n'en pas douter, il s'agit de cet univers mental du surmoi qui s'est formé pendant cette période dont nous avons décelé qu'elle formait la toile de fond de la psychogenèse cléricale : une souffrance écrasante (le plus souvent de la mère) qui jette son ombre sur le monde entier (de l'enfant) et marquera plus tard d'une manière décisive toute sa vision de la vie ; l'interdiction absolue de rien posséder en propre en ce monde ; et finalement l'absolutisation de ces expériences par simple substitution du Christ à la mère. Disons-le très clairement : un Dieu qui tourne en ridicule et interdit moralement la recherche de l'identité personnelle, un Dieu pour qui cette recherche ne serait que raffinement égoïste, pathologique, parasitaire même, ne peut être ni le créateur du monde ni le père de Jésus-Christ.

C'est un démon du surmoi, un démon cependant assez fin et assez habile pour ne jamais s'offrir lui-même en victime, mais prêt à sacrifier d'autres humains, ses « enfants ». Et nous connaissons déjà bien ces transpositions : un Père, lui-même impuissant, qui, pour sauver son monde a besoin du sacrifice du Christ (la mère) et de ses enfants aimants... Qu'est cela, sinon ce masochisme que nous rencontrons à chaque pas dans la biographie des clercs ? Mais il faut le dire au nom de tous ceux dont une théologie a ruiné le bonheur en les enfonçant dans la culpabilité et en les confirmant fallacieusement dans leurs dépressions et dans leurs compulsions : on ne procure le bonheur aux autres que dans la mesure où on l'a soi-même trouvé. On ne peut jamais arguer du besoin d'aide des autres pour se donner l'illusion d'être nécessaire et indispensable, et il existe un devoir d'être soi-même, sans quoi on risque de s'apercevoir un jour que nos propres impasses ne font qu'embarrasser les autres et les empêcher d'être eux-mêmes.

Effectivement, ce choc de la rencontre avec la psychanalyse devrait avoir des conséquences fâcheuses et durables sur la psyché cléricale en l'obligeant à sentir qu'on ne peut pas être heureux « pour les autres » et qu'il n'y a pas d'existence « pour autrui » tant qu'on n'a pas appris à vivre soi-même. Il est vrai que cette conviction croît d'autant plus vite et plus fatalement qu'on se confronte personnellement aux autres, et la vie de clercs célibataires totalement consacrés à leur ministère offre en ce domaine largement de quoi se fuir soi-même. Il y a des années, une animatrice de paroisse me disait que, pendant toutes ses études de théologie, elle n'avait rien connu de plus éducatif et de plus précieux que la lecture de textes de *campesinos* latino-américains, lors d'une fête de Noël. Avec ces gens, elle n'avait jamais eu qu'un rapport romantique et abstrait. Mais personne ne lui a jamais fait voir combien elle ne faisait que se projeter dans ces poèmes d'ouvriers agricoles brésiliens, avec son sentiment de se trouver exploitée, livrée à la solitude, à la pauvreté, à l'impuissance, sans aucune chance de voir jamais aboutir ses revendications, avec seulement un vague espoir de libération. Entendons-nous bien : les problèmes des *campesinos* latino-américains existent dans leur amère réalité et il n'est pas possible de les résoudre par la psychanalyse. Mais il est dans les possibilités de la psychanalyse de neutraliser cette impérieuse tendance à trouver dans la non-liberté sociale des autres un moyen de résoudre ses problèmes psychiques de non-liberté. Elle peut alerter sur cette confusion des domaines qui conduit à s'imaginer qu'on résoudra les problèmes psychologiques avec des moyens sociaux, ou inversement que la misère sociale constitue un alibi opportun pour éviter d'affronter sa propre souffrance psychique. En d'autres termes : la misère des *campesinos* est bien trop réelle pour être un simple symbole d'un besoin individuel de libération, et elle exige des mesures de libération politiques, aussi rationnelles et désidéologisées que possible. Mais celles-ci auront d'autant plus de chances de succès qu'elles seront considérées et étudiées dans leur réalité, une réalité non déformée par les tendances névrotisantes de sa propre subjectivité.

Ainsi faut-il avant tout cesser de promouvoir et d'imposer, au titre de l'obéissance chrétienne, la vénération d'une image divine qui sert non pas l'acceptation de son moi, mais la stabilisation du surmoi. La thèse selon laquelle la découverte de soi-même s'opposerait à l'engagement se révèle n'être elle-même rien d'autre qu'un élément d'une oppression idéologique de soi. Tout au contraire, c'est l'engagement politique qui doit se laisser mesurer à la valeur de la liberté personnelle qu'il admet [44] ; mais la liberté de l'individu s'origine essentiellement dans sa propre tête. Une psychologie correcte fournit d'elle-même une contribution inappréciable à l'émancipation du sujet. Elle ne s'oppose en rien à la libération politique, mais elle y ouvre et la promeut.

— Deuxièmement : il est indubitable et important que Dieu nous parle aussi à travers le cri muet de ceux qui souffrent, et il tient essentiellement à être entendu dans ce langage. Et pourtant, faut-il dire, Dieu nous parle encore bien plus fondamentalement et de façon plus motivante par la douce voix de notre cœur que par le tissu événementiel des misères d'une époque donnée. S'il s'adresse à nous à travers la souffrance des hommes, c'est parce que celle-ci la contredit : il ne peut la supporter. Pourtant cette voix n'est que l'écho brisé de paroles toute différentes qu'il nous adresse sans intermédiaire. Et c'est de celles-ci que nous vivons, car elles seules nous donnent le courage et la force de refuser la négation de l'humain en vertu de ce qu'elles nous disent positivement de Dieu. On ne le répétera jamais assez : la première question d'un humain n'est pas : « Que dois-je faire ? » Elle est bien plus primordiale : « Qui suis-je ? », ou : « Qui puis-je être ? » et : « Que puis-je espérer [45] ? » Modifier l'ordre de ces interrogations pour mettre au premier rang l'éthique, le vouloir et le devoir de l'être humain ne signifie ni plus ni moins que la mort de la doctrine chrétienne de la libération. Accentuer trop fortement ou même exclusivement l'engagement politique, c'est prolonger en un certain sens la réduction kantienne du religieux à l'éthique[46] : on se contente d'en élargir le champ d'application en tenant compte de la société moderne de masse, avec ses multiples enchevêtrements de réalités politiques, nationales et internationales, et en rappelant alors que l'individu n'est pas seulement responsable de son activité personnelle, mais aussi des rapports sociaux et structurels. Mais la morale n'est pas l'originel en l'homme, ainsi que le voudrait l'idéalisme allemand : elle n'est que dérivée[47], et tant que l'existence de l'homme n'est pas elle-même délivrée des diverses formes d'angoisse, toute la bonne volonté morale des humains reste soumise à la dialectique de tous les légalismes : il n'est jamais possible de susciter la vie à coups d'ordonnances et de décrets — ce n'est même pas possible de la protéger efficacement.

Il faut donc toujours le rappeler : en réduisant la quête de l'identité à une pure façon d'échapper au social, on ne fait que recourir à un positivisme de la rédemption pour déclarer résolue la question du salut, si essentielle au christianisme. Or, c'est exactement le contraire. C'est ainsi que, bon an, mal an, on ne cesse de constater le tragique échec de couples, ceci en dépit de la bonne volonté des conjoints, et justement parce que aucun des deux époux n'a jamais eu le droit de se demander qui il était. Il faut se représenter la souffrance des enfants dont le père ou la mère ont dû sans cesse être « de service » pour les autres au lieu de goûter un peu de repos pour eux-mêmes. Il est alors facile de voir les dégâts que provoque nécessairement, même d'un point de vue social et politique, une théologie qui, au nom d'une mystique de la souffrance par imitation du Christ, déclare chrétiennement illégitime tout intérêt porté à son moi propre. La première forme de mystique de l'obéissance libératrice, c'est la capacité d'écouter ce qui se passe en nous-mêmes : la poésie onirique de nos images nocturnes, les vibrations légères de nos sentiments diurnes, les multiples signaux du langage du corps. Car c'est bel et bien là que Dieu nous parle : dans les idées spontanées de notre imagination, dans les mouvements du cœur, dans les bruissements et pulsations de notre sang, dans cette grande symphonie de la Création à laquelle nous prenons activement part en tant que créatures de ce monde, individuellement irremplaçables parce que seules capables d'enrichir le chant du monde d'une voix, d'un motif musical, d'une mélodie que chacun de nous est seul à pouvoir produire, dès lors qu'il a appris à écouter son propre moi, avec ses accords et leurs variations. Le chant jubilatoire et silencieux de l'existence est la première manière qu'a Dieu de nous parler. C'est l'écho lointain des pas de l'Eternel, lorsque, après la chaleur du jour, il se promenait dans la fraîcheur du soir, prenant son plaisir en compagnie de l'homme dans le jardin du Monde (Gn 3, 8)[48]. Et c'est son ultime manière de nous parler, celle qu'il nous faut réapprendre à entendre si l'« œuvre du salut » doit aboutir[49].

Ce dont il s'agit ici, ce n'est rien de moins que de l'orientation, et donc de la relative rectification d'une certaine forme de religion. Toute mystique est ambiguë quand elle reste le langage de violence du surmoi, autrement dit le substitut de désirs refoulés, avec tous ses symptômes pathologiques d'obsessions sexuelles et sadiques. Il suffit de comparer l'expérience de sainte Thérèse d'Avila[50] et l'étrange ascèse de saint Alphonse de Liguori[51], modèle de chasteté pour des générations entières d'adolescents ! Quel danger considérable fait courir une théologie classique qui nie tout simplement l'inconscient en l'homme et qui consolide ainsi par ses discours sur Dieu son caractère extrinsèque et aliénant. Ceci par crainte de voir l'espace du divin se rétrécir encore plus si, après avoir exploré avec une méthode athée la nature extérieure, on cherchait encore à fouiller la nature intérieure de la psyché humaine en s'appuyant sur l'athéisme méthodique de la psychanalyse. Si un humain apprend à se connaître lui-même, il n'en est pas moins croyant : il n'en est que plus libre, plus ouvert, plus réceptif, plus capable d'écoute, plus sensible, finalement plus « pieux », en évitant de donner à ce terme le sens que lui donnent les bigots. Religieusement parlant, on ne saurait se satisfaire de l'intégrité morale d'un être ni se sentir rassuré par l'orthodoxie des structures ecclésiastiques au milieu desquelles il a grandi. Du point de vue de la psychologie religieuse, l'essentiel, c'est l'intégration de l'inconscient. Car ce n'est que dans l'âme d'un être humain qui a récupéré sa « totalité » que la figure du Fils de l'Homme peut se refléter, si partiellement que ce soit.

Et il en va de l'écoute de la nature extérieure comme de l'écoute de la nature de l'homme. Ce sont essentiellement des théologiens qui défendent aujourd'hui avec véhémence la thèse que tout serait politique. On pousse ici si loin le recours à une philosophie biblique de l'histoire qu'on n'est tout simplement plus en mesure de comprendre la pensée d'Albert Camus selon laquelle il faut des espaces pour se reposer du poids de l'histoire en faisant l'expérience de la beauté naturelle[52]. Par un volontarisme et un rationalisme étranges qui nient les tragédies de l'histoire, on se dit même convaincu qu'on peut (qu'on doit !) hâter la venue du royaume de Dieu, et on omet de voir que, ce faisant, on ne cesse d'appauvrir l'âme humaine au point de s'interdire de comprendre ses symboles, sinon sous forme de symptômes qui ne font que manifester ses résistances à l'objectivation, sans jamais la traduire elle-même. L'affirmation que tout serait politique est en elle-même bien moins adéquate que l'assertion absurde que tout serait physique ou bio-chimique — après tout, ce qu'on appelle « politique » n'a même pas huit mille ans. On dirait que c'est exprès qu'on omet de considérer l'indépendance de la nature par rapport à l'homme ; et, qu'on le veuille ou non, on tue en pensée le droit de vivre des plantes et des animaux bien avant de commencer à les faire périr dans la souffrance, en parquant les animaux ou en s'en servant dans les laboratoires comme cobayes, en développant des techniques polluantes et destructrices, que ce soit dans l'industrie, la sylviculture ou l'agriculture. Comment celui qui n'a pas d'oreilles pour discerner la voix de Dieu dans le langage de ses créatures, qui par principe ne veut voir dans les Psaumes de l'antique Israël que ceux qui se plaignent et interrogent, qui ne veut pas entendre le chant du bonheur dans le bruissement du vent, le murmure de la mer, le crissement des cigales et le gazouillis des hirondelles pourrait-il entendre également Dieu dans le gémissement d'un porc qu'on va abattre, dans le meuglement d'une vache qui comprend qu'on la conduit aux usines de mort situées aux confins des grandes villes ? Dieu veut sûrement que nous apprenions une obéissance naturelle bien plus liée à la créature que l'obéissance politique touchant la misère de l'homme. Au paradis, avant de juger Adam digne de rencontrer son vis-à-vis, la femme, Dieu lui présenta les animaux pour voir le nom qu'il leur donnerait, et qui serait désormais le leur. La façon dont la théologie interprète ce merveilleux passage de la « dénomination des animaux » (Gn 2, 19)[53] comme une remise du savoir et du pouvoir entre les mains d'un maître n'est pas seulement fausse ; c'est un constat de carence. Car il s'agit d'un des rares passages de la Bible chantant la magie et l'enchantement de la perception poétique et du langage essentiel des êtres. Il s'agit de l'unité de l'homme avec lui-même et avec la nature au sein de laquelle il vit. Bien avant de discuter de façon sensée de protection de l'environnement[54] et d'écologie, une mystique de l'obéissance doit rappeler toute une série de valeurs évidentes : la sainteté et l'intangibilité des grandes cathédrales que Dieu s'est érigées dans les forêts tropicales, dans les savanes au nord et au sud de la ceinture verte de l'Équateur, dans les régions arctiques, dans les marais littoraux et dans les zones glaciaires des montagnes.

Non, tout n'est pas politique, et si nous savons écouter la nature nous comprenons qu'elle ne nous appartient pas. L'entendre sur un ton « juste », cela signifie être en état de comprendre que le poète est plus important, plus « sauveur » que l'homme politique, lequel peut et doit procéder de lui pour rester vraiment homme, ou pour devenir humain.

Si on cherche une image pour figurer cette sorte d'écoute poétique libératrice, orientée aussi bien vers l'intérieur que vers l'extérieur, on n'en trouvera guère de meilleure que la légende de la libération de Pierre, dans les Actes des Apôtres (12, 1-19)[55]. Apparemment, cette histoire décrit le caractère arbitraire du pouvoir d'Hérode, ce roi qui se joue de la vie des gens pour satisfaire les goûts de son peuple et acquérir du prestige auprès de la cour. Dans l'attente de sa prochaine exécution publique, Pierre, qu'on a mis aux fers, dort sous une quadruple garde. Dans la logique d'une histoire politique, il faudrait absolument relater ce que la communauté des disciples du Christ, réunie et fortifiée par la mystique de la prière, fait pour celui qui souffre en prison. Mais c'est justement ce qu'on ne raconte pas. Aucun doute pourtant : Dieu veut la liberté de l'homme. Mais c'est précisément quand les hommes ne peuvent plus rien faire les uns pour les autres, sinon prier, que Dieu envoie son ange. On interpréterait à contresens de sa dynamique psychologique le langage symbolique de la légende[56] si on tirait vers l'extérieur, c'est-à-dire dans le sens de l'activisme politique, ce que le récit oriente essentiellement vers l'intérieur en parlant de l'ange. Peu importe de savoir si des chrétiens ont persuadé quelqu'un, peut-être un fonctionnaire du roi, de libérer l'Apôtre par surprise ; il s'agit de faire comprendre qu'un être humain, même prisonnier, peut devenir libre s'il s'éveille à sa propre image essentielle.

Antoine de Saint-Exupéry a raconté comment, par un jour d'automne, un troupeau de canards domestiques qui n'avaient jamais vu dans leur existence que le poulailler, l'auge et le chemin de l'étang, voient défiler au-dessus d'eux, haut dans le ciel, un vol de canards migrateurs. A ce moment se produit quelque chose de merveilleux : les bêtes commencent à battre des ailes comme si elles voulaient suivre leurs congénères en retrouvant leur liberté. Dans leurs petites têtes dures s'éveillent un instant des images de forêts, de montagnes et d'océans, et la nostalgie de pouvoir s'envoler vers des horizons sans limites, de retourner par des voies et des routes secrètes dans leur pays d'origine, celui d'où elles sont venues il y a des millions d'années. Mais, quelques secondes plus tard, tout semble fini : les canards domestiques retombent dans le train-train de l'auge, dans le cycle où on mange avant d'être mangé, comme s'ils n'avaient jamais eu la vision de la liberté, donc de leur véritable image [57].

Écouter Dieu, cela veut dire apercevoir devant soi l'image essentielle de son existence et lui obéir comme aveuglément — en passant devant les hommes de garde, en traversant les portes verrouillées ; et tenir dans sa solitude jusqu'à ce qu'on ait trouvé le chemin qui mène chez les frères qui attendent votre retour (Ac 12, 10).

— Troisièmement : seul celui qui a ainsi appris à se tenir à l'écoute de lui-même sera en mesure d'écouter autrui de telle sorte que Dieu lui parle.

Il y a deux ans les journaux ont rapporté qu'un groupe d'Esquimaux du Groenland avaient quêté de l'argent pour secourir les affamés du Sahel. Ce n'est pas étonnant : ils savent encore ce qu'est la souffrance de la faim ; ils l'ont éprouvée dans leur propre corps. Ce qu'on espère pouvoir comprendre de l'âme d'autrui, il faut l'avoir éprouvé en son âme propre ; et il y a bien des raisons de penser que notre culture est encore très en retard pour tout ce qui touche à l'écoute des sentiments des autres. Il suffit de se rappeler par exemple comment on a poussé la génération de nos parents dans la Seconde Guerre mondiale sans que jamais personne se soit soucié de les consulter pour connaître leur sentiment. Notre vision de l'honneur (notre culture de la honte) voit dans toute exhibition du sentiment quelque chose de déshonorant, comme perdre la face. C'est peut-être la première fois aujourd'hui qu'on assiste à la montée d'une jeunesse qui estime capital de parler de ce qu'elle ressent. C'est avec raison qu'elle fait preuve de méfiance envers les discours sur le devoir et le sacrifice. En revanche elle insiste sur la correction des relations réciproques, sur la franchise d'une conversation où chacun pourra dire ses désirs et ses intérêts, sur des formes de vie commune satisfaisantes pour chacun des partenaires. Dans la société industrielle actuelle, marquée par l'informatique, on sait combien l'automatisation peut faciliter le travail, mais détruire parfaitement toute relation interpersonnelle. On ressent plus que jamais que la seule chose importante dans la vie, c'est l'amour, un amour qu'il ne s'agit pas de « posséder » mais qu'il faut conquérir jour après jour. Et, pour cela, il n'est pas de meilleur moyen que l'écoute réciproque, une écoute qui est en elle-même encouragement. Bien sûr, on peut discuter de l'importance du rôle spécial qu'a joué la psychanalyse dans cette recherche d'une relation plus profonde — mais on ne peut contester que Freud fut le premier à créer un espace où les hommes ont pu peu à peu dépasser les limites de leur moi en se situant par rapport à un tiers totalement prêt à leur prêter attention. Ceux-là sont devenus capables de parler d'impressions, de désirs et de sentiments auxquels ils n'avaient jamais osé penser auparavant[58].

L'« obéissance » ? En régime psychanalytique, cela signifie écouter les propos de l'autre avec plus de sérieux et de courage, plus de rigueur et plus de patience que celui-ci ne saurait lui-même y mettre. Cela signifie percevoir dans et derrière les condensés de personnages, d'expériences et de scènes que cet autre rapporte toutes les ruptures et les contradictions qui existent entre sa pensée et son affectivité, lui en faire prendre conscience et interpréter son vécu en images qui reflètent ses rêves ou même les précèdent.

En notre siècle, c'est essentiellement à la psychanalyse que nous devons de connaître la réalité psychologique qui se cache derrière le visible — une modification de la conscience qui a profondément transformé la communication interhumaine. Ainsi, en 1978, tournant un film, *Coming Home (Retour)* sur le destin des soldats de la guerre du Vietnam, le metteur en scène américain Hal Ashby mettait-il la question suivante dans la bouche de Sally (Jane Fonda) pendant les quelques jours de sa visite à son mari, l'officier de marine Hyde (Bruce Dern), à Hong Kong : « Je suis obsédée par ce sacré Vietnam. — Raconte-moi. Je voudrais savoir ce qui se passe là-bas. — Je ne sais pas ce qui s'y passe, je sais seulement ce que ça signifie. Ce qui s'y passe, on le montre à la télévision. Mais on ne montre pas ce que ça signifie[59]. » À en juger par ces propos, ce qu'on montre extérieurement est très éloigné de l'effet intérieur sur les personnes. Celui qui comprend cette différence saisit d'emblée une des plus importantes découvertes de la psychanalyse, et il sait également la nécessité d'écouter les sentiments qui se cachent derrière le langage des faits pour comprendre la réalité véritable d'un être humain. Quelle allure prendrait l'enseignement actuel de la théologie si les interprètes de la parole de Dieu se laissaient affecter, si peu que ce soit, par cette transformation de mentalité qu'on considère presque partout comme allant de soi !

Mais ce qui nous sépare essentiellement de toute définition politique de l'obéissance, c'est le fait que, pour découvrir la vérité cachée d'une vie à travers ce que l'autre vous en dit, autrement dit le sens religieux de son langage, pour entendre et rendre audible ce que Dieu voudrait lui dire et dire par lui, il faut renoncer à toute visée, à toute finalité. Le domaine politique relève essentiellement et indubitablement de la rationalité, de la planification, du faisable. L'écoute de quelqu'un sans aucune prétention à en rien « faire », mais qui n'est qu'une simple mise à sa disposition, ne cherche rien d'autre qu'à le laisser être et manifester sa valeur. C'est une écoute de la parole créatrice que Dieu a prononcée sur son existence quand il l'a appelé à la vie. C'est un essai — contre toutes les résistances possibles, internes et externes — pour retrouver son « nom » originel (son « nom de fils du soleil », comme disaient les anciens Égyptiens[60]), celui qui traduit et exprime son essence et sa mission, son centre unifié. Cette manière de se mettre à la disposition de l'autre constitue un véritable art de la rencontre interhumaine, proche parent des autres arts, poésie, peinture, musique. Au-delà de toute utilisation fonctionnelle, elle se propose uniquement de tirer de l'autre le mot, l'image, la figure, la tonalité à travers laquelle il s'exprime avec le maximum de vérité, acquiert le mieux sa transparence, révèle le plus de beauté et exhale son chant le plus pur. Une telle écoute se situe aussi par principe au-delà du monde des finalités politiques. C'est même entre autres choses une tentative pour libérer l'être humain de la tyrannie du principe politique et pour dégager l'ensemble de la politique de ses propres entraves.

C'est sans doute dans l'histoire de la tour de Babel (Gn 11, 1-9)[61] qu'on trouve la scène biblique qui nous fait le mieux voir ce que peut être une telle écoute d'autrui. Chassée du paradis terrestre, l'humanité manifeste sa crainte de se voir éparpiller et, conformément aux lois de la dynamique de groupe, elle songe à fonder son unité en se donnant un but commun, en réalisant une œuvre commune[62] Mais c'est justement sur cette réalisation, qui est du ressort des finalités rationnelles pratiques que la langue des hommes se brise au point que personne ne comprend plus personne parce que personne ne sait plus comment il doit s'exprimer en vérité. Des êtres qui n'ont jamais appris à être eux-mêmes ni à s'écouter ne choisissent plus leurs mots suivant l'acception qui est habituellement la leur, et ils ne comprennent plus les mots que les autres prononcent. Ils disent : « Revenez vite » quand ils pensent en vérité : « Surtout pas », ils se vantent d'avantages qu'ils ne peuvent pas prouver, et ils prétendent avoir honte de choses pour lesquelles ils attendent secrètement louanges et reconnaissance. Inversement ils interpréteront la félicitation d'un autre comme un reproche et un blâme, sa demande comme une critique, sa détresse comme une faute, son silence comme une condamnation, et ainsi de suite. Leur lot, ce sera la continuelle confusion des langages qu'engendre la crainte. L'obéissance, telle que la psychanalyse permet essentiellement aujourd'hui de la comprendre est comme une tentative pour ramener les hommes de la construction de la tour de Babel en ce lieu où ils furent pour la première fois en mesure de se donner un nom à travers lequel s'exprimaient un amour et une inclination libres de toute peur (Gn 2, 23)[63]. Si nous prenons vraiment au sérieux le conseil d'obéissance, ce qui en apparence reste encore aujourd'hui technique spécialisée de traitement réservée à des marginaux, à des malades psychiques, représente en réalité un ensemble d'attitudes fondamentales à mettre également en œuvre sur le plan religieux.

Jusqu'à présent, on peut dire de l'obéissance ce que rappelait Paul M. Zulehner : « Nous ne pouvons pas tout faire, et nous ne le devons d'ailleurs pas : ni la vie, ni le monde, ni l'amour, ni la réconciliation, ni l'avenir, ni la victoire sur la mort ne sont aux mains de l'homme. Voyons plutôt que Dieu a déjà fait l'essentiel. Cela nous délivre d'une affirmation crispée de nous-mêmes. Mieux encore : nous sommes ainsi encouragés à nous libérer de notre " pouvoir " afin de ne pas être les seuls à jouir de la vie, et de permettre à beaucoup d'autres de vivre en paix. Les " sans-pouvoir " nous incitent ainsi à nous élever délibérément contre toutes les personnes et les structures destructrices de la vie et à endiguer leur puissance[64]. » Mais cette question d'un pouvoir qui rend arrogant soulève aussi le problème de l'humilité. C'est justement dans le cadre de la théologie politique qu'on a pris l'habitude de s'élever contre « les puissants » et de se réclamer vivement du Magnificat, cette prière où la Vierge déclare . « Il (Dieu) renverse les puissants de leurs trônes, il élève les humbles » (Lc 1, 52). On rapproche ici volontiers l'humilité de l'avertissement de Jésus à ses disciples : « Vous savez que ceux qu'on regarde comme les chefs des nations leur commandent en maîtres et que les grands font sentir leur pouvoir. Il ne doit pas en être ainsi parmi vous : au contraire, celui qui voudra devenir grand parmi vous se fera votre serviteur, et celui qui voudra être le premier parmi vous se fera l'esclave de tous (Mc 10, 42-44)[65]. » Il s'agit en réalité là d'un singulier commentaire de Jésus sur les formes administratives du pouvoir ; mais la question est de savoir comment y placer les accents. Le christianisme a toujours demandé à ses fidèles de devenir « humbles » parce que, se référant au récit de la Chute en Gn 3, 1-7, il voyait le noyau de tout péché dans la « prétention » et l'« orgueil » de l'Homme[66]. Choisir la « dernière place » (Lc 14, 7-11), être sans pouvoir parmi les hommes, faire preuve de son authentique volonté de service, ne pas se faire servir mais servir soi-même (Mc 10, 45)[67], servir comme un esclave, à l'exemple de Jésus lors du lavement des pieds à la Cène (Jn 13, 1-16), sans pour autant retomber à nouveau dans une sorte de comptabilité du salaire équitable (Lc 17, 7-10) : toutes ces idées ont été et sont toujours au premier plan de l'ascèse chrétienne. Mais de telles vues ne sont pas sans danger, et cela apparaît déjà à travers l'insuffisance du diagnostic. De soi, aucun être n'a tendance à la prétention ni à l'enflure. Ce n'est pas l'interprétation du récit biblique de la Chute qui autorise la théorie de l'orgueil peccamineux des humains, mais la mythologie babylonienne : c'est le récit babylonien des origines, et non la Bible, qui présente les hommes comme foncièrement rebelles envers les dieux, parce que dans leurs veines coule le sang de l'indocile Kingu, le démon que Marduk a désigné comme bouc émissaire afin de pouvoir former les hommes de son sang et de la poussière de la terre et en faire les serviteurs et les esclaves des dieux[68]. La Bible, elle, ne parle pas du soulèvement titanesque contre les dieux, mais raconte en revanche l'histoire de la démesure sans fin d'un homme qui, face au serpent (face au néant), veut être comme Dieu pour n'avoir pas à supporter l'angoisse permanente de n'être rien qu'un fragment de la création[69]. La question principale qui ressort du récit biblique n'est donc pas de savoir comment délivrer l'homme de sa prétendue suffisance et l'amener à la véritable humilité, mais de savoir comment le délivrer de l'angoisse qui l'empêche de vivre en toute tranquillité d'âme selon toutes les dimensions de son être. Psychanalytiquement parlant, l'orgueil n'est pas un élan affectif originel, mais une formation réactionnelle à de graves sentiments d'infériorité[70]. La véritable question de la doctrine chrétienne de la Rédemption n'est pas de savoir comment abaisser et humilier l'homme, ni comment le rendre et le maintenir obéissant et dépendant de l'autorité, mais bien de lui redonner le sentiment de sa dignité originelle. Pour dire autrement les choses : le paon qui fait la roue au jardin n'est pas orgueilleux : il se borne à faire valoir la beauté de son apparence dans sa magnificence opulente. Orgueilleuse serait plutôt la grenouille de la fable de La Fontaine qui, sous le coup de l'angoisse, s'enfle à en éclater[71]. C'est la volonté présomptueuse de se mesurer, c'est la chute hors de l'unité de son être personnel qui caractérise l'orgueil. Ce n'est donc pas l'humiliation qui fournira la réponse juste à la volonté d'« être comme Dieu » (Gn 3, 1-7)[72], mais l'apaisement de l'angoisse.

C'est alors que surgit le thème du pouvoir. Une bonne partie des catholiques actuels croient manifestement trouver une synthèse crédible de la mystique et de la politique dans le fait de prier pour les puissants du monde, pour que Dieu leur accorde la sagesse et l'intelligence, des pensées de paix et de justice, etc., et les conduise à s'élever contre les « potentats du monde ». Il est naturellement clair que notre époque regorge de dictatures et de systèmes extrêmement injustes. De même n'est-il pas niable que, devant de telles situations, l'Église se doit de protester, au nom de ses fidèles comme au nom de l'humanité : il faut une fois pour toutes éviter de répéter les fautes de la politique de conciliation du Vatican sous le Troisième Reich. Mais il faut bien se rendre compte que des situations et des comportements politiques totalement périmés et absolument inacceptables, vus de l'extérieur, auraient depuis longtemps disparu du cours de l'histoire s'ils ne répondaient pas de quelque façon à une attente, et s'ils ne pouvaient se justifier par une certaine nécessité. Sur ce point, la psychologie sociale nous apprend que les « puissants » ne sont pas si indépendants que cela de leur peuple, mais qu'ils sont au contraire fort tenus par la volonté de la masse[73]. En particulier tous les dictateurs sans exception n'arrivent au pouvoir et ne s'y maintiennent qu'en s'appuyant sur la peur des gens[74]. Le véritable défi n'est donc pas le pouvoir, mais l'angoisse qui le fonde. Il s'agit en particulier de ne pas perdre de vue le caractère tragique de la vie de certains « puissants », de Marc Aurèle au tsar Alexandre Ier, qui durent contre leur gré entreprendre des guerres, provoquer des troubles et répandre le sang, en dépit de leur souhait de déposer leur couronne et de retrouver l'innocence de la solitude. Que ceux que les descriptions de Caïphe[75], de Pilate[76] et de Joseph d'Arimathie[77] de Mc 14-15 n'auraient pas suffi à persuader de l'impuissance du pouvoir lisent la description magistrale qu'en donne Reinhold Schneider dans son roman *Taganrog*[78].

Autrement dit, en matière de pouvoir, si on veut éviter de trop s'aventurer sur un terrain échappant à la compétence religieuse, il ne faut pas commencer par la critique de certaines de ses formes d'exercice, mais, comme à propos de la richesse, examiner toute la variété de réactions possibles lorsque l'autorité apparaît indispensable pour apaiser des angoisses profondément ancrées en nous et liées à des sentiments personnels d'infériorité et d'impuissance. Ce qui est alors essentiel, religieusement parlant, c'est de fonder toute sa vie sur un regard honnête envers soi-même en acceptant ses petitesses et ses limites, et sans chercher à dominer despotiquement les autres pour éviter de voir son néant. Dès lors la question centrale de l'humilité (ou mieux, d'une obéissance authentique à son être, ou d'une acceptation décrispée de soi-même) ne consiste plus à se demander à qui et comment on peut être utile. Car, sur fond d'angoisse, même la volonté de servir peut revêtir des aspects vraiment terroristes. (Il existe en ce domaine chez certains clercs une espèce d'affectation dans la façon de « se sacrifier avec joie et dans l'esprit apostolique », de se « dévouer sans réserve » en dépit de « sa petitesse », au Sacré-Cœur ou à la Très Sainte

Trinité.) La question devient celle de savoir comment se supporter soi-même, rien de plus et rien de moins. Il faut d'abord avoir clarifié cette question et y avoir répondu en faisant confiance à Dieu pour s'apercevoir alors que le repos qu'on a trouvé en soi-même peut avoir une influence bénéfique, pacificatrice et apaisante sur les autres. Des personnes de ce genre cessent ainsi de cacher Dieu ; elles ne s'imposent plus aux autres ni ne se mettent en avant. Elles sont simplement elles-mêmes et elles permettent ainsi à ceux qui les approchent d'être également eux-mêmes. Elles n'ont pas de pouvoir et n'en réclament pas, et c'est bien grâce à cela que leur rôle auprès d'autrui peut être si salutaire et si important. Elles n'ont nul besoin de se faire valoir, et leur être véritable en rayonne d'autant plus nettement. Elles ne se poussent pas du col, et c'est pourquoi elles font preuve d'une grandeur humaine qui élève les autres. Alors que, dans notre langue, on ose à peine utiliser encore les termes d'« obéissance » et d'« humilité », chacun comprend ce qu'on veut dire quand on raconte que quelqu'un a « humilié » quelqu'un d'autre. C'est là quelque chose que les êtres qui se sont trouvés eux-mêmes n'ont plus besoin de faire.

Cette conception psychanalytique du conseil évangélique d'obéissance et d'humilité offre avant tout l'avantage inestimable d'avoir un retentissement immédiat sur la réalité de l'Église elle-même. Psychanalytiquement, quand on entend dire que celle-ci prolonge la présence du Christ aux côtés des malheureux en s'engageant contre les puissants du monde et en faveur de la liberté et des droits de l'homme, on a souvent l'impression d'une manœuvre de diversion par trop facile. Il faut bien le dire : cela lui coûte peu de réclamer plus de démocratie au Chili tandis qu'elle se refuse obstinément à en introduire la moindre parcelle dans ses rangs. Cela lui coûte également peu de prendre parti contre la discrimination raciale en Afrique du Sud alors qu'elle-même, vers la fin du second millénaire après le Christ, refuse de reconnaître aux hommes et aux femmes un droit d'accès égal aux ministères spirituels de l'Église. Elle n'a guère de peine à dénoncer le consumérisme des nations industrielles occidentales alors que ce sont les fidèles de ces pays qui entretiennent le train de vie du Vatican et qu'elle ne donne pas le moindre signe de bonne volonté pour discuter d'une forme raisonnable de politique démographique et de contraception capable de diminuer la misère du tiers monde[79]. Tout cela a fort peu à voir avec l'« écoute » et le « service », mais beaucoup plus avec l'arrogance idéologique et l'endoctrinement. Quand s'y ajoutent les plaintes continuelles sur les « puissants », la conclusion est inévitable : l'Église reste encore sous la domination d'une structure aussi archaïque que celle que décrivait Freud dans *Totem et Tabou* : celle d'une « horde de frères » qui voient dans l'individu *alpha* un animal quasiment tout-puissant qu'ils voudraient supprimer dans une révolte générale [80] ; mais, ne pouvant le faire ouvertement, elle semble condamnée à retourner vers l'extérieur tous les désirs agressifs qui se sont accumulés. C'est bien ce à quoi semblent correspondre la politique et la mystique actuelles du Vatican : comme on le sait, l'Église catholique elle-même est infaillible et sainte. Elle est la révélation indépassable de Dieu en son Fils Jésus-Christ, lequel continue à vivre mystérieusement en elle, signe de la rédemption des nations jusqu'à la fin des temps. Elle est l'épouse mystique de l'Agneau divin qui se sacrifie pour les péchés des hommes. Elle est l'arche du salut sur les flots du déluge. Et voilà pourquoi elle se voit obligée d'exiger l'obéissance, afin de pouvoir mener, vigoureuse et unie, cette lutte décisive de l'Histoire, avec les armes de l'Esprit, contre l'impiété et l'immoralité, l'injustice et l'inhumanité. Et l'on retrouve ainsi la vérité pour les autres, ce qui la dispense d'être elle-même authentique, mais cette fois non plus seulement au niveau de la personne, mais au niveau collectif.

Si c'est vraiment l'obéissance du Christ qui doit servir de modèle et de mesure au chrétien, que celui-ci se rappelle alors la courageuse déclaration de Pierre devant le Sanhédrin, l'autorité religieuse suprême de l'Église de son époque : « Il faut obéir à Dieu plutôt qu'aux hommes » (Ac 5, 29). De nos jours, c'est une phrase qu'il faudrait appliquer sans rien y changer au « Pierre qui survit » en la personne du pape de l'Église catholique. Il est bien téméraire de prétendre s'appuyer sur l'exemple de Jésus pour justifier une idéologie de l'obéissance qui vise à mortifier le moi plutôt qu'à l'épanouir, à dépersonnaliser l'individu plutôt qu'à le faire advenir, à dompter sa volonté plutôt qu'à la renforcer. Il est certain que toute société complexe peut et doit attendre une sorte d'obéissance fonctionnelle de ses fonctionnaires et de ses ministres : quand on ne peut tout superviser, il faut bien déléguer les responsabilités. Mais cette sorte d'obéissance, purement pragmatique, est totalement fonctionnelle et séculière. Elle est celle de n'importe quelle bureaucratie administrative. Elle n'a rien de divin ni de saint, et ni ordre religieux ni Église ne peuvent donc s'en parer en prétendant qu'elle émane de l'esprit même de Dieu. Au contraire, plus l'Église se montrera rationnelle, plus elle prendra ses décisions de façon transparente et démocratique et plus les processus vitaux internes du corps ecclésial se dérouleront sans frictions, seront faciles à corriger et feront preuve de leur utilité. Mais l'obéissance absolue, au sens évangélique, ne s'adresse qu'à Dieu [81]. Quant à l'humilité évangélique, elle est celle que manifestait Jésus en reprenant le jeune homme riche qui s'adressait à lui en l'appelant « Bon Maître » : « Pourquoi m'appelles-tu bon ? Dieu seul est bon » (Mc 10, 18) [82].

L'obéissance et l'humilité de l'Église ? Elles ne consistent pas à se laisser enseigner seulement par les personnes, mais aussi par les autres religions. Le bouddhisme peut nous enseigner ce qu'est la pauvreté, tout comme l'islam peut nous réapprendre le sens biblique de l'obéissance à Dieu, celui que lui donnait Jésus. Au lendemain de la mort de Mahomet, lorsque les hommes de la tribu des Azds apprirent qu'ils auraient désormais pour chef Abu Bakr, le « Père du petit de la chamelle », ils ironisèrent : « Est-ce que par sa mort le Prophète veut nous donner en héritage à un petit de chameau ? Par Dieu, ce serait le comble du déshonneur [83]. » « La domination sur les hommes, estimait J. Wellhausen à propos de l'attitude religieuse de l'Islam primitif, n'est permise qu'à Dieu ; toute prétention humaine à posséder, tout *mulk* (royaume) s'oppose à Dieu ; en ce domaine, personne ne peut se targuer d'un droit afférent à sa personne et transmissible héréditairement [84]. » C'est cette attitude d'humble obéissance et de soumission à Dieu seul, celle qui fait éclater ce qui est contracté et redresse ce qui est tordu, que manifestent encore aujourd'hui de façon saisissante les gestes de la prière musulmane. Sous la vibrante coupole du ciel arabique, l'orant se jette trois fois par jour de tout son long par terre, car nous ne sommes que poussière et cendre ; ensuite il place ses mains sur ses oreilles, comme s'il percevait dans le murmure du vent du désert le vocable imprononçable de ce secret qui englobe tout et que nous appelons Dieu. Puis il se relève au nom d'Allah, le Miséricordieux [85]. C'est cette façon d'écouter du sein même de sa petitesse et de sa pauvreté qui confère pourtant à l'homme sa grandeur et sa dignité et en fait un homme libre, tendu entre terre et ciel, le front levé vers les étoiles, les pieds dans la poussière. Dans le christianisme, nous continuons à croire qu'il est mieux de prier pour telle ou telle intention. Est-ce que la pauvreté en esprit ne consisterait pas à renoncer à ce contresens matériel au sujet du religieux et à apprendre par la prière comment nous accorder à Dieu ? Nous nous figurons encore qu'il faut assaillir Dieu avec nos misères et souffrances, toujours dans l'illusion de savoir ce qui est bon pour nous, comme si Dieu l'ignorait. Devenir obéissant, c'est abandonner ses propres prévisions, c'est être vrai et transparent dans un recueillement silencieux face à Dieu.

3. UNE TENDRESSE QUI ÉVEILLE DES RÊVES ET UN AMOUR QUI OUVRE DES VOIES

De tous les conseils évangéliques c'est indubitablement celui de chasteté ou de virginité qui est le plus obéré par notre passé religieux. Après tout, des siècles durant, il a dû absorber comme une éponge les eaux usées de la morale sexuelle catholique. En théorie, la chasteté serait, selon les paroles du pape Pie X, « l'ornement d'élection » de l'état clérical[86]. « Son éclat rend le prêtre semblable aux anges, lui assure la vénération des fidèles et confère à son activité une bénédiction et une efficacité surnaturelles[87]. » Et Pie XII renforce ce propos : « S'il s'avère que dans ce domaine un clerc est enclin à pécher et si, au bout d'un temps de probation approprié, on voit qu'il ne peut maîtriser cette inclination néfaste, il faut qu'il quitte le séminaire sans condition avant la réception des saints ordres[88]. » Nous avons vu depuis combien on juge ces prescriptions peu applicables à propos de la masturbation. Il n'en reste pas moins que même le pape Jean XXIII a estimé devoir mettre en garde contre le relâchement des mœurs qui, « dans certaines régions, empoisonne quasiment l'environnement par le plaisir débridé des sens » ; et il proposait l'exemple opposé et salutaire du curé d'Ars qui « disciplina son corps [...] avec une détermination héroïque[89] ». Dans son roman *Sous le soleil de Satan*, Georges Bernanos raconte avec une respectueuse vénération comment le saint se flagellait le corps jusqu'au sang avec des verges de fer pour chasser de sa chair pécheresse toute pensée impudique[90].

Par de tels exemples, l'idée de chasteté, plus encore que celle d'obéissance et d'humilité, a glissé dans le ridicule, la bizarrerie et la perversité. La jeunesse montante actuelle éprouve plutôt comme un signe humiliant de faiblesse et d'esprit biscornu que comme un signe de sainteté le fait que quelqu'un, au cours de sa puberté, n'ait pratiquement jamais eu d'expérience sexuelle sous forme de contacts quelque peu satisfaisants. Elle considère en général comme bien plus grave d'être pointilleux et borné qu'« impur » et, à partir d'un certain âge, il ne lui paraît plus supportable d'être encore vierge[91] — il est révélateur de voir qu'il n'y a pas de mot masculin correspondant à ce féminin. Il n'en serait pas moins très injuste de n'attribuer aux jeunes d'après la révolution culturelle de 1968 que le désir de satisfaire leurs pulsions et d'aspirer à une libération sans frein du principe de plaisir. Ce dont il s'agit en réalité, c'est d'une forme de rencontre des sexes plus difficile, et en tout cas plus ouverte, plus loyale, personnellement plus crédible et globalement plus unifiante, mais qui bouleverse évidemment comme paille au vent les anciennes classifications et distinctions cléricales.

C'est ainsi par exemple que, quand ils découvrent l'amour, beaucoup de clercs, que ce soit un prêtre « séduit » par une femme ou une religieuse « séduite » par un homme, font avant tout preuve de leur attachement à l'éducation chrétienne en considérant que les sentiments les plus vifs restent « autorisés » aussi longtemps qu'ils ne s'expriment pas physiquement. Ils tiendront même l'expression corporelle pour « innocente » tant qu'elle ne devient pas sexuelle. Ainsi leur histoire personnelle continue-t-elle à répéter des semaines et des mois ce que la théologie morale n'a cessé d'inculquer à ses fidèles depuis des siècles : la séparation entre l'esprit et l'affectivité, entre l'âme et le corps et, dans celui-ci, entre les parties « honnêtes » et les parties « déshonnêtes ». Ce sont précisément ces séparations qu'on refuse aujourd'hui, soit comme des hypocrisies, soit comme des manifestations de pruderie, cela non parce que le niveau des exigences morales aurait baissé, mais plutôt parce qu'il s'est élevé. Ce qu'on attend tout naturellement les uns des autres, c'est un type de comportement bien plus clair, plus franc, plus mûr et plus résolu. Dans ces conditions, il n'y a aucune chance de voir admettre une conception de la chasteté qui ne fait fondamentalement que perpétuer l'angoisse pubertaire devant le corps d'un jeune homme ou d'une jeune fille.

En particulier la morale cléricale de la préservation fait de plus en plus rigoureusement place à une morale de l'épreuve. L'opinion publique a définitivement cessé de croire à ce que les clercs de l'Église catholique sans exception (ou au prix de l'exception non autorisée) ont à croire, ou à donner à croire : que des attitudes et stratégies d'esquive fondées sur l'angoisse peuvent apprendre l'authenticité, l'humanité et l'amour.

A cela s'ajoute que, en matière de sexualité, on a redécouvert quelque chose que, par réaction contre le mariage des prêtres et la suppression des couvents dans le protestantisme, l'Église avait systématiquement dédaigné depuis le concile de Trente : le simple divertissement et le plaisir ingénu. La sexualité comme jeu ! Dans le monde catholique, cela pouvait culturellement s'admettre à la rigueur durant la parenthèse du carnaval, mais même là on tenait à marquer sa différence : pendant ces « folles journées », ou tout au moins dans les quelques heures pendant lesquelles les règles de la vie quotidienne semblaient perdre toute valeur, on astreignait dans les petits séminaires les candidats au sacerdoce à suivre des offices pénitentiels spéciaux, pour le pardon des péchés qui se commettaient, c'est-à-dire *du* péché, car il n'y en avait et il n'y en a toujours qu'un. Il est vrai qu'entre-temps le théâtre, le cinéma, la télévision, les productions vidéo, la presse, la littérature et toute l'atmosphère de notre vie sociale ont redonné à la sexualité sa place de source de charme et de beauté, d'attrait et de séduction, à vrai dire aussi — provisoirement peut-être — d'exploitation et d'avilissement mercantiles. La théologie morale peut apprécier diversement ce fait, elle ne peut le nier. C'est bien à cause de lui que la morale sexuelle des clercs de l'Église catholique, une morale de célibataires, est devenue d'une pitoyable bizarrerie. Aucun jeune ayant grandi d'une manière à peu près normale (le normal étant considéré d'après la moyenne d'une population) n'y voit « la fleur du tronc de l'Église », comme le disait saint Cyprien dans son traité *De la conduite des vierges*[92], même en le prenant sur un ton d'ironie. On ne trouverait plus édifiant mais « dingue » (pour reprendre l'expression des adolescents, mais c'est eux surtout qui sont en cause ici) d'entendre ce saint vanter ainsi les vierges : « Vous êtes [...] l'honneur et l'ornement de la grâce spirituelle, un sourire de la nature, un chef-d'œuvre complet et incorruptible de louange et d'honneur, une image de Dieu répondant à la sainteté du Seigneur, la portion la plus illustre du troupeau du Christ. Par vous et en vous la glorieuse fécondité de la mère Église connaît une abondante efflorescence. Plus s'accroît le nombre de ses vierges, et plus s'accroît la joie de la mère[93]. » Et un vicaire troublerait vite la patience de ses auditeurs si, dans son désarroi, il en venait à répéter devant un groupe de lycéens les propos suivants : « Il ne suffit pas qu'une vierge soit vierge ; il faut qu'on comprenne et qu'on croie qu'elle l'est. Personne, en la voyant, ne doit douter de sa qualité [...] Que celle qui n'a pas de mari à qui elle doit s'efforcer de plaire demeure intacte et pure non seulement de corps, mais d'esprit. Il n'est pas permis à une vierge de se coiffer de manière à se mettre en valeur, pas plus que de se glorifier de sa chair et de sa beauté, étant donné qu'il n'est rien qui s'impose à elle davantage que de lutter contre la première et de travailler avec obstination à vaincre le corps et à le dompter[94]. » Nul besoin d'entendre comment ces considérations débouchent comme d'elles-mêmes sur l'affirmation que « se montrer plus fort que l'homme quand on le torture, endurer le feu, la croix, le glaive ou les bêtes constituent pour la chair, les vraies pierres précieuses et, pour le corps, le meilleur des ornements qui soient »[95]. Soixante-dix ans après les principaux écrits de Freud sur la psychanalyse, toute jeune fille tant soit peu éveillée sentira la composante sadomasochiste d'idéaux de ce genre. Pour le dire d'un mot, la majorité des jeunes actuels se refusent à attribuer la moindre créance à l'exigence du célibat clérical, avec son idéal de chasteté tel que le formule l'Église : ils n'y voient que quelque chose de plaqué, de contraire à la nature, de pathologique. Ils s'y opposent, non par hédonisme permissif, comme le suppose volontiers l'Église, mais par un sûr instinct de ce qui est humainement juste. Et les jeunes sont navrés d'entendre les sermons solennels de gens qui, par leur manque de courage devant la vie, leur semblent plus équivoques qu'exemplaires, et qui saccagent et ruinent par angoisse et sentiment de culpabilité la plus belle tranche de leur existence, celle de l'éveil à l'amour. Dans le vécu de la plupart des personnes de la génération montante, une morale qui n'est pas en mesure d'intégrer les meilleures énergies de l'humanité au lieu de les réprimer n'a plus aujourd'hui ni valeur ni justification, Dieu merci !

Pour comprendre la justesse de cette réaction spontanée de la jeunesse actuelle devant la vision ecclésiastique de la chasteté, jetons simplement un coup d'œil sur la façon dont des théologiens « progressistes » cherchent à fonder le « célibat en vue du Royaume ». Ici encore, J. B. Metz en est l'exemple le plus instructif.

On ne peut qu'approuver le théologien de Münster quand il estime qu'on ne peut certainement pas fonder le célibat « sur la charge et la fonction du prêtre[96] ». On sera pareillement d'accord avec lui quand il aperçoit « dans l'institution du célibat pour tous les prêtres un certain obscurcissement de leur mission spécifique et irremplaçable[97] ». Mais il fait bien voir ensuite à quel point sa vision théologique souffre de sa carence psychologique, quand il déclare que le célibat, vertu évangélique, serait « l'expression d'une inéluctable nostalgie » du jour du Seigneur. Il poursuit : « Le célibat pousse à la solidarité avec les célibataires pour qui celui-ci signifie solitude et absence de présence humaine, ce qui n'est pas une vertu mais un destin social. Il pousse vers ceux qui sont murés dans leur résignation sans plus rien attendre[98]. » Concrètement, il pense aux vieillards de notre société, dont personne ne se soucie, ou aux jeunes qui « souffrent, souvent plus que d'autres classes d'âge, de cette résignation sans espoir, cette maladie sociale qui couve dans nos âmes[99] ».

Le sens psychanalytique de telles déclarations apparaît fort nettement si on tente de les proposer sérieusement comme motivations, disons à des jeunes de 17 ans.

Prenons donc notre théologien au mot. Voilà une lycéenne qui devrait éprouver comme désirable une existence de vierge sous prétexte qu'il y a beaucoup de vieilles gens dans les immeubles et les foyers spécialisés, des gens qui paraissent extérieurement bien soignés, certes, mais qui vivent dans une solitude morale profonde. Elle devrait de même renoncer « librement », « pour l'Évangile », par exemple à partir en vacances avec son ami parce que peut-être une de ses connaissances a sombré dans la drogue. Voilà qui est clair : dans ces exemples, aucun motif crédible, mais simplement des propositions de sens qui tiennent à la confusion entre la motivation psychologique et la fonction sociale d'un idéal, telle que nous l'avons analysée au début de cet ouvrage. Alors que J. B. Metz refuse ouvertement de justifier fonctionnellement le célibat évangélique, il se dépêche d'y sacrifier en filigrane en se contentant de changer le cadre de référence, en substituant à l'institution ecclésiastique le catalogue des besoins de la société, dont il fait à son gré varier le contenu. S'agit-il de la pauvreté ? La société, c'est essentiellement le tiers monde. S'agit-il de l'obéissance ? Ce sont les systèmes politiques autoritaires. Et maintenant, selon toute apparence, l'exigence de chasteté tient à la nature des relations dans les grandes villes occidentales. Le manque d'unité de ces motivations des conseils évangéliques et leur fonctionnalisation involontaire constituent un indice sûr de leur manque de crédibilité psychologique. Il est surtout clair que ces considérations du théologien — pourtant parmi les meilleures que l'Église ait aujourd'hui formulées sur ces attitudes essentielles — ne traitent pas de la réussite de la vie, mais ne font que rationaliser après coup le ratage d'une jeunesse au profit de cas sociaux également marqués par un échec. En d'autres termes, de telles pensées peuvent à la rigueur faire impression sur des gens qui sont eux-mêmes empêtrés dans les rets de la vie cléricale et se demandent s'ils ont avantage à continuer. Ces idées trouvent encore une certaine justification auprès de personnes qui, à voir les choses de l'extérieur, ne peuvent désormais plus changer de vie — à peu près à partir de 45 ans. Il s'agit visiblement de tentatives de stabilisation a posteriori, d'une espèce de sauvetage tardif de l'honneur du moi eu égard aux pitoyables défaites essuyées durant la jeunesse.

Pour prévenir les malentendus, il faut immédiatement ajouter que chacun a naturellement le droit — et même en un certain sens le devoir — de tirer le meilleur parti de conditions de vie malheureuses et, s'il y réussit, d'en remercier Dieu à genoux et de considérer que celui-ci a secrètement conduit et agencé son cheminement. Il est également évident qu'à partir du milieu de la vie une psychothérapie va de plus en plus souvent viser non à modifier extérieurement l'existence, mais plutôt à la transformer intérieurement en permettant de mieux accepter et de mieux donner sens et valeur à un parcours qui a été tel, et non autre. Mais ce dont il s'agit ici, c'est de comprendre l'aspect idéologique, psychanalytiquement fort contestable, de ces rationalisations du refoulement des pulsions. Rien à objecter si des personnes, même célibataires, ont trouvé une voie pour être heureuses et ont découvert que, pour elles, la foi en Dieu et la compassion à la misère d'autrui font inéluctablement partie de leur bonheur. En revanche, il y a beaucoup d'objections à faire contre la tentative de s'en prévaloir en se prétendant meilleur, voire exemplaire, en faisant pour cela appel à de grands mots théologiques qui ne font que recouvrir des frustrations et des compensations personnelles. C. G. Jung avait bien raison, en faisant un jour observer qu'il est extrêmement dangereux d'appliquer sans précaution à la jeunesse des vérités religieuses qui ne sont vraiment intelligibles que dans la seconde moitié de l'existence[100]. On connaît l'évolution qui conduit une jeune prostituée à la bigoterie tardive. De même arrive-t-il souvent que des personnes qui ont voulu vivre trop tôt l'idéal de la bigote aient évacué de leur conscience bien des éléments qui peuvent ensuite se développer curieusement en une vie substitutive autonome. Autrement dit, c'est une chose d'aider une personne d'âge avancé qui a soupiré toute sa vie après l'amour d'un autre être, à trouver une voie lui permettant d'orienter son aspiration vers Dieu, mais c'en est une tout autre que de proposer de tels cas de détresse du développement psychologique comme exemples de l'attente eschatologique du salut. Bien sûr, dans tel cas particulier, la maladie corporelle ou psychique, le malheur et la misère peuvent eux aussi susciter chez quelqu'un une bonté, une capacité d'accueil et une foi qu'il n'aurait sans doute pas pu atteindre dans une existence plus simple et plus heureuse. Mais il est également certain qu'il faut lutter aussi longtemps que possible pour le bonheur de l'existence personnelle, sous peine de succomber rapidement au danger de confondre ses limites et sa souffrance avec Dieu lui-même. Le sentiment qu'on a de sa propre valeur et le visage qu'on offre à autrui diffèrent selon la version qu'on adopte : ou bien quelqu'un s'avoue honnêtement que, jeune homme ou jeune fille, il était tellement bloqué par sa timidité et ses inhibitions que, rien que pour cela, et malgré son désir de communion et d'amour, le chemin du célibat lui apparaissait en somme acceptable et plausible, ou même, à partir d'un certain moment, nécessaire ; ou bien cette personne raconte, à elle-même et à autrui, une histoire grandiose : Dieu lui aurait « depuis toujours » pris la main et l'aurait menée sur le chemin du salut malgré tous ses péchés et ses fautes. Considérée du point de vue psychologique, cette dernière présentation des choses ne masque pas seulement une espèce d'énorme mensonge existentiel ; elle élimine aussi de la biographie de l'intéressé toute la violence de ses résistances et de ses luttes dans la confrontation à ses inhibitions personnelles. Elle favorise précisément ce qu'un auteur comme J. B. Metz disait vouloir éviter : la résignation et l'absence d'espoir. Elle projette finalement dans l'espace du divin la frustration et la non-réalité d'une existence personnelle pour la faire redescendre ensuite sous la forme d'un devoir moral de solidarité avec les malheureux de la terre. Mais il y a longtemps déjà que nous avons vu ce qu'est la vie de gens qui, au lieu de vivre par eux-mêmes, sont tenus de le faire essentiellement par fonction, vivant leurs propres aspirations d'une manière substitutive en d'autres et pour d'autres.

Il y a peu, lors d'une réunion d'éducateurs, je rencontrai un prêtre qui avait découvert en Bolivie la misère des mineurs et s'était mis à partager leur vie, se dévouant jusqu'à la limite de ses possibilités physiques et psychologiques. Ne pouvant manifestement supporter plus longtemps le climat de haute altitude, il était revenu en Allemagne. Tous les soirs, il reprenait sur sa guitare des chants espagnols de *mineros* et de *gauchos*, des poèmes tristes et mélancoliques ou des textes de colère qui tiraient les larmes des yeux à tous les auditeurs. Mais personne n'osait dire ce qui crevait les yeux : la solitude sans limites et la vie sans amour de cet homme qui s'était consumé pour le Christ. Pour quel Christ en somme ?

La façon dont on répond à cette question est capitale. Si l'Église catholique était en mesure de convenir que c'est un devoir humain d'encourager dans la mesure du possible chaque jeune homme, chaque jeune fille à s'éprouver comme un homme ou une femme en devenir, elle aurait à craindre l'effondrement rapide de tout l'état clérical. Elle serait obligée de renoncer à son idéal, dans la mesure même où elle l'a sacralisé. Elle devrait revoir toute la vie, en partant non plus de l'institution, mais des personnes concernées. Au lieu de déclarer valables des formes extérieures de vie en ne les considérant qu'en elles-mêmes, elle serait obligée de porter son regard sur les motivations qui les engendrent. En opérant ainsi, elle serait contrainte de faire précisément ce qu'elle a toujours le plus craint : renoncer à l'objectivisme de sa pensée administrative et mettre au premier plan de ses préoccupations le sujet, les personnes vivantes dans leur réalité, seul point de départ et seule fin valables en la matière. La question serait dès lors de savoir non plus si quelqu'un est célibataire ou marié, mais pourquoi il veut ou doit vivre ainsi et non pas autrement. Devant Dieu, ce n'est pas l'extérieur qui est essentiel, mais l'intérieur. Cependant on ne peut jamais percevoir totalement de l'extérieur l'intériorité d'une vie, et ce n'est d'ailleurs jamais quelque chose de fixé une fois pour toutes : la personne reste par principe ouverte à une multitude de développements futurs.

On le voit, les données sont très simples ; mais cette simplicité n'est perceptible que si l'Église est prête à réviser fondamentalement ses opinions traditionnelles concernant le célibat et la chasteté sur au moins deux points :

— Premièrement : on ne peut admettre plus longtemps la situation psychologique que crée l'obligation au célibat d'un état consacré. Les justifications de cette thèse sont maintenant claires : la personne seule est crédible. Une certaine forme de vie acquiert sa valeur non par elle-même, mais par la manière dont elle est personnellement vécue. C'est quasiment vouloir marcher sur la tête quand, au lieu de travailler sur les angoisses pubertaires des adolescents devant tout contact sexuel et de les ouvrir à la vie, on interprète idéologiquement ces peurs comme des signes secrets de l'élection divine. On étouffe la spontanéité de la jeunesse quand on l'égare avec des idéaux qui peuvent à la rigueur avoir une certaine plausibilité quelques années plus tard en raison d'un cheminement particulier qu'à vrai dire on ne peut souhaiter ni à plus forte raison prescrire à personne. Dans la mesure où l'obligation du célibat résulte de la psychodynamique de la personne, elle est avant tout signe non pas d'un plus grand amour, mais de limites et d'inhibitions de l'amour nettement plus poussées que celles de la culture du moment. Le célibat n'offre aucun avantage visible sur le mariage, ni psychique ni moral. Psychologiquement, il entraîne en tout cas des complications et des risques qu'on ne peut compenser qu'en leur apportant un contrepoids social, ce qui de son côté peut évidemment présenter une certaine utilité pour la société. Mais la difficulté même de maintenir cette compensation devrait globalement interdire de lier cette utilité sociale objective à une forme de vie qu'on obère de souffrances personnelles considérables, et d'en faire un idéal moral qu'on exploite institutionnellement. En particulier on ne peut pas considérer comme humain d'enserrer des jeunes gens et des jeunes filles, manifestement immatures, dans un réseau moral de sentiments de culpabilité et d'angoisse, et de leur présenter alors ce rétrécissement de la vie comme la conséquence d'une élection divine « spéciale », puis, sous ce prétexte, de les engager dans une forme de vie qui fait apparaître toutes les autres expériences et toutes les autres orientations possibles comme des sources de péril et de tenta tion. Psychanalytiquement, on ne peut sauver la crédibilité de l'alternative mariage-célibat qu'à condition de la neutraliser, autrement dit qu'à condition de mettre l'individu à même de choisir l'un ou l'autre terme à tout moment de son développement psychologique, selon que cela cadre avec lui et avec son entourage.

Reste à souhaiter qu'en une matière aussi importante, on renonce désormais à ces mensonges volontaires et délibérés qu'on tient en répétant inlassablement que des jeunes de 25 ans, bien alignés et jugulaire bien ajustée, qu'on a endoctrinés moralement et gênés dans leur épanouissement en multipliant pendant six ans ou plus toutes les chicanes institutionnelles possibles, sont des êtres libres qui se sont engagés une fois pour toutes et sans retour à se donner au Christ en prononçant un « oui » longuement mûri. Quand on se trompe aussi cruellement, comme c'est par exemple le cas du Père Ralph de Bricassart, pourtant subjectivement si humain, il n'y a plus d'abonnement qui tienne.

Celui qui refuserait de s'ouvrir à des considérations psychanalytiques ou simplement humaines acceptera peut-être d'entendre la leçon de la Bible. La question mariage ou célibat semble avoir si peu d'importance dans la vie de Jésus que le Nouveau Testament n'éprouve absolument pas le besoin de nous renseigner sur sa situation sociale, sa biographie, sa profession, sa famille. Avait-il femme et enfant ? Pas un mot là-dessus [101], comme si tout cela n'avait aucune importance et aucune valeur exemplaire aux yeux de Dieu, mais n'était que simple détail accessoire. On ne peut non plus rien tirer des paroles de Jésus lui-même, ni dans un sens ni dans l'autre. Dans l'Eglise catholique, on croit toujours pouvoir déduire l'interdiction juridique du divorce du texte de Mc 10, 1-2 (« Ce que Dieu a uni [102]... ») ; cependant, si on y regarde de près, c'est précisément le passage où Jésus marque bien qu'il n'a pas l'intention de promulguer une nouvelle loi, mais seulement de mettre fin à quelque législation que ce soit : ce qu'il voulait, c'était redonner à l'amour et à la tendresse cette bonté évidente qui était la leur aux premiers jours de la création, dans la proximité de Dieu ; son souci, c'était le comportement des hommes les uns envers les autres ; il n'avait qu'aversion pour une pensée en paragraphes et en statuts. En d'autres termes, pas question de voir en lui le restaurateur du mariage bourgeois ! Mais l'homme de Nazareth n'a certainement pas voulu non plus créer d'ordre religieux dont le règlement prévoirait de protéger les hommes et les femmes les uns des autres et de les défendre tous ensemble contre les dangers du monde derrière d'épais murs de pierres et à coups de punitions. Tout au contraire, il est venu en ce monde pour nous apprendre quelque chose que, même deux mille ans après lui, l'Église catholique craint encore manifestement comme le diable lui-même : un style de contacts humains affranchis de l'angoisse, assez libres et assez audacieux pour autoriser et rendre possible entre les sexes un jeu d'amitié ouvert. Il n'a pas entendu émousser si peu que ce soit la faculté d'aimer en introduisant la coupure entre deux pôles que l'Église considère encore comme de son devoir de maintenir : la vie monastique pure, c'est-à-dire essentiellement asexuelle, et la vie maritale qui n'est pure que dans la mesure où la vie sexuelle y est permise. Il a plutôt vécu comme toute naturelle une fraternité qui séduisait les femmes aussi bien que les hommes. S'il est quelque chose que nous devons apprendre de lui en matière de chasteté, c'est bien d'éviter de mêler ses idées et les problèmes de l'état clérical et de ses formes institutionnelles. Il nous faut plutôt chercher à voir à quel point inouï il était ouvert à l'humain, totalement et sans réticence.

On argue constamment du mot de saint Paul déclarant que celui qui reste célibataire peut « servir le Seigneur sans partage », tandis qu'une personne mariée doit au contraire se soucier des choses du monde pour plaire à sa femme (1 Co 7, 32-33). On a aujourd'hui le sentiment que cette idée obscurcit plutôt qu'elle n'éclaire la véritable attitude de Jésus. Quoi donc ? Il faudrait choisir entre l'amour de Dieu et celui d'une femme ou d'un homme, entre le dévouement total au Christ et le dévouement au compagnon d'amour, entre le bonheur de l'épanouissement terrestre et l'aspiration au monde éternel de Dieu ? Du point de vue de la psychologie religieuse, ce sont justement ces divisions et subdivisions tranchées de la piété chrétienne qui posent actuellement un problème. Il est possible qu'un individu sans aucun lien puisse paraître totalement disponible pour le service de n'importe qui ; quand il s'agit du fonctionnement de l'Église comme institution, il peut sembler souhaitable de s'attacher un maximum de personnes ainsi déliées de toute attache, en proclamant l'Église épouse du Christ ou le Christ époux du cœur, suivant les goûts. Mais Jésus ne se souciait pas d'institutions, même pas de l'institution qu'est l'Église catholique romaine. Il ne s'inquiétait que des hommes et de la façon dont ils pourraient vivre sous le regard de Dieu. Il faut donc affirmer résolument que jamais un être auquel on se consacre totalement, corps et âme, ne peut être un obstacle pour rejoindre Dieu. Ce sont au contraire uniquement de tels êtres « essentiels » (selon le terme de Jochen Klepper[103]) qui peuvent nous apprendre quelque chose de sa nature. Si on regarde la vie de l'extérieur, il est possible que leurs exigences et leurs désirs prennent trop de place. Mais Dieu ne se situe pas dans l'extension ni dans la quantité. Il ne se perçoit que dans l'intimité du cœur. Plus deux êtres réussissent à être proches l'un de l'autre, plus ils s'approchent du mystère du monde dont nous vivons tous. Un humain que nous aimons ne nous barre pas l'accès à Dieu ; du simple fait de son existence, il nous procure un morceau de Ciel sur la Terre. Il nous ouvre un accès au fond de la réalité. Ce n'est que dans l'amour que nous sentons quelque chose de la nécessité de l'être. Lui seul nous fait retrouver quelque chose du bonheur au matin du Paradis. Lui seul nous élève vers la montagne de la Transfiguration où le temps s'arrête dès l'instant où nous touchons l'éternité. Seul l'amour pour certaines personnes nous apprend à saisir la poésie du monde en transmutant tous les objets, êtres vivants, forces de vie, en paraboles, en chiffres et en formules magiques messagères de l'amant ou de l'amante. On n'est pas plus proche de Dieu parce qu'on est plus loin de l'homme. On n'élève pas sa vie au niveau du divin en la refusant à des humains, et on ne se donne pas en se réservant — à Dieu ? Pourquoi donc nous aurait-t-il donné l'amour ?

Impossible de nous représenter Jésus comme un célibataire endurci qui se ferait gloire de n'avoir jamais senti le contact d'une femme et de garder l'âme intacte de toute tentation d'amour, preuve de l'authenticité de sa mission divine. Si nous voulons nous faire une idée de sa vie, regardons-en le côté paradoxal et « anarchiste », tel que l'en accusait un texte, à prendre fort au sérieux, qu'on aurait produit à charge lors de son procès : il sème la discorde dans les familles et le trouble dans le peuple, depuis la Galilée jusqu'à Jérusalem[104]. Dans notre aire culturelle, il n'y a sans doute qu'un seul groupe de personnes dont nous puissions rapprocher tant soit peu sa forme de vie — un groupe capable de chanter un amour suffisamment fort pour s'élever au-dessus des tabous de la société, avec ses contraintes ritualisées et ses règles stéréotypées ; de prendre parti pour l'être individuel concret qu'on a en face de soi dans sa particularité d'homme ou de femme ; d'irradier la force ensorcelante d'âmes qui refusent de se laisser paralyser en s'attribuant paresseusement l'autre, « ma femme » ou « mon mari » ; de faire preuve de la largesse de cœur et de la générosité de vues qui, au-delà de toute jalousie, unissent et rapprochent ; de s'exprimer en une langue invitant tous les hommes sans distinction à partager le festin de la proximité de Dieu : celui des *poètes*, à qui seuls il est permis d'être obligeants sans obliger, d'être fiables sans conclure de traité, d'épouser totalement le bonheur des hommes sans être mariés. Ni les *Élégies* de Goethe, ni les *Sonnets* de Rilke, ni les romans de Stefan Zweig ne seraient concevables sans l'arrière-fond de certaines expériences de vie commune qui font éclater les barrières et les conventions de la respectabilité bourgeoise. Leurs contemporains eux-mêmes pouvaient s'en moquer ; ils n'en devaient pas moins admettre que la mesure de l'humanité n'en était pas amoindrie, mais enrichie. De tels êtres sont riches et ouverts. Ils fécondent et vivifient tout ce qu'ils touchent, comme les bras du Nil : loin de dévaster son delta, le flot de l'inondation l'arrache à l'aridité du désert, et s'il lui arrive de faire déborder canaux et conduits, il ne fait que dispenser généreusement ce que les pompes, en norias ou en spirales, doivent autrement répandre péniblement dans les champs et les prés. De même leur vitalité débordante peut mettre en déroute, mais ne détruit pas. Un message sourd de leurs œuvres, et la postérité peut y reconnaître après coup la justification de leur vie. Mais ceux qui ont vécu avec eux et par eux en savent plus long ! Pour ceux-là, leurs œuvres ne sont que la cendre des braises d'un feu qui ne s'éteint jamais, et leur vie dépasse infiniment les quelques mots et lignes par lesquels ils l'ont communiqué aux autres.

C'est de chamans de ce genre que la vie de Jésus de Nazareth est la plus proche. Elle était celle du prophète, comme on le disait, du Fils de l'Homme, comme lui-même le disait souvent, celle d'un poète qui aimait tant la vie humaine qu'à ses yeux elle se revêtait comme d'elle-même de l'éclat divin de la grâce et de la lueur de beauté. Il vivait dans une liberté qui lui permettait de passer le plus naturellement du monde à travers des portes verrouillées, et il n'avait manifestement besoin ni de l'institution du mariage ni des couvents pour se montrer sûr de lui, comme homme, face au monde des femmes. A vivre selon sa façon, il devait vraiment paraître absurde de considérer la différence entre marié et célibataire comme essentielle devant Dieu et devant les hommes. Si, selon toute apparence, il n'était pas marié, il ne restait pas ascétiquement à distance des femmes, mais leur montrait au contraire une attitude ouverte d'accueil et une cordialité chaleureuse. Il n'a pas « évité » le mariage ; il n'y a pas « renoncé » ; il ne s'est pas « sacrifié » : il vivait dans la sainte poésie et la créativité de l'amour à un niveau d'énergie bien antérieur à sa bipolarisation mariage ou vie monastique. Il semble qu'il y ait des particules élémentaires au niveau desquelles l'électricité et la pesanteur sont encore une seule et même chose. Telle pouvait être sa vie.

Deux mille ans après lui, combien lointaine nous apparaît cette unité vivante d'une existence religieuse intense ! Pour mesurer la distance, il suffit de voir à quel point notre théologie morale obéit au fond toujours à une logique de l'âge de pierre, celle qui pose une équation du genre : amour = sexualité = possession = famille. Pour Jésus, aucune de ces équivalences qui nous paraissent aller de soi ne le devait. A-t-on par exemple le droit de dire « mon mari » ou « ma femme », simplement parce qu'on vit ou qu'on a vécu une certaine relation sexuelle ? La tendresse amoureuse peut rendre deux personnes très proches l'une de l'autre, mais jamais l'une n'appartiendra à l'autre. Sur cette terre nous ne sommes que des voyageurs, et plus nous apprendrons à nous mettre à l'écoute les uns des autres, plus sûrement nous remarquerons l'absurdité de toutes les formes de sujétion. Aucun être n'est propriété de l'autre. Avec nos façons catholiques de penser, comme nous sommes encore loin de vivre en partenaires la pauvreté et l'obéissance, y compris et même surtout dans nos rapports hommes-femmes !

S'il est possible d'apprendre beaucoup du bouddhisme en matière de pauvreté, et non moins de l'islam en matière d'obéissance à Dieu, nous pouvons tout autant découvrir de l'hindouisme en matière de sexualité et de mariage, avec ses techniques de purification progressive des pulsions humaines, depuis l'expérience sensuelle de la sexualité jusqu'aux diverses formes de l'extase mystique. Il s'agit là d'une synthèse qui s'exprime de manière extrêmement forte dans les peintures des temples dédiés au dieu Shiva, dans le sud de l'Inde. On y vénère la divinité sous le symbole phallique (non figuratif) du *lingam* qu'enguirlande le signe féminin du *yoni* : un chiffre du coït qui doit susciter non seulement la force génératrice de la fécondité, mais également et surtout l'unité divine de la tension du masculin et du féminin [105]. En d'autres termes, non seulement il n'y a pas opposition entre l'amour d'un homme ou d'une femme et l'amour de Dieu, mais il faut voir dans l'amour humain le lieu d'expérience et d'apparition du divin lui-même. à Tanjore, les murs extérieurs du grand temple de Shiva portent alternativement des rayures verticales rouges et blanches ; ce sont également ces couleurs que les prêtres de Shiva portent sur le front. Supposons que le rouge soit la couleur de l'amour et de la passion, et que le blanc soit celle de la pureté et de l'innocence : le culte de Shiva propose alors fondamentalement une synthèse des pôles contraires qui, dans la mentalité de l'Église catholique, restent inconciliables. Du fait que la piété biblique procède pour l'essentiel de la lutte contre les religions « païennes » de la fécondité, on ne saurait s'étonner de constater combien l'expérience chrétienne reste déficitaire dès lors qu'il s'agit d'harmoniser l'opposition apparemment insurmontable entre l'âme et le corps, l'homme et la femme, la sexualité et la piété, Dieu et l'Homme, et c'est bien sur ce point que la spiritualité de l'hindouisme peut le mieux nous aider.

— Amour et passion, pureté et innocence — ces concepts nous conduisent en deuxième lieu à distinguer le concept de chasteté de l'obligation au célibat de l'état sacerdotal. Dans la littérature théologique, une certaine confusion continue encore à régner sur ce point. Dans le souci de bien marquer que les personnes mariées sont « moins chastes » que les clercs, puisqu'elles ne sont pas aussi désireuses de sacrifier à Dieu le plaisir sexuel que ceux qui sont astreints à la chasteté par état, maints auteurs inclinent à trancher avec l'épée d'Alexandre le nœud gordien qu'ils ont eux-mêmes noué : ils déclarent généreusement que tous sont sur la route de la sainte chasteté, mais que les points de départ sont simplement différents, pour les uns le mariage, pour les autres le célibat. Si on entend ainsi continuer à fonder la nécessité du célibat et la promesse de cette forme « spéciale » de chasteté, il faut évidemment consentir à quelques acrobaties logiques du genre de celles de l'extravagante législation de *La Ferme des animaux* de George Orwell, où on précise le principe révolutionnaire selon lequel « tous les animaux sont égaux », en se dépêchant d'ajouter législativement la clausule suivant laquelle « certains le sont davantage[106] ». Pour éviter de diffamer le saint état du mariage, on déclare donc que tous les catholiques, mariés ou célibataires, sont égaux en matière de vertu de chasteté, mais que les clercs n'en sont pas moins appelés à la pratiquer d'une manière spéciale. Il faut bien qu'il en soit ainsi, sous peine de réduire le non-mariage des clercs à quelque chose de purement fonctionnel, à une disponibilité inconditionnelle pour le ministère. Ce serait là un argument bien médiocre ou même scabreux pour justifier une définition aussi délicate que celle du célibat consacré des clercs.

La théologie se heurtera à ces difficultés aussi longtemps qu'elle continuera à définir essentiellement le concept de chasteté comme le fait d'être sexuellement intact. A y regarder de près, on verra par exemple qu'on entend tout autre chose sous le mot « pureté » quand on parle de celle des gens mariés et de celle des clercs. Dans le premier cas, on ne veut pas parler d'une abstention de la rencontre sexuelle, mais d'une manière qu'ont l'homme et la femme de se rencontrer personnellement, et la question qui surgit alors est de savoir comment décrire cette sorte de « chasteté »-là. Le mieux sera à l'avenir d'éviter de façon générale les termes de « chasteté » ou d' « impudicité » et, au lieu de déclarer quelqu'un impur, de le dire blessant, grossier, indélicat, machiste, humiliant, prosaïque, insensible, mécanique, sans âme, sans imagination, purement technique, héros du devoir conjugal : autant d'expressions capables de décrire le comportement concret de deux personnes et leurs rapports. En ce sens, « impur » serait déjà la manière ecclésiastique de parler sans âme, de façon objectivante et dénuée de sentiment des questions de l'amour et des misères du cœur, celle qui reste encore le propre de la théologie morale catholique. Disons-le carrément : si l' « impureté » consiste à séparer le corps et l'âme, l'Église catholique a vraiment fait tout son possible pour élever formellement au niveau d'un commandement cette séparation de l'affectivité et de la pensée. A l'inverse il conviendrait de remplacer le terme « chaste » par des tournures du genre : sensible à en éveiller l'âme, tendre comme le souffle du vent dans les herbes, doux comme l'aile d'un papillon, chaud et profond comme les sources d'un geyser, vaste comme un fleuve qui s'ouvre sur la mer, rêveur comme la lueur des étoiles, fort et libérateur comme une tempête au soir de journées brûlantes —

autant d'expressions qui traduiraient une expérience de poésie concrète. En ce sens la « chasteté » commence avec la constatation qu'on ne peut parler de la relation entre un homme et une femme que dans la langue des poètes.

Mais qu'en est-il alors de la « chasteté spéciale » des clercs ? Il est vrai qu'il existe une forme spéciale de sensibilité et de poésie concrète, donc de chasteté, qui pourrait apporter quelque chose de spécifique à leur mission pastorale, et c'est peut-être dans la psychothérapie qu'on pourrait en trouver le meilleur exemple : nous voulons parler de la discrétion du rapport entre le thérapeute et sa cliente, ou entre la thérapeute et son client.

Normalement, en psychothérapie, il est extrêmement avantageux de tirer parti de la tension entre les sexes pour susciter transferts, contre-transferts et répétitions en tout genre. En thérapie analytique, Freud n'en a édicté qu'avec plus de rigueur la « règle de l'abstinence [107] » ; autrement dit, il interdit rigoureusement de traduire en actes les sentiments de tendresse et d'amour qui peuvent surgir. Il faut discuter oralement tous les élans du transfert, les rendre conscients pour les dissiper, avec l'espoir qu'un moi adulte sera capable d'orienter ce qui lui reste de sentiments authentiques dans un sens conciliable avec les données de la réalité. La cure psychanalytique impose donc au (ou à la) thérapeute un type de relation grevé d'exigences très lourdes. D'un côté il s'agit de provoquer une relation émotionnelle chaleureuse entre thérapeute et client et de susciter ainsi une atmosphère de compréhension et de confiance telle que celle qui peut exister entre la mère et son enfant, mais qui est rare entre des adultes qui s'aiment ; de l'autre, il faut prendre garde à ne faire qu'éprouver les sentiments qu'éveille le traitement, mais non à les vivre en actes, et à toujours en analyser l'origine et la signification. Dans ces conditions, il s'attache à la thérapie analytique comme un effet bouddhiste, c'est-à-dire qu'il faut sans cesse reprovoquer chez la personne des élans de cœur et des espérances extrêmement vifs et les travailler jusqu'au moment où ils se dissoudront apparemment tout seuls. On s'est beaucoup posé la question de savoir pourquoi, à partir du milieu de sa vie, Freud a lui-même vécu en abstinent sexuel [108]. L'une des explications possibles serait peut-être que la constante maîtrise analytique de ses propres sentiments jointe à l'observation des continuelles désillusions des autres ont peu à peu entraîné une restructuration émotionnelle de sa psyché en la faisant pencher uniquement dans le sens d'une bienveillance objective, d'une curiosité engagée et d'une patience à toute épreuve. Il y a eu en particulier diminution de ses différentes formes de désir personnel, et la reconnaissance de ses sentiments a fait de plus en plus obstacle à leur satisfaction.

En quoi cela touche-t-il la chasteté ? Eh bien, nous découvrons qu'il y a une certaine relation affective qui ne « veut » littéralement rien de l'autre, mais qui s'intéresse en même temps énormément à sa croissance et à sa maturation. A dire vrai, il n'y a pas de terme allemand susceptible de désigner cette sorte d'inclination et d'attention à l'autre. Le mot « amour » est si usé que, suivant les cas, il peut signifier tout et rien. Rien qu'entre « Je t'aime » et « Je t'aime bien », il existe toute une gamme de sentiments qui vont du ciel à l'enfer. Au fond, pendant le traitement, l'analyste occupe les places qui furent celles de son père, de sa mère, d'un frère, d'une sœur ou des personnes qui ont pris leur suite ou auraient dû la prendre durant l'enfance de la patiente. Mais, ne serait-ce qu'à cause du continuel changement de rôle, parler de paternité, de maternité ou de fraternité du thérapeute n'est que partiellement exact : les différents aspects de la relation thérapeutique ne définissent pas ce qu'il voudrait être de lui-même, mais uniquement ce qu'il devient à chaque nouvelle phase du transfert, en partie par projection, en partie de par sa propre disponibilité. Il y a cependant une attitude où il reste intérieurement semblable à lui-même et qu'il doit tenter de maintenir dans toute la mesure du possible : quel que soit le mot par lequel on la désigne, elle consiste à être prêt à faire deux lieues avec celui qui lui demande d'en faire une (Mt 5, 41), à ne jamais le juger quoi qu'il dise (Mt 7, 1), à aller le chercher lorsqu'il s'est égaré et perdu (Mt 18, 12) et à lui témoigner une confiance qui lui apprenne à être là, au moment présent, et à ne pas gâcher sa vie d'aujourd'hui avec son souci du lendemain (Mt 6, 34). Il est hors de doute que c'est là une attitude parfaitement pastorale, et que c'est celle qu'on trouve dans nombre de paroles de Jésus. Elle est suffisamment nourrie de sensibilité pour faire place aux sentiments que l'autre n'a jamais pu rêver, pour offrir des mots exprimant les sentiments qu'il n'a jamais pu ressentir, pour laisser se répandre des larmes qui n'ont jamais coulé, pour faire fondre la glace de son angoisse, pour percevoir le murmure de sa vérité personnelle derrière les prétentions de son faux moi et pour croire avec tout cela qu'en chaque être vit quelque chose à travers quoi le divin se manifeste. Une telle attitude est littéralement assez pauvre et assez obéissante pour ne pas humilier ou déformer, assez chaste aussi pour ne pas inquiéter ou blesser.

Dans ces conditions, la chasteté revient à deviner l'être de l'autre, à le restaurer et le rendre visible avec le soin d'un restaurateur de tableaux, en dépit des retouches étrangères et de l'érosion du temps. Cela signifie redonner leur netteté aux traits du caractère par lesquels le moi de l'autre s'exprime le plus avantageusement ; il s'agit d'accueillir en soi son sourire comme la tristesse de ses traits, de manière à permettre à la vérité de sa personne de transparaître en toute clarté sous ses aspects passagers ; cela veut dire ramener au jour son âme de sous l'amoncellement des ruines de ses espérances détruites, de ses gestes secrets et de ses pensées dissimulées — et de réintégrer et de faire fleurir tout cela dans les zones du corps dévastées, desséchées par l'angoisse. C'est un effort pour délivrer le corps de l'autre des chaînes d'une fausse honte et lui rendre sa beauté et son innocence originelles. Parmi les relations humaines, il n'en est pas qui cherche autant à s'approcher du mystère de la création : c'est une recréation poétique qui répète la parole par laquelle Dieu appelait tel être à la vie, une imitation du geste dont il a laissé la trace dans l'étoffe passagère de la chair, une composition sur le thème imperceptible qu'il a doucement implanté dans le cœur de l'autre.

Ainsi comprise, la chasteté est faite de tendresse désintéressée, de poésie créatrice, de dévouement artistique, de quête patiente de l'être véritable, de joie reconnaissante à servir un royaume encore latent. Elle est faite du courage d'ouvrir des serrures ensorcelées, de l'aptitude à entendre ce que disent les murmures des elfes et des gnomes, de l'art de chevaucher des destriers magiques et de prendre les nuages et les vents pour des carrosses et des chars. Elle est magie et réalisme, piété et bon sens, liberté et engagement, sommeil et veille ; elle consiste à rêver et à penser, à sentir et à agir ; c'est la parfaite union de l'âme et du corps.

Et, cependant, cette unité de composition picturale qu'est une psychothérapie réussie est plus proche d'une œuvre d'art que de la vie réelle. Certes, c'est bien une image vivante qui se réalise en la personne de l'autre, et en ce sens elle est en contraste total avec une œuvre purement esthétique. Mais l'attitude du thérapeute a en commun avec celle du poète, du musicien et du peintre que ce qu'il crée depuis le plus intime de lui-même ne lui appartient pas. Une fois créée, l' « œuvre » lui échappe, monte librement sur les tréteaux de la vie et épanouit son moi personnel qui ne reviendra jamais chez lui. Une fois reconstitué, ce vase étrusque qu'on a trouvé au fond de la mer, qu'on a débarrassé de son sable et de ses dépôts calcaires séculaires, dont on a recueilli les fragments pour deviner, à travers leurs courbures et leurs traces de peinture, sa forme et son allure de jadis, puis qu'on a exposé publiquement, ne sera cependant jamais rien d'autre qu'un bien octroyé. C'est ici que se dessine très clairement une forme de chasteté qui est en fait inconciliable avec le désir de mariage et qui peut impliquer abondance de peines et de déceptions, même en thérapie. La différence avec le couple est nette. Certes, aucun des deux époux n'a envie de « posséder » l'autre ; mais leur relation est quand même conditionnée par un amour qui les conduit à avoir besoin l'un de l'autre ; ils entendent s'appuyer l'un sur l'autre et par là se compléter. Dans un mariage d'amour, je tiens nécessairement à avoir l'autre pour moi-même ; je voudrais le combler totalement, le cerner totalement ; je voudrais être le centre de sa vie ; je voudrais qu'il me désire ; je voudrais être la lueur des étoiles de ses rêves et l'éclat du soleil sur son chemin. Devenu union durable de deux personnes, l'amour est ce qui porte à son sommet la puissance du moi et du toi. Il n'est pas seulement « désintéressé », « prêt au sacrifice », « fidèle » : il est avant tout une merveilleuse synthèse des pulsions agressives, fortes mais aussi conquérantes, combatives, chargées de désir, jalouses. Il est l'unité de deux corps, de deux âmes qui s'ensevelissent l'une dans l'autre jusqu'à l'inconscience pour ne plus se réveiller, sinon dans une sainte fusion qui les pousse l'une vers l'autre par-dessus monts et océans, après des jours et des années d'attente. Toujours recommencer, telle est la danse circulaire de l'amour, des cycles mythiques dans l'ordre du Temps[109]. Mesurées à cette aune, psychothérapie ou pastorale ne paraissent plus que projets pâlots, artificiels, chemins seulement, au lieu de but ; poteaux indicateurs, et non maison ; caresses, et non saisie ; être-ensemble, et non être-l'un-en-l'autre ; oreille tendue, et non enivrement des sens.

Et d'ailleurs, est-il vraiment permis de se caresser et d'être ensemble ? En psychothérapie, la forme de contact est essentiellement celle d'un dialogue unilatéral : le client parle de soi pendant que l'analyste l'écoute, en général assis tout près de lui, mais en silence, n'intervenant que rarement, sans presque jamais parler de lui-même. C'est comme si le moi de l'analyste perdait tous ses traits particuliers pour n'être plus rien d'autre qu'un parfait écran sur lequel peut se projeter le patient. C'est donc exactement l'inverse d'un rapport amoureux « normal », où la connaissance ne progresse qu'à travers la communication avec l'autre et la réciprocité de l'échange. Mais la situation analytique a l'avantage de ne jamais bloquer l'autre dans son statut actuel. Les amitiés et les relations amoureuses donnent facilement à l'autre le sentiment d'être désiré pour telle ou telle qualité, pour tel ou tel comportement. En un sens c'est comme si elles lui disaient qu'il doit rester tel qu'il est présentement ; dans sa « forme normale », l'amour ne souhaite guère de modifications profondes allant jusqu'à remodeler totalement la personnalité de l'aimé. Autrement dit, il confirme l'autre dans ce qu'il est. En psychothérapie, au contraire, on présuppose que l'autre ne peut ni ne veut rester tel qu'il s'éprouve présentement. On ne le prend pas tel qu'il est, mais on espère qu'il pourra être différent de ce qu'il paraît être actuellement. Bien comprise, la psychothérapie est un moyen de délivrance, et non de confirmation. Alors que l'amour présuppose vraiment que l'autre s'est globalement trouvé lui-même et a achevé son évolution, elle pose en principe qu'il doit encore entreprendre ce parcours. De là vient que les deux parcours sont toujours différents : dans un mariage assez heureux, après dix ans de vie commune, on peut penser que les sentiments ont perdu de leur vivacité, mais qu'ils sont en revanche un peu plus empreints de confiance, d'intimité, de besoin plus intense de l'autre qu'au début. En psychothérapie, c'est exactement l'inverse : après dix années de travail en commun, l'analyste devrait permettre au client de le ressentir comme moins utile qu'au départ ; il devrait même s'efforcer de se rendre peu à peu superflu, ce qui exige de sa part une certaine forme de réserve, de tact, de discrétion et de sollicitude libératrice. Dans le cas idéal, une psychothérapie analytique renvoie sans doute plutôt à la maturation et à l'assurance que l'enfant acquiert progressivement face à ses parents, et l'amour conjugal à une croissance continue d'adultes vivant l'un en l'autre et l'un avec l'autre.

Des constatations de ce genre peuvent nous rassurer : si on comprend ainsi les choses, le caractère spécial de la chasteté des clercs célibataires pourrait consister en une bienveillance quasi thérapeutique analogue à l'attitude des parents à l'égard de leur enfant ; alors qu'on peut comprendre l'amour conjugal comme venant confirmer et activer une existence en elle-même libérée et rendue à soi-même ; elle serait pour sa part un moyen de délivrer pour faire vivre. Mais la psychothérapie n'est pas toujours aussi simple et il n'est pas toujours aussi facile de tracer ses frontières Déjà Sandor Ferenczi faisait fort justement remarquer qu'il est des situations où le traitement analytique tourne nécessairement en rond[110]. Que faire, par exemple, quand l'angoisse d'une patiente devant les hommes est si grande que, même après des années de travail d'anamnèse, de répétition et d'analyse sur l'image du père, elle n'ose prendre le risque d'une relation sexuelle avec un homme ? Que faire lorsqu'une épouse, après quinze années de mariage, n'a jamais réussi, même une seule fois, à s'éprouver comme femme ? Que faire lorsqu'une femme abandonnée par son mari se sent atteinte et humiliée au plus profond de sa féminité et qu'il n'y a personne, sinon le thérapeute, à qui elle puisse se confier dans sa détresse ? C'est bien parce que la psychanalyse attache tant d'importance à la signification psychologique de la sexualité qu'il est si difficile de concilier une résolution purement mécanique d'angoisses et de frustrations sexuelles (au sens de la thérapie du comportement[111]) avec le principe d'abstinence de l'analyse. Ce problème qui traverse toute la psychanalyse, jusqu'à la tentative fort sérieuse et honnête de T. Moser[112], est de savoir ce que finalement l'analyste peut ou doit faire ou ne pas faire. Cette question n'a jamais cessé de se poser en psychothérapie. Se pourrait-il qu'elle seule doive nous apprendre, à nous autres clercs, ce que voulait Jésus lorsque, cheminant un jour de sabbat avec ses disciples à travers un champ de blé, il viola la plus sainte des lois d'Israël par pitié pour la faim des hommes (Mc 2, 23-28)[113] ? Quelle faim peut être celle d'une âme souvent tendue entre la vie et la mort ? Sachons voir comment Jésus, en dépit de la lettre de la loi, s'est laissé toucher par une femme qu'il guérit de son hémorragie (Mc 5, 25-34)[114]. Quand donc nous arrive-t-il, à nous, clercs, de nous laisser approcher par un homme ou une femme, même de loin, au point de pouvoir le guérir ? Il ne s'agit pas de faire montre de moins de chasteté, mais de faire preuve de plus de maturité en sachant nous départir de notre besoin de nous préserver et de notre ascétisme narcissique, d'être plus ouverts à l'égard de personnes qu'on est obligés de porter un certain temps dans la vie, tout simplement parce qu'elles-mêmes ne peuvent plus marcher.

Arrivés à ce point, on voit bien entendu surgir immédiatement l'angoissante question de savoir si, dans cette forme d'alliance communautaire, on peut de nouveau fixer des normes à une chasteté qui n'exclut pas la sexualité. Combien de fois peut-on répéter une telle technique de traitement ? Que faire quand la jalousie commence à se manifester ? Que se passerait-il si finalement ces choses si intimes finissaient par se savoir dans le public et que chacun pouvait se fabriquer sa propre version des faits ? Plus grave encore : en fin de compte la personne en situation de patient ne se sentira-t-elle pas humiliée et abaissée d'avoir, certes, rencontré l'amour, mais par compassion ? Et si ce n'était pas de la compassion, mais une estime sincère, de l'admiration et de la sympathie ? Une personne qui aime veut généralement être aimée des autres ; elle ne souhaite pas seulement être aidée par autrui, mais se rendre elle-même par toute sa vie utile à l'autre. Ne retrouve-t-on pas les règles du traitement psychanalytique que lorsqu'on les a d'abord quittées ? L'angoisse devant de telles questions semble d'autant plus justifiée que les souhaits et les désirs de personnes qui sont elles-mêmes affamées apparaissent justement sans limites. Certes, on peut être certains que l'appétit même du plus affamé se modère naturellement dès qu'on le nourrit à doses suffisamment raisonnables pour lui éviter la destruction sous l'excès inhabituel de nourriture, au lendemain de privations prolongées. Dans ces zones limites de l'humanité, il ne peut y avoir ni règles ni directives ; bien des choses ne peuvent exister que par une confiance pour laquelle il n'est pas de fondement ultime, et qui n'exige qu'une chose : le maximum d'honnêteté envers soi-même.

Cela dit, écoutons ce qu'un rabbin enseignait à ses élèves, lorsqu'ils lui demandaient ce que Dieu, qui parle aux hommes à travers toutes choses, pouvait bien leur faire savoir à travers le jeu de dames. Il répondait : « Premièrement : on ne peut faire deux pas à la fois ; deuxièmement : n'aller qu'en avant et ne jamais reculer ; mais troisièmement : lorsque on est parvenu jusqu'en haut, on a le droit d'aller partout où l'on veut[115]. » Il faudrait souhaiter voir beaucoup de clercs faire ainsi « dame » pour jouer leurs rôles d'hommes et de femmes.

Si la psychanalyse peut ainsi faire entrevoir à la pastorale ecclésiale ce que devrait être une chasteté ouverte, vraiment libératrice et rédemptrice, on voit en même temps nettement l'impossibilité de séparer institutionnellement ces réactions humaines que viennent clairement polariser la psychothérapie et l'amour conjugal : il est impossible de les arracher au flux continu qui fait constamment passer d'une attitude à l'autre. Un thérapeute peut aussi apprendre beaucoup de choses à ses patientes du fait de sa relation intime avec telle ou telle autre personne, que ce soit dans le mariage ou non ; et ses expériences thérapeutiques influenceront en retour profondément ses rapports privés et personnels. Psychiquement, les hommes sont toujours un tout, et il n'est donc pas possible de les séparer en gens mariés et en clercs (réguliers ou séculiers), à moins de commettre une affligeante disjonction. Le plus bel amour, ce serait peut-être celui qui autoriserait et conduirait quelqu'un à être tout pour l'autre, l'homme pour la femme, la femme pour l'homme : médecin et pasteur, poète et prêtre, ami et amant, père et fille, mère et fils, sœur et frère — un lambeau de ciel qui se refléterait dans les regards illuminés du désir d'un mystérieux accomplissement.

II.

Considérations intempestives sur la formation des clercs : méditation sur un tournant de l'histoire religieuse

Le poète, le psychothérapeute, modèles du prêtre, du clerc : c'est vers cette conclusion que pointe notre analyse du côté négatif de la vie actuelle des clercs. Après notre essai de réinterprétation des conseils évangéliques, reste à découvrir comment se figurer la personne du prêtre, de la religieuse, pour répondre à cette attente.

Pour une pensée de type traditionnel, un tel changement de paradigme paraîtra déjà étrange. Des siècles durant, le catholicisme a vu dans le personnage du prêtre l'image d'un idéal supérieur, celle d'une « perfection digne des anges », la pointe extrême que peut atteindre la nature humaine surélevée par la grâce. Ce n'était pas sans raison. Ce que nous connaissons de la religion dans les cultures dites primitives montre aussi comment le chaman était l'homme chez qui l'expérience religieuse devenait la base à partir de laquelle l'art, la poésie, la musique et la médecine se fondaient en la religion : penser, sentir, éprouver se retrouvaient en ce tout. Il est évident que la vie actuelle du clerc ne présente plus rien de semblable : nous sommes dans une impasse qui a débuté avec une vision psychologique et sociale des prêtres ou des religieux qui les coupait de ce terreau de l'expérience intégrale primordiale. Le sacerdoce et le monachisme ne sont plus actuellement qu'une branche latérale de la société, avec une administration ecclésiastique bien rodée, fonctionnant sans accroc, mais dont la valeur publique se réduit à un rôle décoratif qu'on apprécie dans certaines circonstances solennelles, pour leurs effets de style semblables à ceux du théâtre ou de l'opéra. Esthétiquement parlant, ayant cessé d'être porteur et acteur de l'art vivant, le religieux a rétrogradé au niveau d'un figurant. Pour l'opinion publique, il ne fait plus que se répéter, se paraphraser. La raison en est évidente : clercs, nous avons progressivement perdu depuis des siècles le contact avec nous-mêmes, avec les hommes, avec la vie véritable. Par tout notre être, nous sommes « spéciaux », « à part ». Nous n'existons pas véritablement. Tel est l'amer fond sur lequel s'inscrivent les structures névrotisantes et les névroses individuelles que nous avons analysées. « Peut-on devenir un saint sans Dieu ? », interrogeait Albert Camus il y a trente-cinq ans, en voyant dans ce problème le plus important de notre temps[1]. Des hommes comme Freud incarnent une expérience encore bien plus douloureuse : celle qu'on ne peut souvent guérir les gens que « contre » Dieu, le Dieu de l'Église[2]. Il ne suffit pas de constater en s'en affligeant que cette dimension de la guérison a disparu du religieux tel qu'on l'envisage actuellement, ainsi que le fait très pertinemment remarquer Eugen Biser[3]. Il s'agit de comprendre les raisons pour lesquelles l'Église a dû ainsi soigneusement éliminer de la psyché de ses clercs l'élément poétique et thérapeutique, avant de se se demander ce qui devrait changer dans cette Église pour réintégrer ce qui avait été refoulé. Aujourd'hui, ni les artistes ni les thérapeutes n'ont plus besoin d'elle ; comme un malade frappé de leucémie, elle a un pressant besoin de cette revitalisation et de cette réintégration que peuvent lui procurer la poésie et la psychologie des profondeurs.

A y regarder de plus près, toute notre réflexion renvoie à deux défis fondamentaux élémentaires que l'Église catholique ne peut esquiver plus longtemps si elle ne veut pas perdre le peu de crédit qui lui reste : ce sont la perte de la mystique de la nature et le refus d'accorder sa place à la subjectivité. Les deux points sont très profondément liés.

1. LA PERTE DE LA MYSTIQUE DE LA NATURE

S'il est exact que la forme actuelle de la religion est essentiellement née de la distinction de l'Homme et de la Nature provoquée par la révolution néolithique, tous les signes tendent à nous faire conclure que nous sommes manifestement aujourd'hui au bout de cette évolution. Il n'est de croyance religieuse qui ne soit actuellement confrontée à une grave crise, du fait que la connaissance et la maîtrise croissante de la Nature transforment de plus en plus en survivance d'un passé lointain l'idée de forces divines régnant et gouvernant le développement du monde selon leur vouloir et leurs intentions propres [4]. La critique marxiste de la religion au XIXe siècle a nettement affirmé qu'elle n'est après tout rien d'autre qu'une attitude faussée devant la Nature, fondée sur l'ignorance et l'angoisse [5]. La psychologie religieuse de Freud a complété cette première thèse en affirmant que la croyance en Dieu ou en des puissances divines ne serait rien d'autre qu'une projection infantile des figures parentales intériorisées [6]. Actuellement, aucune forme de religion n'est plus crédible si elle ne répond pas à ces deux critiques. Il faut pouvoir montrer en quoi, dans un monde que la science et la technique nous ont rendu familier, la religion peut contribuer à unifier l'homme, avec tout ce qu'il a à la fois de divers et de personnel, grâce à une mystique poétique concrète ancrée dans la nature environnante. Il faut pouvoir montrer qu'elle n'est pas tant le reflet d'une conscience restée infantile s'aliénant elle-même sous la tyrannie du surmoi, qu'une véritable fonction du moi.

Du point de vue de l'histoire de la spiritualité, nous nous acheminons vers un type de religion qui ne symbolisera ni ne perpétuera plus la différence de l'homme avec la Nature, mais qui affirmera son unité dialectique avec elle. C'est ce qu'on voit pour la première fois chez un Giordano Bruno [7], qu'on retrouve plus nettement chez Spinoza [8], explicitement chez les philosophes du romantisme [9], et plus fortement que jamais dans la critique nietzschéenne du christianisme [10]. Nietzsche fut le premier à comprendre le caractère grimaçant de l'image chrétienne du monde. Fondée sur la Bible, elle n'était pas à la hauteur des vraies dimensions du temps et de l'espace telles que les mythes antiques les avaient pressenties ; et il réclamait avec insistance une forme de piété, de poésie et d'humanité qui résistât aux défis de notre connaissance moderne de la nature [11]. De nos jours, c'est ce genre de mystique de la nature que tente de promouvoir le mouvement du New Age en faisant appel à des éléments de l'hindouisme et du taoïsme [12]. Après des millénaires au cours desquels l'homme n'a cessé de prendre ses distances par rapport à son environnement, il semble que l'humanité ait atteint un stade de conscience qui ne l'autorise pas plus longtemps à neutraliser religieusement son rapport à celui-ci, ou à interpréter unilatéralement le monde, autrement dit la chair, comme une « occasion de péché » ou un « danger pour l'âme ». Tout pousse vers une synthèse renouvelant la requête du mythe à un niveau supérieur de révélation spirituelle capable de réintégrer l'homme dans la nature dans le cadre d'une interprétation globale du monde, au lieu de l'opposer à elle comme son maître ou comme le sommet indépassable de la vie[13]. On voit déjà par là qu'une interprétation des conseils dits évangéliques, forme supérieure de la piété chrétienne, qui ne ferait que renouveler le socle ascétique de la répression des pulsions au nom d'une théologie de la souffrance et de la croix en élargissant fonctionnellement ce thème à certaines attitudes de solidarité politique n'a plus aucune chance. Il s'agit tout au contraire de voir dans les conseils évangéliques un appel à sauvegarder un équilibre naturel, celui que peut atteindre l'homme ayant appris de Jésus la confiance capable de clarifier et d'apaiser son incertitude et son angoisse ontologiques. Il y a plus de vingt-cinq ans qu'Anton Antweiler, théologien de Münster, critiquait avec raison la façon dont on croyait pouvoir se dispenser d'initier les candidats au sacerdoce aux sciences modernes de la nature[14]. Il s'élevait aussi contre le fait que sous la rubrique « missiologie », on ne leur donnait qu'une vague idée des autres formes de religion (on ne parlait que d'autres formes de religion, non d'autres religions), sans jamais leur faire voir la nécessité de relativiser historiquement la théologie occidentale, posée comme voie absolue, en leur faisant découvrir la manière dont d'autres cultures permettent une expérience de la rencontre de Dieu[15]. Si l'Église catholique ne veut pas s'enfermer craintivement dans le conservatisme de son enseignement traditionnel, à l'instar de nombreuses sectes, il lui faut s'ouvrir à d'autres formes de religion considérées jusque-là comme « païennes » pour enrichir la spiritualité du christianisme en l'étendant au monde de la Nature.

L'image du sacerdoce ne ferait elle-même qu'y gagner. La théologie continue encore à nourrir l'illusion d'être dans le vrai quand, pour faire pièce à la position protestante, elle défend son hypothèse dogmatique suivant laquelle, pendant la Cène, Jésus aurait personnellement institué le sacrement de l'ordre[16]. En réalité, il y a beaucoup de raisons importantes d'ordre historique de s'opposer à cette vision des choses. Jésus ne s'est jamais posé comme « prêtre » et il n'a jamais pensé rompre avec son peuple pour fonder sa propre communauté avec un sacerdoce particulier, chargé de modifier de fond en comble la fête juive de Pessah en célébrant de manière non sanglante sa propre mort et en proposant sous forme de festin divin sa chair et son sang en nourriture et breuvage [17]. Mais on peut fort bien montrer le caractère archétypique de ces idées du point de vue de l'ethnologie et de la psychologie des religions. Si on ne peut donc fonder historiquement le personnage et la vision catholique du prêtre, on peut en revanche en affirmer la valeur psychologique profonde. Une religion qui veut contribuer à la libération des hommes a besoin d'images et de sacrements de ce genre, parce qu'ils sont profondément ancrés dans la psyché humaine [18]. Mais il est alors indispensable de commencer par considérer la personne du prêtre en partant de son insertion dans la Nature.

Pendant que j'écris ces lignes, j'aperçois devant moi une petite copie en céramique d'une figurine maya du VIIe siècle, représentant un éminent dignitaire indien, probablement un Halach Uinic, un « vrai homme », le souverain territorial et en certains lieux le Grand Prêtre des Mayas [19]. Il se tient face à un arbre en forme de croix dont les axes montrent les orientations du monde, et qui rappelle l'arbre saint de Xibalbá où se répète l'éternel drame de la mort et de la vie [20]. En d'autres termes, dans l'idée des Mayas, le lieu du prêtre est au centre secret du monde ; par toute sa personne, il est une image de l'arbre de la vie et de la mort. Vivant essentiellement au milieu du monde, il est comme ceint d'une image du serpent à deux têtes, un symbole qui remplit tout l'espace céleste entre le soleil et la mort [21]. Ainsi s'attend-on à le voir embrasser l'univers du levant jusqu'au couchant, et relier toutes choses entre elles. Autrement dit, seul mérite le nom de prêtre celui qui a appris à être suffisamment en accord avec lui-même pour ne rien exclure de soi, ni le ciel ni la terre, ni le monde d'en haut, ni celui d'en bas. Jésus de Nazareth était incontestablement prêtre en ce sens-là, exactement celui que reconnaissait Oswald Spengler en disant de lui : « Le christianisme est la seule religion de l'histoire universelle où un destin humain du présent immédiat a été transformé en symbole et en point central de toute la Création [22]. » Pour lui, la figure de Jésus répondait « aux mystères derniers de l'Humanité, et en général de la vie libre de ses mouvements, que la naissance du moi et l'angoisse cosmique sont une seule et même chose [23] ». Mais c'est la personnalité du Christ qui explique la résurgence de cet archétype sacerdotal dans l'Église primitive, et c'est bien là l'essentiel : médiateur entre les opposés, le sacerdoce n'émane pas d'une institution préexistante, mais de la force même de la personnalité d'un être. L'unité des contraires embrasse aussi et nécessairement la différence entre l'Homme et la Nature, tout comme elle intègre essentiellement la différence psychique entre conscience et inconscience. Un prêtre est un être humain intégral, ou il n'est pas.

Pour former un prêtre de l'Église catholique, il faudrait donc avant tout profiter du temps où son âme est encore suffisamment souple et réceptive pour s'efforcer d'imprimer en lui le sens de la beauté et de la grandeur du monde, en imprégnant sa sensibilité et sa pensée du respect de la vie et du sentiment de la sainteté de son ordonnance et de sa diversité, et en éveillant en lui un flair poétique lui permettant de comprendre le sens symbolique des choses. Pour dire les choses de façon paradoxale, l'effort de l'Église ne devrait pas tendre à former des prêtres, mais à développer le plus intensément possible le caractère des jeunes candidats au sacerdoce. Cela exigerait aussi d'elle une attitude de pauvreté, autrement dit de renoncement à toute pensée politique : ce n'est pas son rôle de faire de certains hommes des prêtres ; idéalement, il lui faudrait même renoncer à sa préoccupation de chercher les futurs prêtres sur lesquels elle pourra compter pour ses projets ; même si elle n'est pas disposée à faire sien l'avertissement de Hermann Hesse appelant chacun à découvrir son propre destin, que ce soit une vocation de poète, de peintre, ou de quoi que ce soit. Mais, en rapportant le recensement de David (2 S 24, 1-25)[24], la Bible elle-même nous met explicitement en garde contre le péril de soumettre les hommes à un calcul politique qui les transforme en objets de plans et de spéculations. Ce à quoi devrait viser l'éducation catholique, ce n'est pas au maintien des institutions, mais à la vérité de l'homme. Mais cela suppose que l'Église catholique change complètement d'attitude. Il nous faut reconnaître la grave erreur qu'il y a eu à fonctionnaliser les différentes façons de pratiquer les conseils évangéliques et de personnaliser la fonction sacerdotale. Il aurait fallu procéder à l'inverse : personnaliser les formes de vie et réduire à tout prix les ministères à leur aspect fonctionnel pratique ; autrement dit l'Église devrait prendre le risque de vivre par les hommes et pour eux, au lieu de les enfouir dans les oubliettes de ses institutions en attendant de voir le reste de l'humanité admettre ses idées.

C'est en ce sens qu'il faudrait se débarrasser de tout ce que peuvent avoir de « spécial » les conseils évangéliques, pour n'y plus voir que l'application d'attitudes simplement humaines d'ouverture, de liberté et de créativité sur le modèle de la vie du poète ou de l'artiste.

Prenons la pauvreté, par exemple. Il va de soi que les artistes, les poètes ou les peintres ne visent pas d'abord l'argent ou le pouvoir, et on ne sait pas encore au juste dans quelle mesure la création artistique peut se marier au bonheur dans l'amour. Les « maladies » professionnelles auxquelles semblent voués tous les véritables artistes semblent être la pauvreté et la non-reconnaissance de la part de leur entourage. « Les hommes font-ils leur époque, ou l'époque les hommes ? » s'interrogeait le peintre Caspar David Friedrich. Et il continuait : « Sommes-nous vraiment libres ? » Il est certain que celui qui fait éclater les étroites frontières qu'on lui a assignées dans l'espace et dans le temps risque de voir ses contemporains se moquer de lui et le mépriser. Pour lui, argent, pouvoir et approbation peuvent n'avoir aucune signification. Comme Friedrich, il peut s'enfermer dans son propre monde comme dans un cocon en laissant à la postérité le soin de décider si devra en sortir une mite ou un papillon multicolore[25]. En matière d'art, c'est le marché et le commerce qui se chargent de régler ce dont l'artiste fait si peu profession : la transformation de ses productions en marchandises commercialisables. Il semble qu'en matière religieuse, l'Église ait tenté d'être à la fois atelier et salle des ventes, le résultat étant qu'aujourd'hui on la prend plus pour une administration de musée que pour une famille d'artistes. Or, en ce domaine, la question importante par principe n'est pas de savoir comment une chose est reçue, se vend ou procure profit et influence ; c'est par son rapport à la vérité, et même aux vérités ultimes de notre vie que la religion est comparable à l'art. Ce n'est que parce qu'elle prend ses racines dans l'espace de l'inconditionnel qu'elle est à même de promouvoir inconditionnellement l'Homme, non en dévaluant ses objectifs terrestres, mais en les relativisant. Au lieu de sélectionner des médiocres sur un schéma préfabriqué de besoins institutionnels, elle devrait donc essentiellement chercher à encourager et promouvoir leurs talents, leurs dispositions et leurs aptitudes (pour ne pas parler de « charisme », terme par trop onctueux) ; au lieu d'exiger l'obéissance de ses clercs, elle devrait commencer par s'imposer à elle-même le devoir d'être à l'écoute des impulsions du sentiment, de l'imagination et de l'intelligence qu'elle pourrait éveiller ou réveiller chez certains. Au lieu de rétrécir encore plus leurs étroitesses névrotiques héritées de l'enfance en proposant des rationalisations et une idéologisation, elle devrait accepter le risque de voir ses membres agissants devenir personnellement ce que Dieu avait prévu pour eux ; mais surtout, au lieu de réprimer et d'étouffer l'aptitude à aimer, elle devrait la cultiver et la former. Le célibat ne devrait pas être le but, mais seulement le résultat de l'évolution de la personne, un résultat finalement relativement peu important.

Malgré toutes ses résistances, l'Église catholique sera tôt ou tard obligée de reconnaître que la requête religieuse d'une mystique et d'une poésie du créé s'accompagne aussi du désir d'un comportement plus naturel envers la sexualité humaine, et cela sans doute de façon paradoxale, car celle-ci est aujourd'hui largement déchargée (et de ce fait libérée) de ses missions biologiques immédiates. En bref : la reproduction sexuelle a été « inventée » par la nature pour accélérer notablement l'évolution ; du fait du mélange du capital génétique, l'enfant est non pas la simple copie de ses parents, mais un être totalement nouveau [26]. Autre « invention » de la nature activant le développement : les combats où les mâles rivalisent pour la faveur des femelles, ce qui constitue une sorte de contrôle de la qualité du capital génétique [27]. Elle a lié ainsi la sexualité à des sentiments de jalousie et de concurrence. Elle a aussi étalé l'activité sexuelle humaine sur l'année entière et réglé la mortalité des nourrissons à un taux oscillant autour de cinquante pour cent. Or, sur tous ces points, il y a eu d'importantes modifications depuis deux cents ans : dans les pays développés, chaque enfant, même malade, a une chance relativement grande de survivre ; du fait du doublement de la population mondiale dans un laps de temps de quinze à trente ans, la surpopulation est devenue une des graves menaces pour la conservation de l'espèce sur notre planète [28] ; l'absence presque complète de facteurs de sélection naturelle conduira nécessairement, tôt ou tard, à un contrôle artificiel du capital génétique humain. En d'autres termes, le temps est largement venu où la sexualité humaine ne peut plus avoir pour premier but la reproduction ; et le temps ne tardera pas où le patrimoine héréditaire ne sera plus la seule affaire du comportement des partenaires, mais dépendra de mesures d'orientation génétique qui empêcheront tout au moins la transmission de gènes malades. Nous sommes ainsi arrivés à la fin d'une époque de l'évolution durant laquelle les individus masculins n'étaient biologiquement que des dépôts de matériel génétique, autrement dit des machines à faire survivre les gènes[29]. Il est bien évident que cela modifiera profondément le comportement sexuel humain, ce dont nous voyons déjà les signes avant-coureurs : les rivalités et les jalousies sont en recul sensible ; pour l'essentiel, la sexualité ne sert plus ni à la reproduction ni à la création de familles : vécue sur le mode de la tendresse, de la joie, de la fantaisie et de la communauté, elle devient de plus en plus une force qui pénètre tout. Et déjà, pour cette simple raison, le célibat perdra progressivement sa signification.

Ajoutons que la différence entre les hommes et les femmes diminue sans cesse ; la tension entre les sexes, que renforçaient autrefois toutes les barrières morales et tous les tabous possibles, diminue sensiblement[30] ; entre l'amitié et l'amour n'existe plus ce fossé qu'on avait artificiellement creusé, tout au moins dans notre culture occidentale[31]. L'idée qu'il y aurait dans l'Église ou la société des tâches qui ne pourraient être accomplies que par des hommes ou que par des femmes (mis à part l'enfantement) devient de plus en plus absurde : que l'Église se cramponne au principe selon lequel seuls des hommes peuvent être prêtres est déjà aujourd'hui un anachronisme manifeste[32]. Tous ces facteurs vont influencer la formation des personnes qui auront l'étoffe religieuse pour servir de médiateurs entre l'Homme et la Nature, Dieu et le monde, l'Église et la société. Le plus important, ce sera de leur enseigner une façon artistique de vivre l'amour, et, bien entendu, non pas un amour supraterrestre, mystique, semblable à celui des anges, mais un amour vraiment et pleinement terrestre. Il s'agira de cultiver une vie religieuse capable de surmonter les antiques divisions qui séparent encore aujourd'hui l'âme du corps, la sensibilité de l'affectivité, l'amour du désir, la femme de l'homme, le célibataire de l'homme marié, le clerc du laïc, et finalement Dieu du monde.

Du point de vue de l'éthique traditionnelle, on dira que le simple fait de tenir pour possibles de tels changements est déjà un signe d'immoralité fort regrettable. On ne peut de toute façon élever aujourd'hui des adolescents selon les normes incertaines de demain ! Voire ! Mais il y a une chose que non seulement on pourrait, mais qu'on devrait absolument faire :

c'est définir clairement une pédagogie qui cesse de détruire les sentiments, les aspirations et les sensations et qui permette de retrouver l'unité originelle spontanée du religieux, de la poésie et de la thérapie, telle qu'elle existait jadis dans le chamanisme. Dans le sens que nous avons déjà indiqué, il y a certainement une différence entre l'attitude qui fonde la psychothérapie et celle qui fonde un mariage (tout au moins encore aujourd'hui). Mais la question se pose vraiment de savoir si on peut fixer institutionnellement dans la durée de telles différences, comme l'Église catholique a tenté de le faire durant le dernier millénaire. Il est indéniable que l'amour entre un homme et une femme — peu importe qu'il conduise ou non à un mariage au sens civil du terme — peut avoir des effets psychologiques supérieurs à ceux de n'importe quelle thérapie. Et il est tout aussi certain que des personnes qui savent ce que c'est qu'être psychologiquement bien dans sa peau sont beaucoup plus à même de porter à l'autre l'intérêt qu'exige la psychothérapie (ou une pastorale normale). On ne peut ni psychiquement ni moralement fixer les choses si on fait violence à la réalité vécue au profit de structures de pouvoir et d'administration. Dans notre aire culturelle, ce sont manifestement surtout les artistes qui n'ont jamais pu s'arranger de la réglementation de l'amour [33], et leur effort vise encore et toujours à refondre et à recréer l'unité vivante entre ce qu'on a séparé dans l'homme et dans la société.

Un tableau de Caspar David Friedrich, *L'Abbaye dans un bois de chênes*, montre une église en ruine sous un ciel vespéral, devant laquelle un groupe de moines, apparemment tout petits, semblent assister au milieu des tombes dégradées à un enterrement [34]. A première vue, ce tableau ne propose rien d'autre qu'un spectacle de décomposition et de décadence. Pourtant il n'y a pas que cela. Nombre de ses œuvres témoignent que le peintre cherchait en fait à introduire une nouvelle forme de religion, déjà visible et audible selon lui derrière les ruines et à côté des cantiques funèbres de la piété traditionnelle. La religion à venir, celle que sentaient et entrevoyaient les romantiques il y a déjà cent cinquante ans, repose au fond sur deux grandes convictions :

1. Que la véritable manière de vénérer Dieu consiste à « poétiser » l'existence humaine d'une façon qui ferait paraître les rêves plus véritables que les pensées [35], les intuitions plus importantes que les réflexions, le langage des aspirations plus

fort que celui de la réalité — et la religion comme une poésie familière d'un infini inatteignable, autrement dit comme une sorte de surréalisme de l'infini caché ; ce qui suppose

2. qu'on retrouve la Nature comme un lieu autochtone de l'expérience du divin. Il faut surmonter la souffrance de l'Homme coupé de la Nature par la réconciliation de l'homme avec la beauté d'un monde qui, par la richesse de ses chiffres et symboles, apparaît lui-même comme un pont vers l'infini[36]. C'est pour cela que des gens comme Friederich ou Novalis pensaient qu'il ne pouvait y avoir d'opposition entre thérapeute et pasteur des âmes, donc entre médecin et prêtre, entre poète et prophète, entre celui qui crée et celui qui professe, entre le chantre et le clerc. C'est cette religion de l'unité avec la sagesse de la nature, en nous et hors de nous, que Friedrich voyait déjà poindre à l'arrière-plan des cathédrales et des dômes en ruine. Il fut le premier à oser placer dans un paysage de montagne solitaire la scène de la crucifixion du Christ, cette image centrale du christianisme, comme s'il voulait ainsi restituer à la religion son lieu propre[37]. La croix du Christ ne doit plus servir à présenter la nature comme peccamineuse et à écraser en l'homme ce qui est naturel, car demain il n'y aura plus qu'une seule forme de religion, celle d'une mystique vécue de la nature. Dans le cadre d'une telle piété, une morale ascétique et une organisation ecclésiale fondées sur des clivages deviendront tout simplement incompréhensibles.

Même si quelqu'un trouve ces perspectives et ces exigences exagérées et non fondées, il ne pourra éviter de souhaiter, au moins en amont de ce projet, une ample transformation de la religion tout au moins une série de changements concrets allant en direction d'une nouvelle conscience unifiée et intégrante. Dans l'enseignement de la théologie, il est absolument indispensable de dépasser les funestes oppositions entre penser et sentir et entre sujet et objet au profit d'une manière de sentir et d'éprouver plus soucieuse d'unité. L'Église catholique s'imagine encore qu'elle maintiendra mieux ses doctrines et convictions si elle forme une caste de théologiens obligés par serment d'enseigner et de pratiquer le plus consciencieusement possible certaines formes et formules considérées comme objectives. Mais, en réalité, cette objectivité de fausses abstractions, autrement dit cette formalisation du religieux, aboutit uniquement à bannir toujours plus la vie véritable des murs de nos églises. C'est ce qu'on peut constater dans les trois principales spécialités de la théologie.

Avec cent cinquante ans de retard, Vatican II permit un grand progrès de la pensée et de la recherche authentiques en prenant au sérieux la méthode historico-critique et en autorisant les théologiens catholiques à recourir à elle pour interpréter la Bible. Mais il y a maintenant un autre pas beaucoup plus important à faire, et il n'a que trop tardé : renoncer à l'idéal unilatéral d'objectivité propre à cette exégèse au profit de procédures d'interprétation fondées sur la psychologie des profondeurs, celles qui sont à même de faire voir la part de vérité humaine qu'il faut reconnaître de soi dans les différentes formes de récits de la Bible : traditions, légendes, mythes, visions, etc. Tant qu'on cherche exclusivement l'origine des formes de narration dans les conditions culturelles de l'époque et non pas dans les couches profondes de la psyché humaine, on ne peut vraiment comprendre le caractère symbolique et poétique de certains récits bibliques, justement les plus importants religieusement parlant, parce que ce sont ceux qui attachent le moins de valeur à la narration historique ; car leur « réalité » ne réside pas pour l'essentiel dans des faits extérieurs, mais dans des expériences intérieures [38]. Comment croire qu'une procédure d'interprétation soit adéquate à des textes religieux, alors qu'elle n'est même pas en mesure d'interpréter judicieusement un rêve ou un conte ! Aujourd'hui, après quatre ans d'étude de l'exégèse biblique actuelle, un diacre de l'Église catholique n'est pas en mesure de faire jouer tous les claviers de l'Écriture sainte afin d'en tirer profit dans sa propre vie et d'en faire bénéficier autrui par un sermon ou une catéchèse. Pour l'essentiel, le résultat principal de la méthode historico-critique est nécessairement négatif : Dieu n'est pas une partie du monde extérieur, il n'est pas objet de la recherche sur le passé et il n'est jamais possible de franchir l'abîme qui existe entre le message de l'Église et la réalité historique. Si les prédicateurs ecclésiastiques sont de bonne volonté, ce bilan les accule à une double aporie : ils n'ont pas le droit de faire part du haut de la chaire au peuple croyant du savoir positif qu'ils ont acquis sur l'origine des textes bibliques, sinon par de prudentes allusions ; et ils n'ont jamais appris ce que les textes sacrés auraient effectivement à dire, sinon sous forme de schémas moraux pratiques bien définis. Une partie essentielle de la formation théologique devrait consister à prolonger l'exégèse biblique historico-critique par des séminaires sur le rêve, l'analyse individuelle, le psychodrame, le bibliodrame, etc. Le fait que quelqu'un a étudié deux semestres le grec ou l'hébreu n'a aucun intérêt pour le développement de sa personnalité, mis à part l'effet narcissique d'une formation spéciale. Mais de s'initier à la langue de l'inconscient lui ouvrirait enfin un accès véritable aux sources de l'expérience religieuse[39].

On peut en dire autant de la forme actuelle de l'étude de la théologie dogmatique. Au lieu de faire avaler aux étudiants un langage formel vieux de mille cinq cents ans, celui des premiers conciles, et de fixer leur réflexion sur le vocabulaire de la scolastique médiévale, il faudrait les introduire à l'étude approfondie de l'histoire des religions et de l'ethnologie, ce qui, couplé à la psychologie des profondeurs, leur permettrait de découvrir les correspondances symboliques entre salut et libération. Ce n'est qu'ainsi, semble-t-il, qu'on éviterait de transmettre extrinsèquement les doctrines chrétiennes, autrement dit en recourant toujours à la violence psychologique et au pouvoir administratif. Essentiellement, le christianisme n'est pas une doctrine, mais une communication existentielle[40], et tant que l'Église ne permettra pas à l'individu de découvrir lui-même, clairement, par expérience, les images capables de cadrer les différents domaines et stades de sa maturation et de son développement personnels, il tendra toujours à interpréter l'Écriture sainte ou l'annonce de la foi à travers une multiplicité compensatrice de doctrines rationnelles et objectivistes, et, à défaut d'expérience personnelle et d'évidence humaine, à les imposer au nom d'un magistère infaillible.

Quant à la théologie morale, on ne cessera vraiment d'enseigner allégrement des normes et des interdits immuables que lorsque, par des expériences similaires à celle de la psychanalyse, on aura éprouvé en son propre corps ce que sont l'angoisse et le désespoir, la confiance et la renaissance. Tant qu'on n'aura pas découvert par expérience personnelle la détresse du moi en lutte avec son ombre, on ne pourra comprendre ni la servitude — pour parler en termes luthériens — de la libre volonté quand on est loin de Dieu[41], ni la grâce, force nécessaire pour rendre l'homme capable d'abord de se retrouver soi-même et ensuite de se montrer moralement bon, ni le caractère tragique et inquiétant de toutes les tentatives pour se forcer à répondre aux impératifs moraux, ni la façon dont la radicale nécessité d'une rédemption de l'existence humaine[42] vient fondamentalement relativiser l'éthique en se réfractant sur elle. Voilà déjà plus de vingt-cinq ans que Hermann Stenger a montré la vivacité de l'intérêt *de facto* des étudiants en théologie pour les questions de psychologie expérimentale[43]. Mais, comme le déclarait pourtant le cardinal Wetter, le 24 juin 1989, à Freising, lors de l'ordination sacerdotale de quatorze diacres : « Vous serez ordonnés prêtres, non pour vous occuper de vous-mêmes et vous réaliser, mais pour réaliser le royaume du Christ ; non pour répandre vos propres idées, mais pour enseigner la Parole de Dieu, l'Évangile. » Et encore : « A partir d'aujourd'hui, le sacerdoce du Christ est aussi votre sacerdoce. Parce que vous êtes prêtres, vous pouvez aussi agir sacerdotalement[44]. » C'est l'inverse qu'il faudrait dire : plus quelqu'un se réalise, plus il est capable d'être prêtre, et plus il est alors apte à assumer la fonction de prêtre dans l'Église catholique.

Mais, en tout cela, il s'agit d'un approfondissement essentiel de l'existence religieuse où l'intégration de la nature intérieure (de l'inconscient en l'homme) va de pair avec celle de l'homme dans la nature.

L'intégration de l'ombre chrétienne n'a donc rien d'une hérésie, mais elle constitue la nécessité la plus importante de notre temps. Du point de vue de la psychologie religieuse, il s'agit d'un élargissement de la conscience chrétienne en direction précisément de ces aspects de la psyché humaine qu'elle a jusqu'ici refoulés et éliminés comme « païens ». Du point de vue de l'histoire des religions, il s'agit d'une anamnèse : il nous faut retrouver de nombreuses vérités que nous avons cru jusqu'à présent devoir exclure du devenir du christianisme occidental, mais qui vivent dans la psyché humaine et ont trouvé, par d'autres chemins, dans d'autres cultures, des formes d'expression complémentaires. Tout nous appelle à situer plus profondément notre centre de gravité. Tant que nous autres, théologiens, ne verrons de foi au Christ possible que dans la prolongation des mêmes jeux de mots, familiers aux Occidentaux, à travers lesquels nous avons défini sa personne et l'être de Dieu, nous continuerons à glisser vers le sectarisme, avec tout ce que cela comporte de volonté d'avoir toujours raison, d'intolérance et de violence. Mais le temps vient où on attend de la religion qu'elle retrouve son langage propre et véritable, celui qui doit être aussi universellement compréhensible que les tableaux de Van Gogh et les symphonies de Beethoven. Pour l'essentiel, ce langage ne consiste pas en cet ensemble de mots qui se disent et s'ordonnent différemment dans chaque peuple, mais en celui des images qui ont pris naissance dans nos têtes bien avant que s'amorce le développement de l'humanité et sa scission en différentes races et cultures. La parole de la religion n'atteint son niveau propre que lorsque, à la manière des poèmes, elle est à même d'évoquer les éternelles images de Dieu en l'homme et de leur rendre présentement leur force d'obligations dans la vie personnelle. Il est clair que l'anthropologie du XXe siècle nous conduit à prendre beaucoup plus au sérieux que la théologie ne l'a fait jusqu'à présent l'idée des philosophes médiévaux qui définissaient l'homme comme un « animal pensant ». La psychanalyse, l'éthologie, l'histoire des religions et l'ethnologie devraient trouver leur place dans le programme d'études de toute formation théologique, non pas comme de simples spécialités, comme c'est le cas jusqu'à présent, mais comme des lieux permettant une confrontation expérimentale avec son être propre.

2. LE CARACTÈRE ESSENTIELLEMENT SUBJECTIF DE LA FOI : JUSTIFICATION DE LA PROTESTATION PROTESTANTE

Se tourner vers la nature, se tourner vers le sujet : deux attitudes parallèles qui, avec le début des temps modernes, sont devenues les postulats infranchissables de toute structure religieuse qui tient à sa crédibilité interne. Si c'est la partie catholique qui a le mieux exprimé dans ses images et ses symboles l'aspect objectif du christianisme, c'est le protestantisme qui a le mieux su traduire la subjectivité de la foi. Les deux aspects, le côté imagé et objectif et le côté existentiel et subjectif vont de pair et se conditionnent réciproquement, comme le mythe et l'histoire, l'inconscient et le conscient, le ça et le moi. Leur séparation, leur organisation ecclésiastique en deux confessions séparées, révèle de façon dramatique combien la forme actuelle du christianisme occidental est loin de répondre à l'intégralité de l'homme, celle où viendraient dialoguer dans un tout riche de tensions les structures préexistantes de l'inconscient et les angoisses et espoirs de la conscience personnelle. Pris séparément, chacun avec ses insuffisances et sa misère, le prêtre catholique et le pasteur protestant ne font que manifester de façon on ne peut plus claire la déchirure spirituelle qui traverse l'histoire de la piété chrétienne[45]. Du point de vue psychologique, la vérité totale n'est ni du côté de l'Église catholique ni de celui de l'Église évangélique, mais uniquement dans une humanité globale par rapport à laquelle, de par leur division actuelle, les deux confessions pèchent gravement.

Pour sa part, l'Église catholique devrait écouter les paroles d'avertissement que prononçait il y a quatre cent soixante-dix ans Martin Luther au sujet du rapport entre personne et fonction. Dans son écrit intitulé : *De la liberté du chrétien*, il écrivait : « En outre [c'est-à-dire outre la liberté et la toute-puissance du chrétien], nous sommes prêtres ; ce qui est encore beaucoup plus que d'être rois, car le sacerdoce nous rend dignes de paraître devant Dieu et de prier pour autrui, car paraître devant Dieu et y prier n'appartient à personne d'autre qu'aux prêtres. Ainsi le Christ a acquis pour nous le pouvoir de paraître en esprit devant Dieu et de prier les uns pour les autres, tout comme le prêtre matériellement paraît et prie pour le peuple[46]. » « On demandera : en quoi consiste donc la différence entre prêtres et laïcs au sein de la Chrétienté, alors que tous les Chrétiens sont prêtres ? Réponse : la foule a détourné les termes de " prêtres ", " curés ", " ecclésiastiques ", etc., en les réservant au petit groupe que l'on appelle maintenant ecclésiastiques. La seule distinction que reconnaisse la Sainte Écriture se marque à ce qu'elle appelle les savants ou les chrétiens consacrés " *ministri* ", " *servii* ", " *œconomi* ", c'est-à-dire " serviteurs ", " esclaves ", " intendants " [...] Mais maintenant de cet office d'intendant est issue une domination et puissance temporelle et extérieure si pompeuse et si redoutable que le véritable pouvoir temporel ne peut nullement lui être comparé, tout comme si les laïcs étaient autre chose que des Chrétiens. Ainsi a disparu toute intelligence de la grâce, de la liberté, de la foi chrétiennes et de tout ce que nous devons au Christ, et du Christ lui-même ; en échange de quoi nous avons adopté en foule les lois et les œuvres des hommes et nous sommes devenus entièrement les esclaves des gens les plus vils que la terre ait jamais portés[47]. »

Ce n'est pas le lieu ici de discuter d'un point de vue dogmatique la doctrine protestante du « sacerdoce commun de tous les fidèles », ni de la comparer à la doctrine catholique de la grâce sacramentelle de l'ordination sacerdotale. Ce qui nous importe ici, ce sont les dommages psychologiques considérables qui résultent nécessairement de l'identification de la personne et de la fonction, telle que la propose jusqu'à aujourd'hui encore l'idéal clérical de l'Église catholique.

Il faut tout d'abord mentionner la psychologie d'une vocation spéciale, dont nous savons, après tout ce que nous avons appris de la psychogenèse des clercs, qu'elle revient à faire de nécessité vertu et inversement. C'est ce que Luther, dans son désir d'aller théologiquement au fond des choses, a exprimé ainsi dans les Articles de *Smalkalde* de 1537 : « ... car celui qui a fait vœu de vivre au couvent croit mener une vie meilleure que celle de l'homme chrétien ordinaire et veut, par ses œuvres, non seulement se faciliter à lui-même, mais encore faciliter à autrui l'accès du ciel : c'est là renier le Christ[48]. » En fait, nous l'avons vu, il n'est pas possible d'apprendre du Christ la pauvreté et l'obéissance tant qu'on oblige les gens à placer leur propre moi sous la protection et la férule du surmoi. Et il n'en va pas autrement de la chasteté. Entre théologiens, on peut discuter si et comment on peut déduire de l'Écriture et de la tradition le célibat des clercs de l'Église catholique. Mais, du point de vue psychologique, au moins en ce qui concerne cette question du célibat obligatoire, il faudra au moins admettre la vieille protestation qu'éleva Martin Luther lorsqu'il déclarait dans le même document : « Quand ils ont interdit le mariage et imposé à l'état divin des prêtres le fardeau d'une chasteté perpétuelle, ils n'en avaient ni le pouvoir ni le droit. Au contraire, ils ont agi comme des antéchrists, des tyrans, des scélérats et des coquins, et donné lieu à toutes sortes de péchés horribles, abominables et innombrables d'impudicité où ils sont encore plongés. De même qu'ils n'ont, pas plus que nous, reçu le pouvoir de changer un homme en femme ou une femme en homme ou d'abolir la différence des sexes, de même ils n'ont pas reçu davantage celui de séparer les unes des autres ces créatures de Dieu et de leur interdire d'habiter ensemble en toute honnêteté, dans l'état de mariage. C'est pourquoi nous nous refusons à approuver ou même à tolérer leur détestable célibat. Nous voulons, au contraire, que le mariage soit libre, tel que Dieu l'a ordonné et institué, et ne pas déchirer ni entraver son œuvre. En effet, saint Paul (1 Tm 4,1-9)[49] déclare que cela est une doctrine diabolique. » Il ajoute même : « Cette sainteté ne consiste pas dans les surplis, les tonsures, les aubes et autres rites qui sont les leurs et qu'ils ont inventés en outrepassant l'Écriture sainte, mais au contraire dans la Parole de Dieu et la vraie foi[50]. » Dans l'histoire de l'Église, il est important de savoir que ce furent précisément ces positions, celles que les protestants avaient élaborées en vue d'un concile à venir, que le concile de Trente rejeta formellement quinze ans plus tard.

Quelle que soit la manière dont on apprécie théologiquement ce rejet, le fait psychologique est le refus de l'Église romaine, encore valable aujourd'hui, quant à comprendre essentiellement la foi en Christ comme un accomplissement de l'existence humaine et, en conséquence, à la fonder sur l'expérience réelle des hommes. Sa volonté de s'en tenir à une vérité qu'on peut enseigner objectivement, au dépôt d'une révélation qu'on lui a confiée et que seule peut retransmettre une caste de théologiens formés à cet effet oblige de manière purement abstraite et formelle le sujet à s'en tenir à la substance de la foi et empêche de surmonter la division, fondamentalement médiévale, entre ecclésiastiques et laïcs, entre le divin et le temporel, entre l'inconscient et le conscient. De ce fait, on ne considère plus la transmission de la foi comme le fruit d'une rencontre de personne à personne, mais on la lie à l'institution d'un système d'enseignement par fonction infaillible. En conséquence de quoi l'individu a avant tout le devoir de renier sa personne pour la cause du Christ telle que l'Église la lui présente sous forme de vérité objective. Le but que celle-ci poursuit, en particulier dans la formation des clercs, n'est pas l'épanouissement de la personnalité, mais l'élimination des particularités individuelles. Si la fonction devient ainsi la vérité, il faut désormais considérer comme inauthentique tout élément personnel. Cette manière vraiment aliénante d'extérioriser le religieux a pour conséquence inévitable une compréhension purement formelle de l'obéissance, et une conception du sacrifice qui violente les personnes, parce qu'elles restent totalement extérieures à la conscience individuelle.

C'est en vain que, dans son recueil d'aphorismes *Aurores*, Friedrich Nietzsche lançait cet avertissement : « La moralité qui se mesure à l'esprit de sacrifice est celle d'une demi-sauvagerie.

La raison ne remporte là qu'une difficile et sanglante victoire à l'intérieur de l'âme, il y a de puissants instincts contraires qu'il faut abattre ; sans une forme de cruauté comme dans les sacrifices qu'exigent les dieux cannibales, cela n'est pas possible[51]. » C'est également en vain qu'il mettait en garde contre l'anéantissement « solennel » de la vie personnelle réduite à une vie « purement symbolique[52] ». Dans la formation des clercs de l'Église catholique on semble n'avoir toujours pour but que la disponibilité et l'interchangeabilité. Du simple point de vue psychologique on ne peut que le répéter : l'Église catholique perd chaque jour un peu plus de sa crédibilité et de son authenticité en continuant à lier unilatéralement la foi et la vérité à la fonction, et non essentiellement à la personne. Car c'est uniquement dans la guérison de la peur liée au fait d'être personne que consiste le miracle de cette confiance que Jésus est venu apporter en ce monde. Ce n'est qu'à partir de la personne individuelle qu'on peut développer de façon valable la diversité fonctionnelle des services dans l'Église[53]. Si on ne veut pas voir les fonctions ecclésiastiques déformer et violenter psychiquement l'existence de ceux qui les assument, on doit logiquement leur garder une certaine flexibilité en fonction du développement personnel de l'individu. Il faut par principe les limiter dans le temps, au cas où l'individu ne se perçoive plus à la hauteur de sa tâche ou qu'il se sente trop vieux pour elle. Que ce soit là chose possible d'un point de vue dogmatique, les réflexions de K. Rahner et de bien d'autres nous le garantissent[54].

Voilà des siècles que l'Église catholique témoigne son exaspération devant de telles requêtes. La véritable raison ne se fonde ni sur la Bible ni sur le contenu même de ces demandes. Elle tient manifestement à l'imbrication d'un certain genre de psychologie et d'un certain genre de sociologie. Son objection — stéréotypée et mal éclairée — contre une « psychologisation » soi-disant menaçante de la théologie consiste à dire que celle-ci passe à côté non seulement de la personne, mais de sa dimension sociale[55]. En la matière, elle se réfute d'elle-même. Il s'agit de l'individu, c'est certain. Mais dire que les structures de l'Église et de la société ne doivent se développer qu'à partir de l'individu si on ne veut pas qu'elles retombent sur lui sous forme de structures de violence instituée, c'est aussi réclamer nécessairement un ordre social où la pyramide du rang et du pouvoir se construise du bas vers le haut, au lieu de s'imposer d'en haut et de coiffer la masse des croyants par un système de violence spirituelle. Et c'est bien à cause du danger que la psychanalyse fait courir au pouvoir clérical que l'Église la considère comme vraiment dangereuse. Si l'analyse se contentait de remettre sur pied, ici et là, tel prêtre névrosé ou telle religieuse en détresse, on pourrait la tolérer comme une méthode de traitement un peu particulière valable pour des originaux. Mais voilà qu'elle réclame une modification de la société et de l'Église, en vue de mettre fin à une certaine forme de direction extrinsèque et d'aliénation. Voilà qu'elle réclame qu'on cesse de faire fonctionner la religion comme un simple surmoi pour imposer des idées valables en elles-mêmes et pour elles-mêmes. Elle remet dès lors en question l'assurance dont font preuve ceux qui ont fui leur insécurité ontologique pour le confort d'une fonction leur assurant calme et sécurité. Elle lance ainsi inévitablement un défi à tous ceux qui se réfugient dans un service apostolique pour se dispenser d'être eux-mêmes. Elle provoque ainsi d'elle-même la réaction de tous ceux qui ont dû monter sur les tréteaux du pouvoir pour échapper à l'impression que, personnes « ordinaires », elles ne seraient plus rien du tout.

L'Église devait cesser de jouer à l'État (au sens où Nietzsche l'entendait[56]) avec ses clercs en les considérant comme des fonctionnaires de la Cour de Dieu sur terre. Au lieu de les pousser vers une fonction, elle devrait apprendre à ceux qui sont dans ses rangs la « petite pauvreté » qui laisse à chacun sa particularité en lui faisant découvrir par là à quel point il est nécessaire. Elle devrait pour cela recourir à des méthodes de formation qui, en intensifiant la découverte de soi et la maturation personnelle, correspondraient quelque peu à ce qu'en formation psychanalytique on appelle aujourd'hui autoanalyse, une autoanalyse qui peut s'étaler sur des années. Il faut avant tout cesser de former des pasteurs qui doivent sacrifier leur âme personnelle au lieu d'apprendre à la connaître ; et des moines ou des religieuses qui doivent servir leur ordre, au lieu de voir d'abord si les choses sont bien en ordre au fond d'eux-mêmes. C'est là le point décisif sur lequel l'Église catholique doit changer, à moins de devoir rapidement découvrir qu'elle est dépassée. Dans sa forme actuelle, elle représente déjà un type de religion qui, de par sa structure sociale, relève plus du Moyen Âge que des temps modernes et, de par sa mentalité ascétique et sacrificielle, paraît plus archaïque que chrétienne. C'est par l'attitude qu'elle adopte aujourd'hui à l'égard de ses clercs que l'Église catholique décidera de son sort : sera-t-elle un ferment dans la pâte de l'Histoire (Mt 13, 33) ou un airain qui sonne et une cymbale qui retentit (1 Co 13, 1) ?

Les pensées que nous présentons ici résonnent comme des nouveautés, mais elles sont très anciennes. Pour savoir depuis combien de temps on les néglige, il suffit de se reporter à une petite prière que nous a laissée Nicolas de Cues (1401-1464), grand représentant d'une Église conciliaire et conciliante, vouée davantage au mystère du divin qu'à la science de Dieu. Concluons avec cette prière, car il n'est pas de paroles plus sages sur Dieu et sur les hommes, ni de prière plus fervente adressée à Dieu pour l'avenir de l'Église :

« Comment ma prière parvient-elle à toi qui es totalement inaccessible ? Comment te demanderai-je ? Car quoi de plus absurde que de demander que tu te donnes à moi, toi qui es en toutes choses ? Et comment te donneras-tu à moi si tu ne m'as pas donné également le ciel et la terre et tout ce qui s'y trouve ? Mais, surtout, comment te donneras-tu à moi, si tu ne m'as pas donné moi-même à moi-même ? Et, tandis qu'ainsi je me repose dans le silence de la contemplation, toi Seigneur, au sein de mes entrailles, tu me réponds par ces mots : " Sois à toi-même et je serai à toi. "

« Ô Seigneur, suavité de toute douceur, tu as mis en ma liberté que je sois à moi-même si je le veux. C'est pourquoi si je ne suis pas à moi-même, toi non plus tu n'es pas à moi[57]. »

Notes

*Liste des abréviations des principaux ouvrages cités d'*EUGEN DREWERMANN *:*
Tous les titres sont cités ici dans leur première édition

DN *De la naissance des dieux à la naissance du Christ*, Paris, Éd. du Seuil, 1992 ; trad. de *Dein Name ist wie der Geschmack des Lebens*, Fribourg-Bâle-Vienne, 1986.

EI *L'essentiel est invisible. Une lecture psychanalytique du « Petit Prince »*, Paris, Éd. du Cerf, 1992 ; trad. par J.-P. BAGOT de *Das Eingentliche ist unsichtbar. Der « Kleine Prinz » tiefenpsychologisch gedeutet*, Fribourg (Brisgau), 1984.

PF *La Peur et la Faute. Psychanalyse et Théologie morale I*, Paris, Éd. du Cerf, 1992 ; trad. partielle par J.-P. BAGOT de *Psychoanalyse und Moraltheologie I. Angst und Schuld*, Mayence, 1982.

AR *L'Amour et la Réconciliation. Psychanalyse et théologie morale II*, Paris, Éd. du Cerf, 1992 ; trad. partielle par J.-P. BAGOT de *Psychoanalyse und Moraltheologie II. Wege und Umwege der Liebe*, Mayence, 1983.

MS *Le Mensonge et le Suicide. Psychanalyse et Théologie morale III*, Paris, Éd. du Cerf, 1992 ; trad. partielle par J.-P. BAGOT de *Psychoanalyse und Moraltheologie III. An den Grenzen des Lebens*, Mayence, 1984.

SB *Strukturen des Bösen. Die jahwistische Urgeschichte in exegetischer psychoanalytischer und philosophischer Sicht* (Les Structures du mal. L'histoire primitive du « yahviste » d'un point de vue exégétique, psychanalytique et philosophique), 3 tomes, Paderborn, 1978.

SB I *L'Histoire primitive du « yahviste » d'un point de vue exégétique*, 1977 (2e éd., 1979, avec avant-propos : « De la nécessité de compléter l'exégèse historico-critique » ; 3e éd., 1981, avec postface : « Le don de la vie ou l'image du monde et de la vie selon le récit du Paradis dans le document yahviste [Gn 2, 4b-25] »).

SB II *L'Histoire primitive du « yahviste » d'un point de vue psychanalytique*, 1977 (2e éd., 1980, avec avant-propos : « La psychologie des profondeurs, une science anthropologique » ; 3e éd., 1981).

SB III *L'Histoire primitive du « yahviste » d'un point de vue philosophique*, 1978 (2e éd., 1980, avec avant-propos : « La fin de l'optimisme éthique » ; 3e éd., 1982).

KC *Der Krieg und das Christentum. Von der Ohnmacht und Notwendigkeit des Religiösen* (La Guerre et le Christianisme. Impuissance et nécessité du religieux), Ratisbonne, 1982.

TE *Tiefenpsychologie und Exegese* (Psychologie des profondeurs et exégèse), 2 tomes, Olten, 1984-1985.

TE I Vérité des formes : rêves, mythes, contes, épopées, légendes.

TE II Vérité des œuvres et des mots : miracles, visions, prophéties, apocalypses, histoires, paraboles.

ME *Das Markus-Evangelium* (L'Évangile de Marc), 2 tomes, Olten, 1987-1988.

AF An ihren Früchten sollt ihr sie erkennen (C'est à leurs fruits que vous les reconnaîtrez. Réponse à *Tiefenpsychologie und keine Exegese* de R. PESCH et C. LOHFINK), Olten-Fribourg, 1988.

DF *Der tödliche Fortschritt. Von der Zerstörung der Erde und des Menschen im Erbe des Christentums* (Le Progrès mortel), Ratisbonne, 1981.

RT « Remarques sur la doctrine de la Trinité, du point de vue de la psychologie des profondeurs et de l'histoire des religions », dans : W. BREUNING (éd.), *Trinität. Aktuelle Perspektiven der Theologie*, Fribourg (Brisgau), 1984.

GM *Grimms Märchen tiefenpsychologisch gedeutet* (Les Contes de Grimm interprétés selon la psychologie des profondeurs), Olten, 1985 (1989, 3e éd.).

BS *Ich steige hinab in die Barke der Sonne. Altägyptische Meditationen zu Tod und Auferstehung in bezug auf Joh 20/21* (Je monte dans la barque du soleil), Olten-Fribourg, 1989

Autres abréviations

DS *Enchiridion Symbolorum*, H. DENZINGER-A. SCHÖNMETZER, Fribourg, 1963 (32e éd.).

ET *Écrits théologiques*, K. RAHNER, Paris, Desclée de Brouwer, 12 tomes, 1960-1970.

ST *Schriften zur Theologie*, K. RAHNER, Zurich-Cologne, puis Fribourg, 1962 sqq.

DT *Dictionnaire de théologie*, P. EICHER-B. LAURET (éd.), Paris, Éd. du Cerf, 1988.

AAS *Acta Apostolicae Sedis*, Rome, 1909 sqq.

CIC *Codex luris Canonici* (Rome, 1923-1939) ; *Code de droit canonique*, Paris, Centurion-Cerf-Tardy, 1984.

Prologue

1. F. JAMMES, *Monsieur le curé d'Ozeron*, Paris, Mercure de France, 1940, p. 237-238.
2. Voir F. KEMP, « De l'angélus de l'aube à l'angélus du soir », *Kindlers Literatur Lexikon*, Zurich, 1966, VIII, 10 603-10 604. Sur la spiritualité de P. CLAUDEL, voir en particulier *L'Épée et le Miroir*, Paris, Gallimard, 1939.
3. G. BERNANOS, *Journal d'un curé de campagne*, dans *Œuvres romanesques*, Paris, Gallimard, « Bibl. de la Pléiade », 1963, p. 1037.
4. R. BRESSON, *Le Journal d'un curé de campagne*, France, 1950.
5. Voir notamment G. BERNANOS, *Journal d'un curé de campagne* : la polémique contre les psychiatres ; la lutte contre la psychanalyse. Voir aussi, ID., *Monsieur Ouine*, ibid : à propos du prêtre ; *Sous le soleil de Satan*, ibid. : la lutte constante contre la concupiscence.
6. G. GREENE, *La Puissance et la Gloire*, *Œuvres choisies* I, Paris, Robert Laffont, 1964 : « Jusqu'alors, dans son innocence, il n'avait aimé personne ; maintenant, dans la déchéance, il avait appris [...]. » Voir aussi, ID., *Les Chemins de l'évasion*, Paris, Robert Laffont, 1983, p. 85 sqq. : « Lorsque, des années plus tard, je rencontrai le pape Paul VI, il mentionna qu'il avait lu le livre. Je lui signalai que le Saint-Siège l'avait condamné. " Qui a prononcé la condamnation ? — Le cardinal Pissardo. " Il répéta le nom avec un sourire entendu et ajouta : " Mr. Greene, certains passages de vos livres ne peuvent que choquer certains catholiques, mais vous n'avez pas à vous soucier de cela. " »
7. S. ZWEIG, *Trois Poètes de leur vie*, Paris, Belfond, 1983, p. 273-274.
8. Trad. de la TOB. Voir H. STRATHMANN, *Der Brief an die Hebräer*, Göttingen, 1970, p. 99.
9. H. HESSE, *Narcisse et Goldmund*, Paris, Le Livre de poche, 1965, p. 356-357.
10. *Op. cit.*, p. 364.
11. Dans *Jésus, Fils de l'homme*, Paris, Albin Michel, 1990, p. 231-232 : K. GIBRAN a très bien

écrit : « Maître, maître des Poètes,/Maître des mots chantés et parlés,/Ils ont construit des temples pour abriter ton nom./Et sur chaque sommet, ils ont élevé ta croix,/Un signe et un symbole pour guider leurs pas désorientés,/Mais non point pour les diriger vers ta joie./Ta joie est une colline au-delà de leur vision [...]/Ils t'appellent roi/Et aimeraient être dans ta cour./Ils te proclament le Messie/Et voudraient être oints dans l'huile sacrée./Oui, ils voudraient vivre aux dépens de ta vie. » H. COX en particulier a souligné le côté clown et arlequin de Jésus.

Propos et nature de ce travail

1. Voir E. DREWERMANN, *ME*, II, p. 723-740.
2. Voir E. SCHWEIZER, *Das Evangelium nach Matthäus*, Göttingen, 1986, p. 159; *Das Evangelium nach Lukas*, Göttingen, 1982, p. 134-135.
3. Sur la fonction sociopsychologique du tabou, voir A. GEHLEN, « Mensch und Institutionen » *Anthropologische Forschung*, Hambourg, 1961, p. 73-76.
4. Voir H. W. HERTZBERG, *Die Samuelbücher*, Göttingen, 1960, p. 228-229.
5. Ainsi, par ex., G. LOHFINK, R. PESCH, *Tiefenpsychologie und keine Exegese*, Stuttgart, 1987, p. 42-47 ; à l'opposé, voir E. DREWERMANN, *AF*, p. 119-172.
6. Voir S. FREUD, *Vorlesungen zur Einführung in die Psychoanalyse*, *Gesammelte Werke*, Londres, 1944, t. XI, p. 250-251 (*Introduction à la psychanalyse*, Paris, Payot, « Petite Bibliothèque Payot », 1989). ID., *Zur Geschichte der psychoanalytischen Bewegung*, *Ges. Werke*, Londres, 1946, t. X, p. 93 (*Sur l'histoire du mouvement psychanalytique*, Paris, Gallimard, 1991.) : « Mais l'analyse ne se prête pas à la polémique, elle suppose le plein accord de l'analysé et la confrontation d'un supérieur et d'un inférieur. »
7. A ce sujet, voir H. STRATHMANN, *Der Brief an die Hebräer, Der Brief an Timotheus und Titus. Der Brief an die Hebräer*, Göttingen, 1970, p. 91, et en particulier H. KÜNG, *Prêtre, pour quoi faire ?*, Paris, Éd. du Cerf, 1971, p. 25 où l'auteur écrit : « A la différence de ce qui a lieu dans le culte païen et dans le culte juif, un chrétien n'a pas besoin du prêtre comme du médiateur qui pénètre au plus intime du temple, jusqu'à Dieu. Au contraire, il lui est fait don de l'ultime immédiateté de Dieu, qu'aucune autorité de l'Église ne peut venir troubler ni lui ôter. » Le besoin d'un « sacerdoce commun » n'en est que plus grand, afin que chacun puisse trouver le chemin de soi-même et de Dieu.
8. Voir G. GRESHAKE, *Priestersein*, Fribourg-Bâle-Vienne, 1982, p. 115 : c'est l'ordination, c'est-à-dire l'« habilitation » octroyée par le Christ, qui confère cette sainteté nécessaire à l'action sacerdotale. Vu sous cet angle, par la vertu du Christ, le ministère est quelque chose d'« objectivement sanctifiant », qui, même indépendamment de la sainteté personnelle, par ses actes ministériels sacramentels, « représente le Christ ».
9. Voir JEAN-PAUL II, *Les Fidèles laïcs*, Paris, Éd. du Cerf, coll. « Foi vivante », n° 286, p. 43 : « Les ministres reçoivent du Christ ressuscité le charisme de l'Esprit saint, dans la succession ininterrompue, au moyen du sacrement de l'ordre : de lui, ils reçoivent l'autorité et le pouvoir sacré pour servir l'Église, agissant alors *in persona Christi Capitis* [au nom du Christ-Tête en personne], et pour la rassembler dans l'Esprit saint par le moyen de l'Évangile et des sacrements. »
10. Voir *DS*, n° 828 ; J. BRINKTRINE, *Die Lehre von der Gnade*, Paderborn, 1957, p. 123-124 ; pour la critique de ce point de vue, voir E. DREWERMANN, *PF*, p. 59, n. 73.
11. Sur la critique théologique, appuyée par des arguments exégétiques, du sacerdoce ministériel dans l'Église catholique, voir J. BLANK, « Kirchliches Amt und Priesterbegriff », *Weltpriester nach dem Konsil*, Munich, 1969, p. 13-52 ; en particulier P. EICHER, « Hiérarchie », *DT*, p. 287-298, où l'auteur voit la conception du ministère catholique en contradiction avec la suppression (l'affranchissement) du sacerdoce hiérarchique par la Réforme, et avec la conception bourgeoise (civile) de la souveraineté populaire et de la démocratie (p. 194) ; ID. « Priester und Laien — im Wesen verschieden », dans : G. DENZLER (éd.), *Priester für heute*, Munich, 1980, p. 34-51 ; voir aussi E. SCHILLEBEECKX, *Le Ministère dans l'Église*, Paris, Éd. du Cerf, 1981 ; ID., *Plaidoyer pour le peuple de Dieu*, Paris, Éd. du Cerf, 1987.

12. Voir H. BURGER, *Der Papst in Deutschland*, Munich, 1987, p. 158-159 : « Malgré le célibat, l'Église espère avoir plus de prêtres » ; les sermons et les discours du pape JEAN-PAUL II, p. 113-118, n° 3 : « La famille est le premier séminaire proprement dit ».

13. B. BRECHT, *Kalendergeschichten*, Hambourg, 1953, p. 91-92. (*Histoires d'almanach*, Paris, Éd. de l'Arche, 1961.)

14. On peut trouver dans F. NIETZSCHE une très remarquable psychologie du rêve : *Humain, trop humain*, dans *Œuvres philosophiques complètes*, Paris, Gallimard, 1988, t. III, vol. I, n° 12-13, p. 38-41, où l'auteur souligne notamment les rapports entre le rêve, le mythe et la poésie.

15. Voir N. LUHMANN, *Funktion der Religion*, Francfort, 1977.

16. Sur l'institution des lieux de refuge dans l'Ancien Testament, voir Nb 35, 9-34 ; 1 R 1, 50-53 ; Dt 4, 41-43 ; Jos 20, 1-9 ; voir R. de VAUX, *Les Institutions de l'Ancien Testament*, Paris, Éd. du Cerf, 2 vol., 1960-1961.

17. Sur les divers mécanismes de défense, voir A. FREUD, *Das Ich und die Abwehrmechanismen*, Munich (sans date), p. 65-73. (*Le Moi et les Mécanismes de défense*, Paris, PUF, 1985).

18. Dans *Wissenschaft und Zeugnis* (Salzbourg, 1961), le Père H. STENGER étudiait déjà, de façon remarquablement pénétrante, la formation des étudiants en théologie et leurs expériences en ce domaine. Il montre très clairement (p. 54, 58) les changements qu'il faudrait apporter aux programmes de théologie ; il constate, par exemple (p. 81) que c'est la psychologie qui mobilise le plus grand intérêt chez les étudiants ; or, un quart de siècle plus tard, conformément aux directives venues de Rome, nous en sommes déjà au point de supprimer le plus possible, des heures de psychologie pastorale, déjà très réduites, celles qui sont inscrites au programme des premiers semestres. Voir aussi G. SIEFER, *Sterben die Priester aus ?*, Essen, 1973. En République fédérale d'Allemagne (p. 83), de 1967 (447 ordinations) à 1972 (213 ordinations), les ordinations sacerdotales, en baisse constante, ont diminué de presque 50 % ; en Autriche (p. 84), en 1967 il y en avait encore 100, plus que 51 en 1970 ; aux Pays-Bas, où la courbe du déclin est presque linéaire, 80 en 1965, 4 en 1970 ; en Suisse, 63 en 1965, 39 en 1966 et 33 en 1970. De ces chiffres alarmants, Rome n'a tiré aucune leçon. Voir aussi K. G. REY (*Das Mutterbild des Priesters*, Zurich-Cologne-Einsiedeln, 1969, p. 109-110) qui, sur la base de sérieuses recherches statistiques, a montré que dans la psychogenèse des clercs, la figure maternelle du prêtre reflétait surtout des « troubles de l'état affectif chez la mère » et une « expérience paternelle défectueuse ».

19. Sur la base de différents profils de clercs, K. D. HOPPE, *Gewissen, Gott und Leidenschaft*, Stuttgart, 1985, p. 63-82 (notamment), a dégagé un « moi narcissique » caractérisé par une soif morbide de satisfaction, une extrême vulnérabilité, un besoin très prononcé d'être le centre d'intérêt, ainsi qu'une hyperidéalisation du moi et des autres.

20. Voir F. NIETZSCHE, *Aurores*, dans *Œuvres philosophiques complètes*, Paris, Gallimard, 1970, t. IV, n° 523, p. 264 : « A propos de tout ce qu'un homme laisse paraître, on peut poser la question : qu'est-ce que cela veut cacher ? De quoi cela doit-il détourner l'attention ? Quel préjugé cela doit-il actionner ? Et encore : jusqu'où va la subtilité de cette dissimulation ? Et où réside l'erreur qu'il commet là ? »

21. A cet égard, c'est l'ouvrage de J. BOURS, F. KAMPHAUS, *Leidenschaft für Gott. Ehelosigkeit, Armut, Gehorsam* (Fribourg, 1981), qui paraît être le plus humainement honnête et le plus personnellement convaincant. Les conseils évangéliques y sont entièrement « fondés » sur la poursuite d'objectifs bien déterminés. Ainsi, selon J. Bours, le « célibat », par exemple, trouve sa signification dans la « solidarité avec ceux qui se sentent frustrés » (p. 36) — Nous reviendrons sur ce sujet. Pour la « pauvreté » (p. 91) comme pour l'« obéissance » (p. 154), F. Kamphaus souligne très justement la « tension dialectique entre la force du moi et l'abandon de soi, entre la réalisation et le libre don de soi ». Il est remarquable que la « réalisation de soi » apparaisse ici comme la condition des « conseils évangéliques ». Toutefois, cette intuition d'une importance extrême n'est suivie d'aucun développement psychologique.

22. Voir R. SCHNACKENBURG, *Le Message moral du Nouveau Testament*, Lyon, Xavier Mappus, 1963.

23. G. BERKELEY, *Les Principes de la connaissance humaine*, Paris, A. Colin, 1926.

24. Selon THOMAS D'AQUIN : *Somme théologique* (Paris, Éd. du Cerf, 1984-1986) I 8, 1,

Dieu agit en tout mais non pas seul ; il respecte l'action propre des causes secondaires : *S. th.* I, 105, 5.

25. Voir K. RAHNER, *Église et Sacrements*, Paris, Desclée de Brouwer, 1970 ; R. SCHNACKENBURG, *Die Kirche im Neuen Testament*, Fribourg-Bâle-Vienne, 1961, p. 146-156 (le corps du Christ) ; F. MALMBERG, *Ein Leib, ein Geist*, Fribourg, 1960, p. 285-302 (la « Grâce du corps »).

26. Voir E. DREWERMANN, *AF*, p. 135-142.

27. K. G. REY (*Das Mutterbild des Priesters* p. 136) écrit très justement : « Derrière tout ce qui est inconscient, opaque et mystérieux, nous devrions éviter de voir immédiatement l'action de la Grâce. Sous le couvert de tels rapports se jouent bien trop souvent des tragédies humaines. Ainsi, la soi-disant vocation peut cacher des troubles névrotiques et des tendances narcissiques infantiles. »

28. Le schéma d'interprétation correspondant, la constitution « logique » du groupe à partir de la « praxis » individuelle, a été méthodiquement développé par J.-P. SARTRE (*Critique de la raison dialectique*, Paris, Gallimard, 1985, p. 264-361). Pour une étude détaillée voir E. DREWERMANN, *SB*, III, p. 331-352.

29. J.-P. SARTRE, *Marxisme et Existentialisme*, Paris, Plon, 1962, p. 13-14.

30. La position de l'Église incite notamment à porter des jugements de valeur nettement négatifs sur la sexualité ; sur la peur des clercs célibataires devant les femmes et l'oppression des femmes par les (clercs) célibataires, voir U. RANKE-HEINEMANN, *Des eunuques pour le royaume des cieux. L'Église catholique et la sexualité*, Paris, Hachette-Pluriel, 1992, p. 138-157.

31. Voir R. P. FEYNMAN, *Q.E.D. — Die seltsame Theorie des Lichts und der Materie*, Munich-Zurich, 1988, p. 13-47.

Première partie : Le constat des données

1. Voir K. LEHMANN, « Das dogmatische Problem des theologischen Ansatzes zum Verständnis des Amtspriestertums », dans : F. HENRICH (éd.), *Existenzprobleme des Priesters*, Munich, 1969, p. 121-175 ; p. 172-173 : « Ainsi, la relation à Jésus, qui appartient à l'essence même du concept de prêtre dans un sens très radical, permet non seulement d'endiguer tout institutionnalisme, tout fonctionnarisme, ainsi que tout danger d'isolement fonctionnaliste, mais aussi de maintenir en constance la tension entre élan intérieur et service. Dans ces conditions le prêtre n'apparaît plus investi d'un office indépendant, mais, par nature, son ministère devient vicarial ; il occupe toujours l'avant-dernière place, parce que le Seigneur garde le primat. Être prêtre signifie alors être-pour-un-autre. » K. Lehmann semble ne même pas s'apercevoir qu'avec cette théologie il neutralise le domaine tout entier de la psychologie et de la sociologie. Voir aussi B. SCHULZ, « Das kirchliche Amt auch Faktor oder nur Funktion ? », dans : K. W. KRAEMER, K. SCHUH (éd.), *Priesterbild im Wandel*, Essen-Werden, 1970, p. 78-79, p. 89 : « En Christ, le Fils, le Verbe de Dieu s'est profondément intégré au monde et aux hommes, sans égard pour sa vie, ni pour sa mort, et si, de son côté, l'Église est intimement reliée à l'humain et au séculier, c'est par l'intermédiaire d'un ministère qui, sur l'ordre exprès du Christ, doit s'exercer par procuration, au nom du Christ. » Avec de telles « implications » christologiques, toute considération d'ordre psychanalytique sur les clercs est vouée d'avance à être condamnée par l'Église.

2. Sur la problématique liée à la « notion de miracle » que soulève une telle vision, voir l'exposé très limpide de R. BAUMANN, « Miracles », *DT*, p. 423-429.

3. Pour la critique de cette position, voir L. FEUERBACH, *Das Wesen der Religion* (1846), *Werke* IV, Francfort, 1975, p. 87 ; ID., *L'Essence du christianisme*, Paris, Maspero, 1968, p. 231-242 (sur la notion de Providence) ; p. 261-270 (sur l'explication du miracle par le cœur et par l'imagination).

4. Se retrouvent ici les distinctions de E. Kant dans sa critique de la connaissance, entre le monde empirique et la sphère intelligible de la chose en soi, ou entre les catégories de la pensée (*Verstand*) et les idées régulatrices et la raison pure (*Vernunft*) ; voir aussi E. DREWERMANN, *SB*, III, p. 1-12.

5. Sur l'aspect *théologique* de la question, voir P. TILLICH, *Théologie systématique* IV (« La vie et l'Esprit »), Genève, Labor et Fides, 1991 : « L'esprit humain comme dimension de la vie est ambigu comme l'est toute vie, alors que l'Esprit divin crée la vie non ambiguë » (p. 125). C'est

pourquoi, au point de vue psychologique, le problème qui se pose est le suivant : à quel moment de sa vie telle chose peut-elle apparaître univoque à un homme ou à une femme ?

6. C'est J. MONOD (*Le Hasard et la Nécessité*, Paris, Éd. du Seuil, 1970, p. 182-188) qui a posé le problème de la façon la plus radicale : « Pour la première fois, dans l'histoire, une civilisation tente de s'édifier en demeurant désespérément attachée, pour justifier ses valeurs, à la tradition animiste, tout en l'abandonnant comme source de connaissance, de vérité » (p. 186). Quelles que soient les corrections à apporter aux conceptions biologiques de Monod, le problème subsiste.

7. Voir H. V. DITFURTH (*Wir sind nicht nur von dieser Welt*, Hambourg, 1981, p. 19-23), qui rattache très justement la vieille opposition entre religion et sciences naturelles à l'image statique que se fait du monde la théologie chrétienne.

8. Sur le combat désespéré du vitalisme dans la philosophie de la nature, voir H. V. DITFURTH, p. 124-150.

9. D'après une enquête menée en 1972 par l'Institut Allensbach, pour la plupart des personnes interrogées, un des principaux obstacles à la foi, c'est (encore) que le christianisme explique le monde tout à fait autrement que les sciences naturelles.

I. Les élus ou l'insécurité ontologique

1. L'ombre du frère : le chaman

1. P. TILLICH (*Théologie systématique* IV, Genève, Labor et Fides, 1994, p. 184) signale le caractère « ambigu » de toute médiation hiérarchique fonctionnarisée entre Dieu et l'homme par la figure du prêtre, et fait état à cet endroit même de l'opposition protestante (p. 264). Au sujet de la perspective présentée par l'histoire des religions, G. MENSCHING (*Die Religion*, Munich [sans date], p. 204-205) voit dans le prêtre le « type du chef religieux conservateur » ; voir E. O. JAMES, *Das Priestertum in Wesen und Funktion. Eine vergleichende und anthropologische Studie*, Wiesbaden, 1957.

2. Sur l'initiation des chamans par les pratiques extatiques, voir M. ELIADE, *Le Chamanisme et les techniques archaïques de l'extase*, Paris, Payot, 1951, p. 44-69 ; H. FINDEISEN-H. GEHRTS, *Die Shamanen*, Cologne, 1983, p. 60-74 ; voir aussi l'étude détaillée de E. DREWERMANN, *TE*, II, p. 79-95.

3. A ce sujet, voir E. DREWERMANN, *TE*, II, p. 105 sqq.

4. *Ibid.*, p. 85-92.

5. *Ibid.*, p.88-89.

6. *Ibid.*, p. 105-114.

7. Sur la manière dont se constituent les représentations de la foi, voir F. J. STENDENBACH, *Soziale Interaktion und Lernprozesse*, Cologne-Berne, 1962, p. 225 sqq., qui examine surtout la genèse des châtiments anticipés en provenance des puissances divines ; au-delà de certaines limites se constituent des « normes » favorables à l'éclosion de « destins » cléricaux.

8. Dans « *Autorität und Familie in der deutschen Soziologie bis 1933* », (*Autorität und Familie. Studien aus dem Institut für Sozialforschung* V, Paris, 1936, p. 745), H. MARCUSE a essayé de définir le concept test du comportement social au moyen des fonctions naturelles et sociales suivantes : continuation et multiplication de l'espèce ; satisfaction des pulsions sexuelles ; maintien et accroissement de la propriété ; communauté de production au sein de la famille et au sein de la société ; communauté de consommation ; pratique de la tradition religieuse ; détente et communauté de loisirs ; sauvegarde et développement de la culture. Presque toujours, ces critères sont diamétralement opposés à l'idéal des conseils évangéliques vers lequel tend l'état de vie clérical. En un sens, les clercs partagent le sort des chamans, dont ils paraissent être les descendants tardifs.

9. Voir E. DREWERMANN, *TE*, II, p. 156 (l'exemple de Pythagore) ; p. 159-160 (Empédocle) ; p. 174-175 (Chiron).

10. Sur la psychologie de l'artiste, voir O. RANK (*Das Inzestmotiv in Dichtung und Sage*, Leipzig-Vienne, p. 1-21), qui cherche à comprendre la personnalité de l'artiste essentiellement à partir du complexe d'Œdipe.

11. Sur l'hagiographie de saint François, voir TH. VON CELANO, *Leben und Wunder des heiligen Franziskus von Assisi*, Werl, 1988, t. I, 2, 5 ; p. 81 sqq.

12. Voir K. RAHNER, « De la relation de la nature et de la grâce », *ET*, III, p. 7-34 ; p. 22-24 : « Quand Dieu veut [pour l'homme] une fin surnaturelle et indue [...], alors Dieu doit lui donner aussi cette disposition pour cette fin. » D'où le « paradoxe d'un désir naturel du surnaturel comme lien de la nature et de la grâce » (p. 24). Rahner reprend à son compte la critique que la « nouvelle théologie » adresse à l'extrinsécisme de la doctrine catholique sur la grâce, et interprète la notion de *potentia oboedentialis*, ou faculté de recevoir la grâce divine, comme une appétence que Dieu a mise gratuitement en l'homme, afin de pouvoir se transmettre à lui.

13. Selon la définition du dogme, la grâce est absolument indispensable à la justification, même de celui qui a la foi ; voir *DS*, n° 813 ; J. BRINKTRINE, *Die Lehre von der Gnade*, Paderborn, 1957, p. 86.

14. Voir L. FEUERBACH, *Das Wesen der Religion*, *Werke* IV, Francfort, 1975, p. 81-153, p. 101 : « " L'origine de la vie est inexplicable et incompréhensible ", c'est vrai ; mais qu'elle le soit ne justifie pas les conclusions superstitieuses que tire la théologie pour combler les lacunes du savoir humain » ; p. 118 : « De même que l'homme, d'essence exclusivement physique, devient essence politique, essence distincte de la nature et concentrée sur soi, de même son Dieu, d'essence exclusivement physique, devient aussi essence politique distincte de la nature » ; p. 126 : « L'" essence spirituelle ", qui place l'homme au-dessus de la nature [...], n'est rien d'autre que l'essence spirituelle de l'homme lui-même, laquelle lui apparaît pourtant comme *autre*, *différente* de lui et *incomparable*, parce qu'il en fait la *cause de la nature.* »

15. C'est pourquoi E. FROMM, *Vous serez comme des dieux* (Bruxelles, Éd. complexe, 1975, p. 60) écrit très justement que l'honneur rendu à Dieu devrait être essentiellement la négation du culte rendu aux idoles. Un tel Dieu « a cessé d'être un Dieu autoritaire ; l'homme doit devenir entièrement indépendant, et cela signifie qu'il doit se rendre indépendant même de Dieu ». On ne soulignera jamais assez que l'association de la psychanalyse et de la théologie rejoint aujourd'hui les préoccupations de la *mystique* médiévale. C'est ainsi qu'à la fin de ce chapitre, E. Fromm cite Maître Eckhart (retraduit ici d'après Fromm) : « Que je suis un homme, / Cela je l'ai en commun avec tous les hommes ; / Que je vois et j'entends / Et que je mange et je bois, / Cela je le partage avec tous les animaux. / Mais que je suis je, cela m'appartient exclusivement, / Cela m'appartient à moi / Et à personne d'autre, / à aucun autre homme / Ni à un ange, ni à Dieu, / Excepté dans la mesure où je suis un avec Lui. »

16. C. G. JUNG, « Psychologie und Dichtung », *Gesammelte Werke*, Olten, 1971, t. XV, p. 97-120 (« Psychologie et poésie », cahier *Pensée et Action*), a bien essayé de renverser la construction freudienne ; pourtant, il écrit dans « Ulysse », XV, 121-149, p. 131 ; « L'inversion méphistophélique où le sens se fait non-sens et la beauté laideur est l'expression d'un acte créateur que l'histoire de la culture n'avait encore jamais connu dans de telles proportions. »

17. Voir E. DREWERMANN, *TE*, II, p. 125-129, 129-141 ; C. G. JUNG, *Über die Beziehung der Psychotherapie zur Seelsorge*, *Ges. Werke*, 1971, XI, p. 355-376.

18. P. M. ZULEHNER (*Denn du kommst unserem Tun mit deiner Gnade zuvor*, Düsseldorf, 1984, p. 85) écrit, dans le sens de la dogmatique catholique : « Fondamentalement, l'Église a elle-même une sorte de caractère officiel pour rappeler qu'elle est l'agent de l'action divine librement exercée sur l'humanité. Ce caractère officiel fondamental est concrétisé dans des personnes (ou des collègues) qui sont investis d'un office et qui participent ainsi de ce caractère. » La problématique d'une telle conception n'est pas seulement théologique, mais réside essentiellement dans ses présupposés et dans ses conséquences psychologiques.

19. Voir G. VON RAD, *Das fünfte Buch Mose*, Göttingen, 1964, p. 150 sqq.

20. G. MENSCHING, *Die Religion*, p. 204-205, traite très bien la question de l'opposition entre prêtre et prophète.

21. Sur Jl 3, 1-5, voir WEISER, *Die Propheten*, Göttingen, 1950, p. 119-121.

22. STENDHAL, *Le Rouge et le Noir*, *Romans et Nouvelles*, Paris, Gallimard, « Bibl. de la

Pléiade », 1952, p. 399 : « Au lieu de ces sages réflexions, l'âme de Julien, exaltée par ces sons mâles [...], errait dans les espaces imaginaires. Jamais il ne fera ni un bon prêtre, ni un grand administrateur. Les âmes qui s'émeuvent ainsi sont bonnes tout au plus à produire un artiste. »

23. Voir, par exemple, JEAN-PAUL II, *Predigten und Ansprachen bei seinem 2. Pastoralbesuch in Deutschland* (édité par le secrétariat de la Conférence épiscopale allemande), p. 117 ; ou JEAN XXIII, « Sacerdotii Nostri primordia », *Sacerdotis imago*, Fribourg (Suisse), p. 209-251, p. 222 : sur le don total et l'abnégation du prêtre d'après l'exemple du curé d'Ars.

24. Notamment, E. FROMM (*Le Dogme du Christ*, Bruxelles, Éditions Complexe, 1975, p. 87) montre la transformation subie par la figure de Jésus souffrant ; alors qu'il pouvait être celui en qui s'identifient les masses et qui doit renverser les puissants, Jésus est devenu celui qui souffre pour l'expiation des péchés : « L'idée d'un homme devenu dieu se transforme en celle d'un dieu devenu homme. Le père ne devait plus être renversé ; ce n'étaient pas les dirigeants qui étaient coupables mais les masses souffrantes elles-mêmes. L'agression n'était plus dirigée contre les autorités mais retournée contre les victimes elles-mêmes. »

25. Voir H. SCHLIER, *Der Brief an die Galater*, Göttingen, 1962, (10e éd. revue), p. 101-103.

26. Sur Gal 1, 15-16, voir *ibid.*, 53-58. à propos de l'expérience vécue par saint Paul sur le chemin de Damas, l'auteur parle d'une *vision*, mais sans en étudier la psychologie. Sur l'aspect psychique dans lequel s'insère le phénomène de la vision, voir E. DREWERMANN, *TE*, II, p. 346-355.

27. Voir notamment Rm 7, 7-25, et, pour l'interprétation de ce passage, O. KUSS, *Der Römerbrief*, Ratisbonne, 1957, p. 462-485.

28. Voir Gal 2, 11-13 ; à ce propos, voir H. SCHLIER, *Der Brief an die Galater*, p. 82-87. Sur la condition psychologique de Paul le Pharisien vers le milieu de sa vie, voir R. KAUFMANN, *Die Krise des Tüchtigen. Paulus und wir im Verständnis der Tiefenpsychologie*, Olten, 1989.

29. Au plan de l'efficacité, K. DESCHNER (*Kriminalgeschichte des Christentums* I, Hambourg, 1986, p. 124) porte le jugement suivant sur Paul : « maître de l'intolérance, archétype du prosélytisme de masse, habile manœuvrier qui sait profiter de la situation ou qui s'impose brutalement ; génial pionnier d'un style qui fait école dans la grande Église ».

30. F. NIETZSCHE, *L'Antéchrist, Œuvres philosophiques complètes* VIII, Paris, Gallimard, 1974, n° 42, p. 203 : « En Paul, c'était encore le prêtre qui aspirait au pouvoir — tout ce qu'il lui fallait, c'étaient des idées, des enseignements, des symboles, grâce auxquels il pût tyranniser les masses, former des troupeaux. »

31. Voir M. LUTHER, *De la liberté du chrétien*, Aubier, coll. « Foi vivante », n° 109, 1969, p. 65 sqq.

2. *L'ombre du chef*

1. J.-P. SARTRE, « L'enfance d'un chef », dans *Le Mur*, Paris, Gallimard, 1966, p. 147.
2. *Ibid.*, p. 149.
3. *Ibid.*, p. 149.
4. *Ibid.*, p. 151.
5. *Ibid.*, p. 151.
6. *Ibid.*, p. 153.
7. *Ibid.*, p. 154.
8. *Ibid.*, p. 154.
9. *Ibid.*, p. 156-157.
10. *Ibid.*, p. 157.
11. *Ibid.*, p. 158-159.
12. *Ibid.*, p. 159.
13. *Ibid.*, p. 161.
14. *Ibid.*, p. 163.
15. *Ibid.*, p. 171-172.
16. Voir R. DESCARTES, *Méditations touchant la philosophie première* (1641), 2e Méditation ;

J.-P. SARTRE, *La Transcendance de l'ego*, Paris, Vrin, 1965, p. 26-37, où l'auteur fonde la conscience réflexive en partant de la conscience personnelle. Voir aussi E. DREWERMANN, *SB*, III, p. 198-199.

17. J.-P. SARTRE, *Le Mur*, p. 174.
18. *Ibid.*, p. 174.
19. *Ibid.*, p. 174.
20. *Ibid.*, p. 177.
21. *Ibid.*, p. 179.
22. *Ibid.*, p. 180.
23. *Ibid.*, p. 178-182.
24. *Ibid.*, p. 185.
25. *Ibid.*, p. 185.
26. *Ibid.*, p. 188.
27. *Ibid.*, p. 191.
28. *Ibid.*, p. 200-201.
29. *Ibid.*, p. 204.
30. *Ibid.*, p. 206-207.
31. *Ibid.*, p. 210.
32. *Ibid.*, p. 221.
33. *Ibid.*, p. 221.
34. *Ibid.*, p. 222.
35. *Ibid.*, p. 228.
36. *Ibid.*, p. 230-231.
37. *Ibid.*, p. 237.
38. *Ibid.*, p. 238-239.
39. *Ibid.*, p. 240.
40. *Ibid.*, p. 240.
41. F. NIETZSCHE, *La Volonté de puissance*, Paris, Gallimard, 1948, t. II, p. 282, n° 219 (§ 1 026) : « Il n'est pas vrai que " le bonheur soit la conséquence de la vertu " — mais l'homme puissant est celui qui décide que *son bonheur est une vertu.* »
42. Voir J.-P. SARTRE, *L'Être et le Néant*, Paris, Gallimard, 1973, p. 128 : le défaut d'être ; voir aussi E. DREWERMANN, *SB*, III, p. 203-204, 218-222.
43. G. C. HOMANS, *Theorie der sozialen Gruppe*, Cologne-Opladen, 1960, p. 393-407.
44. J.-P. SARTRE, *La Nausée*, Paris, Gallimard, 1938, p. 150 sqq. ; voir aussi E. DREWERMANN, *SB*, III, p. 207-209, 238-245.
45. G. W. F. HEGEL, *La Phénoménologie de l'esprit*, trad. J. Hyppolite, Paris, Aubier, 1975, t. I, p. 331 sqq. ; voir aussi E. DREWERMANN, *SB*, III, p. 354 sqq.
46. J.-P. SARTRE, *L'Être et le Néant*, p. 121 sqq. ; voir aussi E. DREWERMANN, *SB*, III, p. 200-201.
47. Voir H. SCHLIER, *Der Brief an die Galater*, Göttingen, 1962 (10e éd. revue), p. 53-54.
48. H. CH. ANDERSEN, *Contes*, Paris, Lib. générale française (Le Livre de poche), 1987, p. 57-70.
49. C'est sans doute l'enseignement de Mc 10, 28-31 : la récompense du renoncement originel ; à ce sujet, voir E. DREWERMANN, *ME*, II, p. 125-127.
50. Voir R. SCHNACKENBURG, *Das Johannesevangelium* III, Fribourg-Bâle-Vienne, 1975, p. 128-138.
51. Voir F. M. DOSTOÏEVSKI, *Journal d'un écrivain*, Paris, Bossard, 1927 ; voir aussi E. DREWERMANN, *BS*, p. 46-73.
52. Voir E. DREWERMANN, *SB*, III, p. 235-251.
53. Voir K. JASPERS, *La Foi philosophique*, Paris, Plon, 1953, p. 13 sqq. : « La Foi [...] est une réalité immédiate [...], une expérience vécue, celle de l'englobant [...]. Elle ne trouve pas de quiétude en se fixant. »
54. Voir P. WUST, *Ungewissheit und Wagnis*, Munich-Kempten, 1950, p. 54-74 ; risque et décision.

55. Voir G. MENSCHING (*Die Religion*, Munich, sans date, p. 290-297), qui décrit très pertinemment, parmi les étapes qui jalonnent la vie d'une religion, celles de la dogmatisation, de la confessionalisation et, subséquemment, de l'organisation : « Fondamentalement, la religion organisée est celle qui remplace la spontanéité religieuse qui suscite l'expérience de la grâce par un système d'institutions dans et par lesquelles est transmise une grâce objective. C'est la conséquence nécessaire de l'influence croissante exercée par les masses. » « La religion organisée se montre tolérante au-delà de toute limite face aux tendances de ces masses à abaisser le niveau de la religion primitive [...] mais extrêmement intolérante face aux tendances qui menacent sa belle organisation : l'individualisme religieux, le retour à un idéal de sainteté personnel tel qu'il était vécu dans les premiers temps. L'organisation ne tolère [...] aucune liberté religieuse personnelle. En matière de foi comme en matière de mœurs, toute liberté personnelle est supprimée. L'éthique devient une casuistique. L'organisation ne pouvant garantir que le minimum religieux et éthique contrôlable, officiellement, elle ne peut exiger que ce qui est effectivement contrôlable : le comportement extérieur, les pratiques culturelles, les œuvres, etc. »

56. F. NIETZSCHE, *L'Antéchrist*, *Œuvres philosophiques complètes* VIII, Paris, Gallimard, 1974, n° 9, p. 166-167.

57. *Ibid.*, n° 15, p. 172.

58. *Ibid.*, n° 49, p. 213.

59. *Ibid.*, n° 51, p. 215.

60. *Ibid.*, n° 51, p. 216.

61. S. KIERKEGAARD, en particulier, s'est attaqué au fonctionnarisme chrétien. Ainsi, dans *L'Instant, Œuvres complètes*, Paris, Éd. de l'Orante, 1982, t. XIX, p. 171 : « Comme Dieu est une personne, tu conçois combien il lui répugne de voir qu'on veut lui fermer la bouche à coups de formules, en le régalant d'officielle solennité, de tournures officielles, etc. »

62. Nous aurons encore l'occasion de voir combien forte est l'exigence de féminité ressentie par le clerc masculin. La contrepartie, c'est le profond désir d'être homme éprouvé par de grandes figures féminines au sein de l'Église, comme Thérèse d'Avila ; voir R. SCHNEIDER, *Philipp der Zweite*, Francfort, 1987, p. 117-164, sur la vie de la sainte, et notamment p. 131-132, sur la souffrance, cet « exorciste du monde ».

63. Ainsi, récemment encore, JEAN-PAUL II, *Les Fidèles laïcs*, Paris, Éd. du Cerf, coll. « Foi vivante », 1991, n° 186, § 51, p. 118 : « Dans la participation à la vie et à la mission de l'Église, la femme ne peut recevoir le *sacrement de l'Ordre* [c'est-à-dire l'ordination sacerdotale — c'est nous qui précisons], et donc ne peut remplir les fonctions propres du sacerdoce ministériel. » Dans la transmission de la foi, la « mission particulière » de la femme est de « donner toute sa dignité à la vie d'épouse et de mère » et ainsi « assurer la dimension morale de la culture ».

64. J.-P. SARTRE, *Les Mots*, Paris, Gallimard, « Folio », 1972, p. 209 : « Je pensais me donner à la Littérature quand, en vérité, j'entrais dans les ordres. »

65. Voir E. DREWERMANN, *ME*, II, p. 129-147.

3. La structure psychique, la dynamique et le monde intellectuel du clerc

1. S. KIERKEGAARD, *La Maladie à la mort*, *Œuvres complètes*, Paris, Éd. de l'Orante, 1971, t. XVI, p. 205 ; voir également E. DREWERMANN, *SB*, III, p. 460-478, 487-492, 503.

2. J.-P. SARTRE, *L'Être et le Néant*, Paris, Gallimard, 1943, p. 708 ; voir également E. DREWERMANN, *SB*, III, p. 219 sqq.

3. A propos de la simonie, voir Ac 8, 9 sqq.

4. Voir R. SCHNACKENBURG, *Das Johannesevangelium* III, Fribourg-Bâle-Vienne, 1975, p. 125-128.

Notes

A. La fixation idéologique et les résistances au traitement

1. Sur la doctrine de la grâce, voir J. BRINKTRINE, *Die Lehre von den heiligen Sakramenten der katholischen Kirche* I, Parderborn, 1961, p. 97-101 ; K. RAHNER, « De la relation de la nature et de la grâce », *ET*, t. III, p. 7-12.
2. THOMAS D'AQUIN, *Somme théologique* (Paris, Éd. du Cerf, 1984) I, 2, 2 ad 1 ; voir J. PIEPER, *Thomas von Aquin*, Hambourg, 1956, p. 102.
3. ANGÈLE DE FOLIGNO, *Le Livre de la bienheureuse sœur Angèle de Foligno, du tiers ordre de S. François*, édité et traduit par Paul Doncœur, Paris, L'Art catholique, 1925 ; p. 239 : « Moi, je ne t'aime point par farce. »
4. Voir E. DREWERMANN, *ME*, I, p. 25-80.
5. *Ibid.*, I, p. 572-585 ; II, p. 52-61, 129-147.
6. Sur l'« objection hédoniste », voir S. FREUD, *Die Kulturelle Sexualmoral und die moderne Nervosität*, *Ges. Werke*, t. VII, 143-167, p. 167. (« La morale sexuelle " civilisée " et la maladie nerveuse des temps modernes », *La Vie sexuelle*, Paris, PUF, 1969.)
7. H. J. LAUTER (*Den Menschen Christus bringen*, Fribourg-Bâle-Vienne, 1981, p. 57-86) cherche à concilier la traditionnelle « théologie du sacrifice » avec la recherche exégétique. Voir également J. BRINKTRINE, *Die Lehre von den heiligen Sakramenten der katholischen Kirche*, I, p. 354-368, 371-385.
8. Sur le caractère sacrificiel de la sainte messe, dont la célébration constitue l'essentiel du ministère sacerdotal dans l'Église, voir J. BRINKTRINE, *Die Lehre von der heiligen Sakramenten der katholischen Kirche*, I, p. 329 s.
9. Cette doctrine de la « mère des douleurs » a conduit à celle de Marie corédemptrice qui participe à l'œuvre de rédemption de son fils. Voir J. BRINKTRINE, *Die Lehre von den Mutter des Erlösers*, Parderborn, 1959, p. 101-114. C'est également la position adoptée par JEAN-PAUL II dans sa *Lettre aux prêtres pour le dimanche des Rameaux 1988* : dans sa souffrance, la Vierge Marie est le modèle du célibat sacerdotal ; elle est l'image de « l'épouse corédemptrice ».
10. Ainsi, JEAN-PAUL II, *Reconciliatio et Paenitentia*, p. 26 ; en revanche, E. DREWERMANN, « Péché et névrose », *PF*, p. 93-130.
11. Voir J. BRINKTRINE, *Die Lehre von den Mutter des Erlösers*, p. 51-56 (Marie, pleine de grâce).
12. Voir Gal 4, 3-9 ; H. SCHLIER, *Der Brief an die Galater*, Göttingen, 1962 (10ᵉ éd. revue), p. 190-194, 202-203.
13. Voir P. J. SCHMIDT, *Der Sonnenstein der Azteken*, Hambourg, 1974.
14. Voir W. KRICKEBERG (éd.), Märchen der Azteken und Inkaperuaner, Düsseldorf-Cologne, 1968, p. 16-22.
15. Sur la philosophie indienne du temps, voir J. E. S. THOMPSON, *Die Maya. Aufstief und Niedergang einen Indianenkultur*, Essen, 1975, p. 256-269.
16. Voir E. DREWERMANN, *ME*, I, p. 64-65, nᵒ 35.
17. Sur le sens de cette expression, voir S. FREUD, *Der Mann Moses und die monotheistische Religion*, *Ges. Werke*, t. XVI, 233-236. (*L'Homme Moïse et la Religion monothéiste*, Paris, Gallimard, 1986.) Sur la correspondance entre la célébration eucharistique des catholiques et le repas des dieux indiens, voir C. G. JUNG, *Das Wandlungssymbol in der Messe*, *Ges. Werke*, t. XI, p. 219-246. (*Les Racines de la connaissance*, Paris, Buchet-Chastel, 1971.)
18. Voir J. BRINKTRINE, *Die Lehre von den heiligen Sakramenten der katholischen Kirche* I, p. 354-363.
19. F. NIETZSCHE, *Ainsi parlait Zarathoustra*, *Œuvres philosophiques complètes*, Paris, Gallimard, 1971, 2ᵉ partie, « Des prêtres », p. 107 (trad. Maurice de Gandillac).
20. Voir l'absurde matérialisation du dogme catholique dans sa doctrine sur les « fruits de la messe » chez J. BRINKTRINE, *Die Lehre von den heiligen Sakramenten der katholischen Kirche* I, p. 380-385. Pour les critiques adressées à la théologie du sacrifice de la messe, voir déjà M. LUTHER, « Les articles de Smalkalde », II, 2, *La Foi des Églises luthériennes*, Paris-Genève, Éd. du Cerf-Labor et Fides, 1991, p. 257-261.
21. Voir E. DREWERMANN, *ME*, I, p. 45-80.
22. Voir J. JEREMIAS, *Théologie du Nouveau Testament*, Paris, Éd. du Cerf, 1980, t. I, p. 146-156.

23. Voir J. JEREMIAS, *Les Paraboles de Jésus*, Le Puy, Xavier Mappus, 1962, p. 200-204.
24. Voir J. JEREMIAS, *Théologie du Nouveau Testament*, p. 81-88.
25. Sur la différence entre le message de Jésus et l'annonce faite par Jean Baptiste, voir E. DREWERMANN, *DN*, p. 109-133 ; ID., *ME*, I, p. 136-147.
26. Voir J. JEREMIAS, *Les Paraboles de Jésus*, p. 137-140.
27. Voir E. DREWERMANN, *ME*, I, p. 69-73.
28. Voir E. DREWERMANN, *KC*, p. 222-230.
29. F. NIETZSCHE, *Ainsi parlait Zarathoustra*, 2e partie, « Des prêtres », p. 106-108.
30. Jn 14, 6 ; voir R. SCHNACKENBURG, *Das Johannesevangelium*, Fribourg-Bâle-Vienne, 1975, t. III, p. 72-75.
31. Voir K. RAHNER, *Einübung priesterlicher Existenz*, Fribourg-Bâle-Vienne, 1970, p. 248-259. En page 258, l'auteur met notamment la vie des conseils évangéliques en relation avec la mort de Jésus.
32. Ainsi, le plus sérieusement du monde, J. B. METZ (dans : F. X. KAUFMAN, J. B. METZ, *Zukunftsfähigkeit*, Fribourg, 1987, p. 106) met en garde contre le danger de quitter le domaine historique de la souffrance pour celui de la psychologie.
33. H. STENGER (« *Kompetenz und Identität* », *Eignung für die Berufe der Kirche*, Fribourg-Bâle-Vienne, 1988, p. 31-33) va fort justement à contre-courant. Prolongeant E. H. ERIKSON (*Enfance et Société*, Paris, Delachaux et Niestlé, 1966), il met très justement l'architecture de l'identité personnelle « au centre de la pastorale et des compétences qu'elle exige ». Malheureusement, plus que d'une réalité catholique, il s'agit d'un catalogue (encore) à réaliser de ce que devraient être les clercs dans l'Église. Comme le disait encore le 24 juin 1989 (!) le cardinal Friedrich WETTER à quatorze diacres qu'il ordonnait au ministère sacerdotal en la cathédrale Sainte-Marie de Freising : « Vous n'êtes pas ordonnés prêtres pour vous occuper de vous et pour vous réaliser, mais pour réaliser le règne du Christ. » Voir p. 96 sqq.
34. L'amour est toujours lié au sentiment de « providence » (destin) et de « conduite », au sens de Gn 2, 22 ; voir E. DREWERMANN, *SB*, I, p. 377.
35. Voir F. NIETZSCHE, *Ainsi parlait Zarathoustra*, 2e partie, « Des vertueux », p. 109-112, et notamment p. 110, où l'auteur a ainsi formulé le problème : « Hélas ! de ceux-là aussi la clameur vous a frappé les oreilles, vous les vertueux : " Ce que *point ne* suis, voilà mon dieu et ma vertu ! " »
36. Sur la notion de « cuirasse caractérielle », voir W. REICH, *L'Analyse caractérielle*, Paris, Payot, coll. « Petite Bibliothèque Payot », 1976, p. 54 sqq.
37. Au plan psychanalytique, c'est avant tout la dialectique de l'*inhibition* et de la *mentalité* qui entre ici en jeu ; à ce propos, voir W. SCHWIDDER, « *Hemmung, Haltung und Symptom* », *Fortschritte der Psychoanalyse*, I, Göttingen, 1964, p. 115-128.
38. Sur le concept de « bonheur », voir E. DREWERMANN, *ME*, I, p. 586-599, pages consacrées à la transfiguration de Jésus sur la montagne (Mc 9, 1-13).
39. Voir H. J. LAUTER, *Den Menschen Christus bringen*, p. 74 : « Le sacrifice que le Père de son Fils, victime expiatoire, ne produit pas en Dieu une sorte de déchirure où il y aurait, d'un côté, le représentant de la justice (le Père) et, de l'autre, le représentant de la miséricorde (le Fils) ; il ne fait que manifester deux aspects de l'amour divin. » Une telle théologie n'a pas compris ce qu'elle doit pourtant exégétiquement admettre : que la mort de Jésus ne s'explique pas en partant de Dieu, mais uniquement en partant des hommes ; elle n'a rien à voir avec une quelconque « réparation » exigée par Dieu, mais avec les contradictions que nous rencontrons sur le schéma du salut.
40. Voir E. DREWERMANN, *PF*, p. 75-92, « Vaincre l'angoisse et la culpabilité ».
41. *Ibid.*, p. 93-130 : « Péché et névrose ».
42. Voir S. KIERKEGAARD, *La Maladie à la mort*, *Œuvres complètes*, Paris, Éd. de l'Orante, 1971, t. XVI, p. 175 sqq. ; voir aussi E. DREWERMANN, *SB*, III, p. 460-468.
43. Voir S. KIERKEGAARD, *La Maladie à la mort*, p. 178 ; E. DREWERMANN, *SB*, t. III, 474.
44. ÉPICURE, *Lettres et Maximes*, trad. M. Conche, Paris, PUF, 1987 ; la Ve Maxime capitale dit très justement : « Il n'est pas possible de vivre avec plaisir sans vivre avec prudence, honnêteté et justice, ni de vivre avec prudence, honnêteté et justice sans vivre avec plaisir » (p. 233).

45. Voir A. von Harnack, *Marcion. Das Evangelium von fremden Gott*, Darmstadt, 1985, p. 97-143., trad. fr. à paraître aux Éd. du Cerf.

46. A ce sujet, il faut signaler deux articles remarquables de K. Rahner, le premier intitulé « Point de vue œcuménique sur " l'éthique de situation " » (*ET*, t. XII, p. 65-76), et le second « L'exigence de Dieu et la personne » (*ibid.*, p. 45-64), dans lequel il déclare (p. 64) : « Il existe un appel individuel et irréductible de Dieu qui ne peut être considéré comme la somme et le simple point de convergence des principes généraux matériels de l'éthique et de la morale chrétiennes. Cet appel individuel et irréductible de Dieu ne convie pas seulement à faire ce qui est possible et permis dans le cadre des principes généraux, mais il peut parfaitement, sinon toujours, parfois du moins, inciter à poser un acte individuel et social important pour le salut et qui est vraiment strictement obligatoire. » Toutefois, Rahner n'ose pas franchir le pas décisif et reconnaître que cette obligation peut aussi enjamber le « cadre des principes généraux ».

47. Voir J. Jeremias, *Les Paraboles de Jésus*, p. 137-140.

B. L'être aliéné

a) L'aliénation de la pensée

1. Voir S. Kierkegaard, *L'Instant*, *Œuvres complètes*, Paris, Éd. de l'Orante, 1982, t. XIX, p. 133-141 : « Comment Christ juge le christianisme officiel ». Très précieux est l'article de K. Rahner intitulé « Grenzen der Amtskirche » (ST, VI, p. 499-520), et dans lequel l'auteur signale très justement la différence croissante entre les normes générales du message ecclésial et les réalités concrètes et individuelles. Dans l'entretien de P. M. Zulehner (voir P. M. Zulehner, *Denn du kommst unserem Tun mit deiner Gnade zuvor*, Düsseldorf, 1984), avec lui, Rahner essaie d'établir l'aspect administratif de l'Église sur le « fondement de son caractère officiel » ; c'est pourtant le même Rahner qui souligne très vigoureusement (p. 95-96) le « caractère particulier de gourou spirituel » qui doit dénoter le prêtre : « Ce n'est pas d'abord celui qui doit veiller à ce que tous [...] soient baptisés, ou à ce que tous se marient sacramentellement [...]. C'est celui qui [...] en accord avec le sentiment qu'il a d'être libéré et d'être racheté [...] veut proclamer qu'il est intérieurement racheté et libéré. » Ici, le côté personnel prend donc manifestement le pas sur le côté administratif, et ainsi, dans le christianisme, l'« officiel » devient une concrétisation sociale de la foi dans toutes ses manifestations de solidarité et dans toutes ses formes d'expression. Toutefois, Rahner ne pose pas la quesiton cruciale au plan psychologique : où et comment les clercs en fonction acquièrent-ils ce « sentiment de libération » ?

2. Voir H. Reuter (éd.), *Das II. Vatikanische Konzil*, Cologne, 1966, p. 74-75, 197 sqq. ; le décret sur l'apostolat des laïcs.

3. Voir R. Schnackenburg, *Das Johannesevangelium*, I, Fribourg-Bâle-Vienne, 1972, p. 482-488.

4. Voir L. Karrer, « Laïc-clerc », *DT*, p. 346-351, 347.

5. En particulier E. Schillebeeckx, *Le Ministère dans l'Église*, Paris, Éd. du Cerf, 1982 ; K. Rahner, « *Weihe im Leben und in der Reflexion der Kirche* », *ST*, XIV, p. 113-131 ; A. Rajsp, « *Priester* » *und* « *Laien* ». *Ein neues Verständnis*, Düsseldorf 1982.

6. Voir K. Rahner, « *Über den Episkopat* », *ST*, VI, p. 369-422 ; id., « Pastoraltheologische Bemerkungen über den Episkopat in der Lehre des II. Vaticanum », VI, p. 423-431. A juste titre, Rahner met en garde contre le danger de ne voir dans les Églises locales que des unités administratives de l'Église universelle. Toutefois, tant qu'il n'aura pas eu d'impact psychologique, individuel et social, ce souhait d'« en bas » restera un postulat dogmatique. Les limites de la théologie rahnérienne se situent toujours là où finit ce qui est pour elle le domaine d'« en bas » et où commencent celui des sentiments et des affects et celui de l'inconscient. Autrement dit : les intentions et les impulsions de Rahner ne seront suivies d'effets qu'au moment où, dans la théologie actuelle et dans la mentalité religieuse de l'Église catholique, sera comblé le fossé porteur de névrose qui sépare le conscient de l'inconscient. Pour pouvoir se sentir « libéré » et « racheté », il faut aller beaucoup plus profond que ne le fait le transcendantalisme théologique de Rahner.

7. Voir C. GOLDONI, *Arlequin, valet de deux maîtres*, Paris, Éd. de l'Arche, 1961.

8. Dans *L'Inspecteur général* (*Œuvres complètes*, Paris, Gallimard, « Bibl. de la Pléiade », 1985), GOGOL a magnifiquement caricaturé cette mentalité.

9. A ce propos, K. RAHNER (« Über die Bischofskonferenzen », *ST*, VI, p. 432-454) a très justement prôné l'indépendance et souligné l'importance des conférences épiscopales, nationales ou régionales, pour contrebalancer le « pouvoir central de Rome » (p. 450) ; depuis lors près de trente ans ont passé !

10. Voir Gal 5, 1 : « C'est en vue de la liberté que le Christ nous a libérés. » A ce propos, voir H. SCHLIER (*Der Brief an die Galater* [10ᵉ éd. revue], Göttingen, 1962, p. 228-231 et H. KÜNG (*Prêtre pour quoi faire* ?, Paris, Éd. du Cerf, 1971, p. 21-24), où l'auteur rappelle les idéaux de la Révolution française.

11. Sur le « cas » Pfürtner, voir l'excellente documentation réunie par L. KAUFMANN, *Ein ungelöster Kirchenkonflikt. Dokumente und zeitgeschichtliche Analysen*, Fribourg (Suisse), 1987. C'est à la suite de cette étude que les évêques, en 1987, ont interdit que soit conféré à l'auteur le titre de « docteur *honoris causa* » ; voir K. OBERMÜLLER, « Die Ehre, nicht Ehrendoktor zu werden », *Die Weltwoche*, n° 47, 19 novembre 1987. Voir également S. PFÜRTNER, *Moral : was gilt heute noch ? Erwägungen am Beispiel der Sexualmoral*, Zurich, 1972.

12. Sur le « verdict unilatéral du pape », voir L. KAUFMANN, p. 51. Dans « Reflexionen zur Erklärung der Glaubenskongregation » (*Theologisch-praktische Quartalschrift*, n° 124, 1976, 2, p. 115-126), B. HÄRING a publié une critique très courageuse de l'encyclique ainsi que de la déclaration faite en 1975 par la Congrégation de la foi. Qui aurait pu penser qu'après la déclaration de Cologne, en 1989, il faille encore revenir sur *Humanae vitae !* Dans *Zur « Kölner Erklärung » der Theologen* (Paderborn, 1989, p. 58-63), J. J. DEGENHARDT, archevêque de Paderborn, continue de se faire l'avocat de Paul VI, pour qui « la maîtrise de ses pulsions [...] et l'ascèse [...] d'une continence périodique » est la seule méthode de contraception qui soit autorisée et qui soit « catholique » ; « l'Église, écrit l'archevêque, ne fait que proclamer les normes morales qui président à la propagation de la vie en toute responsabilité. Ce n'est pas elle qui les détermine ; elles ne sont pas laissées à son bon plaisir. L'Église communique la volonté de Dieu aux hommes de bonne volonté sans rien lui enlever de ses exigences de perfection » (p. 62). Ainsi donc : le magistère ecclésiastique est en possession de la vérité divine, et à quoi se reconnaît la vérité ? à ce qu'elle émane du magistère — tautologie qui élève la tradition au rang de Dieu et qui fait du traditionalisme un dogme.

13. Voir P. M. ZULEHNER, *Denn du kommst unserem Tun mit deiner Gnade zuvor*, p. 104, où K. RAHNER donne de l'Église la définition suivante : « la sainte communauté des croyants et le triomphe irrévocable de la grâce divine ». Qu'il est long le chemin qui conduit de la définition théologique à la réalité psychologique ! Voir H. WAHL, « " Priesterbild " und " Priesterkrise " in psychologischer Sicht », dans : P. HOFFMANN (éd.), *Priesterkirche*, Düsseldorf, 1987, p. 164-194), où l'auteur a tout à fait raison d'établir une relation entre, d'une part, l'idéal du prêtre s'identifiant à sa fonction représentative et, d'autre part, le maintien du pouvoir institutionnel et l'influence du surmoi (ou la relation de dépendance envers la mère).

14. Voir E. KANT, *Projet de paix perpétuelle*, Paris, Vrin, 1947.

15. Voir R. NÜRNLERGER, « Das Zeitalter der französischen Revolution und Napoleons », dans G. MANN (éd.). *Propyläen Weltgeschichte*, Francfort-Berlin, 1986, t. VIII, p. 59-191, 105-107. Quand Nürnberger parle des « initiés » dont la mission sacrée est d'imposer la « volonté du peuple » contre les « ennemis », on croirait entendre la description de ce qu'est une hiérarchie religieuse infaillible : « La sociologie de la terreur jacobine est celle d'une " secte " de fanatiques qui doivent perdre leur moi, le fondre au sein d'une foi commune, afin de retrouver leur " âme " ; la soumission devient libération et l'obéissance liberté ; être membre d'un club jacobin est signe d'élection de pureté. » Que dire alors d'une institution comme l'Église catholique qui, pendant plus de mille ans, a pris son temps pour inculquer les mêmes principes à ses fidèles ! Voir également W. et A. DURANT, *Die französische Revolution und der Aufstieg Napoleons*, Francfort-Berlin, 1982, p. 96-106, et, en page 38 notam-

ment, le discours de Camille Desmoulins contre la philosophie de la Terreur : « La liberté n'est pas une nymphe d'opéra, ni un bonnet phrygien, ni une chemise crasseuse ou des haillons. La liberté, c'est le bonheur, la raison, la liberté, la justice. »

16. Ainsi, pour l'Église catholique, le principe du pardon des péchés en confession est le juste « compromis » entre l'abstraction de ses lois et le caractère inconciliable du particulier par rapport à l'abstraction. Pourtant, la différence entre les deux domaines subsiste. En effet, même si la sujétion du « particulier », dans la « pénitence », atteste de sa dépendance vis-à-vis du pouvoir ecclésiastique, particulier et général restent isolés et sans lien d'ordre spirituel. Pour la critique que les réformateurs ont adressée au caractère extérieur de la confession pratiquée chez des catholiques, voir M. LUTHER, « Les articles de Smalkalde », III, 3, *La Foi des Églises luthériennes*, Paris-Genève, Cerf-Labor et Fides, 1991, p. 226-270 : de la fausse pénitence des papistes.

17. G. W. F. HEGEL, *Leçons sur la philosophie de l'histoire*, Paris, Vrin, 1963, p. 215 sqq., 225 sqq., trad. J. Gibelin ; sur la philosophie hégélienne de l'histoire, voir E. DREWERMANN, *SB*, III, p. 64-75.

18. Sur ces versets de l'Évangile, voir E. SCHWEIZER, « *Das Evangelium nach Matthäus* », Göttingen, 1986, *NTD* 2, p. 158-161.

19. Voir G. BESSIÈRE et *al.*, *Lettres au père Riobé* (Paris, Éd. du Cerf, 1973), où, à cette époque déjà, la question suivante était posée (p. 76) : « Comment l'Église peut-elle être annoncée comme signe, instrument et lieu de " salut " si elle aliène ses serviteurs ? » Abandonner le ministère sacerdotal, c'est (p. 78) : « être délivré du mythe que représente la communauté sacerdotale, du milieu clérical, d'un monde figé, d'une position éminente [...] » ; p. 119 : « De cette Église — Administration et Pouvoir public —, nous ne voulons plus [...]. Nous ne voulons pas replâtrer des murs lézardés. Nous voulons retrouver la pierre brute, sur laquelle est bâtie l'Église. »

20. Voir *ibid.*, p. 120 : les auteurs plaident pour un sacerdoce enraciné dans le peuple, et « qui ne forme pas une caste de fonctionnaires » ; p. 123 : « On recommande aujourd'hui aux parents de ne pas se soucier d'abord de transmettre le legs de leur credo et de leur morale à leurs enfants, mais d'aider ces jeunes à naître eux-mêmes à la reconnaissance de Jésus-Christ, dans toute leur vie [..]. Et l'on proposerait le presbytérat à de vrais adultes, proches de la quarantaine, ayant déjà acquis la sagesse que donne l'expérience. » Voir également M. N. EBERTZ, « Die Bürokratisierung der katholischen " Priesterkirche " », dans : P. HOFFMANN (éd.), *Priesterkirche*, p. 132-161, 142-158 (et notamment 158) : du congrès de Vienne (1815) à Vatican I (1870), l'auteur distingue trois phases de bureaucratisation et est d'avis que l'Église d'aujourd'hui n'a rien changé aux structures de son organisation telles qu'elles se sont fixées au cours du XIXe siècle.

21. Voir H. REUTER (éd.), *Das II. Vatikanische Konzil*, p. 112 : Selon le *Décret sur l'œcuménisme* (III, 2, 22), c'est l'absence du sacrement de l'Ordre dans les Églises protestantes qui constitue le principal obstacle à la célébration commune de l'eucharistie. Il y a bien longtemps que H. KÜNG (*Prêtre, pour quoi faire* ?, p. 37-40) écrivait déjà que « service » (ou, plus précisément, « service de direction » — *Leitungsdienst* — dans le cas précis du « prêtre ») serait beaucoup plus indiqué que « sacerdoce » pour désigner les fonctions exercées au sein de l'Église catholique par celui qui est appelé « prêtre », ce qui serait en conformité avec les données néo-testamentaires. « Quand il s'agit de dignitaires, juifs ou païens, le mot prêtre est effectivement employé ; pour ceux qui remplissent un service ecclésial il ne l'est jamais. » Comme nous aurons encore l'occasion de le voir, prétendre que la figure du prêtre est un *archétype* absolument essentiel à la religion relève plutôt d'une argumentation psychologique, ce qui plaidrait encore en faveur d'un sacerdoce plus flexible dans sa forme institutionnelle et dans son organisation. Du côté protestant, voir M. WEINREICH, « Das Priestertum ohne Priesteramt », dans : P. HOFFMANN (éd.), *Priesterkirche*, p. 242-248 ; en page 257, s'appuyant sur la critique fondamentale adressée par les sacrements, l'auteur refuse toute idée d'un retour à une hiérarchie de dignitaires.

22. G. W. F. HEGEL, *Leçons sur la philosophie de l'histoire*, Paris, Vrin, 1963, p. 225.

23. *Ibid.*, p. 227.

24. *Ibid.*, p. 292.

25. *Ibid.*, p. 293.

26. La comparaison est de Franz Kafka ; voir notamment F. KAFKA, *Lettres à Milena* (Paris, Gallimard, coll. « L'Imaginaire », 1991, p. 233), où l'auteur compare son angoisse à celle d'une bête sauvage dans la forêt : « Quand je ne t'écris pas, je ne suis que fatigué, triste, pesant ; quand je t'écris, l'inquiétude et la peur me déchirent. »

27. Voir H. C. MEYER, « *Das Zeitalter des Imperialismus* », dans : G. MANN (éd.), *Propyläen Weltgeschichte*, IX, p. 25-74, p. 52.

28. En ce moment même, Rome repart au combat avec une ardeur renouvelée. Voir à cet égard B. HÄRING, « Für ein neues Vertrauen in der Kirche. Zu einem Streit : künstliche Empfängnisverhütung in jedem Falle unerlaubt ? », *Christ in der Gegenwart*, 22 janvier 1989, p. 29-30. Voir aussi B. HÄRING, « Dernier entretien à Gars-am-Inn : Le congrès des moralistes au Latran. Le manifeste de Cologne », *Quelle morale pour l'Église ?*, Paris, Éd. du Cerf, 1989, p. 155-163. Pour ce qui est des arguments et des expériences comme tels, tout a été dit avec l'ouvrage de A. ANTWEILER, Mariage et régulation des naissances. Considérations critiques sur l'encyclique de Paul VI, *Humanae vitae* (1990) et la discussion au fond aurait pu s'arrêter là.

29. Pour l'opinion contraire, voir (déjà) K. RAHNER, « Über Bischofskonferenzen », *ST*, VI, p. 432-454 : « Chaque évêque n'est-il [...] pas déjà le simple exécutant de l'autorité centrale suprême de l'Église [...] » (p. 451) !

30. Sur cette espèce de cabinet prussien réuni par Frédéric Guillaume de Prusse, voir E. SIMON, *Friedrich der Grosse*, Tübingen, 1963, p. 58 et 64.

31. Voir J. BRINKTRINE, *Die Lehre von den heiligen Sakramenten der katholischen Kirche*, Parderborn, 1961, II, p. 213-216. Sur la sacramentalité et la spiritualité du mariage, voir B. et L. WACHINGER, « Mariage-Famille », *DT*, p. 393-399, 396.

32. Voir E. DREWERMANN, « Divorce pour faute : condamné à être malheureux ? », *AR*.

33. Voir E. DREWERMANN, « L'existence tragique et le christianisme », *PF*, p. 7-74 ; également, ID., « Doctrine et morale conjugale à la lumière de la psychanalyse », *AR*.

34. Voir *PF*, p. 57 sqq.

35. *Gemeinsame Synode der Bistümer in der Bundesrepublik Deutschland, Beschlüsse der Vollversammlung. Offizielle Gesamtausgabe* I, Fribourg-Bâle-Vienne, 1976. Déjà à Vatican II, le 29 septembre 1965, le vicaire patriarcal melchite Elias Zoghby avait regretté que l'Église laisse à leur solitude ceux qui sont divorcés sans qu'il y ait faute de leur part, et avait exprimé le désir qu'elle s'inspire de la conduite pratiquée à leur égard par l'Église d'Orient.

36. Ainsi, dans *Humanae vitae* (article 4), PAUL VI déclarait : « Aucun chrétien croyant ne contestera qu'il appartient au magistère ecclésiastique d'interpréter la loi morale naturelle. » Dans *Zur « Kölner Erklärung » der Theologen*, l'archevêque de Paderborn, J. J. DEGENHARDT, en concluait : « Le pape et les évêques sont par devoir les garants et les interprètes de la loi naturelle » (p. 4) ; « celui qui contredit le pape s'éloigne de l'Église » (p. 49).

37. Pour une théologie qui cherche à réunir clercs et laïcs, voir P. M. ZULEHNER, « Das geistliche Amt des Volkes Gottes. Eine futurologische Skizze » dans : P. HOFFMANN (éd.), *Priesterkirche*, p. 195-207 : La tâche des futurs ministres ne sera plus définie par référence à un service limité à la notion de salut, duquel seraient exclus les chrétiens « ordinaires » (p. 206). Mais tout un monde, de nature essentiellement psychologique, nous sépare de ce « futur ».

38. Voir E. DREWERMANN, « à l'abri dans l'anneau de l'amour », *AR*, p. 7-32. Sur la genèse de la doctrine de l'indissolubilité du mariage, voir H. HAAG, K. ELLIGER, « *Stört nicht die Liebe* ». *Die Diskriminierung der Sexualität : ein Verrat an der Bifel*, Olten, 1986, p. 202-211.

39. W. KEMPF, *Für euch und für alle*, Limbourg, 1981, p. 111-112.

40. Dans « *Stört nicht die Liebe* »... (p. 206-208), H. HAAG et K. ELLIGER parlent d'une « fuite dans la procédure d'invalidité ». Voir M. WEGAN, *Ehescheidung Auswege mit der Kirche* (Graz 1983 [2e éd.]), où l'auteur estime que 30 % de tous les divorcés pourraient obtenir de l'Église la déclaration de nullité pour leur mariage. Mais comment transposer des questions de cœur en question de droit sans trahir le message de Jésus ? A propos de Mc 10, 1-12 en particulier, voir E. DREWERMANN, *ME*, II, p. 86-104.

41. Voir E. DREWERMANN, *AR*, p. 121-149, « Divorce pour faute : condamnés à être malheureux ? Plaidoyer pour le droit au pardon dans l'Église catholique ».

42. Voir E. SCHWEIZER, « Das Evangelium nach Matthäus », p. 285-286.

43. Sur le « cas » Ch. Curran, voir P. DE ROSA, *Gottes erste Diener*, trad. de l'anglais, Munich, 1989, p. 179.

44. Voir E. DREWERMANN, *PF* : « L'existence tragique et le fait chrétien », p. 64.

45. Les « erreurs » des « modernistes » sont énumérées dans *DS* (n°s 3 401-3 466, p. 669-674) chacun des chiffres représentant une erreur.

46. Voir *DS*, n°s 3 513, p. 684 : à la question de savoir si l'on peut qualifier les trois premiers chapitres de la Genèse de mythes sans aucun contenu historique au sens de la *Formgeschichte*, la commission biblique du 30 janvier 1909 répond très sérieusement que non.

47. Voir J. BRINKTRINE, *Die Lehre von der Menschwerdung und Erlösung*, Paderborn, 1959, p. 252 sqq. : l'auteur considère comme définition dogmatique *de fide* que Jésus est monté au ciel « corps et âme », « de façon visible devant ses apôtres », « quarante jours après sa résurrection », « par ses propres forces », tandis qu'à la résurrection il est monté au ciel « de façon invisible ».

48. Voir O KUSS, *Dankbarer Abschied*, Munich, 1982, p. 77. En page 145, l'auteur écrit : « De ce Jésus qui, tel qu'il était historiquement, nous reste totalement inaccessible, on ne peut faire que des interprétations, des assimilations, des mythifications, des projections et de massives violences scientifiques. »

49. Voir R. PESCH, *Das Markusevangelium*, Fribourg-Bâle-Vienne, 1984, t. I, p. 319, 322-325 ; E. DREWERMANN, *AF*, p. 20-21.

50. En 1988, Ute Ranke-Heinemann a été condamnée et relevée de ses fonctions pour avoir — à juste titre — voulu établir un lien entre l'oppression exercée par l'Église catholique en matière sexuelle et l'interprétation littérale de la « virginité de Marie » ; en soi, l'événement est triste et regrettable pour la théologie catholique ; mais ce qui l'est aussi, c'est que des théologiens qui, au fond, ne pensaient pas autrement, en aient éprouvé un malin plaisir et se soient drapés dans le silence. La question est de savoir comment on peut interpréter des *symboles* de l'âme dans le sens d'une réalité objective. Voir E. DREWERMANN, *DN*, p. 60-72.

51. S. FREUD, « Psychologie des foules et analyse du moi », *Essais de psychanalyse*, Paris, Payot, « Petite Bibliothèque Payot », 1983, p. 117-218.

52. G. LE BON, *Psychologie des foules*, Paris, Alcan, 1895.

53. Voir TERTULLIEN, *De corona*, Paris, PUF, 1966, II, chap. XIV.

54. Voir le concile de Trente dans *DS*, n° 852 ; voir J. BRINKTRINE, *Die Lehre von den heiligen Sakramenten der katholischen Kirche*, I, p. 97-101.

55. Voir P. MILGER, *Die Kreuzzüge. Kriege im Namen Gottes*, Munich, 1988, p. 304-311 : à juste titre, l'auteur parle d'une croisade permanente prêchée par l'Église au XIIIe siècle. Voir aussi M. ERBSTÖSSER, *Die Kreuzzüge*, Leipzig, 1980 p. 68-73 ; l'auteur montre à quel point les réformes de la papauté, au XIe siècle, visaient à centraliser l'Église et à en faire une « autorité spirituelle et politique au sein de la société féodale » (p. 70). On comprend, dès lors, que la guerre ait été considérée comme une œuvre méritoire qui servait avant tout les intérêts de cette société.

56. Voir M. HAMMES, *Hexenwamn und Hexenprozesse*, Francfort, 1977, p. 13-18, 43-50. Sur le rôle de l'Église sous le IIIe Reich, voir K. DESCHNER, *Mit Gott und dem Führer*, Cologne, 1988, p. 224-225 (citation de la lettre pastorale des évêques allemands du 26 juin 1941).

57. Voir F. HEER, *Gottes erste Liebe. Die Juden im Spannungsfeld der Gechichte*, Essling, 1967 ; Francfort, 1986 ; l'auteur montre clairement que l'Église catholique partage la culpabilité des horreurs commises contre les Juifs sous le IIIe Reich (p. 326-436) ; en outre, il apporte une solide documentation sur sa collaboration à la « solution finale » (p. 437-481).

58. Voir H. CH. LEA, *Histoire de l'Inquisition au Moyen Âge*, Grenoble, Jérôme Millon, 1986, t. I, p. 254 : « Le décret de Lucius III, au soi-disant concile de Vérone en 1184, enjoignait à tous les souverains de jurer, en présence de leurs évêques, qu'ils exécuteraient pleinement et efficacement les lois ecclésiastiques et séculières contre l'hérésie. » Sur les apologistes (ecclésiastiques) de l'Inquisition, voir P. DE ROSA, *Gottes erste Diener*, p. 219.

59. Voir G. VON LE FORT, *Die Erzählungen*, 1968, p. 395-451 : « Am Tor des Himmels » ; notamment p. 422-423 : « L'Église [...] aime, même quand elle réprimande. » Même B. BRECHT, dans *La Vie de Galilée* (Paris, Éd. de l'Arche, 1990, « Une conversation », p. 78-83), fait preuve d'une étrange compréhension envers l'attitude de l'Église. Dans *Wunder, Wahn und Wirklichkeit*, Munich, 1976, p. 204-205, Th. LÖBSACK ironise à juste titre sur la déclaration du cardinal

Franz König, qui, le 1er juillet 1968, dans une session de prix Nobel de physique à Lindau, croyait pouvoir affirmer, après l'entretien qu'il venait d'avoir avec le pape PAUL VI, « qu'une initiative serait prise en vue d'arriver à une solution claire et franche du cas Galilée » (p. 205). Sa déclaration a été accueillie par des éclats de rire.

60. Ainsi K. RAHNER, *Église et Sacrements*, Paris, Desclée de Brouwer, 1970, p. 23 sqq. : l'Église « continue désormais et rend permanente cette présence réelle eschatologique de la volonté de grâce que Dieu établit en Jésus, comme une victoire définitive dans le monde » ; de même que le Christ est (p. 19) dans l'histoire « la présence réelle de la miséricorde de Dieu qui a remporté la victoire eschatologique dans le monde ». Mais alors, l'Église est encore soumise à la loi de l'historicité dans l'histoire des relations de Dieu avec les hommes, ou à l'humanité [caractère de ce qui est humain, *N.d.T.*] dans l'incarnation humaine du Fils de Dieu. — Dans *Leçons sur la philosophie de la religion*, Paris, Vrin, 1971, t. I, p. 40, G. W. F. HEGEL dénonçait déjà, avec raison, une exégèse purement historique de la Bible : « La simple explication du mot consiste uniquement à mettre un mot connu à la place d'un mot inconnu ; [...] Grâce à l'exégèse les théologiens ont pu [...] démontrer les opinions les plus opposées [...]. »

61. Voir G. MENSCHING, *Die Religion*, Munich, sans date, p. 289-297.

62. Voir E. DREWERMANN, *AF*, p. 98-105.

63. En 1863, Pie IX enseignait encore qu'en dehors de l'Église catholique personne ne pouvait être sauvé ; celui qui refuse son autorité et ses définitions, en s'excluant de son unité, ne peut pas assurer son salut éternel. Voir *DS*, n° 2 867.

64. Le 27 octobre 1986, les représentants de diverses religions se sont réunis à Assise pour une prière commune, ce qui a suscité un vif émoi parmi les théologiens de tendance traditionaliste. Voir J. DÖRMANN, « Krise und Neuaufbruch aus evangelikaler und aus katholischer Sicht », *Theologisches*, 19e année, n° 3, mars 1989, p. 141-148.

65. Voir H. REUTER, *Das II. Vatikanische Konzil*, p. 178 ; déclaration sur la relation de l'Église aux religions non chrétiennes. Voir également K. RAHNER, *ST*, V, p. 136-158 : « Das Christentum und die nichtchristlichen Religionen. »

66. Voir K. JASPERS, *La Foi philosophique*, Paris, Plon, 1953, p. 120-129 : contre la prétention à une vérité exclusive.

67. Voir J. HUXLEY (déjà), *Enfaltung des Lebens*, trad. de l'anglais, Francfort, 1954, p. 144 sqq.

68. Voir H. J. LAUTER, *Den Menschen Christus bringen*, Fribourg-Bâle-Vienne, 1981, p. 57-86 : sur la théologie traditionnelle du Christ « offert en sacrifice pour notre salut ».

69. Voir J. MOLTMANN, *Théologie de l'espérance*, Paris, Éd. du Cerf, 1983, p. 211-217 : l'identité du Christ apparu ressuscité avec le Christ crucifié.

70. Voir JEAN-PAUL II, *Les Fidèles laïcs*, Paris, Éd. du Cerf, 1991, p. 26-29 : les fidèles laïcs et le caractère séculier.

71. Voir K. RAHNER, « Le monogénisme et la théologie », *ET, V*, p. 7-85, et en particulier p. 78-84.

72. Voir G. HEBERER, *Homo — unsere Ab-und Zukunft*, Stunttgart, 1968, p. 15-41 ; R. E. LEAKEY, *Die Suche nach dem Menschen*, Francfort, 1981, p. 40-75 ; R. E. LEAKEY, R. LEWIN, *Wie der Mensch zum Menschen wurde*, Hambourg, 1978, p. 34-117.

73. P. TEILHARD DE CHARDIN, *Le Phénomène humain*, Paris Éd. du Seuil, 1955.

74. Voir J. BRINKTRINE, *Die Lehre von Gott*, Paderborn, 1954, t. II, p. 11-13, 183-212 ; contre une telle conception, voir K. RAHNER, « Die Christologie innerhalb einer evolutiven Weltanschauung », *ST*, V, p. 183-221, en particulier 216-217.

75. Voir A. EINSTEIN, *Über die spezielle und die allgemeine Relativitätstheorie*, Brunswick, 1920 ; pour une vulgarisation scientifique en introduction à la théorie de la relativité restreinte, voir H. FRITZSCH, *Eine Formel verändert die Welt*, Munich-Zurich, 1988.

76. Pour une introduction à la physique quantique, voir J. GRIBBIN, *Le Chat de Schrödinger*, Paris, Éd. du Rocher, 1988 ; voir aussi notamment R. P. FEYNMAN, *QED — Die seltsame Theorie des Lichts und der Materie*, Munich-Zurich, 1988, p. 13-47.

77. Voir H. FRITZSCH, *Quarks. Urstoff unserer Welt*, Munich-Zurich, 1984, p. 283-301 ;

S. W. HAWKING, *Eine kurze Geschichte der Zeit*, Hambourg, 1988, p. 100-106 (*Une brève histoire du temps. Du big bang aux trous noirs*, Paris, Flammarion, 1989).

78. Voir C. RONAN, S. DUNLOP (éd.), *Astronomie heute*, Stuttgart, 1985, p. 208-215 ; R. KIPPENHAHN, *Licht vom Rande der Welt. Das Universum und sein Anfang*, Stuttgart, 1984, p. 257-285 ; J. D. BARROW, J. SILK, *Die asymetrische Schöpfung*, Munich-Zurich, 1986, p. 52-64.

79. Voir I. ASIMOV, *Die schwarzen Löcher*, Bergisch-Gladbach, sans date, p. 181-207 ; S. W. HAWKING, p. 107-127.

80. Voir I. ASIMOV, p. 146-180.

81. Voir C. SAGAN, *Unser Cosmos*, Munich-Zurich, 1982, p. 229-255 (*Cosmos*, Paris, Mazarine, 1981) ; H. REEVES, *Woher nährt der Himmel seine Sterne* ?, Bâle-Boston-Stuttgart, 1983, p. 72-89, 139-144 (*Patience dans l'azur. L'évolution cosmique*, Paris, Éd. du Seuil, 1981) ; C. RONAN, S. DUNLOP, p. 44-75, p. 70.

82. Voir K. RAHNER, « Das Christentum und der " Neue Mensch " », *ST*, V, p. 159-179.

83. C'est ce qui est unanimement enseigné ; voir, par exemple, J. BRINKTRINE, *Die Lehre von der Schöpfung*, p. 228-235 ; ou bien A. WILLWOLL, *Seele und Geist*, Fribourg, 1938 ; pour une conception différente, voir G. BATESON, *Geist und Natur. Eine notwendige Einheit*, Francfort, 1982, p. 181-233. (*La Nature et la Pensée*, Paris, Éd. du Seuil, 1984.)

84. Voir G. NICOLIS, I. PRIGOGINE, *Die Erforschung des Komplexen*, Munich, 1987, p. 77-82. (*A la recherche du complexe*, Paris, Presses universitaires de France, 1992.)

85. *Ibid.*, p. 261-287 ; M. EIGEN, R. WINKLER, *Das Spiel. Naturgesetze steuern den Zufall*, Munich-Zurich, 1975, p. 110-121.

86. Voir notamment l'encyclique du pape PAUL VI, *Populorum progressio*. Cette encyclique, peut-être la plus importante du XXe siècle, n'a pratiquement joué aucun rôle en République fédérale d'Allemagne, en particulier pour ce qui regarde les relations entre l'Église et l'État.

87. Ces questions sont abordées très concrètement dans l'encyclique du pape PAUL VI. Jamais l'Église catholique de l'Allemagne fédérale n'a été assez conséquente pour entrer dans de telles considérations. Pour un ordre monétaire mondial, voir *Der Brandt Report*, Francfort-Berlin-Vienne, 1981, p. 253-276.

88. Voir *Der Brandt Report*, p. 216-252.

89. *Ibid.*, p. 135-139. Voir également V. HUMMEL, D. MAULBETSCH, H. P. SCHMID, « Entwicklung und Unterentwicklung am Beispiel der Dritten Welt », dans N. ZWÖLFER (éd.), *Telekolleg II Geschichte*, t. II, p. 160-185.

90. Voir E. EPPLER, *Ende oder Wende. Von der Machbarkeit des Notwendigen*, Stuttgart-Berlin-Cologne-Mayence, 1976 (4e éd.), p. 79-89. Voir également *Der Brandt Report*, p. 178-215.

91. Voir P. EICHER, *Bürgerliche Religion. Eine theologisch Kritik*, Munich, 1983, p. 174-182. A juste titre, l'auteur signale que l'expression « Dieu » a été déléguée à une « théorie du développement selon des systèmes socioculturels ».

92. Voir M. SCHELER, « Die Formen des Wissens und die Bildung », *Philosophische Weltanschauung*, Munich, 1954, p. 16-48 ; en page 21, l'auteur envisage une autre formation que celle qui vise purement et simplement la domination : « La formation [...] est une catégorie de l'être et non pas du savoir. La formation, c'est ce qui marque et façonne l'être humain tout entier. » Voir également O. HÜRTER, « Der Zölibat des Weltpriesters im Aspekt der Sozialpsychologie », *Existenzprobleme des Priesters*, sous la direction de F. Henrich, Munich, 1969, p. 53-71 ; dans l'idéologie qui imprègne le clerc, l'auteur voit très justement une forme de fixation à la mère et d'égocentrisme (p. 60).

93. Voir W. WINK, *Bibelauslegung als Interaktion*, trad. de l'anglais, Stuttgart-Berlin, 1976, p. 9 ; pour l'auteur, et à bon droit, la critique historique a complètement sécularisé l'exégèse et l'interprétation bibliques. Voir aussi G. W. F. HEGEL, *Leçons sur la philosophie de la religion*, Paris, Vrin, 1969 ; pour Hegel (il y a cent cinquante ans déjà), l'exégèse historique a fait « de l'Écriture dite sainte en quelque sorte un nez de cire » (I, p. 40).

94. J. W. VON GOETHE, *Faust*, (1834) Paris, Aubier-Montaigne, 1988, 1re partie, « Le cabinet de travail », p. 63.

95. Voir J. J. DEGENHARDT (archevêque), *Zur « Kölner Erklärung » der Theologen*, *Worte*

zur Zeit n° 21, édité par le vicariat général de l'archevêché, Paderborn, 1989, p. 15-28 : sur les rapports entre la conscience individuelle et le magistère ecclésiastique. La conscience.

96. Le refus de servir dans l'armée pour des motifs relevant de la conscience ne peut être accordé comme un droit : c'est ce que déclarait le Père Hirschmann au Parlement de la République fédérale d'Allemagne au cours des débats consacrés à cette question capitale qu'est l'objection de conscience. Ainsi, une des lois les plus importantes de l'Allemagne fédérale aura été votée contre l'opposition expresse, la seule, de l'Église catholique. Voir E. DREWERMANN, « L'existence tragique et le christianisme », et, en complément, la 3e partie : « Le tragique de la finitude humaine, autre nom du tragique divin », *PF*, p. 7-74, notamment p. 64.

97. Voir L. LEAKEY, « Heirat und Verwandschaft », dans : E. EVANS-PRITCHARD (éd.), *Bild der Völker*, Wiesbaden, 1974, vol. II, p. 132 : sur l'idée du mariage dans l'Afrique noire.

98. Voir H. ZIMMER, *Indische Mythen und Symbole*, Düsseldorf-Cologne, 1972, p. 87-101 ; S. LEMAÎTRE, *Hindouisme ou Sanâtana Dharma*, Paris, Fayard, 1957, p. 55 sqq.

99. Voir K. JASPERS, *La Foi philosophique*, p. 123.

100. *Ibid.*, p. 125.

101. A propos de ces versets, voir H. SCHLIER, *Der Brief an die Epheser. Ein Kommentar*, Düsseldorf, 1957, p. 184-189.

102. Voir G. LOHFINK, G. PESCH, *Tiefenpsychologie und keine Exegese*, Stuttgart, 1987, p. 109 ; à l'opposé, voir E. DREWERMANN, *AF*, p. 158-166.

103. A ce sujet, voir F. HEER, *Gottes erste Liebe. Die Juden im Spannungsfeld der Geschichte*, Esslingen, 1967 ; Francfort, 1986, p. 514.

104. A ce sujet (Jn 4, 23), voir E. DREWERMANN, *TE*, II, p. 686-697 ; ID., *AF*, p. 150-155. Sur l'*Index* de l'Église catholique, voir P. DE ROSA, *Gottes erste Diener*, p. 214 sqq.

105. L'influence massive exercée par les lettres pastorales, que les évêques allemands adressent aux croyants avant chaque élection au Parlement fédéral pour soutenir le ou les partis qui se nomment « chrétiens », appartient toujours au rituel politique. En République fédérale d'Allemagne, hormis celles des catholiques allemands, il n'est aucune autre communauté qui se sente ainsi régulièrement l'obligation de voter pour un certain parti politique. — Déjà F. NIETZSCHE (*Aurores. Pensées sur les préjugés moraux* [1881], *Œuvres philosophiques complètes*, Paris, Gallimard, t. IV, 1970, n° 89, p. 73) écrivait au sujet du doute transformé en péché : « Le christianisme a fait les plus grands efforts pour clore le cercle et il a déclaré que douter, c'était pécher. [...] Ainsi une justification de la Foi et toute réflexion sur son origine sont également exclues comme coupables. On veut l'aveuglement et le vertige, et un chant éternel sur les vagues où s'est noyée la raison ! »

106. F. SCHILLER, *Don Carlos*, (1787), Paris, Aubier-Montaigne, sans date, acte III, scène 10, p. 123. Sur la peur de la liberté et l'identification à la fonction par défaut de personnalité, voir K. G. REY, *Das Mutterbild der Priesters. Zur Psychologie des Priesterberufes*, Zurich-Cologne-Einsiedeln, 1969 ; l'auteur écrit très justement (p. 35) : « Le prêtre s'identifie à l'Église, à la hiérarchie et à Dieu, dans la mesure où il se sent dépassé par sa tâche et manque d'assurance dans sa communauté. »

107. A cet égard, la « Déclaration de Cologne », qui, à la fin janvier 1989, a été signée par 163 professeurs de théologie catholique — hommes et femmes — et qui dénonce notamment la position du pape en matière de régulation des naissances et la politique adoptée par le Vatican dans la nomination à certains sièges épiscopaux, ne constitue qu'une exception apparente. Les signataires qui enseignaient dans des facultés ecclésiastiques ou appartenaient à des ordres religieux peuvent se compter sur les doigts de la main. Quant aux autres, ils ne risquaient pratiquement rien ; en effet, au cas où l'Église leur aurait retiré l'autorisation d'enseigner, ils avaient l'assurance d'être repris par l'État. Porte-parole, en quelque sorte, des théologiens « loyaux », le professeur W. KASPER déclarait pour sa part que la « Déclaration de Cologne » restait « une sorte de petite guerre interne à l'Église » et qu' « elle ne devait surtout pas faire oublier la crise beaucoup plus grave de la conscience morale » (*Frankfurter Allgemeine Zeitung*, 24 février 1989). D'ailleurs, à ce moment-là déjà, les premiers bruits circulaient annonçant l' « élection » imminente de Kasper à l'épiscopat. F. BÖCKLE en particulier a critiqué ouvertement la position du pape selon laquelle l'encyclique *Humanae vitae* semble retenir l' « auréole de

l'infaillibilité (*Der Dom*, n° 7, 12 février 1989, p. 3). Voir aussi J. GRÜNDEL, « Die eindimensionale Wertung der menschlichen Sexualität », dans : F. BÖCKLE (éd.) *Menschliche Sexualität und kirchliche Sexualmoral*, Düsseldorf, 1977, (1977 !), p. 74-105 ; pour l'auteur, et à juste titre, avec son objectivisme, la morale sexuelle catholique traditionnelle fait fausse route.

108. C'est toujours le même problème : il semblerait peut-être que pour changer une situation il faille le faire du dedans, « collaborer », et que pour collaborer il faille accepter des compromis. Or, comment accepter des compromis sans se compromettre soi-même ? Jésus aurait-il changé quoi que ce soit s'il avait « collaboré » ?

109. Voir *Zur Sexualerziehung in Elternhaus und Schule*, édité par le Secrétariat de la conférence des évêques allemands, Bonn, 1979 ; et J. J. DEGENHARDT, *Christliche Erziehung im Elternhaus, Schule une Gemeinde*, édité par le vicariat général de l'archevêché, Paderborn, 1978.

110. Voir H. HAAG, K. ELLIGER, *« Stört nicht die Liebe ». Die Diskriminierung der Sexualität : ein Verrat an der Bibel*, p. 70-71.

111. M. EIGEN, R. WINKLER, *Das Spiel. Naturgesetze steuern den Zufall*, p. 85-198.

112. Les citations qui suivent sont tirées de la pièce radiophonique adaptée par K. SCHÖNING et diffusée le 1er novembre 1966 par la WRD II (Westdeutscher Rundfunk II). Pour les textes originaux correspondants, voir M. DE UNAMUNO, *San Manuel Bueno, mártir* (1932), éd. de Mario J. Valdés, Madrid, 1981. (*San Manuel Bueno, Märtyren*, Stuttgart, p. 15-17, 53-57, 63-67, 67-71, 77-83.)

113. Sur le jeu sociopsychologique des autostéréotypes positifs bâtis sur les groupes auxquels nous appartenons, et des hétérostéréotypes négatifs bâtis sur les groupes qui nous sont étrangers, voir E. DREWERMANN, *KC*, p. 65-74 ; voir également P. R. HOFSTÄTTER, *Gruppendynamik. Die Kritik der Massenpsychologie*, Hambourg, 1957, p. 98-111.

114. La question suivante se pose aujourd'hui à la théologie avec la plus grande acuité : dans quelle mesure identifie-t-elle ou confond-elle la foi en l'absolu de la personne de Jésus avec l'absolu qu'elle prête à ses théories et à ses spéculations sur cet absolu de la personne de Jésus ? La question se pose, par exemple, à propos de l'interprétation à donner à un texte comme Mc 10, 8 ; voir E. DREWERMANN, *ME*, II, p. 121, n° 11.

115. Voir notamment K. RAHNER, « Das Christentum und die nichtchristlichen Religionen : Pluralismus, Toleranz und Christenheit », *ST*, V, p. 136-158 ; l'auteur a cherché à concilier dans sa théorie du chrétien anonyme (p. 154 sqq.) ces deux doctrines : l'absolu de la volonté salvatrice de Dieu, d'une part, et la nécessité de l'Église pour être sauvé, d'autre part. Mais, comme toujours, la réalité concrète du catholicisme n'est pas telle que Rahner et d'autres la voulaient ou la veulent encore. Avant l'ordination, on enseignait alors aux séminaristes les conditions requises et les techniques à employer pour baptiser les enfants avant la naissance afin d'éviter qu'ils soient privés de la béatitude éternelle. En effet, le concile de Trente ne déclare-t-il pas anathème celui qui dit que le baptême n'est pas nécessaire au salut ? Voir J. BRINKTRINE, *Die Lehre von den heiligen Sakramenten der katholischen kirche*, I, p. 168-173.

116. Sur la psychologie du fanatisme dominé par la peur, voir E. DREWERMANN, *KC*, p. 67-69, 121 sqq.

117. Sur ce verset, voir H. SCHLIER, *Der Brief an die Galater*, p. 39-40.

118. Il n'y a qu'à voir, par exemple, les efforts désespérés qu'a faits K. Rahner (« Priesterliche Existenz », *ST*, t. III, p. 285-312) pour montrer les « transformations » qu'ont subies les notions chrétiennes de prêtre et de prophète en distinguant et en essayant de concilier un sacerdoce du Christ activement existentiel, un sacerdoce des fidèles passivement existentiel, et une permanence sacramentelle de l'un et de l'autre dans le sacerdoce institutionnel (*Amtspriestertum*) — tout cela, évidemment, sans tenir aucun compte des données de la psychologie religieuse ou de la psychanalyse. C'est un fait que le vécu « prophétique » et le vécu « sacerdotal » supposent des approches du monde en général fondamentalement différentes ; voir E. DREWERMANN, *TE*, II, p. 368-371 ; et ID., ME, II, p. 471-476. Que sacerdoce et prophétisme *devraient* former une unité vivante, c'est hors de doute ; mais, s'il n'a « qu'une fonction auxiliaire qui suppose déjà la réalité [...] de l'Église », l'élément prophétique est d'avance « vidé de son pouvoir » (p. 301) : ne serait-il pas possible, par exemple, que S. Kierkegaard ait été précisément « prophétique » en voyant dans le « christianisme » tout entier une trahison du message délivré par le Christ ? Faut-il

institutionnaliser le charisme prophétique ? Sur cette problématique, voir O. SCHREUDER, *Gestaltwandel der Kirche. Vorschläge zur Erneuerung*, Olten, 1967, p. 100-120 : l'exemple du mouvement franciscain. La question-test de la problématique pourrait être : L'Église catholique admet-elle un personnage comme Jérémie ?

119. Ici aussi, même un K. RAHNER (voir « Passion und Aszese », *ST*, III, p. 75-104) a pu écrire : « De celui qui s'est soumis une seule fois aux exigences d'un Dieu se révélant dans l'ascèse de la foi, dans la grâce, Dieu peut accepter qu'il aille à lui en servant le monde [...] ; ainsi, il est possible de rencontrer le Dieu absolu non seulement dans une opposition radicale au monde, [...] mais aussi *dans* le monde » (p. 98). Jusque-là, la conception rahnérienne de l'ascèse « chrétienne » correspond exactement à ce que S. Kierkegaard a appelé le « double mouvement de l'infini » dans la foi ; voir S. KIERKEGAARD, *Crainte et Tremblement. Lyrique dialectique par Johannes de Silentio* (1843), *Œuvres complètes*, Paris, Éd. de l'Orante, t. V, p. 130 sqq. ; voir aussi E. DREWERMANN, *SB*, III, 497-504. Mais Rahner poursuit (p. 98-99) : « Pour celui qui s'est placé sous la croix, tout acte bon en soi [...] peut être élevé surnaturellement par la grâce [...]. Celui qui est vierge pour l'amour de Dieu doit confesser que le mariage est un sacrement », etc. Que l'on compare ces théories qui ignorent la psychologie, où, « à la fois » et « a priori », monde et transcendance sont « réconciliés » et réunis « dans le Christ », « dans sa grâce », avec le dilemme qui agite S. Kierkegaard — a-t-il le droit d'épouser Régine Olsen, et, s'il ne le fait pas, trahit-il sa foi ou la confesse-t-il au contraire ? —, et on comprendra ce qui sépare la pensée théologique-existentielle de Rahner, d'une existence vécue par de vraies personnes, psychologiquement parlant.

120. Contre l'hétéronomie, voir E. KANT, *La Religion dans les limites de la simple raison*, Paris, Vrin, 1943, notamment p. 203 sqq. Voir aussi E. DREWERMANN, *SB*, III, p. 8-10, 21-24.

121. Voir A. VON HARNACK, *L'Essence du christianisme*, Paris, Fischbacher, 1907, p. 244-246 ; ID., *Lehrbuch der Dogmengeschichte*, Darmstadt, 1983, vol. I, p. 530-535, 697-707.

122. *Ibid.*, I, p. 462-550 : le christianisme, philosophie et révélation. Les doctrines d'une religion — le christianisme — à la fois révélée et rationnelle.

123. Voir *ibid.*, I, p. 550-637 (la lutte contre la gnose) : voir aussi E. DREWERMANN, *DF*, p. 67-78 ; ID., *SB*, III, p. 514-540 ; A. VON HARNACK, *L'Essence du christianisme*, p. 248.

124. Voir A. VON HARNACK, *Lehrbuch der Dogmengeschichte*, Darmstadt, 1983, vol. I, p. 567-630, 637-697.

125. Voir E. DREWERMANN, *DF*, p. 133-160.

126. Voir A. VON HARNACK, *L'Essence du christianisme*, p. 200-203, 212-213, 241-251 ; voir aussi W. DILTHEY, *Introduction à l'étude des sciences humaines*, Paris, Presses universitaires de France, 1942, p. 357-362 : avec raison, l'auteur met l'accent sur l'antinomie qui subsiste entre la conception de l'intellect divin et celle de la volonté divine.

127. Sur la controverse à propos de Pascal, voir la présentation saisissante de R. SCHNEIDER, *Pascal, Ausgwählt und eingeleitet*, Francfort, 1954, p. 7-37. Sur les pathologies sexuelles en arrière-fond de la controverse, voir U. RANKE-HEINEMANN, *Des eunuques pour le royaume des cieux*, Paris, Hachette-Pluriel, 1992, p. 299-304.

128. Voir E. KANT, *La Religion dans les limites de la simple raison*, p. 107-121, 131 et 208-213.

129. C'est ici un mécanisme de défense où les sentiments sont intellectualisés, ainsi que A. FREUD l'a bien vu (*Das Ich und die Abwehrmechanismen*, Munich, p. 123-129 [*Le Moi et les mécanismes de défense*, Paris, PUF, 1985]) ; pour l'auteur c'est avant tout la défense caractéristique des pulsions *pubertaires* ; dans une perspective psychanalytique, beaucoup plus qu'un signe de maturité, cette suffisance verbale, cette savante logorrhée de considérations théologiques et scripturales, est bien plutôt l'indice d'une puberté prolongée.

130. Voir S. FREUD, *Vorlesungen zur Einführung in die Psychoanalyse*, *Ges. Werke*, t. XI, Londres, 1944, p. 390-391 (*Introduction à la psychanalyse*).

131. Sur ce texte de Matthieu, voir E. SCHWEIZER, *Das Evangelium nach Matthäus*, p. 120-121.

132. Sur la rationalisation, dans la dogmatique de l'Église, des affects refoulés, voir notamment TH. REIK, *Dogma und Zwangsidee, Eine psychoanalytische Studie zur Entwicklung der Religion* (1927), Berlin-Cologne-Mayence, 1973, p. 44-52.

133. En termes dogmatiques, ce qui est ainsi enseigné peut être qualifié de *nexus mysteriorum* ; c'est-à-dire que tous les mystères révélés du salut sont imbriqués entre eux de telle sorte qu'il faut ou bien croire au système *tout entier* et y croire comme le veut l'Église, ou bien passer pour hérétique. Voir TH. REIK, p. 52-55 (sur la réduction au plus petit dénominateur commun) ; à l'opposé, voir K. RAHNER, « Qu'est-ce qu'une hérésie ? », *ET*, VII, p. 133-185 ; pour K. Rahner, qu'un concept tel que celui d'hérésie ne se rencontre que dans le christianisme, c'est précisément le signe et la garantie du « caractère absolu d'une morale, tout entière définie, concernant la vérité ».

134. Voir O. PFISTER (*Das Christentum und die Angst*, Préface de Th. Bonhœffer, Olten, 1975, p. 254-297, et notamment 290 sqq.) qui a particulièrement bien vu la peur, consciente ou inconsciente, de la « grande masse » des catholiques.

135. Voir E. DREWERMANN, *KC*, p. 67-69.

136. Sur la guerre sans merci menée par l'Église primitive déjà, pour l'élimination des dissidents, voir K. DESCHNER, *Kriminalgeschichte des Christentums*, Hambourg, 1986, vol. I ; Reinbek, 1988, vol. II, t. I, p. 143-181.

137. Sur la notion de fanatisme, voir E. DREWERMANN, *KC*, p. 222-230.

138. Voir K. JASPERS, *La Foi philosophique*, p. 120-129, 130-143.

139. *Ibid.*, p. 178-183 : sur la confusion entre ce qui est englobant et l'objectivation du particulier.

140. Voir F. HEER, *Die dritte Kraft. Der europäische Humanismus zwischen den Fronten des konfessionellen Zeitalters*, Francfort, 1959, p. 180-212. Sur le personnage de Luther, voir O. PFISTER, p. 298-321 ; H. ZAHRNT, *Martin Luther in seiner Zeit für unsere Zeit*, Munich, 1983, p. 75-100 ; H. E. ERIKSON, *Luther avant Luther*, Paris, Flammarion, 1968. Par quelles angoisses n'a pas dû passer Luther, angoisses dont il a cherché à se libérer, par exemple dans sa lutte contre une institution oppressante, en s'établissant dans la confiance de l'être face à son Dieu !

141. Il n'est pas jusqu'à K. RAHNER (voir *Die Freiheit in der Kirche*, Zurich-Cologne, 1962, p. 95-114) qui ne soit resté sur un plan strictement intellectuel quand il écrit (p. 95) : « C'est ce thème qui a été le cri de guerre réformateur de Luther dans sa lutte contre l'Église romaine [...] », en effet, « il a à la fois refusé à la personne humaine la liberté vis-à-vis de Dieu et glorifié la grâce, en soulignant l'impuissance de la volonté prise entre Dieu et le diable. » Sur la dynamique de la peur, K. Rahner ne dit absolument rien, si bien que la doctrine luthérienne de la justification continue d'apparaître comme une bizarrerie logique qui contraste singulièrement avec l'excellent équilibre et la modération de la doctrine catholique.

142. Voir M. LUTHER, *De la liberté du chrétien* (1520), Paris, Cerf (Aubier), 1969, coll. « Foi vivante », n° 109, « Dixièmement » : « Ainsi, de par la Foi, l'âme devra à la parole de Dieu d'être sainte, équitable, véridique, pacifique et pleine d'une absolue bonté [...] » (p. 55).

143. Voir M. LUTHER, « Les articles de Smalkalde », II, 4, p. 261-263 : la papauté.

144. Pour ce passage, voir E. SCHWEIZER, *Das Evangelium nach Matthäus*, p. 241-244.

145. Sur la naissance d'un sacerdoce spécifique, particulier à l'Église, et l'extinction de la qualité d'apôtre et d'enseignant dans l'Église primitive, voir (encore et toujours) A. VON HARNACK, *Entstehung ung Entwicklung der Kirchenverfassung und des Kirchenrechts in den zwei ersten Jahrhunderten. Urchristentum und Katholizismus*, Leipzig, 1910 ; Darmstadt, 1980, p. 83-96 ; en pages 90-91, l'auteur examine notamment, en détail, la question du caractère apostolique des évêques. Voir également B. SNELA, « Prêtre-évêque. Vue d'ensemble systématique et critique », dans *DT*, p. 581-589 ; ainsi que P. Hoffmann, « Priestertum und Amt im Neuen Testament », dans : P. HOFFMANN (éd.), *Priesterkirche*, p. 12-61 ; dans son exposé critique, l'auteur observe que la conception épiscopale s'est imposée en vertu des contingences historiques.

146. Voir G. LOHFINK, R. PESCH, *Tiefenpsychologie und keine Exegese*, p. 109-111 ; à l'opposé, voir E. DREWERMANN, *AF*, p. 160-164.

147. Voir E. DREWERMANN, *AF*, p. 23-38.

148. S. KIERKEGAARD, *Tagebücher*, t. IV, Düsseldorf-Cologne, 1962, p. 177-179 : « Le professeur » ; p. 67 : Luther.

149. Voir J. JEREMIAS, *Théologie du Nouveau Testament*, Paris, Éd. du Cerf, 1980, t. I, p. 111-156.

150. Voir E. DREWERMANN, *TE*, II, p. 725-734.

151. Voir S. KIERKEGAARD, *L'École du christianisme, par Anti-Climacus* (1850), *Œuvres complètes*, Paris, Éd. de l'Orante, t. XVII, p. 99 sqq. : « Le christianisme n'est pas une doctrine ; on fait erreur toutes les fois qu'on parle du sacerdoce en le rapportant au christianisme considéré comme tel ; car, de la sorte, on en amortit le choc, on l'énerve ; par exemple, quand on l'envisage dans la *doctrine* de l'Homme-Dieu, la *doctrine* de la rédemption. Non, le scandale se rapporte ou bien à Christ, ou bien au fait d'être personnellement chrétien. » Voir ID., *L'Instant* : « L'officiel — Le personnel », p. 170-171.

152. Voir H. RENNER, *Reclams Konzertführer. Orchestermusik*, Stuttgart, 1967, p. 153-155 ; le thème du trio, dans le troisième mouvement, serait emprunté à un chant de pèlerinage autrichien.

153. W. SHAKESPEARE, *Le Roi Lear*, *Œuvres complètes*, Paris, Gallimard, « Bibl. de la Pléiade », 1959, t. II, p. 871-952. Ce n'est pas seulement la tragédie d'une lutte désespérée pour le pouvoir ; c'est aussi le thème mythique et légendaire très répandu des frères et sœurs ennemis qui se disputent l'amour du roi, leur père ; celui de l'éternelle rivalité entre Caïn et Abel.

154. Voir P. LECALDANO, *Goya. Die Schreken des Krieges*, Munich, 1976, reproduction 123 : le 3 mai 1808 à Madrid. — Dans la peinture moderne, il n'y a pas d'image du Christ plus émouvante que cette scène d'exécution. Celui qui n'y verrait pas un thème chrétien n'en verra nulle part.

155. Sur la séparation sujet-objet, voir K. JASPERS, *La Foi philosophique*, p. 21 sqq.

156. Voir JEAN-PAUL RICHTER, *Der Siebenkäs, Ehestand, Tod und Hochzeit des Armenadvokaten F. Saint Siebenkäs im Reichsmarktflecken Kuhschnappel* (1796-1797), Hambourg, 1957, chap. VIII, p. 161

157. La farce théologique que met en scène, par exemple, U. Ranke-Heinemann (*Des eunuques pour le royaume des cieux. L'Église catholique et la sexualité*, Hachette-Pluriel, 1992), en prenant cette fois pour thème la doctrine de la naissance virginale de Jésus, ne peut absolument pas s'expliquer autrement que par le refus exprès de voir dans les symboles de la foi autre chose que des faits historiques et non pas des symboles.

158. Le discours sur Dieu vient se fondre sans raison avec un absolu des figures parentales formées dans l'enfance. Il en résulte une fixation du surmoi et une dépendance infantile vis-à-vis de l'autorité, dans la mouvance du complexe œdipien. Voir K. G. REY, *Das Mutterbild des Priesters. Zur Psychologie des Priesterberufes*, p. 136.

159. Sur le problème de l'historicisme, voir W. DILTHEY, *Vom Aufgang des geschichtlichen Bewusstseins, Ges. Schriften*, vol. XI, Stuttgart-Göttingen, 1979.

160. Voir S. KIERKEGAARD, *L'École du christianisme*, p. 62-66 et E. DREWERMANN, *TE*, II, p. 12-22.

161. De nos jours, la question du *remariage des divorcés* en est sans doute le meilleur exemple. La critique historique montre sans ambiguïté que, dans l'Église primitive déjà, la question du divorce est loin d'avoir été traitée uniformément. Qu'en résulte-t-il pour nous, aujourd'hui, sur le plan de la théologie morale ? Rien, aussi longtemps que la perspective de l'opportunité n'est pas prise en considération. Voir E. DREWERMANN, *ME*.

162. F. NIETZSCHE, « De l'utilité et des inconvénients de l'histoire pour la vie », *Considérations inactuelles*, Paris, Gallimard, coll. « Folio-Essais », 1992, p. 122-123.

163. *Ibid.*, p. 123.

164. *Ibid.*, p. 134.

165. *Ibid.*, p. 123-124.

166. Ainsi, analysant la conception catholique du ministère, qui identifie l'Église avec la communauté spirituelle, P. TILLICH a pu écrire (voir *Théologie systématique* IV, Genève, Labor et Fides, 1991, p. 195) : « Le principe protestant de la distance infinie entre le divin et l'humain sape la prétention à l'absolu de toutes les expressions doctrinales de l'Être nouveau. »

167. Dans son étude intitulée « Der Kollaps eines Klerus. Zu einem Musterfall der Religionsgeschichte », dans : P. HOFFMANN (éd.), *Priesterkirche*, p. 327-333, M. GÖRG a pris

un exemple dans l'histoire de l'Égypte ancienne pour étudier les conséquences à long terme de semblables critères de sélection.

168. Sur le concept de « position alpha », voir A. HEIGL-EVERS, « Die Gruppe unter sociodynamischem und antriebspsychologischem Aspekt », dans H. G. PREUSS (éd.), *Analytische Gruppenpsychotherapie*, Munich-Berlin-Vienne, 1966, p. 47-72, 45 sqq. ; R. SCHINDLER, « Grundprinzipien der Psychodynamik in der Gruppe », *Psyche* IX, 1957-1958. Le concept est emprunté à TH. SCHJELDERUP-EBBE et à ses recherches sur le comportement; voir « Zur Soziologie der Vögel », *Zeitschrift für Psychologie*, 95, 1924.

169. Ainsi que l'a montré de façon si pénétrante R. SCHNEIDER (voir *Winter in Wien. Aus meinen Notizbüchern 1957-1958*, Fribourg-Bâle-Vienne, 1958, p. 218), le même antagonisme se trouve entre le pouvoir et la grâce : « A l'incroyance du pouvoir apposer la foi de la faiblesse : telle serait notre mission. » Quoi qu'il en soit, la bipolarité revêt toujours un caractère tragique.

170. Assurément, ainsi qu'en témoigne notamment l'époque d'Armana, entre les deux divinités, il y a eu toujours des tensions considérables. Voir G. GOTTSCHALK, *Die Grossen Pharaonen. Ihr Leben. Ihre Zeit. Ihre Kunstwerke. Die bedeutendsten gottkönige Ägyptens in Bildern, Berichten und Dokumenten*, Berne-Munich, 1979 ; Herrsching, 1984, p. 129-160 ; H. KEES, *Der Götterglaube im alten Ägypten*, Leipzig, 1956, p. 366-377, et sur l'unité *Amon-Râ*, p. 345-352, 390-401.

171. S. ZWEIG tout particulièrement (*Marie Stuart*, Paris, Grasset, 1933, p. 3-14, 27-42, 92-107) a su conjurer en termes poétiques l'éclat et le tragique de la monarchie héréditaire. A juste titre, dans le meurtre de la reine écossaise, il a vu la fin de l'absolutisme avant même qu'il n'ait véritablement commencé. O. SPENGLER (*Le Déclin de l'Occident, esquisse d'une morphologie de l'Histoire universelle*, Paris, Gallimard, 1943, t. II, p. 299-330) a fait une analyse très intelligente des deux *états*, noblesse et clergé.

172. B. SPINOZA en particulier — dans *Ethica...* (1677) (*L'Éthique démontrée suivant l'ordre géométrique, Œuvres 3*, Paris Garnier-Flammarion, 1965, 4e partie, proposition XXXVII, scolie II, p. 255) — a d'abord voulu voir dans l'État la source de tout droit face à l'égoïsme de l'état de nature. Il demandait que les affects de l'égoïsme soient neutralisés par ceux de la peur, à savoir la peur des sanctions infligées par la société avec l'aide de l'État législateur. Néanmoins, par la suite dans son *Tractatus theologico-politicus* (Amsterdam, 1670 ; *Traité théologico-politique, Œuvres 2*, Paris, Garnier-Flammarion, 1965, p. 329) il a écrit : « Des fondements de l'État [...] il résulte [...] que sa fin dernière n'est pas la domination ; ce n'est pas pour tenir l'homme par la crainte et faire qu'il appartienne à une autre que l'État est institué ; au contraire c'est pour libérer l'individu de la crainte, pour qu'il vive autant que possible en sécurité, c'est-à-dire conserve, aussi bien qu'il se pourra, sans dommage pour autrui, son droit naturel d'exister et d'agir. [...] La fin de l'État n'est pas de faire passer les hommes de la condition d'êtres raisonnables à celle de bêtes brutes ou d'automates, mais au contraire il est institué pour que leur âme et leur corps s'acquittent en sûreté de toutes leurs fonctions, pour que eux-mêmes usent d'une Raison libre, pour qu'ils ne luttent point de la haine, de colère ou de ruse, pour qu'ils se supportent sans malveillance les uns les autres. La fin de l'État est donc en réalité la liberté. »

173. La pensée républicaine a marqué de façon exemplaire la révolution américaine. Voir E. S. MORGAN, « Die amerikanische Revolution », dans G. MANN (éd.), *Propyläen Weltgeschichte*, Francfort-Berlin, 1986, t. VII, p. 513-567, notamment 546 sqq.

174. Voir A. VON HARNACK, *Entstehung und Entwicklung der Kirchenverfassung und des Kirchenrechts in den zwei ersten Jahrhunderten. Urchristentum und Katholizismus*, p. 60-76 : l'auteur montre comment, soit l'ordination (imposition des mains par les Apôtres), soit l'acclamation populaire a conduit à l'épiscopat monarchique au IIe siècle ap. J.-C. Sur la problématique théologique d'une pensée hiérarchique, voir en particulier P. EICHER, « Hiérarchie », *DI*, p. 287-298.

175. Voir T. GYATSO (DALAÏ-LAMA), *Ma terre et mon peuple*, Paris, J. Didier, 1963 ; L. GARDET, *Connaître l'islam*, Paris, Fayard, 1958, p. 76 sqq.

176. Sur l'enseignement traditionnel de ce qui est appelé la « grâce d'état », voir J. BRINKTRINE, *Die Lehre von den heiligen Sakramenten des katolischen Kirche*, t. I, p. 97-101 ; t. II, p. 200-202. En dépit de toutes les explications théologiques, au plan de la psychologie

religieuse et de l'histoire des religions, il s'agit d'une vision archétypique ou archaïque qui, en dernière analyse, ne s'explique que par l'expérience d'une réalité culturelle ou rituelle ; voir E. DREWERMANN, *KC*, p. 353-359. Voir également P. NEUNER, « Charisme-Ministère », *DT*, p. 61-64.

177. C'est ce qui s'est passé, par exemple, quand Paul VI a passé outre à l'avis de ses propres conseillers avec son encyclique *Humanae vitae*, dans une question que, dès ce moment-là, il traitait comme s'il s'agissait d'un enseignement infaillible de l'Église ; voir H. HAAG, K. ELLIGER, « *Stört nicht die Liebe* ». *Die Diskriminierung der Sexualität : ein Verrat an der Bibel*, p. 226, n. 1 et 2. Sur le péché originel et le contrôle des naissances, voir P. DE ROSA, *Gottes erste diener*, p. 405-409. Sur l'interdiction de la contraception, dans le passé et aujourd'hui, voir K. DESCHNER, *Das Kreuz mit der Kirche*, p. 286-307. Qu'à ce moment-là (1967), la majorité des évêques ait été pour la régulation des naissances, c'est ce que montre N. LO BELLO, *Vatican in Zwielicht*, Munich, 1986, p. 31-36. Voir également L. KAUFMANN, *Ein ungelöster Kirchenkonflikt. Dokumente und zeitgeschichtliche Analysen*, Fribourg (Suisse), 1987, p. 51. Sur la « crise » autour d'*Humanae vitae*, B. HÄRING fournit un témoignage de première main dans *Quelle morale pour l'Église ?*, Paris, Cerf, 1989.

178. Voir P. TILLICH, *Théologie systématique*, t. II, « L'Être et Dieu », Paris, Éd. Planète, 1970, p. 158 : « Les symboles religieux sont à double tranchant. Ils sont dirigés vers l'infini qu'ils représentent et vers le fini à travers lequel ils le représentent. Ils forcent l'infini à s'abaisser au niveau du fini, et le fini à s'élever au niveau de l'infini. » Dans cette ambivalence, il y a ouverture, mais aussi possibilité de rétraction et d'occlusion.

179. Ainsi, au milieu des années soixante-dix déjà, dans un cours de formation continue, à ses prêtres — ordonnés deux ans auparavant — qui l'interrogeaient sur la possibilité du remariage pour les divorcés, le cardinal Joseph Höffner répondait : « Jamais les Polonais ne le comprendraient », pour ensuite donner en exemple l'héroïsme des catholiques en Corée du Sud. — Sur la réaction de Rome au synode de Würzburg, voir A. SCHNEIDER, « Wie Rom auf die deutsche Synode reagiert », dans N. GREINACHER, H. KÜNG, *Katholische Kirch-wohin ? Wider den Verrat am Konzil*, Munich-Zurich, 1986, p. 371-373.

180. Qu'un droit, quel qu'il soit, découle d'une décision du pouvoir, ce n'est pas seulement une vue de F. NIETZSCHE ; c'est aussi, en particulier, l'opinion de C. SCHMITT ; voir son ouvrage *Der Begriff des Politischen*, Munich, 1932 (éd. augmentée, *Mit einer Rede über das Zeitalter der Neutralisierungen und Entpolitisierungen*). Partant d'une identification entre l'État et la société, C. Schmitt montre qu'au XXe siècle il n'y a aucune zone qui ne soit ni politique ni étatique ; bien plus, à son avis, la dépolitisation de certaines valeurs, de certaines visions globales du monde ou de certaines entreprises n'est rien d'autre qu'une ruse du combat politique en vue du pouvoir. En fin de compte, selon l'auteur, toutes les notions éthiques ou esthétiques sont dues à l'antinomie du combat entre ami et ennemi ; considérée sous cet angle, la morale n'est finalement pas autre chose qu'un moyen destiné à défendre les intérêts de son propre groupe. Au fait, la doctrine du *décisionisme dictatorial* était inhérente à l'idéologie du national-socialisme.

181. Sur le tournant constantinien, voir W. SESTON, « Verfall des römischen Reiches im Westen. Die Völkerwanderung », dans : G. Mann (éd.), *Propyläen Weltgeschichte*, vol. IV, p. 487-603, notamment 500-507. Voir également, K. DESCHNER, *Kriminalgeschichte des Christentums*, t. I, p. 213-285 ; et W. DURANT, *Weltreiche des Glaubens, Kulturgeschichte der Menschheit*, t. V, Francfort-Berlin, 1981, p. 220-229.

182. Voir TH. REIK, *Dogma und Zwangsidee. Eine psychoanalytische Studie zur Entwicklung der Religion*, 1973, p. 128, 151. A l'opposé, voir E. DREWERMANN, *KC*, p. 222 sqq.

183. Voir K. DESCHNER, vol. I, p. 143-181.

184. Sur le mouvement cathare, voir G. ROTTENWÖHRER, *Der Katharismus*, Bad Honnef, 1982.

185. P. MILGER, *Die Kreuzzüge. Kriege im Namen Gottes*, Munich, 1988, p. 264.

186. *Ibid.*, p. 266.

187. *Ibid.*, p. 267.

188. *Ibid.*, p. 268.

189. *Ibid.*, p. 281.

190. Sur la psychologie du fanatisme, voir E. DREWERMANN, *KC*, p 222-230.
191. *Ibid.*, p. 65-74.
192. Les spécialistes en théologie morale, qui, tout particulièrement, auraient dû condamner le plus énergiquement la guerre d'agression déclenchée par Hitler, ne l'ont pas fait ; il ne faudrait pas l'oublier. Sur les déclarations faites à cette époque par les évêques et les théologiens, voir K. DESCHNER, « Mit Gott und dem Führer. Die Politik der Päpste zur Zeit des Nationalsozialismus », tiré de *Ein Jahrhundert Heilsgeschichte. Die Politik der Päpste im Zeitalter der Weltkriege*, 2 vol., 1982-1983 ; Cologne, 1988, p. 262-270.
193. Sur Mt 7, 16, voir E. SCHWEIZER, *Das Evangelium nach Matthäus*, Göttingen, 1986, p. 119-120.
194. F. M. DOSTOÏEVSKI, *Les Frères Karamazov*, *Œuvres*, Paris, Gallimard, « Bibl. de la Pléiade », t. II, 1961, notamment p. 280-281.

b. L'existence symbolique, ou une vie d'emprunt

1. Le reproche est aussi vieux que Mt 23, 28 ; sur ce verset de l'Évangile, voir E. SCHWEIZER, *Das Evangelium nach Matthäus*, Göttingen, 1986, p. 283-284.
2. Sur le thème de l'argent et du pouvoir, voir N. LO BELLO, *Vatikan im Zwielicht*, Munich, 1986, p. 216-276. Il y a 150 ans, O. VON CORVIN raillait déjà un « Sodome et Gomorrhe » de l'Église ; voir *Der illustrierte Pfaffenspiegel. Historische Denkmale des christlichen Fanatismus in der römisch-katholischen Kirche* (1845), Munich, 1971, p. 123-171. L'attitude frivole que supposent des reproches de cette nature a été autoritairement réprimée par le concile de Trente. — Sur les changements intervenus dans la morale sexuelle catholique depuis le milieu du XVIe siècle, voir U. RANKE-HEINEMANN, *Des eunuques pour le royaume des cieux*, Paris, Hachette-Pluriel, 1992, p. 274-290. — Sur la « morale du célibat », voir K. DESCHNER, *Das Kreuz mit der Kirche*, p. 186-211.
3. Voir W. BÜHLMANN, *Von der Kirche träumen. Ein Stück Apostelgeschichte im 20. Jahrhundert*, Vienne-Cologne, 1986, p. 224-231 ; voir *CIC*, can. 284.
4. Sur Mc 12, 38, voir E. DREWERMANN, *ME*, p. 316-329.
5. Sur ce que W. NIGG (voir *Grosse Heilige*, Zurich, 1947, 1986, p. 74) appelle « un renversement manifeste de ce que recherchait saint François » et l'action de la Curie romaine », voir H.-CH LEA, *Histoire de l'Inquisition au Moyen Âge*, Grenoble, Jérôme Millon, 1986, t. I, p. 410-450.
6. Voir C. G. FAVA-A. VIGANO, *Federico Fellini*, Munich, 1989, p. 57-58.
7. Voir S. FREUD, « Psychologie des foules et analyse du moi » (1921), dans *Essais de psychanalyse*, Paris, Payot, 1983, p. 153-160.
8. Voir W. KRICKEBERG, *Altmexikanische Kulturen*, Berlin, 1975, p. 103-105.
9. Sur les changements intervenus dans la question du service militaire dans l'Église du IVe siècle, voir K. DESCHNER, *Abermals krähte der Hahn. Eine Demaskierung des Christentums von den Evangelisten bis zu den Faschisten*, Stuttgart, 1962 ; Hambourg, 1972 (éd. revue), p. 377-379 et 504-523 ; voir également E. DREWERMANN, *KC*.
10. Ainsi, dans son Exhortation apostolique *Menti nostræ* du 23 septembre 1950 (voir A. ROHRBASSER (éd.), *Sacerdotis imago. Päpstliche Dokumente über das Priestertum von Pius X bis Johannes XXIII*, Fribourg [Suisse], 1962, p. 133-191), Pie XII demande que le prêtre « s'offre lui-même pour ainsi dire en sacrifice [...] qu'il renonce à lui-même, qu'il fasse volontiers et librement pénitence [...] que tous nous assumions avec le Christ la mort mystique sur la Croix... » (p. 149).
11. Sur l'esprit de sacrifice relatif aux longs hivers et à l'humidité du climat, voir SAINTE THÉRÈSE DE L'ENFANT-JÉSUS (Thérèse MARTIN), *Histoire d'une âme*, Paris, Éd. du Cerf-Desclée de Brouwer, 1990. Thérèse elle-même disait avoir souffert du froid ; cependant, ce n'est qu'à regret qu'elle a laissé la misérable paillasse de sa cellule pour aller à l'infirmerie, où elle se sentait entourée par le diable. Malgré toutes ses souffrances elle ressentait un état d'ivresse fait d'abandon, de « confiance et d'amour » (p. 298).
12. W. NIGG lui-même (voir *Grosse Heilige*, p. 485-525) voit l'âme de Thérèse comme le

suaire de Véronique avec l'empreinte du Christ. « On reste souvent sans parole devant cette volonté insatiable de prendre sur elle toutes les souffrances et qui allait inexplicablement jusqu'à se transformer en joie » (p. 509). Plutôt qu'« inexplicablement » il aurait mieux valu dire *névrotiquement.* Le livre de I. F. GÖRRES, *Das verborgene Antlitz* (1944), aurait lui aussi un urgent besoin d'être revu dans une perspective psychanalytique ; du même auteur, voir également *Die « Kleine » Therese. Das Senfkorn von Lisieux*, Fribourg-Bâle-Vienne, 1964, p. 270 sqq.

13. T. CAMPANELLA, *Civitas solis. Idea rei publicæ philosophicæ*, Francfort, 1623.

14. Voir F. M. DOSTOÏEVSKI, *Crime et Châtiment* (1866), Paris, Gallimard, « Bibl. de la Pléiade », 1950, 3e partie, chap. V.

15. G. ORWELL, *1984*, Paris, Gallimard, 1984, p. 83-84.

16. G. BERNANOS, *Journal d'un curé de campagne*, dans *Œuvres romanesques*, Paris, Gallimard, « Bibl. de la Pléiade », 1963, p. 1216.

17. Sur la question du « disciple bien-aimé », voir R. SCHNACKENBURG, *Das Johannesevangelium*, Fribourg-Bâle-Vienne, 1972-1975, t. III, p. 449-464.

18. Toutefois, que ce soit dans la figure du « disciple bien-aimé » ou dans celle de Marthe et de Marie, il ne faudrait pas chercher des notations historiques proprement dites. Voir R. BULTMANN, *Das Evangelium des Johannes*, Göttingen, (17e éd.) 1941, 1962, p. 302, note 1 ; avec raison, en Jn 11, 2, l'auteur voit une glose rédactionnelle de l'Église qui, à partir de Mc 14, 3-9, veut mettre en relation « les données de la tradition avec un monde déjà connu du lecteur ».

19. Sur Mc 6, 1-6, voir E. DREWERMANN, *ME*, t. I, p. 376-389.

20. Voir L. HOHEISEL (éd.), *Die geistliche Wegweisung (das Directorium spirituale) der Benediktiner aus dem Jahre 1985*, abbaye de Gerleve, n° 6, p. 265 ; par la formule « Ne rien préférer à l'amour du Christ » il faut entendre : rencontrer le Christ en tous ses semblables selon une « dynamique propre au temps de l'Avent ».

21. Sur Mc, 3, 35, voir E. DREWERMANN, *ME*, t. I, p. 311-321.

22. *CIC*, can. 1 055, 1.

23. Voir *CIC*, can. 276, 1 : « Dans leur conduite, les clercs sont tenus par un motif particulier à poursuivre la sainteté. »

24. Voir S. BEN CHORIN, *Mutter Mirjam Maria in jüdischer Sicht*, Munich, 1971, 1982, p. 92 sqq. Selon l'auteur, comme docteur de la Loi, en vertu de la loi juive, Jésus devait nécessairement être marié ; mais l'argument ne tient pas, dans la mesure où il ne s'est pas présenté comme rabbi et n'a pas été perçu comme tel, mais comme prophète. Voir également J. JEREMIAS, *Théologie du Nouveau Testament*, Paris, Éd. du Cerf, 1980, p. 99-104 ; S. BEN CHORIN, *Mon Frère Jésus*, Paris, éd. du Seuil, 1983, p. 117-120 ; E. DREWERMANN, *TE*, t. II, p. 95, note 12.

25. *L'Écrit de Damas*, VII, 7, prévoit l'obligation « qu'ils prennent femme et engendrent des enfants » ; *La Bible. Écrits intertestamentaires*, Paris, Gallimard, « Bibl. de la Pléiade », 1987, p. 156 ; par ailleurs, PLINE rapporte que les Esséniens « vivaient sans argent et dans le célibat ». Voir aussi J. M. ALLEGRO, *Die Botschaft vom Totem Meer*, Francfort, 1957, p. 140 ; pour l'auteur, à côté de ceux qui vivaient dans le célibat, il y avait ceux « qui s'étaient mariés et qui vivaient une vie conjugale normale, sauf que les relations charnelles devaient se limiter à la procréation ». Il semble bien qu'il faille chercher là la terre où s'enracine la morale sexuelle de l'Église. Voir aussi U. RANKE-HEINEMANN, *Des eunuques pour le royaume des cieux*, p. 24-25.

26. Voir J. JEREMIAS, *Théologie du Nouveau Testament*, p. 140.

27. *Ibid.*, p. 141-145.

28. Sur Mt 19, 3-12, voir H. ZIMMERMANN-K. KLIESCH, *Neutestamentliche Methodenlehre. Darstellung der historisch-kritischen Methode*, Stuttgart, 1982, p. 101-112 et 238-244 ; voir aussi E. DREWERMANN, *TE*, t. II, p. 89, note 3.

29. Sur la dialectique de l'inhibition et du comportement, voir W. SCHWIDDER, « Hemmung, Haltung und Symptom » dans *Fortschritte der Psychoanalyse. Internationales Jahrbuch*, vol. I, Göttingen, 1964, p. 115-128.

30. G. W. F. HEGEL, *Leçons sur la philosophie de l'histoire*, Paris, Vrin, 1963, p. 294.

31. M. LUTHER, *Le Grand Catéchisme* (1529), dans *La Foi des églises luthériennes*, Paris-Genève, Éd. du Cerf-Labor et Fides, 1991, 1re partie : « Des commandements » ; le sixième

commandement, n° 673, p. 358. Sur la position de Luther, voir H. ZAHRNT, *Martin Luther. Reformator wider Willen*, Munich, 1986, p. 215-218.

32. En 1540 déjà, Luther avait consenti au remariage du landgrave Philippe de Hesse ; à ce sujet, voir H. ZAHRNT, p. 226-228.

33. Sur le divorce chez les luthériens et chez les orthodoxes, voir K. DESCHNER, *Das Kreuz mit der Kirche*, p. 283.

34. Sur Mt 19, 10, voir E. SCHWEIZER, *Das Evangelium nach Matthäus*, p. 249-250.

35. L'absence de père chez l'homme de Dieu est déjà perceptible dans l'Ancien Testament ; voir M. BUBER, *Der Gesalbte*, dans *Werke*, Heidelberg-Munich, 1962, t. II, p. 725-845 et notamment p. 772-773 ; A. KLOSTERMANN, *Die Bücher Samuelis und der Könige*, 1877 : à propos de 1 S 10, 12, l'auteur reprend une étymologie populaire, proche du calembour, du mot hébreu *nabi* (prophète), qui serait une contraction de *ein abi* (sans père). Il ne faut pas oublier non plus une très notable *absence de famille*, psychique et sociale, dans les années de préparation à l'état clérical. Voir encore R. G. REY, *Das Mutterbild des Priesters. Zur Psychologie des Priesterberufes*, Zurich-Cologne-Einsiedeln, 1969, p. 122, où l'auteur note qu'en 1969, 90 % des théologiens interrogés ont été à l'école dans un internat.

36. J.-P. SARTRE, *Critique de la raison dialectique*, Paris, Gallimard, 1985, p. 527 ; sur la philosophie sociale de Sartre, voir E. DREWERMANN, *SB*, t. III, p. 340-346.

37. Voir J.-P. SARTRE, p. 531.

38. Sur Mt 5, 33-37, voir E. SCHWEIZER, *Das Evangelium nach Matthäus*, p. 77-78. Il va sans dire que les vœux, qui sont des serments, tombent aussi sous le coup de cette défense, malgré les can. 1 191-1 204 du *CIC*. Ainsi, en cette matière, peu importe ce que dit la Bible. En revanche, dans la question du mariage, il s'agit de respecter à la lettre le sens présumé des paroles de Jésus — deux poids, deux mesures !

39. Voir R. SCHNACKENBURG, *Le Message moral du Nouveau Testament. Traité de théologie morale*, Paris, Xavier Mappus, 1963 ; l'auteur mentionne, p. 289, l'interdiction de jurer, mais il ne dit pas un mot du désaccord flagrant qui oppose les injonctions expresses et catégoriques de Jésus et la pratique de l'Église. Comparer avec la position de S. KIERKEGAARD dans *L'Instant*, p. 188-190 : sur le serment ou la fonction par rapport à la personne.

40. Voir *L'Instant*, p. 235-241 : « Confirmation et bénédiction nuptiale ; la comédie chrétienne ou qui pis est ».

41. Selon la traduction inspirée par M. BUBER, *Die fünf Bücher der Weisung*, Cologne-Olten, 1954, p. 205.

42. Sur les « secousses du modernisme » sous Pie IX et Pie X, voir P. DE ROSA, *Gottes erste Diener*, Munich, 1989, p. 325-332 ; l'auteur s'étend notamment sur les condamnations du Père George Tyrell et de l'abbé Loisy. Tyrell n'a pas eu droit à une messe des morts, ni à un enterrement à l'Église — des amis l'ont inhumé dans un cimetière anglican. Sa seule faute avait été de soulever « une question », celle de savoir si la philosophie de saint Thomas était encore valable de nos jours. De son côté, Loisy, qui s'était déclaré prêt à renier ses écrits (en particulier *L'Évangile et l'Église*, 1903), n'a jamais reçu de réponse de Pie X. D'après les instructions données par le cardinal Richard de Paris, il devait être sommé « de brûler ce qu'il avait adoré et d'adorer ce qu'il avait brûlé ». Depuis 1908, il était déclaré *vitandus* (à éviter) pour les catholiques.

43. Sur les théories économiques du capitalisme naissant et la lutte des classes érigée en doctrine, voir P. H. KŒSTERS, *Ökonomen verändern die Welt. Wirtschaftstheorien, die unser Leben bestimmen*, Munich, 1982, p. 43-66 : David Ricardo. Voir aussi N. MITSCH, « Industrialisierung und sozialer Wandel », dans N. ZWÖLFER (éd.), *Telekolleg II, Geschichte*, t. I, Munich, 1981, p. 67-85.

44. Voir H. Bookmann, *Die Stadt im späten Mittelalter*, Munich, 1986, p. 240-253, sur les hôpitaux : « Un hôpital, un centre de soins pour les indigents, c'était pour ainsi dire l'extension obligée d'un monastère d'une certaine importance. Dans les premiers siècles de Moyen Âge, il n'y avait guère que les monastères pour pratiquer ainsi — c'est-à-dire de manière organisée — la charité chrétienne et l'amour du prochain, selon le commandement qui nous en a été fait. » Ce n'est qu'aux XIIe et XIIIe siècles, avec l'accroissement de la population, qu'apparaîtront les hôpitaux urbains.

45. Voir H. DANIEL-ROPS, « Le Saint de la miséricorde : Monsieur Vincent », dans *L'Évangile de la miséricorde*, Paris, Éd. du Cerf, 1965, p. 229-250 ; F. X. KAUFMANN-J. B. METZ, *Zukunftsfähigkeit. Suchbewegungen im Christentum*, Fribourg, 1987, p. 88 : avec raison, l'auteur réclame une réforme des hôpitaux catholiques.

46. Ce sont en particulier les domaines de la psychosomatique et ceux de l'inconscient qui, en raison d'une conception étriquée de la théologie, qu'il s'agisse de morale d'exégèse ou de dogme, restent isolés au lieu d'être intégrés. Voir E. DREWERMANN, *TE*, t. II, p. 46-74 et 188-238.

47. Sur le recrutement des religieuses indiennes au Kerala, voir N. LO BELLO, *Vatikan im Zwielicht*, p. 231-233. — Sur le manque de prêtres, voir J. J. DEGENHARDT (archevêque de Parderborn), *Gott braucht Menschen. Priestertum*, édité par le vicariat général de l'archevêché, Parderborn, 1982, p. 36 ; (dans sa partie Ouest), l'archidiocèse de Parderborn dispose de 1 150 prêtres diocésains et religieux en service paroissial. « En grande partie, ces prêtres ont plus de soixante ans, si bien que dans les prochaines années ceux qui se retireront seront beaucoup plus nombreux que les jeunes prêtres venus les remplacer [...]. Au cours des quinze dernières années, près de quatre-vingts prêtres ont quitté le ministère pour retourner à l'état laïc [...]. Il y a à ce moment une importante pénurie de jeunes prêtres [...]. Là où il y avait auparavant un vicaire, maintenant le curé doit assumer seul le service. Les grandes communautés qui, autrefois, avaient deux ou trois vicaires, n'en ont plus qu'un. » Conclusion de l'archevêque : « Nous voulons voir là un avertissement, un appel de Dieu. » Voir également P. M. ZULEHNER, *Priestermangel praktisch. Von der versorgten zur sorgenden Gemeinde*, Munich, 1983 ; J. F. TSCHUDY-F. RENNER, *Der heilige Benedikt und das benediktinische Mönchtum*, p. 267 : pour l'ordre des Bénédictins, les statistiques sont encore relativement favorables ; en 1960, les moines étaient au nombre de 12 121 (dont 7 217 prêtres) ; en 1975, ils étaient encore 10 324 (dont 6 639 prêtres) ; en outre, en 1955, il y avait 9 493 moniales réparties dans 247 monastères ; en 1975, elles étaient encore 8 979, réparties dans 319 monastères. Sans l'apport des Oliviétains (notamment en 1960 et en 1973), branche bénédictine, en 1975 il y aurait encore 574 moines en moins (dont 399 prêtres) ; G. SIEFER, *Sterben die Priester aus ? Soziologische Überlegungen zum Funktionswandel eines Berufsstandes*, Essen, 1973, p. 73-75 ; pour l'auteur (p. 74), l'amélioration de la conjoncture économique et l'accroissement des choix professionnels auraient pesé davantage « qu'une propagande étatique hostile à l'Église » dans la crise des vocations sacerdotales.

48. Le droit canon faisait alors office non seulement de psychologie pastorale, mais aussi de théologie morale. Le juridisme et la casuistique avaient rabaissé des générations de prêtres au rang d'apothicaires de la pastorale chargés de délivrer des ordonnances toutes préparées d'avance. Sur ce droit canonique en général, voir K. WALF, « Droit canonique », dans *DT*, p. 128-133.

49. En 1907, PIE X (1903-1914) a qualifié le mouvement « moderniste », notamment marqué par la personnalité de M. Blondel, d'agnosticiste, d'immanentiste et d'athéiste. Pourtant, tournant le dos à la néo-scolastique, Blondel s'était battu pour une foi chrétienne fondée, non plus sur des dogmes et des traditions, mais sur les questions essentielles de l'existence humaine. Introduit en 1910 et maintenu jusqu'en 1967, le serment antimoderniste exigé des prêtres avant leur ordination a été unanimement prononcé, sans aucune objection.

50. Voir R. ZERFASS, *Menschliche Seelsorge*, Fribourg, 1985. Tout aussi important et tout aussi stimulant est l'ouvrage de D. STOLLBERG, *Therapeutische Seelsorge. Die amerikanische Seelsorgebewegung. Darstellung und Kritik. Mit einer Dokumentation*, Munich, 1969.

51. Voir E. DREWERMANN, *DF*, p. 10-14.

52. C'est trop facile de dire qu'il faut renoncer à une Église du peuple (*Volkskirche*), à une Église d'assistés. Voir O. SCHREUDER, *Gestaltwandel der Kirche. Vorschläge zur Erneuerung*, Olten, 1967. L'auteur écrit très justement (p. 37) : « Les temps ne sont toujours pas complètement révolus où l'essentiel des activités était centré sur le bon fonctionnement (extérieur) des institutions religieuses [...]. Une institution religieuse doit avant tout former la personne et ouvrir au sens des réalités supérieures [...]. On ne peut se reposer impunément [...] sur un simple automatisme structurel. Les fidèles perdraient bien vite foi en la religion. On ne ferait que les endoctriner et les ministres ne seraient plus que des fonctionnaires. Il faut qu'il y ait toujours une certaine tension entre la personne de l'Église, entre la foi et la religion, sinon le

poids de l'institution devient écrasant ; c'est alors l'institution pour l'institution. » Or, c'est exactement ce qui se produit ; c'est même l'idéal recherché ! Voir J. P. SCHOTTE (éd.), « *Lineamenta* pour le synode des évêques 1990 : la formation des prêtres dans les circonstances actuelles », dans *La Documentation catholique*, n° 1987, 2 juillet 1989, p. 633 : « Dans un monde sécularisé, le prêtre est, par sa consécration et sa fonction, témoin du Mystère : l'identité du prêtre est de l'ordre de la foi. Configuré à Jésus-Christ par l'ordination, le prêtre ne se comprend qu'en dépendance de Jésus-Christ. » Ce que cela signifie *de facto* est immédiatement dénié en ces termes : « Cette dimension de mystère ne réduit aucunement l'humanité du prêtre [...]. » Évidemment ! Comment une identification au Christ, à celui qui s'est fait homme et qui, par sa grâce, continue dans son Église l'œuvre déjà achevée de la rédemption, comment une telle identification pourrait-elle enlever quoi que ce soit à l'homme qu'est aussi le prêtre, ou même le détruire ? C'est comme si on parlait liberté aux communistes purs et durs de l'ère stalinienne, c'est-à-dire à ceux qui ont appris qu'il fallait tout d'abord et *obligatoirement* opprimer le bourgeois pour le rendre solidaire d'une classe laborieuse qui, seule, en tant que collectivité, est porteuse de la véritable liberté.

53. Voir E. DREWERMANN, *AF*, p. 140-145.

54. Voir K. V. FRITZ, « Quellenuntersuchungen zu Leben und Philosophie des Diogenes von Sinope », *Philologus*, supplément du 18 février 1926.

55. Voir P. M. ZULEHNER-J. FISCHER-M. HUBER, « *Sie werden mein Volk sein* ». *Grundkurs gemeindlichen Glaubens*, Düsseldorf, 1985, p. 67-83 : l'« origine communautaire » de la foi, fortement soulignée, implique en même temps le rôle des laïcs et les responsabilités qu'ils ont à partager dans la communauté. Voir également W. BÜHLMANN, *Von der Kirche träumen. Ein Stück Apostelgeschichte im 20. Jahrhundert*, Vienne-Cologne, 1986, p. 118-192 ; l'auteur fait le procès en règle des deux principaux obstacles, à savoir la Congrégation de la foi, « fabrique d'hérésies » qui, au lieu de s'appuyer sur l'expérience de la vie, voit tout à travers un enseignement figé, et le « hiérarchisme » de l'Église, qui, dans le concret, continue d'ignorer les responsabilités des laïcs.

56. Voir la *Constitution dogmatique sur l'Église* (*Lumen Gentium*) de Vatican II, chap. III, n° 29 : le diaconat redevient un « ordre en soi », « un ordre permanent de la hiérarchie », mais dans les limites fixées par les conférences épiscopales compétentes. Le diaconat ne peut être conféré qu'à des hommes mariés d'une « grande maturité », ainsi qu'à des jeunes gens aptes, « mais pour qui le célibat doit rester la loi ». Le diacre peut baptiser, distribuer la communion, procéder rituellement aux funérailles et aux épousailles. La possibilité d'« instruire et d'exhorter le peuple », accordée par Vatican II, a pratiquement été supprimée. Voir aussi K. RAHNER, « Théologie de la rénovation du diaconat » dans *ET*, t. VI, p. 67-120 : l'auteur plaide en faveur des diacres mariés.

57. Sur la situation de l'Église en Amérique latine, voir W. BÜHLMANN, *Weltkirche...*, p. 22-38.

58. Comme l'affirme avec ironie G. BÜCHNER dans *Leonce und Lena* (trad. dans *Théâtre complet*, Paris, Éd. de l'Arche, 1953), la vie du clerc est manœuvrée de l'extérieur comme une marionnette par des ficelles.

59. Voir W. MEYER, *Schwester Maria Euthymia. Nach den Akten und Vorarbeiten des Mutterhauses dargestellt*, Éditions des Sœurs de Clémens, 1982, p. 68-75 ; d'après l'auteur, le transfert de l'hôpital Saint-Vincent (Dinslaken) à la buanderie a été le dernier acte de renoncement de sœur Marie Euthymia, et le plus grand. Après une phase d'un trouble très profond, elle aurait dit, à propos de la sœur supérieure : « Elle devait avoir un objectif en vue. Si ce devait être ma sanctification, ce serait le plus grand. »

60. Voir F. NIETZSCHE, *Humain, trop humain, Œuvres philosophiques complètes* III, Paris, Gallimard, 1968, t. I, § 3, p. 23-24, où l'auteur décrit de façon saisissante la rupture avec les valeurs sacrées de l'enfance.

61. Voir M. BOSS, *Psychoanalyse und Daseinsanalytik*, Munich, 1980, p. 88-150.

62. Sur une interprétation existentiellement « concordante » de textes religieux, voir S. KIERKEGAARD, *L'Instant* ; et, du même auteur, *Post-Scriptum définitif et non scientifique aux miettes philosophiques* (1846), dans *Œuvres complètes*, t. X, Paris, éd. de l'Orante, 1977, p. 69-88 : la

simultanéité des différents moments de la subjectivité dans la subjectivité de l'existence ; « Le penseur subjectif. »

c. Des relations bloquées dans l'anonymat du rôle

1. Voir E. DREWERMANN, *KC*, p. 46-64.
2. Du moins s'il faut en croire la théorie de S. FREUD dans *Totem et Tabou*, Paris, Payot, « Petite Bibliothèque Payot », 1986, p. 53-64, théorie qui, en tout cas sur le plan psychologique, devrait être adéquate.
3. Voir H. BRUNNER, *Abriss der mittelägyptischen Grammatik. Zum Gebrauch in akademischen Vorlesungen*, Graz, 1967, § 69, p. 95 ; A. GARDINER, *Egyptian Grammar, Being an Introduction to the Study of Hieroglyphs*, Oxford, 1953, (3e éd.), § 456, 1, p. 377 ; documents de l'antiquité égyptienne, 151, 2 et 484, 8.
4. Voir L. BILZ « Biologische Radikale » dans *Paläoanthropologie. Der neue Mensch in der Sicht einer Verhaltensforschung*, Francfort, 1971, t. I, p. 119 ; *ibid.*, p. 488-495. E. DREWERMANN, *SB*, t. II, p. 226-228.
5. Voir S. FREUD, *Totem et Tabou*, p. 29-88.
6. Voir N. KAZANTZAKIS, *Le Christ recrucifié*, Paris, Plon, 1955, chap. XVI, p. 335, où l'auteur décrit avec une grande pénétration la visite du prêtre Photis à son évêque. « Était-ce là le représentant du Christ ? Était-ce là l'homme qui prêchait à ses semblables la justice et l'amour ? » L'ouvrage entier est une véritable « théologie de la pauvreté », la plus profonde jamais écrite en milieu chrétien.
7. *CIC*, can. 396-399.
8. Voir IGNACE DE LOYOLA, « La règle de la Société de Jésus », n° 63 : « Pour le plus grand avancement de son esprit et en particulier de son humanité, en vertu de sa profonde indignité, on lui demandera (au futur religieux) s'il est d'accord que tout, ses erreurs, ses fautes, ce qu'on peut observer et apprendre à son sujet en dehors de la confession, puisse être communiqué à ses supérieurs. » Voir aussi n° 196.
9. Voir L. BOFF, « Wie mich die Heilige Kongregation für die Glaubenslehre aufgefordert hat, nach Rom zu Kommen : eine persönliche Aussage », dans N. GREINACHER-H. KÜNG (éd.), *Katholische Kirche — wohin ? Wider den Verrat am Konzil*, Munich-Zurich, 1986, p. 433-447 La Congrégation de la foi a même pu laisser croire que Boff était allé à Rome de lui-même, sur sa propre initiative (p. 440-441). Voir aussi J.-P. JOSSUA, « Ein vernichteter Theologe : Jacques Pohier », dans N. GREINACHER-H. KÜNG (éd.), p. 424-432. En 1978, recourant à la « procédure extraordinaire » (c'est-à-dire en dehors de toutes les règles juridiques prévues par le concile et qui laissent au prévenu la possibilité de se défendre), sans le citer ni l'entendre, la Congrégation de la foi et le général des Dominicains avaient donné un mois à Jacques POHIER pour désavouer son livre *Quand je dis Dieu* (Paris, éd. du Seuil, 1977). En 1979, la Congrégation lui signifiait que son procès (lequel ?) était terminé, et avait échoué de par sa faute, en même temps, défense lui était faite de célébrer la messe et de prêcher. — J.-P. JOSSUA (p. 430) a raison quand il écrit que la « critique de la religion par la psychanalyse » est un « des éléments essentiels du contexte contemporain ».
10. Voir H. KÜNG, *L'Église*, Paris, Desclée de Brouwer, 1968, t. II, p. 610-655, où l'auteur résume ainsi sa position : « Le service de Pierre peut encore très bien être un rocher pour l'Église, pour son unité et pour sa cohésion ; il ne doit pourtant pas devenir *le* critère par excellence qui détermine où est l'Église. » Voir aussi, du même auteur : *Structures de l'Église*, Paris, Desclée de Brouwer, 1963, particulièrement p. 265-335, où Küng nous explique que l'infaillibilité pontificale est un cas particulier de l'infaillibilité attribuée à l'Église universelle et au collège épiscopal, pour ensuite nous rappeler que toute vérité polémiquement définie confine déjà à l'erreur d'une façon spéciale. — Sur les espoirs mis personnellement dans le pape, voir, par exemple, N. GREINACHER, « Sie messen mit zweierlei Mass », dans T. SEITERICH (éd.), *Beten allein genügt nicht. Briefe an den Papst*, Reinbek, 1987, p. 147-155, où l'auteur demande notamment que la théologie de la libération soit reconnue par le pape.
11. Sur la nécessité d'appartenir à l'Église pour être sauvé, voir J. BRINKTRINE, *Die Lehre von*

der Kirche, Paderborn, 1963, p. 70-72 ; et, en particulier, « Pie IX, *Quanto conficiamur moerore*, 1863 », DS, n° 1 677. Sur Vincent de Lérins, voir J. BRINKTRINE, *Einleitung in die Dogmatik*, Paderborn, 1953, p. 53.

12. Voir *National Catholic Reporter* : « Der Bann über die Geburtenkontrolle — Ein erneuter Rückblick : Die Aushöhlung der Autorität geht weiter », dans N. GREINACHER-H. KÜNG (éd.), p. 325-333. Voir également R. B. KAISER, « Die Kontrolle Roms über die Geburtenkontrolle », dans N. GREINACHER-H. KÜNG, p. 307-324 et notamment p. 319-321 : affirmer son autorité ; tel est le motif déterminant dans la position de la Curie romaine, alors que par là même elle ne fait que la saper, comme c'est le cas dans toute communauté humaine ; voir G. C. HOMANS, *Theorie der sozialen Gruppe*, Cologne-Opladen, 1960, p. 386-407. — Les chiffres donnés dans le texte sont empruntés au rapport de U. ARENS, « Ist die Kirche noch zu retten ? », publié dans la revue *Quick* du 21 décembre 1988, n° 52, p. 6-11. En 1987, le nombre de ceux qui ont quitté l'Église s'est élevé à 81 598.

13. Sur les circonstances qui ont accompagné la déclaration d'infaillibilité, et sur les objections, voir H. JEDIN, *Kleine Konziliengeschichte. Die 20 ökumenischen Konzilien im Rahmen der Kirchengeschichte*, Fribourg, 1961, p. 120-124.

14. Voir K. RAHNER, « Konziliare Lehre der Kirche und künftige Wirklichkeit christlichen Lebens », dans *ST*, t. VI, p. 479-498. Pour Rahner, à l'avenir, il ne sera plus du tout possible « de décider d'en haut seulement, sur le mode d'une sagesse paternaliste » (p. 495) ; et pourtant il faut bien constater que c'est toujours parfaitement possible.

15. Voir A. CAMUS, *Le Mythe de Sisyphe*, Paris, Gallimard, 1942, p. 112, où l'écrivain rappelle ce qui est arrivé à la comédienne et amie de Voltaire Adrienne Lecouvreur (1692-1730), qui, sur son lit de mort, avait exprimé le désir de se confesser et de communier, mais à qui les sacrements avaient été refusés parce qu'elle n'avait pas voulu abjurer sa profession.

16. Sur Mt 23, 9, voir E. SCHWEIZER, *Das Evangelium nach Mattheus*, Göttingen, 1986, p. 251-282.

17. *Ibid.*, p. 242-244.

18. Sur cette notion de *mana* rattachée à la personnalite, voir les études suivantes de C. G. JUNG : *Über die Energetik der Seele, Werke*, Olten-Fribourg, 1967, t VIII, p. 1-73 et notamment 70 sqq. (*L'Énergétique psychique*, Paris, Buchet-Chastel, 1956) ; *Die Struktur der Seele* (1928), dans *Werke*, t. VIII, Olten-Fribourg, 1967, p. 161-183 et notamment 180 s. ; *Die Beziehungen zwischen dem Ich und dem Unbewussten* (1928), *Werke*, t. VII, Olten-Fribourg, 1964, p. 131-264 et notamment 249-264 (*Dialectique du moi et de l'inconscient*, Paris, Gallimard, 1964).

19. Voir K. KERÉNYI, *Der göttliche Arzt. Studien über Asklepios und seine Kultstätten*, Darmstadt, 1956 ; A. MAEDER, « Der mythische Heilbringer und der Arst », dans *Der Psychotherapeut als Partner*, Zurich, 1957 ; Munich, p. 19-28.

20. Voir K. RAHNER, « L'Exigence de Dieu et la personne » dans *ET*, XII, p. 45-64, où l'auteur ébauche une tentative importante, sans toutefois la mener à terme, dans la direction suivante : Il y a, écrit Rahner, un appel de Dieu qui s'adresse à chacun individuellement et qui est irréductible, c'est-à-dire qu'il ne peut être considéré purement et simplement comme la somme ou le lieu géométrique des principes matériels généraux de l'éthique et de la morale chrétiennes ; c'est l'appel « à poser un acte individuel et social important pour le salut et qui est vraiment strictement obligatoire » (p. 64). Ce plaidoyer en faveur de la personne, être pour-soi et autonome dont l'Église ne peut faire abstraction, est certes bien intentionné. Mais qu'on le compare avec les deux questions que se pose S. KIERKEGAARD (voir *Crainte et Tremblement, Œuvres complètes*, Paris, Éd. de l'Orante, t. V, p. 146-170) et que Rahner semble parfaitement ignorer, que ce soit sur le plan existentiel ou sur le plan théologique, à savoir : Peut-il y avoir suspension du domaine éthique ? et : Peut-il y avoir une obligation absolue envers Dieu ? On comparera alors non seulement tout ce qui sépare encore la théologie catholique de la position adoptée par la Réforme sur la grâce, centrée sur l'expérience, mais encore le peu de place que la théologie catholique a laissé jusqu'à aujourd'hui, et laisse encore, même aux meilleurs de ses représentants, à la tension « prophétique ». Voir E. DREWERMANN, « Von der Unmoral der Psychotherapie oder : Von der

Notwendigkeit einer Suspension des Ethischen im Religiösen », dans *Psychoanalyse und Moraltheologie*, 3 vol., Mayence, 1982-1984, t. I, p. 79-104.

21. Sur Mt 23, 13, voir E. SCHWEIZER, p. 282.

22. PIE XII, *Mystici corporis* du 29 juin 1973 ; *AAS*, 35, p. 193-248.

23. Sur la théorie du *double bind*, voir P. WATZLAWIK-J. H. BEAVIN-D. D. JACKSON, *Une logique de la communication*, Paris, éd. du Seuil, 1979 ; G. BATESON, « Double contrainte » (1969) dans *Vers une écologie de l'esprit*, Paris, éd. du Seuil, t. II, 1980.

24. Sur la névrose de transfert, voir S. FREUD, *Erinnern. Wiederholen und Durcharbeiten* (1914), *Ges. Werke*, t. X, Londres, 1946, p. 125-136 et notamment 134 sqq. (« Remémoration, répétition et élaboration », dans *La Technique psychanalytique*, Paris, PUF, 1970). Important processus du traitement analytique, la transformation de la névrose en névrose de transfert peut facilement échapper au contrôle. Voir aussi, du même auteur, *Zur Dynamik der Übertragung* (1912), *Ges. Werke*, t. VIII, Londres, 1945, p. 363-374. (« La Dynamique du transfert », dans *La Technique psychanalytique*, Paris, PUF, 1970).

25. Voir S. FREUD, *Ratschläge für den Arzt bei der psychoanalytischen Behandlung* (1912), *Ges. Werke*, t. VIII, Londres, 1943, p. 375-387 et notamment 377 « Conseils aux médecins sur le traitement psychanalytique », dans *La Technique psychanalytique*.

26. Voir C. R. ROGERS, *Die nichtdirektive Beratung*, Munich, 1972, p. 36-37. Sur la méthode préconisée par Rogers (le conseil non directif), voir E. DREWERMANN, *TE*, t. I, p. 444-450.

27. Sur le « cas Schreber », voir S. FREUD, *Psychoanalytische Bemerkungen über einen autobiographisch beschriebenen Fall von Paranoia (Dementia Paranoides)* (1911), dans *Ges. Werke*, t. VIII, Londres, 1945, p. 239-320 et notamment p. 269-294. (« Remarques psychanalytiques sur l'autobiographie d'un cas de paranoïa (*Dementia paranoides*) [Le président Schreber] », dans *Cinq Psychanalyses*, Paris, PUF, 1970.)

28. Voir P. FEDERN, *Ichpsychologie und die Psychosen*, Francfort, 1978, p. 195-198 : La certitude paranoïde.

29. Voir G. W. LEIBNIZ, *La Monadologie* (1714), Paris, Le Livre de Poche, 1991. — Pour la problématique, voir R. VORLÄNDER, *Philosophie der Neuzeit* dans *Geschichte des Philosophie*, Hambourg, 1963-1967, t. IV, p. 76-79.

30. Sur la question de la fidélité, voir E. DREWERMANN, « Une forme particulièrement tragique du malentendu dans le mariage ou : du droit au divorce et au remariage dans l'Église catholique », dans *AR*, p. 79-118 et particulièrement p. 81 sqq.

31. Sur la peur de l'engagement personnel, voir *ibid.*, p. 79.

32. Sur la schizoïdie, voir F. RIEMANN, *Grundformen der Angst. Eine tiefenpsychologische Studie über die Ängste des Menschen und ihre Überwindung*, Munich, 1961, p. 20-45 ; également E. DREWERMANN, « Péché et névrose. Essai de synthèse de la psychanalyse et de la théologie », *PF*, p. 123-148.

33. T. WILLIAMS, *Die Katze auf dem heipen Blechdach*, Francfort, 1980 (*La Chatte sur un toit brûlant*, Paris, Le Livre de Poche, 1983).

34. Sur Jn 8, 32, voir R. BULTMANN, *Das Evangelium des Johannes*, Göttingen, 1941, 1962 (17e éd.), p. 236-238.

35. T. WILLIAMS, p. 88.

36. *Ibid.*, p. 80-81.

37. F. HEBBEL, *Die Nibelungen. Ein deutsches Trauerspiel in drei Abteilungen*, Hambourg, 1962 ; Francfort-Berlin, 1966.

38. À l'opposé, voir D. STOLLBERG, *Therapeutische Seelsorge. Die amerikanische Seelsorgebewegung. Darstellung und Kritik. Mit einer Dokumentation*, Munich, 1969, p. 146-158 : « L'Église croit que les souffrances de ce temps sont un passage, et c'est ce qui fonde sa pastorale. Elle offre son aide en partenaire d'une espérance commune » (p. 156).

39. Dans ses « Lettres à son frère » (éd. fragmentaire dans *Lettres à Théo*, Paris, Gallimard, coll. « L'Imaginaire », 1988) ; ou encore : « Vois-tu, pour moi, il est bien mort et enterré, ce Dieu des curés. Suis-je athée pour autant ? C'est ce que pensent les curés — soit ! — Mais vois-tu, j'aime, et comment pourrais-je ressentir l'amour si ni moi ni les autres ne vivions, et si nous vivons, il y a là quelque chose d'admirable. Appelle cela Dieu, ou la nature humaine, ou ce que tu

voudras, mais il y a certainement quelque chose, que je ne peux pas définir et qui, même si c'est extraordinairement vivant et réel, me semble être comme une norme, et, vois-tu, c'est cela mon Dieu, ou quelque chose comme mon Dieu. » Cette citation est tirée du film Van Gogh réalisé pour la télévision par F. Baumer.

40. Voir l'émission télévisée de la chaîne allemande ARD, le 23 décembre 1988.

41. A. DE SAINT-EXUPÉRY, *Le Petit Prince*, (1943), dans *Œuvres*, Paris, Gallimard, « Bibl. de la Pléiade », 1959, chap. XIV, p. 452 ; voir E. DREWERMANN, *EI*, p. 34-36.

42. A. DE SAINT-EXUPÉRY, p. 454.

II. Les conditions de la vocation

1. L'arrière-plan psychogénétique

1. Voir E. DREWERMANN, *TE*, t. II, p. 436-467.

2. Voir S. FREUD, *Totem et Tabou*, Paris, Payot, « Petite Bibliothèque Payot », p. 146-161.

3. Voir *ibid.*, p. 161-185.

4. Voir E. DREWERMANN, *ME*, t. I, p. 61-80.

5. Ainsi que le pensait B. MALINOWSKI dans *La Sexualité et sa répression dans les sociétés primitives*, Paris, Payot, 1980.

6. Voir E. BORNEMANN, *Das Patriarchat. Ursprung und Zukunft unseres Gesellschaftssystems*, Francfort, 1975, 1979, p. 511-543.

7. Voir K. ABRAHAM, *Esquisse d'une histoire du développement de la libido fondée sur la psychanalyse des troubles mentaux* (1924), *Œuvres complètes*, Paris, Payot, 1965, t. II, p. 170-226.

8. Voir E. DREWERMANN, *ME*, t. I, p. 45-80.

9. Voir *ibid.*, t. I, p. 68-69.

10. La doctrine de la « *rançon* » a joué un rôle particulièrement important dans la théologie chrétienne du sacrifice ; voir J. BRINKTRINE, *Die Lehre von der Menschwerdung und Erlösung*, Parderborn, 1959, p. 210-211 ; E. DREWERMANN, *ME*, t. I, p. 70-71.

11. Sur la phénoménologie religieuse du sacrifice, voir G. VAN DER LEEUW, *Phänomenologie der Religion* (1933), Tübingen, 1956, p. 393-406 ; A. BERTHOLET, *Der Sinn des kultischen Opfers*, Berlin, 1942. Sur l'archétype du sacrifice, voir C. G. JUNG, *Das Wandlungssymbol in der Messe* (1924), *Ges. Werke*, t. XI, *Zur Psychologie westlicher und östlicher Religion*, Olten-Fribourg, 1963, p. 219-323 et notamment 270-323. (*Les Racines de la conscience*, Paris, Buchet-Chastel, 1971.)

12. J. JEREMIAS, *Théologie du Nouveau Testament*, t. I : *La Prédication de Jésus*, Paris, éd. du Cerf, 1980, p. 146-156.

13. Voir H. ZAHRNT, *Martin Luther. Reformator wider Willen*, Munich, 1986, p. 111-122.

14. *Ibid.*, p. 84-88 (citation libre) ; voir M. LUTHER, *Les Sept Psaumes de la pénitence*, *Œuvres*, Genève, Labor et Fides, 1957, t. I, p. 11-91 ; Luther écrivait déjà (1517) « que nous ne pouvons pas offrir de sacrifice agréable à Dieu ». Sur l'œcuménisme et la théologie du sacrifice, voir B. J. HILBERATH-T. SCHNEIDER, « Sacrifice », dans *DT*, p. 678-684

15. Voir M. LUTHER, *De la liberté du chrétien*, éd. du Cerf, coll. « Foi vivante », n° 109, p. 62-66 ; H. KÜNG, *L'Église*, Paris, Desclée de Brouwer, 1968, p. 449-482. Küng est sans doute le théologien catholique le plus proche de la pensée réformée. Sur cette base, une entente interconfessionnelle devrait être possible, pour autant qu'elle soit permise...

16. Sur la doctrine catholique de la grâce et la nécessité de « coopérer », voir J. BRINKTRINE, *Die Lehre von der Gnade*, Parderborn, 1957, p. 151-165 : l'« adulte » [*sic* !] doit se préparer à la justification « par une foi dogmatique [*sic* !] ou une foi professée », et « encore par d'autres actes ». A cet égard, le concile de Trente a été résolument « antiréformateur ». Voir DS, n° 822, p. 379.

17. Sur la Trinité « immanente » et la Trinité « économique » (dans l'économie du Salut), voir H. MÜHLEN, *Der Heilige Geist als Person. Beitrag zur Frage nach der dem Heiligen Geiste eigentümlichen Funktion in der Trinität, bei der Inkarnation und im Gnadenbund*, Münster, 1963, p. 169, 170-171 et 249-258.

18. O. PFISTER, *Das Christentum und die Angst* (1944), Olten, 1975 (avec un avant-propos de Th. Bonhœffer) ; Francfort-Berlin-Vienne, 1985, p. 236 ; d'après F. HEILER, *Der Katholizismus, seine Idee und seine Erscheinung*, 1923, p. 364, Pfister souligne avec raison que, dans l'Église catholique, le prêtre lui-même a un caractère tabou et qu'il inspire la peur (p. 234).

19. Voir S. FREUD, *Das Unheimliche* (1919), *Ges. Werke*, t. XII, Londres, 1947, p. 227-268 (*L'Inquiétante Étrangeté*, Paris, Gallimard, 1985) ; et l'interprétation qu'en fait E. T. A. HOFFMANN, « L'Homme au sable », dans *Contes nocturnes*, Paris, Phébus, 1979, p. 21-59.

20. Voir TH. REIK, *Dogma und Zwangsidee. Eine psychoanalytische Studie zur Entwicklung der Religion* (1927), Berlin-Cologne-Mayence, 1973, p. 25-43 : comment est né le dogme des deux natures en Christ.

21. Voir E. DREWERMANN, *RT*, p. 115-142.

22. Voir E. HORNUNG, *Les Dieux de l'Égypte*, Paris, Flammarion, coll. « Champs », 1992 ; J. ASSMANN, *Ägypten — Theologie und Frömmigkeit einer frühen Hochkultur*, Berlin-Cologne-Mayence, 1984, p. 19-21 et p. 189-191 : la Trinité et le Tout ; H. KEES, *Der Götterglaube im alten Ägypten*, Leipzig, 1956, p. 155-171 et p. 344-355 ; C. G. JUNG, *Versuch einer psychologischen Deutung des Trinitätsdogmas* (1942), dans *Ges. Werke*, t. XI, *Zur Psychologie westlicher und östlicher Religion*, Olten-Fribourg, 1963, p. 119-218 et notamment 128-131.(*Le Problème du quatrième*, Paris, éd. de la Table ronde, 1957-1958.)

23. Voir H. KEES, p. 256-257 ; A. ERMAN, *Die Religion der Ägypter. Ihr Werden und Vergehen in vier Jahrtausenden*, Berlin-Leipzig, 1934, p. 68-83.

24. Voir H. MÜHLEN, p. V-VI. — Le livre est dédié au père de l'auteur.

25. Voir L. MADER (trad.), *Griechische Sagen*, Zurich-Stuttgart, 1963, p. 8 et 322 ; I, 24 (Apollodoros), 165 (Hyginus).

26. Voir S. FREUD, *Totem et Tabou*, p. 176-177.

27. Le « patripassianisme » s'inspire du sabellianisme (de Sabellius), doctrine « modaliste » de la Trinité condamnée par l'Église au milieu du Ve siècle. Voir *DS*, n° 284, p. 101.

28. Voir *CIC*, can. 276, 1 : « Dans leur conduite, les clercs sont tenus par un motif particulier à poursuivre la sainteté, puisque consacrés à Dieu à un titre nouveau par la réception du sacrement de l'ordre. » En outre, selon le canon 273, « les clercs sont tenus par une obligation spéciale à témoigner respect et obéissance au pontife suprême et chacun à son ordinaire propre ».

29. Voir J. J. DEGENHARDT (archevêque de Parderborn), *Gott braucht Menschen. Priestertum*, édité par le vicariat général de l'archevêché, Parderborn, 1982 : « Ce don est [...] en même temps [...] un mandat : l'acte de pénitence qu'il fait à la messe rappelle au prêtre qu'il est pécheur et serviteur inutile. La parole de Dieu le rappelle à l'obéissance ; elle lui intime que ce n'est pas lui-même qu'il doit annoncer, en opposition à la parole et à la volonté divines, mais Jésus-Christ, le Seigneur crucifié et ressuscité. Quand il prépare les offrandes, il doit être prêt à se donner totalement en offrande. Quand il actualise l'œuvre du Christ, qui, par amour, a donné sa vie pour nous sur la croix, il est appelé à répondre à cet amour divin. Il prend part au repas eucharistique et y fait participer les autres afin de devenir semblable au Seigneur » (p. 14).

30. Sur la doctrine du « caractère indélébile » conféré par le sacrement de l'ordre, voir J. BRINKTRINE, *Die Lehre von den heiligen Sakramenten der katholischen Kirche*, 2 vol., Parderborn, 1961-1962, t. II, p. 199-200 ; encore un dogme défini au concile de Trente contre la théologie de la Réforme ; voir *DS*, n° 964 ; voir déjà THOMAS D'AQUIN, *Somme théologique*, Paris, éd. du Cerf, 1984-1986, III, 63, 5.

31. Voir THOMAS D'AQUIN, III, suppl., 37, 5.

32. Sur Gal 6, 17, voir H. SCHLIER, *Der Brief an die Galater*, Göttingen, 1962, p. 284-285.

33. Voir Jn 3, 3-8 ; sur la nécessité de renaître de l'Esprit, voir E. DREWERMANN, *DN*, p. 83-95.

34. Voir E. CONZE, « Das Mahayana », dans E. CONZE *(éd.)*, *Im Zeichen Buddhas*, Hambourg, 1957, p. 107-178 ; p. 158-159 : le don de soi à Avalokiteshvara. Sur la figure de Kwan Yin, voir E. CONZE, *Des Buddhismus — Wesen und Entwicklung*, Stuttgart, 1953, p. 37 et 174 ; E. NEUMANN, *Die Grosse Mutter. Eine Phänomenologie der weiblichen Gestaltungen des Unbewussten*, Zurich, 1956 ; Olten-Fribourg, 1989 (9e éd.), p. 311-313.

35. Voir J. BRINKTRINE, *Die Lehre von der Mutter des Erlösers*, Parderborn, 1959, p. 101-114 et notamment p. 103 sqq.

36. En 1960, la proposition suivante a été déclarée *sententia certa* : « Parce qu'elle a donné au monde le Sauveur, source de toute grâce, Marie est la médiatrice de toute grâce » ; et la suivante a été déclarée *sententia pia et probabilis* : « Depuis son assomption dans le ciel, aucune grâce n'est accordée sans l'intercession concrète de Marie. » C'est la doctrine de la double médiation : *mediatio Mariæ in universali et in speciali*. — Sur la naissance de la légende et du culte marials, voir E. MEYER, *Ursprung und Anfänge des Christentums*, 3 vol., Stuttgart-Berlin, 1921-1923, t. I, p. 65-70 et 77-81 : « En réalité, c'est l'antique mère des dieux qui revit pleinement en la personne de la déesse Marie ; oui, on peut le dire, en elle la religion d'Asie Mineure a conquis le monde. Marie a tous les traits essentiels de la grande déesse d'Asie Mineure. En madone de Lourdes, elle a même une ressemblance spéciale avec la déesse des montagnes ; elle est là, dans la grotte, telle la déesse au milieu des arbres et des fleurs qui poussent en abondance, parmi les collines boisées où s'ébat son enfant ; et, comme dans les cultes païens, moulées dans la cire, les empreintes des membres humains qu'elle a guéris sont aussi là, ainsi que les innombrables ex-voto qui disent la reconnaissance des miraculés (p. 80). » C'est seulement quand on aura reconnu l'impossibilité de fonder le culte marial sur la Bible, et le caractère résolument *païen* de la dévotion à la madone, qu'on pourra comprendre combien il est capital pour la théologie fondamentale de faire appel à la psychologie des profondeurs, à l'inconscient et à ses archétypes, pour approfondir les symboles de la foi chrétienne. Voir E. DREWERMANN, « Die Frage nach Maria im religionswissenchaftlichen Horizont », dans *Zeitschrift für Missionswissenschaft und Religionswissenschaft*, 66e année, avril 1982, cahier 2, p. 96-117. — Sur la mariologie et la psychologie des profondeurs, voir C. G. JUNG, *Réponse à Job*, Paris, Buchet-Chastel, 1964, p. 87-229 et notamment p. 216-225 (sur le dogme de l'Assomption).

37. Sur la doctrine des douleurs attribuées à Marie, voir J. BRINKTRINE, *Die Lehre von der Mutter des Erlösers*, p. 102-103. Voir également la note 45. Caractéristique à ce sujet est l'ouvrage de J. J. DEGENHARDT, *Marienfrömmigkeit*, édité par le vicariat général de l'archevêché, Parderborn, 1987, p. 16-20 : « Marie au pied de la croix » ; même là, il n'est pas admis qu'il s'agit d'une image symbolique.

38. Voir E. JONES, « Die Empfängnis der Jungfrau Maria durch das Ohr. Ein Beitrag zu der Beziehung zwischen Kunst und Religion », dans *Zur Psychoanalyse der christlichen Religion*, édité par A. MITSCHERLICH, Francfort, 1970, p. 37-128 et notamment p. 90-93. Sur les rapports entre l'oppression sexuelle et la psychanalyse, voir K. DESCHNER, *Abermals krähte der Hahn. Eine Demaskierung des Christentums von den Evangelisten bis zu den Faschisten*, Stuttgart, 1962 ; Hambourg, 1972, p. 360-372 ; U. RANKE-HEINEMANN, *Des eunuques pour le royaume des cieux*, Paris, Hachette-Pluriel, 1992.

39. Voir O. RANK, *Das Trauma der Geburt und seine Bedeutung für die Psychoanalyse*, Leipzig-Vienne-Zurich, 1942, p. 128-132, *Le Traumatisme de la naissance*, Paris, Payot, 1968 ; E. DREWERMANN, *ME*, t. II, p. 599-623 et notamment p. 611-620.

40. Voir O. RANK, p. 128 s. ; C. G. JUNG, *Das Wandlungssymbol in der Messe*, p. 293 sqq. (*Les Racines de la conscience.*)

41. Voir S. FREUD, « Contributions à la psychologie de la vie amoureuse », dans *La Vie sexuelle*, Paris, PUF, 1985, p. 47-80. ; O. RANK, *Le Mythe de la naissance du héros*, Paris, Payot, 1983 ; *Schriften zur angewandten Seelenkunde*, édité par S. FREUD, cahier 5, p. 79-80 : la « légende type » du complexe en question.

42. Sur le combat du dragon et la jeune fille à conquérir, voir U. STEFFEN, *Drachenkampf. Der Mythos vom Bösen*, Stuttgart, 1984, p. 163-206 : la légende du frère. Sur l'interprétation du même thème dans la mythologie lunaire, voir E. SIECKE, *Drachenkämpfe. Untersuchungen zur indogermanischen Sagenkunde*, Leipzig, 1907, p. 26-27.

43. Voir Mt 1 et 2 ; Lc 1 et 2 ; E. DREWERMANN, *TE*, t. I, p. 502-509 et notamment p. 504-509 ; *ibid.*, *DN*, p. 52-108.

44. Voir E. DREWERMANN, *DN*, p. 73-83 : l'Égypte ancienne.

45. Voir J. J. DEGENHARDT, *Marienfrömmigkeit*, p. 29-34 : « Marie — la Très Sainte Vierge » ; p. 31-32 : « La question, c'est de savoir [...] quel est le moyen concret dont Dieu s'est

servi pour s'incarner et nous sauver. » « Il est incontestable que pour Matthieu et Luc, Joseph ne peut pas être considéré comme le père naturel ; ils veulent nous signifier que la merveilleuse conception est l'œuvre du Saint-Esprit. » « Il ne nous appartient pas, à nous humains, d'imposer des moyens et des limites à l'action divine, de les comparer aux lois de la nature qui nous sont connues et de ne les admettre que s'ils coïncident avec nos expériences. Il ne sert non plus à rien de chercher des parallèles dans l'histoire des religions. » Au milieu des années soixante, J. J. Degen GUhardt a soutenu une thèse de doctorat en exégèse néo-testamentaire avec R. Schnackenburg.

46. Voir K. G. REY, *Das Mutterbild des Priesters. Zur Psychologie des Priesterberufes*, Zurich-Cologne-Einsiedeln, 1969, p. 109-110. Déjà alors, l'auteur montrait statistiquement les insuffisances de l'expérience paternelle dans la psychogenèse du clerc ; reste toutefois à les décrire et à en dégager la signification.

47. Voir E. DREWERMANN, « " Attends que ton père revienne ! " Crises liées à des souvenirs d'enfance au lendemain de la guerre », dans *AR*, p. 151-179.

48. É. ZOLA, *L'Assommoir*, Paris, 1877.

49. É. ZOLA, *Nana*, Paris, 1879.

50. A. J. TOYNBEE, *Der Gang der Weltgeschichte*, Munich, 1970, vol. I, t. I, p. 93-228 : La naissance des civilisations. L'interaction du défi et de la réponse et le juste milieu.

51. Sur la rencontre de telles conditions, voir E. DREWERMANN, « Une forme particulièrement tragique de malentendu dans le mariage ou : du droit au divorce et au remariage dans l'Église catholique », *AR*, p. 79-120 ; notamment p. 88-108.

52. Sur la structure des dépressifs et des hystériques, voir E. DREWERMANN, « Péché et névrose », *PF*, p. 93-130 et notamment p. 109-122.

53. Voir K. G. REY, *Priesterberufe*, p. 115 : Le père, qui a été perçu comme indifférent ou négatif sur le plan religieux est l'occasion externe, et la mère, tournée vers la religion, la condition interne qui déterminent le choix du modèle sacerdotal. « Ce qui signifie que le prêtre perçoit souvent le sens de la vocation sacerdotale dont il fait son modèle, d'une part, dans l'attitude positive de la mère et, d'autre part, dans la carence du père sur le plan religieux. » Toutefois, il convient d'observer à quel point, dès l'enfance, l'attitude de la mère (ou, le cas échéant, d'un père « maternel ») vis-à-vis de la religion doit apparaître comme le moyen décisif de résoudre les angoisses profondes, les sentiments de culpabilité et les conflits, pour que le sort de toute une vie puisse être déterminé par le choix d'une vocation cléricale.

54. Voir E. DREWERMANN, *ME*, t. I, p. 311-321.

55. *Ibid.*, I, p. 376-389.

56. Sur le « choix d'un appui » en raison des carences vécues dans l'enfance, voir S. FREUD, *Die Zukunft einer Illusion* (1927), *Ges. Werke*, t. XIV, Londres, 1948, p. 323-380 et notamment 345-346. (*L'Avenir d'une illusion*, Paris, PUF, 1971.)

57. Ainsi, en cours de thérapie, il n'est pas rare que la peur, la recherche désespérée d'un appui, la déception transforment en conflit de pouvoirs et en comportements arbitraires de simples questions telles que le choix d'une date pour un rendez-vous. En arrière-fond de l'expérience vécue dans l'Église il y a des parents, ou leurs remplaçants, supposés tout-puissants : s'ils ne *peuvent* pas, c'est simplement qu'ils ne *veulent* pas. Incapable de faire comprendre à son patient la réalité, pour le moins, de certaines exigences, le thérapeute est dans l'impossibilité de parler ouvertement de ses désirs et de ses inclinations ; en conséquence, il est souvent contraint de les présenter comme des nécessités ; c'est le résultat paradoxal du transfert.

58. Sur les aspects négatifs de l'image maternelle chez le clerc, voir K. G. REY, p. 66-67 : « Elle [la mère] a par nature de forts sentiments d'infériorité, qu'elle s'efforce de couvrir par un dévouement extrême à ses enfants, afin de pouvoir s'affirmer. »

59. Voir E. DREWERMANN, *SB*, t. II, p. 247-294 ; t. III, p. 263-299 et 378-379.

60. Voir G. GUARESCHI, *Mondo piccolo « Don Camillo »*, Milan, 1948.

61. Sur la problématique spéciale du premier-né dans l'histoire de Caïn et Abel, voir E. DREWERMANN, *SB*, t. III, p. 279-280.

62. *Ibid.*, t. I, p. 143.

63. L. SZONDI, *Schicksalsanalyse. Wahl in Liebe, Freundschaft, Beruf, Krankheit und Tod*, Bâle-Stuttgart, 1965, p. 276.

64. L. SZONDI, *Lehrbuch der experimentellen Triebdiagnostik*, Berne-Stuttgart, 1960, t. I, p. 119-120.

65. Sur la figure de Moïse, voir E. DREWERMANN, *TE*, t. II, p. 379-392.

66. Sur la vision de Damas, voir D. HILDEBRANDT, *Saulus. Ein Doppelleben*, Olten, 1989, p. 66-78 ; l'auteur laisse toutefois, totalement de côté la tension psychique de l'antinomie.

67. L. SZONDI, *Lehrbuch...*, p. 119.

68. Sur la problématique de l'avortement, voir P. DE ROSA, *Gottes erste Diener*, Munich, 1989, p. 448-479. « Seule la femme qui est en cause peut dire si sa décision de garder son enfant ou de ne pas le garder est motivée par l'égoïsme ou par l'amour de Dieu manifesté en Christ. » « [...] Ne se pourrait-il pas que le problème capital soit à chercher, non pas chez les laïcs, mais chez les clercs, qui font les règles pour les laïcs ? » (p. 478-479). Voir également K. DESCHNER, *Das Kreuz mit der Kirche*, p. 307-320 ; chiffres à l'appui, l'auteur démontre l'inefficacité des mesures légales prises dans différents pays, et en même temps la coresponsabilité de l'Église et de sa morale face aux dangers encourus par les femmes qui, dans leur désarroi, s'adressent à la première « faiseuse d'anges » venue. Voir encore U. RANKE-HEINEMANN, p. 339-353 : l'auteur souligne notamment le primat prétendu de l'enfant sur la vie de la mère dans l'enseignement de l'Église.

69. Sur l'aspect souvent *tragique* que revêt la question de l'avortement, voir E. DREWERMANN, « L'existence tragique et le christianisme », *PF*, p. 31-36.

70. U. RANKE-HEINEMANN (p. 340-341) cite le cardinal, qui, dans une prise de position datant de 1986, insiste encore une fois fortement sur le primat qu'il faut accorder à la vie de l'enfant sur celle de la mère.

71. Sur l'émergence du surmoi et du complexe œdipien, voir S. FREUD, « Le Moi et le Ça » (1923) dans *Essais de psychanalyse*, Paris, Payot, « Petite Bibliothèque Payot », 1983, p. 219-274.

72. Voir K. ABRAHAM, « Examen de l'étape prégénitale la plus précoce du développement de la libido » (1916), *Œuvres complètes*, Paris, Payot, 1965, t. II, p. 11-34.

73. Sur l'esprit de représailles dans l'œuvre historique du Deutéronome, voir G. VON RAD, *Théologie de l'Ancien Testament*, 2 vol., Genève, Labor et Fides, 1963, t. I, p. 347-361.

74. Voir C. G. JUNG, *Psychologie de l'inconscient*, (1943), Genève-Paris, Georg-Buchet-Chastel, 1963, p. 58 ; avec Jung, on peut parler de l'« *ombre* » que projette la piété du clerc.

75. Voir ci-dessus, note 61.

76. Notamment sur l'histoire de Joseph selon l'Élohiste, qui met l'accent sur le thème des songes, voir L. RUPPERT, *Die Joseph — Erzählungen der Genesis*, Munich, 1974 ; p. 33-35 ; 62-67 ; 72-74 ; 77-78 ; 91-92 ; 228-229. Par ailleurs, ce genre d'exégèse n'est rien d'autre qu'une théologie ou une idéologie pour ou contre une monarchie humaine au sein de l'Empire, qu'il soit du Nord ou du Sud.

77. Sur ces versets de la Genèse, voir G. VON RAD, *Das erste Buch Mose*, Göttingen, 1929, p. 317-322 ; E. DREWERMANN, « Doctrine et morale conjugale à la lumière de la psychanalyse », dans *AR*, p. 33-78 et notamment p. 56.

78. TH. MANN, *Joseph et ses frères*, Paris, Gallimard, coll. « L'Imaginaire », 1980, t. I : *Les Histoires de Jacob*.

79. Sur le parallélisme avec le conte de Grimm, voir J. BOLTE-G. POLIVKA, *Anmerkungen zu den Kinder-und hausmärchen der Brüder Grimm*, 5 vol., Leipzig, 1913-1932, t. I, p. 227-234. Voir également le conte intitulé « Les Six Cygnes » dans *ibid.*, t. I, p. 427-434.

80. Sur le mythe grec des Pléiades, Orion et les sept colombes, voir W. SCHADEWALDT, *Die Sternsagen der Griechen*, Francfort, 1956, p. 26. Toutefois, entre la chasse aux jeunes filles en fuite et la libération des frères, il y a une énorme différence.

81. Sur la symbolique des oiseaux, voir S. FREUD, *Un souvenir d'enfance de Léonard de Vinci* (1910), Paris, Gallimard, 1987 ; voir également E. DREWERMANN-I. NEUHAUS, « L'oiseau d'or », dans la série *GM*, p. 36-39.

82. Sur les bénéfices de la maladie, voir S. FREUD, *Vorlesungen zur Einführung in die Psychoanalyse* (1917), in *Gesammelte Werke*, t. XI, Londres, 1944, p. 397-400. *Introduction à la psychanalyse*, Paris, Payot, 1984.

83. Sur les différents aspects positifs d'une mère idéalisée, voir K. G. REY, p. 56-66 : « Le but de la mère, sa vie, ce n'est plus son propre bien, mais celui de ses enfants, dans un total oubli de soi [...]. Elle ne recule devant aucun sacrifice [...]. Une mère est forte jusque dans la mort. » « La mère doit répandre l'*amour* à l'infini » (p. 57). Comme le Christ, comme la madone, comme le prêtre en vertu de son idéal.

84. C. M. WIELAND ; *Die Abderiten. Eine sehr wahrscheinliche Geschichte von Herrn Hofrath Wieland*, 4 vol., Weimar, 1974 ; Berlin-Est-Weimar, 1984, t. I, p. 4-6 et 23-39.

85. Sur la psychosomatique de l'adipose, voir O. W. SCHONECKE, « Verhaltenstheoretisch orientierte Therapieformen in der psychosomatischen Medizin », dans TH. VON UEXKÜLL (éd.), *Lehrbuch der psychosomatischen Medizin*, Munich-Vienne-Baltimore, 1981 (2e éd.), p. 389-407 et notamment p. 395-397.

86. Voir P. HAINING, *Brigitte Bardot. Die Geschichte einer Legende*, Herford, 1984, p. 78.

87. Ces antonymies sont classiques dans les contes et les récits mythologiques ; voir E. DREWERMANN-I. NEUHAUS, « Frau Holle » (Madame Holle), dans la série *GM*, t. III, p. 25-26 et 30-32.

88. Voir STENDHAL (H. Beyle), *La Chartreuse de Parme* (1839), *Romans*, Paris, Gallimard, « Bibl. de la Pléiade », 1933. Sur les conseils de sa tante Gina, qu'il aime, Fabrice del Dongo décide de se faire prêtre dans l'espoir de devenir plus tard évêque et accéder ainsi au pouvoir et à la gloire. Incarcéré, il s'éprend de Clelia Conti, la fille de son geôlier. Clelia doit garder son amour secret et consent bon gré mal gré à un mariage en vue. Elle promet à la madone de ne voir son amant que de nuit. Devenu évêque, Fabrice, de son côté, ne prêche que dans l'espoir de revoir un jour Clelia. — C'est un des exemples les plus célèbres de la littérature mondiale sur les chemins tortueux d'un amour défendu vécu par un clerc, et sur la dureté et la sécheresse de cœur du clergé lui-même, ainsi que son obsession du pouvoir. Alors que le roman de Stendhal se passe au début du XIXe siècle, ses personnages agissent et sentent comme s'ils venaient de la Renaissance italienne ; en effet, son époque lui est apparue trop dégénérée pour qu'ils soient encore capables de grandes passions.

89. Sur ces versets des Psaumes, voir A. WEISER, *Die Psalmen*, t. I, Göttingen, 1950, p. 242-247.

90. Voir K. G. REY, *Das Mutterbild des Priesters*. D'une manière générale, il est juste de dire, comme le fait l'auteur (p. 110), qu'« une attitude religieuse négative de la mère rend invraisemblable une vocation sacerdotale (du fils) ». Mais, même dans le cas d'une attitude positive, le schéma n'est pas celui d'une simple imitation du modèle ; l'inverse est parfaitement possible, où l'orientation religieuse de l'enfant procède de ses propres aspirations et de certaines évidences relatives à une stratégie de survie.

91. S. FREUD, « Un événement de la vie religieuse » (1928), dans *L'Avenir d'une illusion*, Paris, PUF, 1971, p. 97 sqq.

92. Voir E. DREWERMANN, *TE*, t. II, p. 473-485.

93. Sur la notion d'*empreinte (Prägung)* dans la thérapeutique du comportement, voir K. IMMELMANN-C. MEVES, « Prägung als frühkindliches Lernen », dans K. IMMELMANN (éd.), *Verhaltensforschung*, Zurich, 1974, p. 337-353.

94. Voir G. E. LESSING, *Die Erziehung des Menschengeschlechtes* (1780), dans *Werke*, 2 vol. Wiesbaden, t. II, p. 975-997.

95. F. SCHLEIERMACHER, *Discours sur la religion. A ceux de ses contempteurs qui sont des esprits cultivés* (1799), Paris, Aubier-Montaigne, 1944, p. 152.

96. Voir A. VON HARNACK, *Marcion. Das Evangelium vom fremden Gott. Eine Monographie zur Geschichte der Grundlegung der katholischen Kirche*, Leipzig, 1923 ; Darmstadt, 1985, p. 106-143.

97. Voir J. JEREMIAS, *Théologie du Nouveau Testament*, t. I : *La Prédication de Jésus* ; O. PFISTER, p. 144-181.

98. Voir H. MÜHLEN, p. 113-115.

99. *Ibid.*, p. 145-151.

2. Les limites de différents stades de développement

1. Sur Ga 1, 15, voir H. SCHLIER, *Der Brief an die Galater*, Göttingen, 1962, p. 53-54.
2. Voir K. G. REY, *Das Mutterbild des Priesters. Zur Psychologie des Priesterberufes*, Zurich-Cologne-Einsiedeln, 1969.
3. Dans son film *Les Fraises sauvages* (*Smultronstället*, 1957), Ingmar Bergman dépeint de façon exemplaire comment s'éclaire et se décante la vision tardive d'un professeur vieillissant, qui doit reconnaître à quel point il a vécu à côté de lui-même : il n'a jamais aimé ! Voir *Les Fraises sauvages*, dans *L'Avant-Scène Cinéma*, n° 331-332, juill.-août 1984.
4. Sur la notion de *dialectique* chez KIERKEGAARD, voir *Miettes philosophiques ou : un peu de philosophie par Johannes Climacus* (Copenhague, 1844) trad. du danois par P.-H. TISSEAU et E.-M. JACQUET-TISSEAU. *Œuvres complètes*, Paris, Éd. de l'Orante, 1973, t. VII, p. 83-103 ; voir aussi « Index terminologique » dans *Œuvres complètes*, t. XX, p. 26-27

A *La fonctionnalisation d'un extrême*

5. *Sur Mc 10, 1-27, voir E. DREWERMANN, ME*, t. II, p. 86-128.
6. Voir J. JEREMIAS, *Jérusalem au temps de Jésus*. Recherches d'histoire économique et sociale pour la période néo-testamentaire, Paris, éd. du Cerf, 1967, p. 321-356 et notamment p. 336 sqq.
7. Sur la règle de Qumrân, voir *ibid.*, p. 347-348.
8. L'écrit de Celse, « Discours véritable », ne nous est connu que par les larges citations qu'en fait ORIGÈNE dans son *Contre Celse*, Paris, Éd. du Cerf, 1967-1976, coll. « Sources chrétiennes », n°s 132, 136, 147, 150, 227, t. IV. Voir en particulier l'Introduction de M. Borret dans *Contre Celse*, coll. « Sources chrétiennes », n° 227, t. V, p. 9-23.
9. Voir ORIGÈNE, *ibid.*, coll. « Sources chrétiennes », n° 136, t. II, livre III, § 44-59, p. 105-139.
10. Voir EUSÈBE DE CÉSARÉE, *Histoire ecclésiastique*, Paris, Éd. du Cerf, 1983-1987, coll. « Sources chrétiennes », en 4 vol. ; sur le règne de *Dèce*, livre VI, chap. XXXIX-livre VII, chap. I (*HE*, t. II, « Sources chrétiennes », n° 41, p. 141-166) ; sur le règne de *Dioclétien*, livre VII, chap. XXX-livre VIII, chap. XIII (*HE*, t. II, p. 214 sqq. ; t. III, p. 3-32). — Voir également K. DESCHNER, *Abermals krähte der Hann. Eine Demaskierung des Christentums, von den Evangelisten bis zu den Faschisten*, Stuttgart, 1962 ; Hambourg, 1972, p. 329-332 : la « réforme manquée » du monachisme primitif.
11. Voir E. BRUNNER-TRAUT, *Die Kopten. Leben und Lehre der frühen Christen in Ägypten*, Cologne, 1982, p. 22-47.
12. Voir L. HOLTZ, *Geschichte des christlichen Ordenslebens*, Zurich-Cologne, 1986, p. 52-58 et 65-73.
13. Sur Mt 4, 1-11, voir E. SCHWEIZER, *Das Evangelium nach Matthäus*, Göttingen, 1986, p. 30-36 ; sur Lc 4, 1-13, voir H. SCHÜRMANN, *Das Lucasevangelium*, 1re partie, Fribourg-Bâle-Vienne, 1969 ; 1984 (3e éd.), p. 204-220.
14. Sur la « chute », ou le « vol » dans les rêves, voir P. FEDERN, « Über zwei typische Traumsensationen », dans *Jahrbuch der Psychoanalyse*, publié sous la dir. de Sigmund FREUD, Leipzig-Vienne, 1914 ; vol. VI, p. 89-134.
15. Voir H. SCHULTZ-HENCKE, *Der gehemmte Mensch. Entwurf eines Lehrbuches der Neo-Psychoanalyse* (1947, 2e éd.), Stuttgart, 1965, p. 39-42.
16. Sur le monachisme bouddhique, voir H. OLDENBERG, *Bouddha. Sa vie, sa doctrine, sa communauté* (1881), Paris, Félix Alcan, 1934, p. 359-361 : la vie monastique, dernier échelon de la perfection. Voir également L. BOFF, *Témoins de Dieu au cœur du monde*, Paris, Le Centurion, 1982, p. 19-24 : c'est à juste titre que l'auteur qualifie la vie religieuse au sein d'une communauté de « phénomène universel dans toutes les religions » (p. 20).
17. Sur Jn 16, 33, voir R. SCHNACKENBURG, *Das Johannesevangelium*, en trois parties, Fribourg-Bâle-Vienne, 1972-1795, t. III, p. 187-188.
18. En particulier le renoncement au mariage, inhérent au monachisme bouddhique aussi bien qu'au monachisme chrétien, est en contradiction logique avec les formes primitives du messianisme judaïque. Même à Qumrân, il semble qu'il y ait eu des formes de communauté

matrimoniale. Voir J. M. ALLEGRO, *Die Botschaft vom Totem Meer* (trad. de l'anglais), Francfort, 1957, p. 89, 140, 143, 156.

19. Voir E. DREWERMANN, *TE*, t. II, p. 447-452 et 467-472.

20. Sur le « désert » et l'« espérance » des prophètes, voir G. VON RAD, *Théologie de l'Ancien Testament*, Genève, Labor et Fides, t. I, 1963, p. 245-252, p. 210-216.

21. Voir E. HORNUNG, *Tal der Könige. Die Ruhestätten der Pharaonen*, Zurich-Munich, 1982, p. 9 sqq.

22. Voir *ibid.*, p. 78 et 92.

23. Le mot égyptien pour *tombeau* signifie exactement : lieu de résurrection, c est-à-dire lieu où les momies sont debout. Voir E. DREWERMANN, *BS*, p. 80.

24. Voir *ibid.*, p. 119-154.

25. Voir E. BRUNNER-TRAUT, p. 11-12 et 14-21 : l'auteur souligne que les Égyptiens sont irrités par « l'hyperculture, l'hyperconscience et l'hypersensibilité » d'Alexandrie (p. 14).

26. Voir E. DREWERMANN, *BS*, p. 151-154.

27. Voir notamment U. RANKE-HEINEMANN, *Des eunuques pour le Royaume des cieux. L'Église catholique et la sexualité*, Paris, Hachette-Pluriel, 1992, p. 138-167 : la peur des célibataires en présence des femmes ; G. DENZLER, *Die verbotene Lust, 2000 Jahre christliche Sexualmoral*, Munich-Zurich, 1988, p. 235-330 : la sexualité de la femme ; K. DESCHNER, *Das Kreuz mit der Kirche*, p. 154-211 : l'hostilité du clergé envers le sexe. — Du point de vue historique, voir aussi G. DENZLER, « Priesterehe und Pristerzölibat in historischer Sicht » dans F. HEINRICH (éd.), *Existenzprobleme der Priester*, Munich, 1969, p. 13-52.

28. Voir, par exemple, F. X. KAUFMANN-J. B. METZ, *Zukunftsfähigkeit. Suchbewegungen im Christentum*, Fribourg, 1987, p. 86-90 : dans le domaine social, les auteurs attendent de l'Église « une aide [...] exemplaire » qui soit significative et crédible, comme, par exemple, des hôpitaux, des maisons d'accueil (asiles), etc.

29. Sur l'oppression de la femme, voir K. DESCHNER (n. 27 ci-dessus), p. 230-246.

30. Voir U. RANKE-HEINEMANN, p. 325-339 ; toutefois, en exposant la morale de l'Église au XIXe et au XXe siècle, l'auteur fait totalement abstraction du contexte économique et social.

31. Voir A. R. L. GURLAND, « Wirtschaft und Gesellschaft im Übergang zum Zeitalter der Industrie », dans G. MANN (éd.), *Propyläen Weltgeschichte*, en 10 vol. (1960-1964), Francfort-Berlin, 1986, t. VIII, p. 279-336 ; N. MITSCH, « Industrialisierung und sozialer Wandel », dans N. ZWÖLFER (éd.), *Telekolleg II, Geschichte*, t. I, Munich, 1981, p. 67-85.

32. Voir G. R. TAYLOR, *Kulturgeschichte der Sexualität* (trad. de l'anglais), Francfort. 1977, p. 71-73 ; E. DREWERMANN, *KC*, p. 242-246.

33. Voir R. M. RILKE, *Le Livre d'heures* (1905), dans *Œuvres*, Paris, éd. du Seuil, 1972, t. II ; premier livre : *Le Livre de la vie monastique*, p. 89-129.

34. C'est l'importante thèse historico-culturelle défendue par H. MÜLLER-KARPE dans *Geschichte der Steinzeit*, Munich, 1976, p. 276 ; voir aussi H. KÜHN, *Der Aufstieg der Menschheit*, Francfort-Hambourg, 1955, p. 60-65.

35. Voir J. A. WILSON, « Ägypten », dans G. MANN (éd.), *Propyläen...*, t. I, p. 323-521 ; W. VON SODEN, « *Sumer, Babylon und Hethiter bis zur Mitte des 2. Jahrhunderts vor Christus* », dans G. MANN, t. I, p. 523-609.

36. Voir W. DURANT, *Kulturgeschichte der Menschheit* (trad. de l'anglais), t. I, *Der Alte Orient und Indien*, Francfort-Berlin, 1981, p. 49-92 : les fondements moraux et spirituels de la civilisation (mariage, morale sexuelle, morale sociale, religion, langage, écriture, science, arts).

37. Voir A. TOYNBEE, *Menschheit und Mutter Erde. Die Geschichte der groBen Zivilisationen* (trad. de l'anglais), Düsseldorf, 1979, p. 44-54 ; p. 46-47.

38. Voir H. KÜNG, p. 60-65 ; H. MÜLLER-KARPE, *Das vorgeschichtliche Europa* (1968), Baden-Baden, 1979, p. 45-77.

39. Voir P. LAVIOSA-ZAMBOTTI, *Ursprung und Ausbreitung der Kultur* (trad. de l'italien), Baden-Baden, 1950, p. 215-216.

40. Voir E. NEUMANN, *Die Grosse Mutter. Eine Phänomenologie der weiblichen Gestaltungen des Unbewußten*, Zurich, 1956 ; Olten-Fribourg, 1989 (9e éd.), p. 255-266.

41. Voir *ibid.*, p. 123-146.

42. Sur le mythe, voir A. GEHLEN, *Urmensch und Spätkultur. Philosophische Ergebnisse und Aussagen*, Francfort-Bonn, 1964 (2e éd.), p. 217-228.

43. Voir H. ZIMMER, *Philosophie und Religion Indiens* (trad. de l'anglais), Francfort, 1976, p. 51-55.

44. K. JASPERS, *Origine et sens de l'histoire*, Paris, Plon, 1954, p. 8-33 et 69-80.

45. Voir H. ZIMMER, p. 17-28.

46. Voir E. WALDSCHMIDT, *Legende vom Leben des Buddhas. In Auszügen aus den heiligen Texten* (trad. du sanscrit, du pali et du chinois, 1929) ; Graz, 1982, p. 85-94.

47. Voir H. OLDENBERG, p. 142-149. L'enseignement du *sentier du milieu* est également suivi par l'hindouisme : voir S. NIKHILANANDA, *Der Hinduismus. Seine Bedeutung für die Befreiung des Geistes* (trad. de l'anglais), Francfort, 1960, p. 84.

48. Voir K. E. NEUMANN (trad.), *Also sprach der Erhabene. Eine Auswahl aus den Reden Gautama Buddhas* (1907), Zurich, 1956, 1986, p. 3-23 : le pilier des intuitions.

49. Voir *ibid.*, p. 95-98 et 166-168.

50. Voir K. MYLIUS (trad.), *Gautama Buddha. Die vier edlen Wahrheiten. Texte des ursprünglichen Buddhismus*, Munich, 1983, 1985, p. 203-206 ; N. KAZANTZAKI, *Alexis Zorba*, Paris, Presses Pocket, 1977, p. 26-27 : dans l'histoire du Bouddha et du berger, l'auteur dépeint admirablement l'opposition entre la sagesse et l'engagement, le savoir et l'agir, la connaissance et la vie, l'esprit et le sentiment, la conscience et le monde, l'évidement et la conquête. Déjà, ici, il est important d'observer que la vie religieuse n'a pas simplement un fondement anthropologique, ainsi que le suppose L. BOFF dans *Témoins de Dieu au cœur du monde*, p. 15-22, notamment quand il écrit : « Tout homme est un être ouvert à la totalité du réel » (p. 21). Au contraire, en un certain sens, le monachisme est une réaction à l'expérience d'une profonde coupure entre l'homme et le monde ; il ressortit dès lors à un ordre unilatéral qui, par lui-même, articule le problème plus qu'il ne le résout. — Sur le vide de toute chose dans le *bouddhisme*, voir E. CONZE, *Le Bouddhisme*, Paris, Payot, « Petite Bibliothèque Payot », 1971).

51. Voir W. FOERSTER, *Die Gnosis*, Zurich-Munich, 1979, T. I, p. 7-37 ; E. PAGELS, *Les Évangiles secrets*, Paris, Gallimard, 1982, p. 170-194.

52. Voir F. C. BURKITT, « Die Auffassung von dem Bösen. Prinzip im manichäischen System und von seiner Ubereinstimmume mit dem Christentum » (1925), dans G. WIDENGREN (éd.), *Der Manichäismus*, Darmstadt, 1977, p. 31-36.

53. Voir G. ROTTENWÖHRER, *Der Katharismus*, Bad Honnef, 1982.

54. Voir P. ALFARIC, « Die geistige Entwicklung des heiligen Augustinus. Vom Manichaismus zum Neuplatonismus » (1918), dans G. WIDENGREN, p. 331-361 ; P. BROWN, *La Vie de saint Augustin* (trad. de l'anglais), Paris, éd. du Seuil, 1971, p. 51-68. — Sur la pensée d'Augustin, voir également G. MAURACH, *Geschichte der römischen Philosophie. Eine Einführung*, Darmstadt, 1989, p. 141-160.

55. Sur la position de l'Église dans le monde du Moyen Âge, sur ses privilèges, l'emprise et la tutelle qu'elle exerce, voir H. BOOCKMANN, « Das Reich im Mittelalter », dans H. BOOCKMANN et *alii, Mitten in Europa. Deutsche Geschichte*, Berlin, 1984, p. 41-112 et notamment p. 59-63. Sur la réforme de Cluny, voir J. DHONDT, *Le Haut Moyen Âge*, Paris, Bordas, 1976, p. 240-244. L'auteur souligne (p. 241) l'indépendance de l'abbaye par rapport aux idées du pape Grégoire VII (1073-1085). — Sur la réforme des Cisterciens au début du XIIe siècle voir J. LE GOFF, *Le Moyen Âge*, Paris, Bordas, 1971, p. 117-124. Saint Bernard notamment « critique âprement le luxe vestimentaire et alimentaire des Clunisiens, le faste et l'extravagance de leurs églises et de leurs cérémonies religieuses, l'exploitation de leurs troupeaux de serfs » (p. 120).

56. Voir J. LE GOFF, p. 124-130. Voir également H. BOOCKMANN, p. 41-112 et notamment p. 63-68 ; selon l'auteur, en Allemagne et en Scandinavie, de l'an mille après J.-C. au milieu du XIVe siècle, la population est passée de 4 millions d'habitants environ à 11,5 millions approximativement, en raison notamment de l'accroissement de la productivité agricole conjuguée avec une division accrue du travail (p. 63 sqq. et 85). Sur l'économie et la société aux Xe et XIe siècles, voir J. DHONDT, p. 259-262 et en particulier p. 274-282, sur le développement des villes.

57. Voir G. DUBY, *Guerriers et paysans, VIIe-XIIe siècle. Premier essor de l'économie*

européenne, Paris, Gallimard, 1973, p. 237-285. « Vers 1180, [...] dans tout le corps du continent européen, la circulation de l'argent [...] entraînera désormais tout l'élan du progrès » (p. 285). « Après 1180, l'esprit de profit fera sans cesse reculer l'esprit de largesse » (p. 300). « [...] Dans le développement économique [...] le paysan cède au bourgeois le rôle d'animateur » (p. 293). Voir également O. BRUNNER, *Sozialgeschichte Europas im Mittelalter*, Göttingen, 1978, p. 53-64 : les conséquences sociales du conflit entre l'Eglise et le siècle ; p. 56-57 : les prétentions fiscales de la Curie ; p. 57-58 : les mouvements de pauvres et les hérésies.

58. Voir R. SCHNEIDER, *Innozenz der Dritte* (1931), Munich, 1963, p. 103-109 ; l'auteur écrit avec raison : « Si le Christ ne revient pas avec les marques de la souffrance et du renoncement, l'Église va devenir un État » (p. 108). Voir aussi H.-CH. LEA, *Histoire de l'Inquisition au Moyen Âge*, Grenoble, Jérôme Millon, 1986, t. I, p. 290-346 . l'évolution de l'ordre des Franciscains ; J. LE GOFF, p. 230-238.

59. Sur Jn 18, 36, voir R. SCHNACKENBURG, t. III, p. 284-285 Voir également E. DREWERMANN, *ME*, t. II, p. 588-598.

60. Sur le rôle des Dominicains inquisiteurs, voir H.-CH. LEA, p. 373 : « En 1235, alors que le projet d'une Inquisition organisée à travers l'Europe prenait corps, Grégoire nomma le provincial dominicain de Rome inquisiteur [...]. » Sur le mouvement des ordres mendiants et le rôle des Dominicains dans l'Inquisition, voir J. LE GOFF, p. 230-237. Voir également V. J. KOUDELKA (éd.), *Dominikus. Gotteserfahrung und Weg in die Welt*, Olten, 1983 ; Munich-Zurich, 1989, p. 169-176.

61. Voir J. LE GOFF, p. 237-240 ; H.-CH. LEA, p. 575-613 ; Sur Boniface VIII, voir P. DE ROSA, *Gottes erste Diener*, Munich, 1989, p. 94-105.

62. Sur l'opposition des chanoines du clergé régulier à la réforme de Cluny par l'Église, voir J. DHONDT, p. 234 sqq. D'un autre côté, s'il faut en croire l'auteur du *De vita vere apostolica* (début du XIIe siècle), « L'Église a commencé avec la vie monastique ; [...] la règle monastique est la règle apostolique ; les Apôtres étaient des moines, et ainsi les moines sont les véritables successeurs des Apôtres. » Voir J. LE GOFF, p. 148.

63. Voir E. RENAN, *La Vie de Jésus*, Paris, Michel Lévy Frères, 1863 ; il y a 130 ans, Renan formulait ainsi le problème : « Si Jésus, au lieu de fonder son Royaume céleste, était parti pour Rome, s'était usé à conspirer contre Tibère ou à regretter Germanicus, que serait devenu le monde ? Républicain austère, patriote zélé, il n'eût pas arrêté le grand courant des affaires de son siècle, tandis qu'en déclarant la politique insignifiante, il a révélé au monde cette vérité que la patrie n'est pas tout, et que l'homme est antérieur et supérieur au citoyen » (p. 123).

64. Sur les quatre stades de la vie dans l'éthique hindouiste, voir S. NIKHILANANDA, p. 75-84. — Sur le monachisme dans le *taoïsme*, voir H. J. SCHŒPS, *Religionen. Wesen und Geschichte*, Gütersloh, 1961, p. 227 ; sur la représentation poétique, voir A. DÖBLIN, *Die drei Sprünge des Wang-lun*, roman chinois (1915), Munich, 1970, p. 143 : « Celui dont l'âme est libre peut trouver le paradis de l'Ouest. Je ne me suis pas abandonné à la convoitise ; je me suis purifié pour des joies célestes ; j'ai contraint mes âmes prisonnières à suivre le sentier du suprême empereur. » — Sur les quatre *classes* de croyants dans le bouddhisme, voir H. OLDENBERG, p. 358-360 ; voir aussi p. 239 et surtout p. 373-425. Le *moine qui est ordonné* promet d'observer les quatre grands commandements : la chasteté, la pauvreté (ne pas voler), la non-violence (à l'égard de tout être vivant) et la modestie (l'humilité : ne pas se prévaloir d'être parfait). Il s'agit là d'un acte purement juridique qui peut être révisé à tout moment et auquel n'est rattachée aucune mystique liturgique (p. 322-324).

65. Voir S. NIKHILANANDA, p. 80 : c'est seulement au quatrième degré de sa progression que l'âme peut se diriger vers la *moksha*, « la liberté dans l'amour, la liberté dans l'attachement » aux choses. En effet : « C'est un commandement de l'hindouisme, que le corps vient en premier, et seulement après, la pratique de la religion. » « Opprimer les appétits légitimes nuit souvent au corps et à l'esprit et retarde la réalisation de la liberté » (p. 79). Ce sont là les vérités d'une sagesse pédagogique de longue haleine que n'a jamais connue l'école cléricale chrétienne.

66. Voir E. WALDSCHMIDT, p. 11 ; M. PERCHERON, *Le Bouddha et le Bouddhisme*, Paris, éd. du Seuil, 1956, p. 22-23 ; H. OLDENBERG, p. 122 sqq.
67. Sur la figure du brahmane dans l'hindouisme, voir H. VON GLASENAPP, *Die nichtchristlichen Religionen*, Francfort, 1957, p. 83-84 et 120.
68. Sur la figure de Shiva, voir H. ZIMMER, p. 137-209 : mythes et symboles indiens.
69. Voir P. DAHLKE (trad.), *Buddha. Die Lehre des Erhabenen* (Extraits du canon pali) Berlin, 1920 ; Munich, 1960, p. 61-86 : Mahapadana-Suttanta (notamment p. 71 et 78).
70. Voir I. NICHOLSON, *Mexikanische Mythologie* (trad. de l'anglais), Wiesbaden, 1967, p. 74-75.
71. Voir TH. VON CELANO, *Leben und Wunder des heiligen Franziskus von Assisi* (trad. de l'italien), introduction et commentaires de E. Grau, Werl, 1988 ; t. I, p. 32 et 106-108 ; t. II, p. 16, 17 et 236-238. Voir également A. HOLL, *Der letzte Christ, Franz von Assisi*, Stuttgart, 1979, p. 91-95.
72. Voir H.-CH. LEA, t. I, p. 300.
73. Voir P. DE ROSA, p. 263-264.
74. Voir *ibid.*, p. 500.
75. Voir *ibid.*, p. 264.
76. R. DE ALMEIDA, « Armut. Aus der Sicht der Theologie der Befreiung », trad. du portugais par H. Goldstein, dans P. EICHER (éd.), *Neues Handbuch theologischer Grundbegriffe*, t. I, Munich, 1984, p. 37-61 : « Ce qui caractérise le riche, c'est la possession de biens matériels qui, notamment dans un monde capitaliste, lui donnent accès au savoir et au pouvoir de décision. Ainsi, le parti des riches devient le noyau de la classe sociale qui détermine la direction à donner à la politique et à la science tout entière. Au contraire, le pauvre est celui qui n'a d'autre intérêt que d'être homme [...] et de donner à tous la possibilité de pouvoir penser, vivre, rire, s'exprimer et grandir ensemble. C'est pourquoi le pauvre lutte pour que tous soient libérés, tandis que pour le riche seules comptent les ambitions d'un petit nombre » (p. 60). Face aux 50 millions d'hommes et de femmes qui, chaque année, meurent de faim, il est incontestable que la lutte contre la pauvreté doit être l'objectif primordial de la politique, ou devrait l'être, et que c'est une question de justice (p. 54). Mais comment peut-on dire que l'unique préoccupation du « pauvre », c'est le bonheur de tous ? Certes, destin collectif, la pauvreté ne peut être vaincue que collectivement ; mais tout d'abord il faut voir combien la pauvreté, par les souffrances qu'elle impose à chacun, divise les hommes et les femmes les uns contre les autres : celui qui cherche sa nourriture sur la décharge publique est le concurrent de l'autre ; dans la rue, le pire ennemi de celui qui mendie, c'est l'autre mendiant, et la rivale de la prostituée, c'est l'autre prostituée ; sur le marché, celui qui offre sa marchandise essaie d'écraser son voisin, etc. C'est la pauvreté qui force le *campesino* à cultiver le coca. « Ainsi [...] le pauvre [...] serait le sacrement historique du salut, le support social de la nouvelle rationalité, de la nouvelle culture [...] le représentant privilégié de l'Évangile » (p. 60) ? C'est tout le contraire : le pauvre est le scandale de notre impuissance à vivre ensemble et à partager équitablement les biens de ce monde ; mais les biens de ce monde ne sont pas tombés du ciel ; ils ont été acquis « rationnellement », selon une « rationalité » qui aurait été impossible dans un état de pauvreté. Qu'on le veuille ou non, il faut compter avec les riches si on veut vaincre la pauvreté. — En outre, il faut bien voir que l'Inde compte plus d'habitants que l'Amérique du Sud et l'Afrique réunies. Dans la perspective des conseils évangéliques, le problème est le suivant : aussi longtemps que la « pauvreté » est essentiellement définie sur le plan matériel, c'est « un mal qui offense l'homme et que Dieu ne veut pas », ainsi que L. BOFF le dit très justement dans son ouvrage intitulé *Témoins de Dieu au cœur du monde*, p. 112-117. Alors la pauvreté n'est jamais un but ni un idéal. Même lorsque, pour lui (p. 120), l'« idéal que le christianisme propose », c'est « une société qui [...] réalise la justice et la charité fraternelles », L. BOFF suppose que la pauvreté a été vaincue par la richesse pour tous. Sur le plan matériel, on ne voit absolument pas pourquoi il faudrait dire que « la richesse est un mal qui déshumanise et que Dieu ne veut pas » (p. 115), à moins qu'il ne s'agisse encore une fois de répartition inéquitable, ce qui, toutefois, n'est pas nécessairement lié à la richesse et à la pauvreté au sens matériel. Si la richesse est un mal en soi, il faut alors se placer sur un plan *psychologique* et se demander quelle fonction la richesse (matérielle) peut avoir pour dissimuler une forme de

pauvreté psychique ; à ce moment-là, on ne peut pas faire autrement que de détacher la notion de pauvreté de ses manifestations et de ses formes matérielles afin d'approfondir les dimensions psychologique et anthropologique. C'est précisément ce que fait L. BOFF (p. 126), avec raison, quand il dit que la pauvreté a pour but « d'accueillir Dieu, en reconnaissant le néant radical de la créature, le vide humain devant la richesse de l'amour divin ». C'est là le lieu où la réflexion et l'analyse existentielles devraient véritablement commencer, alors que d'ordinaire c'est là qu'elles se terminent.

77. Voir *CIC*, can. 273 ; J. J. DEGENHARDT (archevêque), *Gott braucht Menschen. Priestertum*, édité par le vicariat général de l'archevêché, Paderborn, 1982, p. 16 : « L'obéissance sacerdotale, qui doit être imprégnée par un esprit de coopération, a son fondement dans une participation au mandat épiscopal, participation à laquelle le prêtre est appelé par le sacrement de l'ordre et la mission ecclésiale. » Autrement dit, sur le plan « spirituel », être prêtre, ce n'est rien d'autre que participer à la dignité de l'évêque, dont le prêtre prolonge le bras en qualité de « collaborateur ». « En contrepartie, l'évêque a l'obligation de veiller au bien spirituel et au bien matériel de ses prêtres » (p. 16). On pourrait penser que des hommes adultes sont capables d'en faire autant. Beaucoup plus intéressant est le point de vue de L. BOFF (p. 151-157), qui voudrait voir dans l'obligation d'obéissance un « chemin de réalisation personnelle », ainsi que nous l'expliciterons plus loin. Cette proposition est en profonde contradiction avec la conception officielle de l'« obéissance » ; en outre, intérioriser psychologiquement la notion d'obéissance ne peut être crédible que si la même démarche est également appliquée à la « pauvreté » et à la « chasteté ». — Au fait, comment il est possible de prendre cette proposition de départ par l'autre bout et la tourner en sens contraire, c'est ce que montre le cardinal J. MEISNER dans *Sein, wie Gott uns gemeint hat. Betrachtungen zu Maria*, Berlin, 1988, p. 43 : « L'homme se trouve dans la volonté de Dieu et trouve en même temps son accomplissement personnel. » C'est ainsi qu'une volonté extérieure devient l'expression de sa véritable identitié ; en effet · que savons-nous de Dieu ?

78. Voir *CIC*, can. 277, 1 « Les clercs sont tenus par l'obligation de garder la continence parfaite et perpétuelle à cause du Royaume des Cieux, et sont donc astreints au célibat, don particulier de Dieu par lequel les ministres sacrés peuvent s'unir plus facilement au Christ avec un cœur sans partage et s'adonner plus librement au service de Dieu et des hommes. »

79. Il existe effectivement une corrélation « archaïque » entre le repas et l'esprit communautaire, ou entre le produit commun de la chasse et son partage équitable. Voir E. DREWERMANN, *KC*, p. 334-337.

80. Voir L. HARDICK-E. GRAU (trad.), *Die Schriften des heiligen Franziskus von Assisi*, Werl, 1984, p. 231-333 et notamment p. 249-273. Les auteurs ont raison de dire que par « pauvreté » au sens franciscain il faut entendre la « forme extérieure », la « manifestation d'une attitude intérieure ». Mais précisément : sur l'« attitude intérieure » et la psychologie humaine, nous en savons aujourd'hui tellement plus qu'il n'est plus possible de concevoir *de l'extérieur* la vie d'un homme ou d'une femme d'après les idées contenues dans une règle monastique écrite au Moyen Âge ; ce qu'il faut faire, c'est éclairer le point où dire oui à la pauvreté de son moi se révèle comme un signe de liberté. Certes, les auteurs situent bien le sens original de la pauvreté franciscaine dans une « dépossession » totale ; dans sa « Lettre à tout l'Ordre » dans *Écrits* de Claire et François d'Assise, Paris, Éd. du Cerf, coll. « Foi vivante » n° 255, 1991, p. 159, François ne dit-il pas : « Ne retenez donc pour vous rien de vous, afin que vous reçoive tout entier celui qui se donne à vous tout entier » ? Si les mots ont encore un sens, c'est tout le contraire d'une acceptation ou d'une affirmation de soi, à moins que la figure du Christ ne soit considérée comme étant la source d'une grâce divine ouverte à l'épanouissement personnel, auquel cas, au lieu d'une « dépossession », la « pauvreté » chrétienne devient restitution de l'existence.

81. Voir J. B. METZ, *Zeit der Orden ? Zur Mystik und Politik der Nachfolge*, Fribourg-Bâle-Vienne, 1977, p. 52-59 (trad. fr. *Un temps pour les ordres religieux ?* Paris, Cerf, 1981).

82. Voir L. BOFF, p. 131-132 ; mais encore une fois, prise dans ce sens, la « pauvreté » n'est rien d'autre que la revendication et l'expression d'une justice qui doit faire sentir leurs

obligations aux riches, s'ils veulent se dire « chrétiens ». Il faut certes réclamer une telle justice, mais la « pauvreté évangélique », c'est autre chose.

83. Voir *ibid.*, p. 129-132 : « la pauvreté comme engagement contre la pauvreté ».

84. Voir les encycliques de JEAN-PAUL II, *Laborem exercens*, *AAS* 73, 1981, p. 584, et *Sollicitudo rei socialis*, *AAS* 80, 1988, p. 566-569, dans lesquelles le pape attend du « travail » humain et du « progrès » une transformation du système socio-économique. Contre la pauvreté sociale, l'Église ne connaît certainement pas de remède miracle. Toutefois, elle est beaucoup plus sensible (ou elle l'est devenue entre-temps) à cette forme de « pauvreté » qu'à la pauvreté psychique. Par exemple, le 27 juin 1989, la Congrégation pour la formation catholique a édité des « Directives pour l'étude et l'enseignement de la doctrine sociale de l'Église dans la formation des prêtres ». Un document analogue sur les problèmes *psychiques* des candidats au sacerdoce et des fidèles dans l'Église est encore totalement impensable. Aussi bien, il semble encore plus urgent pour l'Église de s'attaquer à cette « pauvreté »-là que de renforcer sa pression interne dans la discussion des problèmes socio-économiques. Exemples : chaque jour, en RFA, une centaine d'enfants appellent à l'aide par téléphone ; 40 000 enfants et adolescents s'enfuient de la maison ; 10 à 15 % des enfants qui entrent à l'école ont des problèmes de comportement ; chaque jour, 38 enfants et adolescents font une tentative de suicide et 4 se suicident effectivement (*Neue Westfälische* du 9 septembre 1989).

85. Une étude attentive montre que l'ascension bourgeoise a commencé au Moyen Âge en même temps que le mouvement de protestation franciscain. Voir J. LE GOFF, p. 167-196 : le progrès de l'agriculture, l'expansion du commerce et de l'économie monétaire vers 1180-1270 · p. 232-237, 240 : la crise de la société entre 1315-1317. Sur le processus d'industrialisation au XIXe siècle, voir A. R. L. GURLAND, « Wirtschaft und Gesellschaft... », dans G. MANN (éd.), *Propyläen*, t. VIII, p. 279-336.

86. Pour la défense de cette « bourgeoisie » si souvent décriée, voir I. LISSNER, *Wir sind das Abendland. Gestalten, Mächte und Schicksale Europas durch 1 700 Jahre*, Olten, 1966, Munich, 1980, p. 410 et 570-571 : l'auteur souligne à juste titre, en opposition à J.-P. Sartre, que la notion de « bourgeoisie » n'est « plus du tout aujourd'hui une notion fixe et déterminée », « pas plus », d'ailleurs, « que celle de prolétariat ». A son avis, la critique *théologique* de la « bourgeoisie » ne devrait pas être d'ordre économique, mais *augustinien* : si, par « bourgeois », poursuit l'auteur, il faut entendre celui qui ne connaît d'autre « patrie » que son existence terrestre, alors le concept de « bourgeois » s'oppose à celui de « chrétien », et il en sera ainsi tant que prévaudra ce postulat.

87. Sur la lutte qui opposait au XIe siècle la bourgeoisie naissante à l'aristocratie terrienne, voir G. DUBY, p. 273.

88. Voir A. SMITH, *Recherches sur la nature et les causes de la richesse des nations*, Paris, Félix Alcan, 1881, p. 17 : « Ce n'est pas de la bienveillance du boucher, du marchand de bière et du boulanger, que nous attendons notre dîner, mais bien du soin qu'ils apportent à leurs intérêts. Nous ne nous adressons pas à leur humanité, mais à leur égoïsme ; et ce n'est jamais de nos besoins que nous leur parlons, c'est toujours de leur avantage. Il n'y a qu'un mendiant qui puisse se résoudre à dépendre de la bienveillance d'autrui [...]. »

89. Voir L. FEUERBACH, *Über Philosophie und Christentum* (1839), dans *Werke* en 6 vol., Francfort, 1975, t. II, p. 261-330 et notamment p. 315-327 : « Ô vous ! hypocrites et menteurs ! Vous voulez jouir dans l'au-delà des fruits de l'ancienne foi, mais, entre-temps, vous voulez goûter ici-bas à ceux de l'incroyance moderne » (p. 318). Voir également ID., *L'Essence du christianisme* (1841), Paris, François Maspero, 1968, p. 301-311 : l'auteur voit avec raison le fondement du *célibat* et du monachisme dans la « croyance au ciel » et à la « nullité et à l'absence de valeur de cette vie » (p. 302). En fait, on ne peut comprendre ni le christianisme ni les conseils évangéliques sans l'arrière-fond de cette expérience existentielle, et c'est uniquement en revenant à cette source qu'on trouvera le point d'ancrage qui servira à donner un nouveau fondement à l'idéal chrétien.

90. Voir E. DREWERMANN, *DF*, p. 10-14.

91. Sur la « communauté des mendiants » dans le bouddhisme, voir H. OLDENBERG, p. 394 : « Ce n'est pas qu'aucun vœu solennel lui impose expressément le devoir de pauvreté ; par le fait

seul de “ partir de sa maison pour mener une vie errante ”, les droits de propriété de celui qui renonce au monde, aussi bien que son mariage, sont considérés comme annulés de soi. » « Comme l'oiseau, où qu'il vole, n'emporte avec lui que ses ailes, de même aussi un moine se contente du vêtement qu'il porte, de la nourriture qu'il a dans le corps. Où qu'il aille, partout il emporte avec lui sa fortune. » Il n'est aucun monastère où l'on vive ainsi, « libre comme l'oiseau » ; la « pauvreté » est simplement déléguée à l'intendance de l'ordre religieux, qui a le droit d'être riche, comme l'Église elle-même, pourvu que l'individu soit, non pas *pauvre*, mais dépendant et le reste.

92. Voir E. EPPLER, *Wenig Zeit für die Dritte Welt*, Stuttgart-Berlin-Cologne-Mayence, 1976 (4ᵉ éd.), p. 37-72 : quoi qu'il en soit, les propositions concrètes devraient aller dans la direction qui est indiquée ici, en commençant par le planning familial (p. 37-40). En ce domaine, aussi longtemps que l'Église catholique ne sera pas revenue à la raison, elle perdra ses droits à faire la leçon à l'humanité.

93. Il y a une façon de prier qui semble trahir une forte croyance en la « toute-puissance de la pensée » ; c'est notamment typique de la pensée magique dans la névrose obsessionnelle ; voir S. FREUD, *Totem et Tabou*, Paris, Payot, 1986.

94. Sur l'histoire de Camillo Torres, voir le film de E. ITZENPLITZ, *Der Tod des Camillo Torres oder : die Wirklichkeit hält viel aus*, par Olivier Storz ; programme de la chaîne de télévision ouest-allemande, le 14 décembre 1977.

95. Comme a tellement raison de le souligner L. BOFF dans *Témoins de Dieu...*, p. 126-132. — Voir E. HUG-A. ROTZETTER, *Franz von Assisi. Arm unter Armen*, Munich, 1987 : évidemment les auteurs ont raison quand ils écrivent (p. 6) que « la relation entre les besoins sociaux et la mystique chrétienne reste valable ». Mais dans nos sociétés, les besoins psychiques sont bien plus grands que les besoins sociaux — et bien plus difficiles à surmonter.

96. H. HESSE, *Siddhartha*, Paris, Le Livre de Poche, 1991, p. 143-150.

97. *Ibid.*, p. 71-77.

98. *Ibid.*, p. 182 ; avant d'oublier au bord du fleuve son trop grand savoir (p. 137) et commencer à le transformer, *Siddhartha* apprend l'amour auprès de la belle Kamala (p. 87-101).

99. À l'opposé, voir l'admirable témoignage de H. HESSE, *Eigensinn* (1919), dans *Politische Betrachtungen*, Francfort, 1970, p. 47-52 : « Il y a une vertu que j'aime beaucoup, une seule. Elle s'appelle l'individualisme [...]. L'individualiste obéit à une autre loi, une seule, impérativement sainte, la loi qui est en lui-même, le “ sens ” (*Sinn*) de ce qui lui est “ propre ” (*eigen*). »

100. Voir par exemple, E. DREWERMANN-I. NEUHAS, « L'Oiseau d'or », dans *GM*, p. 39-42 et 52-55.

101. Voir E. BRUNNER-TRAUT, p. 22-34. Particulièrement intéressant est le motif du *silence* (p. 30-31), silence qui devrait avoir son origine dans l'Égypte pharaonique, et qui joue également un rôle important dans la Règle de saint Benoît. Voir *La Règle de saint Benoît*, Paris, éd. du Cerf, 1971-1972, coll. « Sources chrétiennes » (6 vol.), nᵒ 181, t. I, p. 411 (chap. VI).

102. Sur Mc 1, 12 et 13, voir E. DREWERMANN, *ME*, t. I, p. 142-161.

103. Voir *ibid.*, p. 148 et 157, n. 24.

104. Voir *ibid.*, p. 149-157.

105. Voir G. MENSCHING, *Die Religion. Eine umfassende Darstellung ihrer Erscheinungsformen. Strukturtypen und Lebensgesetze*, Munich, sans date, p. 290-297.

106. H. SCHULTZ-HENCKE, p. 39.

107. *Ibid.*, p. 39-40.

108. Comme l'a bien montré A. Freud, l'ascèse (pubertaire) est fondée avant tout sur la peur du chaos. Voir A. FREUD, *Le Moi et le Mécanisme de défense*, Paris, PUF, 1985. En un sens, la morale ascétique cléricale aboutit à une persistance des angoisses pulsionnelles chez celui ou celle qui n'a jamais osé dépasser l'âge psychologique de quinze ans.

109. Voir notamment V. B. DRÖSCHER, *Nestwärme. Wie Tiere Familienprobleme lösen*, Düsseldorf-Vienne, 1982, p. 139-168 : l'auteur cite des exemples très impressionnants de l'amour parental chez les animaux.

110. Voir S. FREUD, *Vorlesungen zur Einführung in die Psychoanalyse* (1917), *Ges. Werke*, t. XI, Londres, 1944, p. 369-371 (*Introduction à la psychanalyse*, Paris, Payot, 1989). La

prédominance du principe du plaisir aux dépens du principe de la réalité, c'est précisément ce qui caractérise la névrose.

111. Voir K. G. REY, p. 129-133 ; l'auteur a bien décrit l' « éducation protectrice » infantilisante que reçoit le clerc, éducation dont les tabous sexuels sont particulièrement efficaces.

112. S. KIERKEGAARD, *L'Instant, Œuvres complètes*, t. XIX, Paris, éd. de l'Orante, 1982. Voir « Éloge du genre humain ou preuve que le Nouveau Testament n'est plus la vérité ».

b. La pauvreté ou les conflits de l'oralité

a) Dispositions ecclésiastiques

1. Voir G. DENZLER, *Lebensberichte verheirateter Priester. Autobiographische Zeugnisse zum Konflikt zwischen Ehe und Zölibat*, Munich, 1989, p. 7-13 ; l'auteur dresse le catalogue des principales critiques adressées à l'obligation du célibat depuis 1966. Voir également F. LEIST, *Zölibat. Gesetz oder Freiheit. Kann man ein Charisma gesetzlich regeln* ?, Munich, 1968, p. 178-214 : l'auteur appelle de ses vœux — déjà — un nouveau type de prêtre qui n'ait plus à vivre dans un monde magique pour échapper aux dangers du monde et des plaisirs.

2. Le canon 282, 1 du *CIC* se contente de la recommandation suivante : « Que les clercs recherchent la simplicité de vie et s'abstiennent de tout ce qui a un relent de vanité. » Ce n'est pas encore la « pauvreté » ; c'est simplement une modération de classe moyenne.

3. Synode épiscopal romain, 1971 : « Le sacerdoce ministériel », dans *La Documentation catholique*, n° 1 600, 2 janv. 1972, p. 8-9.

4. *Ibid.*, p. 11.

5. M. HUTHMANN, *Mit Jesus auf dem Weg. Grundzüge einer priesterlichen Spiritualität*, Düsseldorf, 1973, p. 85.

6. À propos : de même qu'en art le « kitsch » est le signe certain de sentiments artificiels, de même le style mystificateur du parler ecclésial est le sûr garant d'une relation hypocrite avec Dieu. Voir S. KIERKEGAARD, *L'Instant, Œuvres complètes*, t. XIX, Paris, éd. de l'Orante, 1982, p. 230-234 ; dans sa « nouvelle » sur l'étudiant en théologie Ludwig From, Kierkegaard fait une critique acerbe de cette rhétorique d'un christianisme décadent.

7. N. LO BELLO, *Vatikan im Zwielicht* (trad. de l'anglais), Munich, 1986, p. 266.

8. *Ibid.*, p. 272.

9. *Ibid.*, p. 276.

10. *Ibid.*, p. 254.

11. Sur le rapport anal entre les excréments et l'or, voir S. FREUD, « Sur les transpositions des pulsions plus particulièrement dans l'érotisme anal », dans *La Vie sexuelle*, Paris, PUF, 1969.

12. N. LO BELLO, p. 252.

13. *Ibid.*, p. 256.

14. *Ibid.*, p. 243-244.

15. *Ibid.*, p. 244.

16. *Ibid.*, p. 244.

17. Voir A. ROHRBASSER (éd.), *Sacerdotis imago. Päpstliche Dokumente über das Priestertum von Pius X. Bis Johannes XXIII*, Fribourg (Suisse), 1962, p. 43-44.

18. K. MARX, *Le Capital*, dans *Œuvres, Économie*, Paris, Gallimard, « Bibl. de la Pléiade », t. I, 1965, p. 697 sqq. Capital personnifié, le capitaliste est si « désintéressé » que, finalement, ce n'est plus lui-même qui est acteur, mais la *valeur* donnée au processus qu'est la circulation de la monnaie et des marchandises.

19. M. WEBER, *L'Éthique protestante et l'esprit du capitalisme*, Paris, Presses Pocket, 1990.

20. Voir A. ROHRBASSER, p. 144-145.

21. Sur la psychologie de l'argent, voir P. KLOSSOWSKI, *La Monnaie vivante*, Paris, Losfeld, 1970 ; repris dans : *Das lebende Geld*, in : J. HARTEN-H. KURNITZKY, *Museum des Geldes*, 2 vol., Hambourg, 1978 ; t. I : *Von der seltsamen Natur des Geldes in Kunst, Wissenschaft und Leben*, p. 78-99.

22. *Ibid.*, p. 221.
23. H. MISCHLER, *Haben die Priester Zukunft ? Untersuchungen am Beispiel des französischen Klerus. Befragung aus dem Jahre 1982*, édité par l'action « Contact Abbé », Speyer, 1983, p. 57.
24. *Ibid.*, p. 57.
25. *Ibid.*, p. 58.
26. *Ibid.*, p. 60-61.
27. *La Règle de saint Benoît*, Paris, éd. du Cerf, 1972, coll. « Sources chrétiennes », n° 182, t. II, p. 563.
28. *Die Regel des heiligen Benedikt*, éditée par les Bénédictins de Beuron (Allemagne), p. 104.
29. *Ibid.*, p. 105.
30. *Ibid.*, p. 106.
31. *Ibid.*, p. 107.

b) De l'idéal de pauvreté à la pauvreté humaine

1. TH. MORE, *L'Utopie* (1517), Paris, Éditions sociales, 1982, p. 116-117 : la propriété privée, obstacle à une politique d'équité.
2. T. CAMPANELLA, *La Cité du Soleil* (1623), Paris, Vrin, 1950. Propriété en commun et fraternité : Campanella voit bien que la propriété privée est inévitable tant qu'il y aura des familles avec leurs logis à elles, leurs enfants à elles et des maris et des femmes à elles. Aussi est-il logiquement prêt à supprimer et la propriété privée et la famille.
3. Voir S. FREUD, *Drei Abhandlungen zur Sexualtheorie* (1905) ; *Ges. Werke*, t. V, Londres, 1942, p. 27-145 et notamment 77-80 (*Trois Essais sur la théorie de la sexualité*, Paris, Gallimard, 1968).
4. Sur l'interprétation de ce conte, voir B. BETTELHEIM, *Psychanalyse des contes de fées*, Paris, Robert Laffont, 1976, p. 205-213, où l'auteur dégage parfaitement la trame du récit dans ses moments les plus typiques.
5. Voir en particulier F. M. DOSTOÏEVSKI, *Nietotchka Niezvanov* (1849), dans *Les Frères Karamazov, Les Carnets des Frères Karamazov, Nietotchka Niezvanov*, Paris, Gallimard, « Bibl. de la Pléiade », 1961, p. 1053-1225 : c'est l'histoire (écrite sous l'influence de CH. DICKENS) d'une fillette qui a perdu son père et sa mère. Voir également, du même auteur, *Humiliés et Offensés* (1861), dans *L'Idiot, Les Carnets de l'Idiot, Humiliés et Offensés*, Paris, Gallimard, « Bibl. de la Pléiade », 1960, p. 933 : l'histoire de la petite Nelli et de sa mère tombées dans le besoin.
6. Voir H. THOMÄ, *Anorexia nervosa. Geschichte, Klinik und Theorien der Pubertätsmagersucht*, Berne-Stuttgart, 1961, p. 272-282. Voir également E. DREWERMANN, *SB*, t. II, p. 243-246.
7. Voir E. DREWERMANN, *SB*, t. II, p. 56-69, 178-202 et 594-615.
8. Voir S. FREUD, « Sur la sexualité féminine » (1931) dans *La Vie sexuelle*, Paris, PUF, 1969.
9. ESCHYLE, *L'Orestie, Théâtre complet*, Paris, Garnier-Flammarion, 1964, p. 128-234.
10. S. FREUD, *Totem et Tabou*, Paris, Payot, 1986.
11. W. MEYER, *Schwester Maria Euthymia. Nach den Akten und Vorarbeiten des Mutterhauses dargestellt*, Münster, 1982, p. 117 : « Elle était toujours prête à se sacrifier ; c'était la pensée capitale qui la remplissait jusqu'au plus profond d'elle-même [...]. Jamais elle ne voulait rien d'autre que ce que Dieu voulait, que l'obéissance l'appelle à l'infirmerie ou à la buanderie. Tout ce qui lui arrivait de l'extérieur ou à l'intérieur d'elle-même, elle le voyait avec les yeux de la foi : comme une disposition, une indication, un désir, bref, comme une expression de la volonté divine. » Comme je l'ai appris par ailleurs, sœur Maria Euthymia souffrait d'un cancer de l'intestin. Dans ses dernières notes, elle écrit : « Qui connaissait la tristesse de mon cœur ? — Marie, la consolatrice des affligés... » (p. 124). Je ne doute pas que Maria ait été une merveilleuse personne, mais autre chose est d'exalter la timidité (impuissance à se défendre) et la dépendance maternelle évidentes de sa nature (p. 17-19) pour en faire le parangon et l'idéal de l'abandon à Dieu.
12. Voir E. DREWERMANN-I. NEUHAUS, « La Jeune Fille sans mains », *GM*, p. 32-33.

13. Voir G. BERNANOS, *La Joie*, dans *Œuvres romanesques*, Paris, Gallimard, coll. « Bibl. de la Pléiade », 1965, p. 702 : « Toute vie surnaturelle a sa consommation dans la douleur, mais l'expérience n'a jamais détourné les saints. » Dans la postface à l'édition allemande (*Die Freude*, Francfort, 1962, p. 193-199), H. U. VON BALTHASAR écrit (p. 195) : « Le chrétien ne s'explique pas en termes de psychologie [...]. » Mais celui qui ne veut pas d'abord chercher à comprendre la dynamique de l'angoisse dans l'inconscient de la psyché humaine par les moyens dont dispose l'outil psychanalytique, celui-là s'expose sans cesse au danger d'expliquer par la volonté de « Dieu » ou par le « Christ » (et l'Église) ce qui en réalité provient des expériences vécues dans la première enfance.

14. P. CLAUDEL, *Le Soulier de satin*, dans *Théâtre*, Paris, Gallimard, « Bibl. de la Pléiade », t. II, 1965. Voir à ce propos P. A. LESORT, *Paul Claudel par lui-même*, Paris, éd. du Seuil, 1963, p. 105-111. Avec raison, l'auteur pose la question suivante : « Qu'est-ce que cette fusion promise au couple humain, au-delà des corps, hors des corps, comme si la chair était un tombeau pour l'homme et que le seul sacrement de l'amour fût celui de la mort ? » (p. 111). A quoi Claudel répond par la bouche de Dona Prouhèze : « Je n'aurai été qu'une femme bientôt mourante sur ton cœur et non pas cette étoile éternelle dont tu as soif » (*Le Soulier de satin*, p. 857). Mais l'amour n'est-il là que pour assoiffer ?

15. F. NIETZSCHE, *Ainsi parlait Zarathoustra*, dans *Œuvres philosophiques complètes*, Paris, Gallimard, 1971 ; 1re partie : « Des Prêtres », p. 106-108 : « Ce qui les contredisait et qui leur faisait mal, ils l'ont appelé Dieu [...]. Et d'autre manière ils ne surent aimer leur dieu qu'en clouant l'homme à la Croix ! [...] Il leur faudrait chanter de meilleures chansons pour qu'en leur rédempteur j'apprisse à croire ; que de rachetés fissent davantage figure ses disciples ! »

16. R. D. LAING, *Nœuds*, Paris, Stock, 1971, p. 42.

17. Voir R. A. SPITZ, *Vom Säugling zum Kleinkind. Naturgeschichte der Mutter-Kind Beziehung im ersten Lebensjahr* (trad. de l'anglais), Stuttgart, 1967, p. 198-205.

18. S. FREUD (« Un enfant est battu », dans *Névrose, psychose et perversion*, Paris, PUF, 1973)

19. H. ZULLIGER, *Schwierige Kinder. Zwölf Kapitel über Erziehung, Erziehungsberatung und Erziehungshilfe*, Berne-Stuttgart, 1951, p. 209-211 : « Si nous n'en venons pas à une éducation exempte de châtiments, la paix dans le monde restera sans doute une illusion. »

20. K. ABRAHAM, *Esquisse d'une histoire du développement de la libido fondée sur la psychanalyse des troubles mentaux* (1924), dans *Œuvres complètes*, Paris, éd. Payot, 1965, t. II p. 170-226.

21. M. KLEIN, « Contribution à l'étude de la psychogenèse des états maniaco-dépressifs » dans *Essais de psychanalyse* 1921-1945, Paris, Payot, 1968, p. 311-340.

22. SAINTE THÉRÈSE DE L'ENFANT-JÉSUS (Thérèse Martin), *Lettres*, Paris, éd. du Cerf, 1990, p. 309-310.

23. *Ibid.*, p. 156 ; voir THOMAS A. KEMPIS, *Imitation de Jésus-Christ*, Paris, Desclée de Brouwer, 1949, t. I, 2, 3 : « Plus vaste est *ton savoir*, / et plus il est puissant, / plus sévère aussi sera ton Jugement / si ta vie n'en est pas plus sainte. / Ne va donc pas te glorifier / de ton art ou de *ton savoir*. [...] Veux-tu avec profit avoir acquis quelque *savoir* ? / avec profit en acquérir encore ? / Aime toi-même à n'être rien *dans le savoir* des hommes, / à n'être qu'un rien dans l'opinion ! »

C. Obéissance et humilité, les conflits de l'analité

a) Les dispositions et les prescriptions de l'Église

1. Voir *La Règle de saint Benoît*, Paris, éd. du Cerf, 1971-1972, coll. « Sources chrétiennes » (6 vol.), nº 181, t. I, chap. V, p. 465-491.

2. Voir B. STEIDLE (éd.), *Die Benediktus-Regel*, latin-allemand, Beuron, 1978 (3e éd.), introduction, p. 7 : « La Règle de saint Benoît fond en un tout indissoluble la sagesse de la Bible et la riche expérience personnelle du père du monachisme, fécondée par la Bible. Selon la conception du monachisme primitif, fondamentalement, le fondateur d'une règle ne fait rien d'autre que de rendre concrètement tangible et de dévoiler à ses élèves la volonté de Dieu renfermée dans les Saintes écritures. »

3. Voir *ibid.*, p. 42.
4. Voir ARISTOTE, *l'Éthique à Nicomaque*, Paris, Le Livre de Poche, 1992, p. 60-61, I, chap. VII, où le « bonheur » est défini comme « une certaine activité de l'âme [...] accessible à tous ; car il est possible pour tout homme [...] ». Ce qui est capital dans cette définition « païenne » du « bonheur » ou de la « perfection », c'est le rapport à la nature du sujet.
5. Voir H. U. VON BALTHASAR (trad.), *Die ausführlichen Regeln des hl. Basilius*, dans *Die Grossen Ordensregeln*, Zurich-Cologne, 1948, p. 27-98.
6. Voir W. HÜMPFNER (trad.), *Die Regeln des hl. Augustinus*, dans *ibid.*, p. 99-133 ; B. STEIDLE, p. 7.
7. Voir J. J. DEGENHARDT (archevêque de Parderborn), *Zur « Kölner Erklärung » der Theologen*, édité par le vicariat général de l'archevêché, Parderborn, 1989, p. 38-39. L'auteur explique ainsi ce principe fondamental : « Comme le magistère de l'Église a été institué par le Christ pour éclairer les consciences, et parce que, dans les questions de foi et de mœurs, le magistère est guidé par l'Esprit de Dieu, les professeurs de théologie catholique ne peuvent pas se réclamer de la conscience pour contester l'enseignement du magistère. » Le fondement est le suivant : c'est Jésus-Christ, ou le Saint-Esprit lui-même (et non pas le peuple de l'Église), qui désigne les papes et les évêques (p. 69) ; et : il y a « des actes mauvais en soi [...] qui ne peuvent pas être transformés en actes bons, que ce soit par une théorie du moindre mal, en vertu de certaines situations historiques, ou pour tel sujet individuel. Le contester, c'est contester qu'il y ait pour l'homme des vérités qui échappent au devenir historique ». Affirmer l'immutabilité historique de la vérité révélée par Dieu et proclamée par le magistère catholique, fonder l'infaillibilité du magistère lui-même sur l'intervention du Christ et l'action du Saint-Esprit, c'est placer tout conflit entre l'individu et ce magistère sur le plan de l' « erreur » (dans le meilleur des cas !) ou, ce qui est encore plus à redouter, l'attribuer à un esprit querelleur qu'il s'agit de réprimer par des mesures disciplinaires. Manifestement, il règne encore et toujours une conception de la révélation et de l'Église qui, en christologie, était qualifiée de « monophysisme » il y a 1 500 ans déjà.
8. C'est précisément pourquoi, objectivement, ce n'est pas la personne, mais la *fonction*, qui est la vérité. Voir A. GEHLEN, *Urmensch und Spätkultur. Philosophische Ergebnisse und Aussagen*, Francfort-Bonn, 1964 (2e éd.), p. 42-45 ; sur le plan de la philosophie sociale, la « stabilisation interne du sujet par les institutions » et la « tension stabilisée » (p. 78-84) qui résulte de l'ambivalence conflictuelle déterminent un « seuil élevé des valeurs attribuées à l'objet », lesquelles valeurs sont « absolument invariables, c'est-à-dire indépendantes des états changeants intérieurs au sujet, ainsi que du seuil de ses besoins et de leur satisfaction. A ce que dit ou fait le chef est toujours dû le plus grand respect, quelle que soit la situation interne du sujet... Si la tension est stabilisée, il n'y a plus de besoins à satisfaire ; en effet, neutralisées par les forces contraires de l'agression et de la soumission, de la crainte et du respect, les pulsions viennent se fondre dans cet état de stabilisation » (p. 79). On ne peut rien dire de mieux sur les institutions taboues. Or, il ne faut pas oublier que pour commander il faut savoir écouter et que, à la longue, seul saura se faire obéir celui qui incarne les normes effectives du groupe Voir G. C. HOMANS, *Theorie der sozialen Gruppe* (trad. de l'anglais), Cologne-Opladen, 1960, p. 386-407. Sur ce qui advient de la religion qui a atteint le « stade de l'organisation », voir G. MENSCHING, *Die Religion. Eine umfassende Darstellung ihrer Erscheinungsformen, Strukturtypen und Lebensgesetze*, Munich, sans date, p. 294-297.
9. L'Église partage aussi ces tendances avec les lois de la psychologie sociale : le groupe est toujours enclin à prendre ce qui est le plus avantageux pour lui. Voir R. BATTEGAY, *Der Mensch in der Gruppe*, Berne-Stuttgart, 2 vol., t. I, 1968, p. 46-48 et 69-72 , P. R. HOFSTÄTTER, *Gruppendynamik. Die Kritik der Massenpsychologie*, Hambourg, 1957, p. 98-111. D'une façon ou d'une autre, l'absolu de sa propre vérité ne va jamais sans l'intolérance face à d'autres formes de vie. Il semble que ce soit devenu une question de survie pour l'humanité de savoir jusqu'à quel point il est possible de concilier le respect exigé par les lois de son propre groupe avec la conscience de leur relativité historique.
10. Voir P. TILLICH, *Dynamique de la foi*, Tournai, Casterman, 1968, p. 110-111 : « La seule vérité de foi qui soit inconditionnelle... c'est que toute énonciation de foi se tient sous un " oui *et*

non ». À la lumière de ce critère, le protestantisme a condamné l'Église romaine. Ce ne sont pas les formules doctrinales qui ont divisé les Églises au moment de la Réforme mais le fait que l'on ait redécouvert ce principe qu'aucune Église n'a le droit de prendre la place de l'absolu. »

11. La méditation zen dans la version transmise par K. Graf Dürckheim fait notamment partie du programme régulier offert par de nombreux monastères bénédictins. Voir K. G. DURCKHEIM, *Übung des Leibes auf dem inneren Weg*, Munich, 1981 et *Le Son du silence*, Paris, éd. du Cerf (trad. : F. Boespflug), 1989.

12. Sur la notion du « moi » en psychologie des profondeurs, voir C. G. JUNG, « Définitions », dans *Types psychologiques* (1921), Paris, Buchet-Chastel, 1951. En tant que notion transcendante, le « moi » coïncide avec l'image de Dieu ou avec la figure du Christ (ou celle de Bouddha ou de tout autre messager religieux du salut). Voir également *ibid.*, *Psychologie et religion*, Paris, Buchet-Chastel, 1958. — E. DREWERMANN, *SB*, t. II, p. 26-37.

13. Voir K. G. DÜRCKHEIM, *Le Son du silence*, p. 21 : « Plus la conscience d'objet fête ses triomphes [...] plus l'homme repousse à l'infini les limites de son pouvoir spirituel dans un élargissement de conscience au-delà de toute mesure, et plus sûrement il accède à un domaine de caractère sacré. [...] Mais il est menacé dans son être-homme s'il ne consent pas au mouvement opposé, vers l'abîme au fond duquel, humblement, il n'a rien d'autre à attendre qu'une perle minuscule. »

14. Voir E. KANT, *Critique de la raison pure* (1781), Paris, Vrin, 1963, 2e division, Livre II, chap. Ier, p. 278-327.

15. Voir K. MYLIUS (trad.), *Gautama Buddha. Die vier edlen Wahrheiten. Texte des ursrünglichen Buddhismus*, Munich, 1983, 1985, p. 373-387 : le célèbre dialogue *Milindapanha.*

16. Sur les ultimes enseignements de la dernière heure *(Mahaparinibbana-Suttanta)*, voir P. DAHLKE (trad.), *Buddha. Die Lehre des Erhabenen*, Berlin, 1920 ; Munich, 1960, p. 87-139 : « De même, Ananda, qu'un char usé ne se maintient que par des moyens artificiels, de même, Ananda, le corps du parfait ne se maintient pour ainsi dire que par des moyens artificiels [...] C'est pourquoi, Ananda, soyez à vous-même votre propre protection, votre propre secours [...] Et tous ceux qui [...] maintenant ou après ma disparition chercheront support en eux-mêmes, secours en eux-mêmes [...], ceux-là seront au plus près de moi parmi ceux qui sont décidés à chercher » (p. 107).

17. Voir MAÎTRE ECKHART, *Sermons* (trad. Jeanne Ancelet-Hustache), Paris, éd. du Seuil, t. I, 1974, p. 86 : « Si l'homme s'approprie ou prend quelque chose d'extérieur à soi, ce n'est pas bien. On ne doit pas saisir ni considérer Dieu comme en dehors de soi, mais comme son bien propre et comme ce qui est en soi-même [...] » (Sermon sur Sg 5, 16). Sur l'histoire de Maître Eckhart, voir W. NIGG, *Das Buch der Ketzer*, Zurich, 1949 ; Zurich, 1986, p. 289-310.

18. Voir G. WEHR, *Thomas Müntzer in Selbstzeugnissen und Bilddokumenten*, Hambourg, 1972, p. 17, 25, 51 et 117.

19. Voir L. GNÄDINGER (éd. et trad.), « Taulers Leben und Umwelt » dans *Johannes Tauler, Gottes erfahrung und Weg in die Welt*, Olten-Fribourg, 1983, p. 9-59 et notamment p. 53-57 : la naissance de Dieu en l'homme. (Les *Sermons* de Jean Tauler sont traduits en français : Paris, éd. du Cerf, coll. « Sagesses chrétiennes », 1991.)

20. Sur la notion d'hétéronomie, voir E. KANT, *La Religion dans les limites de la simple raison* (1783), Paris, Vrin, 1963, p. 180-192 ; 248-262.

21. Voir A. GUILLERMOU, *Saint Ignace de Loyola et la Compagnie de Jésus*, Paris, éd. du Seuil, coll. « Maîtres spirituels », 1960, p. 90 ; voir aussi IGNACE DE LOYOLA, *Exercices spirituels*, Paris, Desclée de Brouwer, 1963.

22. *Ibid.*, p. 90.

23. *Ibid.*

24. *Ibid.*, p. 65.

25. *Ibid.*, p. 116-117. Sur l'interprétation de la « sainte indifférence », voir K. RAHNER, « Die ignatianische Mystik der Weltfreudigkeit », dans *ST*, t. III, p. 329-348 et notamment p. 339-341 ; pour Rahner, l'obéissance ignacienne est l'extase de l'être ou la transcendance du monde. C'est peut-être bien là la mystique de l'ordre, mais sûrement pas sa pratique.

26. Voir L. HARDICK-E. GRAU (trad., éd.), *Die Schriften des heiligen Franziskus von Assisi*,

Werl, 1984, p. 273-288. Les auteurs renvoient sans cesse à la volonté de Dieu en parlant de l'obéissance (p. 280), pour préciser ensuite, tout à fait dans l'esprit du saint : « L'obéissance, que tous [...] nous devons à l'Esprit de Dieu, ne se pratique pas [...] n'importe comment et n'importe où, mais, très concrètement, dans la dimension ecclésiale » (p. 281), ce qu'ils illustrent par de nombreuses citations. Dans le supérieur, dans les dignitaires ecclésiastiques, c'est le Christ lui-même qui se manifeste. De là à ce que chacun soit attentif aux autres dans une communauté fraternelle, il y a encore un long chemin. En effet : être au service des pauvres n'est jamais lié à un ordre ou à un mandat comme l'est le fait d'obéir à un supérieur. Et surtout : personnaliser les conseils évangéliques au lieu de les institutionnaliser, c'est obligatoirement mettre l'accent sur l'autonomie du moi. — Sur l' « obéissance de cadavre » (il faut obéir *perinde ac cadaver*) chez saint François, voir T. VON CELANO, *Leben und Wunder des heiligen Franziskus von Assisi*, trad. et commentaires de E. Grau, Werl, 1988, II, 152, p. 355-356.

27. Voir O. BRUNNER, *Sozialgeschichte Europas im Mittelalter*, Göttingen, 1978, p. 53-64 : les conséquences historico-sociales du conflit entre l'Église et le monde ; et surtout p. 58-59 : les mouvements de pauvres et les hérésies. Voir également J. LE GOFF, *Le Moyen Âge*, Paris, Bordas, 1971, p. 31-46 : l'explosion des villes, du commerce et de l'économie monétaire, la révolution agricole et l'accroissement de la population.

28. Sur la division du travail, au XIIe siècle déjà, voir J. LE GOFF, p. 44-46.

29. On ne dira jamais assez à quel point, pour l'Église, l'histoire des dogmes a toujours été en même temps une histoire de domination et de violence. Voir TH. REIK, *Dogma und Zwangsidee. Eine psychoanalytische Studie zur Entwicklung der Religion* (1927), Berlin-Cologne-Mayence 1973, p. 25-43 ; K. DESCHNER, *Kriminalgeschichte des Christentums*, 2 vol., Reinbek, 1988, t. I, p. 143-181 : les chrétiens commencent à voir le diable dans d'autres chrétiens.

30. Voir R. SCHNEIDER, *Philipp der Zweite oder Religion und Macht*, Olten, 1949 ; Francfort, 1987, p. 105-117, et notamment p. 114-115 : « Ignace a choisi l'Europe pour quartier général de ses opérations, se décidant rapidement pour Rome. Il s'agissait de réveiller et d'armer Rome. C'est de Rome que l'Espagne devait exercer son action sur le monde. Elle portait rapidement le combat au nord en ennemie irréductible des idées nouvelles, attisant le feu de la résistance sous l'étendard romain. » Voir également F. HEER, *Die Dritte Kraft. Der europäische Humanismus zwischen den Fronten des konfessionellen Zeitalters*, Francfort, 1959, p. 347-407 : Ignace et ses fils ; notamment p. 378 s. : l' « homme nouveau » des *Exercices spirituels.*

31. Voir R. SCHNEIDER, p. 197-219 et notamment p. 199-200 : « Derrière le concile de Trente, ce château se dressera comme un rempart au milieu de l'erreur : inattaquable dans ses formes, puissant et pur, il est le dépositaire sans reproche d'une vérité inaltérable. Chaque coup du ciseau qui le sculpte est une protestation contre les idées nouvelles, la garantie d'une tradition purifiée ; par son profil, chaque tour doit s'opposer au chaos qui vient du nord. »

32. Voir E. DREWERMANN, *KC*, p. 177-182, 195-219 et 232-254.

33. Voir G. MANN, « Der europäische Geist im späten 17. Jahrhundert », dans G. MANN (éd.), *Propyläen Weltgeschichte*, en 10 vol. (1960-1964), Francfort-Berlin, 1986, t. VII, p. 349-384 ; l'auteur souligne notamment les efforts de Leibniz pour réconcilier les confessions (p. 379 s.).

34. Voir V. L. TAPIE, « Das Zeitalter Ludwig XIV », dans G. MANN, t. VII, p. 275-348. — Sur le titre de « fils du Soleil » en Égypte, voir J. VON BECKERATH, *Handbuch der ägyptischen Königsnamen*, Munich, 1984, p. 32-33 ; A. GARDINER, *Egyptian Grammar, being an Introduction to the Study of Hieroglyphs*, Oxford, 1957 (3e éd.), p. 74-76.

35. En fait, « papa », pape, est l'abréviation du latin *pater Patrum*, « père des Pères ».

36. Sur Mt 23, 9, voir E. SCHWEIZER, *Das Evangelium nach Matthäus*, Göttingen, 1986, p. 281-282.

37. Sur le traité de Westphalie, voir G. MANN, « Das Zeitalter des Dreissigjährigen Krieges », dans G. MANN (éd.), t. VII, p. 133-230 et notamment p. 219-230.

38. Voir A. WANDRUSZKA, « Die europäische Staatenwelt im 18. Jahrhundert », dans G. MANN (éd.), t. VII, p. 385-465, et notamment p. 421-424 : le jeune roi Frédéric. Voir également E. SIMON, *Friedrich der Grosse* (trad. de l'anglais), Tübingen, 1963, p. 124-125 ; 148-162.

39. Voir M. LUTHER, *De la liberté du chrétien* (1520), Paris, Éd. du Cerf, 1969, coll. « Foi

vivante », n° 109. Toutefois, Luther rappelle l'obéissance due aux autorités (p. 89). Voir également E. H. ERIKSON, *Luther avant Luther. Psychanalyse et histoire*, Paris, Flammarion, 1968, p. 53-111 : Obéir — mais à qui ? et p. 263-296 : la foi et la colère.

40. P. DE ROSA, *Gottes erste Diener*, Munich, 1989, p. 74.

41. *Ibid.*, p. 76.

42. *Ibid.*, p. 83.

43. Sur la figure d'Innocent III, voir J. LE GOFF, *Le Moyen Âge*, p. 197-202.

44. P. DE ROSA, p. 92.

45. Voir J. C. FEST, *Hitler. Eine Biographie*, Francfort-Berlin-Vienne, 1973, p. 644 (discours d'Hitler pour justifier le meurtre de Röhm) : « En cette heure, j'étais responsable du destin de la nation allemande, et, par conséquent, juge suprême du peuple allemand. »

46. Sur Mc 10, 42, voir E. DREWERMANN, *ME*, t. II, p. 129-147.

47. TH. HOBBES, *Léviathan*, Paris, Éd. Sirey, 1971 (trad. F. Tricaud), p. 707. Pour Hobbes, la doctrine romaine de la foi n'est ni plus ni moins qu'un instrument du pouvoir papal.

48. MARSILE DE PADOUE, *Defensor Pacis* (1324), II, 9, § 1-13 ; Marsile a le courage de demander que les procès d'hérétiques se fassent selon des formes régulières — ce qui, aujourd'hui encore, n'est que partiellement le cas. Voir aussi A. R. MYERS, « Europa im 14. Jahrhundert », dans G. MANN (éd.), t. V, p. 563-618 et notamment p. 602-604.

49. Sur le dogme de l'infaillibilité, voir H. JEDIN, *Brève Histoire des conciles. Les vingt conciles œcuméniques dans l'histoire de l'Église*, Tournai, Desclée, 1960.

50. Sur l'énumération des articles contenus dans le *Syllabus*, voir DS, n°s 2901-2980. Y sont condamnés le panthéisme, le naturalisme, le rationalisme (en particulier Anton Guenther), le laïcisme, le démocratisme, le libéralisme, etc. Il faut bien se rendre compte que pendant plus de cent ans, au cours de leurs six ans consacrés à l'étude de la théologie, les futurs prêtres ont ainsi été formés à condamner et à exclure, avant d'être jugés dignes de porter témoignage dans le monde pour l'amour du Christ. Aujourd'hui encore, quel est le prêtre qui aura eu entre les mains les œuvres de Spinoza, Kant, Hegel, Schopenhauer, Feuerbach, Saint-Simon ou Bebel ? A moins que, pour un travail de séminaire, il n'ait eu à réfuter une erreur doctrinale particulière au nom de la vérité ecclésiale, il n'aura pratiquement jamais fait l'expérience de la rencontre avec un de ces grands penseurs.

51. Voir IGNACE DE LOYOLA, *Geistliche Übungen und erläuternde Texte* (trad. allemande de l'espagnol et commentaires par P. KNAUER), Leipzig, 1978 ; Graz-Vienne-Cologne, 1988, p. 324-325 (recommandations des premiers compagnons) : « L'obéissance suppose des actes et des vertus héroïques [...] comme, par exemple, s'il m'était simplement demandé d'aller nu ou vêtu de façon inhabituelle, par les rues et les places ; en effet, même si cela ne m'était jamais commandé [...] il n'y a rien de tel que l'obéissance pour vaincre l'orgueil et la suffisance. » – Voir également P. DE ROSA, *Gottes erste Diener*, p. 177 et, sur Jean-Paul II, p. 174-175.

52. P. DE ROSA, p. 176.

53. *Ibid.*, p. 177.

54. *Ibid.*, p. 179.

55. *Ibid.*, p. 180.

56. J. ANOUILH, *L'Alouette*, Paris, Éditions de La Table Ronde, 1953 ; Gallimard, coll. « Folio », 1991, p. 145-146.

57. *Ibid.*, p. 146-148.

58. *Ibid.*, p. 127.

59. Voir J. WITTIG, *Höregott. Ein Buch vom Geiste und vom Glauben*, Gotha, 1929, p. 118-123 ; ce prêtre et professeur de Breslau est notamment digne de mémoire pour avoir demandé, par manière de justification pour sa propre vie, de guérir l'âme à partir du corps, jusqu'à ce qu'on voie Dieu revenir se promener à l'ombre de ses arbres. Il avait été condamné pour avoir voulu dénouer et vaincre les inhibitions sexuelles et éliminer la mesquinerie de la confession catholique par une plus grande confiance en la grâce de Dieu. A l'opposé, dans *Reconciliatio et pænitentia* (1984, n° 18), JEAN-PAUL II regrette que notre époque sécularisée ait perdu la conscience du péché. Voir aussi K. RAHNER, *Beichtprobleme*, in : *ST*, t. III, p. 227-245 ; même un théologien comme Rahner déplorait, il y a un quart de siècle déjà, les « tendances légalistes et magiques »

dans la pratique de la confession catholique (par exemple en ce qui concerne la sanctification du dimanche). Toutefois, lui aussi n'a fait qu'existentialiser la notion de péché : « Si un jour au lieu de dire : Tu dois te repentir, on disait : Il faut changer ta vie [...] » C'est déjà très bien. Mais la psychologie de la peur n'a jamais été son rayon, et tout ce qu'il a dit sur le plan dogmatique est resté cantonné dans le domaine intellectuel et rationnel.

60. J.-P. SARTRE, *Le Diable et le Bon Dieu*, Paris, Gallimard, 1951.

b. La soumission passive de la volonté

1. Voir S. KIERKEGAARD, *La Maladie mortelle, Œuvres complètes*, Paris, éd. de l'Orante, 1971, t. XVI, p. 173-175 : possibilité et réalité du désespoir qui envahit la personne humaine dans son être spirituel.

2. *Ibid.*, p. 200-204 : ignorer désespérément le fait d'avoir un moi; voir également E. DREWERMANN, *SB*, t. III, p. 436-468.

3. Sur la psychodynamique de la névrose obsessionnelle, voir F. RIEMANN, *Grundformen der Angst. Eine tiefenpsychologische Studie über die Ängste des Menschen und ihre Überwindung*, Munich, 1961, p. 75-95. Voir également E. DREWERMANN, « Péché et névrose », dans *PF*, p. 93-130 et notamment p. 101-108.

4. F. KAFKA, *Lettre à son père*, dans *Œuvres complètes*, Paris, Gallimard, « Bibl. de la Pléiade », t. IV, 1989, p. 831-881.

5. Voir F. KAFKA, « Onze fils », dans *Un artiste de la faim et autres récits*, Paris, coll. « Folio », 1990, p. 141-147 où le père pense, à propos du onzième de ses fils : « Tu serais bien le dernier à qui je me confierais. » Et, dans son regard, le fils semble dire : « Eh bien ! que je sois au moins le dernier ! »

6. Voir J.-J. ROUSSEAU, *Les Confessions*, dans *Œuvres complètes*, Paris, Gallimard, « Bibl. de la Pléiade », t. I, 1959, L. VI, p. 225-230, où Rousseau dit de sa mère : « Elle faisait tout ce qui lui était ordonné, mais elle l'eût fait de même quand il n'aurait pas été ordonné » (p. 230). L'idéal !

7. Voir E. DREWERMANN, « Das Fremde — in der Natur, in uns selber und als das vollkommene Neue », dans H. ROTHBUCHER-F. WURST (éd.), *Wir und das Fremde Faszination und Bedrohung*, Salzbourg, 1989, p. 117-144.

8. Sur la « première phase de défi » (*Trotzphase*), voir H. REMPLEIN, *Die seelische Entwicklung des Menschen in Kindes-und Jugend-alter. Grundlagen, Erkenntnisse und pädagogische Folgerungen der Kindes-und Jugend-psychologie*, Munich-Bâle, 1966, p. 220-241.

9 S. FREUD, *Vorlesungen zur Einführung in die Psychoanalyse* (1917), *Gesammelte Werke*, t. XI, Londres, 1944, p. 211-217 et 341-350 (*Introduction à la psychanalyse*, Paris, « Petite Bibliothèque Payot », 1989).

10. Voir K. G. REY, *Das Mutterbild des Priesters. Zur Psychologie des Priesterberufes*, Einsiedeln, 1969, p. 48-51, 111-112, 133-140 et notamment p. 67.

11. Voir S. FREUD, *Totem et Tabou* (1912), Paris, Payot, 1986, où Freud décrit l'identification non avec « le meilleur », mais avec « le plus fort », dans l'intériorisation orale et le rétablissement de « ce qui est tué » dans le surmoi ; ce qui conduit à voir dans une forme contraignante de violence héritée la « généalogie de la morale » (F. Nietzsche). Tant pour ce qui regarde la psychologie des profondeurs que la psychologie historique, il paraît bien difficile de contester ce point de vue, même s'il n'est qu'unilatéralement apparent. Voir aussi en particulier R. E. LEAKEY-R. LEWIN, *Wie der Mensch zum Menschen wurde* (trad. de l'anglais), Hambourg, 1978, p. 79-117 : sur l'importance du partage social dans le développement humain.

12. Voir A. FREUD, *Le Moi et les Mécanismes de défense* (1936), Paris, PUF, 1985.

13. Dans ces circonstances, ce qu'apprend l'enfant, ce n'est pas tellement (contrairement à l'hypothèse d'une situation dépressive) qu'il est véritablement coupable, mais qu'il n'a pas le droit de se sentir dans son droit, parce que le droit est toujours du côté du plus fort. C'est cette vision de la morale que Nietzsche a voulu fonder ; voir F. NIETZSCHE, *Par-delà le bien et le mal* (*Prélude d'une philosophie de l'avenir*) (1885), dans *Œuvres philosophique complètes*, Paris, Gallimard, 1971 ; « Contribution à l'histoire naturelle de la morale », ñ 186-203, p. 98-117 ; voir notamment § 197, p. 108 « On se méprend fort sur la bête de proie et l'homme de proie (par

exemple César Borgia), on se méprend sur la " nature " tant qu'on cherche quelque germe de " maladie " au sein de ces êtres débordant de santé comme les fauves et les plantes des Tropiques ; on ne se méprend pas moins en voulant voir en eux je ne sais quel " enfer " intime, comme ont voulu le faire presque tous les moralistes. » La nature est belle, mais elle n'est pas « morale ». C'est une évidence que le christianisme n'a pas encore voulu voir.

14. Sur la différence entre dressage et éducation, voir H. ZULLIGER, *Schwierige Kinder. Zwölf Kapitel über Erziehung, Erziehungs-Beratung und Erziehungshilfe*, Berne-Stuttgart, 1951.

15. Sur la confession, instrument d'une direction externe autoritaire, voir la critique — tout à fait justifiée — de K. DESCHNER dans *Abermals krähte der Hahn. Eine Demaskierung des Christentums von den Evangelisten bis zu den Faschisten*, Stuttgart, 1962 ; Hambourg, 1972, p. 323-328 ; l'auteur voit dans la confession une concession de la grande Église à la psychologie populaire — dans la lutte contre l'ascétisme *montaniste*, qui, fondamentalement, n'était rien d'autre que la « réaction d'une conception plus radicale d'un christianisme primitif contre la sécularisation de l'Église catholique naissante » (p. 327).

16. Sur le problème de la surprotection, voir V. KAST, *Wege aus Angst und Symbiose. Märchen psychologisch gedeutet*, Olten-Fribourg, 1982, p. 39-63 : l'angoissant détachement de la mère, illustré par le conte de Grimm : *La Gardeuse d'oies.*

17. T. VON CELANO, *Leben und Wunder des heiligen Franziskus von Assisi*, trad. et commentaires par E. Grau, Werl, 1988, II 152, ch. 112, p. 355 ; voir aussi ch. 113, p. 356 : « Il ne faut pas mettre la main rapidement à l'épée », avait-il coutume de dire. « Mais celui qui n'obéit pas rapidement au commandement de l'obéissance ne craint ni Dieu ni les hommes [...] Qu'y a-t-il [...] de plus désespéré qu'un religieux qui dédaigne l'obéissance ? » (p. 356). Voir A. HOLL, *Der letzte Christ. Franz von Assisi*, Stuttgart, 1979 ; Francfort-Berlin-Vienne, 1982, n° 94, p. 91-94, où l'auteur rapporte qu'au cours de son audience le pape Innocent III a demandé à saint François de prêcher aux cochons, auxquels il ressemblait. François s'est alors vautré dans les excréments de cochons, montrant ainsi qu'il était disposé à obéir « rapidement » et qu'il n'était pas dangereux pour l'Église.

18. T. VON CELANO, I 11, ch. 5, p. 87.

19. *Ibid.*, I 13, ch. 6, p. 88.

20. *Ibid.*

21. *Ibid.*, II 12, ch. 7, p. 233.

22. *Ibid.*, I 13, ch. 6, p. 88.

23. *Ibid.*, I 1, ch. 1, p. 77.

24. à cet égard, d'un point de vue psychanalytique, il ne s'agit pas de mettre pour ainsi dire sur le même plan François et Martin Luther, ainsi que A. Holl a essayé de le faire ; voir A. HOLL, n° 170, p. 174-175. En particulier, il paraît impossible de voir dans les sentiments de culpabilité massifs qui étreignent François le remords d'un passé dissipé. Au contraire, Francois se sent coupable d'avoir rejeté l'homme qui incarnait cette « vie dissipée » et qui est lui-même devenu une instance psychique de François, à savoir son propre père. Même A. HOLL (n° 173, p. 177-178) admet que par la suite il est arrivé à François de « retomber dans les tourments de ses conflits internes ». Quoi qu'il en soit, il est certain qu'en lui il n'y avait pas seulement ce surmoi négatif du père, mais que prédominait la figure de sa mère. Toutefois, il convient de ne pas oublier ce qui le différencie de Martin Luther sur le plan psychologique. A ce propos, voir E. H ERIKSON, *Luther avant Luther*, Paris, Flammarion, 1968, p. 274. Erikson a sans doute raison de placer la crise d'identité et de confiance de Luther à la Wartburg, alors qu'il rédigeait son *De votis monasticis*, manifestement décidé à régler ses conflits d'ordre sexuel aussitôt qu'une solution honorable se présenterait. C'est précisément cette façon différente de donner du jeu aux pulsions du ça dans la confiance en Dieu qui trahit une personnalité distincte et permet d'approcher autrement les injonctions du surmoi. (On complétera par : J.-M. CHARRON, *De Narcisse à Jésus. La quête de l'identité chez François d'Assise*, Éd. du Cerf, Paris, 1992 — *N.d.T.*) Voir F NIETZSCHE, *Aurores. Pensées sur les préjugés moraux* (1881), *Œuvres philosophiques complètes*, t. IV, Paris, Gallimard, 1970, n° 88, p. 72 : le jugement de l'auteur sur Martin Luther.

25. A cet égard, ce n'est pas seulement la différence entre le Moyen Âge et les temps modernes qui sépare François de Martin Luther, par exemple. Voir, ainsi, l'histoire de Pierre de Vaux (ou

Pierre Valdo) ; voir W. NIGG, *Das Buch der Ketzer*, Zurich, 1949 et 1986, p. 230-249 : les Vaudois.

26. Voir E. DREWERMANN, *Die kluge Else*, dans *GM*, p. 9-50.

27. Voir A. FREUD, *op. cit.*

28. *Ibid.*, dans ses manifestations aiguës, l'apparition d'un monde imaginaire peut prendre une dimension plus ou moins proche de la folie.

29. Voir K. DESCHNER, *Kriminalgeschichte des Christentums*, en 2 vol., Reinbek, 1988, t. II, p. 55-133 : les intrigues et les luttes pour le primat du pape aux IVe et Ve siècles. C'est la transformation de la foi en doctrine théologique qui fait du dogme un moyen de domination.

30. Pour changer cette situation, il n'y a qu'un moyen radical ; c'est la direction centrale indiquée par S. KIERKEGAARD dans *Tagebücher*, en 5 vol., Düsseldorf-Cologne, 1962-1974, t. IV, p. 217 : « La lutte pour le christianisme ne sera plus une lutte pour un christianisme de doctrine. (C'est la controverse entre l'orthodoxie et l'hétérodoxie.) Ce sera (grâce notamment aux mouvements sociaux et aux mouvements communistes) un combat pour un christianisme de l'existence. L'enjeu, ce sera l'amour du prochain ; l'attention se portera sur la vie du Christ et s'y conformer sera la préoccupation essentielle du christianisme. Le monde en a assez de tous ces trompe-l'œil et de tous ces paravents qui servaient à se protéger, si bien que maintenant le seul enjeu, c'est le christianisme de l'amour. Le monde en colère crie : Nous voulons voir des faits. »

31. De tout temps, la critique religieuse a prêté aux dirigeants de l'Église la soif du pouvoir. Par exemple, sur les luttes d'influence aux Ve et VIe siècles entre Rome et Byzance, voir K. DESCHNER, t. II, p. 243-352. Il semble hors de doute que c'est exclusivement dans cette perspective qu'on peut vraiment comprendre le parcours historique *objectif* de l'Église ; en revanche, psychologiquement, l'aspect *subjectif* semble beaucoup moins crédible. Depuis la Renaissance, il est rare de trouver des princes de l'Église capables de jouir du pouvoir ; le plus souvent, il s'agit de personnages sans personnalité. C'est leur surmoi qui fait violence à leur moi et l'incite sans cesse à des actes de violence.

32. Le poète HILDE DOMIN l'a dit à sa façon . « Cinq est pair / Pas de doute. / Le derrière de celui qui me précède / Voilà mon soleil ! » (*Gesammelte Gedichte*, Francfort, 1987, p. 261 : contre la domination.)

D. Chasteté et célibat

a. Sens et absurdité des idées, des attitudes et des décisions de l'Église.

1) La victoire sur la finitude

1. Voir K. DESCHNER, *Das Kreuz mit der Kirche*, p. 20-27, 27-33 et 33-34. Avant d'en venir aux origines de l'ascèse, avec la chasteté cultuelle et le « mépris de la femme dans le monothéisme juif » ainsi que dans les religions à mystères des Grecs (p. 44-59), l'auteur considère sans doute le culte rendu à la Mère, le culte phallique et la prostitution religieuse, mais sans voir la révolution historico-spirituelle qui a donné naissance à l'« ascèse ».

2. Voir, par exemple, D. VON HILDEBRAND, *Zölibat und Glaubenskrise*, Ratisbonne, 1970, p. 145-150. A la question de savoir si une « obligation au célibat » peut être douteuse sur le plan psychologique, l'auteur répond : « Non, aucunement ! — S'il y a dans son âme (l'âme du prêtre) un amour brûlant pour Jésus, si le Christ a attendri son cœur, il n'y a aucun risque qu'il se dessèche. » Pour lui, toute la discussion sur le célibat est un « combat contre la croix » (p. 47-48). A ce sujet, voir l'excellente étude de A. ANTWEILER, *Zum Pflichtzölibat der Weltpriester. Kritische Erwägungen zur Enzyklika Papst Pauls VI über den priesterlichen Zölibat*, Münster, 1968, p. 26-36, où l'auteur analyse l'encyclique de PAUL II, *Sacerdotalis cælibatus*, *AAS* 59, 1967, p. 657-697, et relève point par point l'utopie idéologique des conceptions et des prescriptions pontificales. Voir également F. LEIST, *Zölibat-Gesetz oder Freiheit. Kann man ein Charisma gesetzlich regeln* ? Munich, 1968, p. 78-141 : contre l'aliénation du sexe.

3. H. BURGER, *Der Papst in Deutschland. Die Stationen der Reise 1987*, Munich, 1987, p. 159-160 ; *Jean-Paul* II, *Predigten und Ansprachen bei seinem zweiten Pastoralbesuch in Deutschland sowie Begrüssungsworte und Reden, die an den Heiligen Vater gerichtet wurden*,

30.4-4.5.1985, *Verlautbarungen des Apostolischen Stuhls, 77*, édité par le secrétariat de la Conférence des évêques allemands, p. 109-110.

4. Voir E. DREWERMANN, « Die Frage nach Maria im religionswissenschaftlichen Horizont », dans *Zeitschrift für Missionswissenschaft und Religionswissenschaft*, 66e année, avril 1982, cahier 2, p. 96-117 ; *ibid.*, *DN*, p. 73-95.

5. Voir U. RANKE-HEINEMANN, *Des eunuques pour le Royaume des cieux*, Paris, Hachette-Pluriel, 1992, p. 57-75 et 387-396 ; K. DESCHNER, p. 224-230. Dans l'un et l'autre cas, les auteurs ont raison d'engager une polémique contre cette transposition des valeurs. On peut ne pas être d'accord avec la manière, mais une expérience bien trop longue enseigne qu'une critique au ton plus modéré n'aurait eu aucune chance de se faire entendre. Sur le thème de la naissance virginale, voir l'excellente petite étude de E. BRUNNER-TRAUT, « Pharao und Jesus als Söhne Gottes » (1961), dans : *Gelebte Mythen. Beiträge zum altägyptischen Mythos*, Darmstadt, 1981, p. 34-54.

6. Voir K. RAHNER, « *Virginitas in partu.* Contribution au problème du développement du dogme et de la tradition » dans *ET*, t. VIII, p. 163-199 : Rahner lance un ballon d'essai en direction du fondamentalisme dans la question de la naissance virginale ; il conclut en disant non pas que « ces particularités concrètes n'ont certainement pas existé » mais que nous n'avons pas « la possibilité de déduire *certainement* et d'une manière *obligatoire pour tous* [...] des affirmations sur les particularités *concrètes* de cet événement » (p. 199). Faut-il donc interpréter les « symboles du salut » de telle façon qu'à la fin on puisse être heureux de ne pas être traité d'hérétique parce qu'on n'a rien dit de précis ? Ce que dit Nietzsche des philologues devrait d'autant plus s'appliquer aux théologiens : « Qui n'a aucun sens du *symbolique* n'a aucun sens de l'Antiquité : qu'on applique cette proposition aux philologues sobres. » (F. NIETZSCHE, « Fragments posthumes pour *Nous autres philologues* », § 3 [54], *Considérations inactuelles III et IV*, dans *Œuvres philosophiques complètes*, Paris, Gallimard, t. II, 1988, p. 270.

7 JEAN-PAUL II, p. 113-118 et notamment p. 115 (citation).

8 *Ibid.*, p. 110

9. Voir K. DESCHNER, p. 60-63 ; G. DENZLER, *Die verbotene Lust. 2000 Jahre christliche Sexualmoral*, Munich-Zurich, 1988.

10. U. RANKE-HEINEMANN, p. 35-40 et 62-68.

11. Voir H. ZIMMERMANN-K. KLIESCH, *Neutestamentliche Methodenlehre. Darstellung der historisch-kritischen Methode*, Stuttgart, 1982, p. 101-112 et 238-244 ; E. DREWERMANN, *ME*, t. II, p. 86-104

12. Sur l'influence de Qumrân, voir *ibid.*, p. 20-22 ; toutefois, déjà l'en-tête du chapitre « Sektenrolle » (rôle des sectes), à propos de Qumrân indique que « les enfants et les femmes avaient leur place dans la communauté [...] ». Voir J. M. ALLEGRO, *Die Botschaft vom Toten Meer*, Francfort, 1957, p. 89 ; A. DUPONT-SOMMER (trad.) *La Bible. Écrits intertestamentaires*, Paris, Gallimard, « Bibl. de la Pléiade », 1987, 1 QSA I 4.

13. Sur la gnose, voir R. BULTMANN, *Le Christianisme primitif dans le cadre des religions antiques*, Paris, Payot, « Petite Bibl. Payot », 1969, p. 179-190.

14. Il faut voir dans le mouvement essénien une branche radicale du mouvement pharisien ; avec la « gnose », il y a tout au plus une certaine parenté interne dans le pessimisme apocalyptique ; à ce propos, voir E. DREWERMANN, *TE*, t. II, p. 467-485. Qumrân est toujours resté fidèle au monothéisme israélite et n'a jamais adopté le dualisme gnostique. Voir également H. MARWITZ, « Gnosis, Gnostiker », dans *Der kleine Pauly. Lexikon der Antike*, en 5 vol Munich, 1975, t. II, p. 830-839 et notamment p 832

15. G. DENZLER, p. 33.

16. *Ibid.*, p. 35.

17. E. STAUFFER, *Die Botschaft Jesu Damals und heute*, Berne-Munich, 1959, p 79.

18. Sur les versets cités ci-après, voir *ibid* , p. 79-85.

19. Sur Jérôme et Mt 19, 29, voir *ibid.*, p. 80. Sur la virginité et ses rapports avec la pathologie sexuelle, voir JÉRÔME, *De perpetua virginitate beatae Mariae adversus Helvidium* (383), Patrologie latine, 23, p. 183-206.

20. Voir H. KEES, *Totenglauben und Jenseitsvorstellungen der Alten Ägypter. Grundlagen und Entwicklung bis zum Ende des Mittleren Reiches*, Berlin, 1977 (3ᵉ éd.), p. 108-131 : le développement de la foi aux morts d'après les témoignages des tombeaux privés.

21. Voir A. L. FENGER, « Pauvreté. Études biblique et historique », dans *DT*, p. 519-525 ; à l'opposé, voir H. CONZELMANN, *Die Mitte der Zeit. Studien zur Theologie des Lukas*, Tübingen, 1964 ; l'auteur ne voit en Luc aucun idéal de pauvreté.

22. Sur Lc 4, 6, voir E. SCHWEIZER, *Das Evangelium nach Lukas*, Göttingen, 1982, p. 54 ; H. SCHÜRMANN, *Das Lukasevangelium*, Fribourg-Bâle-Vienne, 1969, 1984 (3ᵉ éd.), t. I, p. 211-212.

23. Voir R. PESCH-G. LOHFINK, *Tiefenpsychologie und keine Exegese*, Stuttgart, 1987, p. 108 ; E. DREWERMANN, *AF*, p. 119-172.

24. Sur le rejet du mariage par les *encratites*, voir IRÉNÉE, *Contre les hérésies*, Paris, éd. du Cerf, 1984, p. 120 (*Adversus hæreses* I, 28) ; Irénée fait remonter (à tort) à Marcion les positions des encratites. Voir également HIPPOLYTE, *Philosophumena*, VIII, 20, dans A. SIOUVILLE (trad.) *Philosophumena ou Réfutation de toutes les hérésies*, Paris, 1928 ; pour Hippolyte, la vie que mènent les encratites s'apparente plus à celle des cyniques qu'à celle des chrétiens.

25. Voir H. CONZELMANN, p. 193-219 : « Luc sait bien que ce n'est pas la même chose de suivre Jésus en son temps et aujourd'hui » (p. 218).

26. Sur le gnosticisme dans l'Église primitive, toujours d'actualité, voir A. VON HARNACK, *Lehrbuch der Dogmengeschichte*, en 3 vol., Tübingen, 1910 ; Darmstadt, 1983, t. I, p. 243-291.

27. U. RANKE-HEINEMANN, p. 57-75. Sur l'interprétation de l'élément symbolique contenu dans la naissance virginale, voir E. DREWERMANN, *TE*, t. I, p. 502-529 ; *ibid.*, *DN*, p. 52-108.

28. Voir A. BÖHLIG, « Christliche Wurzeln im Manichäismus » (1960), dans G. WIDENGREN (éd.), *Der Manichäismus*, Darmstadt, 1977, p. 225-246.

29. Sur le monachisme bouddhique, voir H. OLDENBERG, *Bouddha. Sa vie, sa doctrine, sa communauté* (1881), Paris, Félix Alcan, 1934, p. 373-425.

30. Sur la mystique islamique, le soufisme, voir A. SCHIMMEL, *Gärten der Erkenntnis. Texte aus der islamischen Mystik*, Düsseldorf-Cologne, 1982, p. 9-17; et surtout T. ANDRAE, *Islamische Mystiker*, trad. du suédois (Stockholm, 1947) par H. Kanus-Credé Stuttgart, 1960.

31. Voir H. VON GLASENAPP, *Die Philosophie der Inder. Eine Einführung in ihre Geschichte und in ihre Lehren*, Stuttgart, 1958 (2ᵉ éd.), p 411.

32. *Ibid.*, p. 183-185.

33. Voir E. NEUMANN, *Die Große Mutter. Eine Phänomenologie der weiblichen Gestaltungen des Unbewußten*, Zurich, 1956 ; Olten-Fribourg, 1989 (9ᵉ éd.), p. 90-122

34. Le tournant décisif, la découverte du rôle joué par l'homme dans le secret de la maternité, c'est peut-être la légende hittite d'Appu le simple ; voir R. VON RANKE-GRAVES *Les Mythes grecs*, Paris, Fayard, 1988, p. 20.

35. Voir E. DREWERMANN, *DN*, p. 54-59 et 92-95 ; *ibid.*, « Die Frage nach Maria... », dans *Zeitschrift...*, p. 96-117 et notamment p. 100-105.

36. Voir E. NEUMANN, p. 123-169.

37. Voir E. DREWERMANN, *KC*, p. 19-31.

38. J. G. FRAZER, *Le Rameau d'or* (Londres 1890), Paris, Robert Laffont, « Bouquins », 1983, t. II, p. 199-374 sur Adonis ; p. 375-528 sur Atys et Osiris.

39. Comme par exemple, dans la mythologie de l'Inde ; voir H. ZIMMER, *Indische Mythen und Symbole* (trad. de l'anglais), Düsseldorf-Cologne, 1972, p. 152-165 : Shiva-Shakti.

40. Sur le caractère guerrier de Yahvé, voir R. DE VAUX, Les *Institutions de l'Ancien Testament*, Paris, éd. du Cerf, t. II, 1960, p. 73-86.

41. Ce sont les espoirs messianiques qu'Israël plaçait en ce monde qui, dans la littérature apocalypique, ont été soumis à une crise et à une révision capitales ; voir E. DREWERMANN, *TE*, t. II, p. 467-485.

42. Voir G. VON RAD, *Théologie de l'Ancien Testament*, Genève, Labor et Fides, t II, 1967, p. 25-30 . la figure du prophète Élisée.

43. En particulier H. HAAG-K. ELLIGER, « *Wenn er mich doch küsste.* » *Das Hohelied der Liebe*, Tübingen, 1983 ; Reinbek, 198[illegible]

44. Voir notamment W. WITTEKIND, *Das « Hohe Lied » und seine Beziehungen zum Istarkult*, Hanovre, 1925 ; et H. SCHMÖKEL, *Heilige Hochzeit und Hoheslied*, Wiesbaden, 1956. Ces deux auteurs ont bien montré à quel point les métaphores du texte sont marquées par l'arrière-fond mythique des noces sacrées célébrées entre Tammuz et Ishtar selon la tradition poétique suméro-akkadienne. De la même façon, dans la poésie de l'Inde, l'amour entre Krishna et Radha la bouvière exprime l'amour de l'âme pour son Dieu. Voir H. VON GLASENAPP, *Indische Geisteswelt. Glaube, Dichtung und Wissenschaft der Hindus*, Baden-Baden, 1958, p. 217-222 ; E. DREWERMANN-H. HAAG, « Le Cantique des Cantiques » dans *La Parole qui guérit*, Paris, éd. du Cerf, 1991, p. 263-298 : entretien avec Hildegard Lüning.

45. Voir L. MANNICHE, *Liebe und Sexualität in alten Ägypten* (trad. de l'anglais), Zurich-Munich, 1988 (p. 9-15 ; 45-65 ; et 79-116 : récits mythologiques) ; S. SCHOTT (trad.), *Altägyptische Liebeslieder. Mit Märchen und Liebesgeschichten*, Zurich, 1950, p. 7-36.

46. Sur le psaume 104, voir A. WEISER, *Die Psalmen*, Göttingen, 1950, t. II, p. 61-150 et 454-459 ; sur l'hymne au Soleil d'Akhénaton, voir J. ASSMANN, *Ägyptische Hymnen und Gebete*, Zurich-Munich, 1975, n°s 89-95, p. 209-225.

47. Voir K. MICHALOWSKI, *L'Art de l'ancienne Égypte*, Paris, Mazenod, 1968, fig. 95.

48. Voir S. FREUD, « Le tabou de la virginité », dans *La Vie sexuelle*, Paris, PUF, 1969.

49. Voir P. PARIN-F. MARGENTHALER-G. PARIN-MATTHEY, *Fürchte deinen Nächsten wie dich selbst. Psychoanalyse und Gesellschaft am Modell der Agni in Westafrika*, Francfort, 1971, 1978, p. 520-529 : le complexe d'Œdipe chez le garçon et chez la fille ; G. DEVEREUX, *Baubo. La vulve mythique*, Paris, Jean-Cyrille Godefroy, 1983, p. 117-170 : sur la vulve et le pénis. Voir également H. A. BERNATZIK (éd.), *Die Grosse Völkerkunde. Völker und Kulturen der Erde in Wort und Bild*, Einsiedeln, 1974, p. 391 : « Chez eux [les tribus des montagnes géorgiennes], pendant ses menstruations et ses couches, la femme est impure et doit s'isoler dans une hutte spéciale, éloignée de toute aide, jusqu'à l'écoulement de la période légale. » Il s'agit là d'une représentation archétypale qui se retrouve parmi de nombreuses ethnies. Sur l'influence de telles représentations sur la mentalité chrétienne, voir U. RANKE-HEINEMANN, p. 28-34.

50. Sur Mc 5, 25-34, voir E. DREWERMANN, *ME*, t. I, p. 366-375.

51. Voir K. DESCHNER, p. 227-229.

52. A. CAMUS, *Caligula* (Paris, 1947) *Théâtre, récits, nouvelles*, Gallimard, « Bibl. de la Pléiade », 1962, p. 16 ; voir acte I, scène VIII : « Et que me fait une main ferme, de quoi me sert ce pouvoir si étonnant si je ne puis changer l'ordre des choses, si je ne puis faire que le Soleil se couche à l'est, que la souffrance décroisse et que les hommes ne meurent plus ? » (p. 27)

53 SAINT AUGUSTIN, *Confessions*, Paris, Les Belles Lettres, 1989, X 6, t. II, p. 245-257.

54. B. PASCAL, *Les Pensées* (1669), éd. par Francis Kaplan, Paris, éd. du Cerf, 1982, p. 152 : « Le silence éternel de ces espaces infinis m'effraie. »

55. Voir P. BROWN, *La Vie de saint Augustin*, Paris, éd. du Seuil, 1971, p. 289-310. Cette conception montre aussi à quel point la doctrine chrétienne de la rédemption peut se transformer en instrument d'oppression cléricale : la nature corrompue *anthropologiquement*, c'est, *sociologiquement*, la masse non émancipée du peuple ecclésial, et, *psychologiquement*, le monde tentateur des pulsions. Voir également K. JASPERS, « Saint Augustin », dans *Les Grands Philosophes*, Paris, Plon, 1963, p. 340-346. Toutefois, Jaspers lie le problème augustinien à la perversion inévitable de l'amour-propre (l'« orgueil »), au lieu de le rattacher à la problématique de l'angoisse.

56. SAINT AUGUSTIN, X, 30, t. II, p. 270.

57. Voir, par exemple, MINUCIUS FELIX, *Octavius*, Paris, Gauthier et Cie, 1836, XXIV 2 ; voir également E. DREWERMANN, *SB*, t. III, p. 514-533.

58. Voir *ibid.*, p. 479-514.

2) Le culte marial, retour au règne de la Grande Mère

1. É. ZOLA, *La Faute de l'abbé Mouret* (1875), dans *Les Rougon-Macquart*, Paris, Gallimard, « Bibl. de la Pléiade », t. I, 1960, p. 1239.

2. *Ibid.*, p. 1239.

3. *Ibid.*, p. 1233.

4. LONGUS, *Daphnis et Chloé*, III 14, 17-19 et 34.

5. É. Zola, p. 1408-1409.
6. Sur le culte de Cybèle, voir Apulée (Lucius Apuleius), *L'Âne d'or*, Paris, Gallimard, coll. « Folio », 1975, VIII, p. 194-195 ; à l'origine, « cybèle » semble avoir signifié l'utérus de la femme ; voir W. Fauth, « Kybele », dans K. Ziegler-W. Sontheimer (éd.), *Der kleine Pauly. Lexikon der Antike*, en 5 vol., Munich, 1979, t. III, p. 383-389.
7. Voir O. Rank, *Das Inzestmotiv in Dichtung und Sage. Grundzüge einer Psychologie des dichterischen Schaffens*, Leipzig-Vienne, 1912, p. 290-292.
8. É. Zola, p. 1312-1313.
9. *Ibid.*, p. 1313
10. *Ibid.*, p. 1314-1315.
11. Sur le « *transfert vers le haut* », mécanisme de défense, voir S. Freud, « Fragment d'une analyse d'hystérie (Dora) » (1905), dans *Cinq Psychanalyses*, Paris, PUF, 1966.
12. É. Zola, p. 1292-1293.
13. Voir B. D. Lewin, « Sleep, the Mouth and the Dream Screen », dans *Psychoanal. Quart.* 15, 1946 ; R. A. Spitz, *Vom Säugling zum Kleinkind. Naturgeschichte der Mutter-Kind-Beziehung im ersten Lebensjahr* (trad. de l'anglais), Stuttgart, 1967, p. 93 s. et notamment p. 98-100.
14. Voir P. Meinhold, *Maria in der Ökumene*, Wiesbaden, 1978.
15. Voir L. A. Bawden (éd.), *Film Lexikon*, 4, Personnes A-G, Hambourg, 1978, p. 981 ; G. Seeslen-C. Weil, *Ästhetik des erotischen Kinos. Geschichte und Mythologie des erotischen Films*, Hambourg, 1980, p. 209.
16. G. Seeslen-C. Weil, p. 174-176.
17. *Ibid.*, p. 177
18. Voir G. Heinen, *Sterben für die Keuscheit ? Maria Goretti mal vier*, programme de WDR III radiodiffusé le 11 janvier 1988.
19. Voir B. Fründt-R. Thissen, *Wunderbare Visionen auf dem Weg zur Hölle. Das Kino und die Kämpfe des Martin Scorsese*, programme de ZDF radiodiffusé le 17 mai 1989. — Dans l'histoire du cinéma, la scène de Marie Madeleine au pied de la Croix a au moins un précédent célèbre dans le film de P. P. Pasolini, *La Ricotta* (Italie, 1962), où, pour consoler le Crucifié, la prostituée exécute une danse nue. Mais il y a aussi d'autres exemples. Ainsi, « sur une photo bien connue des années soixante, Brigitte Bardot pose devant un grand crucifix » ; voir G. Seeslen-C. Weil, p. 70. En 1965, dans son film *Viva Maria*, Louis Malle met en scène Jeanne Moreau, qui, de nuit, fait l'amour avec un rebelle attaché à une poutre transversale ; voir L. A. Bawden, 5, Personnes H-Q, p. 1176-1177.
20. N. Kazantzakis, *Lettre au Greco*, Paris, Presses-Pocket, 1983, p. 524.
21. *Ibid.*, p. 524.
22. N. Kazantzakis, *La Dernière Tentation du Christ*, Paris, Presses-Pocket, 1982, p. 461.
23. Voir *CIC*, can. 277, 1 ; d'où s'ensuit 277, 2 : « Les clercs se conduiront avec la prudence voulue dans leurs rapports avec les personnes qui pourraient mettre en danger leur devoir de garder la continence, ou causer du scandale chez les fidèles. » Voir également J. J. Degenhardt (archevêque), *Gott Braucht Menschen. Priestertum*, édité par le vicariat général de l'archevêché, Paderborn, 1982, p. 24 : « Par le célibat, les prêtres sont consacrés au Christ d'une nouvelle façon [*sic !*]. Ils lui appartiennent d'un cœur plus léger et plus entier ; en lui et par lui, ils se consacrent plus librement au service de Dieu et des hommes ; ils sont plus dégagés pour servir son Royaume et l'œuvre d'une nouvelle naissance en Dieu, et sont ainsi mieux à même de comprendre en profondeur la paternité en Christ. » Quel professeur, chargé d'évaluer le travail de son élève, ne qualifierait-il pas un tel style de phraséologie ?
24. Voir W. Reich, *Die Massenpsychologie des Faschismus* (1933), p. 75-78 ; 179-187. (*Psychologie de masse du fascisme*, Paris, Payot, 1972.)
25. F. Nietzsche, *Ainsi parlait Zarathoustra*, *Œuvres philosophiques complètes*, Paris, Gallimard, t. VI, 1971, 1re partie : « De la chasteté », p. 67.
26. A. Zumkeller, *Die Regeln des hl. Augustinus*, dans H. U. von Balthasar (éd.), *Die grossen Ordensregeln*, Zurich-Cologne, 1948, p. 99-133 et notamment p. 118. Voir A. Sage, *La Règle de saint Augustin commentée par ses écrits*, Paris, La Vie augustinienne, 1961.

27. *La Règle de saint Augustin*, p. 21-23.
28. *Ibid.*, p. 25.
29. *Ibid.*, p. 33.
30. *Ibid.*, p. 41.
31. M. SCHŒNENBERG-R. STALDER (trad.), *Die Sätzungen der Gesellschaft Jesu*, dans H. U. VON BALTHASAR (éd.), p. 318.
32. *Direktorium der Missionsschwestern vom Kostbaren Blut*, Paderborn, 1932, n° 57, p. 42.
33. *Ibid.*, n° 58, p. 42-43.

b. « Parce qu'ils n'aiment personne... »

1. S. FREUD, *Das Unbehagen in der Kultur* (1929), *Ges. Werke*, t. XIV, p. 419-506 et notamment p. 438 : sur la joie que procure le travail. (*Malaise dans la civilisation*, Paris, PUF, 1971.)
2. Voir par exemple O. VON CORVIN, *Der illustrierte Pfaffen-spiegel. Historische Denkmale des christlichen Fanatismus in der romisch-katholischen Kirche* (1845), Munich, 1971, p. 174-220 ; la moinerie. Ce genre littéraire a une longue tradition, à commencer par les farces poétiques du moyen haut allemand ; voir par exemple STRICKER, *Der Pfaff Amis* (vers 1220), Munich, K. Heiland, 1912 ; ou PH. FRANKFURTER, *Des Pfaffen Geschicht und Histori vom Kalenberg* (vers 1472), Halle, Dollmayr, Halle, 1906. La tendance de cette littérature est très bien illustrée par cette plaisanterie antipapiste du temps de la Réforme : « Le pape boit du prince, bouffe du paysan et chie du curé ! » Que de haine doit avoir semée l'Église au cours des siècles pour récolter une telle amertume !
3. Voir P. DE ROSA, *Gottes erste Diener*, Munich, 1989, p. 111-169.
4. BOCCACE, *Le Décameron*, Paris, Garnier Frères, 1967, 9e journée (IIe nouvelle, p. 589-592.) Voir aussi III 2 (p. 186-191), VI 3 (p. 408-410), VIII 2 (p. 502-507) et VIII 4 (p. 515-520). Une histoire révèle ce que pensait Boccace de l'Église de son temps, celle du juif Abraham, qui se fait baptiser parce que, pense-t-il, après avoir vu la cour papale à Rome, une Église qui subsiste depuis mille ans et plus, malgré une telle incurie, doit certainement venir de Dieu.
5. Voir STENDHAL, *Les Cenci, Romans et Nouvelles*, Paris, Gallimard, « Bibl. de la Pléiade », 1947, p. 666-697 ; pour Stendhal, non sans raison, la figure de Don Juan est le « produit des *institutions ascétiques* des papes venus après Luther » (p. 668). Sur les effets du concile de Trente sur la morale sexuelle catholique, voir U. RANKE-HEINEMANN, *Des eunuques pour le royaume des cieux*, Paris, Hachette-Pluriel, 1992, p. 274-290.
6. F. NIETZSCHE, *Ainsi parlait Zarathoustra* (1883-1885), *Œuvres philosophiques complètes*, Paris, Gallimard, t. VI, 1971, Ire partie, « Du blême criminel », p. 49-51
7. G. DENZLER, p. 93.
8. F. NIETZSCHE a raison : « Le christianisme donna du poison à Éros : il n'en mourut pas, mais dégénéra en vice. » (*Par-delà le bien et le mal, Œuvres philosophiques complètes*, Paris, Gallimard, 1971, n° 168, p. 95) ; voir G. BACHL, *Der beschädigte Eros. Frau und Mann im Christentum*, Fribourg-Bâle-Vienne, 1989, p. 74-83.
9. Voir L. G. DA CAMARA, *Memoriale. Erinnerungen an unseren Vater Ignatius* (1555) ; trad. P. Knauer, Francfort, 1988, n° 195, p. 108-109 : « Quand notre père parle de la prière, il suppose toujours que les passions sont bien maîtrisées et mortifiées, et il y attache une grande importance. D'un religieux qu'il connaît, je me souviens lui avoir dit un jour que c'était un homme de prière. Notre père a rectifié en disant : " C'est un homme de grande mortification. " »
10. Voir G. T. DI LAMPEDUSA, *Le Guépard* ; trad. Fanette Pézard, Paris, Éd. du Seuil, « Points Roman », p. 32 : « " Je suis encore un homme vigoureux ; comment pourrais-je me contenter d'une femme qui, au lit, fait le signe de croix avant chaque étreinte et qui, au moment le plus émouvant, ne sait que dire : Jésus-Marie ! Quand nous nous sommes mariés, quand elle avait seize ans, cela m'exaltait ; mais maintenant [...] J'ai eu d'elle sept enfants, sept, et je n'ai jamais vu son nombril ! Est-ce juste ? Je vous le demande, à tous ! [...] C'est elle, la pécheresse ! " » Non : la pécheresse, c'est l'Église, qui a voulu (qui veut) faire de ses fidèles des machines à procréer dépourvues de sensations et de sentiments. « " Donnez-moi la force et le

courage de contempler mon cœur et mon corps sans dégoût " » (p. 33). Si ces vers d'un poète français sont des « cochonneries », alors la religion qui déclare l'homme impur seulement parce qu'il est un homme est elle-même impure.

11. C'est ainsi que s'explique que de nombreux clercs *idéalisent* le mariage de leurs parents : il y avait, et il y a toujours, obligation de protéger le mensonge commun comme quelque chose de sacré. « Alors, je devrais injurier ma mère », me disait, horrifié, un père bénédictin de haut rang, il y a déjà plusieurs années, après une conférence sur un conte de Grimm. Peut-être ! Ou bien : Après tout, pourquoi pas ?

12. S. FREUD, « La disparition du complexe d'Œdipe » (1924). *La Vie sexuelle*, Paris, PUF, 1969.

13. Voir J. BRINKTRINE, *Die Lehre von der Mutter des Erlösers*, Paderborn, 1959, p. 57-72. Déjà, la légende de la naissance de Bouddha doit nous donner une idée de ce qui a pu se passer « concrètement » : Bouddha a été conçu par un éléphant blanc et est sorti du flanc de la mère Mahamaya, debout, dans la forêt sacrée de Lumbini. Peu après, la mère est morte, sans avoir connu d'homme entre-temps. Voir E. WALDSCHMIDT, *Die Legende von Leben des Buddha. In Auszügen aus den heiligen Texten*, Graz, 1982, p. 29-47.

14. E. DREWERMANN, *KC*, p. 240-241 : les valeurs différentes attribuées à la virginité de la femme suivant qu'il s'agit d'une civilisation matriarcale ou d'une civilisation patriarcale.

15. Voir E. DREWERMANN, I. NEUHAUS, *Marienkind, GM*, p. 23-43.

16. Sur l'élaboration d'un idéal pendant la puberté, voir A. FREUD, *Le Moi et le Mécanisme de défense* 1936, Paris, PUF, 1985. Sur la séparation en deux de l'image de la femme, madone et prostituée, voir S. FREUD, *Beiträge zur Psychologie des Liebeslebens* (1910), *Ges. Werke*, Londres, 1945, t. VIII, p. 72-77 (« Contribution à la psychologie de la vie amoureuse », *La Vie sexuelle*, Paris, PUF, 1985) ; et surtout H. MYNAREK, *Eros und Klerus. Vom Elend des Zölibats*, Munich-Zurich, 1980, p. 66-67 et 155. Voir également F. LEIST, *Zum Thema Zölibat. Bekenntnisse von Betroffenen*, Munich, 1973, p. 9-56, où sont publiées des lettres émouvantes écrites par des prêtres qui n'ont pas quitté le ministère ; et p. 226-242, où sont esquissés les effets suscités par cet idéal contraignant d'une pureté angélique.

17. F. NIETZSCHE, *Ainsi parlait Zarathoustra*, Ire partie, « Des prêcheurs de mort », p. 57.

18. Voir J. DE VORAGINE, *La Légende dorée*, Paris, Librairie accadémique Perrin, 1960, t. I, p. 207-211 ; E. DREWERMANN, *TE*, t. I, p. 398.

19. Voir S. FREUD, « Le problème économique du masochisme », *Névrose, Psychose et Perversion*, Paris, PUF, 1763, où Freud montre admirablement comment le sadisme peut se retourner contre soi-même quand il y a sentiment de culpabilité (sexuelle) inconscient et besoin de punition : le masochisme sexualise la morale et la morale régresse au stade de l'Œdipe ; la morale se réduit finalement au désir d'être battu par le père afin d'échapper à la tentation du péché. Voir également TH. REIK, *Le Masochisme*, Paris, Payot, 1971, p. 306-319 : « Les paradoxes du Christ » et « Martyr et masochiste ».

20. Voir SAINT AUGUSTIN, *Confessions*, Paris, Les Belles Lettres, 1989, II 4. 6 (p. 3 ; 5 s.) : Réflexions sur un vol de poires commis par un enfant ; II 3 (p. 3 ; 2 s.) : Augustin rapporte combien la sensuelle virilité de son père contrastait avec la chaste douceur de sa mère Monique ; c'est cette même opposition, dans le domaine de la sexualité, que nous avons rencontrée au niveau de l'analité, à propos de saint François. François a d'ailleurs lui-même indiqué dans la Règle XII (non confirmée par bulle), à quel point il prenait à la lettre Mt 5, 28 ; voir *Écrits* de CLAIRE et FRANÇOIS D'ASSISE, Paris, éd. du Cerf, coll. « Foi vivante », n° 255, 1991, « Règle de 1221 », § 12, p. 122 : « Que tous les frères, où qu'ils soient et où qu'ils aillent, se gardent du regard mauvais et de la fréquentation des femmes. Et qu'aucun ne s'entretienne ou n'aille par les routes seul avec elles ou ne mange à table dans la même écuelle [...] et gardons-nous bien tous et tenons tous nos membres purs [...] »

21. Voir S. FREUD, « Extrait de l'histoire d'une névrose infantile » (L'Homme aux loups), *Cinq Psychanalyses*, Paris, PUF, 1966. Voir aussi S. FREUD, « Lettres à Wilhelm Fliess », *La Naissance de la psychanalyse*, Paris, PUF, 1956 ; dans la célèbre lettre du 21 septembre 1897, Freud se demande si les « souvenirs » des rapports entre parents reposent sur une réalité historique. Il semble douteux que, par égard pour la société, il soit revenu sur ses premières

observations pour reprendre l'ancienne théorie du trauma. Mais que la tendresse des adultes puisse être vécue par l'enfant de façon équivoque, Freud l'aurait très volontiers admis, puisqu'il s'agit de sa propre pensée.

22. Sur la figure du Minotaure, voir R. VON RANKE-GRAVES, *Les Mythes grecs*, Paris, Fayard, 1988, p. 270-272 (p. 276).

23. Voir S. FREUD, *Nouvelles Conférences sur la psychanalyse*, Paris, Gallimard, 1936.

24. Voir V. B. DRÖSCHER, *Sie töten und sie lieben sich. Nature-Geschichte sozialen Verhaltens*, Hambourg, 1974, 1977, p. 166-178 : le temps des amours chez certains grands oiseaux.

25. S. KIERKEGAARD, *Le Concept d'angoisse, Œuvres complètes*, Paris, éd. de l'Orante, (1844), t. VII, p. 174-180 ; voir E. DREWERMANN, *SB*, t. III, p. 436-448. Sur la problématique de l'onanisme, voir E. DREWERMANN, « Zur Frage der moraltheologischen Beurteilung Bestimmter Formen sexuellen Fehlverhaltens », *Psychoanalyse und Moraltheologie*, t. II, p. 162-225 et notamment 178-185. Sur la doctrine « officielle » de l'Église, voir A. PEREIRA, *Jugend vor Gott*, Kevelaer, 1959, p. 291-315 (incroyable !) ; voir également K. DESCHNER, *Das Kreuz mit der Kirche*, p. 327-331 et 365-378. Autres ouvrages qui peuvent être consultés sur cette problématique : H. HAAG, K. ELLIKER, « *Stört nicht die Liebe.* » *Die Diskriminierung der Sexualität-Ein Verrat an der Bibel*, Olten, 1986, p. 111-122 ; G. DENZLER, p. 181-187 ; CH. ROHDE-DACHSER, *Struktur und Methode der katholischen Sexualerziehung. Dargestellt am Beispiel katholischer Klein-schriften*, Stuttgart, 1970 ; U. RANKE-HEINEMANN (sur les conséquences d'une morale qui considère tout simplement l'onanisme comme une maladie) ; S. FREUD, *Zur Einleitung der Onaniediskussion. Schlusswort* (1912), *Ges. Werke*, t. VIII, Londres, 1943, p. 331-345 (alors, Freud montrait déjà qu'on pouvait parler de l'onanisme honnêtement et de façon réaliste) ; et en particulier E. RINGEL, A. KIRCHMAYR, *Religionsverlust durch religiöse Erziehung, Tiefenpsychologische ursachen und Folgerungen*, Vienne-Fribourg-Bâle, 1986, p. 123-125 : les effets négatifs pour le psychisme causés par l'interdiction de l'onanisme par l'Église.

26. Voir E. DREWERMANN, I. NEUHAUS, *Schneeweisschen und Rosenrot*, *GM*, p. 33-35 (trad. fr. *Neigeblanche et Roserouge*, Paris, Cerf, 1893). A l'opposé, voir F. LEIST, *Zum Thema Zölibat. Bekenntnisse von Betroffenen*, Munich, 1973, p. 231-242 : comment l'interdiction de tout plaisir sexuel en dehors du mariage caractérise la vie des prêtres.

27. F. FURGER, *Ethik der Lebensbereiche*, Fribourg, 1985, p. 99-101.

28. K. HÖRMANN, *Lexikon der christlichen Moral*, Innsbruck, 1976, p. 1413-1417.

29. G. DENZLER, p. 185-187. *Déclaration* de la CONGRÉGATION DE LA FOI du 29 décembre 1975 sur quelques questions touchant à la sexualité, *AAS* 68, 1976, p. 77-96 (p. 84 s.).

30. É. ZOLA, *La Faute de l'abbé Mouret*, *Les Rougon-Macquart*, Paris, Gallimard, « Bibl. de la Pléiade », t. I, 1960, p. 1492.

31. *Déclaration* du 29 décembre 1975 sur quelques questions touchant à la sexualité, *AAS* 68, 1976 ; voir H. HAAG, K. ELLIGER, p. 152.

32. *Ibid.*

33. Ce « jugement porté sur l'homosexualité par les plus hautes instances de l'Église [est] [...] étonnant. Il laisse complètement de côté l'état actuel de nos connaissances scientifiques » (*ibid.*). C'est juste, mais c'est encore plus indulgent. N'est-ce pas de 1908 déjà que date l'importante publication de S. FREUD sur l'autoérotisme (la masturbation), l'homosexualité, l'abstinence pré-conjugale, la régulation des naissances et le destin malheureux de nombreux mariages, à savoir « La morale sexuelle civilisée et la maladie nerveuse des temps modernes », *La Vie sexuelle*, Paris, PUF, 1969 ? Voir également A. C. KINSEY *et al.*, *Le Comportement sexuel de la femme*, Paris, Amiot-Dumont, 1954 ; à l'âge de 45 ans, 20 % des femmes et environ 50 % des hommes ont eu des expériences homosexuelles, jusqu'à l'orgasme pour 13 % d'entre elles et pour 37 % d'entre eux. Manifestement, le comportement effectif des femmes et des hommes ne joue aucun rôle pour l'Église quand il s'agit de proclamer les normes normales éternelles révélées par Dieu. Mais Dieu ne se révèle-t-il pas aussi dans la nature ? Sur l'homosexualité dans le règne animal, voir A. C. KINSEY. Au zoo de Francfort, dans la maison des primates, chacun peut observer les contacts homosexuels des bonobos (chimpanzés nains), animaux les plus proches de l'homme selon les examens sérologiques ; voir D. HEINEMANN, *Die Menschenaffen*, dans : B. GRZIMEK

(éd.), *Tierleben* (10 vol.), Zurich, 1970 ; Munich, 1979 ; t. I, p. 485-499 et notamment 487. Sur le passage de l'hermaphrodisme biologique à l'homosexualité, voir V. B. DRÖSCHER, p. 40-41. Sur le rapport entre la répression de l'Église en matière sexuelle et l'homosexualité, voir H. MYNAREK, p. 145-168, psychologiquement très pertinent et avec des témoignages authentiquement bouleversants.

34. Voir en particulier K. DESCHNER, p. 331-335 : en termes de droit pénal et au plan politique, par un enseignement moral allant jusqu'au fascisme, l'Église a commis une faute dont elle doit s'accuser ; pendant des siècles, elle a condamné, discriminé, voire supprimé physiquement les homosexuels.

35. « Le 1er octobre 1986, pour la première fois dans l'histoire de l'Église, la Congrégation pour la doctrine de la foi a publié un document exclusivement consacré à l'homosexualité [...]. Le point capital est le suivant : " En soi, la tendance spécifique de l'homosexuel n'est certes pas péché, mais elle est le fondement d'une inclination plus ou moins forte vers un comportement considéré comme normalement mauvais. Pour cette raison, la tendance elle-même doit être considérée comme étant objectivement un dérèglement " » (G. DENZLER, p. 201-202).

36. Voir H. HAAG, K. ELLIGER, p. 151.

37. Sur la position de la Bible à propos de l'homosexualité, et en particulier celle de saint Paul et des épîtres pastorales, voir H. HAAG, K. ELLIGER, p. 142-148.

38. Il ne faut pas oublier (encore une fois) que dans le Nouveau Testament le serment est condamné sans équivoque et sans exception au moins tout autant que l'homosexualité. La règle d'interprétation qu'observe l'Église semble être tout simplement la suivante, à savoir que les prescriptions qui mettent en cause ses propres institutions, en vertu de la faiblesse humaine, ne sont pas nécessairement exécutoires — *NB* : c'est une erreur doctrinale et une utopie de demander à l'Église ce qui n'est possible que dans le Royaume de Dieu. En revanche, de chaque individu en particulier il peut être très exactement et très littéralement exigé tout ce que Dieu lui demande par la voix de son Église. Et rien n'empêche qu'il le fasse. En effet, corps vivant du Christ, l'Église qui l'a accueilli dans la communauté des fidèles par le sacrement du baptême ne l'a-t-elle pas libéré de tout péché ? Une théologie de cette nature montre à l'évidence qu'elle vise à protéger les institutions aux dépens de la personne. A ce propos, voir N. LO BELLO, *Valikan im Zwielicht*, Munich, 1986, p. 210-215 : les tentatives de libéralisation en Hollande et aux États-Unis.

39. J. GREEN, *Œuvres autobiographiques*, *Œuvres complètes*, Paris, Gallimard, « Bibl. de la Pléiade », t. VI, 1990, p. 866-867.

40. *Ibid.*, p. 871.

41. *Ibid.*, p. 871-872.

42. É. ZOLA, p. 1234-1240.

43. GUY DE MAUPASSANT, *Le Baptême* (1884), *Contes et Nouvelles*, Paris, Gallimard, « Bibl. de la Pléiade », 1974, t. I, p. 1144-1148. Du même auteur, voir également *Clair de lune* (1884), *ibid.* p. 594-599 : l'histoire d'un abbé misogyne qui réprouve l'« amour charnel » aussi catégoriquement qu'un bon catholique peut le faire, pour se demander finalement pourquoi Dieu a bien pu créer tout ça.

44. Voir M. ELIADE, *Le Chamanisme et les Techniques archaïques de l'extase,* Paris, 1951, Payot, 1974, p. 210, pour l'auteur, la présence d'hommes aux caractères féminins dans le chamanisme des Tchouktches est dû à une idéologie qui remonte au « matriarcat archaïque ». Voir aussi E. DREWERMANN, *TE*, t. II, p. 74-114.

45. L. SZONDI, *Triebpathologie*, Berne, 1952, t. I, p. 406.

46. *Ibid.*, p. 407.

47. *Ibid.*

48. *Ibid.* Voir également E. DREWERMANN, « Zur Frage der moraltheologischen Beurteilung bestimmter Formen sexuellen Fehlverhaltens », *Psychoanalyse und Moraltheologie* Mayence, 1982, t. II, p. 162-225, p. 171-178 ; et p. 291-296 (supplément à la 5e édition, 1987).

49. Voir E. DREWERMANN, *AF*, p. 126-128. Voir article anonyme, « Offenbarung contra Religion. Zwischenbilanz nach den ersten vier Teilen der " Geschichte der Unterscheidung " im Blick auf die heutige Theologie », *Die Integrierte Gemeinde. (Beiträge zur Reform der Kirche)*,

cahier 12-14, Munich 1971-1973, p. 25-48 ; p. 48 : « Si nous pouvons essayer d'écrire l'histoire de ce qui fait la différence entre la religion et la révélation en notre qualité de communauté intégrée, c'est uniquement parce que, en vertu de notre expérience, nous reconnaissons cette visée divine dans l'histoire [...] L'engagement de toute notre vie nous a ouvert la voie à la libération et au salut, et c'est pourquoi nous pouvons aujourd'hui parler de la bienveillance de Dieu dans l'absolu de ses exigences. » Voici donc un savoir absolu fondé exclusivement sur l'appartenance à une certaine communauté. Le salut, c'est la communauté elle-même, et celui qui n'appartient pas à cette communauté ne comprend rien ni à la révélation ni aux visées de Dieu sur l'histoire. Il est difficile d'imaginer tout le besoin infantile de sécurité qui se cache derrière de telles idéologies. La logique d'une telle attitude est d'une incroyable naïveté : nous avons besoin de ceci, nous faisons ceci, donc nous en avons fait l'expérience, donc c'est la vérité... ! *NB* : il s'agit de « Feuilles pour discernement de ce qui est chrétien ».

50. Voir ANONYME, « Kommune-Kibbuz-Kloster-Gemeinde », *Die Intergrierte Gemeinde*, cahier 7 (1970), p. 143-152 : « Et une communauté ? Elle doit donner forme visible à la volonté de Dieu, dont les plans ne sont pas humains tout en s'adressant aux hommes, et, jalousement, n'exigent pas moins de ses membres qu'un kibboutz ou que tout autre groupement occasionnel, c'est-à-dire tout » (p. 151). Ce qui est souligné ici, c'est qu'il faut remplacer le cloître « Église dans l'Église » par la vraie communauté du Christ dans le monde ; et celui qui, comme H. KÜNG, par exemple, déclarait que Dieu veut tout simplement le bien de celui qui commence « à vivre une authentique vie humaine » (p. 148-149), celui-là serait déjà sur la mauvaise pente et se méprendrait totalement sur ce qu'est la volonté de Dieu.

51. A. HABERLANDT, « Der Aufbau der europäischen Volkskultur », dans H. A. BERNATZIK (éd.), *Neue Grosse Völkerkunde. Völker und Kulturen der Erde in Wort und Bild*, Einsiedeln, 1974, p. 14-22 ; aujourd'hui encore, selon l'auteur, les mascarades célébrées par des groupes de jeunes dans les pays alpins sont des réminiscences d'une identification totémique telle que la vivait les peuples primitifs (p. 22).

52. Par exemple chez les Indiens d'Amérique du Nord ; voir H. LÄNG, *Kulturgeschuchte der Indianer Nordamerikas*, Olten-Fribourg, 1981 ; p. 347-349 (l'exemple des Pomos) ; 374-375 (l'exemple des Hopis) ; 380-381 (l'exemple des Apaches).

53. Voir (cependant) S. FREUD, « Psychogenèse d'un cas d'homosexualité féminine », *Revue française de psychanalyse*, 1933, t. VI, n° 2, p. 130-154, où Freud fait deux constatations fondamentales, à savoir « que les hommes homosexuels ont connu une fixation à la mère particulièrement forte » et « que les gens normaux, à côté d'une hétérosexualité manifeste, cachent tous une dose considérable d'homosexualité latente ou inconsciente ».

54. Sur la « protestation de virilité » selon Adler, voir S. FREUD, *Zur Geschichte der psychoanalytischen Bewegung* (1914), *Ges. Werke*, Londres, 1946, t. X, p. 100 (*Sur l'histoire du mouvement psychanalytique*, Paris, Gallimard, 1991). Voir également A. ADLER, *Das Problem der Homosexualität und sexueller Perversionen. Erotisches Training und erotischer Rückzug* (1930), Francfort, 1977, p. 78-79 (*Le Problème de l'homosexualité*, Paris, Payot, 1956) : « L'homosexualité apparaît comme une des tentatives manquées faites en vue de compenser un important sentiment d'infériorité et, dans le dérèglement de son comportement social, correspond parfaitement à la position du patient relative au problème de la société » (p. 88). Il est permis de douter que les homosexuels se reconnaissent dans cette interprétation. — Sur les défenses dirigées contre la mère ou contre le complexe négatif de la mère, voir C. G. JUNG, « Les aspects psychologiques de l'archétype de la mère » (1939), *Les Racines de la conscience*, Paris, Buchet-Chastel, 1971.

55. A. GIDE, *L'École des femmes* (1929), *Romans, Récits et Soties, Œuvres lyriques*, Paris, Gallimard, « Bibl. de la Pléiade », 1958, p. 1249-1310.

56. C. G. JUNG, *Die Ehe als psychologische Beziehung* (1925), *Ges. Werke*, Olten, t. XVII, 1972, p. 213-227 et notamment 221.

57. Voir V. B. DRÖSCHER, p. 40-41 ; 78-79. J. WOLPE, *Praxis des Verhaltenstherapie* (trad. de l'anglais), Berlin-Stuttgart-Vienne, 1978, p. 86-102 : le traitement de l'impuissance et de la frigidité.

58. Voir R. CURB, N. MANAHAN, *Die ungehorsamen Bräute Christi. Lesbische Nonnen*

brechen das Schweigen (trad. de l'anglais), Munich, 1986, p. 15-37 : « La discrétion nous étouffait. Nous racontons enfin notre histoire, au couvent et au dehors [...]. Nous nous aimons et le confessons. Après des siècles d'obscurantisme, nous rompons enfin le silence » (p. 36). Voir G. DENZLER, p. 203 : parmi les 111 prêtres (sur 235), engagés dans la pastorale, qui ont répondu au questionnaire d'une enquête menée en 1977 en RFA par W. Müller, 15-20 % se sont déclarés « exclusivement ou prioritairement orientés vers l'homosexualité » ; ce n'est là qu'une estimation ; en fait, le pourcentage est sans doute plus élevé.

59. É. ZOLA, p. 1468-1469.

60. *Ibid.*, p. 1469.

61. A. GIDE, *La Porte étroite* (1909), *Romans, Récits, Soties, Œuvres lyriques*, p. 493-598 ; p. 591.

62. *Ibid.*, p. 592-593.

63. *Ibid.*, p. 593.

64. *Ibid.*, p. 594.

65. Voir A. GIDE, *Journal 1889-1939*, Paris, Gallimard, « Bibl. de la Pléiade » 1940, p. 384. Gide dit de Claudel : « Sa parole est un flux continu qu'aucune objection, qu'aucune interrogation même, n'arrête. Toute autre opinion que la sienne n'a pas de raison d'être et presque pas d'excuse à ses yeux. » Il cite ces paroles de Claudel à F. Jammes : « Mon ami [...] lorsqu'après avoir vécu de longues années dans l'amour de Dieu, je succombai comme vous le savez à l'amour de cette femme, il me semble que, sortant d'un pur lac des montagnes, je plongeais dans un bain de pieds » (p. 254) ; et plus loin il écrit (p. 359) : « Je voudrais n'avoir jamais connu Claudel. Son amitié pèse sur ma pensée et l'oblige, et la gêne [...] Je n'obtiens pas encore de moi de le peiner, mais ma pensée s'affirme en offense, à la sienne. »

66. A. GIDE, *Les Nourritures terrestres* (1897), *Romans, Récits, Soties, Œuvres lyriques*, p. 151-250.

67. Voir S. FREUD, *Vorlesungen zur Einführung in die Psychoanalyse* (1917), *Ges. Werke*, Londres, 1944, t. XI, p. 390-391 (*Introduction à la psychanalyse*, Paris, Payot, 1989).

68. Sur les manifestations d'ordre hystérique, voir E. DREWERMANN, « Péché et névrose », *PF*, p. 93-130 et notamment p. 109-114.

69. Sur Mc 5, 25-34, voir E. DREWERMANN, *ME*, t. I, p. 336-370 ; ainsi que t. II, p. 277-309. — Être séduit par une femme est certainement un des fantasmes favoris qui hantent l'imagination des clercs. Voir J. BÜHLER, *Klosterleben im Mittelalter. Nachzeit-Genössischen Quellen*, Mayence, 1989, p. 272 : comment une femme de la société avoue sa passion à l'abbé auquel elle se confesse. L'abbé lui répond qu'il n'est qu'un grossier loqueteux. « Vois-tu maintenant, lui dit-il, comment le diable nous poursuit, nous qui sommes déjà morts au monde ? » Encore une anecdote, rapportée par P. TÜRKS, *Philipp Neri oder Das Feuer der Freude*, Fribourg-Bâle-Vienne, 1986, p. 61 : comment une jeune femme nommée Cesarea, et qui possédait trois maisons aux environs de San Girolamo, entendait séduire le saint par le moyen de la confession ; elle était sûre, et s'en vantait que Philippe ne résisterait pas à ses charmes. Elle le fit donc appeler en prétextant qu'elle était mourante et qu'elle voulait encore se confesser. Malgré l'équivoque de l'appel, Philippe était décidé à lui venir en aide. En voyant la tenue dans laquelle elle le reçut, il comprit immédiatement et, sans aucun mot, fit marche arrière et redescendit précipitamment l'escalier. Furieuse, celle qui avait été si sûre d'elle prit le premier tabouret venu et le jeta violemment sur Philippe. Par la suite Philippe avait coutume de dire : « Dans le combat pour la pureté seuls les lâches, c'est-à-dire ceux qui fuient, sont victorieux. » Nous avons là pour ainsi dire tous les ingrédients classiques : le cliché du clerc innocent et de la femme vicieuse ; la beauté féminine ravalée parce que tentation dangereuse ; le « combat » mené par les clercs non seulement pour eux-mêmes, pour défendre leur pureté, mais aussi contre eux-mêmes et contre les femmes ; l'état de crispation qui empêche de répondre personnellement et humainement à l'amour d'une femme ; et surtout : un célibat fondé sur la peur, ouvertement avouée, de la femme et la fuite devant elle. Ce qui n'empêche pas, au demeurant, de voir dans cet exemple typique un trait amusant vécu par un grand saint de l'Église catholique. La réalité, passée et présente, est évidemment différente. A ce propos, voir H. HAAG, K. ELLIGER, p. 64-69 : comment les femmes dans l'Église, depuis saint Paul, sont opprimées, mises à l'écart, voire discréditées et tout

simplement assimilées au mal ; K. DESCHNER, p. 158-211 : par quels moyens l'obligation du célibat a été imposée dans l'Église ; les réactions, les oppositions et les exaltations morales qu'elle a suscitées ; U. RANKE-HEINEMANN, p. 115-167 : en particulier la répression de la femme dans l'Église par des clercs célibataires qui ont peur de la sexualité ; G. DENZLER, p. 267-304 : l'image ambivalente de la femme, à la fois madone et prostituée, dans l'Église ; H. MYNAREK, p. 52-71 : d'impressionnants matériaux sur les rapports entre des célibataires et des femmes mariées ; p. 75-89 : le problème des femmes célibataires que sont les aides au prêtre (gouvernantes), leur condition, analogue à l'état matrimonial, mais fondamentalement précaire et sans statut juridique ; en outre, p. 117-145, dans les cloîtres, le ravalement de la personne, trop souvent catastrophique au plan physique, au nom de la morale sexuelle prônée par l'Église ; à cet égard, les données suivantes sont éloquentes ; elles concernent l'« ordre des Capucins, le cinquième de l'Église catholique en importance » : parmi les Capucins, « 29,6 %, soit près d'un tiers, désirent avoir des relations plus intimes avec l'autre sexe [...] Plus nombreux encore, soit 35,6 %, sont ceux qui estiment qu'être privé de l'amour d'une femme est un obstacle à " la pleine maturation de la personnalité ". C'est ce qu'indique une enquête extensive conduite au moyen de questionnaires par un groupe de capucins et de sociologues italiens. Les résultats n'ont pas manqué de surprendre et d'ébranler le Vatican » (p. 142).

70. Voir TH. FONTANE, *Schach von Wuthenow* (1883), *Werke* (4 vol.), Wiesbaden, t. II, p. 125-238 ; chap. XX, p. 233-236 : un impitoyable règlement de comptes à la conception de l'honneur au temps de l'auteur.

71. Voir S. FREUD, *Beiträge zur Psychologie des Liebeslebens* (1910), *Ges. Werke*, Londres, 1945, t. VIII, p. 65-91 et notamment 70-77. (« Contribution à la psychologie de la vie amoureuse », *La Vie sexuelle*, Paris, PUF, 1985.) Sur l'ensemble de la problématique, voir W. SCHMIDBAUER, *Die hilflosen Helfer. Über die seelische Problematik der helfenden Berufe*, Reinbek, 1977.

72. Sur le mythe du sauveur sauvé voir W. SCHMITHALS, *Die Gnosis in Corinth*, Göttingen, 1965 (2e éd.), Introduction A : Die Gnosis, p. 21-80 ; E. PAGELS, *Les Évangiles secrets*, Paris, Gallimard, 1982, p. 79-80 : la menace que représentait la doctrine gnostique de la rédemption pour l'autorité hiérarchique de l'Église. Voir également TERTULLIEN, *Traité de la prescription contre les hérétiques*, Paris, éd. du Cerf, 1957, SC 46. Les arguments de Tertullien sont suffisamment « éloquents » : « Je ne dois pas oublier de décrire aussi la conduite des hérétiques, combien elle est futile, terrestre, purement humaine, sans gravité, sans autorité, sans discipline, tout à fait assortie à leur foi. D'abord on ne sait qui est catéchumène, qui est fidèle ; ils entrent pareillement, ils écoutent pareillement, ils prient pareillement. Lors même que des païens surviendraient, ils jetteraient les choses saintes aux chiens [...]. Pour eux, la simplicité consiste à renverser la discipline ; le souci que nous avons de cette discipline, ils l'appellent " afféterie ". Ils accordent en bloc la paix [c'est-à-dire la communauté ecclésiale — c'est nous qui précisons] à tous sans aucun discernement. Peu leur importe la différence de leurs systèmes, pourvu qu'ils conspirent à renverser l'unique vérité. Tous sont gonflés d'orgueil, tous promettent la science. Les catéchumènes sont définitivement initiés avant d'être instruits. Et chez les femmes hérétiques elles-mêmes, quelle impudence ! N'osent-elles pas enseigner, disputer, exorciser, promettre des guérisons, peut-être même baptiser ? Leurs ordinations se font au hasard, sans sérieux, sans suite ; [...]. Nulle part, on n'avance plus aisément que dans le camp des rebelles : le fait même de s'y trouver constitue déjà un titre. Aussi ont-ils aujourd'hui un évêque, demain un autre ; [...] ; aujourd'hui est prêtre tel qui demain sera laïque ; ils chargent même des laïques de fonctions sacerdotales. » Manifestement, les hérétiques de la gnose étaient plus démocratiques, plus tolérants, moins misogynes, plus humains que l'Église constituée ne l'a jamais permis. Mais à qui la faute ?

73. R. PESCH, G. LOHFINK, *Tiefenpsychologie und kleine Exegese*, Stuttgart, 1987, p. 35-36 ; E. DREWERMANN, *AF*, p. 39-77.

74. Voir W. KASPER, « Tiefenpsychologische Umdeutung des Christentums ? », dans A. GÖRRES, W. KASPER (éd.), *Tiefenpsychologische Deutung des Glaubens ? Anfragen an Eugen Drewermann*, Fribourg-Bâle-Vienne, 1988, p. 9-26 ; selon Kasper, mes écrits ont un « fort relent de gnosticisme » (p. 21). A-t-il au moins lu les titres que j'ai donnés aux chapitres de mes livres ?

En tout cas, certains auraient dû le frapper, comme ceux-ci, par exemple : « Par-delà les mythes » et « Il n'y a de vie que dans la foi », dans mon *SB*, t. III, p. XXXI-XLIV.

75. Voir E. DREWERMANN, *SB*, t. II, p. 124-152 ; t. III, p. 118-185.

76. Voir ABÉLARD, *Historia calamitatum*, Paris, Vrin, 1967, p. 71 s. : « Je peux bien maintenant le dire sans détour : après la communauté de résidence [avec Héloïse] est venue la communauté du cœur ! Pendant les heures d'étude, nous avions tout le temps pour notre amour [...] Les livres étaient là, ouverts ; questions et réponses se pressaient, alors que l'amour était le thème préféré et que les baisers étaient plus nombreux que les conclusions. Ma main avait souvent plus à faire dans son sein que dans les manuels de la science, chacun lisait avidement dans les yeux de l'autre. » Voir U. RANKE-HEINEMANN, p. 191-194.

77. Sur le développement du célibat obligatoire, voir G. DENZLER, *Das Papsttum und der Amtszölibat*, Stuttgart, 1973-1976. Voir également P. DE ROSA, p. 480-534 : les célibataires impurs ; l'auteur a raison quand il écrit : « Jean Paul II dit souvent que les prêtres se sont obligés en toute liberté [à observer la chasteté]. S'il en est ainsi, pourquoi ne leur permet-il pas d'abandonner leur ministère ? » U. GOLDMANN-POSCH, *Unheilige Ehen. Gespräche mit Priesterfrauen*, Munich, 1985, p. 15-16 (sur la pénurie de prêtres) : « Aalors qu'en 1973 il y avait encore 433 089 prêtres, séculiers et réguliers, en fonction, pour 1982 les statistiques du Vatican n'en comptaient plus que 408 945. En 1973, 7 169 prêtres, séculiers et réguliers, ont été ordonnés dans le monde ; neuf ans plus tard il n'y en avait plus que 5 957. » Selon une « enquête faite récemment auprès de 1 500 prêtres dans l'archevêché de Cologne et commandée par le groupe de travail sur le célibat », 76 % d'entre eux ont déclaré que de nombreux ecclésiastiques vivraient volontiers avec une femme. Quelle qu'en soit l'origine, tous les sondages effectués au cours des dernières décennies ont dégagé une majorité contre le maintien du célibat. En 1970, parmi les lecteurs de la revue catholique *Weltbild*, 67,47 % se sont déclarés en faveur de prêtres mariés. La même année dans le diocèse de Passau, 53,4 % des ecclésiastiques étaient pour la suppression du célibat. En 1968, à Munich, 94,4 % des étudiants en théologie interrogés à ce sujet partageaient déjà le même avis. Même d'après l'étude *Priester in Deutschland*, commandée en 1970 par la Conférence des évêques allemands, à la question : Faut-il supprimer l'obligation du célibat et laisser la décision au libre choix de chacun ? 51 % des prêtres interrogés ont répondu que cette éventualité méritait pour le moins d'être envisagée, et 28 % de ces mêmes 51 % que c'était même une nécessité. Et en p. 12 : « Qu'en République fédérale [d'Allemagne] 4 000 prêtres environ aient quitté leur ministère en raison du célibat ne semble pas être un sujet digne de discussion au sein des milieux officiels. Pas plus que les quelque 200 ecclésiastiques de Suisse qui sont dans la même situation, ou les 1 000 prêtres d'Espagne, 8 000 en Italie, 4 000 au Brésil, les 17 000 prêtres catholiques engagés dans la pastorale aux États-Unis, ou encore les 8 000 en France, et qui, tous, se sont mariés entre-temps — avec ou sans la bénédiction de leur Église [...] Selon l'Association des prêtres catholiques et de leurs femmes, association fondée en mars 1984 à Bad Nauheim, le nombre de prêtres, dans le monde, qui se sont mariés avec ou sans l'approbation de l'Église, serait d'environ 80 000, ce qui ferait 20 % des 409 000 prêtres recensés en 1982 par l'annuaire du Vatican. » Voir également G. HEINEMANN, « Zur gegenwärtigen Situation der Priester in Deutschland », *Lebendige Seelsorge*, n° 33, 1982, p. 165-169 et notamment 169 s. : de nos jours, dans la vie de la plupart des fidèles, le célibat n'a plus valeur de symbole ; A. EXELER, « Priesterliche Lebensformen und ihre Bedeutung für die Seelsorge » (1967), *Lebendige Seelsorge*, n° 33, 1982, p. 223-226 : au plan sociologique, la vie du curé avec sa gouvernante ne se distingue pas d'un concubinat.

78. Voir THOMAS D'AQUIN, *Somme théologique*, Paris, éd. du Cerf, 1984-1986, III, 63, 5. *DS*, n° 964. Cependant sous le règne du Paul VI (1963-1976), 32 000 prêtres environ, dans le monde entier, ont été rendus à l'état laïc. « Depuis 1980, le Vatican refuse pratiquement tout retour à l'état laïc [...] Selon des chiffres inofficieux, il y aurait quelque 10 000 demandes en suspens, bloquées. » (Voir GOLDMANN-POSCH, p. 13).

79. Voir N. GÖTTLER, « Die Abschaffung des Zölibats als Ziel. Für immer mehr Geistliche ist die Verpflichtung zur Ehelosigkeit ein unbiblisches Gesetz », *Süddeutsche Zeitung*, 12 octobre 1988, p. 10. Voir M. TRÉMEAU, *Le Célibat consacré. Son origine historique, sa justification doctorale*, Paris, CLD, 1979 : le célibat, fondement de la vie mystique. Il faut avoir lu ces pages

pour comprendre à quel point les discussions traditionnelles sur le célibat sont éloignées de toute psychologie.

80. Voir F. ERBACHER dans G. DENZLER (éd.), *Lebensberichte verheirateter Priester. Autobiographische Zeugnisse zum Konflikt zwischen Ehe und Zölibat*, Munich, 1989, p. 199-217 ; à propos de cette prudence canonique que doivent pratiquer les clercs l'auteur écrit : « Que presque tous les rapports, quelle qu'en soit l'occasion, entre le prêtre et la femme, doivent avoir lieu dans la plus grande circonspection, empêche qu'en soit expérimentées les possibilités et les limites (même dans le domaine de l'érotisme) » (p. 211). Et encore ce témoignage personnel « Pour ce qui regarde l'Église officielle, ce qui vient au premier rang de mes préoccupations, ce n'est pas le problème de l'autorité : est-ce l'Église, est-ce moi-même ou est-ce Dieu, qui décide de la forme que je peux donner à ma vie de prêtre et d'homme ? [...] Ai-je le courage de mes convictions personnelles ? [...] Par-delà l'absolu d'une vérité, c'est à chacun de trouver *sa* vérité dans une rencontre et dans un dialogue avec les autres et avec l'intime de soi-même. C'est précisément là que se trouve la solution du problème de l'autorité » (p. 210-211). Voir aussi R. KNOBEL-ULRICH, *Verbotene Ehen*, émission NDR du 16 décembre 1988.

81. Voir notamment U. GOLDMANN-POSCH, p. 26-27 : pour les auteurs, le législateur révèle une certaine insécurité, en ce sens que l'Église recule devant l'idée de « poursuivre » les prêtres dans la vie n'est pas en accord avec l'obligation du célibat. Aujourd'hui, elle cherche manifestement à maintenir dans une zone d'ombre, par un silence tolérant, l'illégalité de la vie commune. Voir aussi E. RINGEL-A. KIRCHMAYR, les auteurs ont raison d'écrire : « La cause déterminante d'un rapport à la sexualité [dans l'Église catholique — c'est nous qui précisons] qui est faussé, nous la voyons [...] dans la loi du célibat [...] Tous ceux qui ont affaire à eux savent combien les séminaristes et leurs supérieurs en tout premier, bien évidemment, paniquent à l'idée de rencontrer une femme et, en même temps, devant la séduction du sexe. Dans ces conditions, on aura beau nous assurer aussi souvent qu'on voudra avoir maintenant une vision normale et saine de la femme et de la sexualité, ce ne seront là que des paroles. Le prêtre qui aura dû passer par toute cette filière ne pourra triompher de sa gêne envers le sexe et la femme que dans des conditions particulièrement favorables », ce qui signifie, en fait, qu'il aura eu la chance d'être amoureux d'une femme (le plus souvent mariée) pour un temps suffisamment long, en ayant su éviter de susciter les commérages. Pour savoir ce que doit surmonter une femme qui s'engage dans une liaison avec un prêtre de l'Église et lui donne gratuitement des « leçons particulières d'amour », voir U. GOLDMANN-POSCH, p. 49-56. Sur la « morale du célibat » voir K. DESCHNER, p. 186-211 (partial mais pas exagéré).

82. Voir U. GOLDMANN-POSCH, p. 57-70 : le cas du pere Michael et de Bettina montre bien tout le courage qu'il faut pour continuer à se sentir membre de l'Église et à recevoir les sacrements, malgré toutes les condamnations prononcées par cette Église.

83. *Ibid.*, p. 27.

84. Voir G. DENZLER, *Die verbotene Lust. 2000 Jahre christliche Sexualmoral*, p. 165-168 : bref exposé historique sur la question de l'avortement. Voir également U. RANKE-HEINEMANN, p. 339-353 ; selon un sondage récent du magazine *Stern*, en RFA, 60 % des hommes et 61 % des femmes interrogés sont contre la pénalisation de l'avortement ; pour 69 % des hommes et 73 % des femmes, c'est une décision que doit pouvoir prendre la femme seule ; 43 % des hommes et 60 % des femmes refusent toutefois l'avortement en ce qui les concerne personnellement, mais parmi ceux-ci 46 % des hommes et 55 % des femmes sont contre toute pénalité. (Voir I. KOLB U POSCHE, « Das Signal von Memmingen », *Stern*, n° 10, 2 mars 1989, p. 268-270.)

85. Voir C. MC CULLOUGH, *Les oiseaux se cachent pour mourir*, trad. J. Lagrange et J. Hall, Paris, Belfond, 1978, p. 65-66.

86. *Ibid.*, p. 66.

87. *Ibid.*, p. 149-150

88. *Ibid.*, p. 210-211.

89. *Ibid.*, p. 321.

90. *Ibid.*, p. 503-506

Deuxième partie : Propositions de thérapie

I. En quoi consiste exactement le salut que propose le christianisme ?

1. D. DIDEROT, *La Religieuse* (1796), *Le Neveu de Rameau* suivi de *La Religieuse*, Paris, UGE-10/18, 1962, p. 207-209.

2. Voir G. W. F. HEGEL, *Leçons sur la philosophie de la religion*, IIIe partie « La religion absolue », Paris 1954, p. 187-188 : Hegel reproche au catholicisme en général d'en être resté « à l'idée du Fils [...] où l'on honore surtout la messe de Dieu et les saints, l'Esprit ne pénétrant en quelque sorte que dans la représentation comme celui qui hésite dans l'Église et s'arrête à ce qu'elle décrète ». Voir aussi *id.*, *L'Esprit du christianisme et son destin*, Paris, Vrin, 1971, p. 125 : « Que l'Église et l'État, le culte et la vie, la piété et la vertu, l'action divine et l'action dans le monde ne puissent jamais se fondre en une seule réalité », pour Hegel, c'est là le destin de l'Église chrétienne. Voir K. RAHNER, « Zur Theologie der Entsagun », *ST*, t. III, p. 61-72 ; malgré la tension précitée, laquelle doit être considérée comme intrinsèquement fondamentale, il ne s'ensuit pas que le fondement des conseils évangéliques, ce soit, comme le voudrait en particulier K. Rahner, le renoncement aux valeurs positives inhérentes au siècle, c'est-à-dire : « l'expression et la réalisation de la foi, de l'espérance et de l'amour en marche vers un Dieu qui est en lui-même le but de l'homme dans l'ordre surnaturel, sans l'intermédiaire du monde » (p. 66), « la manifestation de l'amour dans un monde tangible, pour autant que ce soit un amour eschatologique, transcendant et ecclésial » (p. 72). De K. RAHNER encore, voir « Passion und Aszese », *ST*, t. III, p. 75-104, où l'auteur s'élève contre ceux qui seraient « tentés [...] de prendre le monde pour la révélation définitive de Dieu » (p. 94). Dieu, poursuit-il, est « plus que l'homme et le monde » (p. 95). « Ainsi s'établit une transcendance de la mission et de la finalité de l'homme qui sont toujours perçues, de quelque façon, en opposition à la nature et au monde. En effet, la nature et le monde sont fondamentalement tentés de se refermer sur eux-mêmes et de s'accomplir en eux-mêmes, même face à un Dieu reconnu comme premier principe » (p. 95). Pour Rahner, c'est avant tout la mort qui vient démentir cet enroulement du monde fini sur lui-même. Au plan psychologique, une telle vision pose la question suivante : comment un mode d'existence « transcendant » au monde est-il possible s'il n'a pas auparavant pénétré ce monde — ou, plus concrètement : comment transcender l'amour entre un homme et une femme et le transposer au plan supranaturel, comment rendre « tangible » l'amour divin au sein du monde, s'il n'est pas permis à un homme d'aimer une femme et à une femme d'aimer un homme ? En outre, au plan théologique la question est la suivante : que voulait nous apporter Jésus, sinon un amour plus profond, au nom de Dieu, de *ce* monde, un monde qui, jamais, tant qu'il existera, ne cessera d'être la création de Dieu ? Certes, la « tentation naturelle » de refermer l'être sur lui-même existe, mais non sans raison ; si on veut comprendre la force libératrice de la confiance qui animait Jésus, il faut absolument ne pas perdre de vue la *dynamique de l'angoisse*, au double plan psychanalytique et existentiel. Ce que Jésus a voulu nous enseigner, ce n'est pas la mort, mais la vie dans sa relation à la mort, non pas l'agonie mais la re-naissance, non pas la rupture, mais l'épanouissement — c'est le monde restitué à ses enfants dans leur être et dans l'intimité de Dieu. C'est pourquoi il faut voir les conseils évangéliques dans la perspective de ce que S. KIERKEGAARD appelle le double « mouvement de l'infini » (voir *Crainte et Tremblement* (1843), *Œuvres complètes*, Paris, éd. de l'Orante, t V, 1972, p. 133 ; voir également E. DREWERMANN, *SB*, t. III, p. 497). Autrement dit : il ne faut pas voir les conseils évangéliques comme un mouvement de transcendance (dans une sphère associant le sacrifice et la mort), mais comme le retour (la *reditio completa* de l'épistémologie thomiste). Aux hommes et aux femmes de cette terre et du monde dans lequel ils vivent, à moins d'être considérés comme des voies et des moyens de rédemption c'est-à-dire comme des possibilités de rachat offertes à l'être existentiel, les conseils évangéliques seront constamment exposés aux dangers d'une angoisse rationalisée, du refoulement, de la paralysie et de la mort. Pour évaluer la situation à un moment donné, il suffit de voir dans quelle mesure ce qui se dit et s'écrit sur l'« amour » (même sur le sujet) doit être intellectualisé pour échapper à la censure de l'Église. C'est ce qu'un grand poète et philosophe indien a voulu exprimer dans ces vers :

« Dieu veut qu'avec l'amour/soit érigée sa mission./Les hommes bâtissent dans les nuages/et le toit est leur victoire./Ce que Dieu veut à son cou/ce sont les couronnes des hommes./C'est pourquoi il a mis sur la terre/les fleurs de sa création. » (R. TAGORE, *Auf des Funkens Spitzen. Weisheiten für das Leben*. Morceaux choisis et traduits du bengali par M. Kämpchen, Munich, 1989, n°s 33-34.)

3. Sur Mc 6, 7-8, voir E. DREWERMANN, *ME*, t. I, p. 390-404.

4. Voir G. BERNANOS, *Les Grands Cimetières sous la lune*, Paris, éd. du Seuil, « Points roman », 1986.

5. Voir L. FEUERBACH, *Xenien, Werke* (6 vol), Francfort, 1975, t. I, p. 270-349 : les mystiques anciens et les mystiques contemporains ; p. 324-325 : « Mystiques d'autrefois, vous qui, de votre propre esprit, /Des abysses, avez réenfanté la Parole/Qui en vous, cachés dans le profond de l'âme, était/Non seulement foi et sentiment, raison même et idée, /Illumination au plus intime de l'esprit, plénitude infinie de la vie ; /Sans emphase ni le soutien de la parole écrite, /Vous avez, aussi bien engendré des œuvres qui attestent l'anatomie de l'esprit ; /Vous, je vous honore profondément, je vous aime au plus profond de moi. /Mais la pègre desséchée, qui maintenant se dit mystique, /Qui, par manque d'esprit, dénuée de force intérieure, /Appuyée sur la critique et la grammaire, des versets de la Bible/Anxieusement extrait la quintessence, / Nourrit le vide de son cœur en tirant tout de l'extérieur, /Puise dans le sol là où il n'y a aucune source vive, /S'inspire en tout de la Bible, mais en rien de son propre cœur, /Même en ce qu'il y a de plus noble, si le lustre biblique fait défaut, /Demande d'abord aux Écritures s'il faut croire, quoi et dans quelle mesure, /Demande à Paul et à Pierre si son pouls bat toujours, /si elle a encore la force et l'intelligence, s'il est encore en son pouvoir/ De faire le bien par elle-même sans le choc de la grâce : /Cette engeance, avec sa foi grammaticalement correcte, /Que seul soutient ce qui est écrit et jamais l'esprit vivifiant, /Et qu'elle mendie lamentablement à la porte de l'Apôtre/Dans le seul but d'obtenir un maigre viatique pour une vie tout ordinaire, /Cette vulgaire racaille, je la hais, je la méprise et je la dédaigne ; /Que jusqu'à mon dernier souffle soit pour elle encore un poison mortel. »

6. Voir H. STENGER, *Verwirklichung des Lebens aus der Kraft des Glaubens. Pastoralpsychologische und spirituelle Texte*, Fribourg-Bâle-Vienne, 1989, p. 78-83 : la crainte du devenir, ou la volonté de la favoriser ; l'auteur parle très justement de la « peur de se réaliser ». Voir J. B. METZ (F. X. KAUFMANN), *Zukunftsfähigkeit. Suchbewgungen im Christentum*, Fribourg, 1987, p. 106 ; comment les conseils évangéliques peuvent se conjuguer pour conjurer la peur et intégrer les ombres, c'est-à-dire ouvrir aux risques d'un épanouissement intérieur, c'est précisément la question décisive que l'auteur se refuse d'aborder.

7. J. B. METZ, p. 106.

8. Sur Mt II, 30, voir E. SCHWEIZER, *Das Evangelium nach Matthäus*, Göttingen, 1986, p. 177-178.

9. Voir E. KANT, *La Religion dans les limites de la simple raison*, Paris, Vrin, 1943. En un sens, la réduction de la religion à l'éthique telle que l'a vue Kant il y a deux cents ans est ici étendue de la sphère individuelle au domaine de la responsabilité collective et des interactions structurelles ; aussi longtemps qu'il restera sans structure ni profil chez ceux-là mêmes qui portent le message du « rachat existentiel », l'élément « mystique » n'aura aucun crédit. Par conséquent, c'est le psychisme de ces mêmes messagers qu'il faut avant tout traiter.

10. Sur la querelle du pélagianisme, voir SAINT JÉRÔME, *Dialogue contre les pélagiens, Œuvres complètes*, Paris, Louis Vivès, 1978, t. III, p. 163-262 ; cet écrit de Jérôme montre bien à quelles aberrations peut conduire la reconnaissance même de la faillibilité humaine ; devenir l'instrument d'une réaction à l'infaillibilité et aboutir à l'histoire des dogmes dans l'Église. Voir U. RANKE-HEINEMANN, *Des eunuques pour le royaume des cieux*, Paris, Hachette-Pluriel, 1992, p. 90-92 : la condamnation du pélagianisme, c'est la « catastrophe d'une doctrine inhumaine », à la suite de laquelle l'Église a déclaré les enfants non baptisés inaptes au salut et suscité une immense angoisse sexuelle ; toutefois, il devrait être possible de dégager la vérité d'une doctrine qui fasse droit au besoin proprement dit d'une rédemption de l'homme. Même U. Ranke-Heinemann ne peut certes pas être accusée de méconnaître l'extériorité de ce qui n'a que valeur de symbole et de vérité existentielle. L'Église elle-même devrait commencer par

reconnaître le caractère symbolique et, par là, le contenu essentiellement psychique de son enseignement.

11. Voir S. MADEREGGER, *Dämonen. Die Besessenheit der Anneliese Michl im Lichte der analytischen Psychologie. Ein Beitrag zur Diskussion über die Personalität des Teufels*, Wels, 1983, p. 112-113 ; combien l'auteur a raison quand il écrit : « La prière ne fait que stimuler le Dieu qu'on a ; elle renforce l'aspect archétypal qui est tenu pour divin. »

12. P. M. ZULEHNER, *Das Gottesgerücht. Bausteine für eine Kirche der Zukunft*, Düsseldorf, 1987, p. 62-63.

13. Voir E. DREWERMANN, *SB*, t. III, p. 228-251 et 479-562.

14. M. SCHELER, *Le Formalisme en éthique et l'Éthique matérielle des valeurs*, Paris, Gallimard, 1955. Voir M. BUBER, *Les Récits hassidiques*, Monaco, éd. du Rocher, 1978 : dans le même sens, l'auteur écrit (p. 216) : « S'imaginer que l'humilité puisse être un commandement, c'est tout simplement une inspiration de Satan. Il souffle au cœur de l'homme, en effet, et le fait gonfler en se disant : je suis un sage, un juste, un homme qui craint Dieu, un maître en toutes les bonnes œuvres, et je suis parfaitement digne d'être élevé au-dessus de tous ; mais ce serait se montrer orgueilleux et manquer de piété, puisqu'il y a le commandement d'humilité, qui veut que je m'abaisse au niveau du commun. L'homme en obéissant ainsi à ce commandement (si ce commandement existait) en nourrirait aussi son orgueil. » Voir également p. 260 : « Signature ».

15. M. BUBER, *Geltung und Grenze des politischen Prinzips, Werke*, Heidelberg-Munich, 1962, t. III, p. 1095-1108 : « Nous vivons à un moment du monde où le problème du destin commun à toute l'humanité est devenu si intraitable que, le plus souvent, les mandataires rompus au principe politique ne savent plus comment faire croire qu'ils maîtrisent ce principe. Ils voudraient donner des conseils sans savoir lesquels ; ils se disputent entre eux et sont eux-mêmes en conflit avec le fond de leur cœur. Ils voudraient parler une langue que tout le monde comprend et ne sortent pas du jargon politique de leurs déclarations. Leur pouvoir les rend impuissants et leur art inaptes à rien entreprendre qui soit décisif. Peut-être qu'à l'heure où la catastrophe sera imminente, ceux qui sont dans le camp adverse devront-ils intervenir. Alors ceux-là, qui possèdent en commun le parler de la vérité humaine, devront se réunir et, ensemble, chercher enfin à donner à Dieu ce qui est de Dieu, ou, ce qui ici revient au même, parce qu'une humanité en perdition est en présence de Dieu, donner à l'homme ce qui est de l'homme pour le sauver en évitant qu'il ne soit englouti par le principe politique. »

16. Voir E. KANT, *Fondements de la métaphysique des mœurs* (1785), Paris, Vrin, 1987, p. 105 : « Agis de telle sorte que tu traites l'humanité aussi bien dans ta personne que dans la personne de tout autre toujours en même temps comme une fin et jamais simplement comme un moyen. »

17. J. B. METZ, *Zeit der Orden ? Zur Mystik und Politik der Nachfolge*, Fribourg-Bâle-Vienne, 1977, p. 53.

18. *Ibid.*, p. 55.

19. *Ibid.*, p. 56.

20. *Ibid.*, p. 59.

21. Sur Sœur Emmanuelle, voir MARCEL BAUER, *Schau mich an und Fliege*, émission télévisée du 19 avril 1989, sur la chaîne allemande ZDF. La ville du Caire, qui compte aujourd'hui (1989) 12 millions d'habitants et qui, comme tout visiteur a pu le constater, est depuis longtemps surpeuplée, en comptera 20 en l'an 2000. Un tel accroissement de population (en onze ans), dû en partie aux progrès (« occidentaux ») de l'hygiène, des techniques agricoles et des soins médicaux, ne pourra être stoppé que par des moyens « artificiels » adéquats.

22. Voir S. ZWEIG, *Trois Poètes de leur vie. Stendhal, Casanova, Tolstoï*, Paris, Belfond, 1983, p. 179-308, et notamment 252-281. Les conseils évangéliques ne peuvent dériver de considérations d'ordre « social » ; les arguments par lesquels S. Zweig réfute l'utopie sociale de Tolstoï s'y opposent absolument : « Il veut qu'à son commandement nous renoncions aussitôt à tout, que nous abandonnions et sacrifiions tout ce à quoi nous sommes liés par notre sentiment ; il réclame des jeunes gens (lui qui est sexagénaire) la continence (que lui-même n'a jamais pratiquée dans sa maturité d'homme), il exige des intellectuels l'indifférence et même le mépris pour l'art et pour les choses de l'intelligence (auxquels il s'est lui-même consacré pendant toute sa vie) ; et, pour

nous convaincre tout de suite, avec la rapidité de l'éclair, de l'insignifiance des vanités dans lesquelles se perd notre culture, il démolit, à coups de poing furieux, tout notre monde spirituel [...] Ainsi il compromet les plus nobles intentions éthiques par un ergotage farouche, pour lequel aucune outrance n'est trop démesurée ni aucune illusion trop grossière. Croira-t-on que Léon Tolstoï, qu'un médecin particulier accompagnait et auscultait quotidiennement, considère la médecine et les médecins comme des « objets inutiles », la vie comme un « péché », la propriété comme un « luxe superflu » ? (p. 262). — Si nous voulons vivre en chrétiens honnêtes, il ne faut pas que les conseils évangéliques contribuent à multiplier les sentiments de culpabilité, les dépressions inutiles et les colères impuissantes, mais qu'ils nous aident à respirer et qu'ils nous libèrent.

23. Voir F. M. DOSTOÏEVSKI, *Crime et Châtiment*, Paris, Gallimard, « Bibl. de la Pléiade », 1960, 1re partie, chap. II, p. 47-66 ; E. DREWERMANN, *BS* ; O. SPENGLER, *Le Déclin de l'Occident. Esquisse d'une morphologie de l'histoire universelle* (2 vol.), Paris, Gallimard, 1948, t. II, p. 201. C'est notamment Spengler qui a souligné ce qui sépare Tolstoï de Dostoïevski sur le message de Jésus : « Tolstoï, citadin et occidental, n'a vu en Jésus qu'un moraliste social et, comme tout l'Occident civilisé qui ne peut que distribuer, non renoncer, il a réduit le christianisme primitif au rang d'un mouvement social révolutionnaire, et d'ailleurs par défaut de force métaphysique. Dostoïevski, qui était pauvre, mais en de certaines heures presque un saint, n'a jamais pensé aux réformes sociales — qu'aurait gagné l'âme à un abolissement de la propriété ? »

24. Sur le caractère fétiche de l'argent, voir G. E. SIMONETTI, « Das Geld und der Tod », dans : J. HARTEN, H. KURNITZKY (éd.), *Museum des Geldes*, Düsseldorf, 1978, t. I, p. 102-103.

25. Voir F. CAPRA, *Le Tao de la physique*, Paris, Sand, 1985 : les ombres de la croissance.

26. W. DIRKS, *Die Antwort der Mönche. Zukunftsentwürfe aus kritischer Zeit von Benedikt Franziskus, Dominikus und Ignatius*, Olten-Fribourg, 1968, p. 170.

27. *Ibid.*, p. 170-171.

28. C'est cette pauvreté de l'être qu'il faut voir en arrière-fond du besoin que nous avons dêtre rachetés. Sur l'expérience de la contingence existentielle, voir J.-P. SARTRE, *La Nausée*, Paris, Gallimard, p. 133-144, 1938 ; voir également E. DREWERMANN, *SB*, t. III, p. 203-251.

29. Sur Mc 10, 17-31, voir E. DREWERMANN, *ME*, t. II, p. 115-128.

30. Voir E. STAUFFER, *Die Botschaft Jesu, damals und heute*, Berne-Munich, 1959, p. 86-94. L'auteur écrit très justement : « On ne marquera jamais assez tout ce qui sépare le message de Jésus de la théologie ébionite et de l'éthique qui s'articule autour de Luc. C'est pourquoi il est utile de commencer par Mt 25, 35 s. » (p. 189, n. 45). « Il est certainement toujours beaucoup plus facile d'extirper la richesse que la pauvreté du monde. C'est pourquoi, après la mort de Jésus, la communauté des disciples est revenue sans autre et très rapidement aux traditionnels anathèmes contre les riches et a exalté la pauvreté, voie sacrée qui conduit au ciel » (p. 94). La vérité, c'est qu'« il n'y aura jamais assez d'argent » (*ibid.*) pour faire la guerre à la pauvreté.

31. A. SCHWEITZER, *Kultur und Ethik*, Munich, 1960, p. 328-353.

32. Sur Mc 6, 30-44 et 8, 1-10, voir E. DREWERMANN, *ME*, t. I, p. 430-440 et 502-506.

33. Sur Jn 20, 23, voir E. DREWERMANN, *BS*, p. 184-204.

34. P. M. ZULEHNER, p. 79-81 ; *Id., Leibhaftig Glauben. Lebenskultur nach dem Evangelium*, Fribourg-Bâle-Vienne, 1983, p. 61-68.

35. Voir E. DREWERMANN, *SB*, t. I, p. 120-124 ; t. II, p. 267-276 ; t. III, p. 263-299. *Id., ME*, t. I, p. 19-23.

36. Voir E. DREWERMANN, *SB*, t. I, p. 384-387 et t. III, p. 253-263.

37. E. BLOCH, *L'Athéisme dans le christianisme. La Religion de l'Exode et du Royaume*, Paris, Gallimard, 1978, p. 331.

38. J. B. METZ, p. 67.

39. Cité dans *Kirche intern, Forum für eine offene Kirche*, n° 6, juin 1989, p. 8.

40. *Ibid.* Voir E. FEIL, « Sicherheit, Gehorsam, Glaube. Über ein neues Glaubensbekenntnis und einen neuen Treueeid für kirchliche Amtstreger », *Christ in der Gegenwart*, n° 28, 9 juillet 1989.

41. H. HESSE, *Eigensinn. Autobiographische Schriften*, Reinbek 1981, p. 78-83 : « Chaque

chose ici-bas, sans exception, a un sens qui lui est propre. Chaque pierre, chaque brin d'herbe, chaque fleur, chaque bête croît, vit, agit et sent uniquement selon son " sens propre ", et c'est pourquoi le monde est bon, riche et beau. S'il y a des fleurs et des fruits, des chênes et des bouleaux, des chevaux et des poules, de l'étain et du fer, de l'or et du charbon, c'est uniquement parce que chacune des plus petites choses a son " sens " dans l'univers, sa loi propre qu'elle suit parfaitement et infailliblement. Il n'y a ici-bas que deux pauvres êtres maudits auxquels il n'est pas donné de suivre cet appel éternel, d'être, de croître, de vivre et de mourir comme le leur commande un sens propre profondément inné. Seuls l'homme et l'animal qu'il a domestiqué sont condamnés à ne pas suivre la voix de la vie et de la croissance, mais les lois qui sont promulguées par les hommes [...] » « Ces " points de vue " [religion, mère patrie, économie nationale, morale, etc.], quels qu'ils soient, quels que soient les mérites des professeurs qui les défendent, n'y changent rien Ce sont tous des pièges. Nous ne sommes ni des machines à calculer, ni d'autres quelconques mécanismes. Nous sommes des êtres humains, et pour les êtres humains, il n'y a ni capitalisme, ni socialisme ; ni Angleterre, ni Amérique ; pour lequel ne vit que la loi implicite et inévitable inscrite au fond des cœurs, loi qu'il est si infiniment difficile de suivre pour celui qui est installé dans la routine, mais qui signifie destin et divinité pour celui qui possède le " sens propre ". » Sur He 5, 8, voir H. STRATHMANN, *Der Brief an die Hebräer, Der Brief an Timotheus und Titus. Der Brief an die Hebräer,* Göttingen, 1970, p. 69-158 et notamment 105. — Voir S. ZWEIG, *Die Augen des ewigen Bruders, Legenden*, Francfort, 1979, p. 29-80. Cette légende de S. Zweig, où l'échec des bonnes comme des mauvaises résolutions ne laisse finalement la place qu'à l'obéissance de l'être, est un exemple « bouddhique » extrêmement profond de ce qu'est l'« obéissance ».

42. E. DREWERMANN, *ME*, t. I, p. 45-80.

43. J. B. METZ, p. 72.

44. Voir notamment E. CANETTI, *Masse et Puissance*, Paris, Gallimard, 1966, p. 321-353, et en particulier, 351-353, à propos du commandement. Canetti tient à juste titre l'ordre aujourd'hui pour « l'élément isolé le plus dangereux de la vie collective des hommes ».

45. Pour Kant, ces trois questions sont les thèmes fondamentaux de l'éthique, de l'anthropologie et de la théologie, avec les trois « postulats » corrélatifs de la raison pure à savoir : la liberté de la volonté, l'immortalité et l'existence de Dieu. Voir E. KANT, *Critique de la raison pratique* (1788), Paris, Vrin, 1965 (trad. Gibelin), p. 136-147.

46. Voir *Id.*, *Le Conflit des facultés en trois sections* (1798), Paris, Vrin, 1955 (trad. J. Gibelin), p. 42-49. Il faut donner entièrement raison à Kant lorsqu'il demande que la Bible soit interprétée dans un but pratique : « Que nous ayons à honorer trois ou dix personnes dans la divinité, le novice l'admettra sur parole avec une égale facilité, parce qu'il n'a aucune idée d'un Dieu en plusieurs personnes (hypostase), bien mieux encore, parce qu'il ne peut tirer de cette différence des règles différentes pour la conduite de sa vie. » Le seul reproche qui puisse être fait à Kant, c'est de prendre le « pratique » pour le « moral », au lieu d'y voir l'« existentiel ».

47. C'est là le cœur de toute la doctrine chrétienne de la rédemption. C'est pourquoi il n'est pas possible de confronter sans autre le mystique et le politique comme si c'étaient pour ainsi dire deux sources de connaissance de même niveau et de même origine. Il s'agit bien plutôt de montrer, à partir de l'expérience de Dieu, comment s'apaise l'angoisse qui nous empêche d'être « bons » au sens moral du terme, si ce n'est dans l'unité avec Dieu.

48. Sur Gn 3, 8, voir E. DREWERMANN, *SB*, t. I, p. 79-80.

49. Voir Es 67, 17-25.

50. Sur la figure de la sainte, voir R. SCHNEIDER, *Philipp der Zweite oder Religion und Macht*, Francfort, 1987, p. 117-175 ; K. DESCHNER, *Das Kreuz mit der Kirche*, p. 112-119, où l'auteur se montre particulièrement critique sur les visions et autres expériences de la mystique espagnole ; pour lui, au plan psychanalytique, il semble ne faire aucun doute qu'il faille y voir des symboles sexuels.

51. Sur la figure de saint Alphonse, voir I. F. GÖRRES, *Aus der Welt der Heiligen*, Francfort, 1955, p. 73-79 ; H. STENGER, p. 150 : « Je ne doute pas qu'il serait facile à un psychothérapeute de diagnostiquer après coup chez ce saint une névrose d'angoisse ou une névrose obsessionnelle grosse comme une maison. Et alors ? Cet homme hanté par la peur du péché était capable,

comme rarement quelqu'un l'a été, de soutenir et d'accompagner, dans la force de la foi, les " âmes " angoissées et scrupuleuses. Il a su réveiller son évêché et sa terre natale napolitaine. Son titre de " docteur zelantissimus " (docteur très zélé), [...] avec la grâce de Dieu, il l'a chèrement payé par sa névrose. » C'est possible. Mais il faut bien voir que ce sont précisément les troubles névrotiques (et non pas un face-à-face avec sa névrose) qui ont conféré un pouvoir destructeur à la théologie morale de saint Alphonse et en particulier à la morale sexuelle de l'Église. Voir U. RANKE-HEINEMANN, p. 307-310 ; l'auteur ne manque pas de montrer (p. 313) à quel point ce docteur de l'Église, déjà rien que par ses instructions pour la confession des enfants, a contribué à répandre la peur du sexe et les sentiments de culpabilité. Dans le même contexte, il convient de mentionner aussi la figure de saint Louis de Gonzague, qui, jusqu'à la moitié de ce siècle, avec sa pudibonderie et ses jeûnes excessifs, a été déclaré modèle obligé de la jeunesse six semaines de l'année. Voir encore K. DESCHNER, p. 95-96 ; à la page 376, l'auteur reprend l'exemple dans le même sens. G. DENZLER, *Die verbotene Lust. 2000 Jahre christliche Sexualmoral*, Munich-Zurich, 1988, p. 81 : « A l'âge de dix ans déjà, page à la cour de Florence, Louis de Gonzague (1568-1591), fils de comte, faisait vœu de virginité. Pour montrer la volonté qu'il avait de conserver sa pureté, ses biographes rapportent que l'" angélique jeune homme " ne levait les yeux ni sur les dames qui vivaient à la cour de l'impératrice Marie à Madrid, ni sur sa propre mère. Il est mort à l'âge de vingt-trois ans. »

52. Voir A. CAMUS, « Retour à Tipasa », p. 155-168, et aussi p. 133-140, « L'Exil d'Hélène » (1948), dans *Noces* suivi de *L'Été*, Paris, Gallimard, « Folio », 1992.

53. Sur Gn 2, 19, voir E. DREWERMANN, *SB*, t. I, p. 344-357

54. Voir E. DREWERMANN, *DF*, p. 64-65 et 106-110.

55. Sur Ac 12, 1-19, voir E. DREWERMANN, *TE*, II, p. 339-341.

56. *Ibid.*, p. 350-351 et 558-559 ; ID., *Voller Erbarmen, retteter uns Die Tobit-Legende Tiefenpsychologisch gedeutet*, Fribourg-Bâle-Vienne, 1985, p. 40-46 ; *DN*, p. 37-44.

57. A. DE SAINT-EXUPÉRY, *Terre des hommes, Œuvres*, Paris, Gallimard, « Bibl. de la Pléiade », 1959, p. 137-261 ; p. 249-250.

58. Sur l'importance du dialogue en thérapie psychanalytique, voir D. FLADER, W. D. GRODZICKI, « Hypothesen zur Wirkungsweise der psychoanalytischen Grundregel », dans D. FLADER *et al.* (éd.), *Psychoanalyse als Gespräch. Interaktions analytische Untersuchungen und Therapie und Supervision*, Francfort, 1982, p. 41-95 : « La " règle fondamentale " [du traitement psychanalytique] même consiste à lever les frontières de la communication » (p. 90). En vérité, ce qui se lit comme une règle « technique » est un état d'esprit qui requiert à la fois, dans une énorme mesure, la patience, la compréhension, les égards, la réserve, le respect, le partage des sentiments et surtout un profond accord avec soi-même. Voir E. DREWERMANN, « Heil und Heilung. Eine Meditation über das Verhältnis von Psychotherapie und Seelsorge », *Psychoanalyse und Moraltheologie*, t. I, p. 179-189.

59. H. ASHBY (réalisateur), *Coming Home*, États-Unis, 1978. Voir H. G. PFLAUM, « Hal Ashby. Erschütterung zum Leben » P. W. JANSEN, W. SCHÜTTE, (éd.) *New Hollywood*, Munich, 1976.

60 Voir J VON BECKERATH, *Handbuch der ägyptischen Königsnamen*, Munich, 1984, p. 32-33.

61. Sur Gn 11, 1-9, voir E. DREWERMANN, *SB*, t. I, p. 277-312.

62. *Ibid.*, t. I, p. 298-304 ; t. II, p. 514-526 ; t. III, p. 389-396.

63. *Ibid.* t. I, p. 378-379.

64. P. M. ZULEHNER, *Leibhaftig Glauben. Lebenskultur nach dem Evangelium*, p. 80

65 Sur Mc 10, 42-44, voir E. DREWERMANN, *ME*, t. II, p. 129-147.

66 Contre ce point de vue, voir E. DREWERMANN, *SB*, t. I, p. 106-110, et t. III, p. LXIX-LXXXVI ; du même auteur : *ME*, t. I, p. 11-25.

67 Sur Mc 10, 45, voir E DREWERMANN, *ME*, t. II, p 129 147

68. Voir E. DREWERMANN, *SB*, t. I, p. 25.

69. Sur le « serpent du non-être », voir *ibid.*, t. I, p. LXIV-LXXVI.

70. Contre l'explication du mal en l'homme par l'« orgueil » voir *ibid.*, t. I, p. 75-78 ; t II, p. 171 ; t. III, p. XXX-XXXI, et 304-305.

71. J. DE LA FONTAINE. « La grenouille qui veut se faire aussi grosse que le bœuf », *Fables de La Fontaine*, Verviers, Marabout, 1986, p. 19-20. Toutefois, pour le fabuliste français, ce qui fait agir la grenouille, c'est l'envie.
72. Voir E. DREWERMANN, *ME*, t. I, p. 25-44.
73. Voir G. C. HOMANS, *Theorie der sozialen Gruppe* (trad. de l'anglais, 1950), Cologne-Opladen, 1960, p. 395-397.
74. Voir E. DREWERMANN, *KC*.
75. Voir E. DREWERMANN, *ME*, t. II, p. 525-544.
76. *Ibid.*, t. II, p. 560-587 ; 588-598.
77. *Ibid.*, t. II, p. 671-683.
78. R. SCHNEIDER « Taganrog », *Tanganrog und andere Erzählungen*, Fribourg-Bâle-Vienne, 1962, 47-121, avec la postface, p. 122-124.
79. Voir E. DREWERMANN, *DF*, p. 10-12 et 47-48.
80. S. FREUD, *Totem et Tabou* (1912), Paris, Payot, « PBP », 1986.
81. Voir notamment H. FRIES, « Aus Schatten und Bildern zur Wahrheit. Der schnierige Weg des John Henry Newmann », dans H. HÄRING, K. J. KUSCHEL (éd.), *Gegenentwürfe*, Munich-Zurich, 1988, p. 225-241 : « Je ne dois obéissance absolue à personne » (p. 240-241) Reste la question que le parcours de Newman, avec ses déchirements tragiques, n'a fait que mettre en lumière, mais qu'il a laissée sans réponse, à savoir : jusqu'où va le droit, bien plus, le devoir, de résister ; ou, en d'autres termes : l'Église tolérera-t-elle un Jérémie ?
82. Sur Mc 10, 18, voir E. DREWERMANN, *ME*, t. II, p. 115-128.
83. Voir M. BUBER, *Königtum Gottes* (1932), *Werke*, t. II, Munich-Heidelberg, 1964 (p. 485-723), p. 685.
84. J. WELLHAUSEN, *Die religiös-politischen Oppositionsparteien im alten Islam*, 1904, p 14 ; Id. *Das arabische Reich und sein Sturz*, 1902, p. 5. Après son élection, Abu Bakr a déclaré « J'ai reçu le pouvoir sans que je sois le meilleur parmi vous. Si je fais bien, suivez-moi ; si je fais des fautes, corrigez-moi. L'opprimé parmi vous sera pour moi plus que tous les autres, tant que je ne l'aurai pas rétabli dans ses droits ; et le puissant sera pour moi moins que tous les autres, tant que je ne l'aurai pas contraint à rendre compte de ses actes. Ô vous, croyants, je ne suis qu'un être humain qui veut suivre l'exemple de Mahomet. » voir G. M. SUGANA, *Mohammed und seine Zeit* (traduit de l'italien), Wiesbaden, p. 42. — Bien que l'islamisme soit à proprement parler une religion de la liberté, les imbrications moyenâgeuses, de la religion et de la politique de nos jours apparaissent souvent comme un principe contraire à la liberté.
85. Selon la sourate 1, verset 1 du Coran. C'est par ces mots que commencent toutes les prières. C'est l'équivalent, pour les catholiques, de la formule doxologique : « Au nom du Père, et du Fils, et du Saint-Esprit ». Sur le rituel de la prière islamique voir G. M. SUGANA, p. 58.
86. Encyclique *Haerent animo*, n° 97.
87. *Ibid*
88. Encyclique *Menti nostræ*, n° 197.
89. Encyclique *Sacerdotii nostri primordia*, n°s 250 et 252
90. G. BERNANOS, *Sous le soleil de Satan*, *Œuvres romanesques*, Paris, Gallimard, « Bibl. de la Pléiade », 1966, 1re partie, chap. II, p 147-155. A la p. 249, comme en maints autres endroits, Bernanos se défend de ces « détrousseurs [...] que nous laissons aujourd'hui barbotant et reniflant dans les eaux basses » — c'est-à-dire des psychanalystes. Il faut bien voir avant tout que cette conception d'une « sainteté » qui « transcende » « l'humain », le « sacrifie », le désavoue ou tout au moins le neutralise, c'est tout à fait le monde que nous a légué en particulier HANS URS VON BALTHASAR et qui a imprégné la mentalité de toute une génération de théologiens. Il y a soixante-dix déjà, JULIEN GREEN était d'une parfaite clairvoyance : « Je n'appréciais pas du tout la tendance qu'ont les croyants de se donner toujours le bon rôle, et je méprisais le soi-disant roman catholique qui pouvait se transformer en une entreprise d'édification des plus douteuses. Même l'exemple de Mauriac ne pouvait pas me faire changer d'avis à cet égard, et, bien des années plus tard, la lecture de Bernanos n'y a rien changé. » (*Jeunes années. Autobiographie* 2, Paris, éd. du Seuil, 1984) Dans le sillage du « tournant anthropologique », après la théologie de K Rahner il est devenu possible, même à un

catholique, d'adopter une façon de voir différente ; toutefois, le combat proprement dit est encore à venir : celui de la crédibilité psychique.

91. Voir A. C. KINSEY *et al.*, *Le Comportement sexuel de la femme*, Paris, Amiot-Dumont, 1954, p. 265-319. Kinsey a déjà montré que la « morale double » liée à une culture judéo-chrétienne qui interdit rigoureusement tout coït préconjugal « a été dépassée par le développement d'un comportement unitaire, en ce sens que l'activité coïtale préconjugale s'est répandue parmi les femmes au point de devenir de plus en plus comparable à celle de l'homme ». C'est ainsi que 50 % d'entre-elles et, selon le niveau culturel, 68-98 % des hommes ont des relations intimes avant le mariage. Ceci bien avant qu'ait été mise sur le marché la pilule anticonceptionnelle. — Pour bien saisir toute la portée de l'autocontrôle moral associé aujourd'hui au concept de « chasteté », il faut se rappeler qu'en allemand le mot *Keuschheit* (chasteté) vient du latin *conscientia* (conscience — *Bewusstheit*) ; par ailleurs, le latin *prudentia* (prudence, sagesse) a tout simplement donné le français « prude ».

92. S. CYPRIEN, *De la conduite des vierges, Saint-Cyprien. Huit traités*, Namur, éd. du Soleil levant, p. 39-63.

93. *Ibid.*, chap. II, p. 42.

94. *Ibid.*, chap. V, p. 45.

95. *Ibid.*, chap. VI, p. 46. Dans *Humain, trop humain* (1878), F. NIETZSCHE avait déjà dégagé brièvement la psychologie de telles conceptions (§ 140, *Œuvres philosophiques complètes*, Paris, Gallimard, 1988, t. III, vol. 1, p. 126-127) : « Après avoir découvert dans bon nombre d'actions des plus difficiles à expliquer des formes de ce plaisir de l'*émotion pour elle-même*, je venais volontiers aussi dans le mépris de soi qui est une des caractéristiques de la sainteté, et encore dans les tourments que l'on s'inflige à soi-même (par la faim et les flagellations, les dislocations de membres, la simulation de la démence), un moyen grâce auquel ces natures luttent contre l'épuisement général de leur vouloir-vivre (de leurs nerfs) ; elles recourent aux plus douloureux des moyens d'excitation et de torture pour émerger au moins de temps en temps de cette apathie et de cet ennui où les font si souvent sombrer leur grande indolence d'esprit et cette soumission que j'ai dite à une volonté étrangère » (trad. Robert Rovini).

96. J. B. METZ, p. 66.

97. *Ibid.*, p. 66-67.

98. *Ibid.*, p. 64.

99. *Ibid.*

100. Voir C. G. JUNG, *Die Lebenswende* (1930), *Ges. Werke*, t. VIII, Olten-Fribourg, 1987, p. 437-460 : l'auteur met en garde contre le danger de vouloir vivre sa jeunesse dans un âge avancé, ou de vouloir la rattraper. Voir aussi *id.*, *Über die Beziehung der Psychotherapie zur Seelsorge* (1932), *Ges. Werke*, t. XI, Olten, 1988, p. 355-376 : le « problème de la guérison » est un « problème religieux » (p. 369). Ces deux ouvrages comptent parmi ce que Jung a écrit de plus pénétrant et de plus humain. Une lecture indispensable pour les théologiens.

101. S. BEN CHORIN est le seul à inférer du silence des évangélistes que Jésus a dû être marié ; voir *Mutter Mirjam. Maria in jüdischer Sicht*, Munich, 1982, p. 92 s.

102. Sur Mc 10, 1-12, voir E. DREWERMANN, *ME*, t. II, p. 86-104. — Sur l'historique et la problématique du divorce dans l'Église catholique, voir K. DESCHNER, p. 279-284. Voir également G. DENZLER, p. 124-147. Denzler, notamment, pense avec raison que la discipline de l'Église peut difficilement en appeler à Jésus, et qu'elle est incompatible avec la Miséricorde divine (p. 147).

103. J. KLEPPER, *Unter dem Schatten deiner Flügel. Aus den Tagebüchern der Jahre 1932-1942*, Stuttgart, 1972, p. 62 : « Ma doctrine de l'" être unique " dont on a besoin et sans lequel rien ne compte [...] » Cet « être unique », c'est Hanni, la femme juive de Klepper.

104. Voir Lc 23, 5 ; selon une variante de Marcion, il est reproché à Jésus d'éloigner « les femmes et les enfants » de leurs familles. Voir A. VON HARNACK, *Die Mission und Ausbreitung des Christentums in den ersten drei Jahrhunderten*, Leipzig, 1924, p. 590, n. 2. — K. RAHNER a très bien vu les affinités qui unissent le prêtre et le poète dans : « Priester und Dichter », *ST*, t. III, p. 349-375, et : « La parole poétique et le chrétien », *ET*, t. IX, p. 183-198 : « Nous ne pouvons presque qu'une chose : nous demander dans quelle mesure nous sommes déjà devenus

des hommes [...] entendre avec amour la parole de la poésie » (p. 198). Toutefois, il ne s'agit pas d'une conjonction fonctionnelle du poète et du prêtre ; il s'agit d'une fusion existentielle où il apparaît que sans l'élément poétique et chamanique, le prêtre n'est pas vraiment un prêtre. Faisons encore un pas de plus pour constater qu'une morale castratrice empêche toute créativité, l'Église ne peut pas en appeler au poète tout en discréditant les formes de vie qui favorisent un climat créateur.

105. Voir H. ZIMMER, *Indische Mythen und Symbole* (trad. de l'anglais, 1946), Düsseldorf-Cologne, 1972, p. 153-156. Il serait absolument faux de voir dans la chasteté des clercs une « intégration du masculin et du féminin », comme a essayé de le montrer L. Boff ; voir L. BOFF, *Témoins de Dieu au cœur du monde*, Paris, éd. du Centurion 1982, p. 133-150. Boff a parfaitement raison, et son entreprise est hautement louable, quand il cherche à greffer les conseils évangéliques sur l'idée de la réalisation de soi et non sur la notion de « sacrifice » — une théologie de la libération doit tout d'abord exercer son action libératrice sur ceux qui s'en font les apôtres, et c'est ici notamment qu'intervient une théologie orientée vers la psychologie des profondeurs et qui, manifestement, au plan de la psychologie, a le même rôle à jouer que la théologie de la libération au plan de la sociologie. En effet, sans l'apport de la psychanalyse, les conseils évangéliques, quelle que soit l'interprétation qui en est faite, et pour profondément humains que soient leurs objectifs, n'arriveront pas à surmonter les contraintes et les servitudes. Preuves en sont les considérations de L. Boff sur la chasteté chrétienne. Boff est tout à fait dans le vrai lorsque, dès le départ, il récuse toute mentalité fonctionnelle pour revenir aux sciences humaines : psychologie de la religion et anthropologie (p. 133) ; c'est vrai aussi, comme il le dit, que la chasteté ne peut être que l'expression d'une maturité humaine qui intègre le double caractère masculin et féminin du psychisme ; il a encore raison quand il prend la mythologie à témoin pour montrer que l'attirance réciproque, et éternelle, de l'homme et de la femme, est une aspiration à retrouver une unité originelle (voir E. DREWERMANN, *SB*, t. I, p. 368-389). Par là, Boff se distancie avantageusement de l'ascétisme sacrificiel tel que le conçoivent K. Rahner ou J. B. Metz. Néanmoins, aucun d'entre eux ne peut éviter cet écueil capital : encore une fois, ils confondent tous le but avec les motivations (voir ci-dessus p. 608). Quelle qu'elle soit, quel qu'en soit le « contenu » (voir G. R. TAYLOR, *Waudlungen der Sexualität* (trad. de l'anglais, 1953), Düsseldorf-Cologne, 1957, p. 71-73 ; E. DREWERMANN, *KC*, p. 244-248), l'unité entre le masculin et le féminin peut toujours être donnée comme étant l'objectif du développement psychique ; mais alors se pose la question suivante : combien d'hommes une femme doit-elle avoir connus, et, réciproquement, combien de femmes un homme doit-il avoir connues, pour pouvoir en quelque sorte intégrer les domaines de l'*anima* et de l'*animus* à leur personnalité ? Il est évident que l'Église, par la rigueur de sa morale, cherche à limiter le plus possible le champ expérimental en matière de sexualité — ce qui l'intéresse avant tout, c'est la perfection morale, et non pas l'épanouissement psychique. Il est tout aussi incontestable que le point faible de la monogamie, cette institution de l'Occident chrétien, c'est de vouloir enfermer dans une relation essentielle avec un(e) unique partenaire, pour les cinquante années qui leur restent à vivre, tous ceux et toutes celles qui ont entre vingt et trente ans, lequel partenaire ne peut maintenir vivant en lui qu'un domaine relativement restreint de ce qu'est le féminin ou le masculin. Dans ces conditions, la définition de la chasteté selon L. Boff doit avoir des effets pour le moins inattendus si elle sert de fondement à la chasteté exigée par l'Église. Voici, par exemple, des jeunes filles novices de vingt ans ou bien des religieuses garde-malades de cinquante ans pour qui les hommes n'ont jamais été autre chose que des séducteurs, des collègues de travail ou des prêtres : à grand renfort d'instructions, d'exercices spirituels et de retraites, on leur fait croire que leur célibat ne peut en aucun cas être l'expression d'une sexualité refoulée ou d'un mépris pour le corps, ce qui irait manifestement contre les intentions originelles du Créateur, qui, en créant l'être humain à son image l'a voulu homme et l'a voulu femme ; or, leur assure-t-on, en exigeant d'elles la chasteté, l'Église affirme la sexualité humaine dans ce qu'elle a de plus profond, c'est-à-dire sous les aspects anthropologique et psychique qui intègrent l'humain dans son entier. Ce qui revient à ceci : les religieuses, les religieux et les prêtres séculiers ne vivent et n'aiment pas autrement que les gens mariés, sauf qu'ils réalisent *en eux-mêmes* ce que les autres cherchent à réaliser *à l'aide de l'autre* ; ils ne vont pas à la recherche de l'autre homme ou de l'autre femme mais ils cherchent en

eux le masculin ou le féminin qui sont en même temps en chaque homme et en chaque femme. Dans ces conditions, il faudrait bien admettre que le célibat est l'état de vie « parfait », si toutes ces théories n'étaient pas faites sur le dos des intéressés eux-mêmes. Elles peuvent trouver une certaine résonance psychologique auprès de conjoints, ou autres couples réunis par l'amour, qui sont déjà d'un certain âge, mais pour les clercs de l'Église, c'est un grossier mensonge. Pour eux, en effet, avec leur inexpérience de la sexualité, la différenciation entre le masculin et le féminin est tout au plus une identification superficielle au masque de la profession, à la *persona*, aux dépens de ce qui constitue la partie complémentaire de l'âme. En leur inconscient règne la même confusion qui caractérise l'éclosion de la puberté : un état de *bisexualité* ou d'*hermaphrodisme* psychique. Et c'est précisément cet état qui est rationalisé, présenté comme un modèle de vie moulé dans un idéal qui passe à côté de la vie ; ce qui n'empêche pas que le clerc a parfaitement conscience de son imperfection et même du caractère fondamentalement impossible de ses aspirations — et cela aussi fait partie de son image. Ou, pour être aussi clair que possible : comment ceux qui n'ont jamais osé aimer une femme peuvent-ils dire qu'ils n'en ont jamais ressenti le besoin, sous prétexte qu'ils portent le féminin en eux ? Les hommes n'en sont plus à errer sur terre comme ces archétypes platoniciens, ces « boules » auxquelles, pour les punir, les dieux ont arraché la femme. Et il ne sert à rien, non plus, de voir le féminin dans la figure de Marie, vierge, mère et reine du ciel, comme le fait L. Boff, qui, dans le fond, déifie la figure de *la* Mère pour en revenir finalement aux anciens fondamentalismes de l'Église (voir L. BOFF, *Das mütterliche Antlitz Gottes. Ein interdisziplinärer Versuch über das Weibliche und seine religiöse Bedeutung* (trad. du portugais), Düsseldorf, 1985, p. 87-117). Ce ne sont ni une contemplation ou une magie androgynes, ni un amour mystique et chevaleresque pour la madone qui feront avancer un homme, pas plus qu'ils n'ont fait avancer le bon abbé Mouret. Contre le substitut religieux, il n'y a que l'expérience concrète de l'amour — c'est l'Albine d'Émile Zola, et non la madone, qui sauve finalement le pauvre prêtre malade dans son âme et dans son corps. Il n'y a là rien de nouveau. Feuerbach l'avait déjà dit on ne peut plus clairement (voir L. FEUERBACH, *L'Essence du christianisme*, [1841], Paris, François Maspéro, 1968, [trad. J.-P. Osier], p. 191-200 : le mystère de la Trinité et la mère de Dieu ; p. 301-312 : la signification chrétienne du célibat volontaire et du monachisme). Seul un maître de la psychologie religieuse tel que lui a pu écrire : « Le père se console d'avoir perdu son fils ; il possède en lui un principe (une force) stoïque. Par contre, la mère est inconsolable ; c'est la *mater dolorosa* de l'amour, et le désespoir en est la vérité » (p. 85). C'est là la question capitale posée au christianisme : comment retrouver ici-bas le bonheur de l'amour dans la confiance en Dieu ? Après Feuerbach, Nietzsche et Freud, personne ne croit plus à une religion où l'amour n'est plus qu'un substitut, une projection idéalisée et étrangère à l'homme. Alors, il ne reste plus qu'une solution, celle que H. SCHULTZ-HENCKE a appelée le « mouvement vers l'androgyne ». Mais cet impossible élan terrestre, c'est autre chose que des formes de refoulement comme la bisexualité et l'homosexualité pubertaire de clercs qui dissimulent leurs angoisses sexuelles sous le manteau d'une anthropologie « plus profonde ». Ou encore, beaucoup plus simplement : rien de ce qui a un sens ne peut se vivre en dehors de la vie réelle, de même que l'« âme » ne peut vivre que dans un « corps » et n'est pas « plus âme » à vouloir dominer un corps considéré comme une entrave. Par conséquent, si la chasteté doit avoir un sens, il s'ensuit qu'elle ne peut pas être considérée comme un but ou comme un accomplissement, mais comme *la condition* du chemin rédempteur qui, en thérapie ou dans la pastorale, conduit la personne à elle-même, en tant qu'elle est homme ou femme, parce qu'elle évite de la lier à celle du thérapeute ou du prêtre.

106. G. ORWELL, *La Ferme des animaux*, Paris, Champ libre, 1981.) — Le problème est aussi vieux que l'ambivalence avec laquelle saint Jérôme pensait pouvoir le résoudre (voir SAINT JÉROME, *De la perpétuelle virginité de Marie. Contre Helvidius*, *Œuvres complètes*, t. II, Paris, Louis Vivès, 1878, p. 477-499 ; chap. 22) : « Je conjure ceux qui me liront de ne pas croire que je veux relever les vierges en rabaissant les personnes mariées ; [...] celui qui n'a pas de femme, a dans la pensée les choses du Seigneur, ne cherche qu'à plaire à Dieu. [...] Celle [la femme] qui est mariée s'occupe des choses du monde, et des moyens de plaire à son mari (voir Co 7, 32 s.). Pourquoi vous récrier ? Pourquoi vous insurger ? C'est le vase d'élection qui parle de la sorte [...] » (p. 496-497). Avant tout la psychogénèse de leur résignation pubertaire, l'historique de

leurs motivations, qui poussent déjà les jeunes clercs à ravaler le monde de la communication, des échanges, entre homme et femme ; même si, devenus plus tard professeurs de théologie, et s'étant hasardés à examiner professionnellement la question — en dehors des heures consacrées à leurs travaux de séminaire —, ils nient la réalité, la rationalisent ou la minimisent, cette réalité est bien là ! Ce ne sont pas les distinctions, les arguties et autres subtilités qui y changeront quoi que ce soit, ainsi que le confirment bien involontairement les commentaires de K. Rahner à propos des anathèmes que lance le concile de Trente contre ceux qui nient que l'état de virginité ou de célibat soient « meilleurs et plus saints » que l'état du mariage (voir *DS*, n° 980 ; G. DUMEIGE, *La Foi catholique,* Paris éd. de l'Orante 1975, n° 933, p. 489). En effet, voici comment K. Rahner interprète les déclarations du concile (voir K. RAHNER, « Zur Theologie der Entsagung », *ST*, t. III, 1962, p. 61-72) : Ce n'est pas d'un « amour » qui serait « meilleur » qu'il s'agit ici, écrit-il, ni d'une perfection subjective individuelle qui serait d'un ordre supérieur ; « si le prononcement évangélique est ce qu'il y a de meilleur, c'est parce qu'il doit représenter, manifester l'amour dans un monde tangible, à portée de main, un amour eschatologique et transcendant, un amour ecclésial » (p. 72). Qui croira sérieusement que c'est là une réponse à l'Albine de Zola ? C'est pourtant le même K. Rahner qui a su relever tous les « dangers qui guettent le prêtre d'aujourd'hui » (voir K. RAHNER, *Einübung priesterlicher Existenz*, Fribourg-Bâle-Vienne, 1970, p. 181-186), et notamment ceux-ci : la routine, le principe de la voie moyenne, l'ascétisme du désespoir, l'intolérance au service de l'Église et la peur du futur et de l'inconnu. Malheureusement, il en est resté à une simple typologie, sans passer à l'étiologie des distorsions structurelles qui provoquent ces « dangers » et en font ni plus ni moins qu'une obligation bienvenue. « Peur du futur » — l'Église la conjure au moyen du serment ; « intolérance » — pourquoi donc l'Église exercerait-elle son magistère ? « Ascétisme » — c'est une forme de défense contre le chaos qui menace la personne et qu'engendre la morale même de l'Église ; de plus, c'est un moyen de multiplier les victimes volontaires du système ecclésial. « Voie moyenne » — c'est une condition pour être un élu de la cléricature, et c'est pour la satisfaire que le futur clerc s'entraîne et répète le rôle qu'il est appelé à jouer dans l'Église, sous le diktat du surmoi. « Routine » — c'est le résultat fatal d'une vie essentiellement « fonctionnelle », c'est-à-dire centrée sur la fonction. Toutes ces données demanderaient à être analysées par la dialectique de l'inconscient, et, à cet égard, les difficultés commencent là où Rahner s'est arrêté, c'est-à-dire aux frontières de la réflexion théologique, au petit jeu de l'argumentation purement intellectuelle. Le problème des clercs, ce n'est pas une question de concepts, ni de raisonnements ; c'est une question de sensations, de sentiments et de comportements, et plus un système est névrotique, moins il laisse d'espace à l'« esprit » pour se renouveler de lui-même.

107. S. FREUD, « Observations sur l'amour de transfert » (1915), *La Technique psychanalytique*, trad. A. Berman, Paris, PUF, 1970. Ce qui est ici implicitement recherché, c'est moins une technique d' « objectivation » qu'une attitude humaine, ainsi que C. G. Jung l'a admirablement montré (voir C. G. JUNG, *Über die Beziehung der Psychotherapie zur Seelsorge* (1932), p. 355-376).

En effet, en psychanalyse, l'entretien thérapeutique n'est pas centré sur la méthode mais sur le patient. Ainsi la pathologie de la relation qui s'établit entre lui et le thérapeute est une situation dialectique, dont les notions de « transfert » et de « contre-transfert » ne rendent que très imparfaitement compte. Littérature recommandée : A. KOERFER, C. NEUMANN, « Alltagsdiskurs und psychoanalytischer Diskurs. Aspekte der Sozialisierung des Patienten in einem " ungewohnten " Diskurstyp », dans : D. FLADER *et al.* (éd.), *Psychoanalyse als Gespräch. Interaktionsanalytische Untersuchungen über Therapie und Supervision*, p. 96-137 ; E. DREWERMANN, « Von der Notwendigkeit und Form der Konfrontationstechnik in der Gesprächspsychotherapeutischen Beratung », *Psychoanalyse und Moraltheologie*, t. II, p. 226-290 ; en particulier J. CREMERIUS, « Die Bedeutung des Dissidenten für die Psychoanalyse », *Psyche* 36 (1982) ; et, ID., « Freud bei der Arbeit über die Schulter Geschaut. Seine Technik im Spiegel von Schülern und Patienten », *Festschrift für G. Scheunert. Beiheft zum Jahrbuch der Psychoanalyse*, 1980, p. 123-158 ; sur le point de vue d'un patient, voir L. HABEL, *Umarmen möchte ich dich. Briefe an einen Therapeuten,* Francfort, 1988, p. 92-100.

108. En neuf ans, les époux Freud ont eu six enfants, dont s'est essentiellement et presque exclusivement occupée Martha Freud, née Bernays. En février 1896, alors qu'Anna, la cadette, avait tout juste un peu plus de trois mois, Freud avouait : « Ma pauvre Martha mène une vie de tourments » (voir P. GAY, *Freud. Une vie*, Paris, Hachette, 1991, trad. T. Jolas, p. 73). Plus tard, Freud a vécu son mariage dans une totale continence, consacrant toutes ses énergies à son travail. En somme, il était devenu impuissant, en ce sens que tous ses sentiments allaient aux patientes et aux patients qui, jour après jour, l'absorbaient. Toutefois, selon certains indices, il n'est pas exclu qu'il ait eu une aventure avec Minna Bernays, sa « sœur selon la loi », ainsi qu'il appelait sa belle-sœur. Elle ne lui était certainement pas indifférente, et elle le lui rendait bien. C'est elle qui a passé un mois de vacances avec Freud, l'été 1919, alors qu'il avait déjà soixante-trois ans (voir P. GAY, p. 90, 181-182, 233, 439-440). En mars 1907, C. G. JUNG parle déjà d'une aventure entre Freud et Minna Bernays (p. 233). Quoi qu'il en soit, c'est bien Jung qui a été essentiellement à l'origine des rumeurs qui ont contribué à la séparation entre lui et Freud, en 1911 (p. 259-260).

109. Voir E. DREWERMANN, *SB*, t. I, p. 357-389.

110. Voir J. CREMERIUS, « Die Sprache der Zärtlichkeit und der Leidenschaft. Reflexionen zu Sándor Ferenczis Wiesbadener Vortrag 1932 », *Psyche* (1983), p. 988-1015 : Freud et Ferenczi « se sont brouillés en raison de leurs divergences sur les méthodes appliquées par Ferenczi, qui cherchait à donner à ses patients la " tendresse maternelle " — ainsi que l'appelait Freud — dont ils avaient manqué dans leur enfance. Ayant appris que Ferenczi embrassait ses patients et se laissait embrasser par eux, inquiet, Freud l'avait invité — c'était en décembre 1931 — à plus de réserve, et avait exprimé ses craintes que d'autres aillent encore plus loin dans cette voie et que, finalement, le traitement psychanalytique dégénère en *petting-party* ». En mai 1932, au congrès de Wiesbaden, Ferenczi avait passé outre à la demande de Freud, qui le priait instamment de remettre à l'année suivante sa conférence intitulée « Die Leidenschaften der Erwachsenen und deren Einfluss auf Charakter und Sexualentwicklung des Kindes », *Internationale Zeitschrift für Psychoanalyse*, XIV, 1933, p. 5-15. Huit mois plus tard, Ferenczi devait mourir, atteint d'anémie pernicieuse. Dans son apport — qui devait sceller définitivement sa rupture avec Freud —, Ferenczi expliquait que bien souvent le thérapeute ne peut vaincre la peur et la méfiance que le patient ressent devant les autres, et qu'il a apprises dans son enfance au contact de ses parents, qu'en communiquant ses vraies pensées et ses vrais sentiments. En outre, il pensait devoir se démettre d'une stricte réserve, pour adopter une attitude amicale et maternelle ; en effet, précisait-il, les troubles graves et les régressions profondes ne peuvent plus être soignés au moyen d'interprétations neutres et objectivement distantes. — A ce sujet, voir également E. JONES, *La Vie et l'œuvre de Sigmund Freud* (3 vol.), Paris, PUF, t. III, 1969, p. 187-189 ; Jones cite la lettre de Freud à Ferenczi, datée du 13 décembre 1931, dans laquelle Freud rappelle d'abord qu'un baiser en Russie n'a pas la même signification qu'un baiser à Vienne, pour continuer sur le mode ironique : « Pourquoi s'arrêter à un baiser ? Assurément, on peut aller plus loin en incluant également les " caresses " qui après tout ne fabriquent pas d'enfants. Et puis, il en viendra d'autres, plus audacieuses, qui vont jusqu'au voyeurisme et à l'exhibitionnisme — et bientôt, nous aurons accepté comme faisant partie de la technique analytique tout le répertoire de la demi-virginité et des parties de pelotage, ce qui aura pour effet d'amener un intérêt considérablement accru pour la psychanalyse aussi bien chez les analystes que chez les patients » (p. 188). Voir *ibid.*, p. 197-200 (sur le congrès de Wiesbaden). Très partialement, Jones accuse tout simplement Ferenczi de troubles mentaux (p. 199, 202-203 et 204 et 214). A consulter également : S. FERENCZI, *Journal clinique*, Paris, Payot, 1985, p. 106-108 et 152-156.

111. Sur le traitement de l'impuissance et de la frigidité, voir J. WOLPE, *Praxie der Verhalteustherapie* (trad. de l'anglais, 1969), Berlin-Stuttgart-Vienne, 1972, p. 86-102.

112. Sur les composantes religieuses du transfert en psychothérapie, voir T. MOSER, *Kompass der Seele. Ein Leitfaden für Psychotherapie-Patienten*, Francfort, 1986, p. 166-173.

113. Sur Mc 2, 23-28, voir E. DREWERMANN, *ME*, t. I, p. 268-279.

114. Sur Mc 5, 25-34, voir *ibid.*, p. 366-370.

115. Voir M. BUBER, *Les Récits hassidiques*, p. 456.

II. Considérations intempestives sur la formation des clercs

1. A. CAMUS, *La Peste*, Paris, Gallimard, 1990, p. 276 : « Peut-on être un saint sans Dieu, c'est le seul problème concret que je connaisse aujourd'hui. »

2. S. FREUD, *L'Avenir d'une illusion* (1927), Paris, PUF, 1971.

3. E. BISER, *Die glaubensgeschichtliche Wende. Eine theologische Standortbestimmung*, Graz-Vienne-Cologne, 1987 ; *id., Glaubenswende. Eine Hoffnungsperspektive*, Fribourg, 1987.

4. L'image que nous nous faisons du monde est en train de changer de façon dramatique, notamment avec le développement d'une épistémologie évolutive ; en outre, la physique classique, causale, réductrice, objectiviste, fait place à d'autres modèles qui embrassent à la fois la biologie, la chimie et la physique. Les oppositions entre l'homme et la nature, l'idéalisme et le matérialisme, l'esprit et la matière sont dépassées pour déboucher sur une vision d'ensemble qui embrasserait d'un seul coup, tout au bas de l'échelle, la matière inorganique, avec l' « organisation » qu'elle se donne, jusqu'au développement, au sommet, des sociétés et des civilisations apparues dans l'histoire de l'humanité. — Voir, parmi d'autres, les importants travaux suivants : G. VOLLMER, *Evolutionäre Erkenntnistheorie*, Stuttgart, 1980 ; R. RIEDL, *Die Spaltung des Weltbildes. Biologische Grundlagen des Erklärens und Verstehens*, Berlin-Hambourg, 1985 ; I. PRIGOGINE, I. STENGERS, *La Nouvelle Alliance. Métamorphose de la science*, Paris, Gallimard, 1979 ; I. PRIGOGINE, *Vom Sein zum Werden. Zeit und Komplexität in den Naturwissenschaften*, Munich, 1985 ; J. D. BARROW, J. SILK, *La Main gauche de la création*, Paris, Londres, 1985 ; R. RIELD, *Evolution der Erkenntnis. Antworten auf Fragen aus unserer Zeit*, Munich-Zurich, 1982.

5. Voir L. FEUERBACH, *Pensées sur la mort et l'immortalité*, trad. Ch. Berner, Paris, éd. du Cerf, coll. « Passages », 1991, p. 105 : « C'est pourquoi lorsque tu tentes de supprimer la limite de la vie en peuplant les corps célestes d'êtres vivants, tu mets, comme le dit le proverbe, la rustine à côté du trou, car cette tentative ne te permet ni d'animer ni de remplir la mort. Chasse la mort hors du monde ! Aussi longtemps qu'un " ah ! " ou un " oh ! ", qu'un cri de mort pénètre mon âme par mes oreilles, je me considère comme habilité à déclarer pures chimères ces additions et compléments que l'on trouve sur les étoiles et, en général, tous tes prolongements, tes répétitions et tes réchauffements ennuyeux de la vie. Même ce râle d'agonie d'un veau ou d'un cochon mourant est la preuve la plus parlante, ou plutôt la plus criante, des espaces vides de la nature ; il est un son qui nous parvient des profondeurs désolées de la nature [...]. »

6. S. FREUD, *L'Avenir d'une illusion* ; Freud (parmi d'autres) s'en rend aux sacro-saintes institutions religieuses immuables, inflexiblement installées dans la rigidité de leur névrose obsessionnelle ; ce qui est pour elles l'œuvre intouchable de Dieu, gérée dans la soumission par les prêtres, n'est en fait que le produit de l'inconscient.

7. Voir G. BRUNO, *Le Banquet des cendres* (1583) ; trad. Yves Hersant, Sommières, éd. de l'Éclat, « Philosophie imaginaire », 1988, premier dialogue, p. 26 : « Il est également possible qu'existent d'autres corps célestes offrant les mêmes qualités que le nôtre, voire des qualités supérieures, et plus heureusement adaptés aux animaux qu'ils abriteraient. Nous connaissons donc une multitude d'étoiles, d'astres, de divinités, qui par centaines de milliers participent au mystère et à la contemplation de la cause première, universelle, infinie et éternelle. Nous voilà libérés des huit mobiles et moteurs imaginaires, comme du neuvième et du dixième, qui entravaient notre raison. Nous le savons : il n'y a qu'un ciel, une immense région éthérée où les magnifiques foyers lumineux conservent les distances qui les séparent au profit de la vie perpétuelle et de sa répartition. [...] Ainsi sommes-nous conduits à découvrir l'effet infini de la cause infinie, la trace vivante et véritable de la vigueur infinie ; et à professer que ce n'est pas hors de nous qu'il faut chercher la divinité, puisqu'elle est à nos côtés, ou plutôt en notre for intérieur, plus intimement en nous que nous ne sommes en nous-mêmes ; pareillement, les occupants des autres mondes ne doivent pas la chercher chez nous, puisqu'ils l'ont chez eux en eux-mêmes [...]. »

8. Voir B. DE SPINOZA, *Éthique démontrée suivant l'ordre géométrique*, (1677 — trad. du latin), *Œuvres*, Paris, Garnier-Flammarion, t. III, 1965, première partie, propositions 34-36, appendice, p. 59-68.

9. Voir F. SCHLEIERMACHER, *Discours sur la religion* (1789), Paris, Aubier 1944, p. 145 :

« Élevez-vous au point de vue le plus haut de la métaphysique et de la morale. Vous trouverez que toutes deux ont en commun avec la religion le même objet, à savoir l'Univers, et le rapport de l'homme avec cet Univers. »

10. Voir F. NIETZSCHE, *Par-delà le bien et le mal. Prélude à une philosophie de l'avenir* (1885), *Œuvres philosophiques complètes*, Paris, Gallimard, t. VII, 1971 (trad. C. Heim), V[e] : contribution à l'histoire naturelle de la morale, § 186-203, p. 98-117.

11. Voir *id.*, *L'Antéchrist, Œuvres philosophiques complètes*, t. VIII, 1974, § 25 et 26, p. 182-186 : « Le prêtre dévalorise, *désacralise* la nature : c'est à ce seul prix qu'il existe » (trad. J.-C. Hémery, p. 185).

12. Voir F. CAPRA, *Le Tao de la physique*, Paris, Sand, 1985.

13. Au plan de la biologie, voir G. BATESON, *La Nature et la Pensée*, Paris, éd. du Seuil, 1984, p. 97-136 : les critères du processus mental. Sur les conséquences pratiques de ce constat, voir E DREWERMANN, *DF*, 1981, p. 62-142.

14. Voir A. ANTWEILER, *Der Priester heute und morgen. Erwägungen zum Zweiten Vatikanischen Konzil*, Münster, 1967 : « La foi nous enseigne que Dieu a créé le monde. Mais ce qu'est le monde, l'Église ne le dit pas. Elle ne dit rien de ses dimensions, ni de son âge ; de quoi il est fait, comment il fonctionne, ce qu'on peut y faire et ce qu'on peut en faire, quel avenir il nous réserve, comment il peut finir, elle n'en dit mot. Rien non plus sur la vie, l'homme, l'énergie, l'esprit, le règne animal et le règne végétal. — Le concile n'aborde aucune de ces questions. » « Les connaissances théologiques elles-mêmes ne [peuvent] être utiles à la vie spirituelle que si elles ont un sens pour la vie de chacun » (p. 111). « Ce qu'il faut attendre et exiger d'eux [des professeurs de théologie], c'est l'expérience de la vie. L'expérience de la vie, et non pas une tactique ou l'érudition » (p. 110). « Toutes les langues doivent pouvoir exprimer ce qu'est le christianisme comme c'était le cas aux débuts. Par conséquent, on ne peut pas traiter de demeuré celui qui ne sait ni l'hébreu, ni le grec, ni le latin » (p. 113). « Les structures hiérarchiques actuelles n'ont pas de fondement biblique, et elles ne peuvent pas d'avantage être déduites, comme une nécessité, des structures primitives [...] Le prêtre n'a pas à convaincre le peuple que ces structures sont immuables et voulues par Dieu » (p. 131). « La question du célibat pourrait déjà être dédramatisée rien qu'en retardant l'âge de l'ordination » (p. 138 ; voir aussi p. 81-82).

15. Voir A. ANTWEILER, *Priestermangel. Gründe und Vorschläge*, Altenberge, 1982, p. 60-70 : la théologie ; p. 212-215 : l'université ; p. 216-223 : la théologie ; voir notamment p. 162 : « La religion sert à relier l'homme à Dieu, ou, inversement, l'homme est religieux parce qu'il est convaincu que Dieu existe. C'est tellement vrai que certains font profession de le rendre attentif à Dieu, lui apprenant à penser et à se conformer à lui. L'objectif, c'est de trouver ce qui convient le mieux à la vie de chacun, et, dans cette perspective, les pratiques et les enseignements qui ignorent ou même rejettent Dieu, comme le bouddhisme primitif, peuvent être compris comme religions. » P. 163 : « C'est un vieil enseignement de la vie chrétienne et une théologie chrétienne, de dire que Dieu est en tout, qu'il pénètre et maintient tout. Mais comment se représenter son action ? Y a-t-il dans le monde physique des images ou des analogies qui peuvent nous y aider ? Peut-être la théorie des champs ? Ou peut-être peut-on concevoir le monde comme une dilution de l'essence et de la puissance divines, de telle sorte qu'il ne serait pas suspendu dans le vide, mais qu'il serait soutenu par la plénitude, ou qu'il serait porté par la densité, comme la croûte de la terre par son noyau ? » Voilà ce qu'écrivait Antweiler il y a vingt-cinq ans, témoignant d'une remarquable et bienfaisante ouverture d'esprit ; plaidoyer passionné pour l'expérience de la vie, la liberté, l'audace, la discussion courageuse ; pour une théologie et une Église en harmonie avec leur temps, avec l'homme et sa culture ; pour la fin d'une Église accrochée à des conceptions surannées, à des conventions et des traditions.

16. Voir « Le Sacerdoce ministériel », Synode épiscopal 1971, *La Documentation catholique*, n° 1600, 2 janvier 1972, p. 5 : « Le ministère sacerdotal atteint sa plus haute expression dans l'accomplissement de l'Assemblée eucharistique qui est la source et le centre de l'unité de l'Église. Le prêtre seul est habilité à agir à la place du Christ pour procéder et accomplir le repas sacrificiel dans lequel le Peuple de Dieu est associé au sacrifice du Christ. » Ainsi, le sacrement de l'unité des chrétiens est uniquement le sacrement de l'unité de l'Église catholique ; le sacrement du réconfort sur le chemin de la vie devient la récompense accordée à ceux des croyants, les vrais,

qui ont adopté les dogmes de l'Église romaine, le document qui atteste la séparation et l'exclusion des chrétiens appartenant à une autre confession. A l'opposé de ce point de vue, voir H. KÜNG, *L'Église*, Paris, Desclée de Brouwer, 1968, p. 310-321 et 373-379.

17. Sur les insertions en Mc 14, 22-25, voir E. DREWERMANN, *ME*, t. II, p. 450-481.

18. Voir E. DREWERMANN, *KC*, p. 282-337, 352-359 et 359-368.

19. Voir I. NICHOLSON, *Mexikanische Mythologie* (trad. de l'anglais, 1967), Wiesbaden, 1967, p. 120.

20. Sur l'arbre de Xibalbá, voir *ibid.*, p. 58. Voir aussi W. CORDAN (trad.), *Popol Vuh. Das Buch des Rates. Mythos und Geschichte der Maya* (trad. du quiché), Düsseldorf-Cologne, 1962, p. 54-61 : comment Hun-Hunapu descend au royaume des morts, est tué au jeu de la balle (entre le soleil et la lune), et fait fleurir le calebassier auquel pend sa tête.

21. Sur le serpent à deux têtes, voir F. ANDERS, *Das Pantheon der Maya*, Graz, 1963.

22. O. SPENGLER, *Le Déclin de l'Occident. Esquisse d'une morphologie de l'histoire universelle* (2 vol.), Paris, Gallimard, 1943, t. II, p. 195.

23. *Ibid*, p. 195-196 ; voir aussi, p. 195-201 : la vie de Jésus.

24. Sur 2 S 24, 1-25, voir H. W. HERTZBERG, *Die Samuelbücher*, Göttingen, 1960,2, p. 337-341.

25. Citation tirée du film de P. SCHAMONI, *Caspar David Friedrich, Grenzen der Zeit*, 1987.

26. E. SCHALLER, « Die Biologische Bedeutung der Sexualität », dans K. IMMELMANN (éd.), *Verhaltensforschung. Sonderband zu Grzimeks Tierleben*, Zurich, 1974, p. 392-405, et notamment p. 402. W. WICKLER, U SEIBT, *Das Prinzip Eigennutz. Ursachen und Konsequenzen sozialen Verhaltens*, Hambourg, 1977, p. 166-171.

27. Sur la fonction de la rivalité en matière sexuelle, voir H. U. REYER, « Formen, Ursachen und biologische Bedeutung innerartlicher Aggession bei Tieren », dans K. IMMELMANN, *Verhaltensforschung. Sonderband zu Grzimeks Tierleben*, p. 354-391 et notamment 375 s. W. WICKLER, U. SEIBT, p. 54-69.

28. Voir E. DREWERMANN, *DF*, p. 11-44, 47-48 et 61.

29. Voir W. WICKLER, U. SEIBT, p. 347-354, où les auteurs émettent l'hypothèse suivante : « L'homme [aussi] se comporte de façon à s'assurer les chances maximales de se multiplier. »

30. La séparation des sexes est souvent un phénomène de civilisation ; voir I. EIBL-EIBESFELD, *Menschenforschung auf neuen Wegen. Die naturwissenschaftliche Betrachtung kultureller Verhaltensweisen*, Vienne-Zurich-Munich, 1976. De nos jours, dans notre civilisation, c'est plutôt la tendance contraire qui prédomine ; le rôle attribué à l'homme est moins exclusif ; les comportements de l'homme et ceux de la femme sont de moins en moins différenciés.

31. Voir I. F. GÖRRES, *Laiengedanken zum Zölibat*, Francfort, 1962 ; Görres relève à juste titre que le célibat des prêtres a son revers de médaille. « Il y a, écrit-il, d'innombrables raisons pour lesquelles des femmes se tournent vers le prêtre de tout leur cœur, et sont pleines de prévenances pour lui. Peut-être n'est-il pas d'homme auquel la femme témoigne autant d'amour qu'au bon prêtre — toutes les sortes et toutes les formes d'amour : sympathie et loyauté, admiration et vénération, amitié, éros, passion. Et toute cette palette de sentiments, toutes ces variations vont au prêtre qui a embrassé le célibat, à l'homme vierge. En soi, il n'y a rien là qui soit préjudiciable au prêtre, loin de là. Le problème, pour lui, c'est de savoir comment répondre et faire face à une telle surenchère, comment la maîtriser adéquatement, judicieusement, respectueusement, honnêtement. Aujourd'hui encore, pour de nombreuses femmes, le prêtre est le seul homme qui traverse leur vie. Non seulement pour sa “ gouvernante ” et ses collaboratrices, mais également pour un certain type de femmes simples, timides, inhibées, qui ont peur des contacts sociaux. Elles focalisent tout sur monsieur le curé, alors que les autres femmes peuvent diversifier leurs centres d'intérêt » (p. 64). Que va-t-il alors se passer ? Comment celui qui n'a jamais pu développer et éprouver sa virilité, s'épanouir en elle, pourra-t-il reconnaître la quête angoissée de ces femmes qui se tournent vers lui pour la lui soumettre, à lui personnellement ? I. F. Görres voit très bien le problème (p. 77 s.) mais ensuite (p. 86-89), quand elle envisage une des issues possibles au dilemme que pose au prêtre son célibat dans ce qu'elle appelle une « authentique amitié avec les femmes », « un amour spécifique des croyants pour leurs bons prêtres, amour qui ne se rencontre vraisemblablement que dans une dimension catholique », et qu'en plus elle évoque en cela l'exemple classique d'un tel mariage spirituel entre

saint François de Sales et Jeanne-Françoise de Chantal, il est permis d'être plus que sceptique. Certes, il existe des hommes et des femmes qui ont d'excellentes relations d'amitié, et qui observent cette pureté d'ordre sexuel dont il a été question plus haut ; mais en s'inspirant des expériences qu'elle a vécues au temps où fleurissaient les mouvements de jeunesse (*die Jugendbewegung*), I. F. Görres manifeste clairement dans quel contexte physique elle se place et ce qu'elle entend exactement. Au fond, ce qui est ici en jeu, c'est le problème qui se pose à toutes celles qui sont élèves chez les sœurs, celui de l'amitié entre garçons et filles : est-elle possible ? Où finit l'amitié, et où commence l'amour ? S'il s'agit d'amour, que peut-on faire sans pécher ? Bref, toute la litanie des angoisses sexuelles cultivées par l'Église à propos des amitiés qui se nouent entre clercs. Certes, il y a des hommes de soixante ans ou des femmes de cinquante ans chez qui le désir sexuel est éteint et qui peuvent entretenir n'importe quel genre de relation sans aucun danger pour leur vertu. Que certains comportements puissent avoir un sens et même une certaine beauté ne signifie pas encore qu'ils soient l'idéal commun, et faut-il penser avec I. F. Görres qu'ont « échoué » tous ceux qui ne sont plus désireux, ou en mesure, de contenir leur amour au plan de l' « amitié », c'est-à-dire, en clair, au plan d'un amour dont l'unique objectif est d'éviter l'expression sexuelle des sentiments ? Cette « technique », ou cet « art » clérical, qui consiste à détacher l'âme de son corps quand la situation devient « sérieuse », dans le but de préserver la pureté d'une vie angélique, ne peut plus être acceptée comme un idéal humain. La morale relationnelle veut l'honnêteté, la clarté, la franchise et non pas l'équivoque, l'ambiguïté ou les « bivalences » créés par les tensions névrotiques qui opposent le surmoi et le ça. Quand François de Sales recommande à Jeanne-Françoise de Chantal de se garder pure et chaste au contact du Sauveur crucifié (voir FRANÇOIS DE SALES, *Introduction à la vie dévote*, Paris, Gallimard, « Bibl. de la Pléiade » 1969, p. 164-167, il est difficile de ne pas faire le rapprochement avec les lettres qu'Abélard écrivait à son Héloïse. Seulement, à la différence de Jeanne-Françoise de Chantal, Héloïse était assez femme pour défendre son amour et ne pas se soumettre docilement aux directives spirituelles de son bien-aimé de prêtre. Mme de Chantal n'a jamais eu cette audace. En était-elle pour autant plus vertueuse, ou même plus sainte, ou bien la fin de sa relation à François de Sales n'est-elle pas plutôt un triste exemple — un de plus — d'un pouvoir et d'un système toujours plus forts que l'amour qu'ils prétendent protéger ? Le doute n'est plus permis quand on a lu K. DESCHNER, *Das Kreuz mit der Kirche* (p. 95 ; et p. 138 : « La femme veut être conduite »), ou bien U. RANKE-HEINEMANN, *Des eunuques pour le royaume des cieux. L'Église catholique et la sexualité*, Paris, Hachette-Pluriel, 1992 (p. 20). Ce qui n'empêche pas que François de Sales, avec sa règle de conduite du *Modo Grosso*, était d'une simplicité et d'une générosité inhabituelles dans l'histoire de l'Église. C'est lui qui a pu écrire : « Nous témoignerons assez d'aimer tous les conseils quand nous observons dévotement ceux qui nous seront convenables » (FRANÇOIS DE SALES *Traité de l'Amour de Dieu*, Paris, Gallimard, « Bibl. de la Pléiade », 1969, Livre VIII, chap. IX, p. 736). Un tel principe de vie ne saurait mentir, pas plus que cet autre, digne de ce grand homme : « Ne rien demander, ne rien refuser » (voir W. NIGG, *Grosse Heilige*, Zurich, 1986, p. 359 ; voir également p. 318-363).

32. Voir G. DENZLER, *Die verbotene Lust. 2000 Jahre christliche Sexualmoral*, Munich-Zurich, 1988, p. 316-330 . la femme ministre du culte.

33. C'est sans doute pourquoi, dans notre culture occidentale, toutes les grandes histoires d'amour sont toujours de grandes tragédies, voir E. DREWERMANN, *Der Trommler*, p. 21-22. — Outre les artistes, nombreux sont les philosophes qui ont des difficultés face à la morale de l'Église. Voir par exemple, B. BUSSEL, *Warum ich kein Christ bin. Über Religion, Moral und Humanität*, Hambourg, 1968 (*Pourquoi je ne suis pas chrétien et autres textes*, Paris, Jean-Jacques Pauvert, 1972), p. 77 : « Il faudrait admettre que les relations sexuelles, hormis les cas où intervient l'enfant, sont une affaire d'ordre strictement privé qui ne regarde ni l'État, ni le voisin. Certaines pratiques sexuelles qui ne conduisent pas à la procréation sont punissables par la loi ; c'est pure superstition, parce qu'elles ne concernent que ceux qui sont directement impliqués [...] L'importance particulière qui est accordée à l'adultère est totalement irrationnelle. Bien d'autres comportements répréhensibles sont nettement plus néfastes au bonheur conjugal qu'une infidélité passagère, et en premier lieu, celui du père qui tient absolument à avoir un enfant par année [...] » « Les règles de la morale devraient être conçues de façon à ne pas faire obstacle à un

bonheur naturel. C'est pourtant ce que fait une stricte monogamie dans une société où le rapport numérique des deux sexes est très inégal. »

34. Voir H. BÖRSCH-SUPAN, H. ZERNER, *Caspar David Friedrich. Tout l'œuvre peint*, Paris, Flammarion, 1976 : *L'Abbaye dans un bois* pl. XII-XIII ; sur la problématique religieuse, voir notamment G. EIMER, *Zur Dialektik des Glaubens bei Caspar David Friedrich*, Darmstadt, 1982.

35. Voir NOVALIS, « Lorsque nombres et figures [...] », dans *Œuvres complètes*, trad. et présent. par Armel Guerne, Paris, Gallimard, 1975, t. I, p. 226.

36. Voir NOVALIS, *Œuvres complètes*, t. I, p. 367-368 : « Poète et prêtre ne faisaient qu'un, aux commencement, et ne se sont différenciés que plus tard. Mais le vrai poète est toujours demeuré prêtre, de même que le vrai prêtre est toujours resté poète. Et l'amour ne va-t-il pas nous ramener l'ancien état des choses ? » C'est dans la perspective d'un tel espoir qu'il faut sans aucun doute comprendre l'amour de Novalis pour le catholicisme, et, en définitive, les critiques que le présent ouvrage adresse au catholicisme sont dictées par le même espoir ; voir NOVALIS, « Europe ou la chrétienté », *Œuvres complètes*, t. I, p. 303-324. Voir aussi R. ZERFASS, « Der Seelsorger ein verwundeter Arzt », *Lebendige Seelsorge* n° 34, 1983, p. 77-82. C'est à juste titre que l'auteur relève l'élément en quelque sorte chamanique du sacerdoce. E. DREWERMANN, *TE*, t. II, p. 155-157, 79-95 et 174-177.

37. Caspar David FRIEDRICH, *Le Crucifix dans la montagne*, p. X, dans H. BÖRSCH-SUPAN et H. ZERNER (éd.), *Caspar David Friedrich*, Paris, Flammarion, 1976.

38. Voir E. DREWERMANN, *TE*, t. I, p. 28-71 et 72-100.

39. Voir E. FROMM, *Der Traum ist die Sprache des universalen Menschen, Gesamtausgabe*, t. IX, Stuttgart, 1981, p. 311-315 ; *id.*, *Le Langage oublié. Introduction à la compréhension des rêves des contes et des mythes*, Paris, Payot, « Petite Bibliothèque Payot », 1980, p. 7-13.

40. Voir S. KIERKEGAARD, *Tagebücher* (5 vol. trad. du danois), Düsseldorf-Cologne, 1962-1974, t. IV : « L'erreur fondamentale du christianisme, c'est d'avoir voulu faire reposer toute l'instruction religieuse sur ce postulat ridicule, à savoir que tous les chrétiens le sont parce que enfants ils ont été baptisés » (p. 7). « C'est une méprise bien singulière, due à une idolâtrie du domaine scientifique, d'avoir voulu expliquer scientifiquement même ce qui est d'ordre existentiel. En soi, ce qui relève de l'existentiel est de loin plus concret que ce qui relève du " scientifique " (face à l'existentiel, l'éducation pure scientifique est galimatias). L'existentiel veut essentiellement être vécu ou exprimé dans la poésie : parle afin que je voie » (p. 98).

41. à propos du conflit qui opposait Érasme et Luther sur le libre arbitre, voir F. HEER, *Die aritte Kraft. Der europäische Humanismus zwischen den Fronten des confessionellen Zeitalter*, Franfort, 1959, p. 213-241. Il n'est pas possible de comprendre la doctrine luthérienne de la justification sans la psychodynamique de l'angoisse. C'est ce que Heer a très bien vu, sans toutefois en relever suffisamment les mérites.

42. Voir E. DREWERMANN, « L'existence tragique et le christianisme », *PF*, p. 7-74.

43. H. STENGER, *Wissenschaft und Zeugnis. Die Ausbildung des katholischen Seelsorgeklerus in psychologischer Sicht*, Salzbourg, 1961, p. 77. Stenger a raison de souligner les défauts et les insuffisances des études théologiques (une matière coupée de la vie et rationalisée à l'excès, manquant de vues d'ensemble, astreignant bachotage) ; il a raison aussi de relever la valeur de la forme (*Gestalt*) ou de la structure (p. 215-217). Mais, combien minimes ont été les changements opérés jusqu'ici, combien de fois les tentatives de réorientation ont été rapprochées ! Ce qui montre suffisamment qu'aucune réforme n'est possible sans modifier toute la conception de la formation théologique. La question capitale, c'est de savoir quel genre d'idéal est humainement digne de foi, et tant qu'elle n'aura pas reçu de nouvelle réponse, tous les plans de réforme seront un coup d'épée dans l'eau. À cet égard, c'est très bien et très important de passer au crible les motivations d'une vocation, et de constater que l'action exercée par les institutions peut être très variable, comme le fait K. Schaupp (voir K. SCHAUPP, « Eignung und Neigung Hilfen zur Unterscheidung der Beweggründe, dans : H. STENGER (éd.), *Eignung für die Berufe der Kirche. Klärung, Beratung, Begleitung*, Fribourg-Bâle-Vienne, 1988, p. 195-240). Mais il le fait avec une liberté académique qui pourrait laisser croire que nous pouvons façonner à notre guise l'Église dans laquelle nous vivons. Pour éviter tout conflit avec la réalité, il réduit en quelque sorte le

catholicisme à une simple hypothèse. Or, comment changer la réalité sans l'affronter ? C'est la politique de l'autruche. Il existe bien certaines expériences, comme par exemple des cours basés sur l'analyse transactionnelle, la dynamique de groupe, le dialogue centré sur le client, les groupes Balint, etc., ainsi que le document Stenger (voir H. STENGER, « Kompetenz — und identitätsfördernde Initiativen », dans H. STENGER (éd.), *Eignung für die Berufe der Kirche. Klärung Beratung, Begleitung*, p. 241-285 ; voir aussi K. SCHAUPP, « Geistliche Berufung als Gabe und Aufgabe. Die Bedeutung der Tiefenpsychologie für die Ausbildung von Priestern und Ordensleuten », *Zeitschrift für katholische Theologie*, n° 106, 1984, p. 402-439). Toutefois, il n'est pas possible de limiter la psychologie des profondeurs à l'aspect « pratique » de la formation et de la pastorale. La psychologie des profondeurs exige un changement radical de la conscience et de ses orientations, ce qui implique à la fois que soient renouvelés le fond et la forme des disciplines théologiques, en particulier des disciplines majeures (morale, exégèse et dogme), et que soient réformées les institutions ecclésiales et repensées les constructions idéalisées. Autrement dit, c'est tout l'appareil ecclésial qui devrait être soumis à ce qui pourrait être appelé une psychotérapie collective ; en effet un système aussi unilatéral dans ses options peut difficilement exercer une action autre que névrotique, même quand il se veut « pastoral ».

44. *Ordinariatskorrespondenz* 03-38/89. — Voir aussi M. RAMSEY, *Worte an meine Priester* (trad. de l'anglais), Einsiedelu, 1972, p. 60 ; même un écrit tel que celui-ci, qui compte pourtant parmi les meilleurs sur tout ce qui a été dit aux prêtres par leurs évêques au cours de ce siècle, ne laisse pas de mettre en garde contre la psychologie, comme si elle mettait en question la responsabilité humaine.

45. Voir E. DREWERMANN, *KC*, p. 353-359.

46. M. LUTHER, *De la liberté du chrétien* (1520), Paris, Aubier, 1969, coll. « Foi vivante » 109, p. 64.

47. *Ibid.*, p. 65-66. — Sur la doctrine protestante du sacerdoce commun et les intentions de Luther voir H. KÜNG, *Structures de l'Église*, Paris, Desclée de Brouwer, 1963, p. 97-100, et *L'Église*, Paris, Desclée de Brouwer, 1968, p. 374-397. Sur l'isolement de l'Église dans la société, voir F. X. KAUFMANN, *Kirche begreifen. Analysen und Thesen zur gesellschaftlichen Verfassung des Christentums*, Fribourg-Bâle-Vienne, 1979, p. 58-59 ; en p. 93 s. notamment, l'auteur note le nivellement social d'une « culture proprement catholique » qui subsistait en marge des Lumières et du protestantisme.

48. M. LUTHER, « Les Articles de Smalkalde » (1537), dans A. BIRMELÉ et M. LIEMMARD (éds.), *La Foi des églises luthériennes*, Paris, Éd. du Cerf, 1991, p. 275.

49. *Ibid.*, p. 274.

50. *Ibid.* N'est pas totalement faux ce qu'a écrit Nietzsche à propos de Luther et des grands bienfaits qu'il nous a apportés (voir F. NIETZSCHE, *Aurores. Pensées sur les préjugés moraux* (1881), *Œuvres philosophiques complètes*, Paris, Gallimard, t. IV, 1970, § 88, p. 72-73) : « Le résultat le plus important de l'action de Luther, c'est la méfiance qu'il a suscitée à l'égard des saints et toute la *vita contemplativa* chrétienne : depuis lors la voie a été de nouveau ouverte en Europe à une *vita contemplativa* non chrétienne, et un terme a été fixé au mépris de l'activité mondaine et des laïques. Luther qui restait un bon fils de mineur même après avoir été enfermé dans un couvent où, faute d'autres profondeurs et d'autres " puits de mine ", il rentra en soi-même et fera des galeries terribles et sombres —, Luther s'aperçut enfin qu'il était inapte à une vie sainte et contemplative et que son " activité ", innée allait le détruire corps et âme. Trop longtemps il essaya d'atteindre à force de macérations la voie de la sainteté, — à la fin il prit sa décision et se dit à part soi : " Il n'existe pas de véritable *vita contemplativa* ! Nous nous sommes laissé tromper ! Les saints ne voulaient pas plus que nous tous. " — C'était à vrai dire une façon rustique d'avoir raison, — mais pour des Allemands de ce temps, la seule juste : comme ils furent édifiés de lire désormais dans leur catéchisme luthérien : " En dehors des dix commandements, il n'y a *pas* d'œuvre qui puisse *plaire* à Dieu, — les célèbres œuvres spirituelles des saints sont leurs propres inventions. " » (trad. J. Hervier). En réalité, aujourd'hui comme alors, il s'agit de trouver le chemin (psychologiquement) humain qui conduit à Dieu. Ce chemin ne doit être au-delà ou en marge du monde ; au contraire, il consiste à accepter et à vivre les contradictions et les déchirures de ce monde dans la confiance en Dieu. Ce monde, c'est aussi son propre corps

d'homme ou de femme ; c'est aussi son propre inconscient avec ses peurs et ses passions ; c'est aussi ses propres lacunes et ses propres erreurs. A cet égard, il n'est peut-être pas de paroles plus luthériennes que celles que Luther a prononcées devant la Diète à Worms : « Et même s'il y avait à Worms plus de démons que de tuiles sur les toits, il faudrait que j'y aille. » Quand on sait quelles étaient les intentions de Luther, on reste étonné de voir à quel point les moteurs psychologiques de la Réforme sont toujours aussi incompris. Ainsi, par exemple, K. Rahner, qui voit dans la théologie luthérienne une contradiction entre sa passion de la liberté et son sentiment tragique de l'asservissement, méconnaît tout simplement le rôle et l'expérience de la peur (voir K. RAHNER, « La liberté dans l'Église », et t. V, p. 87-108). Voir également, de K. RAHNER, « Gerecht und Sünder zugleich », *ST*, t. VI, p. 262-276, où l'auteur conclut en citant l'exemple de Thérèse de Lisieux, comme s'il n'était pas évident que c'est toute la question du développement psychique qui est ici en jeu.

51. F. NIETZSCHE, *Aurores. Pensées sur les préjugés moraux*, § 221, p. 174.

52. *Ibid.*, § 526, p. 265 ; sur la « vie symbolique » et l'être d'emprunt.

53. Voir H. STENGER, « Kompetenz und Identität », dans H. STENGER (éd.), *Eignung für die Berufe der Kirche. Klärung, Beratung, Begleitung*, 31-133 ; p. 54-64, parmi les aptitudes requises, l'auteur mentionne notamment la faculté de communiquer au niveau de la personne, d'agir au plan de la réalité, et de faire passer le message au moyen de symboles ; ce qui, dans un langage emprunté à la psychologie des profondeurs, suppose un moi suffisamment en accord avec lui-même pour pouvoir s'adresser à l'autre en un dialogue relativement libre de projections ; un moi suffisamment dégagé des injonctions du surmoi pour pouvoir s'adapter aux circonstances ; un moi suffisamment intégré aux symboles et aux pulsions de son inconscient pour pouvoir entretenir un apport affectif positif avec les symboles de l'inconscient collectif. Or, très officiellement, et fidèle à ses idéaux et à ses constructions, à ses déclarations, à ses directives et à ses règlements, c'est précisément de ce type de personne que l'Église ne veut toujours pas, aujourd'hui encore, et qu'elle s'efforce d'écarter par tous les moyens. A cet égard, il serait temps d'en finir avec les discussions sur l'obligation du célibat. La question essentielle, ce n'est pas de savoir si l'Église doit continuer d'imposer le célibat aux clercs (voir F. KLOSTERMANN, « Priester für morgen — pastoraltheologische Aspekte », *Priestertum Kirchliches Amt zwischen qestern und morgen*, Aschaffenburg, 1971, p. 71-100, et notamment 80-83), mais celle-ci : Est-ce un idéal supérieur de renoncer à l'amour d'un homme ou d'une femme pour l'amour de Dieu, et quelle est l'image de Dieu qui en résulterait, si l'Église renonçait à cet idéal ? — Sur la tentation inconsciente du pouvoir qui peut se cacher derrière la volonté de servir, voir H. STENGER, « Dienen ist nicht nur dienen. Ein Beitrag zur Redlichkeit pastoralen Handelns », *Lebendige Seelsorge* n° 34, 1983, p. 82-87.

54. Voir K. RAHNER, « Théologie de la rénovation du diaconat », *ET*, t. VI, p. 67-119, et notamment p. 115-119. Rahner observe que le diacre peut être rendu à l'état laïque relativement facilement, et recouvrer ainsi le droit de se marier, alors que c'est beaucoup plus difficile pour le prêtre. Faut-il en conclure que le mariage est plus compatible avec le diaconat qu'avec le sacerdoce ? Certainement pas. C'est plutôt que pour le droit canonique, maintenant comme autrefois, le diacre n'est pas tellement important, tandis qu'il témoigne une attention « toute particulière » au prêtre. Ce qu'il faudrait, c'est réconcilier la fonction et la personne, ce qui ne peut se faire qu'en reconnaissant à chacun la possibilité de s'épanouir. Voir A. GÖRRES, « Psychologische Bemerkungen zur Krise eines Berufsstandes », dans F. HEINRICH (éd.), *Weltpriester nach dem Konzil, Münchender Akademie — Schriften*, vol. 46, Munich, 1969, p. 119-141 et 143-175 : « Je crains que [...] beaucoup de ceux qui sont ordonnés disent un oui extrêmement fragile au célibat, qu'ils soient fortement influencés et qu'ils se trompent sur eux-mêmes. » « Que dire de ces prêtres venus au sacerdoce par le malheureux détour de leur névrose ? Souvent, en effet, ce qui les attire, c'est un célibat, et d'autres choses encore, qui n'ont rien à voir avec les sens de cette vocation. Parmi eux, il y a notamment ceux qui sont restés attachés à leur mère, ceux dont le développement a gardé un caractère infantile, des homosexuels latents, ceux qui sont troublés et angoissés par le développement de leur sexualité et de leur érotisme, des schizoïdes, des marginaux légèrement fanatiques, des hypomaniaques, des agités, qui ne peuvent pas se fixer et qui fondent une association après l'autre. Il y a place pour ce qu'il y

a de plus insolite dans la ménagerie du bon Dieu. Parmi les plus ménagés, il y a ceux qui sont influençables, ceux dont le moi est fragile, et qui sont arrivés là sous la pression de leur famille ou de leur entourage. Tous sont passés par les mailles trop lâches d'un crible qui n'en est pas un. A tous, et en particulier à ceux qui, encore trop jeunes, se sont trompés sur eux-mêmes, il faudrait que soit accordée la possibilité de se raviser. » Oui, certes, il le faudrait. Mais, encore une fois, Görres présente la demande que fait un prêtre (ou une religieuse) d'être rendu à l'état laïc sous un aspect négatif qui ne fait que confirmer les troubles préexistants de la personne. En somme, l'Église ne fait que remettre de l'ordre dans la « ménagerie ». Certes, il peut arriver qu'elle soit aveuglée par ses bonnes intentions et sa générosité, mais, en toute bonne logique qui est la sienne, tout est pour le mieux chez elle ; s'il y a un problème, il faut le chercher chez ceux qui ne sont pas d'accord avec elle. Selon cette logique, l'auteur peut se permettre de critiquer le système tout en continuant à y conformer sa vie. La réalité est tout autre. C'est l'Église qui n'est pas en ordre quand elle exige et encourage une mentalité de névrosé chez ses ministres, et qu'elle exclut de la pastorale des personnes très qualifiées parce qu'elles ont enfin réussi, au prix de gros efforts, à surmonter les angoisses qu'elle-même engendre. Beaucoup plus positif et plus humain est le jugement que portait A. Antweiler, il y a quelques années déjà : voir A. ANTWEILER, *Priestermangel, Gründe und Vorschläge*, p. 238-239) : « De même qu'il faut distinguer entre vocation et profession, de même il faut distinguer entre profession et fonction [...] Il est aujourd'hui d'usage — et légalement réglé — que la charge d'âme ne peut s'exercer qu'en vertu d'un ministère officiel prévu pour la vie. C'est précisément ce qui devrait être modifié. Tout d'abord, parce qu'il s'agit d'une profession comme toutes les autres, et que le prêtre devrait pouvoir en changer comme n'importe qui peut le faire. » « Il se peut, en effet, que le prêtre se soit trompé sur ses aptitudes quand il a été ordonné et qu'il a accepté ce ministère ; et qu'après un certain temps il doive constater que ce genre d'occupation ne lui convient pas. Non pas qu'il soit paresseux, égoïste ou ambitieux, mais à cause du style de vie qui lui est demandé. Il se peut qu'il se soit épuisé au travail en donnant le meilleur de lui-même [...] Il se peut aussi qu'il juge inefficaces les formes actuelles de la pastorale et qu'il pense ne plus pouvoir en assumer la responsabilité [...] Il se peut enfin qu'il ne s'entende pas avec ses supérieurs et ses collaborateurs [...], qu'il y ait entre eux des conflits humains insurmontables, par exemple si le supérieur est incompétent ou les collaborateurs malveillants. » Voilà une vision qui n'a rien de dogmatique, qui est réaliste et qui est centrée sur la personne. En outre, elle correspond bien aux critères d'aptitude proposés notamment par H. Stenger (voir note 43). C'est d'ailleurs pourquoi A. Antweiler a rencontré les plus violentes réactions de la part de l'Église officielle. Sans la période de dégel qui régnait alors à la Curie romaine, et si Antweiler n'avait pas été ce vieux professeur émérite qu'aucune menace d'interdit ne pouvait plus émouvoir il y a peu de doute sur ce qui aurait pu arriver à ce fidèle membre de l'Église catholique. — À propos, aux clercs qui ont rompu leur vœux religieux, Dante ne refuse pas une place au Ciel, même si c'est la dernière (voir Dante ALIGHIERI, *La Divine Comédie*, Paris, éd. du Cerf, 1987, Paradis, Chant III, v. 91 s., p. 375).

55. Voir E. DREWERMANN, *AF*, p. 119-172.

56. F. NIETZSCHE, *Ainsi parlait Zarathoustra, Œuvres philosophiques complètes*, Paris, Gallimard, t. VI, 1971, 1re partie « De la nouvelle idole » p. 61-63 (trad. M. de Gandillac).

57. Nicolas DE CUES, *Le Tableau ou la Vision de Dieu* (1453) (trad. Agnès Minazzoli), Paris, éd. du Cerf, coll. « La Nuit surveillée », 1986, p. 45. C'est tout a fait dans la ligne de M. Buber ; voir M. BUBER, *Der Chassidismus und der abendländische Mensch* (1956), *Werke*, t. III, Munich-Heidelberg, 1963, p. 933-947 : « L'homme ne peut approcher le divin en passant par-dessus l'humain ; il ne peut le faire qu'en devenant l'homme, cet homme unique qu'il est destiné à devenir en vertu de sa création. C'est là, me semble-t-il, le noyau éternel de la vie et de l'enseignement hassidiques » (p. 947). Voir également *id.*, *Geschehende Geschichte* (1933), Werke, t. II, Munich-Heidelberg, 1964, p. 1032-1036 : « Le sens de l'histoire, ce n'est pas une idée que je pourrais formuler en dehors de ma vie personnelle ; je ne peux le saisir qu'avec ma vie personnelle, parce que ce sens est dans le dialogue » (p. 1036).

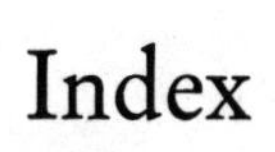

Index

Table

DEUXIÈME PARTIE

Propositions de thérapie : de la remise en cause à une apologie renouvelée des conseils évangéliques

I. En quoi consiste exactement le salut que propose le christianisme ?

II. Considérations intempestives sur la formation des clercs : méditation sur un tournant de l'histoire religieuse

DU MÊME AUTEUR

Aux Éditions du Cerf

La parole qui guérit, 1991 (3e éd. 1992).
L'essentiel est invisible. Une lettre psychanalytique du « Petit Prince », 1992.
La Peur et la Faute (Psychanalyse et morale, I), 1992.
L'Amour et la Réconciliation (Psychanalyse et morale, II), 1992.
Le Mensonge et le Suicide (Psychanalyse et morale, III), 1992.
De l'immortalité des animaux, 1992.

A paraître

Neigeblanche et Roserouge. Lecture psychanalytique d'un conte de Grimm

Sur l'auteur

Le cas Drewermann : les documents, 1993.

Aux éditions du Seuil

De la naissance des dieux à la naissance du Christ, 1992.

Cet ouvrage a été composé
par l'Imprimerie Bussière à Saint-Amand
et imprimé sur presse CAMERON
dans les ateliers de B.C.A.
à Saint-Amand-Montrond (Cher)
pour le compte des Éditions Albin Michel

Achevé d'imprimer : avril 1993.
N° d'édition : 13076. N° d'impression : 93/243.
Dépôt légal : avril 1993.